Anatomie et physiopathologie en soins infirmiers

Chez le même éditeur

Dans la collection « Nouveaux cahiers de l'infirmière » :

Anatomie et physiologie – Pour les soins infirmiers, coordonné par Léon Perlemuter, avec Christophe Bilweis , Erick Camus, André Cohen de Lara, Nathalie Dobigny-Roman, Philippe Godard, Rosine Guimbaud, Bernard Hoerni, Maurice Laville, Jean-Luc Monin, Gabriel Perlemuter, Fabrice Ribeaudeau, Florence Ribeaudeau-Saindelle et Stéphane Temam, 4e édition, 2006, 288 pages.

Hors collection :
L'anatomie et la physiologie pour les infirmier(e)s, par Sophie Dupont, 3e édition, 2018, 420 pages.

Autre ouvrage :
Guide pratique infirmier, coordonné par Léon Perlemuter et Gabriel Perlemuter, 5e édition, 2017, 1864 pages.

Anatomie et physiopathologie en soins infirmiers

Compilation sous la direction de
Karin Beifuss

Avec la collaboration de
Julia Beifuss

Basé sur les textes publiés par
Hubert Hasel, Maren Koop, Nicole Menche, Katharina Munk, Herbert Renz-Polster, Bernd Guzek, Hamburg

Schémas de
Gerda Raichle, Ulm

Traduction française
Florence Le Sueur Almosni

Relecture scientifique
Sophie Dupont

Elsevier Masson

ELSEVIER

Elsevier Masson SAS, 65, rue Camille-Desmoulins, 92442 Issy-les-Moulineaux cedex, France

Kompaktwissen. Anatomie – Physiologie – Erkrankungen

1. Auflage 2014

Der Urban & Fischer Verlag ist ein Imprint der Elsevier GmbH

ISBN : 978-3-437-26783-3

This translation of *Kompaktwissen. Anatomie – Physiologie – Erkrankungen*, 1st Edition, by Karin Beifuss, Julia Beifuss, Hubert Hasel, Maren Koop, Nicole Menche, Katharina Munk, Herbert Renz-Polster, Bernd Guzek, was undertaken by Elsevier Masson SAS and is published by arrangement with Elsevier GmBH.

Cette traduction de *Kompaktwissen. Anatomie – Physiologie – Erkrankungen*. 1re édition, de Karin Beifuss, Julia Beifuss, Hubert Hasel, Maren Koop, Nicole Menche, Katharina Munk, Herbert Renz-Polster, Bernd Guzek, a été réalisée par Elsevier Masson SAS et est publiée avec l'accord d'Elsevier GmBH.

Anatomie et physiopathologie en soins infirmiers, 1re édition, Karin Beifuss, Julia Beifuss, Hubert Hasel, Maren Koop, Nicole Menche, Katharina Munk, Herbert Renz-Polster, Bernd Guzek

ISBN : 978-2-294-75220-9
e-ISBN : 978-2-294-75294-0

Sommaire

Instructions pour l'utilisateur

REMARQUE

Tout ce qui est important à remarquer d'un seul coup d'œil !

NOTION MÉDICALE

Tout ce qui est important d'un point de vue médical ou pour la pratique est mis en évidence dans cet encadré : bref et concis !

URGENCE

Comme cela est indiqué : prendre garde !

SOINS INFIRMIERS

Information sur les soins pour effectuer les soins !

Unités

%	Pour cent
°	Degrés
°C	Degrés Celsius
bpm	Battements par minute
cm (H_2O)	Centimètre d'eau
d	Dioptrie
db	Décibels
dl	Décilitre
g	Gramme
h	Heure
Hz	Hertz
J	Jour
kcal	Kilocalorie
kg	Kilogramme
kJ	Kilojoule
kPa	Kilopascal
l	Litre
m^2	Mètre carré
mg	Milligramme
Mhz	Mégahertz
min	Minute
ml	Millilitre
mm (Hg)	Millimètre de mercure
mmol	Millimole
mol	Mole
ms	Milliseconde
mV	Millivolt
nl	Nanolitre
nm	Nanomètre
osmol	Osmole
Pa	Pascal
Phone	Mesure du niveau de pression acoustique
sec	Seconde
UI	Unité internationale
W	Watt
μm	Micromètre

Abréviations

<	Plus petit que
>	Plus grand que
↑	Augmentation, élévation
→	Implique, conduit à
↓	Diminution, baisse de
♂	Homme (masculin)
♀	Femme (féminin)
®	Nom déposée
A.	Artère
AA	Acides aminés
Ac	Anticorps
ACh	Acétylcholine
ACTH	Hormone corticotrope
AD/AG	Atrium droit/gauche
ADH	Hormone antidiurétique
ADN	Acide désoxyribonucléique
ADNmt	ADN mitochondrial
ADP	Adénosine diphosphate
AG	Acides gras
Ag	Antigène
AINS	Anti-inflammatoires non stéroïdiens
AJG	Appareil juxtaglomérulaire
AMP	Adénosine monophosphate
ANP	Peptide natriurétique
AR	Arthrite rhumatoïde
ARA	Antagonistes des récepteurs de l'angiotensine
ARN	Acide ribonucléique
ARNm	ARN messager
ARNr	ARN ribosomique
ARNt	ARN de transfert
ATC	Angioplastie transluminale coronaire percutanée
ATP	Adénosine triphosphate
AV	Atrioventriculaire
AVC	Accident vasculaire cérébral
AVK	Anti-vitamines K
BAV	Bloc atrioventriculaire
BPCO	Bronchopneumopathie chronique obstructive
bpm	Battement par minute
CC	Coagulopathie de consommation
CCK	Cholécystokinine
CCMH	Concentration corpusculaire moyenne en hémoglobine
CIVD	Coagulation intravasculaire disséminée
CK	Créatine kinase
CMH	Complexe majeur d'histocompatibilité
CO_2	Dioxyde de carbone
CoA	Coenzyme A
COX	Cyclo-oxygénase
Cp	Comprimé
CPA	Cellules présentatrices d'antigène
CRH	Corticolibérine
CRP	Protéine C réactive
CSF	Facteur stimulant les colonies
CT	Tomographie crânienne
CV	Capacité vitale
CVC	Cathéter veineux central
CVF	Capacité vitale forcée
DD	Diagnostic différentiel
DFG	Débit de filtration glomérulaire
DHEA	Déhydroépiandrostérone
DIU	Dispositif intra-utérin
E. coli	*Escherichia coli*
ECA	Enzyme de conversion de l'angiotensine
ECG	Électrocardiogramme
EDTA	Acide éthylène diamine tétra acétique
EEG	Électroencéphalographie
EIC	Espace intercostal
EMG	Électromyographie
EN	Électronégativité
ENG	Électroneurographie
ES	Extrasystole
ESSV	Extrasystole supraventriculaire
ESV	Extrasystole ventriculaire
EPO	Érythropoïétine
Etc	Et cetera
FA	Fibrillation atriale
FAD	Flavine adénine dinucléotide
$FADH_2$	Forme réduite de la flavine adénine dinucléotide
FC	Fréquence cardiaque
FIV	Fécondation *in vitro*
FSH	Hormone folliculostimulante
FV	Fibrillation ventriculaire

GABA Acide gamma aminobutyrique
GB Globules blancs
G-CSF Facteur stimulant les colonies de granulocytes
GH Growth hormone (Hormone de croissance)
GHRH Somatolibérine
GnRH Gonadolibérine
GR Globules rouges
GSC Glasgow coma scale (échelle de Glasgow)
GTP Guanosine triphosphate
HAART Highly active antiretroviral therapy
Hb Hémoglobine
HbA1c Hémoglobine glyquée
HBPM Héparine de bas poids moléculaire
HCG Gonadotrophine chorionique humaine
HCl Acide chlorhydrique
HDL High density lipoprotein (lipoprotéine de haute densité)
HLA Antigène des leucocytes humaine
HSA Hémorragie sous-arachnoïdienne
Ht Hématocrite
ICSI Injection intracytoplasmique de spermatozoïdes
IEC Inhibiteurs de l'enzyme de conversion de l'angiotensine
Ig Immunoglobuline
IM Intramusculaire
IMC Indice de masse corporelle
INR International normalised ratio
IPD Articulation interphalangienne distale
IPP Inhibiteurs de la pompe à protons
IPP Articulation interphalangienne proximale
IRA Insuffisance rénale aiguë
IRM Imagerie par résonance magnétique
IST Infection sexuellement transmissible
IV intraveineuse
IVG Interruption volontaire de grossesse
LCC Longueur crânio-caudale
LCS Liquide cérébro-spinal
LDH Lactate déshydrogénase
LDL Low density lipoprotein (lipoprotéine de basse densité)
LEC Lithotripsie extracorporelle
LH Hormone lutéinisante
ln Lymphonœud
LNH Lymphome non hodgkinien
M. Muscle
MAP Maladie artérielle périphérique
max. Maximum, maximal
MB Membrane basale
MICI Maladies inflammatoires chroniques intestinales
min. Minute
MO Moelle osseuse
MS Moelle spinale
MSH Mélanotropine
MST Maladies sexuellement transmissibles
N. Nerf
NACO Nouveaux anticoagulants oraux
NAD Nicotinamide adénine dinucléotide
NADH Forme réduite de la nicotinamide adénine dinucléotide
NANC Neurones non adrénergiques non cholinergiques
NC Nerf crânien
NK Natural killer (lymphocyte)
NO Monoxyde d'azote
NSTEMI Non ST elevation myocardial infarction (Infarctus du myocarde sans sus-décalage du segment ST)
O_2 Oxygène
OEA Oto-émission acoustique
OMA Otite moyenne aiguë
OMS Organisation mondiale de la santé
PA Potentiel d'action/pression artérielle
PAD Pression artérielle diastolique
Par ex. Par exemple

PAS	Pression artérielle systolique
PCA	Protéine C activée
PEA	Potentiel évoqué auditif
PEV	Potentiel évoqué visuel
PF	Platelet factor (Facteur plaquettaire)
PIF	Prolactostatine
PGE/PGI	Prostaglandine E/I
PO	Per os
pO_2	Pression partielle en oxygène
PPSE	Potentiel postsynaptique excitateur
PPSI	Potentiel postsynaptique inhibiteur
PSA	Antigène spécifique de prostate
PTH	Parathormone
PVC	Pression veineuse centrale
RE	Réticulum endoplasmique
REM	Rapid eye movement (phase du sommeil)
RER/REL	Réticulum endoplasmique rugueux/lisse
RGO	Reflux gastro-œsophagien
Rh	Rhésus
SA	Semaine d'aménorrhée
SC	Sous-cutané
sem.	Semaine
SG	Semaine de grossesse
SIDA	Syndrome d'immunodéficience acquise
SNA	Système nerveux autonome
SNC	Système nerveux central
SNE	Système nerveux entérique
SNP	Système nerveux périphérique
SNV	Système neurovégétatif
SOI	Sphincter œsophagien inférieur
SOS	Sphincter œsophagien supérieur
SP	Sclérose en plaque
SRAA	Système rénine angiotensine aldostérone
SRIF	Somatostatine
Staph.	Staphylocoques
STEMI	ST elevation myocardial infarction (Infarctus du myocarde avec sus-décalage du segment ST)
Strept.	Streptocoques
T_3	Triiodothyronine
T_4	Tétraiodothyronine
TC	Tissu conjonctif
TCMH	Teneur corpusculaire moyenne en hémoglobine
TD	Tube digestif
TFG	Taux de filtration glomérulaire
TR	Troubles du rythme
TRH	Thyréolibérine
TSH	Thyréostimuline
TTP	Temps de thromboplastine partiel
TVP	Thrombose veineuse profonde
UV	Ultraviolets
V.	Veine
VD/VG	Ventricule droit/gauche
VEMS	Volume expiratoire maximal par seconde
VGM	Volume globulaire moyen
VHA/ VHB/VHC	Virus hépatite A/B/C
VIH	Virus de l'immunodéficience humaine
VIP	Peptide vasoactif intestinal
Vit.	Vitamine
VLDL	Very low density lipoprotein (lipoprotéines de très basse densité)
VRE	Volume de réserve expiratoire
VRI	Volume de réserve inspiratoire
VS	Vitesse de sédimentation
VZV	Varicella zoster virus (virus varicelle zona)
WF	Willebrand factor (Facteur de Willebrand)

Préface

Cet ouvrage didactique est un livre de synthèse de l'anatomie et de la physiologie humaines. Il offre un aperçu complet de la constitution et du fonctionnement du corps humain, résolument tourné vers la pratique et les applications cliniques.

Clair et concis, il permettra à l'étudiant d'acquérir des connaissances solides en anatomie et physiologie en ne perdant pas de vue la finalité clinique. Écrit dans le respect de la nouvelle nomenclature anatomique internationale, il concilie des textes courts et pertinents à une iconographie simple et illustrant parfaitement le propos anatomique et physiologique.

Les 20 chapitres traités ont pour originalité de poser dans un premier temps les grandes fonctions et concepts fondamentaux du corps humain (santé et maladie, chimie et biochimie, cytologie et génétique, tissus de l'organisme, etc.) puis de proposer une vision globale par grands appareils conciliant anatomie morphologique et fonctionnelle, physiologie et applications cliniques (appareil locomoteur, circulatoire, respiratoire, digestif, génital, organes des sens, système nerveux, etc.). L'intégralité des chapitres est illustrée par des tableaux, figures et schémas simples, pédagogiques, qui complètent parfaitement bien le propos.

N'oublions pas que c'est la recherche de perfection en peinture qui a amené Léonard de Vinci à l'anatomie et que c'est notre recherche de perfection dans la compréhension des sciences médicales et paramédicales qui doit constamment nous y ramener. Puisse cet ouvrage être le bon guide dans cette quête !

Sophie Dupont
Professeure des universités (anatomie à la faculté de médecine Paris-VI, université Pierre-et-Marie-Curie) et praticien hospitalier, (service de neurologie, hôpital Pitié-Salpêtrière, Paris)

1 Santé et maladie : concepts fondamentaux

1.1 De la bonne santé à la maladie

La bonne santé et la maladie s'entremêlent ; ce sont les deux extrémités d'un **continuum** dans lequel les individus vont et viennent.

REMARQUE

Santé

L'**OMS** (Organisation mondiale de la santé) définit la **santé** non seulement comme l'absence de maladie, mais aussi comme un état de **bien-être complet, physique, mental et social.**

1.1.1 Homéostasie

Selon Hoff (1896–1988), la santé est un état d'**équilibre** entre, d'une part, la construction et le fonctionnement de l'organisme et, d'autre part, le vécu émotionnel → la condition pour être performant et avoir la joie de vivre. Cette **homéostasie** est garantie par :

- **un équilibre sur le plan tissulaire :** si, au niveau des structures tissulaires, le développement est prédominant, les structures augmentent → **hypertrophie ou hyperplasie** (▶ 1.3.2) voire, dans les cas extrême, apparition d'une tumeur (▶ 1.7). Si la dégradation prédomine, il se produit une perte de structure → **atrophie**, diminution des performances (▶1.3.1).
- **un équilibre du milieu interne :** la **constance de certaines valeurs mesurables** (comme la température corporelle, la glycémie, le pH sanguin) reflète l'homéostasie des fonctions de l'organisme. Ces paramètres renseignent sur le **milieu interne** (▶ 3.8) et leurs normes se situent dans un intervalle étroit de référence reconnu. Lorsqu'ils se trouvent dans la norme, l'organisme dans son ensemble est capable de vivre et d'agir.
- **un équilibre psychosocial.**

1.1.2 La santé en tant que faculté d'adaptation

L'équilibre entre les processus anaboliques et cataboliques (constance du milieu intérieur) est constamment menacé par différents facteurs → nécessité de maintenir l'homéostasie par des **mécanismes d'adaptation**.

La **maladie** est également décrite comme **un trouble de l'homéostasie**, qui s'accompagne d'une diminution des performances physiques et/ou mentales et d'une baisse de la résistance, c'est-à-dire d'une **diminution de la faculté d'adaptation.** Dans l'idéal, la santé complète correspondrait par conséquent à un état d'adaptation totale.

Anatomie et physiopathologie en soins infirmiers

1

1.1.3 Prédisposition aux maladies

Lorsque les facultés d'adaptation de notre organisme sont diminuées pendant une longue période, nous sommes enclins aux maladies (**prédisposition aux maladies**).

Il existe des prédispositions **héréditaires** aux maladies (▶ 1.2.2) qui s'opposent aux prédispositions **acquises** : par exemple une personne qui fume beaucoup devient prédisposée à l'apparition d'un cancer du poumon.

NOTION MÉDICALE

Facteur de risque

Facteur décisif défavorable qui augmente clairement la probabilité d'apparition d'une maladie spécifique.

1.1.4 Concept de la salutogenèse

Les recherches sur les capacités d'adaptation de l'homme en cas de situation de stress ont été à la base du **modèle de santé bio-psycho-social** développé par **Aaron Antonovsky** (1923–1994) : ce modèle s'intéresse moins aux facteurs de risques et à la pathogenèse des maladies (développement des maladies) qu'aux facteurs qui maintiennent la santé ou permettent de la restaurer → **salutogenèse** (du latin *salus*, la santé).

- Le **sens de la cohérence** est l'élément central de ce modèle. Il décrit les paramètres de base psychiques et spirituels d'un être humain à l'égard du monde et de la vie.
- Les personnes en bonne santé disposent de **ressources générales de résistance** (défense immunitaire, intelligence, autres facteurs organiques ainsi que des stratégies de résolution de problème apprises pendant l'enfance) qui leur permettent de réagir adéquatement à diverses pressions (**facteurs de stress**). Ces facteurs de stress représentent une exigence, un état de tension.

REMARQUE

Le **stress,** pris dans le sens de pression, apparaît lorsqu'on ne parvient pas à maîtriser la tension et, dans ce cas, il n'a pas obligatoirement d'influence sur la santé (▶ 10.6.2).

1.1.5 Notions de base sur la pathologie

- **Étiologie :** enseignement des causes externes et internes d'une maladie (▶ 1.2).
- **Pathogénie (ou pathogenèse) :** développement d'une maladie, c'est-à-dire processus qui se déroulent dans l'organisme depuis la cause de la maladie jusqu'aux manifestations de celle-ci dans l'organisme.
- **Anamnèse :** antécédents médicaux, importants pour rechercher le type de maladie ainsi que ses causes. Si le patient peut lui-même donner les informations correspondantes, on parle d'**anamnèse personnelle** ; si ce n'est pas le cas et qu'il est nécessaire de faire appel aux proches ou aux personnes qui l'accompagnent, on parle d'**anamnèse par un tiers.**

- **Symptômes :** signes présents d'une maladie. Associés à l'anamnèse, ils donnent des indications sur ladite maladie.
- **Diagnostic :** reconnaissance et désignation d'une maladie particulière. Le **diagnostic différentiel** (DD) est la différenciation entre des maladies ayant des symptômes semblables.
- En règle générale, il faut établir un diagnostic le plus précis possible avant de commencer le **traitement** (thérapie). Il existe de très nombreuses mesures thérapeutiques, comme :
  - les **traitements conservateurs :** administration de médicaments, irradiations, régimes, psychothérapie, physiothérapie ;
  - les **traitements chirurgicaux :** opérations.
- **Pronostic :** prévision de l'évolution probable de la maladie avant l'application du traitement. Les données pronostiques concernent les chances de survie du patient, ses chances de guérison et la récupération de certaines capacités.
- **Complications :** maladie secondaire qui est en étroite relation avec la première maladie, que ce soit d'un point de vue temporel ou causal. Par exemple, toute pathologie qui oblige à rester alité risque d'entraîner une inflammation pulmonaire (ou « pneumonie des personnes alitées » ▸15.11.1) et des thromboses (▸11.5.7), en particulier chez les personnes âgées ; il n'est pas rare que les patients qui ne bougent pas présentent des plaies → escarres de décubitus cicatrisant difficilement (▸ 7.2.2).

SOINS INFIRMIERS

Prophylaxie

Mesures de prévention (secondaires) des maladies.
L'évaluation du risque et la mise en place d'une prophylaxie occupent une place centrale dans les soins quotidiens ; les mesures suivantes sont particulièrement importantes :

- **prophylaxie des thromboses** (prévention de la formation de caillots sanguins) et, indirectement, prévention de l'embolie pulmonaire représentant une menace vitale (▸ 15.11.5) ;
- **prophylaxie des pneumonies** (prévention de l'inflammation des poumons) et de la **pneumonie par aspiration** (diminution du risque d'inhalation du contenu gastrique et d'autres corps étrangers) ;
- **prophylaxie en cas de décubitus** et de **contractures** (prévention des escarres de décubitus ▸7.3.3 et des raideurs articulaires ▸ 5.2.4) ;
- **prophylaxie de la constipation** (prévention de la rétention de selles ▸ 16.8.7).

Rôle important de la **mobilisation** des patients → sert à prévenir en même temps l'apparition des thromboses, de la pneumonie, des escarres de décubitus, des contractures et de la constipation.

1.2 Causes des maladies (étiologie)

Les menaces qui pèsent sur la santé viennent toujours de deux milieux :

- de **l'extérieur,** du fait d'influences physiques (chaleur, froid), chimiques (intoxications), microbiologiques (bactéries, champignons, virus) et sociales (famine, guerre) ;

- de **l'intérieur** du fait de prédispositions héréditaires aux maladies et de maladies héréditaires ainsi que du vieillissement naturel s'accompagnant, en particulier, d'une diminution des performances de l'organisme.

1.2.1 Maladies provoquées par une cause extérieure

Ces causes dépendent des conditions de vie et de « l'environnement ».

REMARQUE

Santé psychique

Faculté d'adaptation aux « blessures psychiques » (par exemple séparation de la famille) et capacité de **gestion des conflits** lors d'exigences contradictoires (par exemple provenant de la famille et du travail).

Facteurs psychiques

En cas d'échec et de persistance de conflits psychiques à long terme, les personnes tombent malades. Des troubles aussi bien psychiques que physiques (somatiques) peuvent apparaître.

Facteurs sociaux

Les facteurs sociaux à l'origine de maladie sont en particulier :

- la répartition inégale du travail : le chômage tout comme la surcharge de travail favorisent les maladies ;
- l'importance décroissante de la famille avec une tendance à l'isolement de l'individu : même si cela reflète une attirance personnelle à « profiter de la vie », cela suscite également un risque d'isolement et de surmenage ;
- l'augmentation de la migration des populations avec un manque d'intégration de certains groupes.

Micro-organismes

Encore aujourd'hui, les **maladies infectieuses** jouent un rôle important (▸ 12.5) :

- de nombreux germes sont devenus résistants aux antibiotiques traditionnels (antibiorésistance) ; ce développement a été encouragé par la prescription « très importante » d'antibiotiques (▸ 12.6.4) ;
- dans beaucoup de régions sur Terre, les patients n'ont pas accès aux anti-infectieux efficaces → ils meurent de maladies qui répondent en réalité très bien aux traitements ;
- l'infection par le VIH (sida ▸ 12.7.4) montre comment de nouveaux germes responsables de maladies peuvent se disséminer rapidement sur Terre. Le risque de nouvelles grandes épidémies provient principalement des virus (▸ 12.7) ;
- l'humanité n'est qu'au début de son combat contre les maladies qui sont provoquées par les plus petites particules infectieuses (prions).

Médicaments

Les médicaments aussi peuvent provoquer des maladies car la plupart des substances médicamenteuses occasionnent, à côté de leurs effets thérapeutiques, des **effets indésirables** chez certains patients (par exemple ulcères d'estomac lors de traitement par les AINS, atteintes musculaires lors d'administration de médicaments destinés à diminuer la lipémie).

1.2.2 Maladies provoquées par une cause interne et maladies multifactorielles

Les **causes internes responsables de maladies** peuvent se répartir en deux catégories :

- **les anomalies du matériel génétique** → troubles du développement ou prédispositions héréditaires (▶ 1.1.3) à certaines maladies;
- les **modifications liées à l'âge** touchant l'ensemble de l'organisme ou certains systèmes organiques particuliers.

REMARQUE

Ces deux catégories s'entremêlent bien souvent : certains tissus (comme les parois vasculaires) peuvent présenter une prédisposition génétique au vieillissement prématuré → augmentation de la fréquence d'apparition de certains troubles chez les familles atteintes (par exemple des affections cardiovasculaires).

Maladies d'origine génétique

Les maladies d'origine génétique se divisent en plusieurs types :

- les **maladies par aberrations chromosomiques** : fréquence environ 0,6 %; reposent sur une mauvaise répartition de segments de chromosomes ou de chromosomes entiers au moment de la division des cellules germinales (méiose ▶ 3.12.2). Le plus souvent : **trisomie 21** (syndrome de Down,

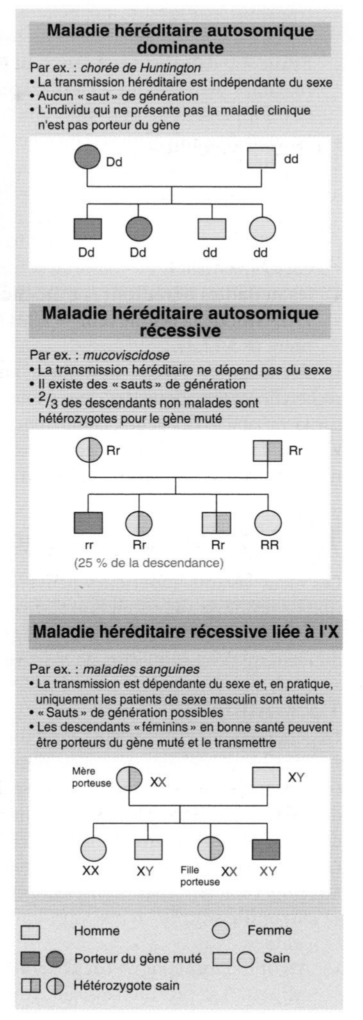

Fig. 1.1 Modes importants de la transmission héréditaire monogénique selon Mendel : lors de transmission héréditaire dominante , *un* seul gène « muté » conduit à la maladie clinique; les signes cliniques d'une maladie héréditaire récessive ne sont visibles que lorsque les *deux* allèles portent la mauvaise information. La présence d'un gène de la maladie sur le chromosome X conduit toujours à l'expression de la maladie chez les ♂ (qui ne possèdent qu'un seul chromosome X).

présence de trois chromosomes 21). **Symptômes :** déficience mentale plus ou moins prononcée, aspect caractéristique du visage. Les malformations (cardiaques par exemple) et l'augmentation de la sensibilité aux infections diminuent l'espérance de vie des individus atteints;
- les **maladies monogéniques :** attribuables à **une seule mutation** (modification d'un seul gène), elles s'observent chez 1 % des enfants nés vivants. L'apparition d'une **nouvelle mutation** chez un individu peut être transmise par la suite aux générations ultérieures; la transmission héréditaire suit bien souvent les **lois de Mendel** (▸ 3.13.2, ▸ fig. 1.1). Beaucoup de mutations d'un seul gène s'accompagnent par la suite de maladies métaboliques. La **thérapie génique** apporte l'espoir du développement de nouvelles modalités thérapeutiques;
- les **maladies polygéniques ou à hérédité complexe** et les **maladies multifactorielles :** de *nombreux* gènes sont responsables de l'apparition de la maladie. Les maladies multifactorielles se produisent suite à l'action conjointe de *plusieurs* facteurs génétiques *et* non génétiques → la transmission héréditaire ne suit pas les lois de Mendel → le risque doit être évalué empiriquement (c'est-à-dire en se fondant sur l'expérience ou la pratique);
- les **maladies héréditaires mitochondriales** sont liées à la mutation de l'ADNmt de la cellule œuf → elles sont uniquement transmises par la mère (▸ 3.13.4).

Le **décodage de l'ADN humain** a représenté une étape importante pour la recherche systématique des causes internes responsables de maladies. Les études sur la variabilité des gènes, la différenciation de l'activité des gènes et l'expression variable des gènes liée à l'épissage alternatif (▸ 3.11.2) pourront probablement donner de nouveaux points de départ pour la prophylaxie et le traitement des maladies.

1.3 Réactions d'adaptation des tissus

Les êtres vivants supérieurs peuvent s'adapter aux changements de conditions d'innombrables fonctions corporelles ainsi qu'aux changements de leur réserve tissulaire ou cellulaire → augmentation ou diminution de la taille ou du nombre de composants de leurs tissus (▸ fig. 1.2).

1.3.1 Atrophie

Dégénérescence d'un organe ou d'un ensemble de tissus s'étant au préalable normalement développé → la diminution des performances qui s'ensuit représente principalement une **adaptation** (réaction d'adaptation) à un état de « manque ». Exemple : atrophie musculaire lors de la diminution des sollicitations suite à une immobilisation dans un plâtre. De même, la réduction de l'innervation, de l'irrigation et/ou des apports nutritifs peut conduire à une atrophie tissulaire (par exemple atrophie rénale par artériosclérose).

- **Atrophie simple :** repose « uniquement » sur la diminution de taille des cellules.
- **Atrophie numérique (dégénérative) :** diminution du nombre de cellules. Il se produit souvent d'abord une atrophie simple suivie d'une atrophie numérique.

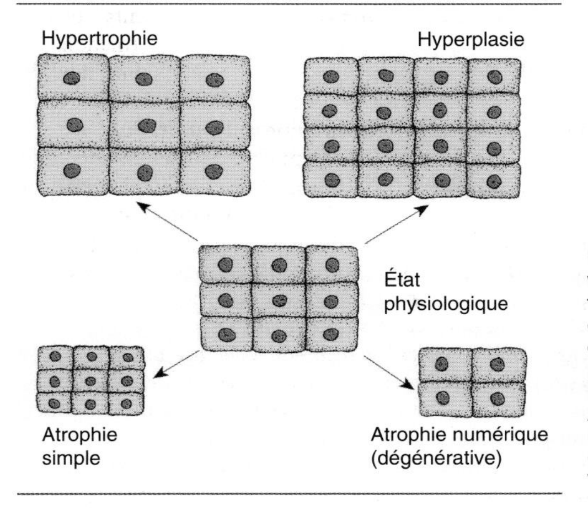

Fig. 1.2 Nos réserves de cellules ou de tissus s'adaptent à différentes conditions. (D'après E. Grundmann : Einführung in die Allgemeine Pathologie, 9. A., Gustav Fischer Verlag, 1996)

REMARQUE

Toutes les atrophies ne sont pas pathologiques : une atrophie physiologique (« normale ») s'observe par exemple chez les personnes âgées qui présentent une diminution de taille de nombreux organes et tissus.

1.3.2 Hypertrophie et hyperplasie

Au contraire, lors d'hypertrophie et d'hyperplasie, il se produit une augmentation globale de la taille d'un tissu → augmentation des performances. Les principales causes sont l'augmentation de la charge de travail et l'augmentation de la stimulation hormonale.

- **Hypertrophie :** augmentation de la masse d'un organe ou d'un ensemble de tissus liée à l'augmentation de volume des cellules. L'hypertrophie pure se développe dans les tissus dont les cellules ne sont plus capables de se diviser ou seulement de façon limitée (principalement les muscles).
- **Hyperplasie :** augmentation de la masse par multiplication des cellules lorsque des tissus capables de se diviser sont plus sollicités. Exemple : réaction de la moelle osseuse hématopoïétique en présence d'une forte perte sanguine ou de saignements répétés → assure le réapprovisionnement en cellules sanguines.

NOTION MÉDICALE

Risque d'insuffisance organique

La **vascularisation** du tissu ayant augmenté de volume représente le principal facteur limitant lors d'hypertrophie et d'hyperplasie. Si la néoformation des capillaires ne parvient pas à répondre à l'augmentation des besoins, l'irrigation est déficiente **(ischémie)**. Cela se produit par exemple au niveau du cœur lors d'une hypertension artérielle chronique non contrôlée et conduit à une insuffisance cardiaque (▸ 13.6.3).

1.4 Lésions cellulaires et tissulaires

Différents mécanismes protecteurs prennent part à la capacité d'adaptation au sens large et s'opposent aux influences néfastes agissant sur l'organisme (**substances nocives**). L'efficacité de cette protection dépend de l'équilibre entre, d'un côté, l'intensité et la durée de la pression et, de l'autre, l'efficacité des contre-mesures propres à l'organisme.

REMARQUE

De nombreuses substances nocives chimiques et physiques agissent sur l'organisme en induisant la formation de **radicaux libres** (molécules instables, hautement réactives, qui se forment dans le corps principalement sous la forme de composés d'oxygène → ce que l'on appelle le **stress oxydant**). Ces radicaux ont tendance à se fixer chimiquement sur les structures propres de l'organisme, déclenchant ainsi des réactions en chaîne, et peuvent léser les membranes cellulaires, les organites cellulaires et l'ADN. Le corps a développé des mécanismes complexes impliquant de nombreuses enzymes et des vitamines (par exemple les vitamines C et E) pour intercepter ces radicaux libres.

Lorsque la capacité d'adaptation de l'organisme est dépassée, il se produit des dommages qui se manifestent principalement par des **modifications morphologiques** des cellules et des tissus (visibles à l'œil nu ou au microscope) → apparition de mécanismes lésionnels dans divers organes, qui se présentent fondamentalement de façon similaire.

1.4.1 Accumulation pathologique de différentes substances

- Différents troubles du métabolisme cellulaire s'accompagnent d'une **accumulation** de très nombreuses substances **au sein des cellules**, par exemple de graisse, de protéines, de glycogène (forme de stockage du glucose), de métaux (par exemple du fer, du cuivre) ou de bilirubine, un pigment biliaire. Ces dépôts intracellulaires peuvent être plus ou moins tolérés selon la quantité; une accumulation massive peut conduire à la mort de la cellule.

NOTION MÉDICALE

Dégénérescence graisseuse

Elle concerne souvent le foie, et fait très souvent suite à une hypoxie (→ perturbation de la dégradation des graisses dans les mitochondries), une consommation trop importante d'alcool, une alimentation trop grasse ou un trouble du métabolisme des graisses. Dans un premier temps, si sa cause est éliminée, la dégénérescence graisseuse est réversible; mais si elle évolue, elle peut mener à une transformation irréversible du foie (cirrhose graisseuse ▸ 16.10.6).

- Sous certaines conditions, des substances qui normalement s'observent sous forme dissoute chimiquement dans l'organisme peuvent précipiter sous forme de sels (en intra- ou en extracellulaire).

NOTION MÉDICALE

Dépôts d'acide urique (17.7) et calcification

Mis à part dans les os, les sels calciques précipitent sous forme de concrétions (calculs vésicaux ou rénaux) ainsi que dans des régions nécrosées ou de vitalité réduite (par exemple nécrose tuberculeuse, nécroses tumorales, calcification artérielle classique de l'artériosclérose, ▸ 14.1.4).

1.4.2 Nécrose

La **nécrose** (mort de la cellule) se développe lorsque les influences néfastes finissent par dépasser les capacités d'adaptation des cellules.

NOTION MÉDICALE

Causes de nécrose

- Manque d'oxygène (**hypoxie**), le plus souvent à la suite d'un trouble de la vascularisation ; par exemple infarctus du myocarde.
- Lésion physique, par exemple radioactivité, rayons UV, brûlures, gelures, blessures mécaniques.
- Toxique, par exemple nécrose hépatique par intoxication à l'Amanite phalloïde.
- Infections et défenses vis-à-vis des infections, par exemple abcès (▸ 1.5.4).
- Autres réactions immunologiques, par exemple rejets de greffe (▸ 2.3.5).

- **Nécrose ischémique ou de coagulation :** les tissus morts deviennent secs et jaunâtres (typique au niveau du cœur et du foie).
- **Nécrose colliquative ou de liquéfaction :** les tissus se liquéfient sous l'action d'enzymes (typique du pancréas et du cerveau).

1.4.3 Œdèmes

Au sens strict, accumulation de liquide dans le tissus conjonctif (TC) interstitiel. L'accumulation d'eau dans les alvéoles pulmonaires est également appelée œdème (**œdème pulmonaire**). Tous les œdèmes se développent suite à l'augmentation de la sortie des liquides provenant des vaisseaux sanguins et/ou la diminution du flux de rentrée de ces liquides dans les vaisseaux (se reporter à ▸ 14.1.5).

1.4.4 Épanchement

Accumulation liquidienne dans une cavité corporelle préexistante, par exemple dans la cavité pleurale ou l'espace articulaire. Se forment principalement lors :

- de **stagnation sanguine :** épanchement pleural (▸ 15.7) lors d'insuffisance cardiaque, formation d'ascite (▸ 16.10.6) lors d'augmentation de pression dans le système porte. Dans ce cas, le liquide d'épanchement est pauvre en protéine → c'est un transsudat ;
- d'**inflammation :** le liquide d'épanchement contient beaucoup de protéines sériques et de cellules inflammatoires du fait de l'augmentation de la perméabilité vasculaire → c'est un exsudat ;
- de **croissance tumorale** au niveau de la paroi d'une cavité corporelle : le liquide d'épanchement contient principalement des cellules tumorales et souvent également des érythrocytes (→ **épanchement hémorragique**).

1

1.4.5 Fibrose

Augmentation du tissu conjonctif riche en collagène dans un organe. Elle est principalement **provoquée** par :

- une inflammation de longue durée, par exemple une maladie rhumatismale (▶ 5.2.2) ;
- un œdème non inflammatoire, par exemple un œdème de la jambe par stase veineuse ;
- une nécrose parenchymateuse avec développement d'un tissu conjonctif cicatriciel, par exemple lors d'un infarctus myocardique ou d'une lésion hépatique liée à une toxicité alcoolique entraînant une nécrose des hépatocytes et une fibrose hépatique pouvant se transformer en cirrhose (▶ 16.10.6).

NOTION MÉDICALE

Fibrose

→ **Sclérose** (et durcissement) avec perte d'élasticité des tissus atteints. Peut conduire à de sévères troubles fonctionnels, par exemple à une perturbation de la mobilité d'une articulation, à la perte de la capacité d'étirement des poumons ou à l'augmentation des difficultés de traversée d'un vaisseau.

1.5 Inflammation

Réaction généralisée de l'organisme vis-à-vis de lésions cellulaires et tissulaires qui protège le corps de la propagation d'un agent nocif et permet éventuellement d'éliminer la source du danger (par exemple dégradation de la substance à l'origine des lésions, destruction du germe infectieux).

Facteurs déclenchants possibles :

- destruction tissulaire avec formation de débris tissulaires ;
- corps étrangers (par exemple épine, substances chimiques) ;
- germes infectieux (bactéries ▶ 12.6, virus ▶ 12.7, champignons ▶ 12.8) et leurs toxines (produits toxiques) ;
- dans des cas exceptionnels, les propres tissus du corps qui agissent comme des « auto-agresseurs » (▶ 12.4.2).

1.5.1 Symptômes cardinaux

La réaction inflammatoire s'accompagne de signes cliniques typiques. Il est presque toujours possible d'observer cinq **symptômes cardinaux** pouvant s'exprimer différemment :

- **douleur** ;
- **rougeur** ;
- **tuméfaction/gonflement** ;
- **chaleur** ;
- **trouble fonctionnel.**

1.5.2 Inflammation locale et systémique

Certaines formes d'inflammation restent **localisées** à l'endroit où l'agression a eu lieu (par exemple au niveau d'une coupure du doigt), mais d'autres s'étendent rapidement à plusieurs tissus ou se **généralisent** à l'ensemble du corps.

Réactions au niveau de la zone inflammatoire

Au niveau de la région agressée, des **médiateurs** (substances chimiques ▸ 12.1.4) sont libérés → ils commandent les événements de la réaction inflammatoire :

- histamine (tableau ▸ 10.3) ;
- cytokines (▸ 12.2.5) ;
- **prostaglandines :** groupe important de substances chimiques apparentées aux hormones tissulaires qui parviennent dans presque tous les organes (tableau ▸ 10.3) → vasodilatation avec augmentation locale de la chaleur et augmentation de la perméabilité vasculaire prenant part à la genèse de la douleur. Certains médicaments, comme les salicylés (par exemple l'aspirine) agissent par inhibition de la synthèse des prostaglandines ;
- **kinines** (par exemple **bradykinine**) : sont libérées à partir de protéines plasmatiques → vasodilatation, augmentation de la perméabilité vasculaire, activation des récepteurs nociceptifs.

Le plasma et les leucocytes sortent par les pores dilatés → cela s'appelle l'**exsudation → œdème.**

Localement, les leucocytes et les **phagocytes** (▸ fig. 3.15) cherchent à éliminer les agents pathogènes (par exemple les bactéries) : ils entourent la source de l'agression et détruisent les parties tissulaires infectées ou lésées ; pour cela, ils absorbent les bactéries ou les corps étrangers (endocytose ou phagocytose). Les débris situés dans la zone nécrosée sont transformés en **pus** plus liquide par les enzymes leucocytaires.

REMARQUE

Lésion tissulaire → activation du système de la coagulation (▸ 11.5) → fermeture des petits vaisseaux sanguins à proximité de la lésion → les tissus voisins meurent, mais en même temps les processus de cicatrisation sont mis en place (▸ 1.5.3).

Réactions de l'ensemble de l'organisme

Même lors d'inflammation primitivement localisée, il n'est pas rare que l'**ensemble de l'organisme réagisse** :

- activation du système immunitaire → afflux de globules blancs (leucocytes) dans la région inflammatoire et dans le sang (**leucocytose** ▸ 11.3.5) ;
- synthèse de certaines protéines sanguines appelées les **protéines de phase aiguë** (par exemple la protéine C réactive, ou **CRP**) → activation du système du complément (▸ 2.2.4), des leucocytes et des thrombocytes. La mesure des leucocytes et de la CRP dans le sang → permet le diagnostic et le contrôle de l'évolution de l'inflammation ;
- **fièvre** (température centrale du corps > 38 °C) : les agents pathogènes eux-mêmes, les leucocytes ou les prostaglandines activent le centre thermorégulateur du système nerveux central (SNC) → élévation de la valeur de référence de la température corporelle centrale (▸ 17.2.1). Les substances qui engendrent de la fièvre (▸ 12.2.5, ▸ 17.2.4) sont dites **pyrogènes** ;

- **symptômes généraux :** ils sont déclenchés par les médiateurs de l'inflammation. Fatigue, besoin de dormir → l'organisme concentre ses forces à combattre la cause de l'inflammation.
- En cas d'inflammation importante et étendue, la vasodilatation et l'exsudation peuvent engendrer une **hypotension générale** et, dans les cas extrêmes, un choc septique (▶ 14.4.3).

1.5.3 Processus de cicatrisation et évolution de l'inflammation

Fréquemment, dès 12 à 36 heures après le début de l'inflammation, les **fibroblastes** (cellules locales et actives du tissu conjonctif) commencent à se multiplier → ils synthétisent des fibres de collagène et la substance fondamentale du tissu conjonctif dans laquelle bourgeonnent de nouveaux vaisseaux sanguins → au bout de 3 à 4 jours, il apparaît un tissu conjonctif provisoire richement vascularisé (**tissu de granulation**). Ce tissu est ensuite comblé par des cellules se trouvant en général dans des tissus localisés au même endroit (▶ 4.6.2). Si la destruction tissulaire intéresse des zones étendues ou si le tissu enflammé présente peu de capacités de régénération, le développement du tissu conjonctif se termine par la formation d'une **cicatrice** fonctionnelle de qualité inférieure.

NOTION MÉDICALE

Inflammation

Les **inflammations aiguës** se produisent soudainement et cicatrisent rapidement. Mais il existe aussi des **inflammations chroniques** d'évolution longue et persistante. Elles peuvent :

- se développer à partir d'une inflammation aiguë, lorsque l'organisme ne parvient pas à se débarrasser de la cause de l'inflammation et que celle-ci ne disparaît pas (par exemple souvent lors de tuberculose ▶ 12.6.4) ;
- être d'emblée chroniques, par exemple lors d'arthrite rhumatoïde (▶ 5.2.2) ou de MICI (maladies inflammatoires chroniques intestinales) (▶ 16.8.7). Dans la plupart des cas, elles commencent lentement, s'aggravent doucement et persistent toute la vie.

1.5.4 Les différentes formes d'inflammation

Même si toutes les réactions développées ci-dessus se produisent dans la majorité des inflammations, il n'est pas rare qu'un des aspects prédomine → les différents types d'inflammation sont les suivants.

Inflammation exsudative

Au premier plan, sortie de composés sanguins hors des vaisseaux.

- **Inflammation séreuse :** collection d'une grande quantité de liquide riche en protéines (par exemple papules cutanées [gonflement tissulaire circonscrit] apparaissant après une piqûre d'insecte), guérissant généralement sans conséquences. Au niveau des muqueuses, il se forme une **inflammation séromuqueuse** (par exemple la phase débutante d'un rhume). Les inflammations séreuses se manifestent au niveau des cavités corporelles sous la forme d'un exsudat séreux (▸ 1.4.4).

- **Inflammation purulente** (pyogène) : importante migration de leucocytes dans le foyer inflammatoire. Ils forment du pus avec les débris cutanés. Le pus est souvent expulsé ensuite du corps. Provoquée principalement par des bactéries **pyogènes** (formant du pus) comme les streptocoques ou les staphylocoques (▸ 12.6.1).
- **Abcès :** collection de pus dans une **cavité encapsulée** qui s'est formée du fait de la nécrose des tissus. Il est le plus souvent provoqué par des staphylocoques (▸ 12.6.1). Un abcès doit le plus souvent être incisé puis vidé chirurgicalement. Forme particulière : le **furoncle** qui est une infection des follicules pileux et de leurs glandes sébacées.
- **Empyème :** formation de pus dans une **cavité préexistante** (par exemple l'espace pleural, la vésicule biliaire, un espace articulaire, les sinus paranasaux).
- **Phlegmon :** inflammation purulente **superficielle** sans encapsulation du foyer infectieux, souvent provoquée par des streptocoques.
- **Inflammation fibrineuse :** importante lésion des muqueuses ou des séreuses (qui tapissent les cavités corporelles, comme la plèvre ou le péritoine) → sortie de plasma riche en fibrinogène → formation de fibrine « adhésive » → apparition d'une barrière mécanique ou d'adhérences.

Inflammation nécrotique ou ulcéreuse

Si de grandes quantités de tissu meurent au cours d'une inflammation, celle-ci prend le nom d'**inflammation nécrotique**. Les parties nécrosées de la peau ou des muqueuses sont souvent éliminées → il apparaît alors une perte de substance, ou **ulcère**, partant de la surface et s'étendant en profondeur.

Inflammation proliférative

Néoformation (prolifération) d'un tissu de granulation dans lequel prédominent les fibroblastes → il se forme un tissu conjonctif excessif et très riches en fibres (**fibrose** ▸ 1.4.5) → limitation fonctionnelle fréquente.

Inflammation granulomateuse

Collection nodulaire de cellules inflammatoires et de tissu conjonctif formant un **granulome.** Par exemple : granulome tuberculeux (▸ 12.6.4) ou maladie de Crohn (▸ 16.8.7).

1.6 Remplacement et transformation cellulaires

- **Régénération physiologique :** remplacement cellulaire se produisant dans les tissus capables de se diviser ; processus vital normal tant qu'il permet le réapprovisionnement des cellules qui ont été perdues du fait des processus de vieillissement ordinaire (▸ 4.6.1). À distinguer de :
- **Régénération réparatrice :** réaction faisant suite à la perte pathologique de cellules ou à des lésions tissulaires ; par exemple **cicatrisation des**

plaies après une blessure ou un trouble tissulaire inflammatoire (▸ 1.5.3). Si les processus de régénération restent actifs de manière prolongée suite à un état d'irritation anormal (par exemple une inflammation chronique), il peut se produire des troubles de la régénération avec des modifications tissulaires.

- **Métaplasie :** transformation d'un tissu différencié en un autre tissu différencié apparenté, mais qui le plus souvent n'est pas présent dans cette localisation particulière. Exemple : la métaplasie épidermoïde de la muqueuses bronchique (qui normalement est revêtue de cellules cylindriques) faisant suite à des années de tabagisme dans un contexte de bronchite chronique ; la métaplasie de la muqueuse œsophagienne lors d'œsophagite par reflux → développement d'un œsophage de Barrett ou d'un **syndrome de Barrett**.
- **Dysplasie :** anomalie du développement tissulaire. Il faut différencier les anomalies tissulaires primaires d'un organe qui se produisent au cours de la vie embryonnaire ou fœtale (▸ 1.2.2) des troubles secondaires de la différenciation d'un épithélium normal. Ces derniers doivent être considérés comme une lésion précancéreuse (avant un carcinome) (**dysplasie précancéreuses ou prénéoplasique** ; du latin *prae,* avant ; et du grec *neo,* nouvelle, *plasis,* croissance ; ▸ 19.3.4).

1.7 Tumeurs (néoplasies)

Environ 45 % des individus développent au cours de leur vie une tumeur maligne. Près de 25 % des Allemands meurent du fait d'un cancer. (NdR : En France, 150 000 personnes décèdent tous les ans d'un cancer.) Les tumeurs bénignes sont rarement mortelles.

Répartition de la fréquence des tumeurs malignes : les nouveaux cas de cancers ainsi que les décès sont différents entre les ♂ et les ♀ (fig. 1.3).

1.7.1 La question clé : bénigne ou maligne ?

- Tumeurs (néoplasies) : elles se forment à la suite de la croissance excessive et non inhibée des propres tissus de l'organisme. Lorsque les symptômes (signes cliniques) apparaissent (comme des problèmes faisant suite à l'expansion de la tumeur, une baisse de vitalité, une perte de poids non souhaitée), il est probable que la tumeur comporte déjà des millions de cellules. Les tumeurs sont différenciées en fonction de leur comportement biologique comme suit :
  - **tumeurs bénignes :** elles ne menacent la vie du patient que lorsqu'elles sont localisées dans des régions critiques (par exemple le cerveau) ;
  - **tumeurs malignes** (appelées **cancer**) : non traitées, elles conduisent généralement à la mort ;
  - **tumeurs semi-malignes :** elles sont de type intermédiaire → croissance invasive et destructrice au niveau du foyer d'origine, mais généralement pas de métastases. Ce groupe est majoritairement représenté par les carcinomes basocellulaires cutanés.

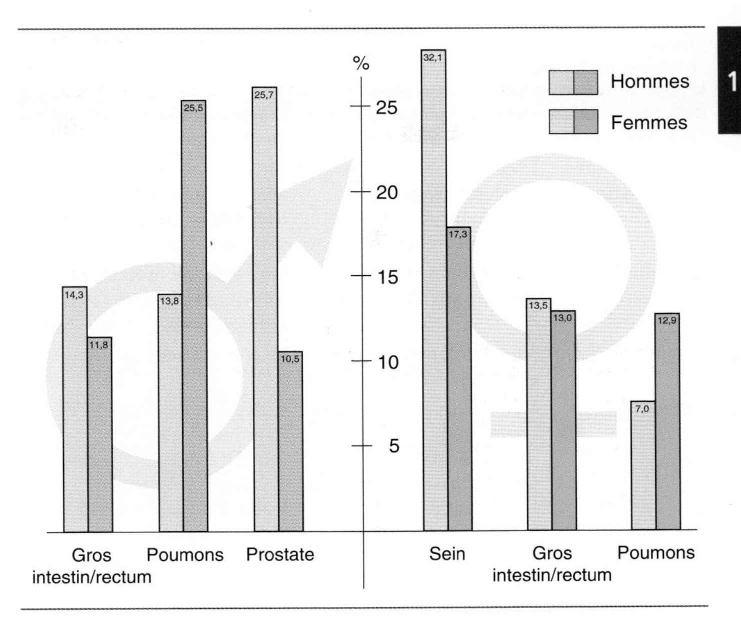

Fig. 1.3 Répartition relative de la fréquence des tumeurs malignes. Pourcentage de nouveaux cas (en clair) et de décès (en foncé) des tumeurs les plus fréquentes chez l'homme et la femme. (Source : Krebs in Deutschland 2007/2008. Berlin : Robert Koch-Institut; 2012).

- Maladies **précancéreuses :** maladies ou lésions tissulaires qui présentent un fort risque de dégénérescence maligne → par exemple la majorité des leucoplasies buccales, de la gorge ou de la muqueuse vésicale (lésions blanchâtres de la muqueuse, non détachables).
- **Carcinome in situ (CiS) :** tumeur épithéliale maligne au stade débutant, n'ayant pas encore traversé la membrane basale (MB; couche située à la limite entre l'épithélium et le tissu conjonctif, ▸ 4.2.1) et n'ayant pas, de ce fait, encore métastasé.

Différents comportements de croissance

Plusieurs caractères différencient les tumeurs bénignes des tumeurs malignes (▸ tableau 1.1, ▸ fig. 1.4).

1.7.2 Classification

En fonction du tissu d'origine

NOTION MÉDICALE

Pathologie

Science qui étudie les maladies et les tissus malades.

Tableau 1.1 Caractères distinctifs entre les tumeurs bénignes et les tumeurs malignes

	Tumeurs bénignes	Tumeurs malignes
Augmentation de taille	Le plus souvent lente	Le plus souvent rapide
Délimitation	Le plus souvent nettement délimitées (« encapsulées »)	Mal délimitées ou non délimitées, aucun « respect » des frontières organiques
Mobilité	Bien mobilisables par rapport aux tissus voisins	Souvent non mobilisables, intriquées dans les tissus environnants
Fonction	Souvent conservée, par exemple sécrétion	Le plus souvent abolie
Histologie	• Les tissus et les cellules sont matures et différenciés • Peu d'images de mitoses typiques (▶ 3.12.1) • Croissance expansive, membrane basale intacte	• Tissus et cellules immatures et indifférenciés, anaplasie « dégénérescence » • Nombreuses mitoses pathologiques • Croissance infiltrante (= invasive) destruction des tissus voisins
Potentiel métastatique	Aucun	Oui, principalement lymphogène et hématogène
Impact sur l'organisme	Très faible mis à part l'impact local	Important dans les stades avancés : cachexie tumorale, anémie, éventuellement syndrome paranéoplasique (▶ 1.7.5)
Dangerosité	La plupart guérissent sous traitement	Presque toujours mortelles sans traitement ; chances de guérison diverses sous traitement

Il est habituel de classer les tumeurs selon l'origine embryologique des tissus atteints en tumeurs **épithéliales** (provenant de l'ectoderme ou de l'endoderme) et **mésenchymateuses** (provenant du mésoderme) (▶ 20.2). Il existe également des **tumeurs des cellules souches** qui dérivent des tissus embryonnaires indifférenciés ou des cellules souches.

Tumeurs épithéliales

Les tumeurs épithéliales bénignes les plus fréquentes sont les **adénomes** émanant de l'épithélium glandulaire. Elles sont souvent entourées totalement d'un tissu conjonctif qui forme une sorte de capsule.

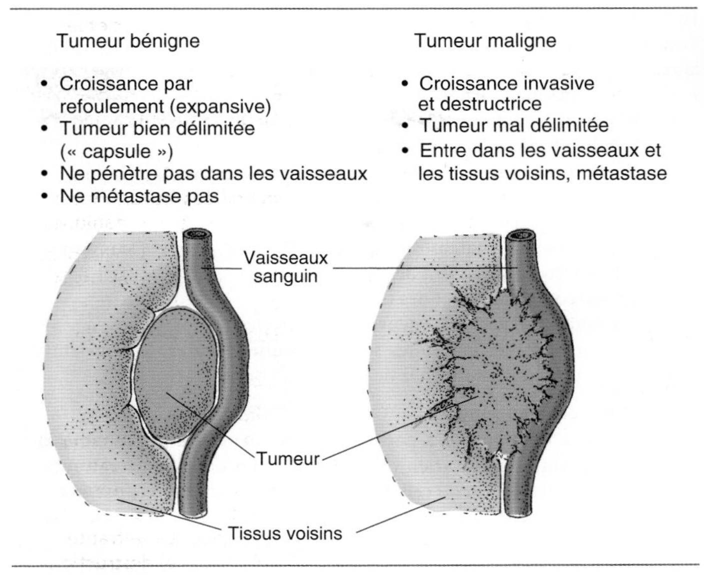

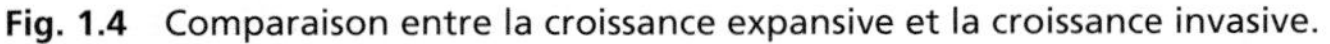

Fig. 1.4 Comparaison entre la croissance expansive et la croissance invasive.

Principales localisations : ovaire, sein (chez la femme), prostate. Les polypes intestinaux sont souvent des adénomes bénins de la muqueuse intestinale. Les adénomes ne restent pas toujours bénins et certains d'entre eux représentent des lésions précancéreuses évoluant en adénocarcinomes (▸ 16.8.7).

- Les **papillomes** sont des tumeurs épithéliales bénignes qui se développent à partir des tissus non glandulaires de la peau et des muqueuses (par exemple verrues cutanées).
- Les **carcinomes** sont des tumeurs épithéliales malignes. Il est possible de différencier :
  - **les carcinomes épidermoïdes :** ils proviennent de la peau et des muqueuses et représentent les tumeurs malignes les plus fréquentes chez l'homme ; le carcinome épidermoïde bronchique est un des cancers les plus fréquents chez les sujets masculins. Dans plus de 90 % des cas, le carcinome du col utérin est un carcinome épidermoïde. Chez les alcooliques et les fumeurs, le carcinome épidermoïde de l'œsophage est très fréquent (▸ 16.3.3) ;
  - **les adénocarcinomes :** proviennent des cellules glandulaires dégénérées, et passent souvent par l'intermédiaire d'un adénome. Exemples : forme cancéreuse du tractus gastro-intestinal (adénocarcinome gastrique ▸ 16.4.7, adénocarcinome du côlon ▸ 16.8.7), adénocarcinome de l'endomètre, adénocarcinome du sein.

Tumeurs mésenchymateuses

Tumeur des tissus conjonctifs, adipeux, cartilagineux, osseux et musculaires.

- Tumeurs mésenchymateuses bénignes (▶ 20.2) :
  - **fibrome :** tumeur bénigne du tissu conjonctif;
  - **lipome :** tumeur bénigne du tissu adipeux;
  - **chondrome :** tumeur bénigne du tissu cartilagineux;
  - **myome :** tumeur bénigne du tissu musculaire (le myome utérin est particulièrement fréquent ▶ 19.3.4).
- Tumeurs mésenchymateuses malignes – elles sont appelées **sarcomes :**
  - **ostéosarcome :** provient des tissus osseux;
  - **liposarcome :** provient des tissus adipeux;
  - **leucémies** (▶ 11.3.5) : tumeurs des leucocytes.

Jusqu'à maintenant, les leucémies sont des tumeurs rares, le plus souvent malignes, survenant souvent chez de jeunes individus.

Tumeurs des cellules souches

Ces tumeurs se développent à partir de cellules souches non matures (par exemple **dysgerminome** ovarien), de cellules embryonnaires (**tératomes** de l'ovaire et du testicule) ou de cellules qui entourent l'embryon (par exemple **choriocarcinome** se développant à partir des vestiges d'un placenta n'ayant pas été totalement expulsé). Elles s'observent principalement, mais pas exclusivement, au niveau des organes génitaux.

Selon le stade

En présence d'une tumeur maligne, il est important de déterminer avec précision son stade afin d'en planifier le traitement. La **classification TNM** est la plus employée :

- **T**umeur : extension de la tumeur primitive;
- **N**œuds lymphatiques (lymphonœuds) : atteintes des lymphonœuds satellites;
- **M**étastases : absence ou présence de métastases à distance.

Il existe une différenciation également entre la classification clinique (cTNM) et la classification anatomopathologique (pTNM).

1.7.3 Origine et développement (genèse)

Le **développement d'une tumeur** suit plusieurs étapes (▶ fig. 1.5) :

- **étape d'initiation :** véritable formation de la tumeur, c'est-à-dire transformation irréversible d'une cellule de l'organisme en une cellule cancéreuse suite à une lésion de l'ADN dans le noyau cellulaire;
- **étapes de promotion et de progression :** les cellules dégénérées croissent pendant une longue période pour former une tumeur et deviennent dangereuses. Les **cancérigènes** (substances ou facteurs cancérigènes) agissent comme des **promoteurs** → accélèrent l'étape de promotion. Les stimulations inflammatoires prolongées et importantes font également partie des promoteurs tumoraux (par exemple bronchite chronique du fumeur).

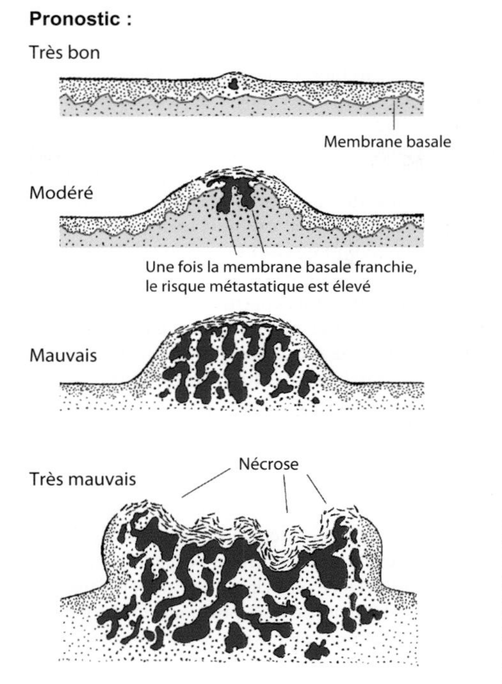

Fig. 1.5 Genèse d'une tumeur maligne : apparition, traversée de la membrane basale, croissance invasive importante, désagrégation ulcéreuse terminale.

NOTION MÉDICALE

Les lésions de l'ADN concernent principalement deux groupes de gènes ayant des effets fondamentalement opposés :

- les **proto-oncogènes** sont des gènes qui favorisent la croissance (ou la prolifération). Ils font partie du matériel génétique normal → suite à des mutations, ils peuvent se transformer en **oncogènes** → prolifération cellulaire maligne illimitée;
- Les **gènes suppresseurs de la croissance tumorale (par exemple le gène p53)** s'opposent normalement au développement de cellules tumorales présentant une prolifération incontrôlée. Les produits issus de ces gènes soit inhibent le cycle cellulaire pour permettre la réparation de l'ADN (entre autres), soit dirigent la mort cellulaire programmée (**apoptose**) lorsque les lésions sont trop importantes. Le dysfonctionnement des deux allèles d'un gène suppresseur de la croissance tumorale (▸ 3.13.1) peut s'accompagner du développement d'une tumeur.

Des lésions de l'ADN sont le point de départ de toute prolifération tumorale. La dégénérescence d'une cellule ne se produit qu'après plusieurs mutations ayant entraîné des dysfonctionnements. Ces lésions génétiques peuvent avoir de très nombreuses origines :

- **prédisposition génétique à la maladie** (▶ 1.2.2) : les filles dont la mère a développé un cancer du sein (carcinome mammaire ▶ 19.3.9) présentent deux fois plus de risque de développer un cancer du sein que les filles dont la mère est en bonne santé ;
- **irradiations (rayons X et rayonnements radioactifs) :** engendrent des **radicaux libres** dans les cellules (▶ fig. 2.6) → modifient l'ADN → les irradiations, en particulier à forte dose, engendrent souvent des tumeurs malignes ;
- **substances chimiques cancérigènes :** par exemple les hydrocarbures polycycliques aromatiques, les composés azotés toxiques (nitrosamine), les métaux comme le cadmium, le chrome et l'arsenic ou les fibres d'amiante (▶ 15.11.4). Quelques produits pharmaceutiques agissent également comme des carcinogènes et engendrent fréquemment des tumeurs (par exemple de nombreux immunosuppresseurs ▶ 12.4.2) ;
- **virus :** ils peuvent provoquer aussi bien des tumeurs bénignes (par exemple des verrues) que des tumeurs malignes (par exemple un carcinome du col utérin ▶ 19.3.4 ou certains lymphomes malins). Jusqu'à présent > 100 virus de ce type sont connus. Ils développent cet effet souvent en s'incorporant dans les oncogènes (gènes produisant des tumeurs) (**oncogènes viraux**) de la cellule cible. Ce type de genèse tumorale est largement favorisé par une déficience immunitaire locale ou généralisée de l'hôte (par exemple lors d'infection par le VIH) ;
- **hormone :** les hormones sexuelles jouent principalement un rôle dans le développement tumoral : les œstrogènes peuvent provoquer le développement de certaines tumeurs bénignes (par exemple des glandes mammaires) ou des tumeurs malignes (par exemple certaines formes de cancers du sein). Ce **mode de croissance hormono-dépendant** est également utilisé à l'inverse lors de l'institution de traitements à base d'antihormones (▶ 1.7.7).

1.7.4 Potentiel métastatique des tumeurs malignes

- La plupart des tumeurs malignes ont tendance à former des **métastases** (tumeurs filles).
- **Raison :** diminution des liaisons des cellules malignes les unes avec les autres → les cellules tumorales peuvent facilement se détacher d'un groupe de cellules, entrer dans les vaisseaux et être transportées par la lymphe ou le sang vers d'autres régions du corps, jusqu'au niveau des capillaires → adhèrent à la paroi des capillaires → migrent dans les tissus environnants → poursuivent leur prolifération. La capacité des cellules malignes de pénétrer dans les tissus est liée à l'accroissement de la production de différentes protéases ou protéinases (enzymes protéolytiques, séparant les protéines).
- Beaucoup de cellules tumorales ont la capacité d'induire la formation de vaisseaux au sein de la tumeur (**néoangiogenèse**) → ↑ croissance de la tumeur primaire et de ses métastases.

Modes de formation des métastases

Selon le type et la localisation de la tumeur, la formation des métastases se déroule différemment :

- **invasion lymphatique :** les cellules tumorales parviennent dans les lymphonœuds (Ln) (ou ganglions lymphatiques) satellites par l'intermédiaire de la lymphe (▶ 11.6.2). Si elles parviennent à y proliférer, elles détruisent le Ln → les cellules tumorales néoformées parviennent dans les voies lymphatiques plus importantes puis atteignent le sang en empruntant la veine cave supérieure (▶ fig. 13.1).
- **Invasion hématogène** (▶ fig. 1.6) : les cellules tumorales entrent dans les vaisseaux sanguins → sont transportées à distance par le sang → la plupart

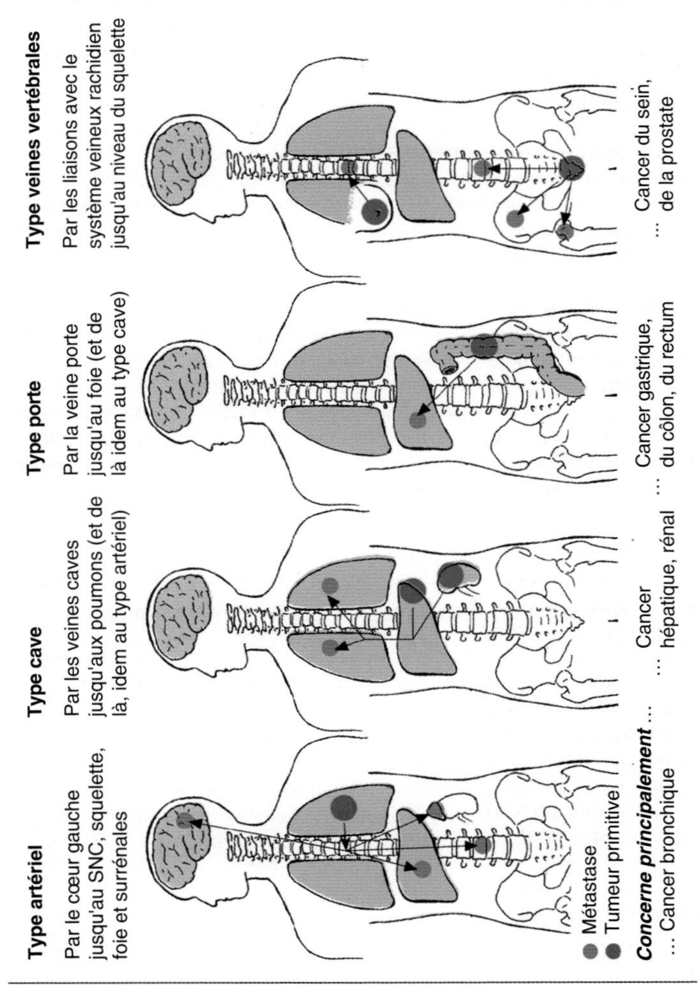

Fig. 1.6 Les quatre principaux types de métastases hématogènes.

restent bloquées dans le lit capillaire suivant. Les cellules tumorales issues des reins ou de la thyroïde parviennent au cœur via la veine cave inférieure ou supérieure (métastase hématogène de type cave) puis entrent dans les petits vaisseaux pulmonaires. Si elles peuvent se développer dans la paroi de ces petits vaisseaux ou à proximité de ceux-ci, elles engendrent des **métastases pulmonaires.** Les cellules tumorales issues de carcinomes gastriques ou intestinaux se disséminent par voie hématogène en empruntant le système porte et atteignent principalement le **foie** (métastase hématogène de type porte) puis de là parviennent aux poumons.

- Les tumeurs peuvent se propager aux cavités séreuses (**métastases intracavitaires**) ou aux canaux excréteurs (**métastases canaliculaires**) ou peuvent évoluer directement au niveau des organes voisins (**métastases par continuité**).

1.7.5 Syndrome paranéoplasique

Quelques tumeurs peuvent occasionner des troubles à distance du site tumoral du fait de la synthèse de produits tumoraux → cela engendre un **syndrome paranéoplasique** (du grec *para,* à côté). Par exemple, les cancers bronchiques peuvent libérer de l'ACTH stimulant les surrénales → syndrome de Cushing (▸ 10.6.1).

1.7.6 Marqueurs tumoraux

Sous l'influence d'un certain nombre de maladies tumorales, des substances normalement absentes des tissus, du sang ou de l'urine ou s'y trouvant seulement en très faible quantité sont fabriquées en grande quantité par les cellules tumorales elles-mêmes ou par des cellules de l'organisme. Au sens large, l'excédent d'hormones produit par les tumeurs du système endocrine fait partie de ces marqueurs. La plupart des marqueurs tumoraux ne se prêtent pas au **dépistage** (recherche d'une tumeur maligne chez les patients asymptomatiques) → ils ne permettent pas de prouver la présence de la tumeur avec suffisamment de certitude ni de l'exclure, mais ils peuvent fournir des informations importantes lors du suivi des tumeurs malignes.

1.7.7 Options thérapeutiques en cas de tumeurs malignes

Les tumeurs malignes nécessitent des procédures agressives → objectif : arrêter l'expansion tumorale.

NOTION MÉDICALE

Oncologie

Recherche de nouvelles méthodes de traitement des tumeurs et amélioration des traitements existants. Les oncologues ont surtout un travail interdisciplinaire, c'est-à-dire qu'ils travaillent en étroite collaboration avec des médecins exerçant dans d'autres spécialités.

Plusieurs approches thérapeutiques peuvent être suivies :

- **exérèse de la tumeur :** élimination chirurgicale complète de la tumeur en préservant au maximum les tissus voisins;

- **radiothérapie** (irradiation) : la masse tumorale peut être réduite ou éliminée avant, après ou à la place de la chirurgie par des **rayonnements de haute énergie**. Les tumeurs sont plus ou moins sensibles aux rayonnements : les tumeurs à croissance rapide et dédifférenciées sont souvent sensibles à la radiothérapie ;
- **chimiothérapie à base de cytostatiques :** médicaments qui inhibent la croissance cellulaire, principalement par une attaque au niveau de l'ADN → détruisent ou diminuent de taille de la tumeur. Les cytostatiques inhibent aussi bien la division cellulaire au niveau de la tumeur qu'au niveau de tous les tissus capables de division continue, par exemple les racines pileuses, les muqueuses, la MO et les gonades → chute des cheveux et des poils, diarrhée, nausées, vomissements, troubles de l'hématopoïèse, déficit immunitaire, troubles de la fertilité. Beaucoup de cytostatiques sont administrés par cycles entrecoupés de pauses ;
- **hormonothérapie :** le blocage des effets hormonaux ou l'inhibition de la synthèse des hormones est efficace en particulier sur les tumeurs des organes génitaux (▸ 19.2.6) et du sein chez la femme (▸ 13.3.9) ;
- **thérapie ciblée** (anglais : *targeted therapies,* thérapie anticancéreuse moléculaire) : elle attaque les structures cellulaires et les voies de signalisation :
  - les **anticorps monoclonaux** (tous identiques) fabriqués par génie génétique bloquent par exemple les facteurs de croissance ou les structures situées à la surface des cellules tumorales qui participent à la régulation de la croissance cellulaire ;
  - les **petites molécules** (anglais : *small molecules*) pénètrent dans les cellules et interrompent les voies de signalisation ;
  - les **inhibiteurs des kinases** inhibent des enzymes cellulaires (kinases) qui participent au contrôle de la croissance cellulaire et sont hyperactives dans les cellules tumorales.
- **immunothérapie :** sert à soutenir le système immunitaire pour lui permettre de lutter contre la tumeur. Des traitements comme l'interféron ou les interleukines sont ainsi administrés dans le cas de certaines tumeurs ;
- **méthodes complémentaires :** les médecins orientés vers les médecines naturelles et alternatives utilisent de nombreuses méthodes comme l'administration de préparations à base de gui (*Viscum album*), la respiration d'oxygène à haute pression, des cocktails hyper vitaminés, des régimes et beaucoup d'autres. On ne peut pas conseiller ces méthodes sans conserver un esprit critique : dans la plupart des cas, il n'existe aucune preuve de leur efficacité et certains procédés doivent même être classés comme dangereux.

1.8 Évolution des maladies

Selon la maladie, le moment de son diagnostic et le traitement administré, le corps réagit à long terme selon un des modèles suivants : soit il surmonte sa maladie (guérison), soit sa maladie conduit à sa mort, soit sa maladie persiste mais reste limitée (▸ fig. 1.7).

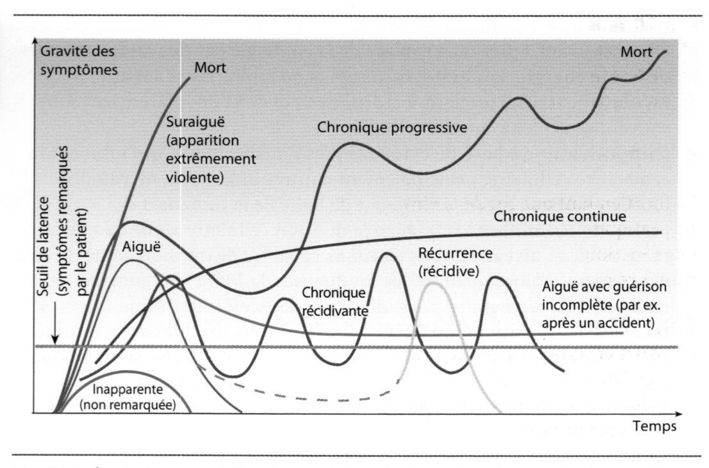

Fig. 1.7 Évolutions possibles des maladies (schématique). Ligne horizontale : seuil à partir duquel la maladie est visible chez le patient. Les maladies inapparentes n'atteignent pas ce seuil → elles ne sont pas perçues.

- **Guérison :** récupération de l'état normal des tissus, en particulier de l'équilibre interne et de toutes les facultés d'adaptation de l'organisme (▸ 1.1.2) → c'est la **récupération ou *restitutio ad integrum*.**
- Lorsque des dommages persistent du fait de lésions étendues ou de maladies graves, on parle de **guérison incomplète**, par exemple lors de formation d'une cicatrice.
- Si la même maladie survient à nouveau après un intervalle de temps asymptomatique, on parle de **récurrence** ou de **récidive**. La maladie pouvait être totalement guérie avant le deuxième accès, ou pouvait persister de façon asymptomatique.
- Si une maladie ne guérit pas ou si la cause de la maladie ne peut être éliminée, celle-ci passe à la **chronicité** (littéralement : « évolution lente durant longtemps ») :
  - **maladie chronique continue** (stationnaire) : elle persiste à un niveau connu sans évoluer ;
  - évolution chronique récidivante : asthme chronique (▸ 15.11.2). La cause récidive, mais les symptômes ne sont pas permanents. Il se produit des crises de détresse respiratoire **chronique et récidivante.**
- **Décompensation et évolution :** les anomalies chroniques peuvent conserver un équilibre fonctionnel (compensées, comme l'insuffisance cardiaque compensée permettant le maintien des performances dans la vie de tous les jours) ou être décompensées (lors d'insuffisance cardiaque, qui oblige par exemple à l'alitement).

REMARQUE

Beaucoup de maladies chroniques développent leur propre dynamique et deviennent de plus en plus graves → ce sont les maladies **chroniques évolutives,** par exemple la polyarthrite rhumatoïde (▸ 5.2.2).

1.9 Décès et mort

La mort en tant que fin de la vie de l'organisme dans son ensemble est définie en pratique dans le monde entier comme l'absence irréversible de l'ensemble des fonctions cérébrales (**mort cérébrale**), l'activité cardiocirculatoire pouvant être maintenue par ventilation artificielle.

1.9.1 Mort clinique et mort cérébrale

- **Mort clinique :** arrêt de la fonction cardiocirculatoire, se manifestant par l'absence de battements cardiaques, l'absence de pouls artériel, l'absence des fonctions respiratoires et la perte de conscience. Les **mesures de réanimation** peuvent fondamentalement, en quelques minutes, « ramener à la vie » le patient cliniquement mort, avant que le cerveau commence lui aussi à mourir.
- Si la réanimation cesse ou si la perfusion cérébrale reprend trop tardivement, la **mort cérébrale** survient au bout de quelques minutes. En effet, le cerveau est le principal organe permettant la vie, mais sa tolérance vis-à-vis du manque d'oxygène (**tolérance à l'hypoxie**) est la plus faible. Dans les services de réanimation, il est relativement fréquent que les fonctions cardiocirculatoires reprennent, sans « récupération » des fonctions cérébrales. Comme la personnalité et l'individualité de l'être humain se terminent avec la mort de son cerveau, notre société assimile la mort cérébrale à la **mort de l'individu.**

REMARQUE

(NdR) En France, le diagnostic de mort encéphalique ou cérébrale est régi par l'article R 671-7-1 du décret 96-1041 du 2 décembre 1996 relatif au constat de mort encéphalique stipulant que : « Le constat de mort ne peut être établi que si les trois critères cliniques suivants sont simultanément présents :
- absence totale de conscience et d'activité motrice ;
- abolition de tous les réflexes du tronc cérébral ;
- absence totale de ventilation spontanée. »

1.9.2 Droits à l'information des sujets en fin de vie

Selon la loi et la jurisprudence, il existe un devoir d'information de la part du médecin et un droit du patient à **être informé.** Le médecin peut uniquement renoncer à informer le patient s'il s'attend à une aggravation de son état de santé du fait de la communication du diagnostic. Des études ont montré que la plupart des sujets en fin de vie réagissent tout d'abord par un choc, de l'angoisse et de la dépression ou de l'agressivité à l'annonce du diagnostic, mais que finalement cela leur permet de se préparer psychiquement. À long terme, cela permet au patient de retrouver un état d'équilibre.

2 Données fondamentales de chimie et de biochimie

Pour maintenir la vie, chaque organisme doit absorber différentes substances et les exploiter. Il en est de même pour le **métabolisme** de l'homme.

2.1 Les éléments chimiques

Tout corps est composé de **matière.** Celle-ci peut se trouver sous forme de gaz, de liquide ou de solide.
Chaque forme de matière est composée d'**éléments chimiques** → ces éléments, qui ne peuvent plus être dégradés par des réactions chimiques, sont représentés par des **symboles chimiques** (symboles des éléments chimiques).
Le corps humain est composé d'environ 26 éléments chimiques (▶ tableau 2.1).
Les plus importants sont les suivants :
- oxygène (**O**) ;
- carbone (**C**) ;
- hydrogène (**H**) ;
- azote (**N**)

Tableau 2.1 Éléments chimiques composant le corps humain

Éléments chimiques (symboles)	Pourcentage du poids du corps (%)	Rôle biologique
Éléments clé (environ 96 %)		
Oxygène (O)	65,0	Composant de l'eau et de très nombreuses molécules organiques
Carbone (C)	18,5	Composant de chaque molécule organique
Hydrogène (H)	9,5	Composant de l'eau et des molécules organiques; sous forme d'ion H^+, responsable de l'acidité d'une solution
Azote (N)	3,2	Composant de très nombreuses molécules organiques, par ex. de toutes les protéines et des acides nucléiques
Macro-éléments (environ 3 %)		
Calcium (Ca)	1,5	Composant des os et des dents; synthèse et libération des neurotransmetteurs. Couplage électromécanique → contraction musculaire

Tableau 2.1 Éléments chimiques composant le corps humain *(Suite)*		
Éléments chimiques (symboles)	**Pourcentage du poids du corps (%)**	**Rôle biologique**
Phosphore (P)	1,0	Composant de nombreuses biomolécules (acides nucléiques, ATP, AMPc), des os et des dents
Potassium (K)	0,4	Influx nerveux, contractions musculaires
Soufre (S)	0,3	Composant de nombreuses protéines, en particulier les filaments contractiles musculaires
Sodium (Na)	0,2	Transmission de l'influx nerveux, des contractions musculaires ; principal ion du compartiment extracellulaire ; maintien du bilan hydrique
Chlore (Cl)	0,2	Maintien du bilan hydrique entre les cellules
Magnésium (Mg)	0,1	Composant de nombreuses enzymes
Oligoéléments (environ 1 %)		
Chrome (Cr) Fer (Fe) Fluor (F) Iode (I) Cobalt (Co) Cuivre (Cu) Manganèse (Mn) Molybdène (Mo) Sélénium (Se) Zinc (Zn)	Tous < 0,1 %. Concernant leurs fonctions et les symptômes liés à leur carence ▶ Tableau 17.2 **Minéraux** (▶ 17.9)	Autres oligoéléments (les besoins quotidiens et les symptômes liés à leur carence sont inconnus) : • silicium (Si) • étain (Sn) • vanadium (V) • nickel (Ni) • arsenic (As)

2.2 Atomes

Chaque élément est constitué d'une grande quantité d'**atomes** identiques. Chaque atome est lui-même composé (▶ fig. 2.1) :

- d'un **noyau :** formé de **protons** chargés positivement et de **neutrons** électriquement neutres (sauf le noyau de l'atome d'H qui est uniquement composé d'un proton) ;

- d'**électrons,** chargés négativement, qui tournent autour du noyau formant le **nuage électronique** de l'atome. Le nombre d'électrons correspond au nombre de protons → équilibre des charges : pris dans son ensemble, un atome est électriquement neutre.

Les atomes des divers éléments se différencient par leur **nombre de protons dans le noyau** et leur **nombre d'électrons dans le nuage électronique.**

- **Numéro atomique :** nombre de protons d'un atome ou d'un élément.
- **Nombre de masse :** somme des protons et des neutrons (la mase des électrons est négligeable). Par exemple : Azote (N) → numéro atomique 7, nombre de masse 14, car son noyau possède 7 protons et 7 neutrons (▶ fig. 2.2).

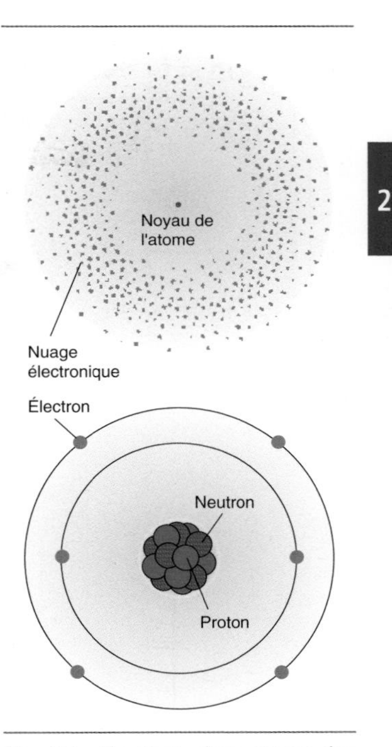

Fig. 2.1 Structure d'un atome (en haut : distance réaliste entre le noyau de l'atome et le nuage électronique; en bas : noyau fortement agrandi ainsi que deux couches électroniques).

2.3 Classification (ou tableau) périodique des éléments

Dans la **classification périodique des éléments** (CPE; ▶ fig. 2.3), les éléments sont répartis de la façon suivante :

- horizontalement par **période** et par numéro atomique croissant;
- verticalement par **groupes principaux (ou familles)** selon leurs ressemblances chimiques. Entre le 2ᵉ et le 3ᵉ groupe principal se trouvent des **groupes secondaires** (ou **éléments de transition**).

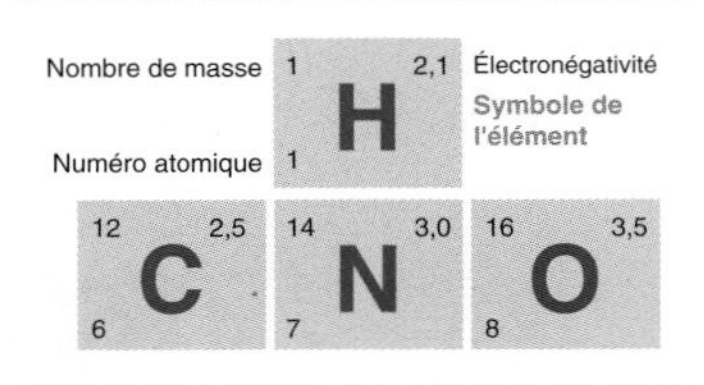

Fig. 2.2 Symbole, numéro atomique, nombre de masse et électronégativité des quatre éléments clés.

2.3.1 Modèle des différentes couches du nuage électronique

Un électron qui tourne autour du noyau de l'atome se déplace sur une **couche électronique**. Les électrons de même énergie se déplacent sur la même couche électronique (▶ fig. 2.3).

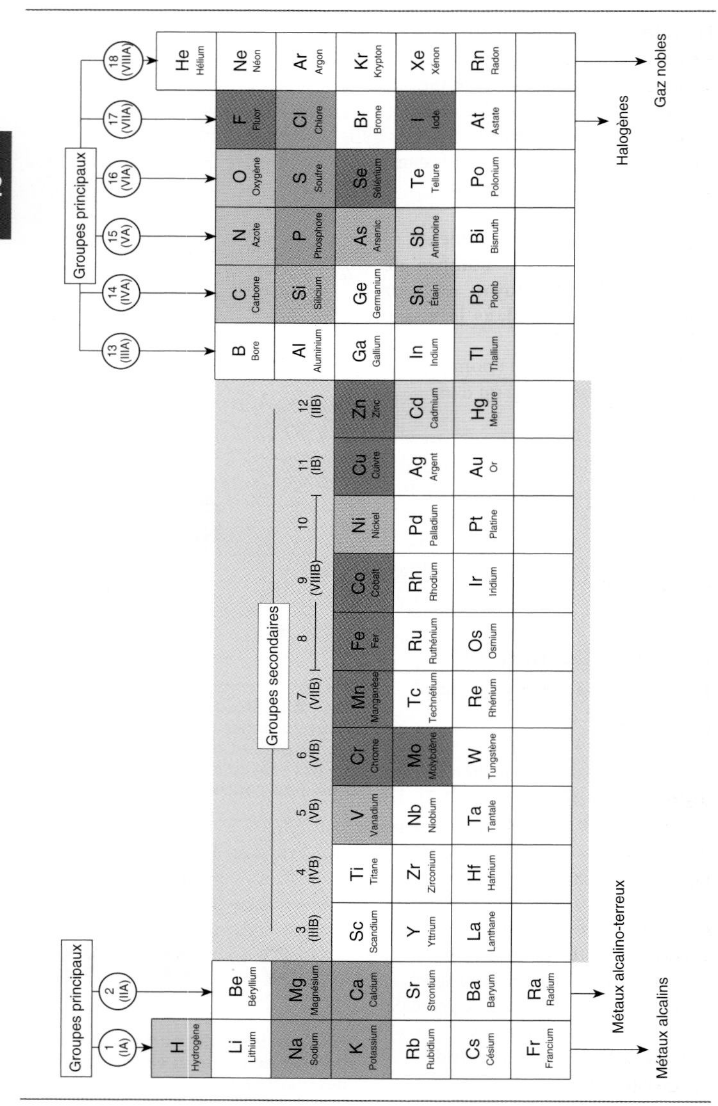

Fig. 2.3 Extrait de la classification périodique des éléments : les éléments classés horizontalement forment chacun une période. Verticalement, les éléments qui se trouvent dans une colonne forment chacun soit un groupe principal (ou famille), soit un sous-groupe (en gris). En rose, les « éléments clé » de la vie; en violet, les macroéléments; en marron, les oligoéléments; en marron clair, les autres oligo-éléments; en jaune, les éléments toxiques importants (poisons).

Les atomes et les éléments de la période 1 (H et He) possèdent une seule couche électronique ; dans la période 2, une deuxième couche se trouve à l'extérieur de la première et ainsi de suite. Pour les éléments des groupes principaux, la couche électronique la plus externe contient au **maximum 8 électrons** ; lorsque ce nombre est atteint, une nouvelle couche électronique est remplie.
Exception : la première couche électronique est totalement remplie avec 2 électrons seulement.

Métaux alcalins et alcalino-terreux, halogènes et gaz rares

La classification périodique des éléments repose sur le fait suivant : les éléments qui possèdent le même nombre d'électrons sur leur couche électronique **externe** se ressemblent fortement.

- Les **métaux alcalins** ne portent qu'un seul électron sur leur couche électronique externe (un électron externe).
- Les **métaux alcalino-terreux du** 2ᵉ groupe principal (ou de la 2ᵉ famille) portent 2 électrons externes.
- Les éléments du 3ᵉ groupe principal ont chacun 3 électrons externes.
- Les éléments du 7ᵉ groupe principal (comme le Chlore et le Fluor) ont 7 électrons sur leur couche externe. Ils portent le nom d'**halogènes** ou composants formant les sels, parce qu'ils réagissent facilement avec les métaux pour donner des sels (▶ 2.4.1).
- Les **gaz nobles (ou gaz rares)** (comme le Néon et l'Argon) font partie du 8ᵉ groupe principal et portent 8 électrons externes. Une couche électronique externe comportant 8 électrons est extrêmement stable → elle est particulièrement peu réactive (et forme ce qu'on appelle la **configuration électronique des gaz nobles**). Ces gaz nobles ne participent à presque aucune réaction chimique et ne jouent aucun rôle dans le métabolisme.

Valence

Les éléments cherchent à atteindre la configuration électronique des gaz nobles en donnant, en recevant ou en partageant des électrons. De ce fait, le **nombre** d'électrons sur la couche externe ainsi que le nombre d'électrons manquants pour atteindre la configuration électronique des gaz nobles sont extrêmement importants pour tous les processus chimiques → ils forment la **valence** d'un atome → les électrons de la couche électronique externe sont appelés les **électrons de valence.**

REMARQUE

Exemple

L'azote par exemple (du 5ᵉ groupe) possède 5 électrons externes → pour atteindre la configuration d'un gaz noble, il doit soit capter 3 électrons, soit en céder 5. Selon le partenaire avec qui il va réagir, l'azote sera tri- ou pentavalent.

2.3.2 Électronégativité

Le comportement des électrons externes est également déterminé par leur **électronégativité** (EN) (▶ fig. 2.2). Elle correspond à la capacité des atomes à attirer les électrons d'autres atomes. Elle varie selon les différents éléments.

REMARQUE

Exemple

Le fluor (F) est l'élément le plus électronégatif. Son EN est de 4,0. D'autres éléments sont également très électronégatifs comme O (3,5), N (3,0) et Cl (3,0).

2.4 Liaisons chimiques

À partir de la 2e période, chaque atome tente d'avoir 8 électrons sur sa dernière couche électronique. Pour y parvenir, il peut soit capter des électrons, soit céder des électrons ou partager des électrons avec des atomes voisins → il forme alors une **liaison.**

Le type de liaison chimique qui se forme détermine la **force de liaison** existant entre les atomes.

2.4.1 Liaisons ioniques

Le Na (1er groupe principal) possède 1 électron de valence ; le Cl (7e groupe principal) en possède 7. Lorsqu'ils réagissent l'un avec l'autre, l'importante attraction des électrons par l'atome de Cl entraîne une **transition électronique** de l'électron de valence du Na vers l'atome de Cl. De ce fait, le Na est le **donneur d'électrons** et le chlore est le **receveur d'électrons**.

Grâce à cette transition électronique, les deux partenaires qui réagissent atteignent la configuration d'un gaz noble :

- le Cl possède maintenant 18 électrons mais seulement 17 protons dans son noyau (numéro atomique 17) → il en résulte une particule électrique chargée négativement, l'**ion Cl^-** ;
- le Na a perdu un électron et ne possède maintenant plus que 10 électrons. En revanche, il possède 11 protons dans son noyau (numéro atomique 11) → il se forme donc une particule chargée positivement l'**ion Na^+.**

REMARQUE

Liaison ionique

C'est une liaison qui résulte de l'attraction électrique de deux ions de charge opposée.

La liaison ionique de deux ions de charge opposée entraîne la formation d'un **sel.** Les sels sont presque toujours constitués de l'association d'un ion métallique avec un ion non métallique (par exemple Na^+ et Cl^-) ; comme ils se forment par liaison ionique, ils sont appelés **composés ioniques** (▶ fig. 2.4).

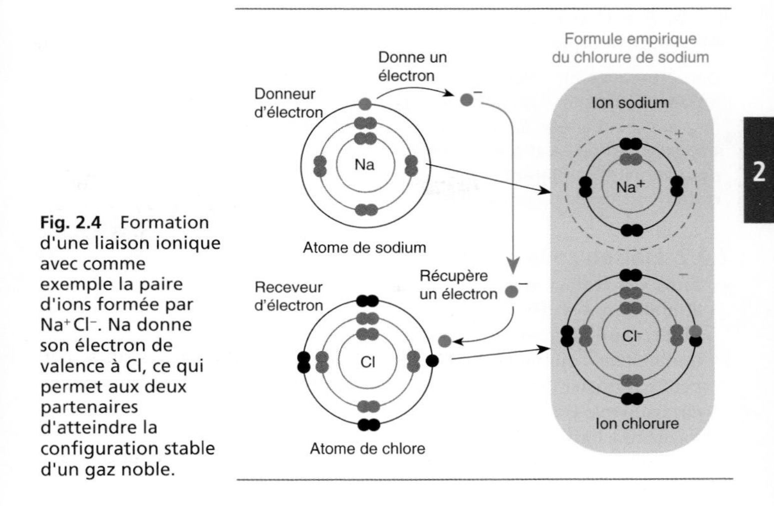

Fig. 2.4 Formation d'une liaison ionique avec comme exemple la paire d'ions formée par Na^+Cl^-. Na donne son électron de valence à Cl, ce qui permet aux deux partenaires d'atteindre la configuration stable d'un gaz noble.

Le sel de cuisine (Na^+Cl^-, NaCl) est un des composés ioniques le plus connu. Il est formé d'ions Na^+ et Cl^- dans la proportion de 1:1. La **formule empirique** d'un sel donne la proportion des ions qui constituent le composé ionique.

REMARQUE

Comme la plupart des sels, le NaCl forme un **réseau cristallin** tridimensionnel, électriquement neutre. Les ions qui le composent sont immobiles.

Si l'on verse suffisamment d'eau sur les cristaux de NaCl, le réseau cristallin se dissout → les ions libérés dans la solution aqueuse peuvent se mouvoir librement → ils forment une **solution électrolytique**.
L'application d'un courant électrique à cette solution électrolytique entraîne le déplacement des ions Na^+ vers la **cathode,** chargée négativement (« pôle négatif »), et des ions Cl^- vers l'**anode** chargée positivement (« pôle positif »), car les ions sont attirés vers les charges électriques opposées.

REMARQUE

- **Cations :** ions chargés positivement
- **Anions :** ions chargés négativement

→ Les ions d'une solution saline peuvent parfaitement conduire le courant électrique parce qu'ils sont capables de se mouvoir librement, ce qui n'est pas le cas lorsqu'ils forment le réseau cristallin (▶ fig. 2.5).

REMARQUE

Migration ionique

Dans un champ électrique, les **anions** (chargés négativement) migrent vers l'**anode** (chargée positivement) et les **cations** (chargés positivement) migrent vers la **cathode** (chargée négativement).

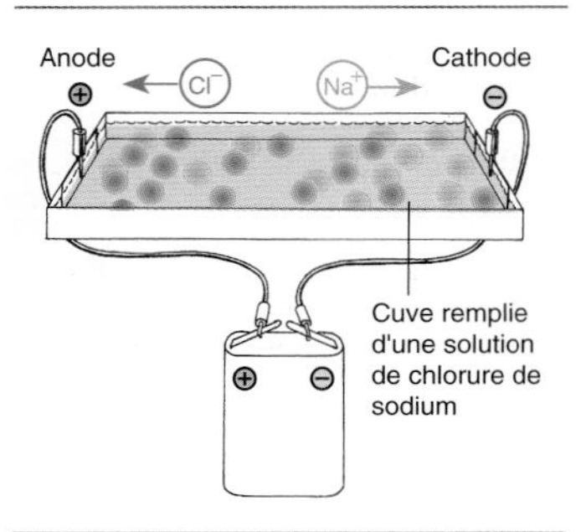

Fig. 2.5 Migration des ions Na^+ et Cl^- d'une solution de NaCl dans un champ électrique.

2.4.2 Liaison covalente

- Entre des atomes identiques ou des atomes ayant seulement une faible différence d'EN (par exemple des non métaux comme H et C), il ne peut pas exister de transition électronique. Dans ce cas, il se forme une **liaison covalente** (liaison entre paires d'électrons ou entre atomes) :
- Deux atomes (par exemple des atomes de Cl) mettent en commun des électrons → ils partagent une **paire d'électrons.** Les deux atomes de Cl possèdent alors 8 électrons de valence → état stable. La particule engendrée Cl–Cl ou Cl_2 est appelée une **molécule**.
- La formation des molécules d'oxygène s'effectue d'une manière analogue : O (6ᵉ groupe principal) possède 6 électrons de valence. Pour atteindre la configuration d'un gaz noble, il lui en manque 2. C'est pourquoi chaque atome d'O a besoin de partager non pas un mais 2 électrons. Comme cette liaison découle du besoin de mettre 2 paires d'électrons en commun, elle est appelée **double liaison** (O = O, O_2).
- La formation d'une molécule d'azote (N_2) nécessite une **triple liaison** (partage de trois paires d'électrons ▶ fig. 2.6).

REMARQUE

Composés

Les liaisons covalentes ne se forment pas uniquement entre des atomes identiques, mais également entre des atomes différents.
Par exemple : pour la molécule de méthane → 4 atomes d'H forment au total 4 liaisons covalentes avec 1 atome de C (CH_4, ▶ fig. 2.7). Les molécules formées à partir d'éléments chimiques **différents** sont appelées des **composés.**

2.4.3 Autres types de liaisons

En plus des liaisons ioniques et covalentes, il existe d'autres types de liaisons (complexes) qui sont moins importantes pour la compréhension du métabolisme. Cependant, un type de liaison, les **liaisons (ou ponts) hydrogènes,** revêt une importance majeure (▶ 2.7.1, ▶ fig. 2.8).

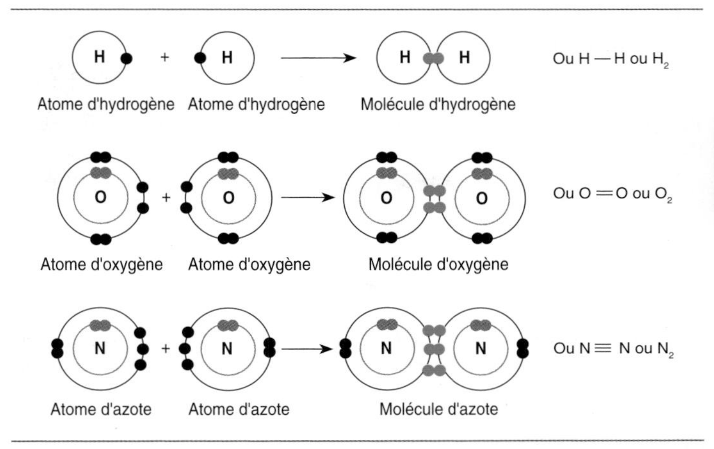

Fig. 2.6 Les atomes H, O et N peuvent former entre eux des liaisons covalentes (H_2, O_2, N_2). Les molécules obtenues, appelées aussi radicaux, sont bien plus stables que les atomes. Certains **radicaux** peuvent être à l'origine de dommages pour l'organisme en formant des réactions avec des molécules d'importance vitale.

Fig. 2.7 CH_4 (méthane) : quatre atomes d'H sont reliés à un atome de C par des liaisons covalentes.

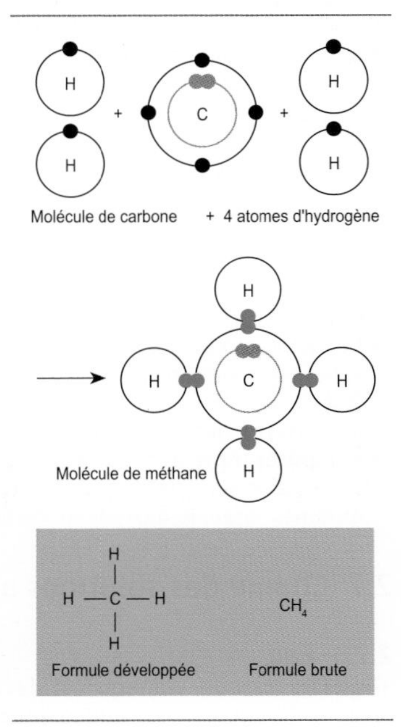

2.5 Réactions chimiques

Les réactions chimiques sont indispensables à l'organisme qui les utilise pour se développer et former de nouveaux tissus. Toutes les fonctions organiques nécessitent également le déroulement continu de réactions chimiques.

REMARQUE

Réactions chimiques

Formation de nouvelles liaisons entre des atomes ou **clivage (cassure) de liaisons préexistantes.** De ce fait, le nombre total d'atomes reste identique. En revanche, les nouvelles associations entre les atomes engendrent de **nouvelles molécules** dotées de **nouvelles propriétés.**

2.5.1 Réactions anaboliques

Si des atomes, des ions ou des molécules s'associent pour former une plus grosse unité, la **réaction** est dite **anabolique.** Elle aboutit à la **synthèse** (ou néoformation) d'une nouvelle molécule ou d'un nouveau composé.

Par exemple : synthèse de l'ammoniac (NH_3) à partir de 1 molécule d'azote (N_2) et de 3 molécules d'hydrogène (H_2) :

$$N_2 + 3\ H_2 \rightarrow 2\ NH_3$$

2.5.2 Réactions cataboliques

Les **réactions cataboliques** transforment les grosses unités en plus petites

Par exemple : dégradation de l'ammoniac (réaction inverse de celle de la synthèse de l'ammoniac) :

$$2\ NH_3 \rightarrow N_2 + 3\ H_2$$

Les réactions cataboliques jouent un rôle dans l'organisme humain, en particulier lors de la digestion (▶ 16) : les molécules alimentaires (lipides, protéines et glucides) ne peuvent passer dans le sang qu'après avoir été dégradées au niveau de la muqueuse intestinale.

REMARQUE

Énergie chimique

C'est l'énergie qui est utilisée au cours d'une réaction chimique (**réaction endotherme**) ou qui est libérée au cours de celle-ci (**réaction exotherme**). Le plus souvent, les réactions anaboliques sont endothermes et les réactions cataboliques sont exothermes.

2.6 Les composés chimiques à la base de tout processus vital

La plupart des éléments chimiques existent dans notre organisme sous forme de **composés.**

REMARQUE

- **Composés organiques :** en majorité constitués d'atomes de C et de H, ils sont maintenus ensemble principalement par des liaisons covalentes (▶ 2.4.2). Les molécules clés de notre vie, comme les glucides, les lipides, les protéines et les acides nucléiques, font partie de ces composés (▶ 2.8.4).
- **Composés inorganiques :** en général, ils ne contiennent pas de carbone. Parmi eux se trouvent les sels, les acides, les solutions alcalines, l'eau, le dioxyde de carbone et le monoxyde de carbone).

2.7 Chimie des solutions aqueuses

2.7.1 Eau

Toutes les réactions chimiques et, de ce fait, tous les processus vitaux de notre organisme se passent en **milieu aqueux**. L'eau est un excellent **solvant**. Les molécules d'O_2 et d'azote atteignent la cellule, transportées par l'eau extracellulaire. À l'inverse, les déchets du métabolisme comme le CO_2 la quittent par cette voie. Lors des réactions chimiques, l'eau permet le rapprochement des molécules concernées.

Voir l'eau comme un produit chimique

L'eau est composée de 1 atome d'O et de 2 atomes d'H reliés par des liaisons covalentes (▶ fig. 2.8). L'EN de l'O est nettement plus élevée (▶ 2.3.2) → les électrons mis en commun sont plus fortement attirés par O que par H → la répartition des charges au niveau de la molécule d'eau est **asymétrique** : les atomes d'H sont partiellement chargés positivement et l'atome d'O est partiellement chargé négativement → formation d'une **liaison atomique polaire.**

REMARQUE

H_2O est également un **dipôle** : globalement, elle est électriquement neutre mais son atome d'O est partiellement chargé négativement et ses atomes d'H sont partiellement chargés positivement.
Du fait de sa **polarité,** H_2O est un solvant et peut prendre part aux réactions chimiques.

Liaisons (ponts) hydrogènes

Du fait du caractère bipolaire de l'eau, des **liaisons hydrogènes** se forment entre les molécules d'H_2O. Chaque liaison hydrogène est faible (5 à 10 % d'une liaison covalente), mais comme elles se forment en grand nombre, ces liaisons maintiennent solidement la cohésion des molécules d'H_2O (▶ fig. 2.8).
Les liaisons hydrogène ne se forment pas uniquement *entre* des molécules polarisées, mais également entre des atomes polarisés *au sein* d'une même molécule.

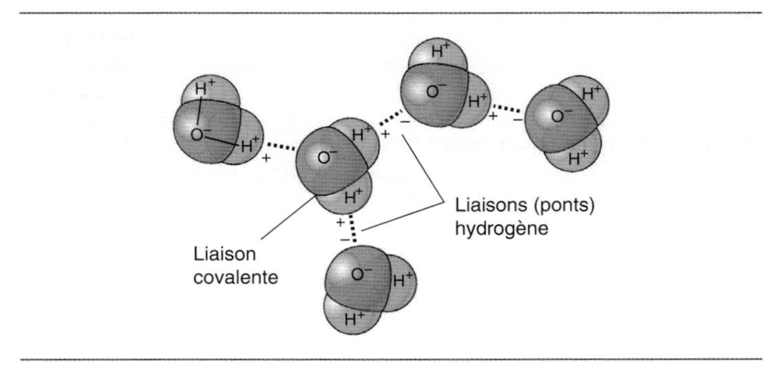

Fig. 2.8 Cinq molécules d'eau avec les ponts hydrogène qui les relient.

Exemple : ces lésions servent à la stabilisation de molécules comme les protéines ou les acides nucléiques.

Autres fonctions

- **Isolation :** l'eau absorbe lentement la chaleur et ne la dégage que lentement.
- Principale composante des mucosités → utilisée comme **lubrifiant.**

2.7.2 Acides et bases

REMARQUE

Si des sels comme le NaCl (▶ 2.4.1) sont mis en solution dans H_2O, ils se **dissocient** : les ions réunis dans le cristal se séparent les uns des autres et existent sous une forme libre, mobile.

Les **acides** et les **bases** inorganiques peuvent également se dissocier dans l'eau. Par exemple :

- le chlorure d'hydrogène (HCl) : des ions H^+ sont libérés → l'eau réagit comme un *acide* et il se forme de l'acide chlorhydrique. Les ions H^+ n'existent pas à l'état libre mais se lient aux molécules d'eau : il se forme des ions hydronium (H_3O^+) (l'écriture H^+ est conservée pour plus de clarté) ;
- l'hydroxyde de sodium (NaOH) : les ions hydroxyde (ions OH^-) sont libérés → l'eau réagit comme une *base,* il se forme de la soude. Une solution aqueuse basique est appelée un **alcalin.**

REMARQUE

Définitions

- **Acides :** selon **Brønsted,** substances qui cèdent un ion H^+ (par exemple HCl, H_2SO_4).
- **Bases :** substances qui absorbent des ions H^+ (par exemple NaOH, NH_4OH).
- **Acidité** (caractère acide) : plus une solution contient des ions H^+, plus elle est *acide*.
- **Alcalinité** (caractère basique, propriété basique d'une solution) : plus une solution contient d'ions OH^-, plus elle est *basique* (alcaline).

Quantité de matière en moles

- La quantité de matière ainsi que la concentration s'expriment le plus souvent en **moles** (symbole : **mol**). Une quantité de **1 mole** signifie que le nombre de particules dans cette quantité équivaut au nombre d'atome d'H dans 1 g d'hydrogène.
- Par ailleurs, le **nombre d'atomes d'H dans 1 g d'hydrogène** est égal à $6{,}023 \times 10^{23}$. Une mole de n'importe quelle substance (par exemple 1 mole d'oxygène, d'eau, de sucre ou de chlorure de sodium) contient également $6{,}023 \times 10^{23}$ particules, un nombre difficilement imaginable.

- La **conversion d'une mole en gramme** s'effectue à l'aide de la CPE : l'hydrogène élémentaire a un numéro de masse égal à 1 (▶ fig. 2.2). Si ce numéro de masse est associé à une unité en grammes, cela donne la masse de l'hydrogène correspondant à 1 mole : 1 mol H correspond à 1 g H. Il en est de même pour le C dont le numéro de masse est 12 : 1 mole de carbone correspond à 12 g.

Concentration molaire ou molarité

- La plupart des substances sont dissoutes dans les liquides de notre organisme. À partir de la quantité de matière (en mol) de ces substances, il est possible d'obtenir la concentration de la substance dans la solution, exprimée en **mol/litre** (mol/l).
- Si la concentration d'une substance est de 1 mol/l, **la solution est dite molaire.** Pour fabriquer une solution molaire, il faut mettre dans un récipient une quantité correspondant à 1 mole et verser dessus une solution jusqu'à atteindre le volume de 1 litre (▶ fig. 2.9).

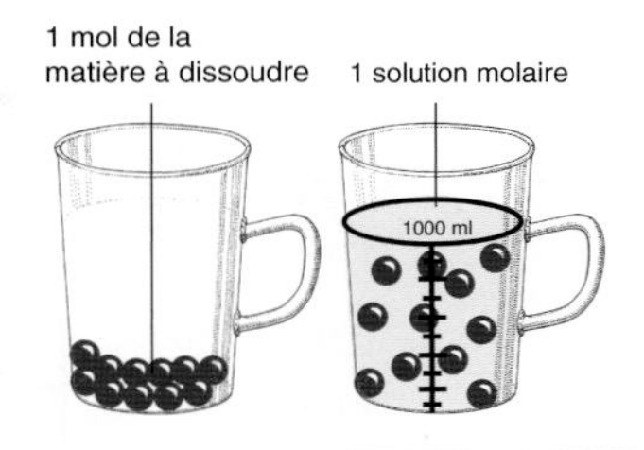

Fig. 2.9 Préparation d'une solution molaire (concentration : 1 mol/l).

2.7.3 pH

- L'acidité et l'alcalinité d'une solution dépendent de sa concentration en ions H^+ et en ions OH^-.
- Si les deux concentrations sont identiques, la solution n'est ni acide ni basique mais **neutre.** L'eau pure, par exemple, est neutre : la concentration en ions (représentée entre crochets) est située à la neutralité :

$$[H^+] = 0{,}0000001 \text{ mol/l} = 10^{-7} \text{ mol/l}$$
$$[OH^-] = 0{,}0000001 \text{ mol/l} = 10^{-7} \text{ mol/l}$$

Comme la concentration en ion H^+ et OH^- est très faible, une échelle a été définie appelée le **pH**. Elle est définie comme **l'opposé du logarithme décimal** de la concentration en ions H^+.

Le calcul de l'opposé du logarithme décimal n'est pas particulièrement simple :

- $[H^+] = 0{,}01$ mol/l = 10^{-2} mol/l → pH = 2 (acide, par exemple suc gastrique)
- $[H^+] = 0{,}0000001$ mol/l = 10^{-7} mol/l → pH = 7 (neutre, eau pure)
- $[H^+] = 0{,}00000004$ mol/l = $10^{-7,4}$ mol/l → pH = 7,4 (légèrement basique, plasma sanguin)
- $[H^+] = 0{,}00000001$ mol/l = 10^{-8} mol/l → pH = 8 (basique, sécrétions de l'intestin grêle).

REMARQUE

Activité protonique

$pH = -\log [H^+]$

REMARQUE

- SI la concentration en H^+ d'une solution > 10^{-7} mol/l, elle est acide et le pH aura une valeur < 7.
- Si la concentration en H^+ d'une solution < 10^{-7} mol/l, son pH sera alors > 7 (▶ fig. 2.10).

Plus le pH est faible, plus la solution est acide.

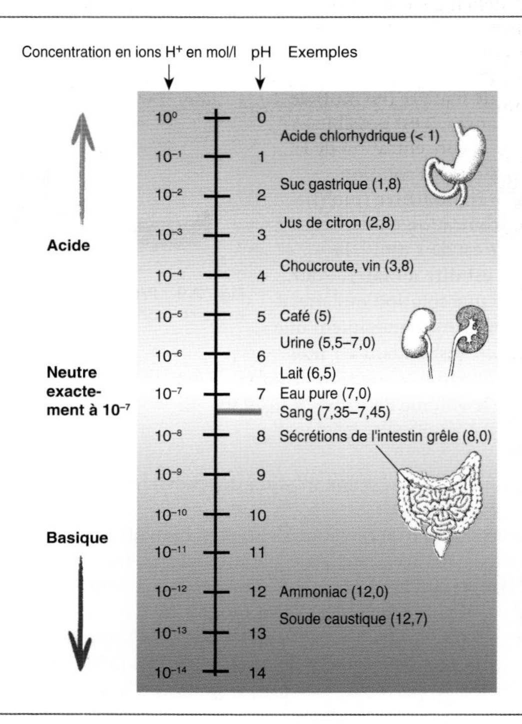

Fig. 2.10 Valeurs du pH de liquides connus.

Les concentrations en ions H^+ et OH^- sont inversement proportionnelles : lorsque la concentration en H^+ est élevée, la concentration en OH^- est faible et vice versa.

2.7.4 Tampon

Même si les différents liquides de notre corps ont différents pH, la valeur du pH à l'intérieur d'un même liquide corporel reste constante grâce à l'action des **tampons** : ils acceptent les ions H^+ excédentaires puis les redonnent → ils tamponnent les fluctuations du pH.

Système acide carbonique-bicarbonate

- Ce tampon est formé de l'**acide carbonique** (H_2CO_3) associé à sa base correspondante, dans le cas présent, le **bicarbonate** (HCO_3^-, ▶ fig. 2.11).
- Si le corps se charge d'acide (**acidose** ▶ 18.9.2), les ions H^+ sont absorbés par HCO_3^-, ce qui forme H_2CO_3 qui, à son tour, forme à l'équilibre CO_2 et H_2O. Le CO_2 est expiré par les poumons. Les ions H^+ peuvent aussi être éliminés par les reins.
- Lors de déficit en ions H^+ ou d'excédent en ions OH^- (**alcalose** ▶ 18.9.3) → l'expiration de CO_2 peut être réduite dans une certaine mesure. L'augmentation de la rétention de H_2CO_3 permet de céder des ions H^+ qui se lient à OH^- pour donner H_2O. Les reins peuvent contrecarrer l'alcalose en diminuant l'excrétion de H^+ et en renforçant l'élimination de HCO_3^-.

REMARQUE

En plus du système tampon H_2CO_3/HCO_3^-, des processus de régulation d'origine pulmonaire ou rénale contribuent activement au maintien de valeurs constantes de pH (▶ 18.9.1, ▶ fig. 2.11).

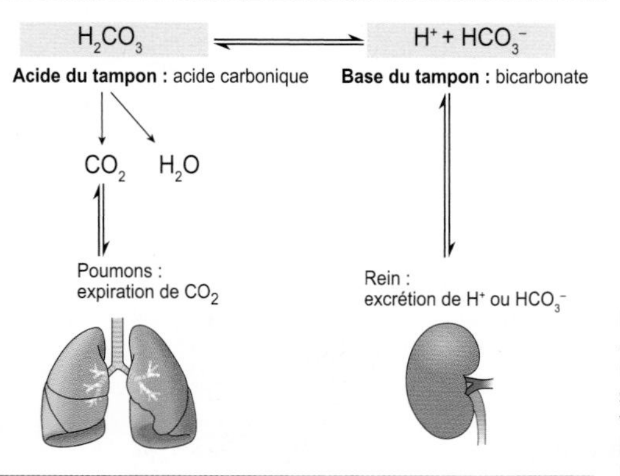

Fig. 2.11 Le système acide carbonique/bicarbonate, un système tampon vital, et les organes impliqués dans la régulation du pH.

Autres systèmes tampon

- **Les protéines** : l'hémoglobine (▶ 11.2.1) contenue dans les hématies, les protéines plasmatiques.
- **Le phosphate :** phosphate inorganique.

2.8 Composés organiques

2.8.1 Les glucides (hydrates de carbone)

- Les plantes vertes fabriquent des **glucides** en très grande quantité à partir de CO_2 et d'H_2O grâce au processus de **photosynthèse** qui utilise la lumière

solaire → l'énergie du soleil est emmagasinée sous forme d'**énergie chimique** dans les glucides et peut être exploitée sous cette forme.
- Les glucides sont composés de C, H et O. Leur autre nom, hydrate de carbone, est lié au fait que, dans beaucoup de glucides, H et O se trouvent dans un rapport de 2:1, ce qui signifie que les glucides sont des **hydrates** du carbone ayant comme formule générale $C_n(H_2O)_m$. Toutefois, il existe des exceptions.
- En tant que source d'énergie rapidement disponible, les glucides jouent un rôle majeur dans l'organisme. Selon leur taille, ils sont différenciés en mono-, di- et polysaccharides.

Monosaccharides (sucres ou glucides simples)

- Une **molécule de sucre** : squelette de carbone formant un cycle pentagonal ou hexagonal (▶ fig. 2.12).

REMARQUE

Un composé indispensable : le glucose

C'est le monosaccharide le plus important pour l'homme. Il représente le principal combustible du corps humain, utilisé par la plupart des cellules pour produire l'énergie dont elles ont besoin.
Formule : $C_6H_{12}O_6$

- D'autres monosaccharides sont également importants comme le **fructose** (ou sucre des fruits) et le **galactose** (retrouvé dans le mucus)

Disaccharides (formés de deux sucres)

Les disaccharides se forment par une réaction réunissant deux monosaccharides avec élimination de H_2O (▶ fig. 2.12). Ces réactions de liaison qui s'accompagnent de l'élimination d'une molécule d'eau sont appelées réactions de **condensation.** Les disaccharides peuvent être scindés en monosaccharides par consommation d'une molécule de H_2O.

REMARQUE

Disaccharides importants

- **Maltose** (sucre de malt), formé de deux molécules de glucose.
- **Saccharose** (sucre de canne et de betterave), formé d'une molécule de glucose et de fructose.
- **Lactose** (sucre du lait), formé d'une molécule de glucose et de galactose.

Polysaccharides

Les disaccharides peuvent se lier à des monosaccharides pour former des **polysaccharides** (glucides complexes) → ce sont des macromolécules.
Exemples :
- L'**amidon** (amylose, forme végétale de réserve du glucose) : il est scindé en molécules de glucose dans le tube digestif ; celles-ci passent ensuite dans la circulation sanguine.

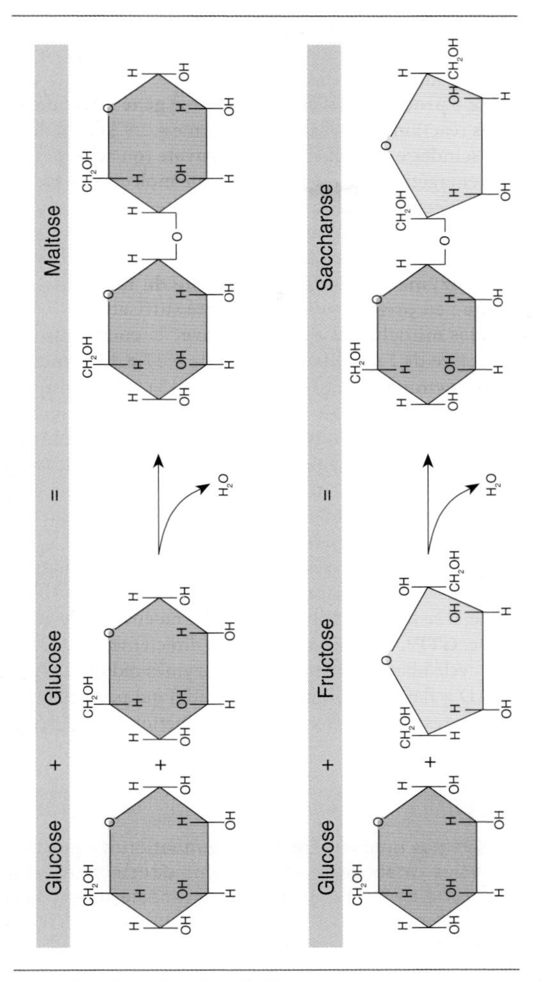

Fig. 2.12 Formation d'un disaccharide (les atomes de C aux sommets des cycles ne sont pas représentés).

- La **cellulose** est formée de molécules de glucose qui ne sont pas liées de la même façon que dans l'amidon. La cellulose confère aux végétaux leur forme et leur résistance. Elle ne peut pas être dégradée par l'homme.
- Le **glycogène** représente la forme de réserve du glucose chez l'homme (voir ci-dessous).

Obtention d'énergie à partir du glucose

L'énergie est obtenue par dégradation du glucose. Ce processus passe par les principales étapes suivantes (▶ fig. 2.14) :

1. La **glycolyse – production d'énergie sans oxygène :** au cours de nombreuses réactions enzymatiques (enzyme ▶ 2.9.1), 1 molécule de glucose est scindée en 2 molécules de **pyruvate** (ou acide pyruvique). Le rendement énergétique direct est faible : une molécule de glucose permet d'obtenir 2 molécules d'adénosine triphosphate (ATP ▶ 2.8.5) qui sont des molécules de réserve d'énergie. La glycolyse a l'avantage de permettre aux cellules de récupérer de l'énergie même en l'absence d'O_2.
2. L'**acétyl-coenzyme A – molécule centrale du métabolisme énergétique :** en présence d'une quantité suffisante d'O_2, le pyruvate entre dans les mitochondries et réagit avec la **coenzyme A** (CoA-SH ou forme active de l'acide pantothénique ▶ 17.8.11) pour donner de l'**acétyl-coenzyme A** (acétyl-CoA ▶ fig. 2.13), en libérant du CO_2. Il ne se forme pas d'ATP mais le **NAD** (nicotinamide-adénine dinucléotide) est réduit en **NADH** → il sera ultérieurement recyclé dans la chaîne respiratoire pour fournir de l'énergie. L'acétyl-CoA ne se forme pas uniquement au cours de la dégradation oxydative du glucose, mais également lors de la dégradation des acides gras (AG) et de quelques acides aminés (AA).
3. Le **cycle de Krebs :** série de réactions sous contrôle enzymatique qui se déroulent dans les mitochondries. Par molécule d'acétyl-CoA entrant dans le cycle, il se forme un phosphate riche en énergie (le guanosine triphosphate, **GTP**), qui peut transformer directement 1 **ADP** en **ATP**. De plus, ce cycle libère également les coenzymes réduites NADH et **$FADH_2$** (FAD = flavine-adénine dinucléotide) qui peuvent être recyclées dans la chaîne respiratoire (oxydation et réduction ▶ 2.9.2, ▶ fig. 2.13).

REMARQUE

Cycle de Krebs

Ce cycle ne sert pas uniquement à la dégradation du glucose. De très nombreuses voies cataboliques débouchent directement ou indirectement dans le cycle de Krebs qui fournit, en même temps, les matières premières de très nombreuses réactions anaboliques : il représente la « plaque tournante » du métabolisme.

4. La **chaîne respiratoire :** lors de la dégradation du glucose, des électrons sont transférés par réduction (▶ 2.9.2) aux coenzymes (▶ 2.9.1). La **chaîne respiratoire** (chaîne de transport des électrons) dirige ces électrons vers l'oxygène → il se forme de l'eau et de l'énergie → utilisée pour la régénération de l'ATP. Pour cela, l'ADP est lié à un phosphate (phosphorylation). Comme la chaîne respiratoire et la phosphorylation de l'ADP sont directement liées, l'ensemble est désigné sous le nom de **phosphorylation oxydative.** Le transfert des électrons de NADH et

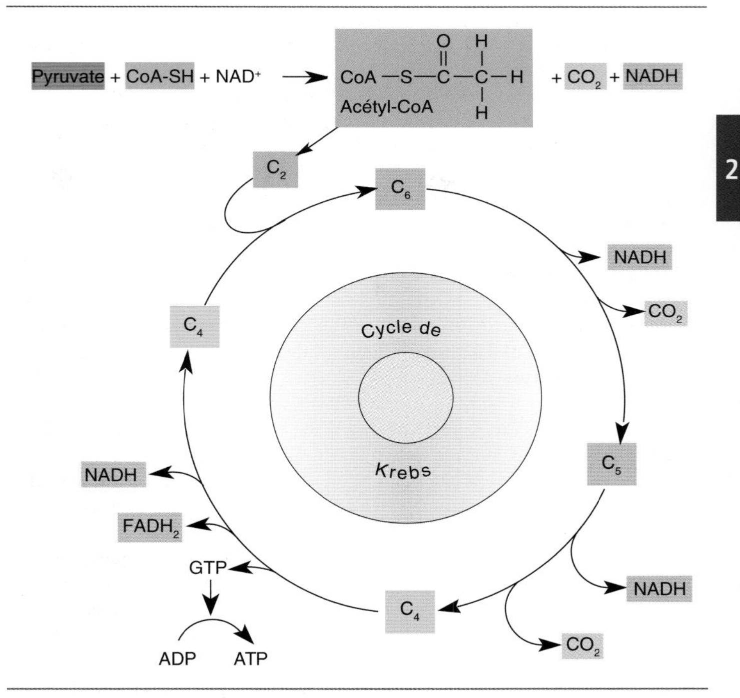

Fig. 2.13 Formation d'acétyl-CoA et entrée du groupement acétyl dans le cycle de Krebs. Les coenzymes réduites NADH et $FADH_2$ qui se forment stockent l'énergie utilisée ultérieurement pour la régénération de l'ATP. Cette dernière n'intervient qu'au cours de la dernière partie du processus de récupération d'énergie, à savoir la chaîne respiratoire.

$FADH_2$ à l'oxygène ne s'effectue pas en une seule fois mais par étapes successives faisant intervenir des enzymes et des coenzymes → il se forme **progressivement** 32 molécules d'ATP.

REMARQUE

Respiration cellulaire

Dégradation oxydative des glucides et des graisses pour obtenir de l'énergie. Il en résulte, pour le glucose :

Glucose + 36 ADP + 36 P + 6 O_2 → 6CO_2 + 6 H_2O + 36 ATP

Glycogène

- Si l'organisme dispose de suffisamment de glucose, il peut le mettre en réserve sous la forme de **glycogène**.

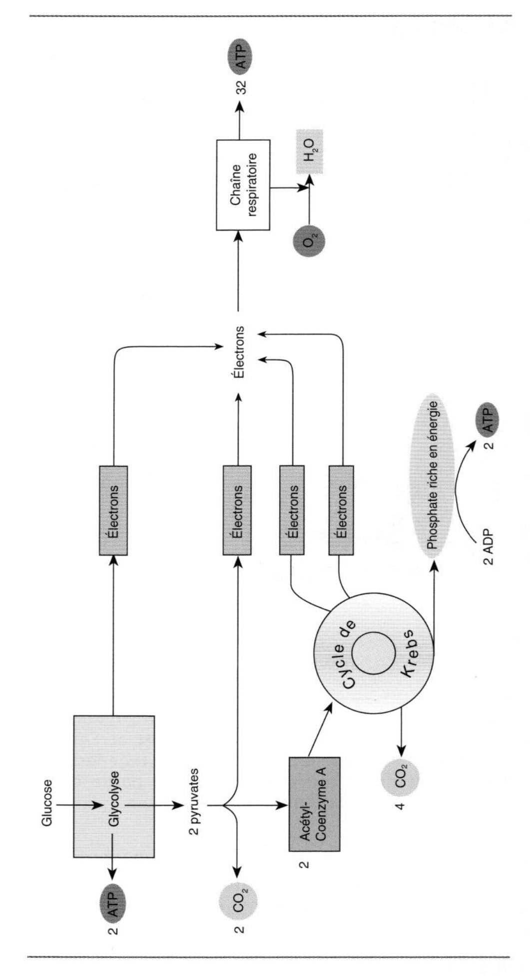

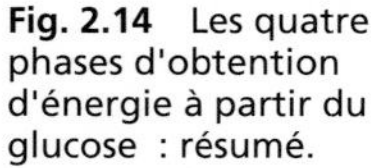
Fig. 2.14 Les quatre phases d'obtention d'énergie à partir du glucose : résumé.

- Le stockage a lieu principalement dans le foie et les muscles squelettiques. Un adulte peut stocker environ 400 g de glycogène en tout (ce qui correspond à environ 8400 kJ ≅ 2000 kcal) (150 g dans le foie, 250 g dans les muscles). Si la consommation de glucides se poursuit, le glucose supplémentaire sera transformé en graisse puis stocké → nous grossissons et notre foie se charge de graisse (▶ 16.10.6).

Néoglucogenèse

- Les hématies et le cerveau sont tributaires du **glucose** pour obtenir de l'énergie. Le glucose est également la seule substance que les muscles squelettiques peuvent utiliser pour obtenir de l'énergie en cas de manque d'O_2.
- **Néoglucogenèse** (néoformation de glucose à partir de précurseurs non glucidiques ▶ fig. 2.15) : elle permet d'assurer un taux suffisant de glucose même lorsque les apports alimentaires sont insuffisants et que les réserves de glycogène sont épuisées. Elle a lieu dans le foie (environ 90 %) et le cortex rénal (environ 10 %). Elle peut être considérée comme un **processus inverse de la glycolyse**. Toutefois, ce processus doit contourner trois réactions de la glycolyse qui ne peuvent s'effectuer que dans le sens de la glycolyse. Les réactions qui ont lieu à la place ont besoin d'ATP et de ce fait consomment de l'énergie.

REMARQUE

Paragraphes se rapportant aux glucides

Digestion et absorption des glucides ▶ 16.7.2
Métabolisme hépatique des glucides ▶ 16.10.5
Métabolisme des glucides ▶ 17.4
Insuline et déficit en insuline ▶ 10.7.3

2.8.2 Graisse (lipides) et analogues des graisses

Selon l'origine naturelle des graisses, il est possible de différencier :

- **les graisses animales :** les viandes et les charcuteries comportent environ 5 à 45 % de graisses « cachées » ;
- **les graisses végétales.**

À température ambiante, les graisses se trouvent sous forme solide ou liquide (**huile [de table]**).

Graisses (lipides) neutres (triglycérides)

- Le principal groupe de graisses d'origine naturelle est formé d'un mélange de **triglycérides.** L'Homme met en réserve les triglycérides dans le cytoplasme des adipocytes (cellules graisseuses) (▶ 4.3.4) → importantes réserves énergétiques : les lipides renferment un peu plus de deux fois plus d'énergie que les glucides, soit 40 kJ (9,3 kcal) par gramme au lieu de 17 kJ (4,1 kcal). Le tissu adipeux joue également un rôle dans l'isolation et la protection.
- Chaque triglycéride est formé de 1 molécule de **glycérol** et de 3 molécules d'**acides gras** (▶ fig. 2.16).

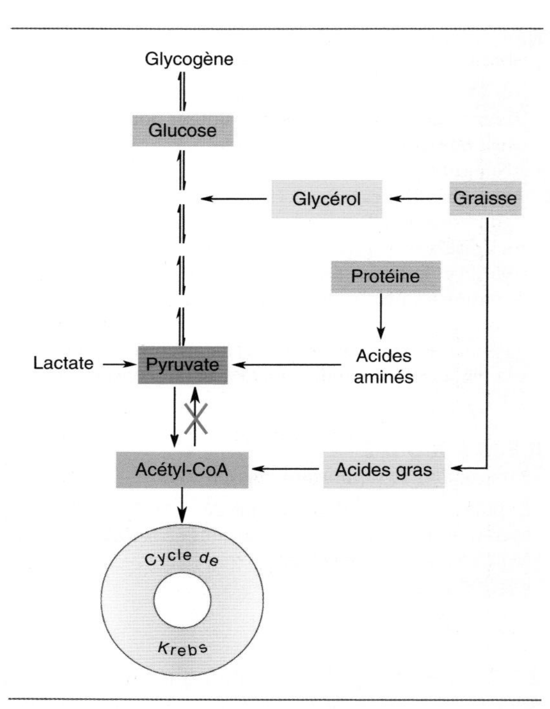

Fig. 2.15 Néoglucogenèse.

REMARQUE

Acides gras

Longues chaînes d'hydrocarbures formées généralement de 16 ou 18 atomes de C. Les acides gras (AG) peuvent provenir de l'alimentation ou être fabriqués par les cellules elles-mêmes. Ils peuvent être :

- **saturés** : ils ne possèdent que des liaisons simples, comme l'acide palmitique;
- **mono-insaturés** : ils possèdent une double-liaison, par exemple l'acide oléique;
- **poly-insaturés** : ils possèdent deux (par exemple l'acide linoléique), trois (par exemple l'acide linolénique) ou plus de trois doubles liaisons.

Acides gras essentiels

- L'organisme ne peut pas fabriquer lui-même tous les AG car il ne peut insérer de doubles liaisons qu'au niveau de certaines positions précises de la chaîne d'hydrocarbures → certains AG (par exemple l'acide linoléique et l'acide linolénique) doivent donc être apportés par la nourriture → ce sont les **AG essentiels**.
- Tous les AG essentiels sont des AG poly-insaturés et sont nécessaires à la synthèse de différentes substances de l'organisme. La concentration en

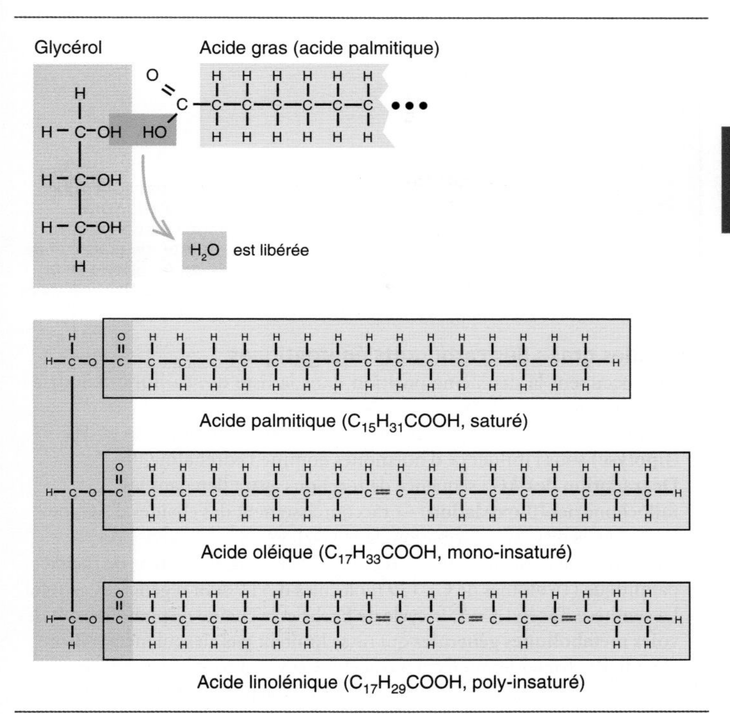

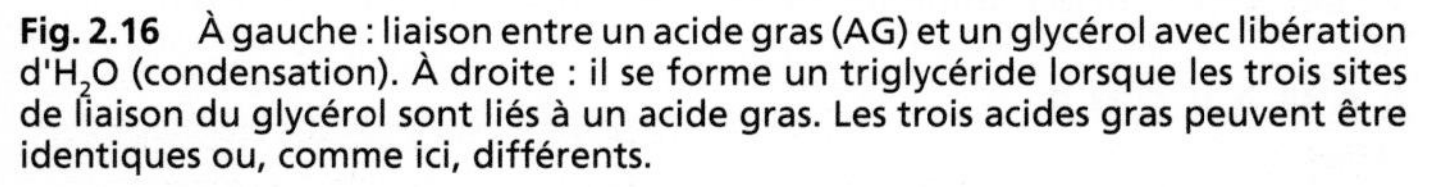

Fig. 2.16 À gauche : liaison entre un acide gras (AG) et un glycérol avec libération d'H_2O (condensation). À droite : il se forme un triglycéride lorsque les trois sites de liaison du glycérol sont liés à un acide gras. Les trois acides gras peuvent être identiques ou, comme ici, différents.

AG poly-insaturés est bien plus élevée dans les huiles végétales et de poisson que dans les autres graisses (en particulier animales).

Liposolubilité et hydrosolubilité

Les AG se décomposent aussi en partie dans l'eau en libérant des ions H^+ et des **acides gras anioniques.** Une molécule d'AG réunit deux propriétés bien distinctes :

- sa longue « queue » (en jaune sur la ▶ fig. 2.16) est très liposoluble et peu hydrosoluble – elle est dite **lipophile** (qui aime les graisses) et **hydrophobe** (qui n'aime pas l'eau). Explication : les liaisons covalentes C–H sont peu polarisées et ne forment pas de ponts hydrogènes avec les molécules d'H_2O (▶ 2.7.1) ;
- sa « tête » ou groupement carboxyle (▶ 2.8.3, en bleu sur la ▶ fig. 2.16) est bien hydrosoluble (**hydrophile**) et peu liposoluble (**lipophobe**). Explication : il se forme des ponts hydrogène entre les groupements carboxyles et H_2O.

Du fait de ces propriétés contraires, les AG peuvent **émulsionner** les substances lipophiles, c'est-à-dire les rendre hydrosolubles (▶ fig. 2.17).

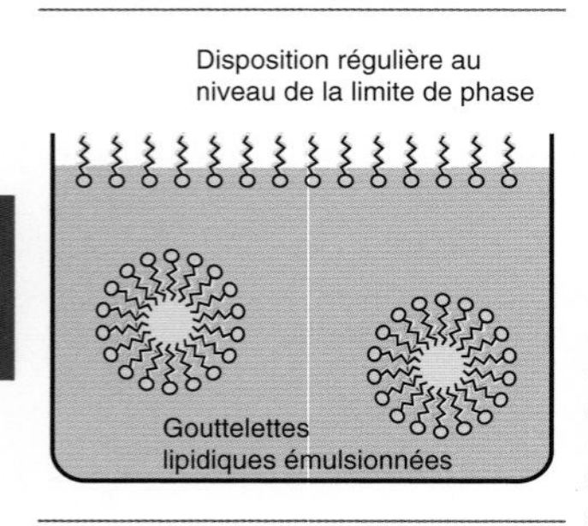

Fig. 2.17 Comportement des acides gras dans l'eau. Les molécules d'acide gras orientent leur extrémité hydrophobe en sorte de former des gouttes de graisse et de permettre leur émulsion. Au niveau de la surface de l'eau, les extrémités hydrophobes sortent de l'eau.

Les acides gras : des carburants énergétiques

Les AG occupent la deuxième position dans la liste des carburants fournissant de l'énergie à la cellule.

- **Formation des AG :** dégradation des triglycérides en glycérol et AG (**lipolyse**) sous l'influence d'hormones comme l'adrénaline.
- **Dégradation des AG :** séquence de réactions ayant lieu dans les mitochondries (β-**oxydation**) → raccourcissement des chaînes d'AG tous les 2 atomes de C avec formation de NADH, $FADH_2$ et acétyl-CoA → entrée dans le cycle de Krebs → recyclage. Par exemple à partir de l'acide palmitique (16 atomes de C), 129 molécules d'ATP sont régénérées au total. La synthèse d'acétyl-CoA, le cycle de Krebs et la chaîne respiratoire sont des **voies métaboliques générales** qui ne se limitent pas au seul métabolisme glucidique. Toutes les molécules d'acétyl-CoA issues de la dégradation des lipides n'entrent pas dans le cycle de Krebs. Une partie est utilisée pour former des **corps cétoniques** qui servent également à obtenir de l'énergie.

REMARQUE

Lipogenèse

Les excédents d'énergie, de glucides ou de protéines sont stockés sous forme de graisse.
Transformation du glucose en graisse : le glycéraldéhyde-3-phosphate (produit intermédiaire de la glycolyse) permet la formation de la composante glycérol des triglycérides. Les AG des triglycérides peuvent provenir de l'acétyl-coenzyme A.

Autres lipides

Les **lipides** (graisses et analogues des graisses) englobent les triglycérides, mais aussi d'autres substances ayant les propriétés suivantes :

- mauvaise solubilité dans l'eau *et*
- bonne solubilité dans les solutions non polaires comme le chloroforme ou l'éther.

Les substances les plus importantes sont les suivantes :

- le **cholestérol :** fabriqué par l'organisme lui-même ou absorbé à partir d'aliments d'origine animale. Les végétaux n'en contiennent pas. Intérêt :

  - composant des membranes cellulaires (▶ 3.4);
  - précurseur des hormones stéroïdes (▶ tableau 10.2);
  - précurseur des acides biliaires (▶ 16.6.3).
- les **phospholipides** : ils ressemblent aux triglycérides mais seuls deux AG sont liés au glycérol. Le troisième site de liaison est lié à un groupement phosphate faisant le plus souvent partie d'un alcool azoté. Le plus connu est la lécithine. Intérêt : ce sont principalement des composants des membranes cellulaires (▶ fig. 3.3).

REMARQUES

Paragraphes se rapportant aux graisses (lipides)

Athérosclérose ▶ 14.1.4
Digestion et absorption des graisses ▶ 16.7.3
Métabolisme hépatique des graisses ▶ 16.10.5
Trouble du métabolisme lipidique ▶ 17.5.2

2.8.3 Protéines

Chez l'homme, ces molécules revêtent une très grande importance **structurelle** et **fonctionnelle**. Elles forment par exemple la majeure partie des muscles ainsi que des « portillons » présents dans toutes les membranes cellulaires et qui contrôlent le transport des différentes substances.

Enzymes

L'apport de chaleur permet d'accélérer les réactions chimiques. Toutefois, notre organisme ne peut pas utiliser cette méthode car il ne tolère pas d'importantes fluctuations de température. Pour réaliser rapidement ces réactions chimiques tout en les contrôlant, notre organisme utilise des **enzymes** (biocatalyseur ▶ 2.9) pour **catalyser** de nombreuses réactions chimiques (ce qui les accélère d'un facteur 10^3 à 10^5). Les enzymes sont des protéines.

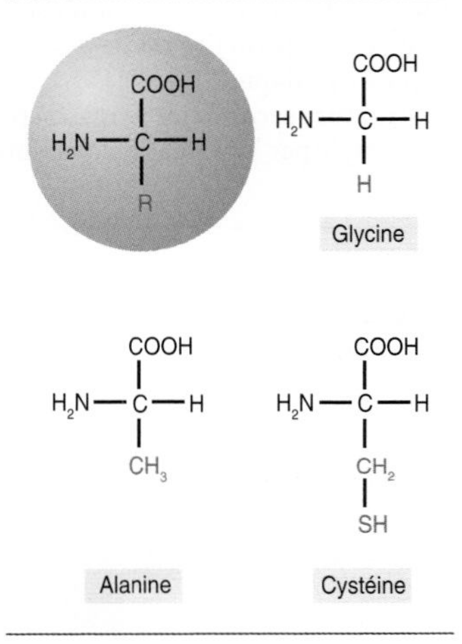

Fig. 2.18 Composition d'un acide aminé (en haut à gauche) et trois exemples d'acides aminés sur les 20 présents chez l'homme.

Acides aminés : les unités de base de la structure protéique

Les protéines sont constituées d'**acides aminés (AA).** Fondamentalement, tous les AA sont construits de la même façon.

REMARQUE

Un atome de C central est lié à 4 groupements ou atomes :
- 1 groupement COOH (**groupement carboxyle ou carboxylique**);
- 1 groupement NH_2 (**groupement amine**);
- 1 atome d'H;
- 1 résidu variable (R, ▶ fig. 2.18).

Les 20 AA différents constituant les protéines de l'homme se différencient par leur résidu.

REMARQUE

Les **8 AA essentiels** (valine, phénylalanine, leucine, isoleucine, thréonine, tryptophane, méthionine, lysine) doivent être issus de l'alimentation ; les **AA non essentiels** peuvent être fabriqués par l'organisme lui-même.

Liaisons entre les acides aminés

- La condensation de deux AA forme un **dipeptide** (▶ fig. 2.19). Dans tous les cas, le groupement carboxyle d'un des AA réagit avec le groupement amine du suivant. La libération d'eau permet la formation d'une **liaison peptidique**.
- Chaque peptide possède un groupement COOH libre à une de ses extrémités et un groupement NH_2 libre à l'autre ; de ce fait, il peut réagir avec d'autres AA.

REMARQUE

Une chaîne formée de trois AA s'appelle un **tripeptide**. L'ajout de nouveaux AA forme un polypeptide. Les protéines sont des **polypeptides** comportant plus de 100 AA.

Chez l'homme, la plupart des protéines contiennent entre 100 et 500 AA. Vingt AA différents entrent dans leur composition et la séquence de ces AA varie selon la protéine → le nombre de protéines possibles est immense. D'un point de vue structurel, les protéines se caractérisent par les points suivants (▶ fig. 2.20) :

- **structure primaire :** suite des AA constituant une chaîne polypeptidique ;
- **structure secondaire :** organisation spatiale de la chaîne d'AA, par exemple par la formation de ponts hydrogènes (en hélice ou en feuillet) ;

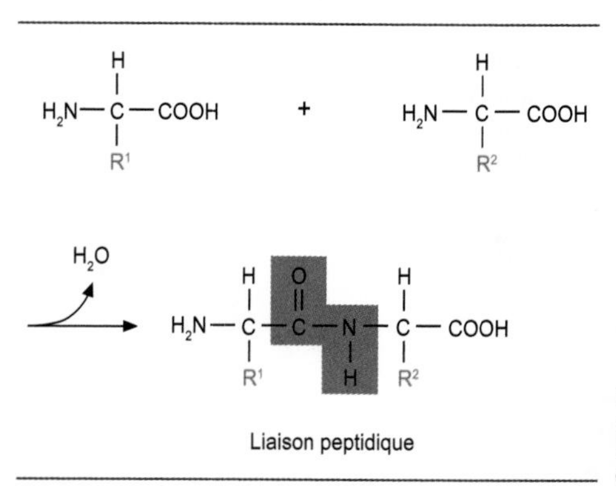

Fig. 2.19 Liaison peptidique permettant l'assemblage d'une chaîne d'acides aminés.

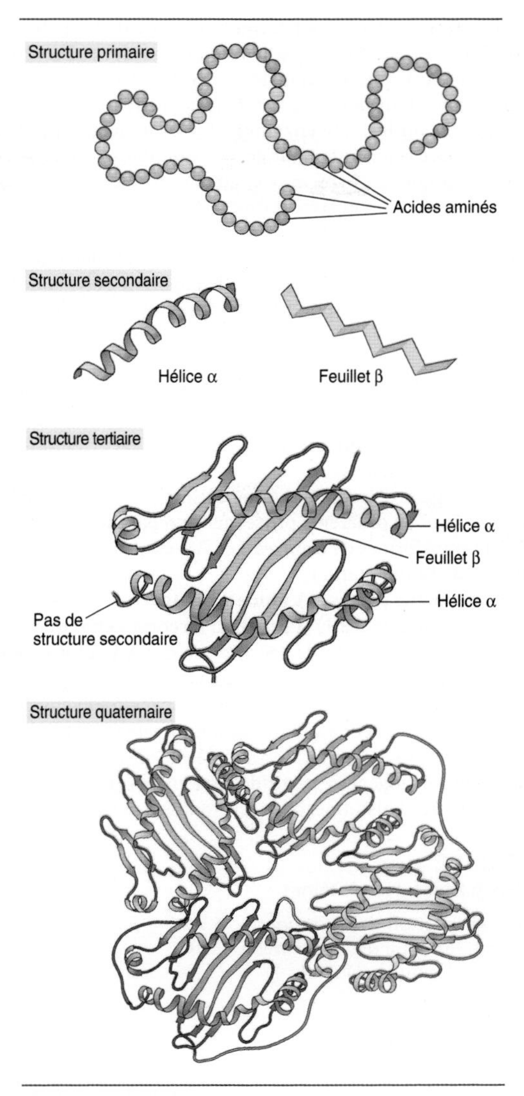

Fig. 2.20 Structure des protéines.

- **structure tertiaire :** structure tridimensionnelle de la chaîne polypeptidique. Elle se forme par le repliement ou l'enchevêtrement des chaînes d'AA disposées en hélice ou en feuillet. Cette structure tertiaire est un facteur déterminant de la capacité fonctionnelle de la protéine (par exemple d'une enzyme). Une protéine qui perd sa structure tertiaire (en étant chauffée, par exemple) perd également sa fonction biologique. Ce principe explique pourquoi les traitements par la chaleur (désinfection et stérilisation ▶ 12.5.4) permettent de rendre inoffensifs des bactéries et des virus (par dénaturation protéique) ;
- **structure quaternaire :** certaines protéines (comme l'hémoglobine ▶ 11.2.1) sont formées d'un assemblage de plusieurs polypeptides. La structure quaternaire correspond à l'arrangement spatial de ces sous-unités.

Aperçu du métabolisme des acides aminés et des protéines

Les protéines issues de l'alimentation ou synthétisées par l'organisme sont dégradées en AA (**catabolisme protéique**) qui peuvent être utilisés de différentes façons selon le besoin :

- formation endogène de protéines (**anabolisme protéique**), par exemple pour la croissance ou différents processus de réparation. Certains AA peuvent être transformés en d'autres. Les AA essentiels ne peuvent provenir que de l'alimentation ;
- formation de glucose par les **AA glucoformateurs** en général par la voie de la néoglucogenèse (▶ 2.8.1) ; formation de corps cétoniques ou d'AG (▶ 2.8.2) à partir des produits de dégradation des **AA cétoformateurs**. Certains AA peuvent emprunter ces deux voies métaboliques ;
- dégradation de certains AA en acétyl-CoA, suivie de son entrée dans le cycle de Krebs (▶ 2.8.1) et de son utilisation directe pour produire de l'énergie (rare) ;
- synthèse d'amines biogènes à partir de certains AA (par exemple de l'histamine à partir d'histidine, de la sérotonine à partir du tryptophane).

REMARQUE

Paragraphes traitant des protéines

Digestion et absorption des protéines ▶ 16.7.1
Métabolisme hépatique des protéines ▶ 16.10.5
Métabolisme protéique ▶ 17.6

2.8.4 Acides nucléiques

Les protéines se différencient par leur longueur ainsi que par la séquence de leurs AA. Ces deux paramètres sont définis génétiquement très précisément. Les informations nécessaires à la synthèse de chaque protéine sont codées dans les **acides nucléiques.** Il en existe deux types :

- **ADN** (acide désoxyribonucléique) et
- **ARN** (acide ribonucléique).

Structure de l'ADN

L'ADN ressemble à une échelle de corde dont les montants sont torsadés et forment une hélice orientée vers la droite (▶ fig. 2.21). Les deux brins ont une direction opposée et chacun est formé :

- de molécules de sucres (**désoxyribose**) et
- de groupements phosphate.

Chaque molécule de sucre est étroitement liée à un groupement phosphate et chaque groupement phosphate est lié à son tour à une molécule de sucre → il se forme deux brins présentant une alternance de molécules de sucre et de phosphate.

Les « barreaux » de l'échelle partent des molécules de sucre et sont formés chacun d'une paire de **bases** complémentaires azotées **:**

- l'**adénine** (**A**) et la **thymine** (**T**) ;
- la **guanine** (**G**) et la **cytosine** (**C**).

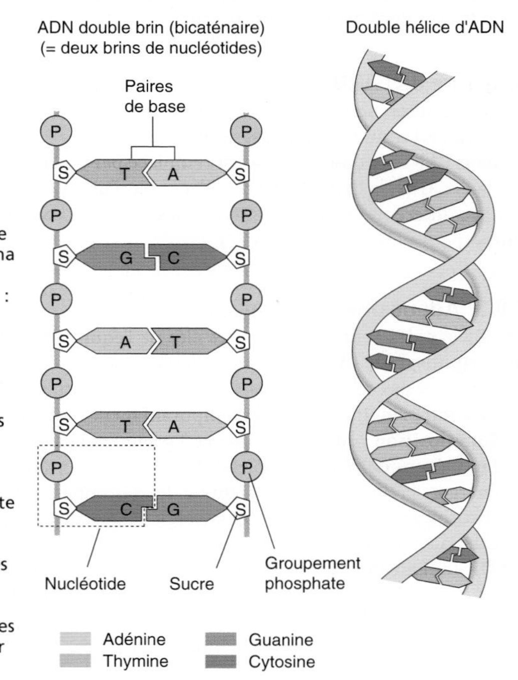

Fig. 2.21 Structure de l'ADN. Ce schéma représente la structure chimique : les molécules de sucre (S) et les groupements phosphate (P) sont empilés alternativement les uns sur les autres pour former deux brins. Les « barreaux » de cette molécule, qui ressemble à une échelle, partent des molécules de sucre et sont formés d'une paire de bases liées entre elles par des liaisons hydrogène.

La liaison entre une base et la molécule de sucre est très solide; en revanche, la liaison entre les bases complémentaires est faible (comportant seulement 2 ou 3 liaisons hydrogène; ▶ 2.7.1). En raison de leur taille et de leur structure chimique, les bases sont toujours appariées au même partenaire : A est toujours couplée à T et G à C. Cela signifie que l'ordre des bases (**séquence des bases**) sur l'un des brins détermine toujours l'ordre des bases sur l'autre brin → les deux brins sont **complémentaires**.

Nucléotides et gènes

- **Nucléotide :** unité composée d'une base, d'une molécule de sucre et d'un groupement phosphate. Comme l'ADN ne comprend que 4 bases, il n'existe que 4 nucléotides différents. Chaque brin d'ADN est composé de plusieurs millions de nucléotides.
- Un **gène** est un segment d'ADN comportant environ 1000 nucléotides. L'ADN humain contient entre 20 000 et 25 000 gènes. Chaque gène définit les AA qui forment la protéine qu'il code (pour plus de détails ▶ 3.11). Après la synthèse initiale de la protéine, quelques modifications sont possibles (par exemple ajout ou retrait de groupements phosphate, « clivage » d'une protéine à partir d'une protéine de plus grande taille servant de précurseur).

Structure de l'ARN

L'ARN se différencie de l'ADN par plusieurs points :

- l'ARN est monocaténaire (monobrin);
- dans l'ARN, le désoxyribose est remplacé par du **ribose**;
- dans l'ARN, la thymine est remplacée par l'**uracile**.

Il existe différentes sortes d'ARN dont les fonctions sont de fabriquer les protéines (pour plus de détails ▶ 3.11).

2.8.5 Adénosine triphosphate (ATP)

Les nucléotides sont les substances clés de l'équilibre énergétique. **L'adénosine triphosphate (ATP)** en est l'exemple majeur.

- La survie des cellules est liée à la présence d'énergie et donc d'ATP. **Sa mission principale :** stocker temporairement l'énergie puis la délivrer.
- **Composition :** adénine, ribose et 3 groupements phosphate (▶ fig. 2.22). Les liaisons entre les groupements phosphate sont très riches en énergie : la libération enzymatique des 3 groupements phosphate (hydrolyse) met à disposition l'énergie nécessaire aux processus cellulaires nécessitant de l'énergie.

L'**ADP (adénosine diphosphate)** qui se forme lors du clivage de l'ATP est *utilisé* pour régénérer l'ATP selon une réaction consommant de l'énergie. Cette énergie provient de la « combustion », sous oxygène, de molécules alimentaires riches en énergie (en particulier le glucose).

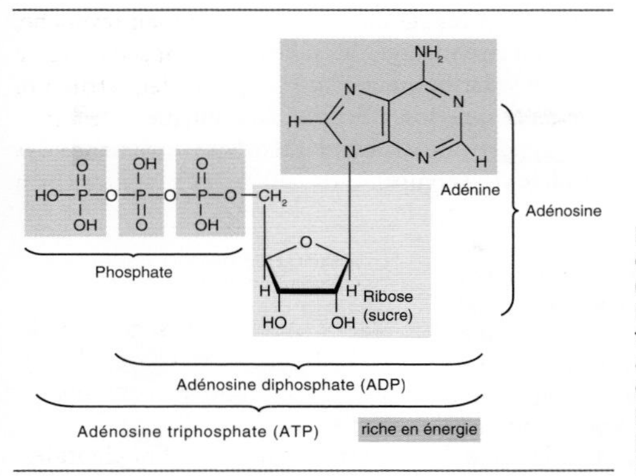

Fig. 2.22 Structure de l'ATP, composé d'adénine et de ribose (formant un tout appelé adénosine) et de trois groupements phosphate. L'ADP n'en possède que deux et l'AMP qu'un seul.

REMARQUE

L'ATP : la « batterie » de la cellule

L'ATP est le principal réservoir intermédiaire d'énergie de la cellule, car l'ATP est relativement facilement dégradé puis synthétisé à nouveau.

2.9 Les réactions chimiques de l'organisme

Des réactions chimiques se déroulent en continu dans les cellules.

REMARQUE

- **Réactions anaboliques** : (▶ 2.5.1) fixation de petites molécules sur de plus grosses unités par des liaisons. Généralement, elles nécessitent un apport énergétique provenant de l'ATP. Elles participent essentiellement à l'**anabolisme** car elles servent à la fabrication de nouvelles structures.
- **Réactions cataboliques** : clivage des liaisons avec libération d'énergie qui est utilisée par exemple pour régénérer l'ATP. Le rendement de la transformation énergétique en ATP n'atteint pas 100 % cependant, car de la chaleur se dégage en plus (▶ 17.2). Ces réactions participent essentiellement au **catabolisme.**

Les composés organiques qui sont, par eux-mêmes, peu réactifs sont essentiels au bon fonctionnement du métabolisme. Les réactions chimiques sont **accélérées** par les **enzymes**.

2.9.1 Enzyme et coenzyme

- Les enzymes sont spécifiques de certaines réactions et de certaines molécules mères. La plupart des enzymes sont des protéines, mais il existe également des enzymes de type ARN (**ribozymes**).

- Les substances qui sont transformées par une enzyme sont appelées les **substrats**. Pendant la réaction enzymatique, les substrats sont chimiquement modifiés → il se forme un ou plusieurs **produits** (▶ fig. 2.23).
- Le **site actif** de l'enzyme détermine son efficacité. Le repliement de la chaîne polypeptidique engendre une structure qui est exactement adaptée au substrat (**modèle clé-serrure**).

REMARQUE

La plupart des enzymes fonctionnent en présence d'une **coenzyme**, car l'enzyme elle-même *ne* prend *pas* part à la réaction chimique, mais ne fait que réunir les deux protagonistes concernés. Seul la coenzyme est modifiée lors de la réaction enzymatique : soit elle accepte les électrons ou les atomes qui ont été séparés du substrat, soit elle donne des électrons ou des atomes au substrat.
La plupart des coenzymes sont des molécules organiques complexes, mais ce **ne** sont **pas** des protéines. Elles dérivent souvent des **vitamines** (▶ 17.8).

La ▶ figure 2.23 représente une réaction catalysée par une enzyme au cours de laquelle une liaison est rompue (réaction catabolique). Le produit résultant du clivage (un électron, un atome ou un groupe de molécules) est ensuite accepté par la coenzyme. Les **produits de la réaction** s'éloignent de la surface de l'enzyme et **l'enzyme, non modifiée,** peut se lier à nouveau à une molécule de substrat.

REMARQUE

Une enzyme transforme un substrat en un (ou plusieurs) produit(s) extrêmement rapidement (quelques 10^5 molécules de substrat par secondes).

Le substrat et l'enzyme sont adaptés l'un à l'autre comme une clé dans sa serrure

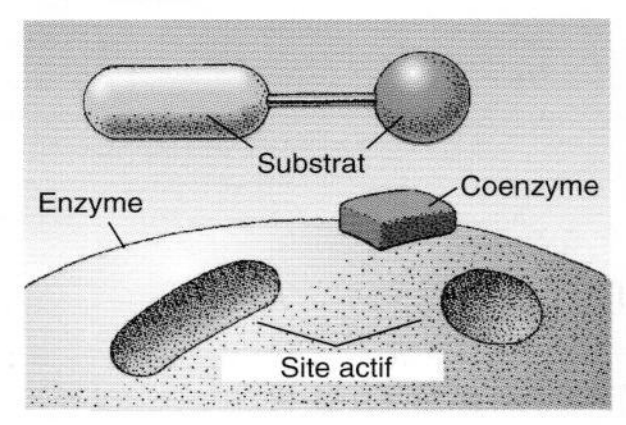

Ils se lient l'un à l'autre ; en même temps, une liaison chimique située dans la molécule de substrat est rompue…

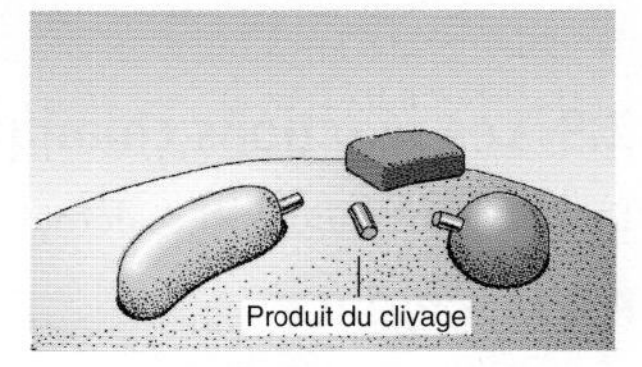

Les produits issus de la réaction avec le substrat quittent l'enzyme ; la coenzyme forme une liaison avec le produit de clivage puis se sépare de l'enzyme.

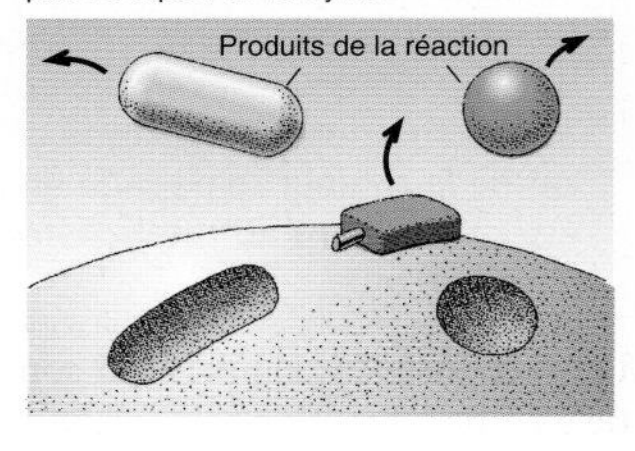

Fig. 2.23 Clivage d'un substrat catalysé par une enzyme, avec la participation d'un coenzyme (schéma).

Facteurs pouvant influencer les réactions enzymatiques

- **Ions :** de nombreuses enzymes nécessitent certains ions spécifiques pour être fonctionnelles (Mg^{2+}, Fe^{2+}, Zn^{2+}). Tout déficit en ces ions entraîne une perturbation de la fonction enzymatique.
- **Température :** l'augmentation de la température accroît rapidement le taux de conversion du substrat. Une température élevée (par exemple une fièvre > 41 °C) → endommage la structure des enzymes → le taux de conversion retombe presque à zéro.
- **pH** (▶ 2.7.3) : un pH de 7,2 est optimal pour la plupart des enzymes intracellulaires. Les enzymes extracellulaires (comme la pepsine qui clive les protéines dans l'estomac) ont souvent d'autres pH optimaux (▶ 16.4.4).

2.9.2 Oxydation et réduction

Les fonctions des enzymes et des coenzymes sont représentées par deux réactions particulièrement fréquentes :

- oxydation ;
- réduction.

REMARQUE

- L'**oxydation** entraîne la **perte** d'électrons (principalement des atomes H, comme lors de la conversion du lactate (acide lactique) en pyruvate (acide pyruvique) (▶ fig. 2.24). L'oxydation implique que les électrons perdus soient à nouveau captés par une autre substance.
- Cette acceptation d'un électron est appelée **réduction,** et consiste le plus souvent en l'acceptation d'un atome d'H.

L'oxydation du lactate en pyruvate (▶ fig. 2.24) s'effectue en même temps que la réduction de la coenzyme NAD^+ :

$NAD^+ + 2\,H^+ + 2$ électrons → $NADH + H^+$

NAD^+ (nicotinamide-adénine-dinucléotide) est une coenzyme complexe qui est dérivée d'une vitamine, la niacine (acide nicotinique ▶ 17.8.9); elle joue un rôle décisif dans le métabolisme en tant que transporteur d'électrons et d'atomes d'H. Lors de la réduction de NAD^+ en **$NADH + H^+$**, NAD^+ n'accepte pas les deux atomes d'H cédés mais seulement 1 proton et 2 électrons.

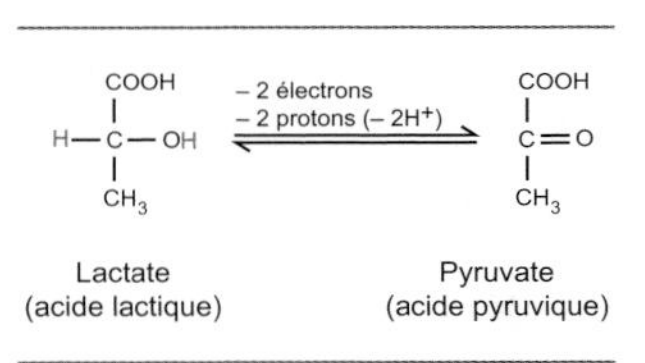

Fig. 2.24 Oxydation et réduction entre le lactate et le pyruvate.

Cette réaction peut également fonctionner dans le sens contraire : le pyruvate est réduit (il accepte des électrons et un atome d'H) et le NADH est oxydé (il donne 2 électrons et 1 proton). Si une réaction est possible dans les deux sens, elle est représentée par une équation chimique comportant une double flèche.

REMARQUE

Réactions rédox ou oxydoréduction

L'oxydation et la réduction sont liées l'une à l'autre de manière indissociable : à chaque fois qu'une substance est oxydée, une autre substance doit être réduite → cela s'appelle une **réaction d'oxydoréduction** ou **réaction rédox.**

Indépendamment de sa direction, la réaction est liée à une enzyme spécifique (par exemple, ci dessus à la **LDH** [lactate déshydrogénase]). Sans son enzyme, la réaction s'effectue trop lentement et ne permet pas un taux de conversion significatif du substrat.

3 Cytologie et génétique

3.1 Les êtres vivants

Un certain nombre de **ressemblances fondamentales** permettent de distinguer les **êtres vivants** des structures inertes (non vivantes) **:**

- présence d'une ou de plusieurs cellules (▶ 3.3);
- présence de molécules organiques, exclusivement synthétisées par des êtres vivants (organismes) (▶ 2.8);
- métabolisme;
- excitabilité et communication;
- mobilité (capacité de mouvements);
- croissance et développement : chez les organismes pluricellulaires, le développement passe par un processus de vieillissement et conduit finalement à la mort;
- multiplication indépendante (reproduction).
- informations portées par des acides nucléiques (▶ 2.8.4) : les mutations et recombinaisons engendrent une variabilité génétique → diversité des êtres vivants.

3.1.1 Métabolisme

Ensemble des réactions chimiques ayant lieu dans l'organisme. Il est possible de différencier :

- **les réactions exergoniques du métabolisme énergétique :** dégradation des aliments riches en énergie et conservation de l'énergie libre libérée (**énergie de combustion**) principalement sous la forme d'ATP (▶ 2.8.5);
- **les réactions endergoniques du métabolisme énergétique :** utilisation de l'ATP pour les processus consommant de l'énergie, par exemple le transport, les mouvements, la perception, le traitement des informations, la conservation du milieu interne, la biosynthèse pour fabriquer de nouvelles substances cellulaires (anabolisme ▶ 2.8.3).

3.1.2 Excitabilité et communication

Chaque organisme doit percevoir et mesurer les changements se produisant dans son environnement et à l'intérieur de lui-même afin de pouvoir réagir en conséquence.

- **Réception des stimuli :** les signaux entrent au niveau de **récepteurs sensoriels** (capteurs) ou des **organes des sens** (▶ 9) → sont transformés → puis transmis à des structures capables de traiter l'information (par exemple le cerveau).
- Pour **transmettre ces signaux**, l'homme dispose du **système nerveux** (▶ 8), du **système hormonal** (▶ 10), du **système immunitaire** (▶ 12).

Anatomie et physiopathologie en soins infirmiers

3.1.3 Mobilité

- De nombreux organismes réagissent activement aux stimuli extérieurs par l'intermédiaire de mouvements (par exemple une réaction de fuite). Pour cela, ils ont besoin de structures contractiles (**mouvements actifs**) → l'homme utilise ainsi ses fibres musculaires contractiles qui agissent de concert avec l'appareil de soutien formé d'os et de tissu conjonctif.
- Chez tous les organismes, la mobilité s'observe également sous forme de mouvements plasmatiques ou le long des éléments du cytosquelette.

3.1.4 Croissance

Le développement est lié à la **croissance**. Celle-ci peut prendre différentes formes :

- augmentation de la taille des cellules préexistantes ;
- augmentation du nombre de cellules par division cellulaire ;
- augmentation de la quantité de substance au sein des structures dépourvues de cellules (par exemple la substance minérale de l'os).

3.1.5 Multiplication

Chaque cellule prise isolément et chaque organisme sont capables de se multiplier. Cette multiplication est indissociable de la **division cellulaire** :

- chez les organismes unicellulaires, la division cellulaire correspond à la multiplication de l'organisme ;
- chez les organismes pluricellulaires, la division cellulaire est une condition préalable à la **croissance**, à la **régénérescence** constante des cellules ayant une durée de vie courte et aux **processus de cicatrisation** qui font suite à une blessure.

Les **cellules reproductrices** (cellules germinales, gamètes ▶ 19.1), nécessaires à la **reproduction sexuée,** se forment également par un processus de division spécifique. Chez les êtres vivants supérieurs, des **organes reproducteurs** ou des **organes génitaux** particuliers se sont développés pour permettre la multiplication de l'ensemble de l'organisme.

3.1.6 Mort

Chez les organismes supérieurs, la mort est un complément nécessaire à l'apparition de la vie. La mort ne se limite pas uniquement à la fin de la vie d'un individu. Dès le développement embryonnaire normal, les cellules superflues sont éliminées par le processus de **mort cellulaire programmée** (**apoptose**). D'un point de vue biologique, il est de la plus haute importance que les cellules naissent, mais aussi qu'elles soient détruites (de façon contrôlée).

3.2 Les niveaux d'organisation du corps

3.2.1 Cellules

NOTION MÉDICALE

Cytologie

Étude des cellules

Les organismes de grande taille sont composés de nombreuses cellules. Le corps d'un adulte, par exemple, en contient plus de 10^{14} (100 000 milliards). En une seconde, plusieurs millions de cellules meurent et tout autant sont formées. Toutes les cellules humaines sont issues d'un seul ovocyte fécondé (la cellule œuf) et possèdent donc le même patrimoine génétique. Pour pouvoir exercer leurs diverses fonctions spécifiques, les cellules se spécialisent au cours du développement (**différenciation**) → différentes fonctions, organisation et taille (▶ fig. 3.1).

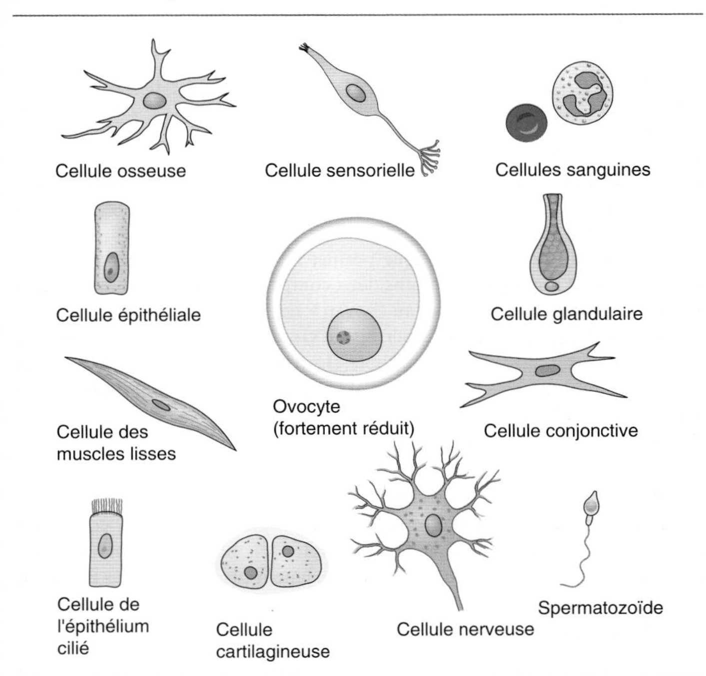

Fig. 3.1 Exemples de différenciations des cellules humaines (l'échelle de taille n'est pas respectée, en particulier la taille de l'ovocyte est particulièrement réduite).

3.2.2 Tissus

Les cellules qui se différencient de la même façon forment généralement des structures cellulaires (**tissus** ▶ 4) remplissant les mêmes fonctions.

3.2.3 Organes

Un **organe** est composé de plusieurs tissus situés à proximité les uns des autres. L'organisation des organes, qui sont reconnaissables à l'œil nu, est caractéristique. Ils sont composés de différents tissus, qui assument une fonction commune.

Presque tous les organes sont :

- composés de tissus fonctionnels riches en cellules (le **parenchyme**) → ils remplissent les fonctions centrales de l'organe ;
- entourés d'un **tissu conjonctif** pauvre en cellule (le **stroma**) → il assume un rôle de soutien de l'organe et il est responsable de sa forme extérieure (▶ 4.3).

3.2.4 Systèmes organiques

Les systèmes organiques représentent un niveau d'organisation supérieur : un système organique est composé d'organes qui participent à une même tâche. Le **psychisme** est considéré comme doté d'un ordre supérieur.

3.3 Les cellules, des unités fonctionnelles élémentaires

3.3.1 Structure

Les cellules sont les plus petites unités structurelles et fonctionnelles de l'organisme. Chez l'homme, les cellules différenciées ne mesurent que 7 à 30 μm (sauf l'ovocyte : 150 μm).

L'examen sous microscope optique permet rapidement de s'apercevoir que les cellules sont formées d'au moins deux composants : une substance fondamentale (**cytoplasme**) et un **noyau** (noyau ▶ fig. 3.3).

L'amélioration des techniques a permis de visualiser de plus petits **organites cellulaires** (▶ fig. 3.2). La microscopie électronique a permis d'observer la structure atomique de ces organites ainsi que celle de la **membrane plasmique** entourant la cellule.

3.3.2 Cytosol

Cytoplasme sans les organites cellulaires. Les principaux processus métaboliques ont lieu dans le cytosol sous forme de réactions chimiques complexes (▶ 2). Il est constitué à 70–95 % d'eau. Le reste, ce sont des protéines, des glucides, des ions, des lipides. Du fait de sa forte teneur protéique → très visqueux.

3.4 Membranes cellulaires

Chaque cellule est entourée d'une membrane ne mesurant pas plus de 5–8 nm d'épaisseur → membrane cellulaire, **membrane plasmique**. Dans la cellule, il existe également de très nombreuses membranes.

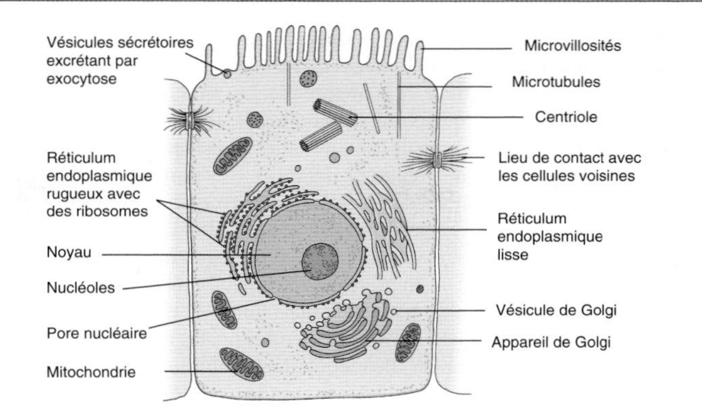

Fig. 3.2 Cellule en coupe.

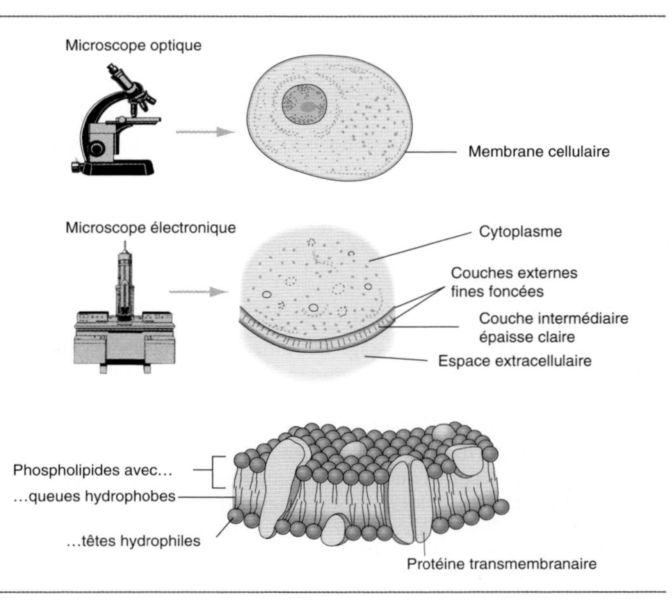

Fig. 3.3 Membrane cellulaire. La membrane cellulaire qui, au microscope optique (résolution 0,1 μm), était visible sous la forme d'une seule ligne apparaît formée de trois couches au microscope électronique (résolution 0,1 nm).

- Malgré leurs fonctions différentes, toutes les membranes cellulaires ont une structure uniforme comportant une **bicouche lipidique** (▶ fig. 3.3).
- Principaux composants : **phospholipides** et **glycolipides** (▶ 2.8.2). Chaque molécule lipidique possède une longue queue **hydrophobe** formée de

chaînes d'hydrocarbures saturés et insaturés ainsi qu'une tête **hydrophile** composée de résidus phosphates ou glucidiques. Au sein de la membrane, les molécules lipidiques sont placées en face à face. Les queues hydrophobes sont dirigées vers l'intérieur de la membrane. Les têtes hydrophiles sont en contact avec le milieu aqueux soit intracellulaire, soit extracellulaire.

- Les lipides forment l'ossature de la membrane. Selon leur type, les membranes contiennent également différentes **protéines** → elles sont responsables de la majorité des fonctions membranaires servant de récepteurs, d'enzymes ou de protéines de transport. Ces protéines peuvent être classées en protéines **périphériques** (placées sur la membrane), en protéines **intrinsèques** (partiellement intégrées) ou en protéines transmembranaires.
- La bicouche lipidique n'est pas rigide mais fluide → elle possède une « fluidité bidimensionnelle ». Dans la membrane, les molécules lipidiques et les protéines sont mobiles. Beaucoup de membranes contiennent du cholestérol → limite la mobilité des molécules lipidiques.

3.4.1 Glycocalyx de la surface cellulaire

- Les lipides et les protéines membranaires sont souvent dotés de chaînes glucidiques externes → la surface externe de la cellule est composée en grande partie de glucides (**glycocalyx**). Ces chaînes glucidiques sont souvent ramifiées et l'agencement de leurs différents sucres est extrêmement varié.
- **Fonction :** protège des lésions mécaniques et chimiques, réduit les contacts indésirables entre les protéines de la cellule et celles d'un corps étranger ou d'une autre cellule. D'un autre côté, du fait de sa position à la surface de la cellule, le glycocalyx joue un rôle en cas de contact temporaire entre les cellules (par exemple coagulation sanguine, réactions inflammatoires).

3.4.2 Perméabilité sélective

Les membranes régulent le passage des différentes substances. Elles déterminent également quelles sont les substances qui peuvent entrer dans la cellule ou dans un compartiment cellulaire entouré d'une membrane et quelles sont les substances qui peuvent en sortir → cela s'appelle la perméabilité sélective ou **semi-perméabilité.** Elle dépend de plusieurs facteurs :

- **la taille des molécules :** quelques molécules particulièrement petites, comme l'O_2, traversent les membranes sans encombre ; pour d'autres, comme l'eau et le CO_2, les membranes représentent une barrière. Pour les molécules de grande taille (en particulier les protéines), elles deviennent un obstacle insurmontable ;
- **leur liposolubilité :** plus la substance est liposoluble, plus elle traversera facilement la membrane (par exemple les hormones stéroïdiennes qui dérivent du cholestérol et sont donc lipophiles, ▶ tableau 10.2) ;
- **leur charge électrique :** les particules électriquement chargées (ions) peuvent difficilement traverser la bicouche phospholipidique.

L'eau, le CO_2, les particules hydrophiles ou chargées ainsi que les grosses molécules (comme les glucides, les acides aminés) doivent donc être transportés pour traverser la membrane → ce rôle est endossé par les **protéines de transport membranaires** (uniquement des protéines transmembranaires).

REMARQUE

- **Protéines de transport :** se lient à une substance spécifique et la transportent d'un côté à l'autre de la membrane.
- **Canal protéique :** ils forment des pores hydrophiles traversant la membrane.

Le transport de l'eau s'effectue, par exemple, au travers d'un canal aqueux (**aquaporine**). Les canaux permettant le transport rapide des ions s'appellent des canaux ioniques.
Le transport par les canaux protéiques et par de nombreuses protéines de transport s'effectue passivement; toutefois, les cellules peuvent pomper activement des molécules grâce à l'intervention de quelques molécules de transport protéique (▶ 3.7).

La perméabilité sélective est un prérequis permettant la formation d'une **différence de concentration** (gradient) entre l'intérieur de la cellule et son environnement extérieur (liquide interstitiel). Ce gradient est indispensable à la réalisation de nombreux processus.

3.5 Organites cellulaires

Les cellules sont subdivisées en systèmes de compartiments représentés par les **organites cellulaires**. Les types d'organites présents dans une cellule et leur nombre diffèrent selon la fonction de la cellule.

3.5.1 Noyau

La plupart des cellules comportent un seul **noyau** (▶ fig. 3.4), qui occupe en moyenne 10 % du volume cellulaire. Certaines cellules, comme les cellules du muscle squelettique, en possèdent plusieurs; arrivées à maturité, les hématies et les plaquettes en sont dépourvues.
Fonction : centre de contrôle du métabolisme cellulaire, abrite l'ADN.

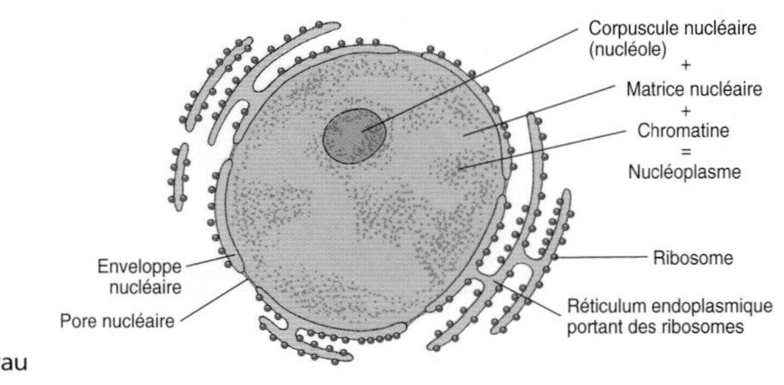

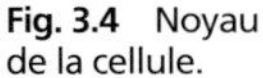
Fig. 3.4 Noyau de la cellule.

En dehors de la division cellulaire, le noyau est entouré de deux membranes → ensemble elles forment l'**enveloppe nucléaire** (▶ fig. 3.5). La membrane externe est en continuité avec la **membrane du réticulum endoplasmique** (RE). Des **pores nucléaires** pouvant atteindre un diamètre de 120 nm permettent les échanges avec le cytoplasme. Cette membrane se désagrège juste avant la division cellulaire (▶ 3.12).

Le compartiment interne du noyau ou **nucléoplasme** (ou caryoplasme) est formé (▶ fig. 3.4) :

- du matériel génétique sous forme d'**ADN** (▶ 2.8.4) : chez l'homme, il est empaqueté dans 46 **chromosomes** ;
- d'un ou de plusieurs corpuscules nucléaires (**nucléoles**) : l'ARN ribosomique est synthétisé à l'intérieur des nucléoles, puis empaqueté avec des protéines pour former les sous-unités ribosomiques. Les dernières étapes de la maturation des ribosomes ont lieu dans le cytoplasme ;
- d'une portion soluble (ou **matrice nucléaire**) qui contient un grand nombre de protéines.

La membrane nucléaire interne, située du côté du nucléoplasme, repose sur la **lamina nucléaire** : réseau protéique dense → stabilise l'enveloppe nucléaire, participe à l'organisation de la chromatine.

Chromosomes et chromatine

Dans la cellule au repos qui ne se divise pas, l'ADN est associé à des protéines et forme des faisceaux filamenteux lâches à l'intérieur du noyau. Ces filaments sont si fins qu'ils ne sont pas visibles en microscopie optique. Étirées, les molécules d'ADN pourraient faire 1 000 fois le tour du noyau ; de ce fait, elles sont empaquetées dans une structure plus compacte grâce à des protéines, les **histones** (▶ fig. 3.5).

L'ensemble constitué par l'ADN et les protéines (histone et non-histone) forme ce qu'on appelle la **chromatine** : elle est visible après coloration.

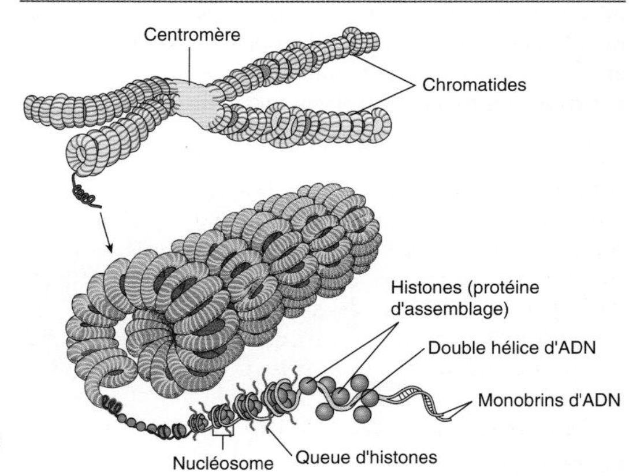

Fig. 3.5 Structure fine d'un chromosome.

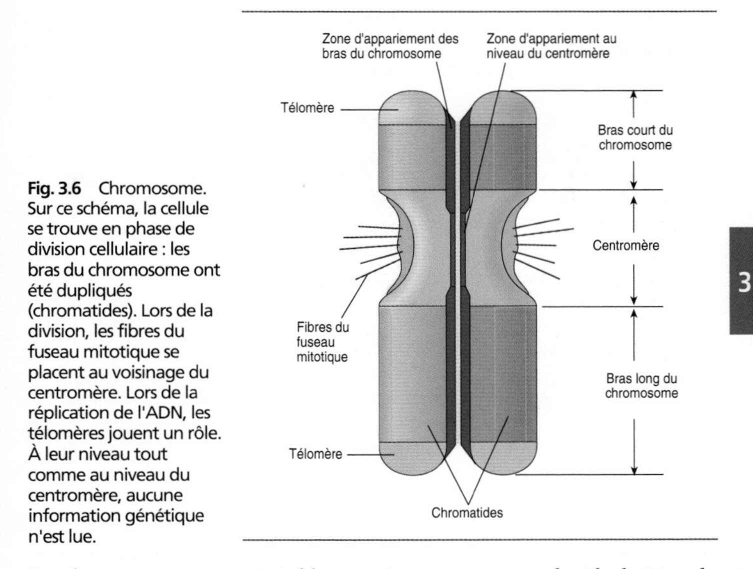

Fig. 3.6 Chromosome. Sur ce schéma, la cellule se trouve en phase de division cellulaire : les bras du chromosome ont été dupliqués (chromatides). Lors de la division, les fibres du fuseau mitotique se placent au voisinage du centromère. Lors de la réplication de l'ADN, les télomères jouent un rôle. À leur niveau tout comme au niveau du centromère, aucune information génétique n'est lue.

Les chromosomes ne sont visibles au microscope que pendant la division du noyau (▶ 3.12), car les 46 filaments s'enroulent pour former des structures encore plus compactes. Les **chromosomes**, maintenant visibles, sont des structures pourvues d'un étranglement (ou constriction), le **centromère** (▶ fig. 3.6) → il divise le chromosome en deux **bras** très souvent de différentes longueurs (bras long et bras court).

Doublement du nombre de chromosomes (duplication)

Avant chaque division du noyau, les bras des chromosomes sont dupliqués → il se forme deux sous-unités identiques, appelées **chromatides**. Les chromatides restent au départ reliées entre elles au niveau du centromère. Au cours de la division cellulaire, elles se séparent l'une de l'autre par le biais du fuseau mitotique (▶ 3.5.7).

3.5.2 Ribosomes

Organite cellulaire responsable de la biosynthèse des protéines (▶ 3.11.3). Chaque cellule en contient une grande quantité, mais les ribosomes ne sont visibles en microscopie électronique que sous la forme de petits grains.

Structure : composés de deux sous-unités de taille différente, ils sont formés principalement de protéines qui n'ont qu'une fonction structurelle, ainsi que :

- d'**ARN ribosomique** (ARNr), qui réalise presque toutes les tâches catalytiques (par exemple formation des liaisons peptidiques ▶ 2.8.3) → appelé **ribozyme** ;
- en général, pour la synthèse protéique, plusieurs ribosomes sont placés l'un derrière l'autre sur l'**ARN messager** (ARNm) formant comme un collier de perles. L'ARNm transmet la notice de montage des protéines (▶ 2.8.3). Cet assemblage forme un **polysome ou polyribosome**.

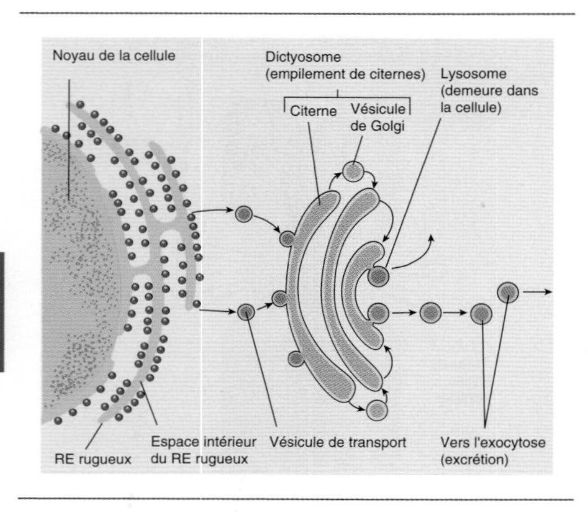

Fig. 3.7 Réticulum endoplasmique (RE) rugueux et appareil de Golgi. La connexion entre le RE et l'enveloppe nucléaire est nettement visible.

3.5.3 Réticulum endoplasmique

Le cytoplasme de presque toutes les cellules contient un **réticulum endoplasmique (RE)**, système complexe de compartiments creux, vésiculaires ou tubulaires, entourés d'une membrane (▶ fig. 3.7). Il occupe environ 10 % du volume cellulaire, en particulier à proximité du noyau. Si la membrane du réticulum endoplasmique est pourvue de ribosome, celui-ci est appelé RE rugueux ; dans le cas contraire, il porte le nom de RE lisse.

- **RE lisse (REL) :** participe à la synthèse de presque tous les lipides utilisés dans la cellule (y compris les lipides membranaires) et assure leur répartition correcte dans la cellule → domine dans les cellules spécialisées dans le métabolisme lipidique, comme les cellules productrices de stéroïdes de la corticosurrénale.
- **RE rugueux (RER) :** synthétise toutes les protéines destinées à quitter la cellule ou destinées par exemple au RE lui-même, à l'appareil de Golgi (▶ 3.5.4) ou à la membrane plasmique. Il prédomine dans toutes les autres cellules.

3.5.4 Appareil de Golgi

À proximité du noyau se trouve un système de saccules en forme de coupelles, entourés d'une membrane et empilés par 5 à 10. Nom de chaque empilement → **dictyosome** (▶ fig. 3.8). Nom de l'ensemble des dictyosomes d'une cellule → **appareil de Golgi.**

- Des vésicules remplies de substances, ou **vésicules de Golgi**, se détachent par étranglement des bords latéraux et de la face interne des dictyosomes.
- **Fonctions :** modifient les protéines fabriquées dans le RE. Les protéines matures sont regroupées par paquets. Pour cela, il est nécessaire de s'assurer que les protéines destinées à l'appareil de Golgi y restent bien et que les autres sont « envoyées » à leurs bonnes destinations.

Particulièrement abondant dans les cellules dotées de fonctions sécrétrices, comme les cellules synthétisant des hormones.

3.5.5 Lysosomes et peroxysomes

- **Lysosomes primaires :** minuscules vésicules entourées d'une membrane issues de l'appareil de Golgi. Principale tâche : renferment des enzymes permettant la digestion des substances étrangères absorbées ainsi que des organites propres à la cellule qui ne sont plus fonctionnels.
- Pour cela, ils fusionnent avec les vésicules d'endocytose pour former les **lysosomes secondaires.**
- Les **peroxysomes** sont difficiles à différencier de l'extérieur des lysosomes. Ils mesurent au maximum 0,5 µm. Ils ne contiennent pas les mêmes enzymes que les lysosomes et servent à détoxifier les métabolites produits au cours du métabolisme cellulaire.

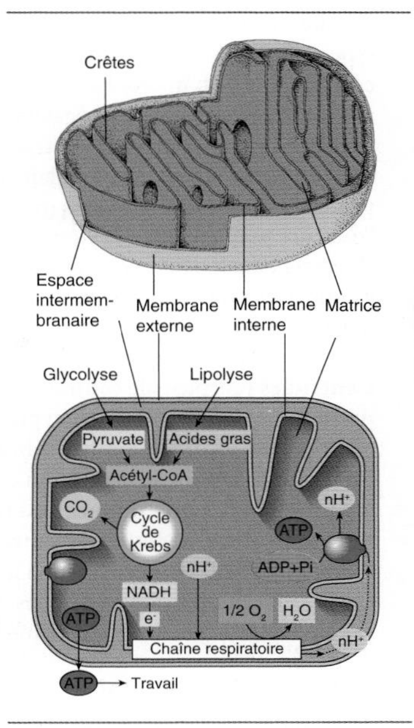

Fig. 3.8 Mitochondrie (en coupe). La présence d'une double membrane qui se replie vers l'intérieur entraîne la formation de compartiments séparés où ont lieu des réactions → permet le déroulement en parallèle de différentes étapes réactionnelles. Dans les sphères rouges situées du côté du compartiment de la matrice de la membrane interne, il se produit la véritable synthèse d'ATP.

3.5.6 Mitochondries

- Presque toutes les cellules renferment des mitochondries (▶ fig. 3.8). Elles contiennent leur propre ADN (**ADN mitochondrial,** ADNmt) et effectuent leur propre synthèse protéique. La majorité des composés riches en énergie sont formés dans les mitochondries par l'intermédiaire de la chaîne respiratoire → cela représente la **centrale électrique de la cellule**.
- Le nombre de mitochondries d'une cellule reflète ses besoins énergétiques → les cellules myocardiques contiennent une grande quantité de mitochondries alors que les cellules cartilagineuses n'en ont que très peu.

3.5.7 Cytosquelette et centrioles

Cytosquelette (squelette de la cellule) : ensemble des structures cytoplasmiques permettant la stabilisation de la cellule.

- **Microfilaments :** structures allongées, filamenteuse, constituées d'une protéine, l'**actine.** Ils s'associent principalement en faisceaux → forment les

fibrilles. Ils sont présents en plus ou moins grande quantité dans différents types cellulaires. La **myosine**, une protéine motrice, entre dans la constitution d'un microfilament mobile de type différent. Les microfilaments permettent également la phagocytose (▶ fig. 3.15). Les **myofibrilles** permettent la contraction des cellules musculaires (▶ fig. 5.7).
- **Microtubules :** structures tubulaires plus ou moins longues, formées d'une protéine, la **tubuline.** Certains microtubules sont stationnaires → forment l'ossature permanente du cytoplasme → maintiennent la forme de la cellule. Ils entrent aussi dans la composition d'autres organites cellulaires (par exemple les centrioles, les cils). Certains microtubules ne sont synthétisés que pendant la division cellulaire → ils forment le **fuseau mitotique,** qui sépare les chromatides pendant le processus de division cellulaire.
- **Centrioles** (corpuscule central) : minuscules structures en forme de L, la **paire de centrioles** est située typiquement à proximité du noyau. Chaque centriole est formé de 9 microtubules parallèles. Les centrioles jouent un rôle important lors de la division cellulaire (▶ fig. 3.22), car ils permettent la formation des microtubules du fuseau mitotique.
- **Filaments intermédiaires :** formés de protéines fibreuses parallèles. Fonction : stabilité; participent à la synthèse des structures permettant l'adhérence des cellules entre elles, ou par exemple l'adhérence des cellules épithéliales à la membrane basale.

3.5.8 Inclusions cellulaires

Amas de substances généralement produites par la cellule elle-même. Ils forment des inclusions dans le cytoplasme ou le nucléoplasme reconnaissables par leur forme (le plus souvent des granules) ou leur couleur.
Exemple : la **mélanine**, un pigment cutané (▶ 7.1); les granules de glycogène (forme de réserve du glucose, ▶ 2.8.1) qui sont principalement observés dans le foie et les cellules du muscle squelettique; les gouttelettes lipidiques présentes principalement dans le tissu adipeux mais également dans les cellules hépatiques.

3.6 L'eau, élément de « base » de l'organisme

L'homme est essentiellement formé d'eau : la proportion d'eau d'un nouveau-né correspond à 75 % de son poids du corps (kg) et celle d'un adulte correspond à environ 60 %. La ♀ renferme moins d'eau que l'♂, car le tissu adipeux pauvre en eau est plus développé.
Chez un adulte d'environ 70 kg, la plus grande partie de l'eau corporelle, soit environ 30 litres, se trouve *dans* les cellules en tant que principal composant du cytosol → elle forme le **liquide intracellulaire** (▶ fig. 3.9).
Ce dernier s'oppose au **liquide extracellulaire** qui se répartit dans trois compartiments :
- le **compartiment intravasculaire** ou plasmatique formé par les vaisseaux sanguins. Ce compartiment contient environ 2,7 litres de plasma sanguin. Le reste (soit 2,2 litres) se trouve dans les cellules sanguines;
- le **compartiment interstitiel :** contient environ 10 litres de liquide. Il entoure toutes les cellules de l'organisme comme un réseau

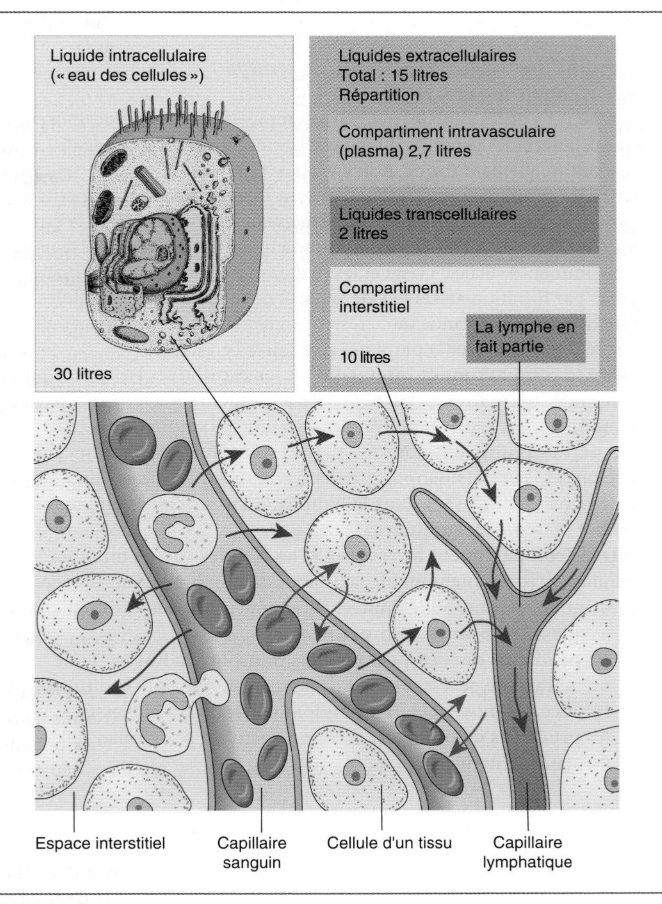

Fig. 3.9 Compartiments liquidiens de l'homme et échanges des substances dans le réseau des capillaires. Flèches rouges : O_2/CO_2 ; flèches vertes : nutriments.

tridimensionnel de canaux. Chaque substance absorbée par la cellule ou expulsée de cette dernière passe obligatoirement dans le liquide interstitiel → d'un côté le liquide interstitiel est en liaison étroite avec les cellules, et de l'autre il établit des échanges actifs avec le plasma sanguin s'écoulant dans les vaisseaux. La **lymphe** qui chemine dans les capillaires lymphatiques et provient du compartiment interstitiel fait aussi partie des liquides interstitiels (▶ 11.6.1) ;

- le **liquide transcellulaire :** environ 2 litres, se trouve dans des compartiments liquidiens fermés comme le tube digestif, la vessie, le liquide cérébrospinal, les liquides articulaires.

3.7 Transport des substances

Chaque fonction cellulaire nécessite un transport et des échanges de substances à l'intérieur de l'organisme.
L'oxygène (O_2) et les nutriments, par exemple, doivent pouvoir entrer dans chaque cellule, et les produits du métabolisme, comme le dioxyde de carbone (CO_2) continuellement formé, doivent pouvoir en sortir :

- **entre les capillaires et le compartiment interstitiel** : les plus petits vaisseaux sanguins (capillaires) représentent la frontière entre le sang et le liquide interstitiel. Des échanges liquidiens actifs ont lieu au niveau de cette immense surface : l'eau et les petites molécules passent du sang aux tissus par filtration au travers de la paroi des capillaires. Les cellules et les protéines de plus grande taille restent en général dans le sang car elles ne peuvent pas traverser la paroi des capillaires (▶ 14.1.5) ;
- **entre le compartiment interstitiel et les capillaires lymphatiques :** le liquide interstitiel est en contact non seulement avec les capillaires sanguins, mais également avec les capillaires lymphatiques. Ces derniers se réunissent pour former les vaisseaux lymphatiques puis atteignent les petits lymphonœuds. Les substances issues des capillaires se déversent dans la lymphe et entrent alors en contact avec le système immunitaire ;
- **entre le compartiment interstitiel et les cellules :** les membranes cellulaires représentent un obstacle pour de nombreuses substances car elles ont une perméabilité limitée. Différents processus se déroulent au travers des **membranes semi-perméables** :
  - **les processus de transport passifs :** transport au travers d'une membrane ne nécessitant pas d'énergie. La diffusion, la diffusion facilitée, l'osmose et la filtration font partie de ces processus ;
  - **les processus de transport actifs :** ne peuvent se dérouler qu'en présence d'énergie.

3.7.1 Processus de transport passif

Diffusion

Dans les liquides, toutes les particules (molécules, ions) sont mobiles du fait de leur **énergie cinétique** (c'est le **mouvement brownien des molécules)** → un compartiment liquidien renfermant au départ des particules ayant une distribution différente finira par s'homogénéiser de plus en plus :

- plus de particules se déplaceront de la zone la plus concentrée vers la zone la moins concentrée que le contraire → le transport des particules suit la direction d'un **gradient de concentration** → cela s'appelle la **diffusion** (▶ fig. 3.10) ;
- la rapidité à laquelle l'équilibre des concentrations est atteint (processus de diffusion) dépend entre autres du type de solvant, de la forme des particules, de la température.

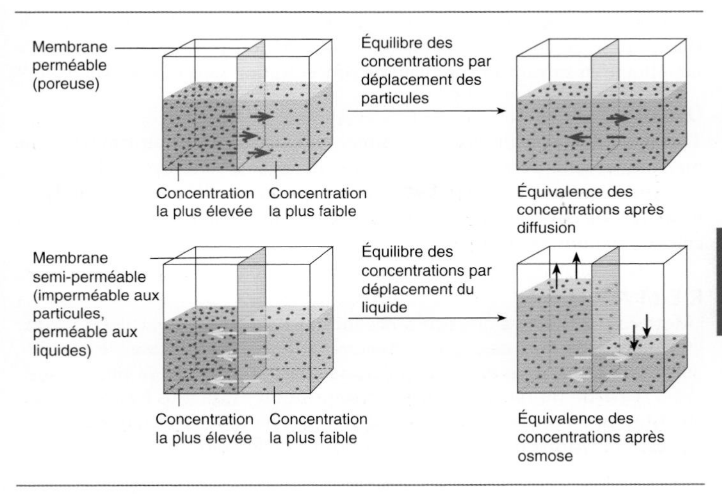

Fig. 3.10 En haut diffusion, en bas osmose. Lors de la diffusion, les particules traversent sans entrave la membrane semi-perméable, jusqu'à ce que les concentrations arrivent à l'équilibre. Lors de l'osmose, les particules ne peuvent pas traverser la membrane semi-perméable, contrairement au solvant → il s'écoule du côté où la concentration en particules est la moins importante vers le côté où la concentration en particules est la plus élevée. Après l'équilibre des concentrations, la différence de pression hydrostatique (différence de hauteur dans les colonnes d'eau) correspond à la pression osmotique.

Diffusion de l'oxygène et du dioxyde de carbone

- L'O_2 diffuse hors des capillaires en suivant son gradient de concentration, entre dans le compartiment interstitiel puis dans les cellules. L'O_2 est utilisé par la cellule qui en a besoin en permanence → il ne se forme jamais d'**équilibre de concentration** → le gradient de concentration est conservé et représente le principal moteur de la diffusion.
- Un gradient de concentration inverse existe pour le CO_2 qui est constamment produit par la cellule : il diffuse dans le compartiment interstitiel en traversant la membrane plasmique puis passe dans le sang. Il en est éliminé par expiration au niveau des poumons.

Pour l'O_2 → la membrane cellulaire n'est en pratique pas un obstacle à sa diffusion. Pour le CO_2, il existe un canal protéique.

Diffusion facilitée

Les molécules de grande taille, peu liposolubles ou chargées peuvent franchir la membrane cellulaire par diffusion lorsqu'il existe un canal protéique ou une protéine de transport adaptée (▶ 3.4.2). Cette diffusion, dépendant de la présence d'une protéine de transport appropriée, est appelée **diffusion facilitée.**

3

La majorité des sucres entrent dans la cellule par cette voie : la protéine de transport se lie au sucre, change de conformation puis le fait traverser la membrane en suivant son gradient de concentration sans utiliser d'énergie.

Osmose

Transport d'un solvant (chez l'homme, toujours de l'eau) au travers d'une membrane semi-perméable qui sépare deux solutions ayant différentes concentrations en particules. S'observe lorsqu'une membrane ayant une perméabilité sélective laisse passer les molécules du solvant mais pas les particules en solution qu'il contient.

REMARQUE

Mettons par exemple une substance formée de grosses molécules dans un récipient séparé en deux par une membrane semi-perméable : le solvant diffusera de la zone du récipient où sa concentration est la plus élevée vers la partie du récipient où sa concentration est la plus basse → augmentation du niveau d'eau et ainsi de la pression dans la colonne d'eau (**pression hydrostatique**), ce qui s'oppose à la diffusion.

Pression osmotique

Finalement, la pression avec laquelle le solvant entre dans le récipient gauche (▶ fig. 3.10) devient aussi élevée que la pression hydrostatique produite par l'entrée du liquide dans le récipient gauche, et qui ramène les molécules du solvant dans le récipient droit → l'entrée et la sortie du liquide se compensent → l'**état d'équilibre** est atteint (*steady state*).

La pression hydrostatique qui est apparue dans le récipient gauche une fois que l'état d'équilibre a été atteint correspond à la **pression osmotique**. Son importance dépend de la concentration des particules qui ne peuvent pas traverser la membrane semi-perméable : plus la concentration en particules est élevée → plus le flux liquidien entrant est important → plus la pression osmotique est élevée (et vice versa).

Osmolarité

Comme la pression osmotique dépend de la concentration des particules osmotiquement actives, la notion d'**osmolarité** a été introduite et spécifiée de la même façon que la concentration l'a été en mol/l (molarité fig. 2.9). Elle est donnée en **osmol/l.**

- Si la solution renferme plusieurs composants (comme le plasma sanguin), l'osmolarité (et plus particulièrement la pression osmotique engendrée) dépend de la concentration totale de toutes les particules osmotiquement actives. Pour le plasma, elle est de 0,3 osmol/l.
- Les solutions ayant la même osmolarité que le plasma (comme les solutés de perfusion) sont dites **isotoniques.**
- Le **sérum physiologique** ou **solution saline physiologique** est la solution isotonique la plus connue. Sa concentration (solution à 9 g NaCl/l) correspond à une concentration osmotiquement active d'environ 0,3 osmol/l.

NOTION MÉDICALE

Trouble de l'osmolarité plasmatique

L'**osmolarité plasmatique** doit rester constante → si ce n'est pas le cas, il se produit des déplacements liquidiens entre les différents compartiments pouvant être dangereux.

Exemple : dans le milieu normotendu du plasma sanguin, les hématies (érythrocytes) ont une forme typique **discoïde** ronde ovale (biconcave).

- Si la concentration osmotique des particules osmotiquement actives augmente dans le plasma (solution hypertonique), l'eau *sort* des hématies par osmose → les hématies se contractent → prennent une forme **crénelée** (▸ fig. 3.11).
- Si la concentration plasmatique des particules osmotiquement actives s'abaisse (solution hypotonique), l'eau *entre* dans les hématies → elles gonflent (turgescence) → forme globoïde.
- **Hémolyse osmotique :** dans une solution très hypotonique, le flux liquidien entrant peut être si important que les hématies éclatent et que l'hémoglobine entre dans le plasma. Les fonctions des hématies crénelées ou gonflées sont perturbées et ces formes sont éliminées prématurément.

3

Pression oncotique (pression osmotique colloïdale)

La pression osmotiquement active entre des compartiments liquidiens dépend des particules qui peuvent traverser la membrane semi-perméable.

- Les capillaires ont une paroi pourvue de pores au niveau de la membrane basale qui laisse passer les petites molécules (comme le glucose, les sels en solution).
- Elle ne représente une barrière que pour les protéines en solution dans le plasma (masse molaire > 60 000 Daltons). Ces molécules protéiques sont des **colloïdes** ; elles engendrent une pression osmotique appelée **pression oncotique** (ou colloïdo-osmotique ou **osmotique colloïdale**) (▸ fig. 3.12).

NOTION MÉDICALE

Formation des œdèmes

Si la concentration protéique du plasma s'effondre (en particulier celle de l'albumine ▸ 11.1.4), et, par conséquent, si la pression oncotique s'abaisse, la **réabsorption** liquidienne par les capillaires (sortie des liquides du compartiment interstitiel et entrée dans les capillaires) diminue → apparition d'un œdème interstitiel (▸ 18.4.4).

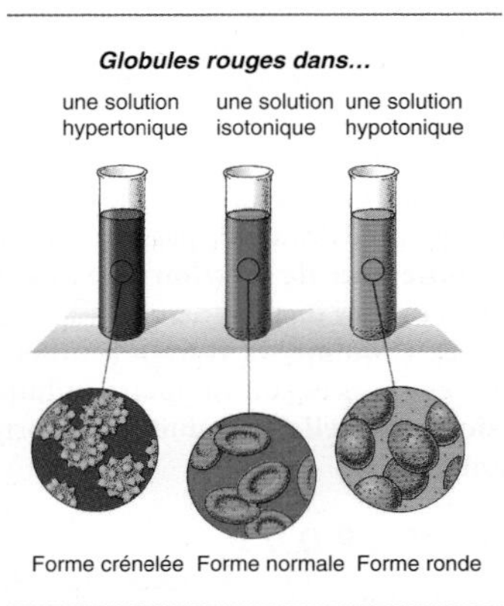

Fig. 3.11 Globules rouges dans des solutions ayant différentes osmolarités.

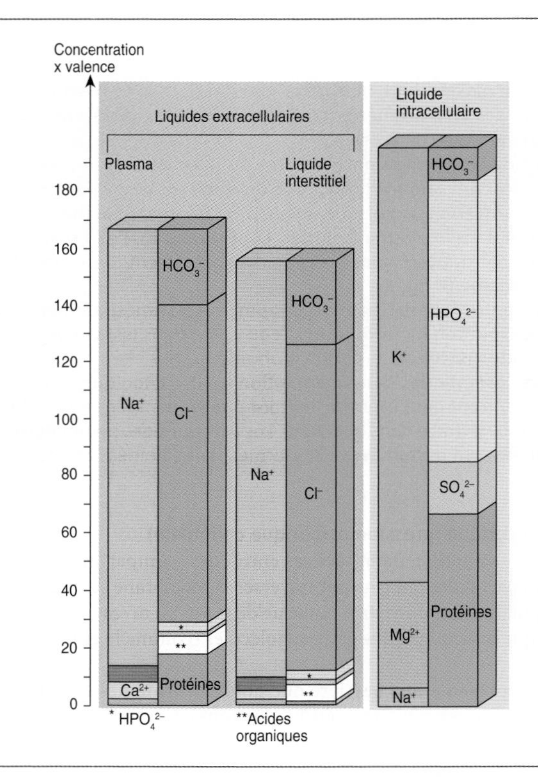

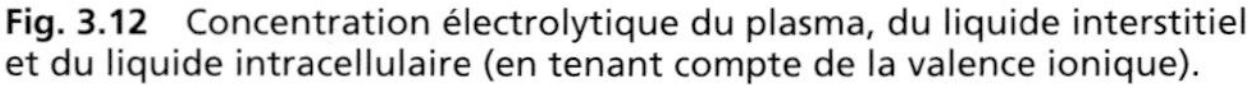

Fig. 3.12 Concentration électrolytique du plasma, du liquide interstitiel et du liquide intracellulaire (en tenant compte de la valence ionique).

Filtration

Transport des liquides au travers d'une membrane semi-perméable.

La quantité de liquide passant par filtration (ou **filtrat**) dépend d'une part de la **différence de pression** de part et d'autre de la membrane et, d'autre part, de la surface membranaire.

Chez l'homme, la filtration a lieu principalement au niveau des capillaires : la pression capillaire induite par les battements cardiaques (**pression artérielle**) conduit à la sortie du plasma dans le compartiment interstitiel.

REMARQUE

Dans la portion veineuse des capillaires, le gradient de pression est inversé : le liquide est alors réabsorbé dans les vaisseaux sanguins du fait de la pression oncotique (réabsorption ▶ 14.1.5).

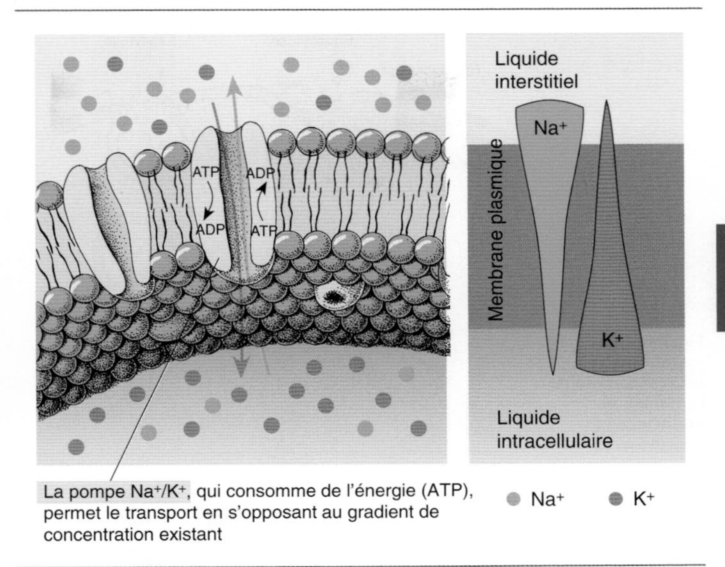

Fig. 3.13 Pompe Na^+-K^+.

3.7.2 Transport actif

Les cellules ont besoin de processus de transport couplés à une source d'énergie pour pouvoir pomper **activement** certaines molécules en **s'opposant à leur gradient de concentration** ou aux différences de charges et leur faire traverser leur membrane. Si ce n'était pas le cas, les gradients électrochimiques existant entre le milieu intracellulaire et le compartiment interstitiel, si indispensables à la vie, finiraient par s'annuler avec le temps.

- Ces processus qui consomment de l'énergie sont effectués par des protéines de transport. L'énergie nécessaire à ces processus provient du catabolisme.
- Les différences de concentrations ioniques, par exemple du Na^+ et du K^+, sont vitales (par exemple pour l'excitabilité des cellules nerveuses fig. 8.4). Le potentiel membranaire indispensable est maintenu par la **pompe Na^+-K^+** (▶ fig. 3.13), qui fait entrer les ions potassium dans la cellule et sortir les ions sodium de la cellule en s'opposant à leurs gradients électrochimiques. L'énergie de la pompe Na^+-K^+ provient du clivage de l'ATP (▶ 2.8.5).

3.7.3 Transport vésiculaire

La membrane est imperméable à de très nombreuses substances → mécanismes de transport particuliers : au voisinage direct des matériaux à absorber, une petite région de la membrane cellulaire s'invagine, entoure le matériel et se sépare par segmentation pour former une vésicule entourée d'une membrane. En général, ce mode de transport est désigné sous le terme :

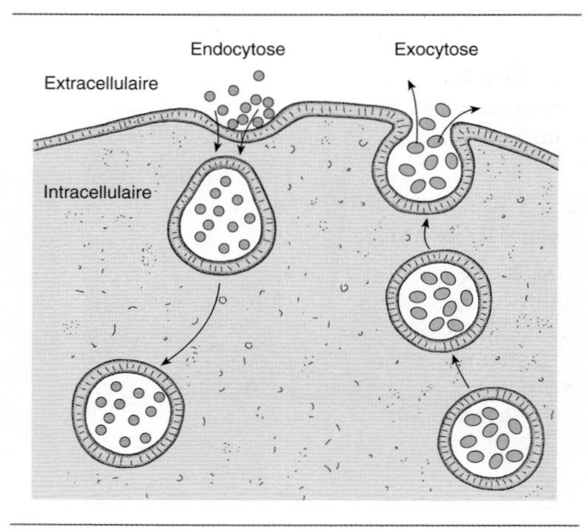

Fig.3.14 La membrane cellulaire est constamment remaniée par endocytose et exocytose.

- d'endocytose (▶ fig. 3.14). Il en existe deux formes :
  - la **pinocytose :** absorption de liquides (et des molécules qu'ils renferment). Comme dans la plupart des cellules, la pinocytose se produit constamment ; les termes de pinocytose et d'endocytose sont souvent utilisés comme synonymes ;
  - en présence de particules de grande taille (bactéries, fragments cellulaires), il se forme de très grosses vésicules (Ø > 250 nm) → les **phagosomes.** Le processus correspondant est appelé **phagocytose** (« manger les cellules » ▶ fig. 3.15). Beaucoup de cellules du système immunitaire « dévorent » littéralement les corps étrangers ou les bactéries grâce à ce mécanisme d'endocytose (▶ 12.2.2).

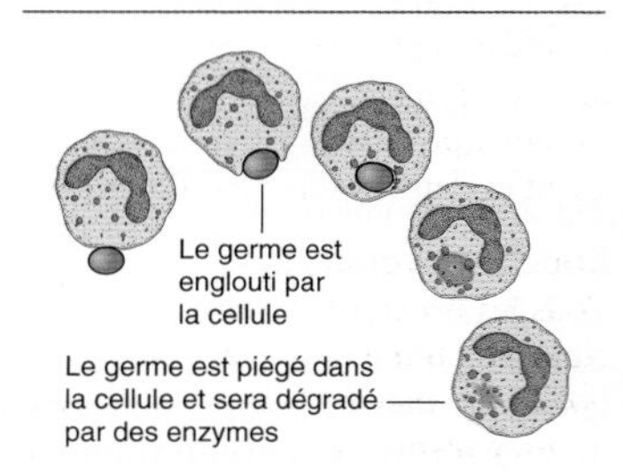

Fig. 3.15 Les globules blancs (leucocytes) sont particulièrement compétents pour la phagocytose → ils sont souvent appelés « phagocytes ».

Habituellement, les vésicules qui se sont formées fusionnent avec les **lysosomes** → leur contenu est alors dégradé. Lorsque cette dégradation est impossible, les particules restent dans le cytoplasme sans être digérées (par exemple les particules de goudron phagocytées par les macrophages pulmonaires).
Les cellules peuvent aussi rejeter des macromolécules à l'extérieur (c'est le cas en particulier des cellules spécifiques qui synthétisent et délivrent des hormones, des neurotransmetteurs, des anticorps et des sécrétions glandulaires) → le transport vésiculaire se fait dans le sens inverse (**exocytose** ▶ fig. 3.14).

3.8 Le milieu intérieur

Les milliards de cellules de notre organisme nécessitent des **conditions environnementales** stables pour travailler efficacement et pouvoir apporter leur contribution à la survie de l'ensemble de l'organisme.

NOTION MÉDICALE

Essentiel : les liquides extracellulaires

Liquide extracellulaire (▶ fig. 3.12) : en particulier les sels de sodium, chlore, potassium et calcium ont des missions spécifiques du point de vue de l'homéostasie. D'autres conditions sont tout aussi importantes :
- une **température corporelle centrale** optimale : environ 37 °C;
- un **pH** optimal : environ 7,4 (▶ 2.7.3);
- une concentration optimale en gaz dissous O_2 et CO_2.

3.9 Processus d'adaptation et de régulation

Les conditions environnementales se modifient constamment (par exemple froid sec, chaleur humide, nourriture opulente, famine, repos physique, sport intense) et menacent de bouleverser le milieu intérieur.
Certains processus vitaux complexes (par exemple la reproduction) nécessitent également une coordination précise.

Boucle de régulation

Tous les processus de régulation de notre organisme suivent le même principe de la **boucle régulatrice**. Ces boucles de régulation sont toujours composées des mêmes éléments fondamentaux :
- **un paramètre à contrôler :** il s'agit du paramètre qui doit rester constant (par exemple la pression artérielle);
- **un capteur de mesure** (récepteur, capteur) : il enregistre constamment la **valeur réelle**, au moment présent, du paramètre à contrôler (par exemple pression systolo-diastolique 90/50 mmHg; ▶ fig. 14.11) et la transmet au
- **régulateur** (principalement une région du cerveau) : il compare la valeur mesurée à la **valeur cible** spécifiée (ou **norme**) (par exemple 120/80 mmHg);
- lorsque des écarts par rapport aux normes précisées sont provoqués par des **troubles importants** (par exemple une perte de sang) des **systèmes de régulation** sont activés → ils approchent la valeur mesurée de la norme établie par la mise en place de mesures correctrices.

Exemple : lorsque la pression artérielle est trop faible, les artérioles se contractent (▶ 14.1.3), ce qui augmente la pression artérielle. Les modifications de la valeur mesurée (ici une augmentation de la pression artérielle) sont retransmises au régulateur qui, de ce fait, inhibe l'activation du système de régulation (**rétroaction négative** = feedback négatif).
Ce système fermé d'autorégulation forme une **boucle régulatrice.**

3.10 Notions de base de génétique

Les enfants ressemblent souvent à leurs parents et les frères et sœurs se ressemblent. Cela s'explique fondamentalement parce que les gamètes (cellules reproductrices) transmettent le patrimoine génétique à la génération suivante.

REMARQUE

Génétique

Étude de l'hérédité, s'intéresse aux lois de la génétique et à ses mécanismes moléculaires.

3.10.1 Phénotype et génotype

- **Phénotype :** apparence extérieure d'un organisme. Se compose de nombreux caractères (par exemple la couleur des cheveux, le sexe). Il est essentiellement déterminé par des facteurs héréditaires.
- **Génotype :** ensemble des informations génétiques dont dispose l'organisme pour exprimer son phénotype.

3.10.2 Gènes et chromosomes

Les informations génétiques sont stockées sous forme d'ADN qui est divisé en **gènes**. Pour qu'un caractère puisse se former, plusieurs gènes sont parfois nécessaires; mais un seul gène peut également influencer plusieurs caractères.
L'ensemble de l'ADN est localisé dans le noyau de la cellule sous la forme de **chromosomes** (▶ 3.5.1) (exception : l'ADNmt, ▶ 3.5.6). Chez l'homme, chaque cellule porte 46 chromosomes (exception : les gamètes).

REMARQUE

Caryotype

Ensemble des chromosomes d'un organisme. Tous les chromosomes sont assemblés par paires; chaque individu reçoit 23 chromosomes de sa mère et 23 chromosomes de son père → **double jeu de chromosome.**
Grâce à des techniques de coloration, chaque chromosome peut être caractérisé précisément par un motif spécifique en bandes. Ce type de carte chromosomique s'appelle un **caryotype** (▶ fig. 3.16).

Seules 22 paires sur les 23 paires de chromosomes sont identiques → ce sont les **autosomes**. La dernière paire de chromosome forme les gonosomes ou **chromosomes sexuels** : chez l'♂ un chromosome **X** et un chromosome **Y** plus petit; chez la ♀ deux chromosomes X.

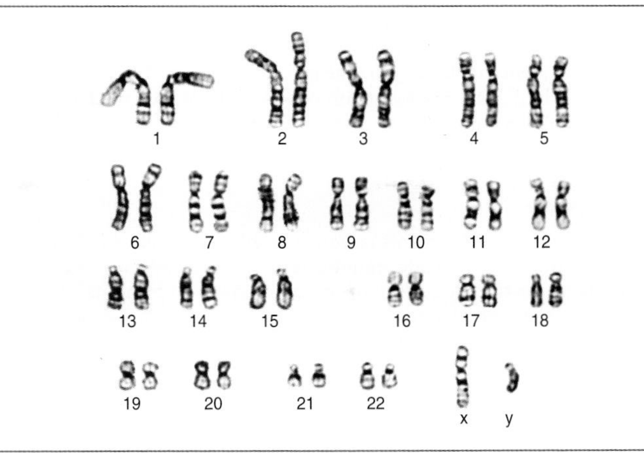

Fig. 3.16 Caryotype humain : jeu de chromosomes d'un individu de sexe masculin ayant 44 autosomes et 2 chromosomes sexuels.

3

3.11 Expression des gènes

Processus qui permet d'avoir accès à l'information cellulaire contenue dans les gènes.

- La **transcription** (▶ 3.11.2) engendre un **acide ribonucléique** (**ARN**) qui est une image en miroir de l'ADN. L'expression de certains gènes se termine par la synthèse de l'ARN lui-même (étant ainsi le produit final).
- Pour les autres gènes, l'ARN gère la synthèse des protéines au niveau des ribosomes (il est alors appelé ARN messager ou ARNm). La séquence des acides aminés d'une protéine est prédéfinie par la séquence nucléotidique de l'ADN (**traduction** ▶ 3.11.3).

Quel que soit le gène, l'expression génique se termine par la synthèse d'une molécule d'ARN ou d'une protéine.

REMARQUE

Chez l'homme, la **synthèse protéique** n'a pas lieu dans le noyau de la cellule (où réside l'information génétique de toutes les protéines sous la forme d'ADN) mais dans le **cytoplasme** au niveau des ribosomes.
L'ARNm transporte l'information, sous forme d'une copie intermédiaire, du noyau de la cellule aux ribosomes. Là, d'autres formes d'ARN sont utilisées :

- l'ARN ribosomique (**ARNr**) qui, associé à des protéines, constitue le ribosome ainsi que
- l'ARN de transfert (**ARNt**) qui amène les acides aminés adaptés à l'ARNm.

3.11.1 Le code génétique

L'ADN (▶ 2.8.4) contient les plans de construction des protéines sous la forme de sa séquence de bases. Chaque groupe formé par trois bases successives sur un brin d'ADN représente un codon ou **triplet de nucléotides** (ou triplet de bases). Chaque codon code un acide aminé.

REMARQUE

Code génétique

Si nous assignons les différents codons aux 20 acides aminés (AA) différents, nous obtenons le **code génétique** → il représente les règles permettant la traduction des informations génétiques en protéines. Le code génétique est **universel** à quelques exceptions près, c'est-à-dire qu'il est tout aussi lisible par une cellule bactérienne que par une cellule humaine.

Sur les 64 codons possibles, 61 codent les 20 AA nécessaires. Pour la plupart, les AA sont donc codés par plusieurs triplets de nucléotides. Les trois codons restants sont des **codons stop** ou **non-sens** servant à initier et à terminer les chaînes d'AA.

3.11.2 Transcription

Pour la **transcription**, l'« échelle de corde » d'ADN perd sa conformation hélicoïdale : le double brin entre les bases correspondantes se sépare (▶ fig. 3.17).

Au niveau des bases maintenant libres (non appariées), des ribonucléotides (nucléotides ayant comme sucre un ribose) peuvent être déposés selon le principe d'appariement des bases (▶ 2.8.4) → ils s'associent en chaînettes et

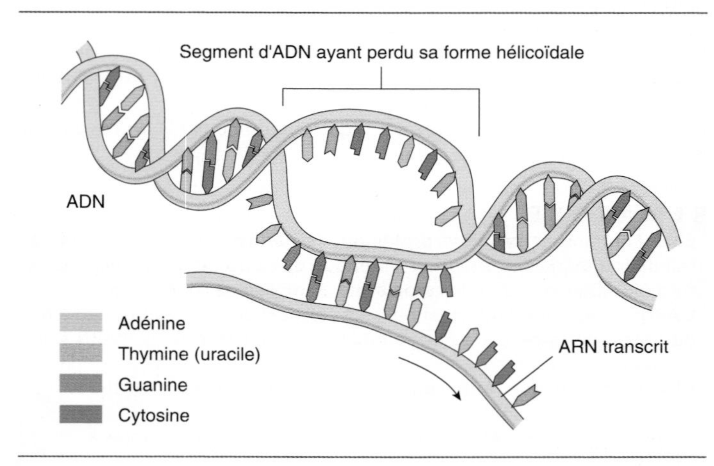

Fig. 3.17 Transcription.

forment un **ARN monocaténaire** (à un seul brin) → la séquence des bases de l'ARN est en quelque sorte le reflet du brin d'ADN (**complémentaire** à la séquence des bases de l'ADN).
Au niveau de l'ARN, une base, la thymine, est remplacée par l'uracile et le sucre désoxyribose est remplacé par du ribose.
Au niveau du noyau, l'ARN est modifié afin qu'il ne soit pas dégradé par les enzymes cellulaires et que la traduction, effectuée par la suite par les ARNm, commence au bon endroit.
L'ADN (ainsi que sa copie d'ARN) ne contient qu'une faible proportion de séquences codantes (les **exons**). Jusqu'à présent, les chercheurs considéraient que le reste (ou **introns**) étaient des « fichiers indésirables » (ADN non codant ou ADN « poubelle »). Nous savons cependant aujourd'hui que de nombreux gènes d'ARNm se trouvent à l'intérieur des introns.
Les séquences d'introns sont retirées de l'ARN par un **épissage**. L'ARN qui subsiste reste dans le noyau ou se déplace, sous forme d'ARNm par exemple, traverse les pores nucléaires et sert de matrice pour la traduction qui a lieu au niveau des ribosomes.

REMARQUE

Le processus d'épissage explique en partie pourquoi l'homme peut s'en sortir avec relativement peu de gènes : l'épissage permet d'obtenir plusieurs protéines à partir d'un seul gène. L'**épissage alternatif** (différent) permet d'obtenir des protéines différentes, spécifiques des tissus.

3.11.3 Traduction (biosynthèse des protéines)

Protéines : déterminent le développement et la structure de la cellule et sont indispensables à sa fonction (▶ 2.8.3). La véritable « **biosynthèse des protéines** » (traduction, au niveau du ribosome, du code de l'ARNm en la séquence d'AA de la protéine, ▶ 3.5.2) s'appelle la **traduction.**

- Dès que l'ARNm atteint un ribosome, les sous-unités de ce dernier s'assemblent → la biosynthèse protéique commence. Les petits **ARNt** mobiles fonctionnent comme des adaptateurs moléculaires : ils reconnaissent aussi bien les AA que les codons de l'ARNm.
- **Synthèse :** l'ARNt monocaténaire se replie en une structure tridimensionnelle (en feuille de trèfle) par appariement de base interne (▶ fig. 3.18). Au niveau de cette **feuille de trèfle**, deux suites de nucléotides non appariées sont importantes et résident aux deux extrémités opposées :
  - l'**anticodon :** l'ARNt s'attache par le biais de l'anticodon au niveau d'un codon complémentaire de l'ARNm ;
  - le lieu de fixation de l'AA approprié.
- Le ribosome se déplace alors le long de l'ARNm de codon en codon ; les ARNt correspondants se fixent par l'intermédiaire de leur anticodon. Les AA qui y sont fixés sont alors ajoutés à la chaîne polypeptidique en croissance. C'est ainsi que l'ARNt amène l'AA à l'endroit dicté au préalable par l'ARNm (▶ fig. 3.19, ▶ fig. 3.20).

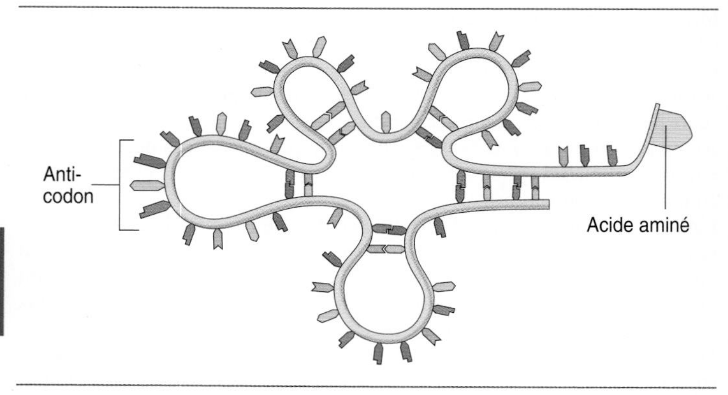

Fig. 3.18 Représentation schématique de l'ARNt.

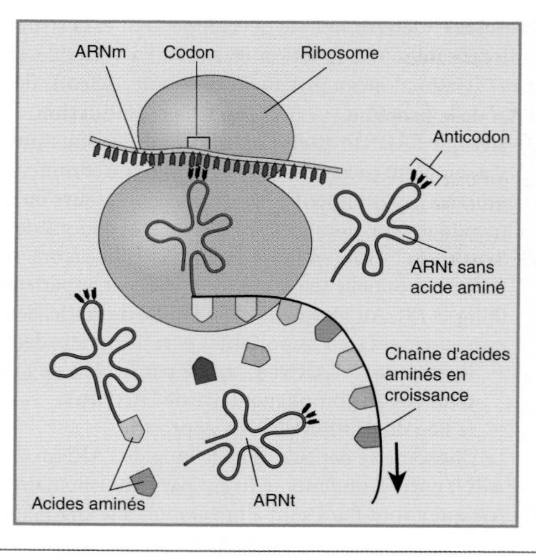

Fig. 3.19 Traduction : le codon et l'anticodon se correspondent comme une clé et sa serrure → les molécules d'ARNt appropriées se fixent sur l'ARNm. Après la formation de la liaison peptidique, l'ARNt perd son AA pour se charger d'un nouvel AA libre se trouvant à son voisinage. En haut : plusieurs ribosomes se déplacent simultanément sur un tronçon d'ARNm.

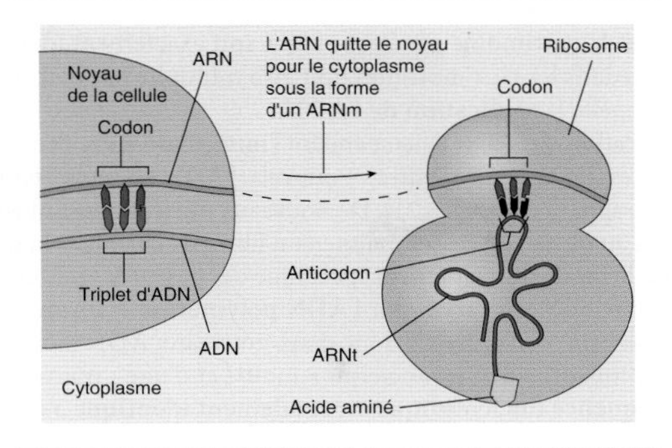

Fig. 3.20 Résumé de la synthèse protéique : la transcription s'effectue au niveau du noyau de la cellule. Une fois formé, l'ARNm quitte le noyau pour le cytoplasme où il sera « traduit » dans le ribosome (traduction). Les triplets de base de l'ARNt (anticodon) sont par conséquent à nouveau identiques à ceux de l'ADN.

- La synthèse protéique se termine lorsqu'au niveau de l'ARNm apparaît un codon stop au lieu d'un codon codant pour un AA supplémentaire. Ce **codon stop** code pour l'arrêt de la chaîne d'AA. Des protéines cytoplasmiques (appelées **facteurs de libération**) se lient à ce codon stop → elles entraînent la fixation d'eau au lieu d'un nouvel AA et la libération de la protéine dans le cytoplasme.
- Les protéines sont en général modifiées après leur traduction (**modification post-traductionnelle**) et peuvent être alors utilisées comme enzyme, protéine structurelle, hormone, etc. Elles restent dans la cellule ou sont expulsées par exocytose (▶ 3.7.3).

REMARQUE

Gène

Segment d'ADN qui contient les informations permettant la synthèse contrôlée d'une molécule d'ARN. L'ARN peut ensuite être utilisé comme modèle pour la synthèse d'une protéine ou assumer directement une fonction au sein de la cellule.

3.12 Division cellulaire

Les nouvelles cellules de notre organisme se forment par division de cellules préexistantes → c'est la condition qui permet la croissance et le remplacement continu indispensable des cellules qui ont été détruites.

3.12.1 Mitose

Division cellulaire qui se produit lors de la croissance et du remplacement cellulaire. Le matériel nucléaire est transféré de la **cellule mère** aux deux **cellules filles** néoformées **qui sont génétiquement identiques**.

Réplication de l'ADN

- Pour que le patrimoine génétique légué soit exactement identique, l'ADN contenu dans les chromosomes doit être multiplié par deux (doublé) → cela s'appelle la **réplication de l'ADN**.
- La réplication de l'ADN a lieu pendant l'**interphase** entre deux divisions cellulaires (du latin *inter*, entre). Pour cela, l'ADN est séparé entre les paires de bases appariées (▶ fig. 3.21). De nouveaux nucléotides sont ensuite déposés au niveau des bases maintenant libres de chaque brin d'ADN, en suivant le mode d'appariement spécifique des bases (A → T, G → C).
- Ces nucléotides sont reliés par l'**ADN polymérase** et forment ainsi un nouveau brin → il apparaît donc deux nouveaux ADN bicaténaires, chacun constitué d'une « ancienne » moitié et d'une « nouvelle » moitié. Leur **séquence nucléotidique** est **totalement identique** à celle de l'ADN bicaténaire originel.
- Des mécanismes de réparation veillent à minimiser le nombre d'erreurs survenant pendant la réplication de l'ADN.

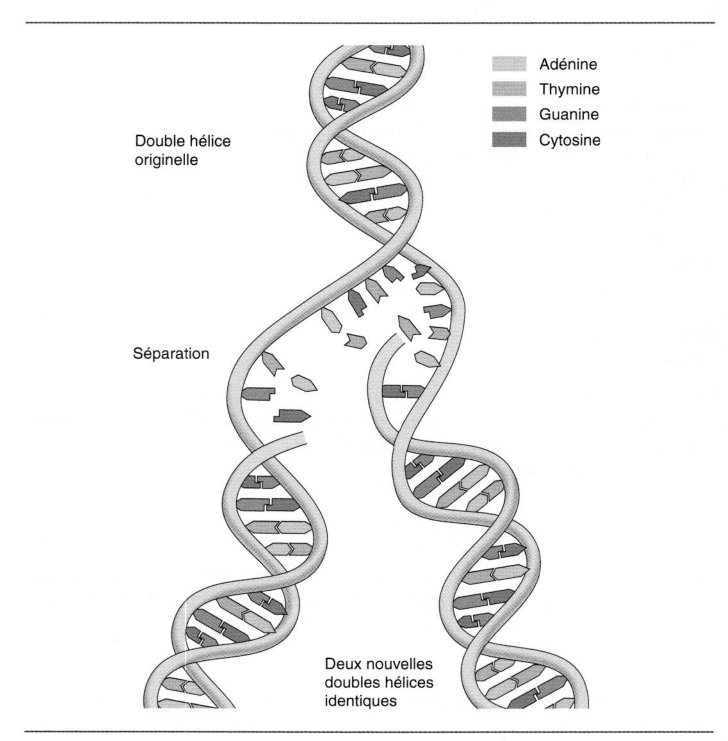

Fig. 3.21 Réplication de l'ADN.

C'est ainsi qu'il se forme deux chromatides, à partir d'un chromosome (▶ fig. 3.6). Pour terminer, la paire de centrioles se dédouble également pendant l'interphase.

Phases de la division nucléaire se produisant pendant la mitose

REMARQUE

Mitose

Processus très important permettant la répartition des chromatides dans deux nouveaux noyaux. La division du noyau se déroule en quatre phases : **prophase, métaphase, anaphase** et **télophase** (▶ fig. 3.22).

3

Division cellulaire

La séparation du cytoplasme par un sillon (cytocinèse ou division cellulaire au sens strict) commence principalement à la fin de l'anaphase et se termine pendant la télophase → invagination de plus en plus importante de la membrane plasmique partant du bord de la cellule jusqu'à ce qu'il se forme deux cellules filles ayant à peu près la même taille et contenant leur propre cytoplasme et leurs propres organites.

REMARQUE

Chaque **division nucléaire** ne s'accompagne pas obligatoirement d'une division cellulaire → les cellules polynucléées (par exemple les cellules des muscles squelettiques ou du myocarde) multiplient selon le besoin le nombre de leurs noyaux sans que cela s'accompagne d'une division cellulaire.

Phases du cycle cellulaire

Un cycle cellulaire se compose de deux phases :

- la **phase M** avec la véritable division cellulaire (qui a lieu en général à la fin de la mitose) ;
- l'**interphase** (temps séparant deux divisions cellulaires) ; composée des phases G_1, S et G_2 :
  - **phase G_1** (phase de croissance pré-synthétique) : commence après la mitose. Biosynthèse protéique → la cellule augmente de taille. La durée de cette phase oscille entre quelques heures et plusieurs années, et détermine essentiellement la durée de l'ensemble du cycle cellulaire ;
  - normalement, beaucoup de cellules différenciées ne quittent pas cette phase → elle est alors appelée **phase $G_{0.}$** Lorsque certains événements se produisent (blessure, perte de cellules), ces cellules différenciées peuvent de nouveau entrer dans le cycle cellulaire. Exception : les cellules nerveuses ne peuvent plus se diviser (régénération ▶ 4.6.1) → elles restent en permanence en phase G_0 ;
  - **phase S** (phase de synthèse) : dure environ 5 à 10 heures → réplication de l'ADN (formation des chromatides) ;
  - **phase G_2** (phase de croissance post-synthétique) : dernière phase avant la mitose, dure environ 4 heures.

Interphase

- Les chromosomes ne sont pas condensés.
- L'ADN et la paire de centrioles (centrosome) se dupliquent.

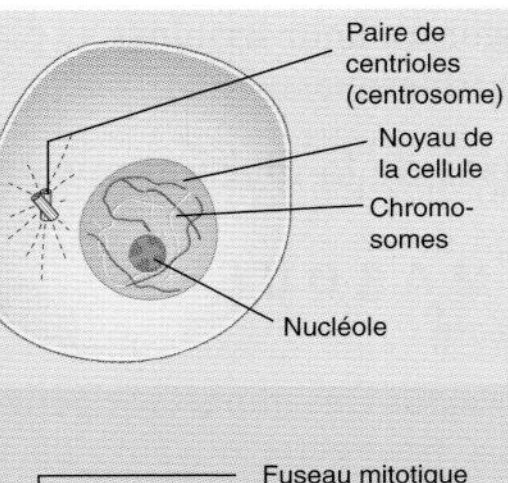

Prophase

- Les chromosomes se raccourcissent en formant des spirales de plus en plus importantes ; les deux chromatides sont nettement reconnaissables.
- Le nucléole et la membrane nucléaire disparaissent.
- Les deux centrosomes se séparent dos à dos et migrent vers les deux pôles de la cellule. Là ils forment entre eux le fuseau mitotique.

Fuseau mitotique
Paire de centrioles (centrosome)
Enveloppe nucléaire
Nucléole
Chromosomes

Métaphase

- Les chromosomes dupliqués se placent dans l'axe central de la cellule (à l'équateur du fuseau) entre les deux pôles du fuseau mitotique.

Disposition des chromosomes à l'équateur du fuseau

Anaphase

- Les microtubules du fuseau mitotique séparent les chromatides des chromosomes au niveau du centromère et les dirigent vers les pôles opposés de la cellule.
- Les deux chromatides identiques se séparent et forment maintenant chacune un chromosome (simple)

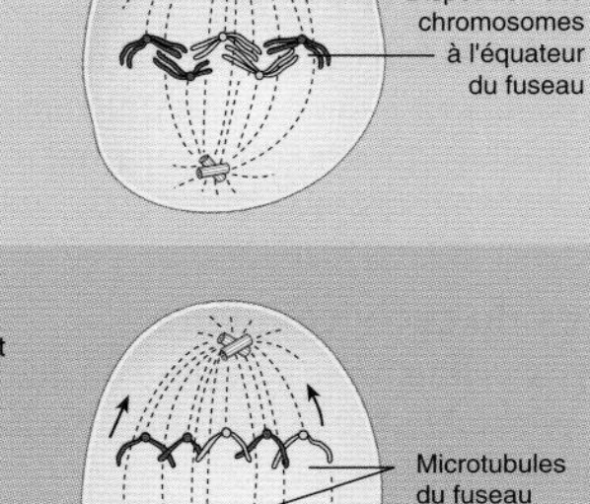

Télophase

- Les deux jeux de chromosome identiques se trouvant à chacun des pôles sont entourés par une nouvelle enveloppe nucléaire.
- Les chromosomes se décondensent, le fuseau mitotique disparaît et les nucléoles réapparaissent.
- Le cycle de division nucléaire est terminé.

Enveloppe nucléaire et nucléole
Chromosomes

Fig. 3.22 Le cycle cellulaire avec l'interphase et les quatre phases de la mitose.

3.12.2 Méiose

Division cellulaire permettant la transmission du patrimoine génétique de génération en génération.

Pour que l'ADN ne soit pas doublé lors de l'union d'un ovule et d'un spermatozoïde, le jeu de chromosome normalement **diploïde** (2 × 23 chromosomes) est réduit en un jeu **haploïde** (1 × 23 chromosomes) lors de la formation des cellules germinales (▶ 20.1.1) → c'est la phase 1 de la méiose (**division réductionnelle**). Les cellules germinales résultant de la méiose sont **différentes génétiquement** (▶ fig. 3.23, ▶ fig. 3.24).

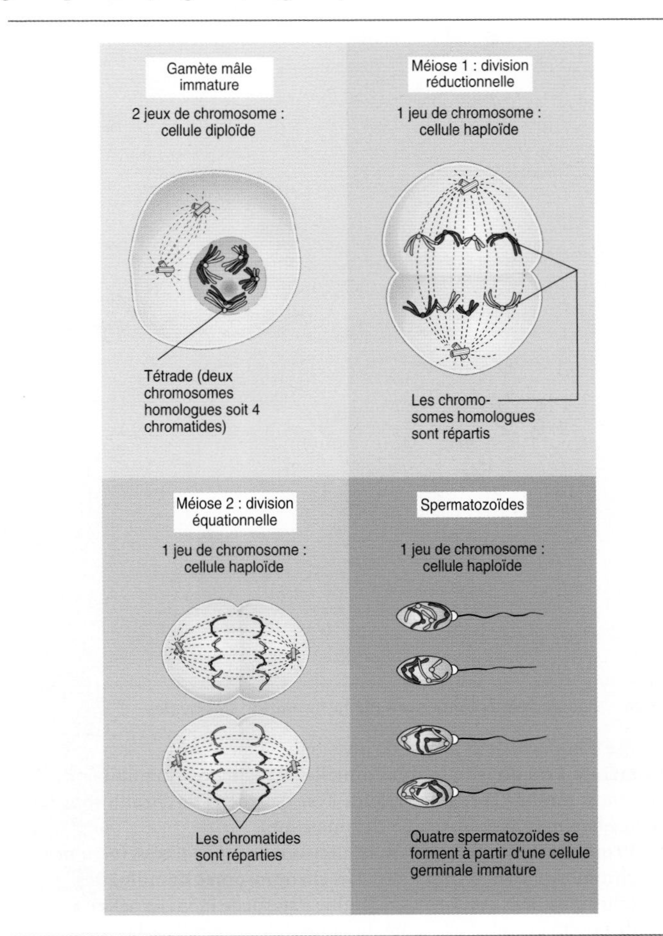

Fig. 3.23 Méiose avec comme exemple la formation des spermatozoïdes.

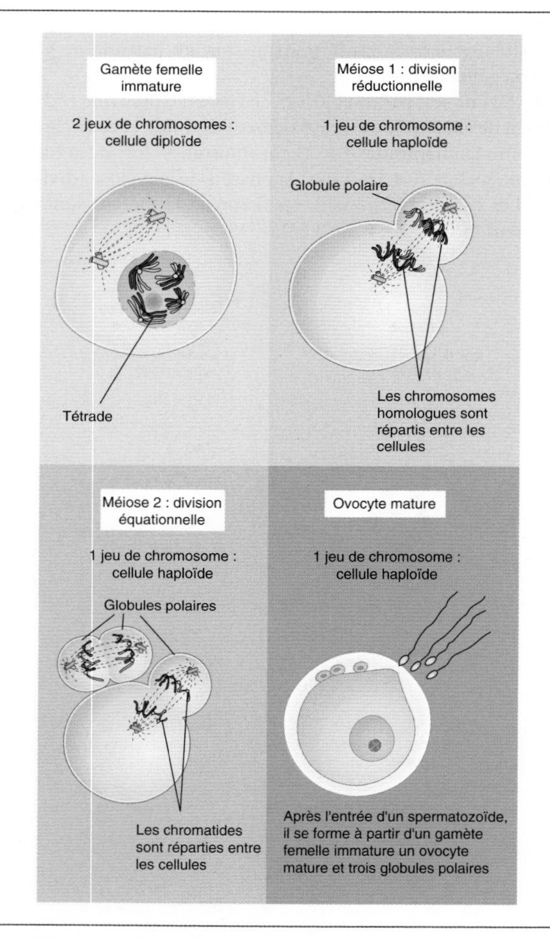

Fig. 3.24 Méiose avec comme exemple la formation des ovules.

La méiose comporte deux étapes de division.

1. **La méiose 1 ou division réductionnelle** → réduction du nombre de chromosomes (de la cellule diploïde avec deux jeux de chromosomes à la cellule haploïde avec un jeu de chromosome).
   - **Prophase de la méiose 1** : raccourcissement et épaississement des chromosomes déjà dupliqués. Les **chromosomes homologues** (chromosomes conformes d'origine paternelle et maternelle) se disposent ensuite l'un à côté de l'autre (alignement) → les segments géniques correspondants sont placés les uns à côté des autres. Comme

à ce moment chaque chromosome est constitué de deux chromatides, il se forme une structure faite de quatre chromatides (deux maternelles et deux paternelles), la **tétrade**. Finalement, l'alignement se défait afin que des segments fortement liés ensemble puissent se croiser → ces zones d'échanges sont appelées **chiasma** → au niveau de ces zones, les chromatides peuvent s'enchevêtrer puis se casser ; ainsi, les segments rompus des chromosomes paternels et maternels peuvent être échangés → c'est le **crossing-over** ou **phénomène d'enjambement** → nouvel assemblage des gènes (**recombinaison**) à l'intérieur des chromosomes.
- **Autres phases de la méiose 1** : répartition des deux chromosomes homologues (formés chacun de deux chromatides) dans les noyaux filles. Parallèlement, commencement de la division cellulaire → il se forme deux cellules filles comportant chacune 23 chromosomes encore dédoublés. La combinaison des chromosomes paternels et maternels qui survient est fondamentalement aléatoire (**2e mécanisme de recombinaison**).

2. **La méiose 2 ou division équationnelle :** cette deuxième étape a lieu **sans réplication de l'ADN et** correspond à une division mitotique normale – toutefois avec des cellules haploïdes ne comportant qu'un seul jeu de chromosome. Ainsi, les chromatides sont maintenant réparties dans les cellules filles.

REMARQUE

La durée de la méiose est différente chez la ♀ et chez l'♂ (♀ jusqu'à 45–55 ans, ♂ environ 80 jours).

Pour d'autres détails sur la formation des spermatozoïdes ▶ 19.2.4 et des ovules ▶ 19.3.2.

3.13 Les différents modes de transmission héréditaire

3.13.1 Dominance et récessivité

REMARQUE

Allèle

Gènes situés au **même endroit** sur des chromosomes **homologues**.

Si les deux allèles sont identiques, le porteur est **homozygote** pour ce caractère; s'ils sont différents, le porteur est **hétérozygote.** Si un individu est homozygote pour un caractère, ce dernier s'exprime en règle générale.

Lors d'hétérozygotie des allèles, il existe plusieurs possibilités.

- Souvent : un des allèles porte un gène qui s'exprime plus fortement que l'autre → cet allèle est dit dominant et masque l'expression de l'allèle récessif (▶ fig. 3.26).

REMARQUE

Exemple

Chez l'homme, le gène du groupe sanguin A est dominant sur le gène récessif du groupe sanguin O → en présence d'une paire d'allèles hétérozygotes A et O, l'individu sera de groupe sanguin A et l'allèle O restera phénotypiquement masqué.

- Plus rarement : les deux allèles sont de même puissance → les deux caractères s'expriment côte à côte → ce sont des gènes **codominants**.

REMARQUE

Exemple

Groupes sanguins A et B : si un enfant reçoit de son père l'allèle du groupe sanguin A et de sa mère l'allèle du groupe sanguin B, il sera du groupe sanguin AB (▶ 11.4.1).

- **Hérédité intermédiaire :** le caractère exprimé est le mélange des caractères des allèles.

REMARQUE

Exemple

Si une plante possède un allèle « fleur de couleur rouge » et un allèle « fleur de couleur blanche », en cas d'hérédité intermédiaire, ses fleurs seront roses (▶ fig. 3.26).

3.13.2 Règle de la génétique classique (hérédité mendélienne)

Au XIXe siècle, **Gregor Mendel**, qui ne connaissait rien aux gènes, à l'homozygotie et à l'hétérozygotie, à la dominance et à la récessivité, a développé des lois sur la transmission à la descendance des allèles, en se fondant sur les résultats de ses tentatives de croisement de pois. Ces lois sont encore aujourd'hui fondamentalement vérifiées.

1re loi de Mendel (loi d'uniformité des caractères)

Lors du croisement de deux plantes homozygotes, qui ne se différencient que par **un seul** caractère (par exemple la couleur de la fleur), tous les descendants de la première génération sont identiques : ils sont uniformes.

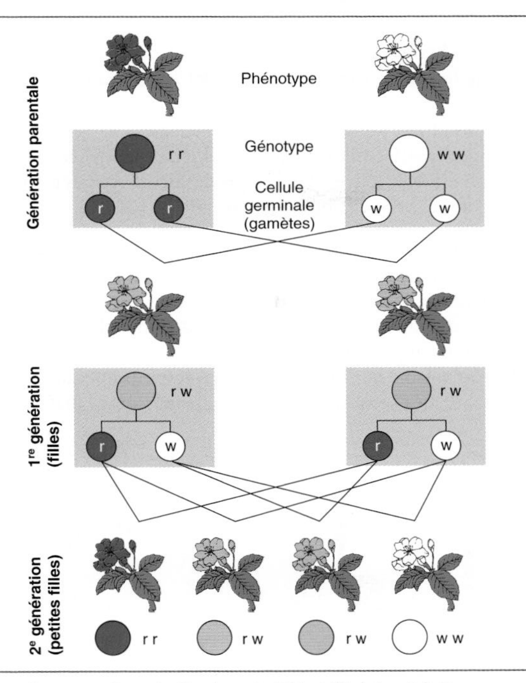

Fig. 3.25 Croisement d'une belle de nuit (*Mirabilis jalapa*) à fleur rouge homozygote (rr) avec une belle de nuit à fleur blanche homozygote (ww).

Exemple : croisement d'une « belle de nuit » pure de couleur rouge, et d'une belle de nuit pure de couleur blanche (▶ fig. 3.25).
Les plantes homozygotes ne produisent chacune qu'un seul type de cellule reproductrice (▶ 20.1). Le jeu unique de chromosomes de la cellule reproductrice d'une plante contient l'allèle **r** (mis pour rouge), et l'autre plante l'allèle **w** (mis pour *white*, blanc). Après la fécondation, dans le jeu diploïde de chromosomes, r ne peut se combiner qu'avec w → tous les plants filles sont hétérozygotes concernant la couleur de la fleur (**hybride**) et ont des fleurs roses (hérédité intermédiaire, ▶ 3.13.1).

2e loi de Mendel (loi de ségrégation ou de disjonction des caractères)

Le croisement entre eux des individus issus de la première génération entraîne la **disjonction** des combinaisons des allèles à la 2e génération. Tous les membres de la première génération fille issue de l'exemple présenté ci-dessus forment à la méiose (▶3.12.2) deux types de gamètes en même quantité : ceux qui portent le gène r et ceux qui portent le gène w → la fécondation donne naissance à des cellules germinales « petites-filles » ayant comme combinaison d'allèle rr, rw, ww dans les proportions respectives de 1:2:1 (▶ fig. 3.25) → la couleur des fleurs est pour 25 % rouge, 50 % rose, 25 % blanche.

Si l'on considère que le caractère rouge (**R**) est dominant sur le caractère blanc (**w**) →

1. 1re génération fille : toutes les fleurs sont rouges
2. 2e génération (petites-filles) : selon la 2e loi de Mendel, le rapport de ségrégation est de 3:1, avec dans ce cas des fleurs rouges étant pour 2/3 hétérozygotes et pour 1/3 homozygotes (▶ fig. 3.26).

3e loi de Mendel (loi d'indépendance des caractères)

Lors de croisement de parents homozygotes qui se différencient par de **nombreux** caractères, la transmission de chaque caractère se fait **indépendamment** les uns des autres. C'est ainsi que de nouvelles combinaisons de caractères peuvent apparaître.

Cette règle n'est valable que lorsque les gènes responsables de l'expression des caractères recherchés se trouvent sur des chromosomes **différents**. Dans ce

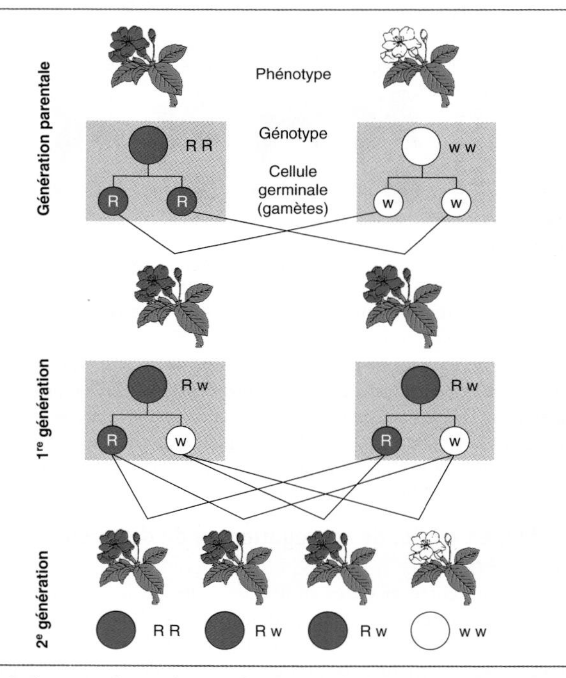

Fig. 3.26 Croisement d'une plante à fleur rouge (RR) avec une plante à fleur blanche (ww), la couleur rouge étant dominante sur la couleur blanche. Les fleurs de première génération sont rouges mais hétérozygotes (Rw). À la génération suivante, il se produit une ségrégation avec un rapport de 3:1 → 3 descendants sont rouges (1 RR, 2 Rw), 1 descendant est blanc (ww).

cas seulement, le réagencement de l'ADN, fruit du hasard, qui a lieu pendant la méiose, entraîne une répartition différente des caractères. Si les gènes en question se trouvent sur le même chromosome, ils sont transmis **ensemble**. Cette **liaison génétique** (couplage de gène) peut cependant être rompue lors du **crossing-over** (▶ 3.12.2).

REMARQUE

Signification de la 3e règle de Mendel pour la diversité génétique chez l'homme

Pour seulement deux caractères différents dans la génération parentale, les individus de 2e génération (génération « petite-fille ») peuvent présenter déjà 9 génotypes différents.
Pour 10 caractères différents (ce qui est très peu sachant que l'homme possède 23 chromosomes), nous obtenons déjà près de 60 000 génotypes !

3.13.3 Transmission héréditaire liée aux chromosomes sexuels

Un aspect particulier résulte de la transmission de caractères dont les gènes se trouvent sur le chromosome X (un chromosome sexuel). Cette **transmission héréditaire liée aux chromosomes sexuels** ne suit pas les règles mendéliennes normales. La dominance et la récessivité ne jouent un rôle que chez la femelle (XX), qui porte une paire de chromosomes X, alors que chez le mâle (XY) ce gène s'exprime dans tous les cas (car il ne possède qu'un seul chromosome X) :

- **transmission dominante liée à l'X** et
- **transmission récessive liée à l'X**.

C'est différent de la transmission héréditaire de gènes localisés sur les autosomes :

- **transmission autosomique dominante** et
- **transmission autosomique récessive**

3.13.4 Hérédité mitochondriale

Chez l'homme, la plupart des caractères sont sous le contrôle de gènes localisés dans le noyau de la cellule, qui sont répartis au moment de la méiose et suivent les lois mendéliennes. À côté de cet ADN, il existe aussi un **ADN mitochondrial** (ADNmt). L'ADNmt provient principalement de la mère car le zygote ne contient en règle générale que des mitochondries maternelles.
Au même titre que les mutations qui se produisent dans l'ADN nucléaire, les mutations de l'ADNmt peuvent être responsables de maladies → elles sont alors transmises à la génération suivante uniquement par la mère.

4 Les différents tissus de l'organisme

4.1 Notions fondamentales

- Un **tissu** est une structure composée de cellules qui effectuent une même tâche pour l'ensemble de l'organisme. Il est possible de différencier quatre types de tissus fondamentaux en s'appuyant sur leur mode de développement, leur structure et leur fonction (▸tableau 4.1).

Tableau 4.1 Présentation générale des quatre tissus fondamentaux, fonctions et exemples de localisation au sein de l'organisme.

Tissus fondamentaux	Fonction	Exemple dans l'organisme
Tissu épithélial	Protège la surface de l'organisme Tapisse les cavités corporelles Transport, réabsorption, sécrétion, excrétion de substances	Épiderme Muqueuses Glandes
Tissu conjonctif et de soutien	Mise en contact des structures de l'organisme, statique de l'organisme, stockage de substances, processus de transport	Cartilages, os, ligaments, tendons Tissu adipeux Sang
Tissu musculaire	Mouvements du corps et des organes Thermogenèse	Muscles squelettiques, Cœur Parois vasculaires, Organes creux
Tissu nerveux	Recueil, traitement, stockage et envoi des informations Commandes des fonctions de l'organisme	Cerveau, moelle spinale (MS), nerfs périphériques, organes des sens

- Un **organe** est formé de différents types de tissus :
  - **le parenchyme :** composé des cellules responsables de la fonction propre de l'organe ;
  - le **stroma ou compartiment interstitiel** (du latin *interstitium*, compartiment intermédiaire) : forme l'ossature de l'organe, il contient du tissu conjonctif (TC), plus rarement du tissu épithélial et des cellules musculaires, ainsi que des vaisseaux et des nerfs.
- L'**espace intercellulaire** est rempli d'une substance intercellulaire ou **matrice extracellulaire** → échange de substances entre le sang et les cellules, fonction mécanique (tissu conjonctif et de soutien ▶4.3).

4.2 Tissu épithélial

Structure cellulaire superficielle ; recouvre les surfaces externes et internes du corps, des cavités organiques et des conduits et canaux (tissu de revêtement). Il en existe diverses formes (▶fig. 4.1).

4.2.1 Membrane basale

Membrane basale (MB) : (environ 1 μm) sépare l'épithélium du tissu conjonctif sous-jacent.

REMARQUE

Importance lors de tumeur maligne : si la MB n'est pas encore rompue (carcinome *in situ*) → pas de communication avec les vaisseaux sanguins ou lymphatiques → pas de métastases, très bon pronostic.

4.2.2 Contacts intercellulaires

Les épithéliums ont souvent une fonction de protection et de barrière → ils forment des **contacts intercellulaires** particuliers :

- **desmosomes** (macula adherens) : jonction mécanique formée par l'épaississement de segments membranaires de deux cellules voisines, associée à la présence d'un ciment intermembranaire ;
- **zonula adherens :** similaire d'un point de vue structurel, elle réunit des cellules épithéliales ;
- **jonctions serrées** (zonula occludens) : proches des surfaces libres, elles empêchent les échanges incontrôlées de substances ;
- **jonctions communicantes** (nexus) : petits « canaux de liaison » qui traversent l'espace intercellulaire → contrôlent les échanges de substances.

4.2.3 Polarité des cellules

L'aspect des cellules épithéliales n'est pas le même du côté **apical** (près de la surface) que du côté **basal** (proche de la MB). Explication : ces deux côtés ont des fonctions différentes :

- pôle basal : liaison mécanique avec le tissu conjonctif sous-jacent ;

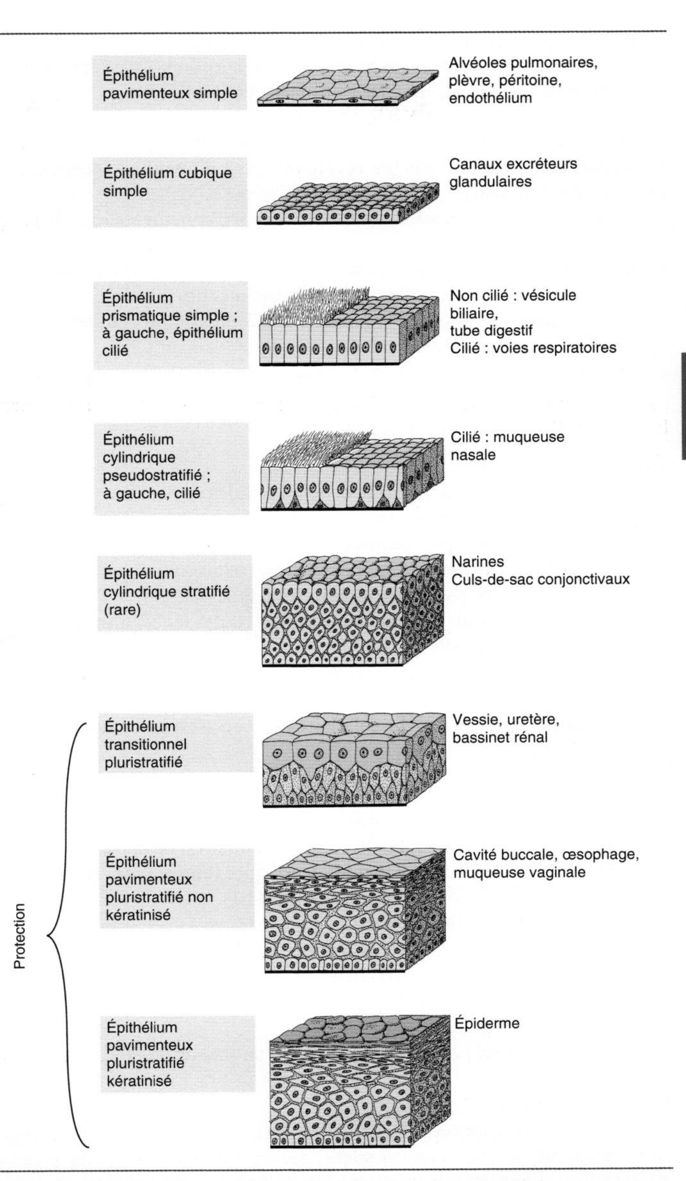

Fig. 4.1 Localisation et fonction des principaux épithéliums (épithéliums sensoriels ▶9). La ligne noire à la base de chaque dessin correspond à la membrane basale.

- pôle apical : dépend de la fonction de la cellule épithéliale : par exemple **microvillosités** (bordure en brosse) → réabsorption ; ou cils mobiles (kinétocil) → **épithélium cilié** → transport (▶15.4).

4.2.4 Épithélium superficiel (de revêtement)

Les **épithéliums superficiels (de revêtement)** recouvrent les faces interne et externe de l'organisme :
- épithélium cutané : protège des influences environnementales et de la perte d'eau ;
- les épithéliums de revêtement de l'intérieur du corps : tapissent entre autre les organes creux et les canaux excréteurs des glandes :
  - → protègent les tissus de l'organisme situés plus en profondeur des substances agressives ;
  - → contiennent souvent des cellules sécrétrices ainsi que des glandes → forment des **muqueuses** (tunique muqueuse ou muqueuse, du latin *mucus,* mucus).

Types d'épithéliums

- Ils se différencient par la forme de leurs cellules :
  - **épithélium pavimenteux** ;
  - **épithélium cubique** (cellules aussi larges que hautes) ;
  - **épithélium prismatique ou cylindrique** (cellules plus hautes que larges).
- Ils se différencient par l'agencement des cellules :
  - **simple (une seule couche de cellules) :** toutes les cellules sont en contact avec la MB ;
  - **pseudostratifié :** toutes les cellules sont en contact avec la MB, mais elles n'atteignent pas toutes la surface de l'épithélium ;
  - **stratifié :** seule la couche cellulaire inférieure est en contact avec la MB (▶fig. 4.1).

Fonctions

- **Épithélium pavimenteux simple** (une seule couche de cellules) : surface lisse ; s'observe au niveau des alvéoles pulmonaires, de la plèvre, du péritoine, du péricarde, des cavités cardiaques (**endocarde**) et des vaisseaux sanguins (**endothélium**) (▶ fig. 14 1).
- **Épithélium prismatique stratifié :** tapisse les voies respiratoires, présence le plus souvent de cils apicaux.
- **Épithélium pavimenteux stratifié :** protège des influences mécaniques, chimiques et thermiques :
  - **kératinisé :** épiderme (▶7.1) ;
  - **non kératinisé :** cavité buccale, nasopharynx, œsophage, vagin.

REMARQUE

L'épithélium transitionnel (urothélium) représente une forme particulière d'épithélium des voies urinaires : pendant le remplissage de la vessie (dilatation), l'épithélium épais (plusieurs couches de cellules) se transforme en un épithélium plat.

- **Épithélium prismatique simple :** tapisse le tube digestif de l'estomac au rectum ainsi que la vésicule biliaire. Sous forme d'un épithélium cilié dans les petites bronches ainsi qu'en partie dans l'utérus et les oviductes.

4.2.5 Épithélium glandulaire

REMARQUE

Glandes

Ensemble de cellules épithéliales spécialisées qui produisent des **sécrétions.**

Les glandes sont différenciées en :
- **glandes exocrines :** forment le plus souvent un ensemble complexe d'**acini** dotés d'un système de **canaux excréteurs** qui permettent l'élimination des sécrétions à la surface de la peau et des muqueuses;
  - si les sécrétions sont aqueuses → **glande séreuse;** si elles sont muqueuse → **glande muqueuse.** Il existe des glandes mixtes.
- **glandes endocrines** (sécrétion hormonale) : elles n'ont pas besoin d'avoir de canaux excréteurs. Leurs sécrétions (hormones ▸10.1) atteignent les cellules cibles en passant dans le courant sanguin par diffusion au travers des capillaires sanguins ou agissent localement (**sécrétion paracrine**, action à courte distance ▸fig. 4.2).

4.3 Tissus conjonctif et de soutien

Le tissu conjonctif et le tissu de soutien → donnent la forme de l'organisme et permettent son maintien. Tissu conjonctif (TC) : peut être lâche, dense, réticulaire ou adipeux. Tissu de soutien : cartilage et os.
- Composition cellulaire : le TC contient peu de cellules, qui sont très éloignées les unes des autres et sont incorporées dans la matrice extracellulaire. Une exception : le tissu adipeux.
- **Principales cellules du TC** (par exemple fibroblastes) : produisent la matrice extracellulaire.
- **Cellules libres mobiles** : appartiennent principalement au système des phagocytes mononucléés (monocytes et macrophages) → défense (▸12.2.2).
- **Matrice extracellulaire :** confère aux différents tissus conjonctifs et de soutien leurs propriétés mécaniques, leur résistance, leur forme et leur solidité; tous les échanges de substances passent par elle.
- **Substance fondamentale** (solution visqueuse formée principalement d'eau, de protéines et de composés glucidiques).
- **Fibres :** chaque type de tissu conjonctif se caractérise par un mélange d'un ou de plusieurs types de fibres ainsi que par une substance fondamentale spécifique.

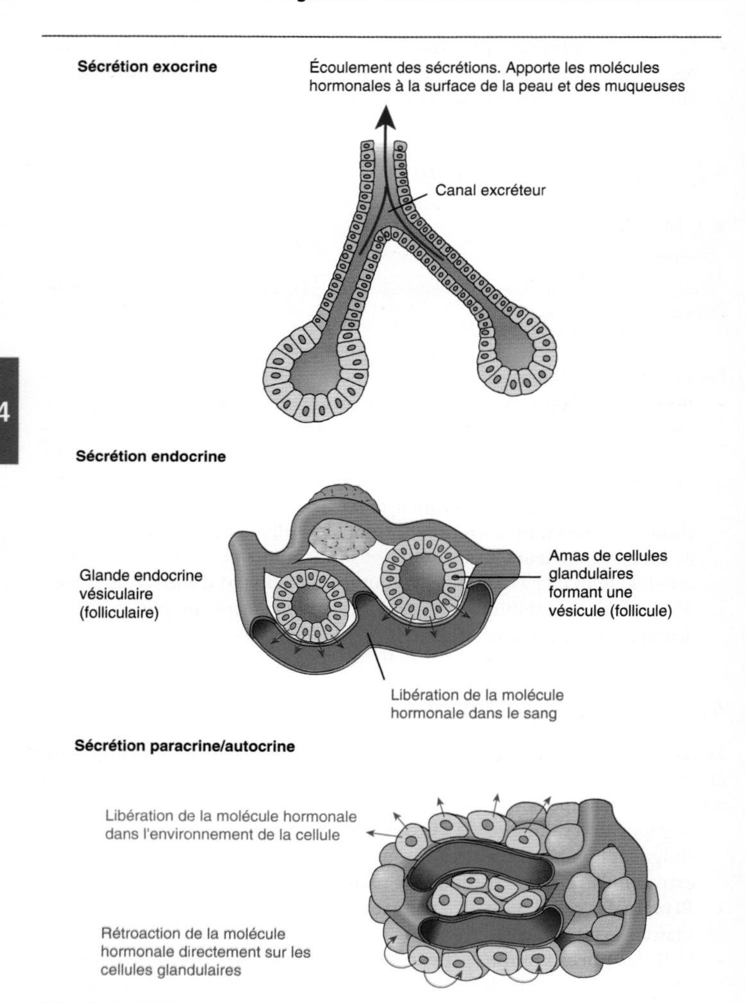

Fig. 4.2 Différentes glandes.
En haut : glandes exocrines avec ses canaux excréteurs qui amènent les sécrétions à la surface du tissu.
Au milieu : glande endocrine de type vésiculaire (ou folliculaire). Les sécrétions de ces glandes s'accumulent dans les cavités formées par les cellules glandulaires et sont déversées dans le sang en cas de besoin (par exemple thyroïde).
En bas : glandes endocrines sans formation de follicule. Les sécrétions sont déversées dans les capillaires (par exemple surrénales, antéhypophyse) ou dans l'espace intercellulaire (sécrétion paracrine).

4.3.1 Substance fondamentale

- Masse visqueuse, homogène, produite par les cellules du tissu conjonctif. Réservoir des liquides extracellulaires, échanges de substances entre les cellules et le sang.
- Composée des liquides intercellulaires, de glycoprotéines et de protéoglycanes (molécules géantes ayant une forte teneur en polysaccharides et une faible teneur en protéines ; les protéoglycanes fixent l'eau des tissus → la substance fondamentale est de ce fait visqueuse à solide). Tissus de soutien (cartilage, os) : principalement une fonction mécanique.

4.3.2 Fibres

- **Fibres de collagène :** présentes partout et en particulier dans les tendons et les ligaments des articulations. Forte résistance à la traction → fonction de maintien. Faible élasticité.
- **Fibres réticulaires** (fibres de réticuline) : elles sont formées d'un sous-type de collagène. Leur résistance à la traction est plus faible que celle des fibres de collagène ; elles ont donc une certaine élasticité (limitée). Elles forment un réseau ramifié → s'adaptent à différentes formes. Elles sont présentes principalement dans les organes ayant un TC réticulaire (moelle osseuse, amygdales, lymphonœuds, rate) et participent à leur soutien. Elles représentent un composant important de la membrane basale.

4.3.3 Tissu conjonctif

- **Tissu conjonctif lâche :** pauvre en fibres, agencement lâche des fibres de collagène, contient peu de fibres élastiques et réticulaires. Comble, sous la forme du stroma, les espaces séparant les organes ; comble également les espaces séparant les différentes parties des organes ; maintient la forme des organes et du corps ; entoure les vaisseaux et les nerfs ; sert de réserve d'eau et de couche de glissement. Contient de très nombreuses cellules inflammatoires et immunitaires → processus de défense et de régénération.
- **Tissu conjonctif dense :** riche en fibres.
- **Tissu conjonctif fibreux dense non orienté :** les fibres de collagène forment un tissu dense ressemblant à du feutre, par exemple la sclérotique de l'œil (▶9.7.1), la dure-mère (▶8.11.1), les capsules entourant les organes.
- **Tissu conjonctif fibreux régulier orienté, à fibres parallèles :** dans les tendons.
- **Fibroblastes :** principales cellules des tissus conjonctifs lâches ou denses ; elles sont fusiformes et pourvues de prolongements. Les **fibrocytes** sont des fibroblastes au repos.
- **Tissu conjonctif réticulaire (ou réticulé) :** ressemble au tissu conjonctif embryonnaire indifférencié. Les cellules réticulées, en forme d'étoile, forment un réseau tridimensionnel. Elles sont plaquées contre les fines fibres réticulées. Observé principalement dans la moelle osseuse et les organes lymphatiques.

4.3.4 Tissu adipeux

Tissu adipeux : forme particulière du tissu conjonctif réticulaire. Cellules principales : **adipocytes.**

NOTION MÉDICALE

Graisse

Réserve énergétique du corps : stockage de gouttelettes lipidiques, composées de graisses neutres (triglycérides) et d'eau, dans les adipocytes. Si le corps consomme moins d'énergie qu'il n'en absorbe, les gouttelettes lipidiques augmentent de taille et s'arrondissent.

Les fibres du tissu conjonctif regroupent des adipocytes en petits lobules. Le tissu adipeux est formé de nombreux lobules graisseux. Il est alimenté par un réseau vasculaire issu des capillaires.

- **Graisses de réserve :** mise en réserve de l'énergie excédentaire → mobilisation en cas de déficit énergétique.
- **Graisse de soutien :** rembourrage de certaines régions corporelles mécaniquement sollicitées (comme la voûte plantaire, les fesses) et couche isolante thermique. Beaucoup d'organes sont maintenus en place par de la graisse de soutien (graisse périrénale, graisse orbitaire). Lors de dégénérescence organique, le tissu adipeux peut remplir les espaces laissés vides (par exemple l'involution adipeuse de la moelle osseuse, c'est-à-dire le remplacement par des adipocytes de la moelle osseuse qui n'est plus utilisée pour l'hématopoïèse). En cas de famine, le tissu adipeux de soutien n'est attaqué qu'après l'épuisement de la totalité du tissu adipeux de réserve.

4.3.5 Cartilages

Les cartilages font partie des tissus de soutien. Ils sont particulièrement résistants à la compression → ils résistent aux contraintes mécaniques, en particulier aux forces de cisaillement.

- **Chondrocytes** (cellules cartilagineuses) : sont regroupés en petits amas (logettes).
- **Périchondre** (membrane cartilagineuse) : maintient le cartilage.

Trois types de cartilages peuvent être différenciés selon leur proportion en fibres et en substance fondamentale (matrice) cartilagineuse (▸fig. 4.3).

REMARQUE

Le cartilage fait partie des **tissus bradytrophes** ayant une très faible activité métabolique. Il est alimenté uniquement par diffusion (▸3.7.1) des nutriments et de l'oxygène à partir des tissus voisins et du périchondre. Du fait de sa faible capacité de régénération → très mauvaise cicatrisation d'une lésion du cartilage articulaire ou d'un ménisque.

NOTION MÉDICALE

Arthrose

Trouble mécanique de la surface des cartilages articulaires.

Arthrite

Inflammation articulaire qui s'observe principalement lors de maladie systémique de type rhumatismal (▶5.2.2), mais aussi lors de la colonisation bactérienne d'une articulation. Toute arthrite peut entraîner une arthrose par destruction ou usure prématurée de la surface articulaire. À l'inverse, une articulation arthrosique peut présenter une inflammation (arthrose active, arthrite dégénérative).

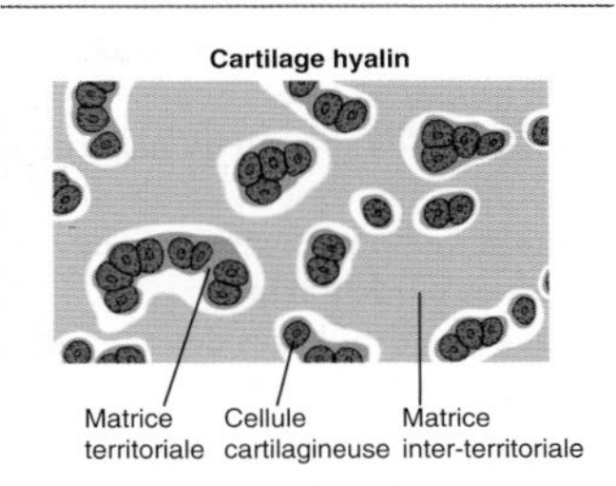

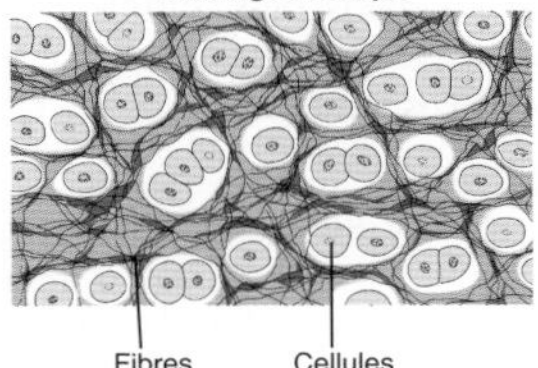

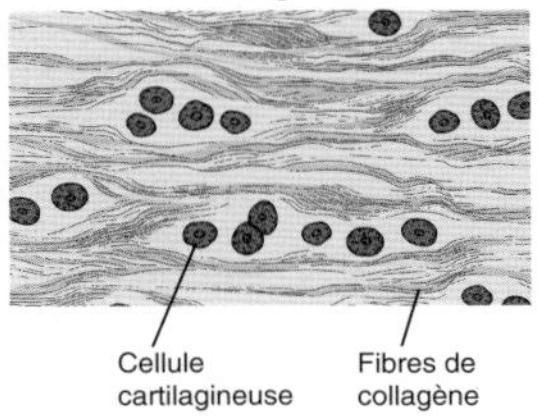

Fig. 4.3 Schéma des trois types de cartilages. **Cartilage hyalin :** aussi résistant à la pression qu'élastique, recouvre les surfaces articulaires, forme le cartilage des côtes, du larynx, des anneaux de la trachée et des parties du septum nasal (cloison nasale). **Cartilage élastique :** forte élasticité car composé en grande partie d'un réseau fibrillaire élastique, typiquement de couleur jaune. S'observe au niveau de l'épiglotte et du pavillon de l'oreille. **Cartilage fibreux** : très riche en fibres de collagènes organisées en une structure dense → très résistant aux sollicitations mécaniques. S'observe au niveau des disques intervertébraux du rachis, des ménisques (cartilages en forme de croissant de l'articulation du genou) et de la symphyse pubienne (qui relie les os du pubis).

4.3.6 Os

Tissu de soutien le plus différencié de l'homme, résistant à la pression, à la flexion et à la torsion (rotation autour du grand axe) du fait des propriétés de sa matrice extracellulaire, la **matrice osseuse** : une grande quantité de sels de calcium se trouve entreposé entre les fibres de collagène résistantes à la traction.

REMARQUE

Ostéocytes : principales cellules du tissu osseux.

Ostéoblastes : ostéocytes ayant la capacité de se diviser.

Entourés de toute part par la matrice osseuse. Comportent beaucoup de fins prolongements → sont en contact avec les vaisseaux sanguins. Fonction métabolique : réserve de calcium et de phosphate.

Il existe deux types de tissus osseux.

- **L'os lamellaire compact ou fibrillaire** (▸fig. 4.4) : prédomine dans le squelette des adultes. Les fibres de collagène de la matrice osseuse forment de fines **lamelles** (quelques fractions de millimètres d'épaisseur seulement) dans le tissu lamellaire → se disposent de manière cylindrique autour des **canaux de Havers** dans lesquels cheminent les vaisseaux nourriciers → très grand nombre de petits cylindres (systèmes de Havers ou ostéons). Les **ostéons** sont généralement orientés longitudinalement et assurent ainsi la résistance de l'os à la flexion. **Principe de la construction légère :** le corps économise la masse et le poids des os : les os longs sont fabriqués comme des travées et sont formés à l'extérieur de couches d'os compact (la **corticale,** os cortical) et à l'intérieur d'un **tissu spongieux** lâche comportant des cavités (os spongieux). Près des articulations, les cavités de l'os spongieux hébergent la moelle osseuse (MO) rouge hématopoïétique. Les os font partie des tissus fortement vascularisés → ils présentent de bonnes capacités de régénération. Les vaisseaux entrent dans les os par le **périoste** (enveloppe de l'os) et entrent en relation avec les capillaires des canaux de Havers en cheminant dans des canaux perpendiculaires à ces derniers, les **canaux de Volkmann.**
- **L'os réticulaire (ou os non lamellaire) :** prédomine chez les nouveau-nés. Il est remodelé progressivement en os lamellaire plus complexe et de meilleure qualité. Structure fondamentale : travées osseuses lâches entrelacées (**trabécules**) → moins stable que l'os lamellaire.

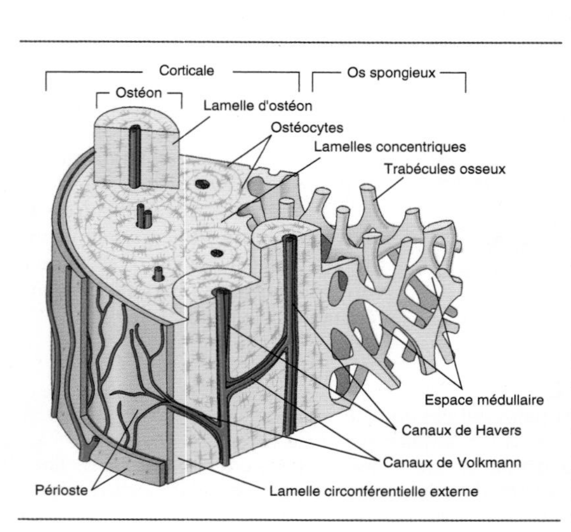

Fig. 4.4 Formation d'un os lamellaire. À l'extérieur se trouve la corticale composée d'ostéons cylindriques entourant l'os spongieux situé au centre. Les lamelles circonférentielles externes de grande taille entourent l'ensemble des os longs et forment la limite avec le périoste. Les vaisseaux sanguins traversent les os en passant dans les canaux de Volkmann et se rencontrent au niveau des canaux de Havers.

4.4 Tissu musculaire

REMARQUE

Les cellules musculaires

Étirées en longueur; contiennent des **myofibrilles** → permettent la contraction → raccourcissement de la cellule. Les contractions sont déclenchées par des influx nerveux ou par le rythme propre automatique de la cellule musculaire (▸ 5.3.3).

La couleur rouge du **tissu musculaire** est provoquée par :
- la **myoglobine**, pigment musculaire qui se lie à l'oxygène (apparentée à l'hémoglobine ▸ 11.2.1) ;
- l'abondance du sang dans les tissus musculaires (ils ont besoin d'une grande quantité de sang riche en oxygène).

Dans l'organisme, il existe trois types de muscles (▸ fig. 4.5) :
- **les muscles lisses :** ils forment la paroi du tube digestif, des bronches, du tractus urogénital, des vaisseaux sanguins, de l'œil. Ils sont composés de cellules de forme allongée peu ramifiées → disposées en faisceaux ou en couches. Un seul noyau est placé au centre de chaque cellule.
  Contractions : lentes et involontaires (automatiques). Déclenchement : **autogène** (c'est-à-dire par elle-même via un stimulateur se trouvant dans le muscle), par des facteurs locaux (par exemple l'étirement intestinal), par des hormones (déclenchement des contractions) ou par le système nerveux autonome (▸ 8.10). Les cellules musculaires lisses sont toujours légèrement sous tension, même au repos (tonus de base ▸ 5.3.1) ;
- **les muscles striés :** forment l'ensemble du système des muscles squelettiques (▸ 5.3.1), ainsi que les muscles de la langue, du larynx, du pharynx et du diaphragme. Contractions : déclenchées par le SNC, le plus souvent contrôlables volontairement (▸ 8.3). Les stries transversales (visibles au microscope) sont formées par la composition en myofibrilles (alternativement claires/sombres). Une cellule musculaire striée (rhabdomyocyte) est très grosse comparativement aux autres cellules → une **fibre musculaire** peut être composée d'une quarantaine de noyaux situés à la périphérie.
  - **Muscle squelettique :** formé de nombreuses fibres musculaires (▸ fig. 5.6), il est enveloppé à l'extérieur par un **fascia musculaire** (formé de TC dense). À l'intérieur du muscle, le TC lâche enveloppe chaque fibre musculaire ainsi que des groupes plus importants de fibres musculaires → permet leur glissement les uns sur les autres, entoure les nerfs et les vaisseaux sanguins.
- **le muscle cardiaque (myocarde) :** comporte les stries transversales typiques du muscle squelettique mais les noyaux des cardiomyocytes se trouvent au centre de la cellule comme dans les cellules musculaires lisses. Les cellules sont reliées les unes aux autres par des **stries scalariformes ou disques intercalaires ;** elles ont une très faible capacité de régénération → après un infarctus du myocarde, le tissu nécrosé qui en résulte (▸ 1.4.2) n'est remplacé que par du TC. Comme les muscles lisses, le cœur se contracte de manière automatique (▸ 13.5.1).

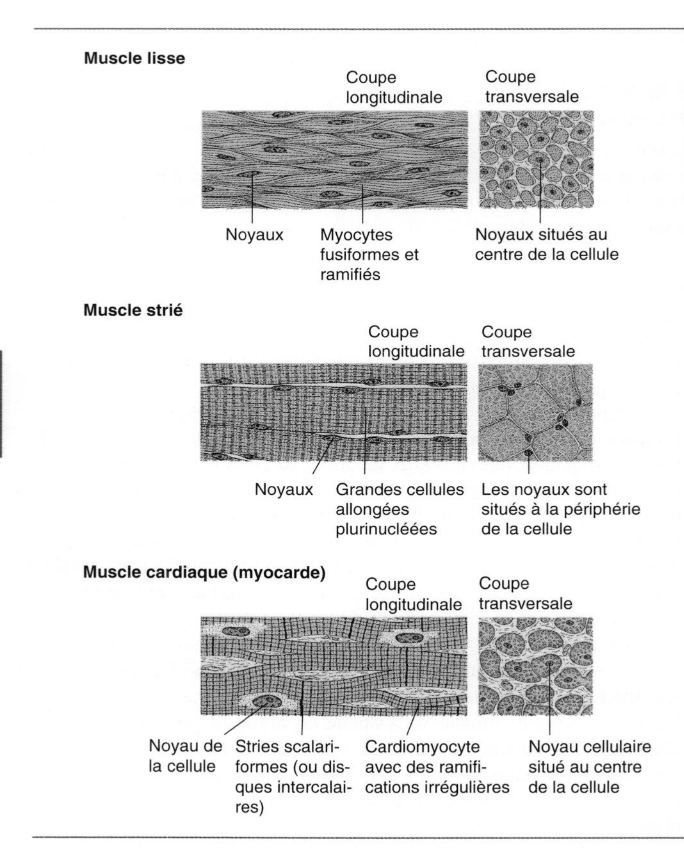

Fig. 4.5 Comparaison des muscles lisse, strié et cardiaque.

4.5 Tissu nerveux

L'ensemble des tissus nerveux forme le système nerveux :

- **système nerveux central** (SNC, cerveau et MS) ;
- **système nerveux périphérique** (SNP, tous les tissus nerveux en dehors du SNC, ▶ 8).

Les tissus nerveux sont constitués de deux types cellulaires différents :

- **les neurones** (cellules nerveuses) ;
- **les cellules gliales** (cellules protectrices et de soutien des nerfs).

4.5.1 Neurones

Les **neurones** ont la même structure fondamentale que les autres cellules de l'organisme, mais ils s'en différencient par trois caractères spécifiques :

- ils sont capables d'être excités et de conduire l'excitation (pour plus de précision ▶ 8.1) ;

- ils comportent des expansions cytoplasmiques particulières (dendrites et axones) qui forment des **synapses** avec des cellules nerveuses, musculaires ou glandulaires (▶8.2.1) ;
- les neurones matures ont perdu leur capacité de se diviser.

Classification selon le sens de conduction du signal :

- **neurone afférent** (qui va vers) : ils conduisent les influx émanant des récepteurs ou des neurones périphériques jusqu'au SNC ;
- **neurones efférents** (qui part de) : ils conduisent les influx émanant du cerveau et de la moelle spinale jusqu'aux **cellules cibles** ;
- **interneurone :** ils connectent les neurones du SNC les uns aux autres.

Composition d'un neurone

Structure ▶fig. 4.6.

- **Corps cellulaire :** contient un noyau et du cytoplasme avec des organites cellulaires. Rôle : synthèse protéique et métabolisme cellulaire ; si les expansions cytoplasmiques ne sont plus en relation avec le corps cellulaire, ils ne peuvent pas survivre. Structures caractéristiques du cytoplasme : les **corps de Nissl** (amas de ribosomes libres et de RE rugueux ▶3.5.3) et les **neurofibrilles** (fibres qui soutiennent le neurone).
- Expansions :
  - **dendrites :** expansions courtes et ramifiées du corps cellulaire. Prolongements afférents (reçoivent les influx des cellules voisines et les transmettent au corps cellulaire) ;
  - **axone :** expansion longue du cytoplasme. Part du **cône axonique** (site de liaison avec le corps cellulaire), s'étire sur une certaine distance sous la forme d'un fin prolongement puis se divise en de multiples ramifications terminales. Prolongement efférent (il conduit les influx vers d'autres neurones ou des cellules musculaires). La vitesse de conduction peut atteindre 80 m/s. La longueur des axones est très variable (de moins de 1 mm dans le SNC jusqu'à > 1 mètre de la MS jusqu'au pied).
- **Synapses** (▶8.2.1) : c'est à cet endroit qu'a lieu la transmission de l'influx d'un axone aux cellules cibles (dendrite, cellule musculaire, cellule glandulaire). Une terminaison axonale peut former jusqu'à 10 000 synapses.

4.5.2 Cellules gliales du tissu nerveux

Cellules gliales (névroglie) : représentent 90 % du tissu nerveux ! Elles remplissent plusieurs fonctions pour les neurones : cellules de soutien, nourricières, isolant électrique et protection immunologique. Associées aux parois des vaisseaux, elles forment la **barrière hémato-encéphalique.** Le SNC contient quatre types de cellules gliales.

- **Astrocytes :** cellules en forme d'étoiles ayant de très nombreux prolongements. Fonction de soutien du neurone. En cas de lésion, ils forment une **cicatrice gliale**. Les astrocytes sont en étroite relation aussi bien avec les cellules nerveuses qu'avec les capillaires du SNC et influencent le passage des substances du sang vers les cellules nerveuses.

4

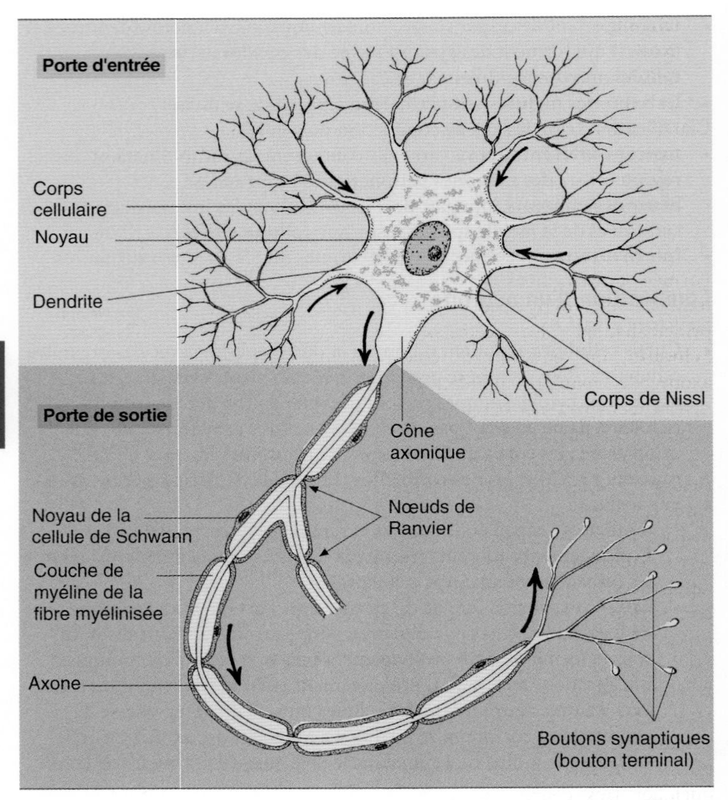

Fig. 4.6 Structure d'un neurone. Flèches = direction de la transmission de l'excitation. Moitié supérieure de l'image = « porte d'entrée » du neurone, qui reçoit les informations par les dendrites ; moitié inférieure de l'image = « porte de sortie » du neurone, l'information se propage le long de l'axone.

NOTION MÉDICALE

Barrière hémato-encéphalique

Elle est formée par les astrocytes, les cellules nerveuses et les capillaires du SNC. Elle influence le passage des substances du sang vers le SNC.

Fonction : protège les neurones sensibles des substances nuisibles (par exemple toxiques, produits du métabolisme, certains médicaments). Signification lors de la prescription de médicaments : certains médicaments (comme les anesthésiques) doivent arriver au cerveau pour agir alors que ce passage n'est pas souhaitable pour d'autres (↑ du risque des effets secondaires nerveux centraux).

- **Oligodendrocytes :** forment les gaines de myéline au niveau du SNC (▸4.5.3). L'ensemble des astrocytes et des oligodendrocytes forme les **cellules macrogliales** ou **de la macroglie.**
- **Cellules microgliales (ou de la microglie) :** petites cellules mobiles. Défense vis-à-vis des germes pathogènes par phagocytose (▸12.2.2).
- **Cellules épendymaires :** forment une couche de cellules qui tapissent les cavités cérébrales et de la moelle spinale (cavités renfermant le liquide cérébrospinal ▸8.11.2).

4.5.3 Gaine de myéline

Formée par les cellules gliales du système nerveux périphérique (SNP) : principalement les **cellules de Schwann**, qui enveloppent chaque axone de manière tubulaire. Au niveau d'environ 1/3 des fibres nerveuses, les cellules de Schwann s'enroulent plusieurs fois autour de l'axone → elles forment alors une gaine épaisse constituée d'un mélange de protéines et de lipides (la **myéline**) → **gaine de myéline** (▸fig. 4.7) → isolation électrique → ↑ de la vitesse de conduction de l'influx (▸8.1.4). Les axones dont la vitesse de conduction est la *plus haute* ont une gaine de myéline épaisse → **fibres nerveuses myélinisées.** Les fibres nerveuses myélinisées retrouvent leur diamètre normal uniquement au niveau de quelques très courts segments, les **nœuds de Ranvier** (▸fig. 4.6, fig. 4.7).

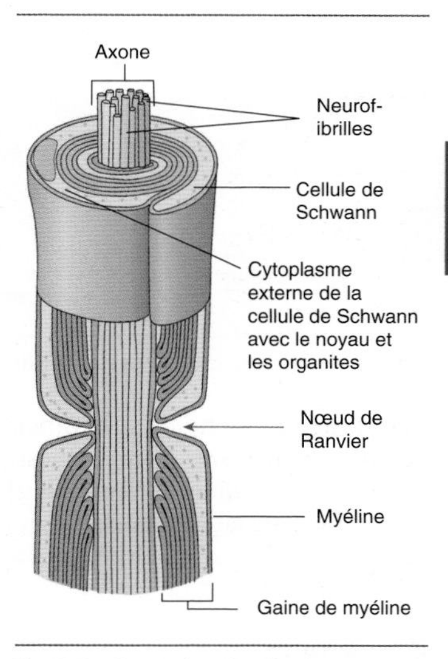

Fig. 4.7 Coupe longitudinale au travers d'une fibre nerveuse myélinisée.

Dans la majorité des fibres nerveuses, la vitesse de conduction est moins essentielle → elles sont moins bien isolées (gaine plus fine) → **fibres nerveuses amyéliniques** (▸fig. 8.4).

4.5.4 Fibres nerveuses et nerfs

Fibre nerveuse (ou cylindraxe) : elle est formée par l'axone et sa gaine de myéline.

- **Fibre motrice :** innerve un muscle squelettique.
- **Fibre sensitive ou sensorielle** : elle transmet les informations issues des cellules sensorielles ou des organes des sens.
- **Fibre nerveuse viscérale** : elle transmet les informations issues des organes.

Au niveau du SNP, plusieurs fibres nerveuses se regroupent et sont entourées d'une enveloppe de TC : elles forment alors un **nerf** (▸fig. 4.8). Une fibre nerveuse ne peut être que motrice **ou** sensitive, mais il n'est pas rare qu'un nerf contienne des fibres nerveuses motrices **et** sensitives (nerf mixte).

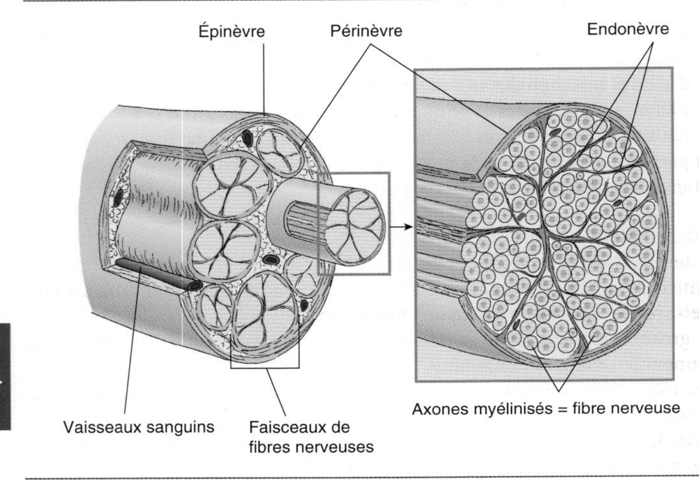

Fig. 4.8 Structure d'un gros nerf et de ses enveloppes.

Substance blanche et substance grise

Macroscopiquement, la myéline est blanche → les régions du SNC qui contiennent les fibres nerveuses myélinisées (appelées **voies** dans le cerveau) forment la **substance blanche**. L'ensemble des corps cellulaires des cellules nerveuses et de leur dendrites (qui forme les **noyaux** ou les **aires corticales** du cerveau) apparaît de couleur grise → **substance grise** (▸8.8.8).

4.6 Régénération tissulaire et tissus de remplacement

4.6.1 Régénération des tissus détruits

NOTION MÉDICALE

Cicatrisation des plaies

Restauration, après une blessure, des structures tissulaires normales. Possible au niveau de la plupart des tissus.
Exception : myocarde (muscle du cœur) ▸4.4, tissus nerveux du SNC ▸4.5.2.

Il existe trois conditions optimales pour permettre la **cicatrisation** des plaies **par première intention** : une bonne vascularisation, l'absence de germe et une bonne apposition des berges de la plaie. Cette cicatrisation se déroule comme suit :

- **phase exsudative** (J1 à J4) : le sang et les processus de coagulation accolent les berges de la plaie (▸11.5). Les macrophages et les cellules immunitaires (▸12.2.2) éliminent le tissu nécrotique ;

- **phase proliférative ou granulomateuse** (J5 à J10) : les cellules issues des capillaires et du TC forment un **tissu de granulation**. Grâce aux fibres de collagène → la plaie se contracte. Le tissu d'origine commence à se développer au travers du tissu de granulation ;
- **phase de réparation** (J11 à J21) : la cicatrice devient plus résistante du fait de la formation d'un TC riche en fibres (▶ 1.5.3).

En présence de facteurs perturbateurs, la **cicatrisation** s'effectue **par seconde intention** → dure plus longtemps et laisse une plus grosse cicatrice.

4.6.2 Tissus de remplacement

Le terme d'**implant** est généralement utilisé lors de l'emploi de matériaux artificiels (par ex. une prothèse articulaire), et celui de **transplantation** ou de **greffe** lors de l'apport d'un matériel organique

La greffe consiste à transplanter les cellules, les tissus ou les organes d'un donneur à un receveur. Comme les tissus du donneur et du receveur ne sont pas totalement identiques (sauf lors de transplantation entre des vrais jumeaux), le système immunitaire du receveur cherche en général à combattre les tissus du donneur → c'est la **réaction de rejet**. Elle peut conduire à une perte de la fonction organique → pour inhiber cette réaction, les personnes transplantées doivent être mises sous traitement immunosuppresseur, le plus souvent toute leur vie durant (▶ 12.4.2). Aujourd'hui, les organes greffés proviennent surtout de donneurs décédés. En raison du manque de donneurs d'organes, le nombre de donneurs vivants a considérablement augmenté.

5 Os, articulations et muscles

5.1 Os et système squelettique

Les tissus osseux et cartilagineux forment le **système squelettique.** Ce système associé aux muscles forme l'**appareil locomoteur**.

5.1.1 Fonctions du système squelettique

- Stabilité.
- Protection des organes vis-à-vis des blessures.
- Réserve de minéraux, en particulier de calcium et de phosphates, échange constant de calcium entre le sang et les tissus osseux (▶ 10.5).
- Hématopoïèse (production des cellules sanguines ▶ 11.1.3) à l'intérieur de nombreux os (moelle osseuse dans le canal médullaire).

5

5.1.2 Types et formes des os

L'homme possède plus de 200 os qui sont classés selon leur forme en différents **types osseux** :

- les **os longs** (par exemple le fémur) : formés d'un corps allongé terminé par deux extrémités le plus souvent renflées. À l'extérieur, entourés d'une structure très compacte (**os cortical**, **corticale ou cortex osseux** ▶ 4.3.6) ; à l'intérieur, au niveau des extrémités, présence d'une structure lâche (**os spongieux**). Dans la région du corps, présence d'une cavité (▶ fig. 5.1) ;
- les **os courts** (par exemple os du carpe) : le plus souvent en forme de cube ou de parallélépipède ;
- les **os plats** (os du crâne, sternum, côtes, scapula, os coxaux) : plats, compacts ;
- les **os sésamoïdes** : petits os encastrés dans l'épaisseur des tendons musculaires ; se trouvent dans les tendons particulièrement sollicités (par exemple les articulations du poignet) → modifient le tracé du tendon → ↑ l'action des muscles. Ils peuvent être plus ou moins nombreux, mais les patellas (rotules) sont toujours présentes ;
- les **os irréguliers** (par exemple les vertèbres, de nombreux os de la face) : forme irrégulière, ne rentrent dans aucun autre type.

Au niveau des voies de passage de certaines structures, beaucoup d'os présentent des structures spécifiques :

- **foramen :** orifice permettant le passage des vaisseaux, des nerfs et des ligaments ;
- **fosse** ou **incisure** : encastre et protège le passage des muscles ou d'autres structures.

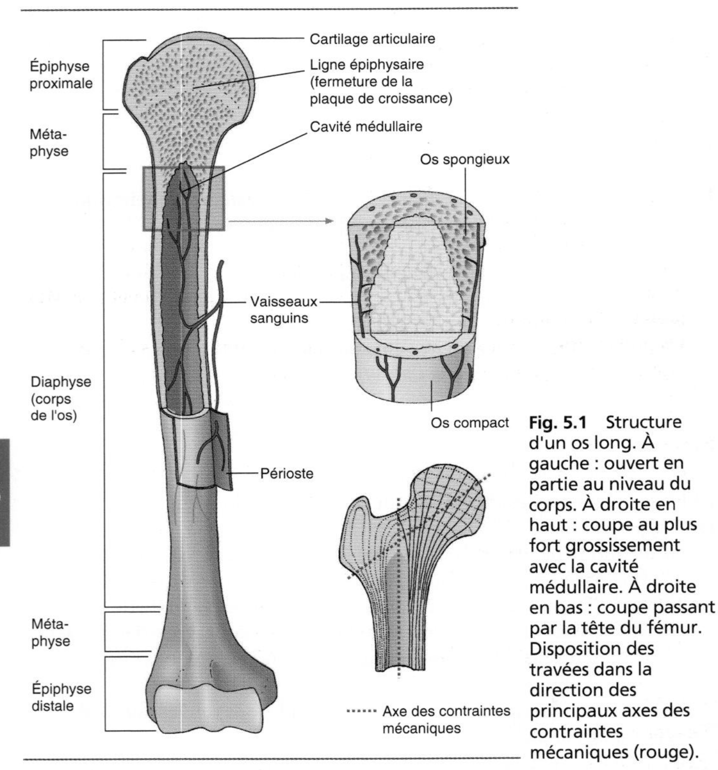

Fig. 5.1 Structure d'un os long. À gauche : ouvert en partie au niveau du corps. À droite en haut : coupe au plus fort grossissement avec la cavité médullaire. À droite en bas : coupe passant par la tête du fémur. Disposition des travées dans la direction des principaux axes des contraintes mécaniques (rouge).

5.1.3 Structure des os

- **Structure externe :**
  - **diaphyse :** partie correspondant au corps d'un os long;
  - **épiphyse :** les deux extrémités, recouvertes de cartilage hyalin → ↓ frottements au niveau des articulations;
  - **métaphyse :** zone située entre l'épiphyse et la diaphyse; chez l'enfant, zone correspondant au cartilage de conjugaison (ou cartilage de croissance).
- **Périoste** (enveloppe de l'os) : couche de fibres qui recouvre fermement l'os sauf au niveau des surfaces articulaires. Couche externe : collagène et fibres élastiques; couche interne : nerfs (→ sensibilité à la douleur !) et vaisseaux pour la vascularisation osseuse. Autres fonctions : insertion des tendons et des ligaments.
- Corticale, os compact, os spongieux : le plus souvent seule la **corticale** est formée d'un tissu osseux dense dont l'épaisseur varie en fonction des

besoins fonctionnels (▶ fig. 4.4) : dans la région de la diaphyse, la corticale est relativement épaisse → forme ce qu'on appelle l'**os compact.** La région centrale de l'os, largement plus épaisse, est formée d'**os spongieux** (trabécules ou travées osseuses). La disposition des travées est influencée par les forces exercées → le nombre et la résistance de ces travées correspondent exactement à ce qui est nécessaire → économie de poids sans perte de stabilité.

- **Cavité médullaire :** la **moelle osseuse (MO) rouge hématopoïétique** se trouve dans la cavité de la moelle osseuse (située entre les travées osseuses) de la plupart des os courts et des os plats ainsi qu'au niveau des épiphyses de l'humérus et du fémur. Dans les autres os, la MO rouge n'est présente que pendant l'enfance → se transforme petit à petit en **MO jaune** riche en lipides.
- **Os pneumatiques :** (par exemple sinus nasaux) sont remplis d'air et tapissés de muqueuse → diminution du poids.

5.1.4 Vascularisation des os

Par deux voies :

- de petits vaisseaux bourgeonnent à partir du périoste et pénètrent dans les os → vascularisation à partir de l'extérieur ;
- de plus grosses artères perforent la corticale → cavité médullaire → se ramifient → vascularisation à partir de l'intérieur. Dans l'os compact, les petits vaisseaux cheminent dans les **canaux de Havers** dirigés longitudinalement (▶ fig. 4.4). Les canaux de Havers sont reliés transversalement par les **canaux de Volkmann** qui contiennent également des vaisseaux sanguins → les deux systèmes vasculaires sont reliés.

NOTION MÉDICALE

Ostéomyélite

Des germes (surtout des bactéries) peuvent pénétrer à l'intérieur des os soit à partir du courant sanguin (en général lors d'une infection générale), soit à partir de l'extérieur (par exemple lors de lésion osseuse) → ostéomyélite (**inflammation de l'os et de la moelle osseuse**).

5.1.5 Processus de remodelage des tissus osseux

Trois types de cellules participent à l'édification, la résorption ou au remodelage osseux :

- les **ostéoblastes :** forment et remodèlent la **matrice osseuse** (substance fondamentale de l'os) : synthétisent du collagène et excrètent du phosphate et du carbonate de calcium dans l'espace interstitiel → précipitation (formation de cristaux du fait de leur mauvaise solubilité) le long des fibres de collagène → forment un « mur » autour des ostéoblastes qui, coupés de l'environnement, perdent leur capacité de se diviser et prennent alors le nom d'ostéocytes ;

- les **ostéocytes :** le tissu durcit → la matrice osseuse est « prête ». Le processus de minéralisation peut durer des mois à des années selon l'os → les jeunes enfants ont un squelette plus mou et plus souple que les adultes ;
- les **ostéoclastes :** cellules plurinucléés, antagonistes des ostéoblastes et des ostéocytes. Résorbent l'os par dissolution (important, par exemple, pendant la phase de croissance ou la phase de cicatrisation après une fracture osseuse).

Même lorsque la croissance est terminée, les tissus osseux sont constamment remodelés → **équilibre** dynamique entre la formation et la résorption → adaptation aux modifications des contraintes.

NOTION MÉDICALE

Ostéoporose

La résorption osseuse dépasse la synthèse osseuse → la microarchitecture de l'os se modifie → le squelette est moins résistant, les os se cassent (fracture du col du fémur, tassement vertébral).

5

5.1.6 Développement des os (ostéogenèse)

L'**ossification** désigne le processus de formation de l'os. Dès les premiers stades du développement, les muscles, les vaisseaux et les nerfs sont déjà formés et, à l'emplacement des futurs os, il existe des ébauches formées d'**un tissu conjonctif embryonnaire** (TC ▶ 4.3.3). À partir de ce stade, l'ostéogenèse peut suivre deux voies :

- **une ossification intramembraneuse ou membranaire** (ossification directe) : les ostéoblastes se regroupent dans le TC embryonnaire et forment la matrice osseuse → minéralisation avant et, en partie, après la naissance → **os trabéculaire** (travées osseuses) → se mélangent les unes aux autres pour former un réseau → **os réticulaire, fibreux** (tissu osseux non lamellaire, os membraneux), par exemple les os de la voûte crânienne, la majorité des os du visage, la clavicule ;
- **une ossification chondrale** : ossification passant par une étape intermédiaire cartilagineuse (▶ fig. 5.2). À partir des ébauches du TC embryonnaire, il se forme des bâtonnets de **cartilage hyalin** (▶ 4.3.5) → remplacement petit à petit par un tissu osseux (ossification chondrale). Il est possible de différencier :
  - **l'ossification endochondrale :** un **centre primaire d'ossification** apparaît à l'intérieur des bâtonnets osseux → il s'hypertrophie par la dissolution du cartilage et le dépôt d'os sous forme de couches successives. Puis les vaisseaux sanguins envahissent les épiphyses → apparition des **centres d'ossification secondaires ;**
  - **l'ossification périchondrale :** une enveloppe formée d'ostéoblastes apparaît sur la face interne du périchondre → il se forme un fin anneau osseux → il fusionne ensuite avec les centres d'ossification primaires et secondaires issus de l'intérieur. Près de la surface, il apparaît un os cortical très compact (▶ 4.3.6). Au centre des os les plus grands, de l'os spongieux se développe.

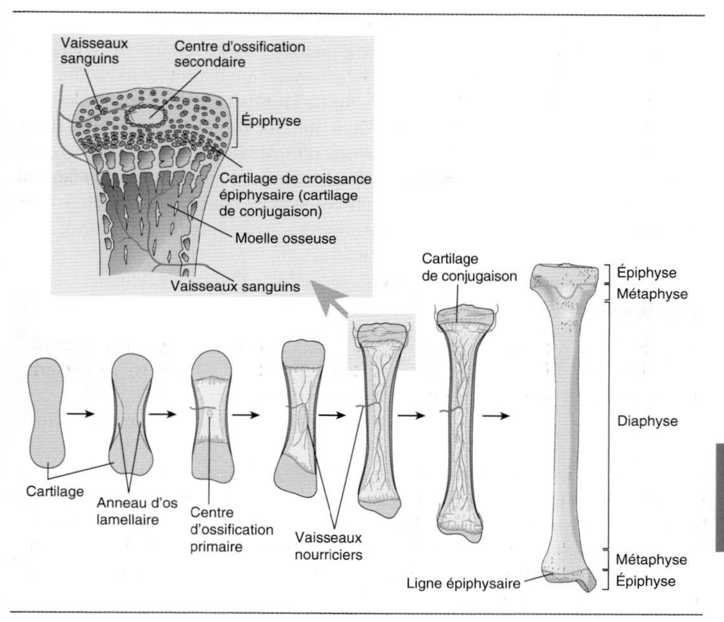

Fig. 5.2 Déroulement de l'ossification chondrale.

REMARQUE

Au moment de la naissance, beaucoup de parties du squelette sont encore cartilagineuses. Leur ossification se termine seulement à la fin de la croissance.

- **Cartilages de conjugaison (ou de croissance) :** après la formation des centres d'ossification secondaires, le cartilage ne persiste qu'au niveau :
  - des surfaces articulaires des épiphyses (cartilage hyalin formant un **cartilage articulaire** hautement résistant aux contraintes) ;
  - des **cartilages de conjugaison** (ou **cartilages de croissance** ou **plaques physaires**) en direction de la diaphyse (▶ fig. 5.2) → point de départ de la poursuite de la croissance en longueur des os. Lorsque la plaque physaire se soude (ou se ferme) → **ligne épiphysaire** : la croissance du squelette est terminée.

REMARQUE

Lors d'une lésion du cartilage de conjugaison au cours de l'enfance ou de l'adolescence → fermeture prématurée de la plaque physaire → la croissance en longueur n'est plus possible → différence de longueur des os, mauvais alignement.

5.1.7 Croissance osseuse et hormone de croissance

L'**hormone de croissance** (en anglais *growth hormone*, GH ▶ 10.2.2) détermine la vitesse de croissance des os.
Tant que la GH est sécrétée (jusqu'à la fin de la puberté), de nouvelles cellules cartilagineuses se forment au niveau de l'interface de la plaque de croissance située du côté épiphysaire. Elles sont ensuite remplacées par des cellules osseuses au niveau de l'interface située du côté diaphysaire → l'épaisseur du cartilage de croissance reste stable, la portion osseuse s'accroît du côté de la diaphyse.

- Début de la puberté → poussée de croissance par l'action simultanée de la GH et des hormones sexuelles (▶ 19).
- Fin de la puberté → ↑ des hormones sexuelles, ↓ GH → les cellules cartilagineuses épiphysaires deviennent de plus en plus inactives → arrêtent de se diviser → ossification de l'épiphyse cartilagineuse. Ne reste plus que la ligne épiphysaire : fin de la croissance en longueur de l'os (▶ fig. 5.1).

5.1.8 Teneur minérale des os

Les différentes substances présentées ci-dessous sont responsables de la bonne santé des tissus osseux.

- Le **calcium** et le **phosphore** d'origine alimentaire apportent la résistance et la fermeté à la matrice osseuse. Le calcium est particulièrement important pendant la grossesse, l'allaitement et chez les personnes âgées (▶ 10.5). La carence en phosphore ne s'observe pratiquement que lors d'abus d'alcool.
- La **forme hormonalement active de la vitamine D** (calcitriol) provient de précurseurs de la vitamine D (qui se forment dans la peau sous l'influence des UV ou qui sont apportés dans l'alimentation) → absorption du calcium intestinal. Une carence en vitamine D chez l'enfant → rachitisme (▶ 10.5.2).
- La **parathormone** (▶ 10.5.1) et la **calcitonine** agissant de concert avec la forme hormonalement active de la vitamine D → régulation de la teneur en calcium.
- Les œstrogènes et la testostérone participent à la préservation osseuse (▶ 19.2.3, ▶ 19.3.7).
- Les **vitamines A, B_{12}** et **C** (▶ 17.8) → régulent l'activité des ostéoblastes et des ostéoclastes → maintien de la matrice osseuse.

5.1.9 Fractures

Pour traiter correctement une **fracture osseuse**, il faut apporter des réponses aux questions suivantes :

- La fracture est-elle **complète** ou **incomplète** ?
- Les fragments osseux sont-ils alignés correctement ou sont-ils **déplacés** ?
- La fracture est-elle **ouverte** ou **fermée** ?
- La fracture a-t-elle une origine **traumatique** (cause : force externe importante, par exemple accident de sport ou de voiture) ou **pathologique** (os devenant cassants à la suite d'une maladie préexistante, par exemple de métastases, d'une ostéoporose, d'une ostéomyélite, d'un trouble hormonal) ?
- Les **signes** indiscutables d'une fracture sont les suivants :
  - mauvais alignement lié à un déplacement ;
  - mobilisation anormale ;

  - **crépitations** pouvant être senties ou entendues ;
  - fracture ouverte.
- Les **signes pouvant faire penser à une fracture** sont plus fréquents : douleur, gonflement, hématome, perturbation des mouvements.

Objectifs du traitement

- Récupération rapide de la mobilité du patient avec une récupération fonctionnelle optimale.
- Union osseuse stable des abouts fracturaires : application bout à bout des fragments osseux correspondants par ostéosynthèse avec compression → ossification directe (**cicatrisation de la fracture par première intention**). Rapide, ne fonctionne que lors d'immobilisation totale et d'une bonne vascularisation. Le plus souvent, ces conditions ne sont pas remplies → processus inflammatoire → formation d'un **cal** de type cartilagineux qui est remodelé au bout de plusieurs mois (▶ 5.1.6) (**cicatrisation de la fracture par seconde intention**).

SOINS INFIRMIERS

Problèmes liés à un plâtre

Signes indicateurs qu'un plâtre est trop serré ou que son rembourrage est inadapté : survenue d'une nouvelle **douleur** ou de **troubles sensitifs** distalement à la fracture.
Il faut alors retirer immédiatement le plâtre et trouver la cause du problème ! Risque de dommages indirects → contrôler régulièrement la vascularisation (température de la peau, couleur, pouls) et la sensibilité distalement à une fracture !

5.2 Articulations

5.2.1 Types d'articulations

- **Diarthrose** (articulation vraie) : type articulaire le plus fréquent, caractérisé par un espace articulaire rempli de liquide synovial (**synovie**) (▶ fig. 5.3).
- **Amphiarthrose** (articulation serrée) : diarthrose très faiblement mobile du fait de sa forme et de ses structures ligamentaires tendues (par exemple articulation sacro-iliaque).
- **Synarthrose** (jointure) : articulation immobile dépourvue d'espace articulaire ; les os sont reliés par un tissu cartilagineux ou un TC dense (par exemple symphyse).

5.2.2 Structure d'une articulation

Les éléments suivants sont à l'origine de la liberté de mouvement permise par une diarthrose.

- Les **surfaces articulaires :** faces externes des épiphyses, lisses, recouvertes de cartilage hyalin.

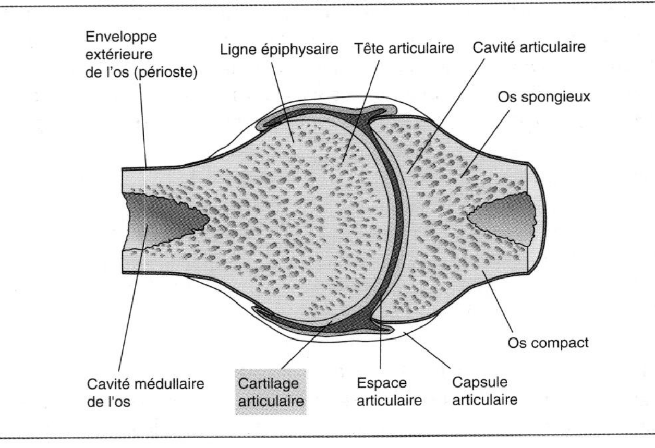

Fig. 5.3 Structure d'une diarthrose.

- La **capsule articulaire :** enveloppe formée de TC dense entourant l'espace articulaire.
- **Cavité articulaire** : remplie de synovie ou liquide synovial. L'**espace articulaire (ou interligne articulaire)** est la partie de la cavité articulaire située entre les surfaces articulaires.
- La **synovie ou liquide synovial :** liquide clair, filant, riche en protéines et en mucine → lubrifie les surfaces articulaires, nourrit le cartilage dépourvu de vaisseaux. La production du liquide synovial dépend des mouvements → même lors d'usure (lésions dégénératives, arthrose), les mouvements sont importants → permettent à l'articulation de rester « souple ».

NOTION MÉDICALE

Arthrite rhumatoïde (AR)

- Sur un terrain prédisposé génétiquement, des facteurs déclenchants inconnus conduisent à des réactions immunitaires en particulier vis-à-vis des tissus articulaires (▶ 12.4.2) → arthrite avec formation d'épanchements, troubles articulaires à long terme.
- Caractéristique : rigidité matinale marquée des articulations, douleurs articulaires avec réduction de la mobilité. Atteinte au départ des petites articulations (main et doigts). Complication possible par atteinte d'organes (dans ce cas surtout le cœur, les poumons, les reins, les yeux, les nerfs).

- La **capsule articulaire :** protection des luxations (déboîtements). Deux couches : une membrane externe fibreuse formée de fibres de collagène rigides → protège des entorses ; une membrane interne synoviale (**membrane synoviale**) formée de fibres élastiques, de vaisseaux et de nerfs → produit le liquide synovial.

- Les **bourses séreuses** : cavités tapissées de membrane synoviale et situées dans les zones de contraintes (compression), à proximité de la cavité articulaire. Contiennent une sécrétion muqueuse → répartissent la pression, facilitent le glissement des structures présentes l'une sur l'autre et servent de zone tampon lors des mouvements. La **bursite** correspond à l'inflammation de ces bourses séreuses.
- Les fibrocartilages interarticulaires ou cartilages intra-articulaires : forment des disques ou des anneaux qui subdivisent totalement (**disque**) ou partiellement (**ménisque**) l'espace articulaire → répartissent uniformément la pression, équilibrent les incongruences des surfaces articulaires → protègent les cartilages articulaires. Importance clinique : les ménisques du genou (▶ fig. 6.39).

5.2.3 Les différentes formes des articulations

L'organisation des surfaces articulaires détermine les mouvements possibles (= **degré de liberté**) d'une articulation. Il existe principalement trois degrés de liberté :

- **flexion/extension** ;
- **abduction/adduction** (écartement/rapprochement) ;
- **rotation interne/rotation externe.**

Principales formes d'articulations : ▶ fig. 5.4.

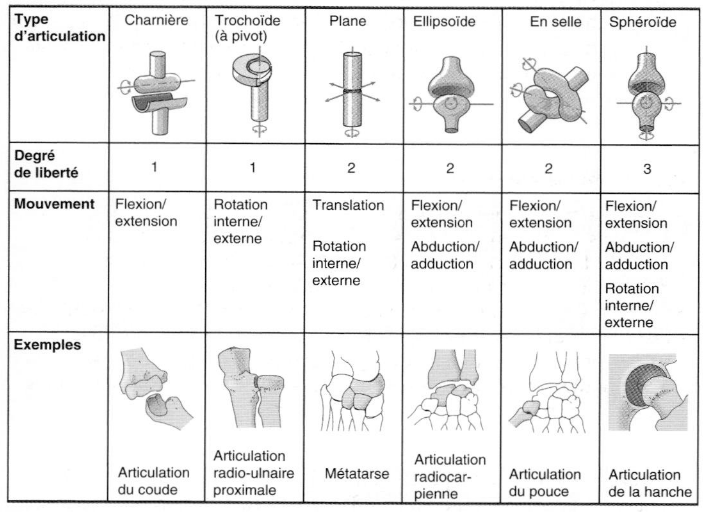

Type d'articulation	Charnière	Trochoïde (à pivot)	Plane	Ellipsoïde	En selle	Sphéroïde
Degré de liberté	1	1	2	2	2	3
Mouvement	Flexion/ extension	Rotation interne/ externe	Translation Rotation interne/ externe	Flexion/ extension Abduction/ adduction	Flexion/ extension Abduction/ adduction	Flexion/ extension Abduction/ adduction Rotation interne/ externe
Exemples	Articulation du coude	Articulation radio-ulnaire proximale	Métatarse	Articulation radiocar-pienne	Articulation du pouce	Articulation de la hanche

Fig. 5.4 Différents types d'articulations avec leurs degrés de liberté. Les lignes et les flèches rouges montrent les axes autour desquels les mouvements sont possibles ainsi que les mouvements qui s'y rapportent.

5.2.4 Tendons et ligaments

Les os sont des éléments passifs du système locomoteur, sur lesquels agissent les muscles. Ces derniers sont les éléments actifs : ils accomplissent un travail et permettent d'obtenir des articulations les mouvements choisis. Conditions : ils doivent être fixés sur les os au moyen de **tendons.** Souvent, les os sont également directement reliés par l'intermédiaire de **ligaments** (bande de tissu conjonctif ressemblant à un tendon) → ↑ stabilité.

Les sites de fixation des ligaments et des tendons sur les os doivent pouvoir supporter de fortes contraintes → formation de structures superficielles spécifiques :

- crête osseuse (par exemple la crête iliaque) ;
- proéminences osseuses (**condyle/épicondyle,** par exemple sur l'humérus) ;
- protubérance au niveau des insertions des ligaments ou des tendons (**tubérosité**) ;
- prolongement mince et pointu (**processus ou apophyse,** par exemple processus [apophyse] épineux des corps vertébraux).

SOINS INFIRMIERS

Prophylaxie des contractures

Si les articulations restent longtemps immobiles ou sont insuffisamment mobilisées, il peut se produire un raccourcissement musculaire, tendineux et ligamentaire → persistance d'une ankylose articulaire **(contracture).** Important chez les patients à risque : positionnement et changement de position corrects, exercices de mobilité des articulations, mouvements passifs des articulations menacées.

5.2.5 Luxation et entorses

- **Luxation** ou déboîtement : déplacement complet des surfaces osseuses d'une articulation. S'accompagne souvent d'une déchirure de la capsule articulaire. Luxation incomplète = **subluxation.** Traitement : **remise en place** (dans le cas présent **réduction**) le plus rapidement possible par traction/contre-traction. En cas d'échec ou de lésion ligamentaire/osseuse → opération le plus souvent.
- **Entorse :** étirement des ligaments, déchirure ligamentaire. Souvent : ligament latéral externe de la cheville (torsion du pied vers l'intérieur).

5.3 Muscles

5.3.1 Muscles squelettiques

Grâce à leur capacité de contraction et d'alternance entre contraction et relâchement, les **muscles striés squelettiques** permettent :

- les **mouvements actifs du corps ;**
- le **maintien de la posture verticale du corps ;**

- la **production de chaleur :** seulement 45 % de l'énergie utilisée pour le travail musculaire sert à la contraction. Le « produit résiduel » : chaleur corporelle. Lors d'hypothermie ou de fièvre : les muscles se contractent **exclusivement** pour produire de la chaleur (tremblements de froid, frissons).

Aspect mécanique

Insertions proximale (origine) et distale (terminaison)

Les contractions musculaires exercent une traction sur les tendons → cette traction est transmise aux os sur lesquels ils sont fixés (▶ 5.2.4) → mouvement.

- **Insertion proximale (origine) :** en général l'ancrage musculaire le plus proche du corps.
- **Insertion distale (terminaison) :** le point d'ancrage le plus éloigné du corps.
- **Corps charnu d'un muscle :** partie charnue du muscle située entre les insertions proximale et distale.

Agoniste et antagoniste

La réalisation de la plupart des mouvements nécessite l'action concomitante de muscles agissant dans des sens opposés.

REMARQUE

Un **muscle agoniste** (le joueur) exécute le mouvement; son **muscle antagoniste** (son adversaire) le réalise dans le sens opposé. Des muscles qui s'épaulent pour travailler dans le même sens sont des **muscles synergiques.**

Selon la direction du mouvement qui est envisagée, le même muscle peut agir comme un agoniste ou un antagoniste; par exemple au niveau du coude ▶ fig. 5.5.

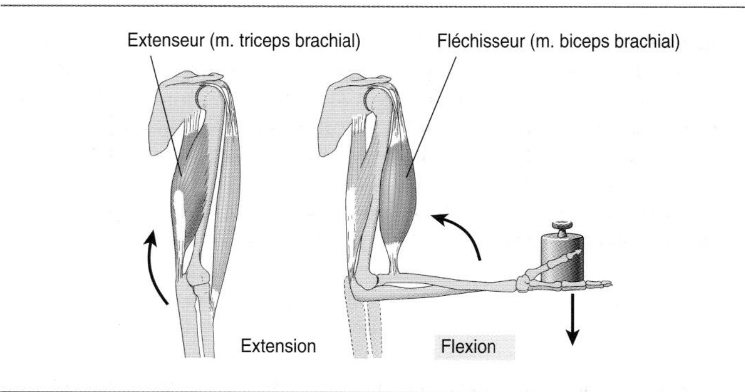

Fig. 5.5 Interaction entre muscles agoniste et antagoniste : lors de la flexion de l'avant-bras, le muscle brachial doit se contracter, c'est un muscle agoniste. Pendant cela, le muscle triceps brachial doit se relâcher, c'est un muscle antagoniste. Pour l'extension du coude, le muscle triceps brachial est agoniste et le muscle biceps brachial antagoniste.

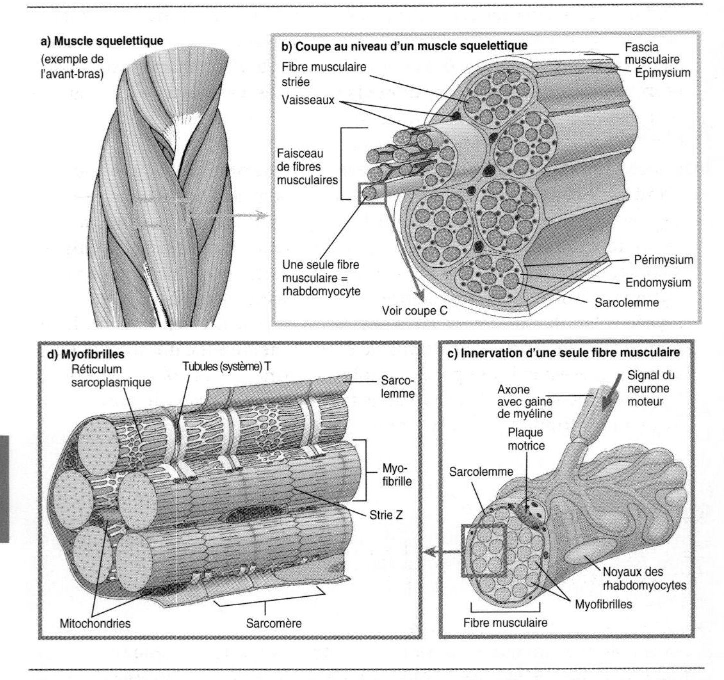

Fig. 5.6 Muscle strié squelettique : grossissements de plus en plus forts allant de l'aspect macroscopique (a) jusqu'aux structures élémentaires uniquement visibles en microscopie électronique (d).

Structure

La **fibre musculaire striée (rhabdomyocyte)** représente l'élément structurel de base du muscle squelettique (▶ fig. 5.6) ; c'est une cellule géante polynucléée (pouvant atteindre 15 cm de long, environ 0,1 mm d'épaisseur).
Les structures enveloppant un muscle sont toutes formées de TC :

- l'**endomysium :** entoure chaque fibre musculaire ;
- le **périmysium :** entoure plusieurs fibres musculaires pour former un **faisceau de fibres musculaires** ;
- l'**épimysium** et le **fascia musculaire** (enveloppe musculaire) : ils enveloppent chaque muscle et le maintiennent dans sa forme anatomique ; au niveau des extrémités des muscles, le **fascia** accompagné de ramifications de l'endomysium et du périmysium se continue pour former les tendons (▶ 5.2.4) → en général insertion au niveau d'un os.

Structure histologique des fibres musculaires

- Principaux constituants : les **myofibrilles,** traversent les fibres parallèlement au grand axe et peuvent se contracter. Principaux composants des myofibrilles : deux structures formant de longues chaînes qui se chevauchent partiellement : les **myofilaments** fins et les myofilaments épais (au microscope, ils apparaissent comme des stries claires ou sombres respectivement → muscle strié) → forment de nombreuses sous-unités fonctionnelles alignées les unes à côté des autres → **sarcomère** (▶ fig. 5.7). Au microscope, la séparation entre deux sarcomères se reconnaît par l'observation d'une **strie Z.**

- Chaque myofibrille est entourée d'un fin système tubulaire → disposé principalement dans le sens de la longueur (**l**ongitudinal, **tubule L**) → il s'agit d'une forme particulière du RE lisse (▶ 3.5.3) appelée **réticulum sarcoplasmique** → réserve de calcium. Il est relié à des **citernes terminales** disposées perpendiculairement → image formant un réseau (▶ fig. 5.6).
- Cytoplasme des fibres musculaires (**sarcoplasme**) : contient des myofibrilles, de nombreux noyaux et beaucoup de **mitochondries.** Leur nombre est en rapport direct avec le besoin énergétique du muscle. Le sarcoplasme est entouré par le **sarcolemme** (membrane plasmique de la fibre musculaire). Les invaginations **t**ransversales du sarcolemme forment les **tubules T** (ou **système T**).

NOTION MÉDICALE

Sarcomère

Par définition, le sarcomère est limité par les stries Z, sur lesquelles sont fixées les filaments d'actine (▶ fig. 5.7). Il est formé de trois myofilaments différents :

- les **filaments épais de myosine :** les sous-unités de myosine ressemblent à des clubs de golf → les « têtes » qui font saillie vers l'extérieur sont le lieu de fixation de l'ATP qui délivre l'énergie;
- les **filaments fins d'actine :** s'enfoncent entre les filaments de myosine;
- les **longs filaments de titine (ou connectine) :** ils s'étirent en traversant la totalité du sarcomère. Traversent l'espace situé entre les stries Z et les filaments de myosine en prenant la conformation d'un ressort **élastique,** puis se fixent sur la myosine et continuent ainsi jusqu'au milieu du sarcomère en formant une fibre **rigide** → stabilisent le sarcomère et sont à l'origine de la force élastique de rétraction et de la tension de repos du muscle.

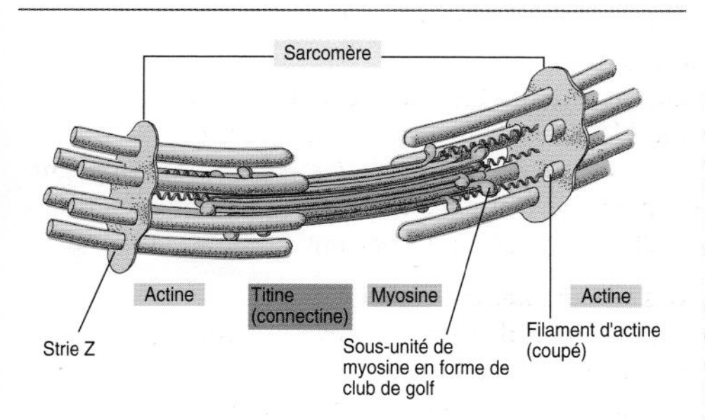

Fig. 5.7 Sarcomère et principe de la contraction musculaire. Glissement l'un dans l'autre des filaments d'actine et de myosine → raccourcissement du sarcomère → contraction musculaire. Condition requise : influx nerveux, ATP et calcium.

Contraction

- Pour qu'une contraction ait lieu, il faut que le muscle soit excité par un **neurone** (plus exactement un **motoneurone** ▶ 4.5.1). Le motoneurone, issu principalement de la MS, s'approche avec son **axone** du sarcolemme sans le toucher.
- La transmission de l'excitation du motoneurone à la fibre musculaire s'effectue au niveau d'une synapse spécifique, la **plaque motrice** (▶ fig. 5.6, ▶ 8.2). À ce niveau se trouvent des vésicules synaptiques qui peuvent sécréter un **neurotransmetteur, l'acétylcholine** (ACh ▶ 8.2.3).
- L'excitation du nerf parvient aux terminaisons axonales → le calcium issu de l'environnement entre dans l'axone → excrétion d'ACh dans la fente synaptique (▶ fig. 8.5) → fixation sur les récepteurs à l'ACh du sarcolemme → modification de la perméabilité du sarcolemme vis-à-vis du sodium et du potassium → l'excitation du motoneurone est transmise aux myofibrilles.
- Excitation → libération de calcium qui sort du réticulum sarcoplasmique → ↑ de la concentration dans le cytosol (▶ 3.3.2) → les filaments d'actine glissent plus en profondeur entre les filaments de myosine (**couplage électromécanique** ▶ fig. 5.7) : les têtes des filaments de myosine se lient aux filaments d'actine, ce qui consomme de l'ATP, et se déplacent sur la surface des filaments d'actine à la manière d'un bateau à rames (▶ fig. 5.8) → les filaments d'actine sont fortement tirés entre les filaments de myosine → les stries Z se rapprochent → le sarcomère se raccourcit.

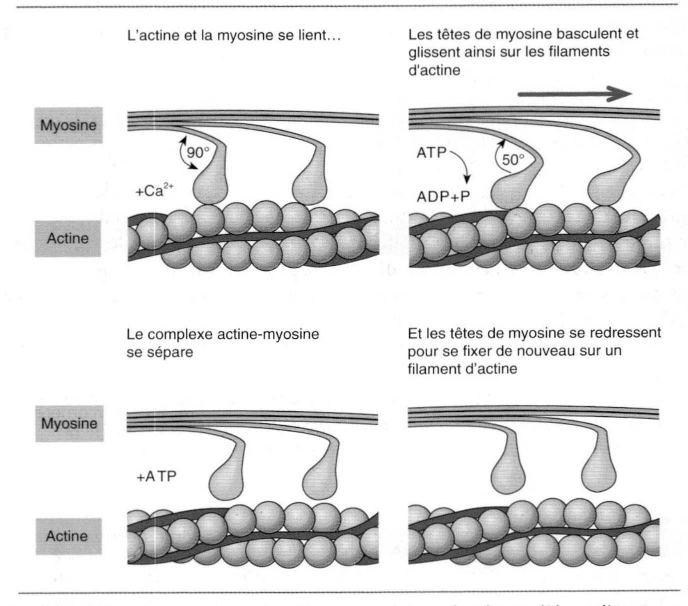

Fig. 5.8 Mécanisme de la contraction musculaire selon le modèle cyclique traditionnel des ponts transversaux.

REMARQUE

Tant que l'ACh est disponible dans la fente synaptique, la fibre musculaire est excitée. Lorsque l'ACh est dégradée (clivée) par une enzyme, l'**acétylcholinestérase**, le muscle retrouve son état de repos.

Unité motrice

Unité motrice = neurone moteur associé au groupe de fibres musculaires qu'il innerve. Un neurone moteur innerve de nombreuses fibres musculaires, dont le nombre varie en fonction de la précision nécessaire (muscles oculaires < 10, autres muscles jusqu'à 2000 fibres musculaires).
Chaque **fibre musculaire** d'une unité motrice se contracte lorsqu'une stimulation suffisamment forte parvient au niveau de la plaque motrice (potentiel d'action ▶ 8.1.2).
En revanche, les **muscles** peuvent se contracter à différents degrés : selon la force développée, plus ou moins d'unités motrices se contractent.
La plupart du temps, les unités motrices d'un muscle sont activées tour à tour par le SNC → les unités au repos peuvent ainsi récupérer → pas de fatigue trop rapide → possibilité de mouvements en douceur et de performances durables.

Métabolisme énergétique musculaire

Travail musculaire de courte durée

Les premières secondes, le muscle récupère son énergie directement à partir de l'**ATP** (▶ 2.8.5). Ensuite, les fibres musculaires squelettiques se tournent vers la **créatine phosphate** riche en énergie qui est clivée, ce qui régénère rapidement les réserves en ATP.

Travail musculaire de longue durée

Si le travail musculaire dure plus longtemps, les réserves de créatine phosphate s'épuisent → le **glucose** doit être métabolisé. Dans le muscle squelettique, le glucose est stocké sous la forme de **glycogène.** En fonction des besoins, le glycogène peut être clivé pour donner du glucose par la voie de la **glycogénolyse** (▶ 2.8.1). Le glucose alors disponible peut fournir de l'énergie.
Le glucose ne peut cependant pas être directement utilisé pour régénérer l'ATP ; il doit d'abord être décomposé :

- en l'absence d'O_2 : par glycolyse → pyruvate → lactate → **2 mol ATP/mol glucose ;**
- en présence d'oxygène : toujours pyruvate riche en énergie → **cycle de Krebs** et **chaîne respiratoire** → dégradation complète en dioxyde de carbone (CO_2) et eau → génère environ **20 fois plus d'ATP**.

REMARQUE

La glycolyse n'a pas besoin d'oxygène (processus anaérobie) → **métabolisme énergétique anaérobie.** Le cycle de Krebs nécessite de l'O_2 → **métabolisme énergétique aérobie.**

Au début du travail musculaire, il faut entre 2 et 4 minutes avant que l'irrigation musculaire et le transport d'O_2 se soient adaptés à l'augmentation des besoins. Pendant ce laps de temps, le besoin énergétique est couvert par la créatine phosphate et la glycolyse anaérobie ; l'oxygène qui est fixé à la myoglobine est utilisé pour la production d'énergie.

REMARQUE

À la fin du travail, le muscle a encore besoin d'O_2 (**dette en oxygène**) pour dégrader le lactate et se réapprovisionner en ATP, créatine phosphate et glycogène qu'il mettra en réserve. Si le muscle a besoin de plus d'énergie qu'il ne peut en générer par l'apport en O_2, il doit l'obtenir via le métabolisme anaérobie → ↑ dette en oxygène. Cette dette est payée par l'augmentation de la respiration à la fin du travail musculaire. Si le travail musculaire dépasse la limite des performances possibles, la dette en oxygène s'accroît continuellement → au bout d'un certain temps, interruption du travail (▶ 14.3.3).

Types de contractions musculaires

Dans les conditions normales, certaines fibres musculaires sont contractées → le muscle est sous tension, mais il n'y a pas de mouvement → c'est le **tonus musculaire** (tonus de base du muscle), qui permet entre autres de conserver la position debout.

NOTION MÉDICALE

Anomalie du tonus musculaire

- **Hypotonie musculaire :** flaccidité anormale
- **Hypertonie musculaire :**
  - **spasticité :** au début d'un mouvement passif, le tonus musculaire est particulièrement élevé, puis cède brutalement lorsque le mouvement se poursuit (**phénomène de la lame de canif**), présence souvent d'un réflexe ostéotendineux pathologique (▶ 8.6.3) (par exemple après un AVC ▶ 8.12.3) ;
  - **rigidité :** augmentation du tonus lors de mouvement passif, maintenue pendant tout le déroulement du mouvement ou se relâchant rythmiquement (**phénomène de la roue dentée**). Réflexe ostéotendineux normal (par exemple maladie de Parkinson ▶ 8.2.3).

Contraction isométrique et isotonique

Vue de l'extérieur, une contraction peut avoir deux effets (▶ fig. 5.9) :

- **contraction isotonique :** le muscle se raccourcit → mouvement. Le tonus musculaire se modifie légèrement seulement (par exemple muscles de la jambe pendant la marche) ;
- **contraction isométrique :** le muscle est fixé en position (par exemple par les antagonistes) → il ne peut pas se raccourcir → ↑ tonus musculaire. Consomme de l'énergie, bien qu'il n'y ait pas de mouvement (par exemple port d'un sac le bras tendu).

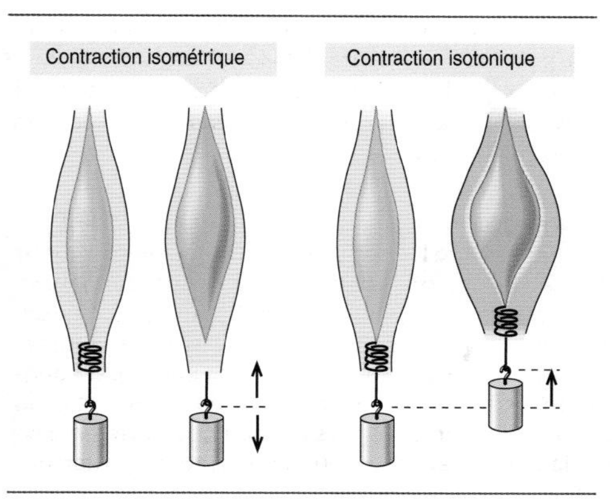

Fig. 5.9 Muscle au repos lors de contraction isométrique (à gauche) ou isotonique (à droite). Les élastiques reflètent le tonus musculaire dominant. Celui-ci reste constant lors de la contraction isotonique pure.

Contraction pathologique

- **Spasme :** contraction soudaine, involontaire, d'un gros groupe musculaire, par exemple lors d'une crise d'épilepsie.
- **Tremblement :** contraction rythmique involontaire de groupes musculaires aux actions antagonistes, par exemple en cas de maladie de Parkinson.

NOTION MÉDICALE

Atrophie musculaire

Diminution de la masse musculaire par amincissement des fibres musculaires, par exemple lors d'inactivité (alitement, plâtre) ou de lésion nerveuse.

5.3.2 Tissu musculaire cardiaque

La paroi du cœur est formée d'un tissu musculaire strié, le **myocarde** (▶ 13.3.2), qui présente des particularités anatomiques et fonctionnelles (▶ 13.5.4).

5.3.3 Tissu musculaire lisse

Les **muscles lisses** se trouvent dans les parois de la plupart des organes creux et des vaisseaux. Il est possible de différencier deux types de muscles :

- le **type neurogène** (muscles lisses multi-unitaires, par exemple le muscle sphincter de la pupille et le muscle ciliaire) : excitation par la sécrétion de neurotransmetteurs au niveau des synapses ;
- le **type myogène** (muscles lisses unitaires, par exemple muscles intestinaux) : les muscles présentent une activité rythmique spontanée.

L'activité rythmique spontanée est influencée par :

- le système nerveux autonome (SNA ou système neurovégétatif) ;
- le pH et les concentrations sanguines en O_2 et CO_2.

→ Ajustement de la vascularisation à la situation métabolique individuelle de chaque organe.

6 Appareil locomoteur

6.1 Le corps humain

6.1.1 Orientation du corps

Pour le diagnostic comme pour le traitement, il est d'une importance primordiale de connaître avec précision la localisation de la partie de l'organe atteinte → il existe un système de plans et d'axes anatomiques, de termes directionnels, de mouvements des membres, de termes descriptifs de la position. Sur la première et la dernière page de ce livre, vous trouverez les différents termes employés pour préciser la localisation (▶ fig. A1, ▶ fig. A2).

6.1.2 Généralités sur le squelette et les muscles

- Le **squelette** se compose de > 200 os ; certains d'entre eux fusionneront au cours de la croissance (par exemple l'os iliaque ou coxal). Associé aux ligaments et aux muscles, le squelette est responsable de la stabilité du corps et permet ses mouvements. Il est divisé en plusieurs groupes osseux :
  - le **crâne** ;
  - la **colonne vertébrale** (rachis) ;
  - le **thorax** ;
  - les **ceintures scapulaire et pelvienne** ;
  - les **membres supérieurs** ;
  - les **membres inférieurs**.

REMARQUE

La tête, le cou et le tronc forment le **squelette axial** :
- le tronc se subdivise également en **thorax, abdomen** et **pelvis** (bassin) ;
- il s'articule avec les membres supérieurs par la ceinture scapulaire et avec les membres inférieurs par la ceinture pelvienne.

- Contractions des **muscles squelettiques** → mouvements. Le corps compte > 400 muscles (muscles superficiels).

6.2 Tête

6.2.1 Généralités sur le crâne

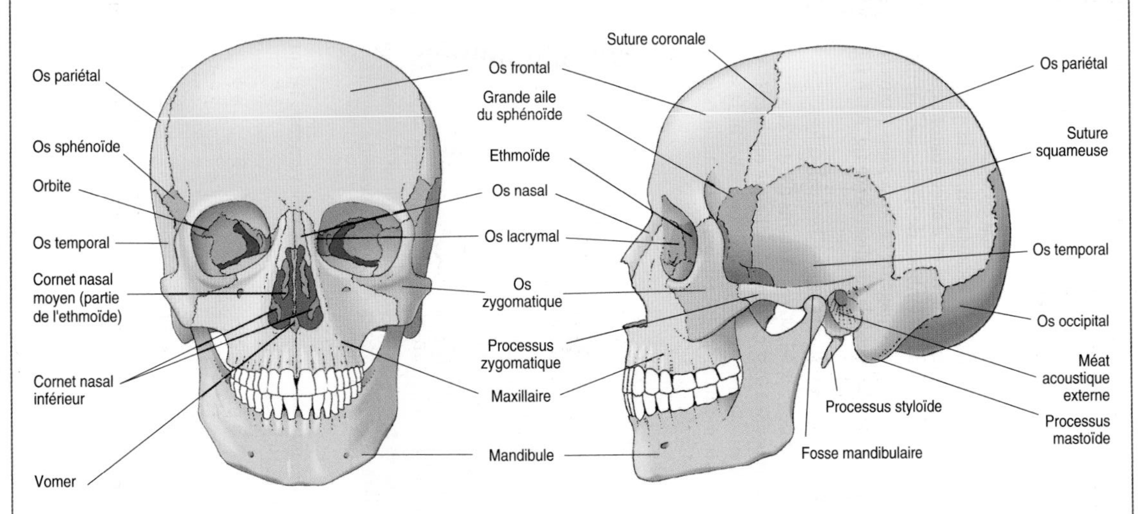

Fig. 6.1 Crâne, vue ventrale (antérieure) et vue latérale.

Le crâne (▶ fig. 6.1, ▶ fig. 6.2) est situé à l'extrémité de la colonne vertébrale. Il se compose des groupes osseux suivants :

- la **boîte crânienne** (neurocrâne) et
- le **squelette de la face** (viscérocrâne).

La boîte crânienne, tapissée sur sa face interne par les **méninges** (▶ 8.11.1), délimite la **cavité crânienne** qui contient et protège le cerveau. Celui-ci repose sur la **base du crâne** (plancher de la cavité crânienne ▶ fig. 6.2, ▶ fig. 6.3) et est entouré par la **voûte crânienne** (calvaria).

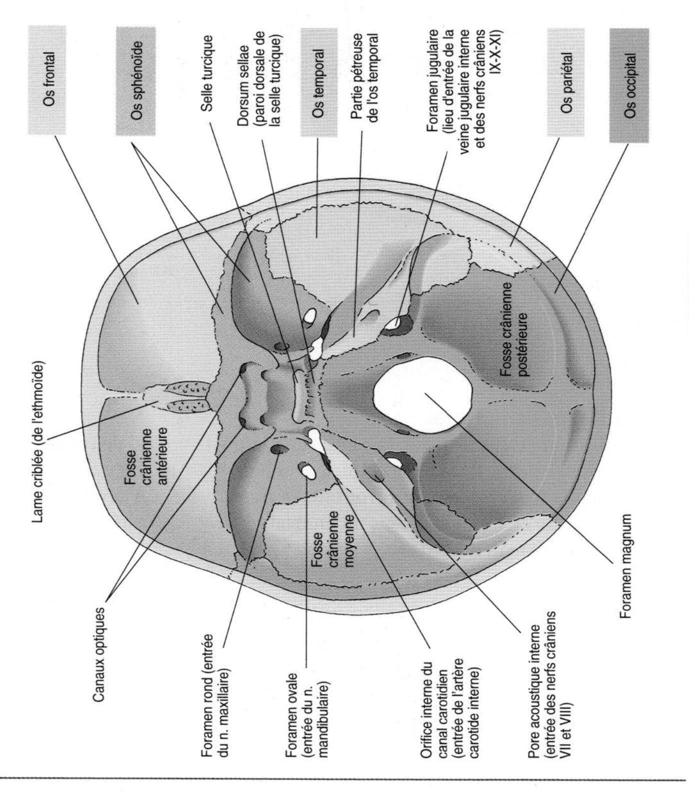

Fig. 6.2 Base du crâne après retrait de la calvaria et du cerveau, vue supérieure.

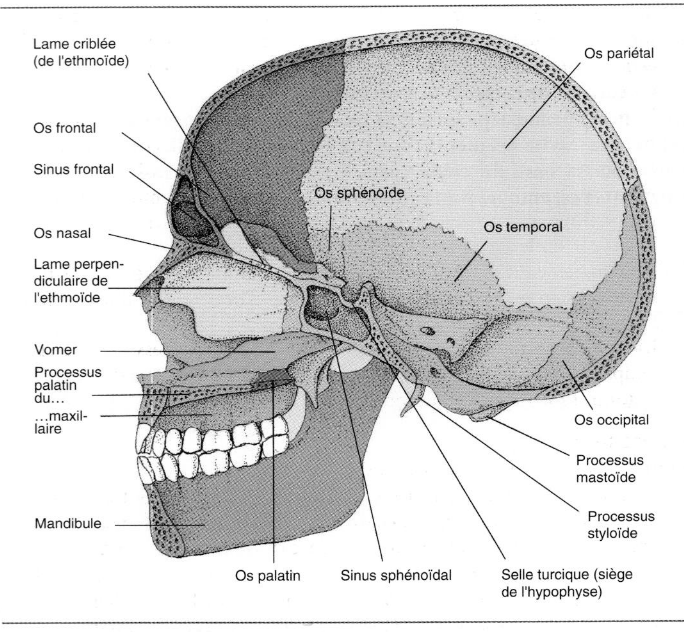

Fig. 6.3 Coupe du crâne (vue latérale).

6.2.2 Os de la boîte crânienne

Os frontal et os pariétal

- L'**os frontal :** forme le front, la partie supérieure du rebord de l'**orbite** et la plus grande partie de la fosse crânienne antérieure. Au milieu de la région du front se trouvent les **sinus frontaux** (▶ fig. 6.3). Ces cavités, tapissées d'épithélium et remplies d'air, sont en relation avec les cavités nasales.
- Les **os pariétaux** : les deux os pariétaux forment la plus grande partie de la calvaria.

Os temporal

L'**os temporal :** les deux os temporaux forment une partie de la base du crâne et de la voûte crânienne. La **fosse mandibulaire** (▶ fig. 6.4) entoure le processus articulaire condylaire de la mandibule (mâchoire inférieure) et forme avec lui l'articulation temporomandibulaire.

- La **portion pétreuse** de l'os temporal sépare la fosse crânienne moyenne de la fosse crânienne postérieure au niveau de la face supérieure de la base du crâne (▶ fig. 6.2). Cette portion pétreuse renferme les organes de l'audition et de l'équilibration ainsi que le **méat auditif interne.** Le nerf cochléovestibulaire (nerf auditif, formé du nerf cochléaire et du nerf vestibulaire) provenant de l'oreille interne passe par ce méat (▶ 8.7.1, ▶ fig. 9.15), puis continue sa route jusque dans la fosse crânienne postérieure en traversant le **pore acoustique interne** (▶ fig. 6.2). Le **méat acoustique externe** relie l'oreille externe à l'oreille moyenne.

- Le **processus mastoïde ou mastoïde** est un prolongement osseux palpable en arrière du pavillon de l'oreille (▶ fig. 6.3) ; il contient des cavités remplies d'air, tapissées d'une muqueuse (les **cellules mastoïdiennes**) qui sont en relation avec la caisse du tympan (ou cavité tympanique) de l'oreille moyenne. De nombreux muscles du cou s'insèrent sur le processus mastoïde.
- Un deuxième prolongement, le **processus styloïde** (▶ fig. 6.6), est situé sur le bord inférieur de l'os temporal → lieu d'insertion de muscles et de ligaments issus de l'os hyoïde et de la nuque.
- L'**arcade zygomatique** est formée par l'union d'un processus issu de l'os temporal (le processus zygomatique) et d'un processus issu de l'**os zygomatique** (le processus temporal) (▶ fig. 6.1).

Os occipital

Forme la partie postérieure de la cavité crânienne.

- La moelle spinale ainsi que des artères vertébrales (▶ fig. 6.6) traversent le **foramen magnum** (ou **trou occipital** ▶ fig. 6.4). Le foramen magnum présente de chaque côté une protubérance ovale, le **condyle occipital** (▶ 6.2.3, ▶ fig. 6.4) sur lequel s'articule la première vertèbre cervicale (atlas).
- Latéralement, au niveau de la zone de transition entre l'os occipital et l'os temporal, se trouve le **foramen jugulaire,** lieu de passage de la veine jugulaire et des nerfs crâniens IX, X et XI (▶ fig. 6.2, ▶ fig. 6.4; fonction ▶ 8.7).
- Certains muscles de la nuque s'insèrent sur la face externe de l'os occipital. Chez l'♂ en particulier, la **protubérance occipitale externe** est facilement palpable à travers la peau.

Os sphénoïde

L'**os sphénoïde** (▶ fig. 6.2, ▶ fig. 6.4) se trouve au milieu de la base du crâne ; il est uni à l'ensemble des autres os du crâne. Forme : ressemble à une chauve-souris aux ailes déployées (**grandes ailes du sphénoïde**).

- La face interne du sphénoïde contient les **sinus sphénoïdaux** (▶ fig. 6.3), qui sont en relation avec les fosses nasales.
- Le **corps du sphénoïde** renferme une dépression dans sa région postérieure : la selle turcique (▶ 6.2.3).
- En avant se trouvent les **petites ailes du sphénoïde**. Le **canal optique** longe la racine de chaque petite aile (▶ fig. 6.2) → il relie la cavité de l'orbite à la fosse crânienne et contient le nerf optique et l'artère ophtalmique.

Ethmoïde et cornets nasaux

Ethmoïde : situé entre les orbites. Il contient les **cellules ethmoïdales**, qui forment ensemble les **sinus ethmoïdaux**. Dans sa partie inférieure, l'ethmoïde se prolonge par une lame verticale, la **lame perpendiculaire de l'ethmoïde** (▶ fig. 6.3), qui forme la partie supérieure du septum nasal.

- Limite supérieure : **lame criblée**, forme le plafond des cavités nasales. Les axones du **nerf olfactif** s'étirent de la muqueuse nasale au bulbe olfactif en passant par les petits orifices de la lame criblée (▶ fig. 9.5).
- Deux os fins pendent de l'ethmoïde et font saillie dans la cavité nasale → les **cornets nasaux supérieur et moyen** → ils augmentent la surface des cavités nasales → nettoyage, réchauffement et humidification de l'air inhalé (▶ 15.1.2).

6.2.3 Base du crâne

La **base du crâne** sera considérée de haut en bas (ou de l'intérieur vers l'extérieur).

Face supérieure de la base du crâne

La base du crâne se compose de trois **fosses crâniennes** (▶ fig. 6.2).

- La **fosse crânienne antérieure** occupe la position la plus haute. Elle est composée de parties de l'os frontal, de l'os ethmoïde et de la petite aile du sphénoïde. Elle contient le bulbe olfactif et les lobes frontaux du cerveau (▶ 8.8.8). Les orbites se trouvent sous la fosse crânienne antérieure.

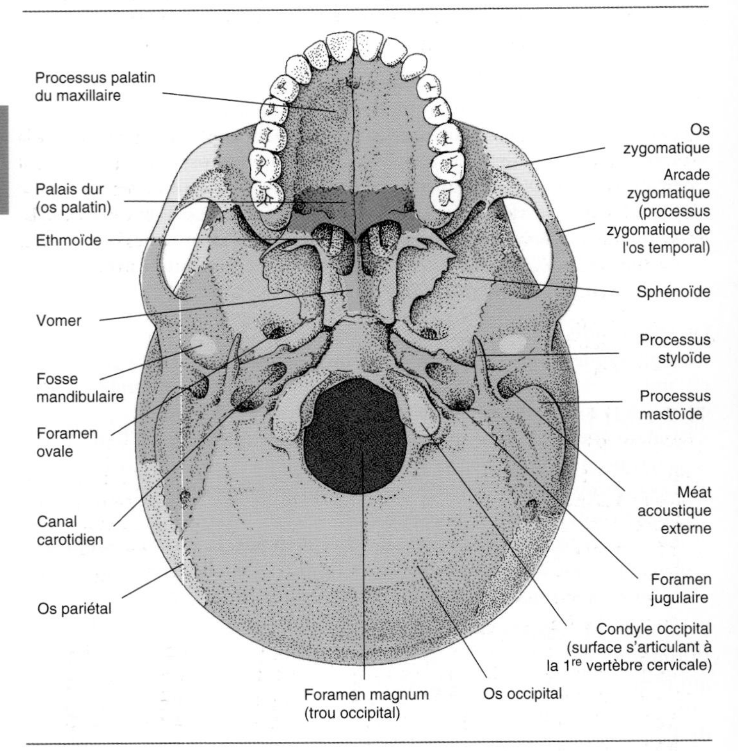

Fig. 6.4 Base du crâne, vue inférieure.

- La **fosse crânienne moyenne** contient les lobes temporaux. Elle est délimitée au centre par le corps du sphénoïde et latéralement par les grandes ailes du sphénoïde et la partie pétreuse de l'os temporal. Le corps du sphénoïde présente une dépression sur sa face supérieure qui rappelle la forme d'une selle turque → d'où le nom de selle **turcique** ou fosse hypophysaire car l'**hypophyse** s'y loge, ce qui la protège (▶ 8.8.4, ▶ 10.2).
- Une crête osseuse saillante située sur le bord supérieur de la **partie pétreuse de l'os temporal** sépare la fosse crânienne moyenne de la **fosse crânienne postérieure**. Celle-ci est formée par les faces dorsales de la selle turcique et la partie pétreuse de l'os temporal ainsi que par l'os occipital. La fosse crânienne postérieure abrite le cervelet (▶ 8.8.5, ▶ fig. 8.17).

La base du crâne contient de nombreux orifices (foramens) et sillons → passage de vaisseaux et de nerfs (▶ fig. 6.2).

Face inférieure de la base du crâne

La face inférieure de la base du crâne se compose d'os du crâne et de la face (▶ fig. 6.4). Deux surfaces articulaires importantes paires :

- de chaque côté du foramen magnum, l'os occipital présente un **condyle occipital** qui s'articule avec la première vertèbre cervicale (**atlas**) ;
- plus latéralement se trouvent les fosses mandibulaires des articulations temporomandibulaires.

6.2.4 Sutures crâniennes

Chez le nouveau-né, le crâne est formé de plaques osseuses plates. Au moment de la naissance, les espaces entre chacune de ces plaques (ou **sutures**) sont uniquement comblés par du tissu conjonctif (TC) → les plaques osseuses peuvent encore se déplacer les unes par rapport aux autres → facilite le passage dans le canal de naissance lors de l'accouchement et permet la croissance du cerveau après la naissance.

- **Suture métopique** : suture médiane située au niveau de l'os frontal.
- **Suture coronale** : entre le frontal et les pariétaux.
- **Suture sagittale** : entre les pariétaux.
- **Suture lambdoïde** : sépare les pariétaux de l'occipital.
- **Suture squameuse** : entre l'os pariétal et l'os temporal.

NOTION MÉDICALE

Fontanelles

Au moment de la naissance, il existe des zones relativement larges au niveau des espaces de jonction entre au moins trois plaques osseuses. Ces espaces jonctionnels souples, formés de tissu conjonctif, portent le nom de **fontanelles.** Elles ont une forme caractéristique qui permet à l'obstétricien de s'orienter lors de l'accouchement et de connaître la position de la tête du fœtus dans le bassin de la mère (▶ fig. 20.10).

- **Fontanelle frontale** (grande fontanelle, fontanelle antérieure ou bregmatique) : en forme de losange, elle est située en avant, entre l'os frontal et le pariétal. C'est la plus étendue des fontanelles.
- **Fontanelle occipitale** (petite fontanelle, fontanelle postérieure, fontanelle lambdatique) : de forme triangulaire, elle se trouve entre les plaques occipitale et pariétales.

6

6.2.5 Squelette de la face

- **Os maxillaire** : partie centrale du squelette de la face, il est en relation avec tous les autres os. Il enserre de chaque côté le **sinus maxillaire** (▶ fig. 15.4).
- Les processus alvéolaires renforcent le bord inférieur du maxillaire et renferment 16 **alvéoles dentaires** qui contiennent les racines des dents de la mâchoire supérieure (▶ fig. 16.9).
- Le **processus zygomatique** se prolonge vers la partie postérosupérieure → forme avec l'**os zygomatique** le contour des joues.
- Le **processus palatin** se trouve dans la portion antérieure du maxillaire → associé à l'**os palatin**, il forme le **palais dur** (ou osseux ▶ fig. 6.3, ▶ fig. 6.4).

Limites osseuses du nez

- L'**os nasal** pair forme la partie supérieure de l'arête nasale (▶ fig. 6.1, ▶ fig. 6.3). La partie inférieure est composée du **cartilage triangulaire nasal**. La majeure partie de la cloison nasale (**septum nasal**) est également formée de cartilage, mais comporte aussi une partie osseuse issue de l'os ethmoïde et du vomer (▶ fig. 6.3).
- **Cornet nasal inférieur** : os de forme recourbée relié au sinus maxillaire par le processus maxillaire.
- **Vomer** : os rectangulaire, s'étire vers l'avant à partir du sinus sphénoïdal et forme les parties inférieure et postérieure du septum nasal (▶ fig. 6.4). Limites : en bas et en avant avec le palais dur, en haut avec la lame perpendiculaire de l'os ethmoïde, en arrière avec l'os sphénoïde.

REMARQUE

Les **cornets nasaux** (▶ fig. 6.1, ▶ fig. 15.2) servent à augmenter la surface de la muqueuse nasale.

Sinus paranasaux

Les **sinus paranasaux** se trouvent dans les os entourant la cavité nasale ; ils sont tapissés d'une muqueuse :

- **sinus frontal** ;
- **sinus maxillaire** ;
- **sinus ethmoïdal**, formé des cellules ethmoïdales ;
- **sinus sphénoïdal**.

Fonction : diminution du poids des os de la face, caisse de résonance pour la voix. Les sécrétions des sinus paranasaux s'écoulent par la cavité nasale (sauf lors d'inflammation des sinus paranasaux) (▶ 15.1.3).

Mandibule

Mandibule : plus gros os de la face, c'est le seul à être librement mobile. Formé du corps de la mandibule et de deux branches qui remontent presque verticalement à partir de l'**angle de la mandibule** (palpable sous l'oreille). Chaque branche de la mandibule présente deux processus à son extrémité supérieure :

- **processus condylaire :** situé plus en arrière. Présente la facette articulaire de l'articulation temporomandibulaire qui s'articule avec la fosse mandibulaire de l'os temporal et avec un petit disque articulaire ;

- **processus coronoïde :** situé plus en avant; lieu d'insertion du muscle temporal (▶ fig. 16.10);
- **partie alvéolaire de la mandibule** située sur le bord supérieur du corps de la mandibule : accueille les racines dentaires de la mâchoire inférieure. La partie inférieure du corps de la mandibule présente en avant deux foramens (trou ou foramen mentonnier) → passage du nerf mentonnier (branche du nerf mandibulaire, 3e branche du nerf trijumeau ▶ 8.7.3).

6.2.6 Os hyoïde

Os hyoïde (du grec *hyoideus,* en forme de U) :

- situé entre la mandibule et le **larynx** (▶ fig. 15.6). Seul os du tronc qui ne se trouve pas au voisinage direct d'un autre os et ne forme aucune articulation avec d'autres os;
- par l'intermédiaire de nombreux muscles, il est en relation avec la cavité buccale, le processus styloïde, le larynx, le sternum et même la scapula (omoplate) → très mobile;
- soutient la mastication et les mouvements de la langue lors de la parole.

6.2.7 Muscles de la face

Les muscles faciaux (▶ fig. 6.5) permettent l'expression des émotions. La plupart des muscles de la face présentent une particularité par rapport aux autres

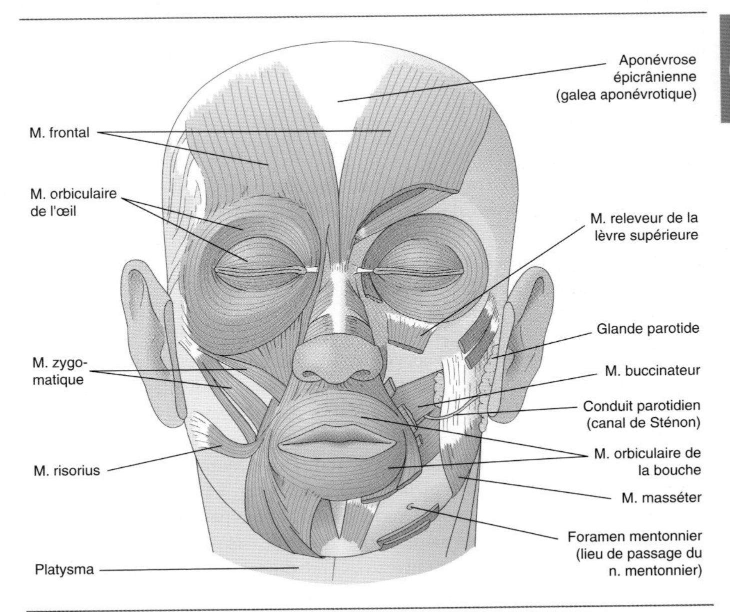

Fig. 6.5 Muscles de la face (muscles de l'expression). Moitié droite du visage : muscles superficiels; moitié gauche, muscles profonds. Le muscle masséter et la glande parotide avec le conduit parotidien (canal de Sténon) sont bien visibles.

6

muscles du corps : ils n'agissent pas sur des articulations mais se fixent souvent **directement** sur la peau du visage sans passer par l'intermédiaire d'un tendon → mobilisent des portions de la peau du visage → forment des plis, des froncements, des fossettes → beaucoup d'expressions possibles (**mimiques**).

6.2.8 Muscles de la mastication

Mobilisent la mandibule, permettent la morsure et la mastication, participent à la formation des sons et à la parole. La mastication nécessite l'intervention de mouvements dans trois directions :

- ouverture et fermeture de la bouche ;
- translation latérale et recul de la bouche ;
- mouvements de broyage.

Pour permettre ces mouvements de l'articulation temporomandibulaire, trois muscles et groupes de muscles sont insérés sur la mandibule :

- **muscle masséter** (muscle de la mastication) ;
- **muscles ptérygoïdiens médial** et **latéral** ;
- **muscle temporal**.

6.2.9 Muscles courts de la nuque

Les **muscles courts (ou profonds) de la nuque** s'étirent entre la première ou la deuxième vertèbre cervicale (C1 ou C2) et l'os occipital. Ils font partie des **muscles profonds du dos (muscles intrinsèques du dos)** (▶ 6.3.5) et contribuent au port de la tête et aux mouvements de la tête.

6.3 Tronc

6.3.1 Le cou

Relie la tête à la ceinture scapulaire. Le cou est composé de plusieurs structures osseuses (7 vertèbres cervicales et l'os hyoïde) et d'une structure cartilagineuse (le larynx) (▶ 15.3).

Les vertèbres cervicales C3 à C7 ont la même forme que les autres vertèbres (▶ 6.3.2), alors que C1 et C2 présentent des particularités.

Atlas et axis

- **Atlas :** la première vertèbre cervicale, C1, a une forme circulaire et possède à sa surface deux fossettes articulaires sur lesquelles repose le crâne par le biais des condyles articulaires de l'os occipital (▶ fig. 6.6).
- **Axis :** la seconde vertèbre cervicale, C2, présente une proéminence osseuse qui dépasse de l'anneau de l'atlas (la **dent de l'axis**), autour de laquelle l'atlas peut tourner (articulation à pivot ou trochoïde ▶ fig. 5.4) → mouvements de rotation de la tête. La dent de l'axis ne remplit que la partie antérieure de l'anneau de l'atlas. Séparée par une membrane de tissu conjonctif, la moelle spinale (épinière) chemine au niveau de l'arc dorsal (postérieur) de l'atlas.

Muscles du cou

Les muscles du cou peuvent être divisés en deux groupes qui sont séparés par les deux grandes voies traversant le cou (l'œsophage et la trachée).

Devant et latéralement à ces deux voies se trouvent les **muscles ventraux (antérieurs) du cou** (▶ fig. 6.7) :

- **platysma** (muscle peaucier du cou) : muscle plat de grande taille qui fait partie des muscles de l'expression (mimique);
- **muscle sternocléidomastoïdien** (rotateur de la tête) : relie le thorax avec la tête → rotation et flexion de la tête vers l'avant;
- **muscles infra-hyoïdiens** (groupe des muscles du triangle antérieur du cou) : assistent les mouvements de l'hyoïde et du larynx.

Derrière les deux grosses voies du cou se trouvent les **muscles dorsaux (postérieurs) du cou** (muscles de la nuque). Parmi eux, se trouvent latéralement les **muscles scalènes** → participent à l'inspiration, en soulevant les premières côtes.

6.3.2 Généralités sur la colonne vertébrale (rachis)

Colonne vertébrale (rachis) :

- forme le grand axe du squelette;
- composée de 24 os formant des segments (les **vertèbres**), du **sacrum** et du **coccyx**;
- entoure et protège la moelle spinale, qui s'étire vers le bas en passant par le **canal vertébral**. Le rachis porte la tête et permet la fixation des côtes et des muscles du dos.

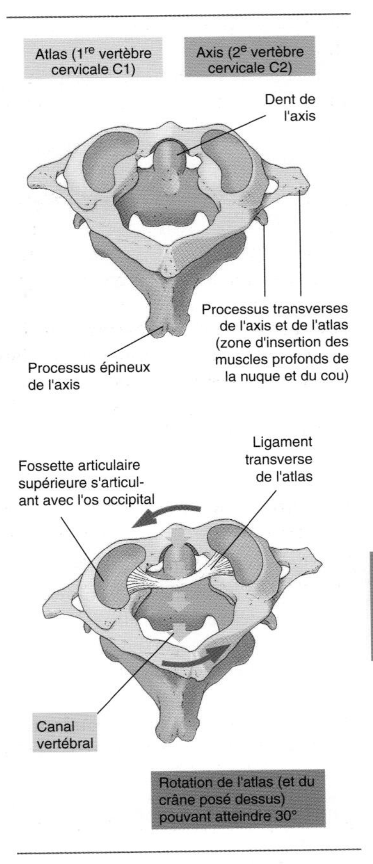

Fig. 6.6 Articulation entre l'atlas et l'axis (articulation atlanto-axoïdienne). Rotation de l'atlas autour de la dent de l'axis → mouvements de rotation de la tête. Le ligament transverse de l'atlas empêche le glissement de l'atlas vers la moelle spinale.

REMARQUE

Vertèbres

Mobiles les unes par rapport aux autres → mouvements possibles vers l'avant, vers l'arrière, la droite, la gauche et autour de l'axe longitudinal. La mobilité est facilitée par des **disques intervertébraux** qui stabilisent le rachis grâce à de nombreux ligaments.

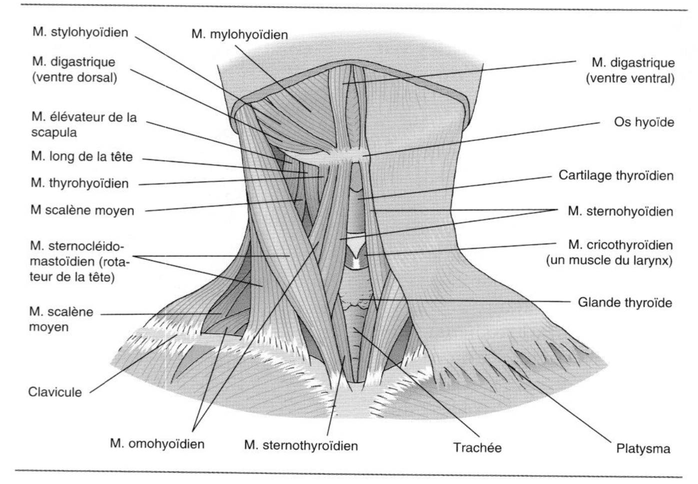

Fig. 6.7 Muscles de la partie ventrale (antérieure) du cou. À droite, le platysma a été retiré.

La colonne vertébrale est divisée en cinq segments :

- **la région cervicale de la colonne vertébrale** (rachis cervical), composée de 7 **vertèbres cervicales** (C1–C7, cervix = cou) ;
- **la région thoracique** de la **colonne vertébrale** (rachis thoracique) composée de 12 **vertèbres thoraciques,** qui s'articulent avec les côtes (T1–T12, T = thorax) ;
- **la région lombaire de la colonne vertébrale** (rachis lombaire) composés de 5 **vertèbres lombaire (ou lombales)** (L1–L5) ;
- **le sacrum** : fusion des 5 **vertèbres sacrales** en un seul os ;
- **le coccyx**, formé d'environ 4 vertèbres coccygiennes (« caudales ») atrophiées.

Courbures de la colonne vertébrale

Vue de face, la colonne vertébrale normale est pratiquement droite. Si elle est examinée latéralement, elle présente 4 **courbures** caractéristiques (▶ fig. 6.8). Les courbures confèrent une grande stabilité à la colonne vertébrale, car elles lui permettent de répartir uniformément sur l'ensemble des vertèbres les contraintes mécaniques liées aux différents mouvements.

Vertèbres

Les vertèbres C3 à L5 ont une structure semblable, même si elles se différencient en taille et en forme, en raison des besoins fonctionnels de chacun des segments de la colonne vertébrale (▶ fig. 6.9).

REMARQUE

Corps vertébral

Fragment osseux épais, formant la partie supportant le poids de la colonne vertébrale et responsable de la forme caractéristique en « colonne ».

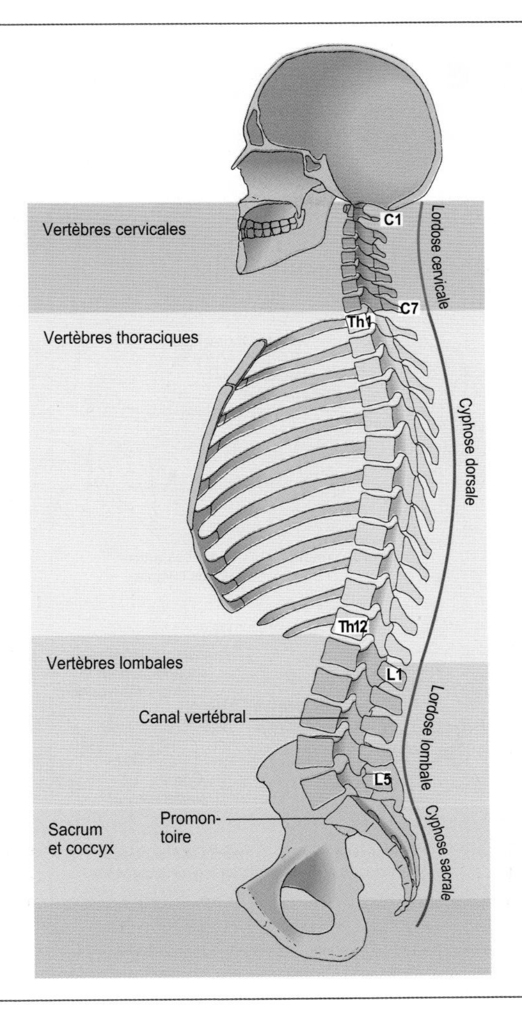

Fig. 6.8 Structure de la colonne vertébrale vue en coupe longitudinale. Les courbures physiologiques sont bien reconnaissables.

L'**arc vertébral** est situé sur la face dorsale (postérieure) du corps vertébral. Il entoure le **foramen vertébral**. L'ensemble des foramens vertébraux forme le **canal vertébral** (canal rachidien), le long duquel descend la moelle spinale depuis le foramen ovale.

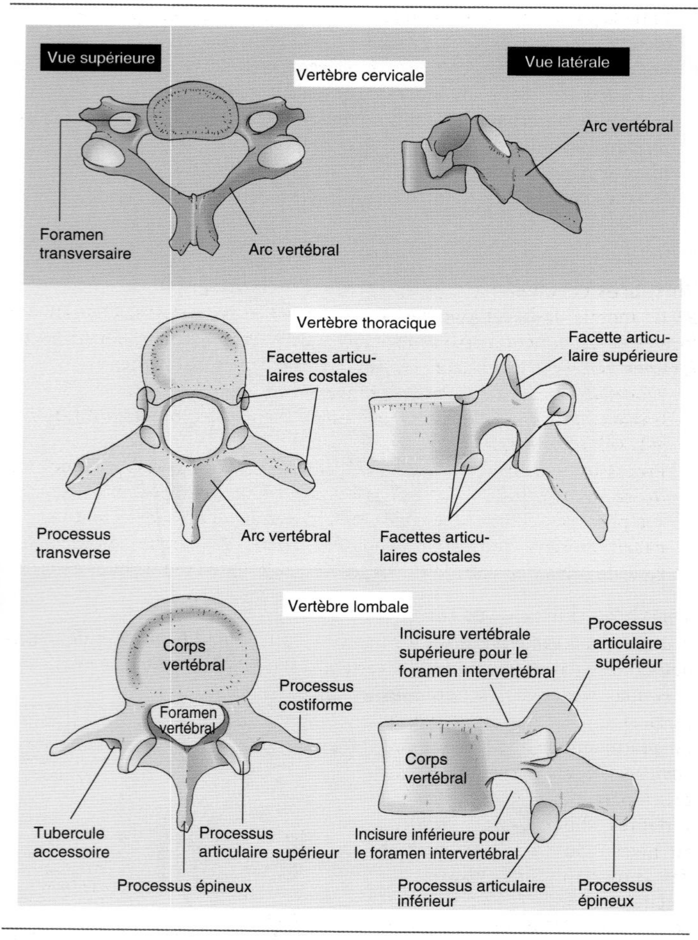

Fig. 6.9 Comparaison des vertèbres cervicale, thoracique et lombaire ; à gauche, vue supérieure ; à droite, vue latérale.

Trois processus osseux partent de l'arc vertébral et représentent des sites d'insertion ou de terminaison musculaire :

- le **processus épineux** qui se projette vers l'arrière et le bas ;
- ainsi que deux **processus transverses** latéraux, un à droite et un à gauche ;
- à hauteur du processus transverse, deux **processus articulaires, inférieur et supérieur,** partent également de l'arc vertébral et se dirigent respectivement vers le bas et vers le haut → ils articulent entre elles les vertèbres adjacentes.

Entre le processus articulaire inférieur et le corps vertébral, il persiste toujours une zone échancrée, l'incisure vertébrale inférieure;
- une incisure bien plus petite se trouve également dans la zone séparant le processus articulaire supérieur du corps de la vertèbre (**incisure vertébrale supérieure**). Au niveau de deux vertèbres adjacentes, ces deux incisures sont directement superposées → délimitent les **foramens intervertébraux respectifs** (▶ fig. 6.12). Les nerfs spinaux quittent le foramen vertébral (canal rachidien) en passant par ces foramens (▶ 8.5).

6.3.3 Segments de la colonne vertébrale

Vertèbres cervicales (C1–C7)

Partie mobile de la colonne vertébrale. L'atlas et l'axis (C1 et C2) ont des formes et des fonctions particulières (▶ 6.3.1). Proportionnellement à leur foramen vertébral, les vertèbres C3 à C7 sont relativement petites.
- Processus transverses : plats, présentent chacun un **foramen transversaire** contrairement aux autres vertèbres, par où passent l'artère et la veine vertébrales (▶ fig. 14.7).
- Processus épineux : au niveau de C2 à C6, ce processus est le plus souvent divisé en deux (bifide). C7 est aussi appelée la **vertèbre proéminente,** car son processus épineux est le plus saillant dorsalement → représente à la palpation transcutanée un bon point de repère « géographique » de la zone de transition entre le rachis cervical et le rachis thoracique.

Vertèbres thoraciques (T1–T12)

Peu mobile, la colonne thoracique a principalement une fonction de maintien pour la cage thoracique. Les vertèbres thoraciques sont plus grosses et plus massives que les vertèbres cervicales. Le foramen vertébral est pratiquement rond et mesure environ l'épaisseur d'un doigt. Mis à part T11 et T12, toutes les vertèbres thoraciques possèdent au niveau du corps vertébral **et** des processus transverses des facettes s'articulant avec les côtes (▶ fig. 6.10). T11 et T12 ne portent des facettes articulaires qu'au niveau du corps vertébral.

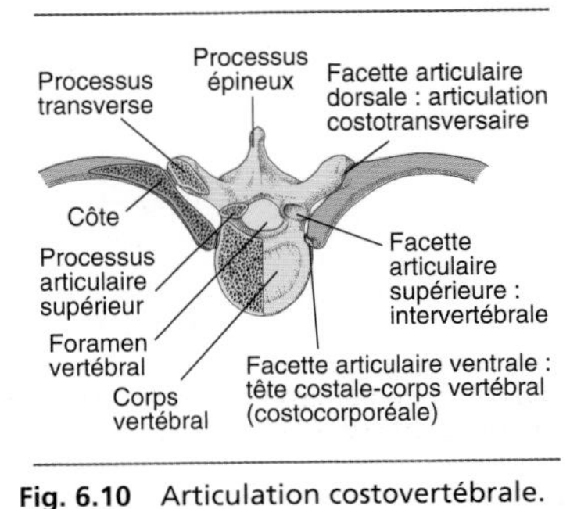

Fig. 6.10 Articulation costovertébrale.

Vertèbres lombales (ou lombaires)

Les plus grosses vertèbres de l'homme, composées d'un corps massif et d'un foramen vertébral comparativement petit :
- ne sont plus unies aux côtes, mais possèdent des processus costiformes (appelés également **processus transverses**), qui d'un point de vue évolutif correspondent à des vestiges de côtes;

- en arrière des processus costiformes se trouvent les **petits processus accessoires** vestiges du processus (apophyse) transverse;
- le processus épineux se dirige relativement droit vers l'arrière;
- L5 est cunéiforme comme S1 → forment la zone de transition ou **promontoire sacral** entre la lordose lombaire et la cyphose sacrale (▶ fig. 6.8).

REMARQUE

Lorsque le patient penche le tronc en avant, l'espace entre les processus épineux des vertèbres lombales devient si important qu'il est possible d'effectuer une ponction du canal vertébral (rachidien) (**ponction lombaire basse**).

Sacrum et coccyx

- **Sacrum** (▶ fig. 6.11) : os triangulaire aplati composé de 5 vertèbres fusionnées. Forme la région centrale dorsale (postérieure) du bassin. Il s'articule à l'os coxal (ou os iliaque) au niveau de l'**articulation sacro-iliaque** presque immobile. Correspondant aux foramens intervertébraux des vertèbres restantes se trouvent 4 paires de **foramens sacraux** en relation avec le **canal sacral** → passage des nerfs spinaux. Le canal sacral

6

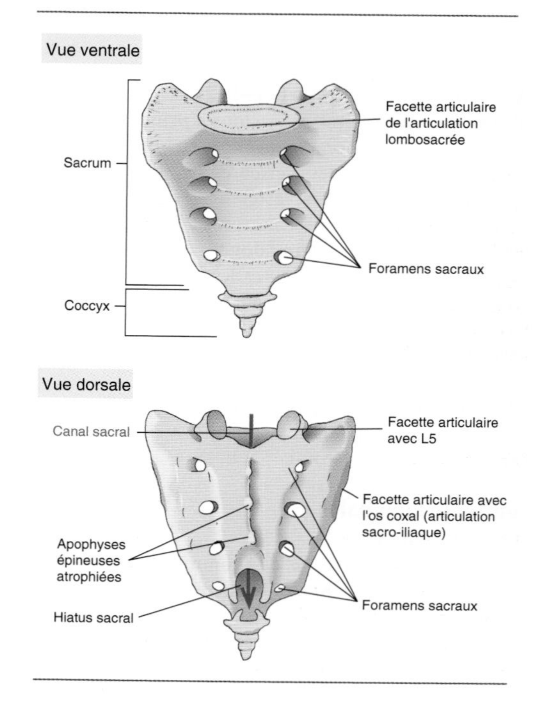

Fig. 6.11 Sacrum et coccyx.

est un prolongement du canal vertébral; il est ouvert à son extrémité inférieure. La face postérieure du sacrum porte un processus (apophyse) épineux et des processus costiformes atrophiés.
- La partie supérieure du sacrum s'articule avec L5 par l'**articulation lombosacrée**; sa partie inférieure s'articule avec le **coccyx** par le biais d'une articulation pratiquement immobile.

Disques intervertébraux

Entre les vertèbres cervicales, thoraciques et lombaires, ainsi qu'entre L5 et le sacrum se trouvent des **disques intervertébraux**, mesurant chacun environ 5 mm d'épaisseur. Ils sont formés de deux couches de tissu conjonctif :
- la couronne externe (**anulus fibrosus**) formée de fibres grossières de collagène et de fibrocartilage;
- un noyau gélatineux (**nucleus pulposus**) qui compense, à la manière d'un coussin rempli d'eau, les différences de pression entre deux vertèbres, lorsque celles-ci se rapprochent (▶ fig. 6.12).

Les disques intervertébraux apportent une surface de contact élastique entre les corps vertébraux et augmentent la mobilité de la colonne vertébrale en se déformant et en amortissant les tassements de la colonne vertébrale.

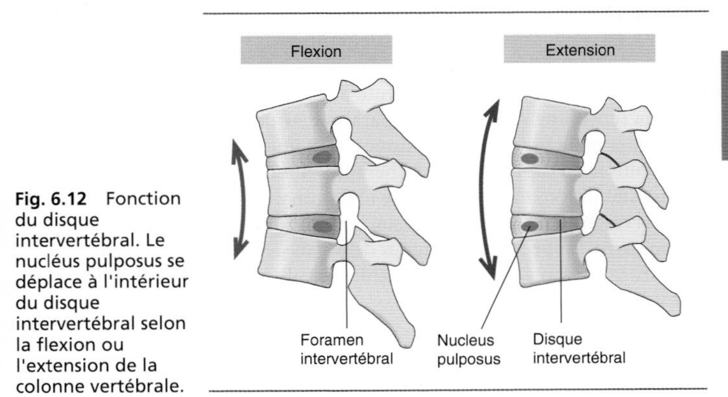

Fig. 6.12 Fonction du disque intervertébral. Le nucléus pulposus se déplace à l'intérieur du disque intervertébral selon la flexion ou l'extension de la colonne vertébrale.

6.3.4 Affections du rachis

Hernie du disque intervertébral

Le disque intervertébral ne peut pas résister à des sollicitations illimitées et continues. En particulier, soulever de lourdes charges dans une mauvaise position peut conduire à un prolapsus ou même à la sortie du nucleus pulposus au niveau d'un point de plus faible résistance de l'anneau fibreux → apparition d'une **hernie du disque intervertébral** (hernie discale ou prolapsus du disque), le plus souvent en direction du processus épineux (lorsque le nucleus pulposus est repoussé vers l'arrière au moment où la charge est soulevée, ▶ fig. 6.12) :

- la plupart des hernies discales s'observent entre L4 et L5 ou entre L5 et S1 → zones où les contraintes par compression sur les disques intervertébraux sont maximales ;
- si le disque intervertébral hernié vient comprimer une racine nerveuse (▶ fig. 6.13), il occasionne des douleurs intenses, des troubles de la sensibilité et/ou une paralysie.

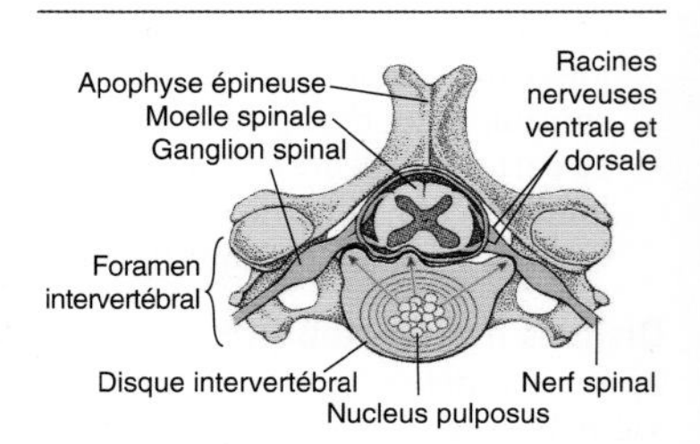

Fig. 6.13 Hernie discale dans la région des vertèbres cervicales. Les hernies lombaires, qui sont les plus fréquentes, risquent principalement d'engendrer une sciatique ou un syndrome de la queue de cheval.

SOINS INFIRMIERS

Positionnement allongé en « escalier »

Le **positionnement allongé en « escalier »** (allongé sur le dos, flexion à 90° des articulations de la hanche et des genoux) réduit la pression sur le nucleus pulposus, et donc la douleur.

- **Traitement :** si le patient présente des douleurs ainsi que des troubles de la sensibilité sans signes de paralysie → positionnement allongé en escalier pendant de courtes durées, traitement de la douleur, mobilisation rapide et physiothérapie. À long terme, renforcement des muscles du dos et de la ceinture abdominale → stabilise les disques intervertébraux. Cela permet souvent d'éviter l'opération ainsi que les récidives. En présence de signes de paralysie → le plus souvent chirurgie. Après l'intervention chirurgicale, une physiothérapie ciblée est indispensable !

6.3.5 Muscles profonds (intrinsèques) du dos

La mobilité de la colonne vertébrale dans son ensemble est principalement assurée par un système complexe de groupes de fibres musculaires qui se chevauchent et longent la colonne vertébrale → ils forment les **muscles intrinsèques ou profonds du dos** (muscles qui se sont développés localement et n'ont pas migré) (muscle érecteur du rachis, ▶ fig. 6.14).

Fonctions :

- extension de la colonne vertébrale, rotation dans l'axe, stabilisation (en association avec l'appareil ligamentaire), formation des courbures physiologiques. Antagonistes des muscles de la paroi abdominale → (▶ 6.3.8) stabilisation de la marche en position debout (bipédie) ;
- la flexion de la colonne vertébrale s'effectue principalement par l'action des muscles abdominaux ventraux (antérieurs) (▶ 6.3.8) et du muscle iliopsoas (▶ 6.6.3).

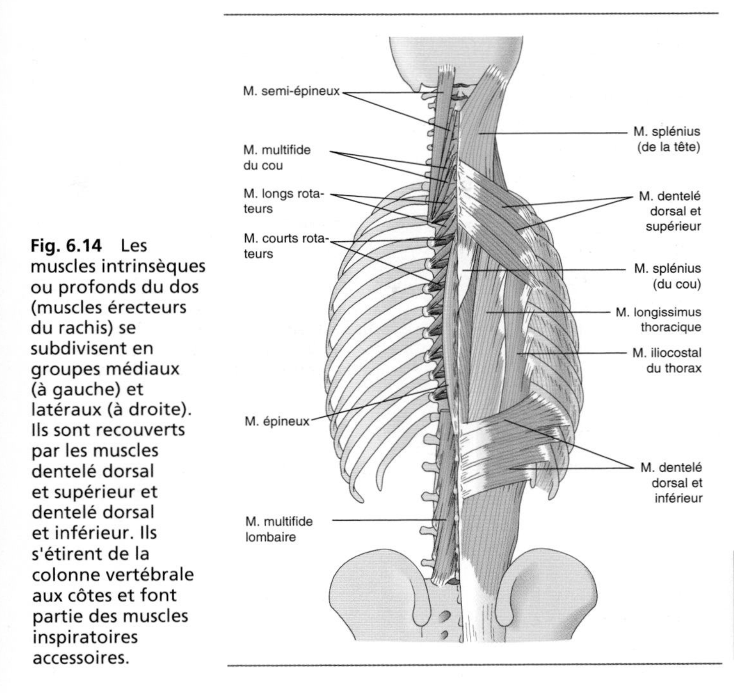

Fig. 6.14 Les muscles intrinsèques ou profonds du dos (muscles érecteurs du rachis) se subdivisent en groupes médiaux (à gauche) et latéraux (à droite). Ils sont recouverts par les muscles dentelé dorsal et supérieur et dentelé dorsal et inférieur. Ils s'étirent de la colonne vertébrale aux côtes et font partie des muscles inspiratoires accessoires.

6.3.6 Cage thoracique

Le **thorax osseux** se compose du **sternum**, des **côtes** et des vertèbres thoraciques (▶ fig. 6.15). Il entoure la cavité thoracique contenant entre autres le cœur et les poumons. Son diamètre s'agrandit de haut en bas. Dorsalement au milieu se trouvent les vertèbres thoraciques dont le corps se dresse dans la cavité thoracique. La partie inférieure du thorax est close par le diaphragme.

Côtes

Douze paires de côtes : chaque côte se compose d'une partie dorsale osseuse et d'une partie ventrale cartilagineuse. Leur longueur augmente jusqu'à la 7e côte, avant de rediminuer. Les dix premières côtes s'articulent chacune par deux articulations avec le corps et les processus transverses de « leurs » vertèbres thoraciques ; les 11e et 12e côtes s'articulent uniquement avec le corps vertébral correspondant.

- Côtes 1 à 7 : leur partie cartilagineuse s'articule directement avec le sternum → elles forment ce qu'on appelle les **vraies côtes**.
- Autres côtes :
  - côtes 8 à 10 : n'ont qu'un contact indirect avec le sternum → appelées **fausses côtes.** Les cartilages costaux sont reliés entre eux par un tissu cartilagineux. Un tissu cartilagineux commun avec celui de la 7e côte établit la liaison avec le sternum ;

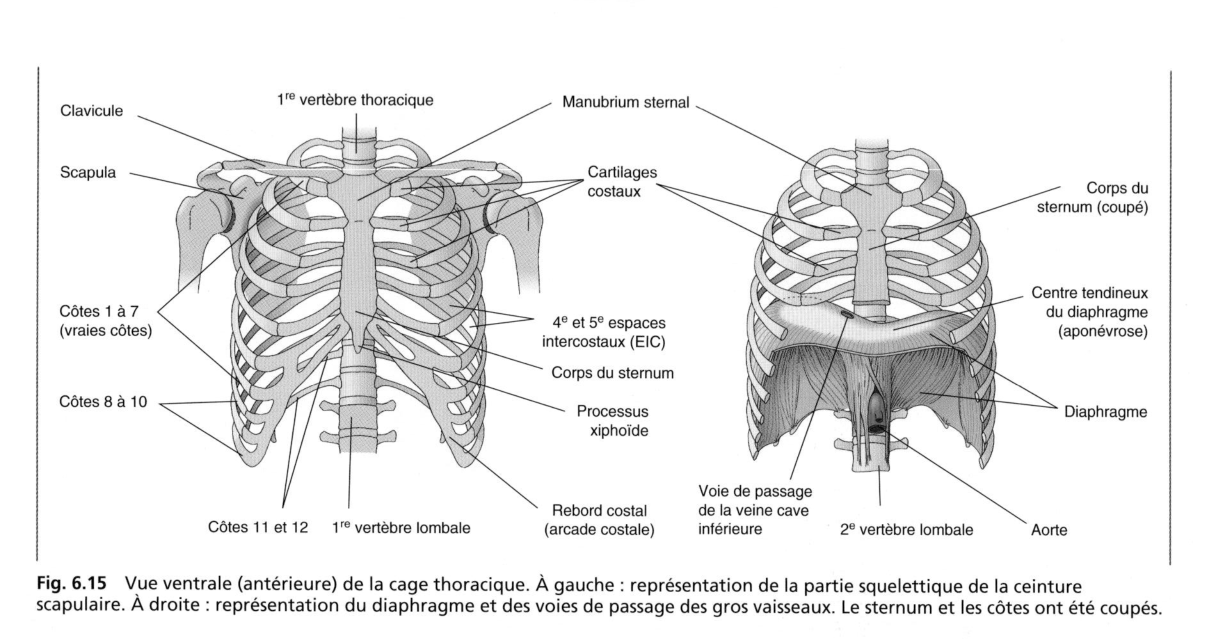

Fig. 6.15 Vue ventrale (antérieure) de la cage thoracique. À gauche : représentation de la partie squelettique de la ceinture scapulaire. À droite : représentation du diaphragme et des voies de passage des gros vaisseaux. Le sternum et les côtes ont été coupés.

- côtes 11 à 12 : ne sont pas reliées au sternum → elles portent le nom de **côtes flottantes**.

Les articulations costales → mobilité du thorax → expansion/diminution → important pour la mécanique respiratoire (▶ 15.8).

- **Espace intercostal** (**EIC**) : espace étroit situé entre les côtes, traversé par les **muscles intercostaux**. Sur le bord supérieur de chaque EIC passent les artères, veines et nerfs intercostaux.

Sternum

Sternum : os plat et étroit, formant la portion ventromédiane du thorax. Du haut vers le bas, il est formé de trois éléments :

- le **manubrium sternal** : partie osseuse large et courte située entre la clavicule et la 2e paire de côte ; zone d'insertion proximale (origine) de nombreux muscles antérieurs du cou et de la région de l'os hyoïde ;
- le **corps du sternum** : partie osseuse longue et mince présentant des facettes articulaires pour les côtes 3 à 7 (la 2e côte se fixe au niveau de la zone de transition entre le manubrium sternal et le corps du sternum) ;
- le **processus xiphoïde** : dépasse librement vers le bas, zone d'insertion distale (terminaison) des muscles abdominaux.

6.3.7 Les muscles de la respiration

Le **diaphragme** est le muscle le plus important permettant l'expiration et l'inspiration → formant une coupole, il est situé entre le sternum, les six dernières côtes et les muscles tendus entre les vertèbres lombales (▶ fig. 6.15) ; il sépare la cavité thoracique de la cavité abdominale. L'aorte, l'œsophage et la veine cave inférieure traversent le diaphragme à différents endroits (▶ fig. 6.16).

Les muscles intercostaux viennent l'épauler (▶ tableau 6.1, ▶ 15.8).

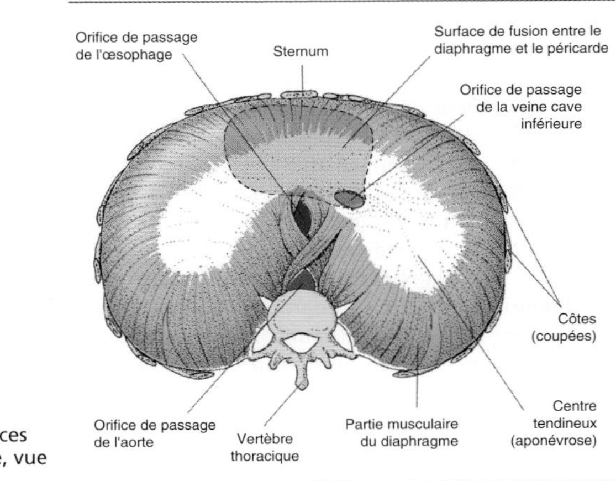

Fig. 6.16 Orifices du diaphragme, vue crâniale.

6

Tableau 6.1 Muscles de la respiration. Le principal muscle respiratoire est le diaphragme : sa contraction tire les poumons vers le bas (inspiration); son relâchement les fait remonter passivement (expiration).

Muscle	Origine	Terminaison	Fonction
Diaphragme	Sternum, cartilage des six dernières côtes, vertèbres lombales	Muscle digastrique avec insertions musculaires périphériques et partie tendineuse au centre	Muscle essentiel de la respiration : contraction → inspiration
Mm. intercostaux externes	Bord inférieur des côtes 1 à 11 (orientation oblique)	Bord supérieur des côtes 2 à 12	Élévateur des côtes à l'inspiration → ampliation thoracique
Mm. intercostaux internes	Bord supérieur des côtes 2 à 12	Bord inférieur des côtes 1 à 11	Rapprochent les côtes → contraction thoracique

SOINS INFIRMIERS

Muscles respiratoires accessoires

Si un patient présente des difficultés à respirer (par exemple du fait d'une affection pulmonaire), d'autres groupes musculaires peuvent venir en renfort pour faciliter la respiration → ce sont les **muscles respiratoires accessoires** : bien que ce ne soit pas leur principale fonction, ils peuvent élargir ou resserrer le thorax lorsque le patient penche son thorax en avant et s'appuie sur ses avant-bras (▶ tableau 6.2).

6.3.8 Muscles de la paroi abdominale ventrale

Paroi abdominale :

- ferme la partie antérolatérale de la cavité abdominale; constituée de plusieurs couches musculaires (▶ tableau 6.2, ▶ fig. 6.18) → s'étend de l'arcade costale inférieure au bassin;
- en fonction de leur orientation, ces couches musculaires participent à la flexion du tronc ou à sa rotation;
- contraction de toutes les couches musculaires → **compression abdominale** (▶ 16.8.5, compression des viscères abdominaux) → participe à la vidange intestinale et vésicale. Les muscles abdominaux sont également fortement sollicités lors de l'accouchement;
- **muscle droit de l'abdomen** : muscle superficiel qui s'étend des cartilages costaux 5 à 7 et du processus xiphoïde (du sternum) au pubis. Son corps charnu est interrompu par trois tendons transversaux (▶ fig. 6.17);

Tableau 6.2 **Muscles de la paroi abdominale ventrale (antérieure).**

Muscle	Origine	Terminaison	Fonction
M. droit de l'abdomen	Cartilages costaux 5 à 7, processus xiphoïde	Pubis entre le tubercule pubien et la symphyse pubienne	Compression des viscères abdominaux, rapproche le thorax du bassin → flexion du tronc ou soulèvement du bassin
M. oblique externe	8 dernières côtes	Crête iliaque, épine iliaque antérosupérieure, ligament inguinal, tubercule pubien	Compression des viscères abdominaux, inclinaison du tronc vers l'avant, soulèvement du bassin ; contraction unilatérale → rotation du tronc du côté opposé au muscle contracté, flexion latérale du tronc
M. oblique interne	Fascia thoracolombaire, crête iliaque, épine iliaque antérosupérieure, ligament inguinal	Cartilage des 3 à 4 dernières côtes, ligne blanche	Contraction bilatérale comme l'oblique externe ; contraction unilatérale → rotation du tronc du même côté que le muscle contracté, flexion latérale du tronc
M. transverse de l'abdomen	Cartilage des 6 dernières côtes, processus costiforme des vertèbres lombales, crête iliaque, épine iliaque antérosupérieure, ligament inguinal	Ligne blanche	Rétraction et tension de la paroi abdominale, compression des viscères abdominaux

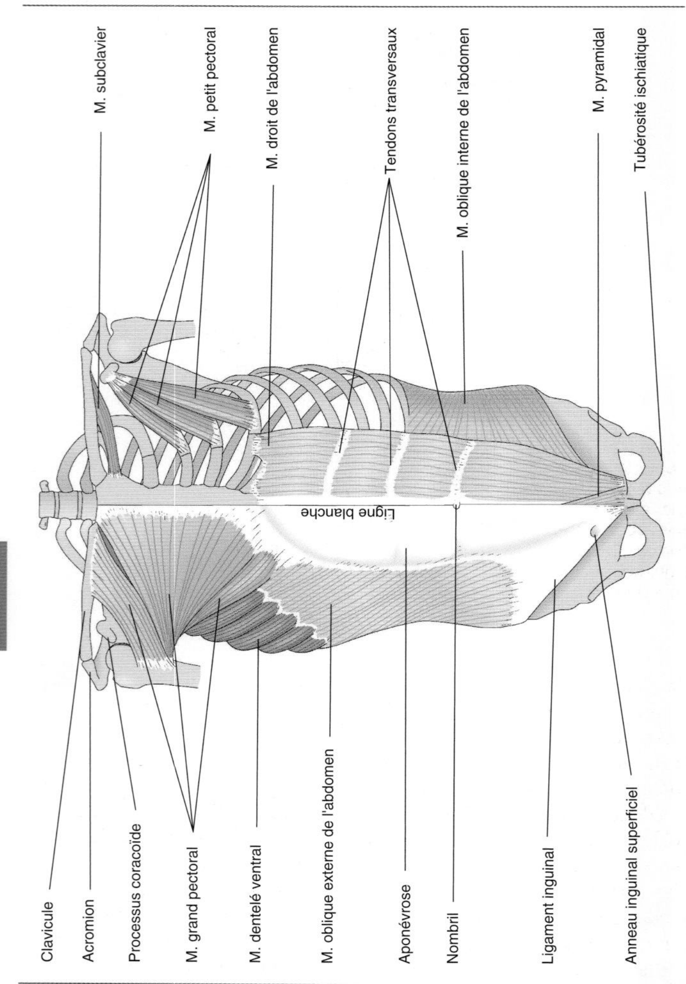

Fig. 6.17 Muscles de la paroi ventrale (antérieure) du tronc. Après l'ablation de l'aponévrose tendineuse superficielle et du muscle grand pectoral, il est possible de reconnaître à gauche le muscle droit de l'abdomen, le muscle oblique interne et le muscle petit pectoral. Le muscle transverse qui se trouve sous le muscle oblique interne n'est pas visible.

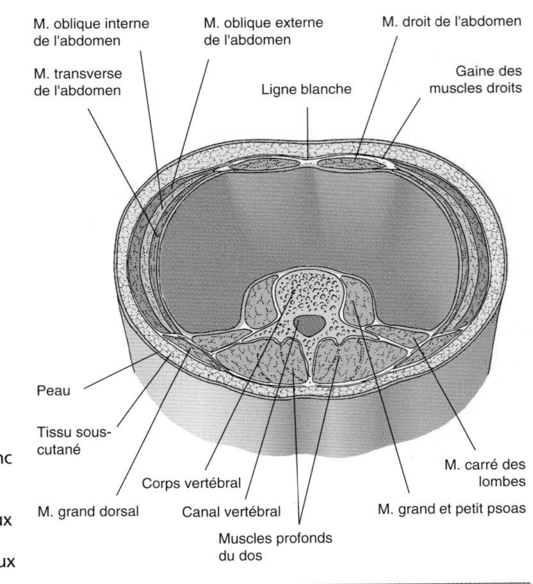

Fig. 6.18 Coupe transversale du tronc dans la région des lombes avec les muscles abdominaux et dorsaux (les organes abdominaux ont été retirés).

- latéralement au muscle droit de l'abdomen se trouvent les deux muscles abdominaux obliques (**muscle oblique externe** et **muscle oblique interne**). Moyen mnémotechnique pour l'orientation du muscle oblique **externe** : comme les « mains dans la poche du pantalon ». Le muscle oblique **interne** s'étire comme un éventail depuis l'ilion en direction médiale : croise de ce fait en partie les faisceaux de fibres du muscle oblique externe. Les terminaisons tendineuses de ces deux muscles s'unissent en avant pour former une large gaine tendineuse (**aponévrose**). La couche musculaire la plus profonde de la paroi abdominale est formée d'un muscle abdominal transverse (**muscle transverse de l'abdomen**) (▶ fig. 6.18) → s'étend, comme une ceinture, de la paroi latérale à la paroi antérieure de l'abdomen où il forme (comme les muscles abdominaux obliques) une large aponévrose tendineuse;
- le muscle droit est entouré par l'aponévrose tendineuse des muscles obliques et transverse de l'abdomen → un peu comme une épée dans son fourreau → cela forme la **gaine des muscles droits**. Les trois aponévroses se réunissent au milieu entre les muscles droits abdominaux droit et gauche → forment la **ligne blanche** (▶ fig. 6.17).

SOINS INFIRMIERS

Positionnement pour détendre la paroi abdominale

Après une opération de la cavité abdominale, si le patient s'allonge complètement sur le dos, cela tend inutilement la paroi abdominale → ↑ pression dans la région opérée → ↑ douleur. **Positionnement pour détendre de la paroi abdominale :** le patient étant allongé sur le dos, placer un coussin ou une couverture enroulée sous ses genoux ! → détente des muscles abdominaux, ↓ pression sur les organes abdominaux → ↓ douleur.

6.3.9 Canal inguinal

Canal inguinal : passage, mesurant 4 à 5 cm de long, qui relie la cavité abdominale à la région pubienne externe. Traverse toutes les couches musculaires de la paroi abdominale selon un trajet oblique vers l'avant, le bas et en dedans. La brèche dans le muscle oblique externe → appelée **anneau inguinal superficiel.** Le passage dans le tendon du muscle transverse → appelé **anneau inguinal profond** (▶ fig. 6.19).

- ♂ : le **cordon spermatique** passe dans le canal inguinal. Avant la naissance, les testicules traversent le canal inguinal pour passer de la cavité abdominale jusqu'au scrotum (descente des testicules ▶ 19.2.2).
- ♀ : le canal inguinal ne contient qu'un ligament composé de tissu conjonctif (le ligament rond) et du tissu adipeux.

6

NOTION MÉDICALE

Hernie

Le péritoine peut faire saillie au niveau de certains points faibles de la musculature abdominale → cela s'appelle une **hernie.** Une hernie peut contenir des organes abdominaux (ou des parties d'organes), par exemple une anse intestinale. L'endroit de passage du **sac herniaire** s'appelle l'**orifice herniaire**.

- **Hernie inguinale** (▶ fig. 6.19) : c'est le type de hernie le plus fréquent, en particulier chez l'♂ → le sac herniaire soit passe par l'anneau inguinal profond pour entrer dans le canal inguinal (**hernie inguinale indirecte** ou oblique externe), soit pousse médialement à celui-ci par la paroi postérieure du canal inguinal en direction de l'anneau inguinal superficiel (**hernie inguinale directe**). La hernie inguinale se trouve toujours au-dessus du ligament inguinal (ligament tendu entre le pubis et l'ilion).
- **Hernie fémorale ou crurale :** atteint en particulier les ♀ âgées, sort de la cavité péritonéale en dessous du ligament inguinal → passe par la **lacune vasculaire** (lieu de passage des vaisseaux et des nerfs, formé de tissu conjonctif).

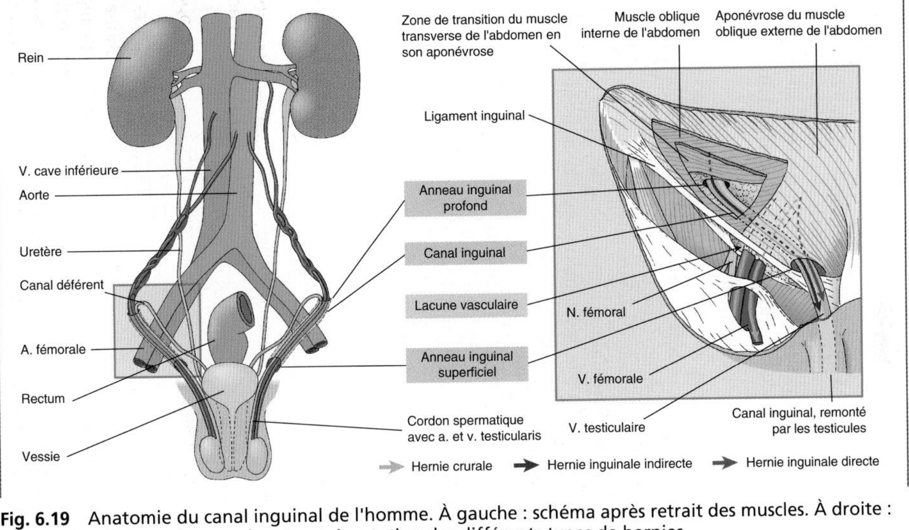

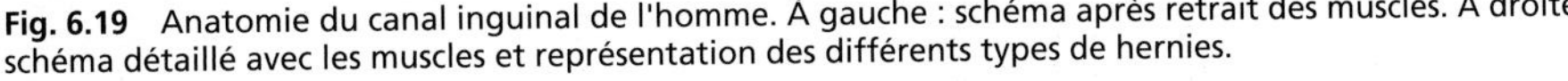
Fig. 6.19 Anatomie du canal inguinal de l'homme. À gauche : schéma après retrait des muscles. À droite : schéma détaillé avec les muscles et représentation des différents types de hernies.

6.4 Ceinture scapulaire

Ensemble d'os reliant le membre supérieur au tronc et formé de chaque côté par deux os :

- la **scapula** (omoplate) et
- la **clavicule** : os fin sensiblement en forme de S ayant des facettes articulaires aux deux extrémités, et reposant sur le thorax en haut et en avant. Elle s'articule médialement avec le sternum par l'articulation **sternoclaviculaire** et latéralement avec la clavicule, située dorsalement, par l'intermédiaire de l'articulation **acromioclaviculaire**.

6.4.1 Scapula et articulation de l'épaule

- **Scapula :** os plat grossièrement triangulaire sur lequel il existe une saillie du côté dorsal, l'**épine de la scapula.** Son extrémité libre, ou **acromion,** s'articule avec la clavicule (articulation acromioclaviculaire).
- Une dépression au niveau de l'extrémité supéro-externe de la scapula forme la **cavité glénoïdale** → forme une articulation sphéroïde (énarthrose) avec la tête de l'humérus. Au-dessus de la cavité glénoïdale se trouve la seule articulation du membre supérieur avec le squelette du tronc. Elle est relativement petite et plate → ne recouvre pas la totalité de la tête humérale. Pour que l'articulation reste stable, elle est entourée de muscles et de ligaments. Le tendon du chef long du biceps brachial sécurise également cette articulation (▶ fig. 6.20).

6.4.2 Muscles de la ceinture scapulaire

Ces muscles immobilisent la scapula et permettent un mouvement de glissement sur la paroi dorsale (postérieure) du thorax. La stabilité est la condition pour le fonctionnement des muscles du bras s'insérant sur la scapula : pour

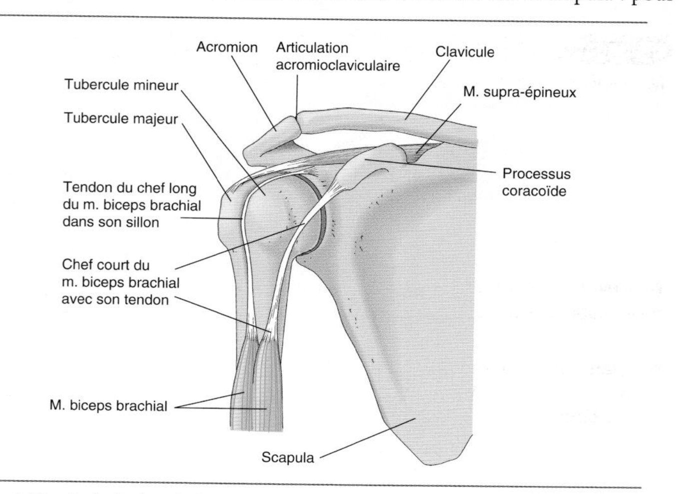

Fig. 6.20 Articulation de l'épaule, vue de face avec disposition des tendons du muscle biceps brachial.

pouvoir mobiliser le bras, ils doivent avoir une origine « fixe » servant de contre-appui, vers laquelle ils peuvent tirer le bras. La clavicule est mobilisée en même temps passivement.
Il existe deux catégories de muscles : les **muscles ventraux** (antérieurs) et les muscles **dorsaux** (postérieurs) de la **ceinture scapulaire** (▶ tableau 6.3, ▶ fig. 6.21).

- Groupe musculaire ventral :
  - **muscle petit pectoral** et
  - **muscle dentelé antérieur,** qui s'étirent tous deux des côtes à la scapula ;
  - le **muscle subclavier** qui s'étire de la première côte à la clavicule.

Tableau 6.3 Muscles ventraux et dorsaux de la ceinture scapulaire.

Muscle	Origine	Terminaison	Fonction
Groupe musculaire ventral			
M. petit pectoral	Côtes 3 à 5	Scapula	Tire la scapula vers l'avant et le bas. La scapula étant fixe, élève les côtes 3 à 5 (muscle inspiratoire accessoire)
M. dentelé antérieur	Côtes 1 à 9	Scapula	Rotation de la scapula vers le haut et latéralement → élévation du membre au-dessus de l'horizontale. Fixe la scapula au thorax, élévation des côtes, la scapula étant fixe (muscle inspiratoire accessoire)
Groupe musculaire dorsal			
M. trapèze	Os occipital, processus épineux des vertèbres cervicales et thoraciques	Clavicule et scapula (acromion)	Élévateur de la clavicule et de la scapula, adducteur et rotateur de la scapula, rotateur de la tête, des vertèbres cervicales et thoraciques; extenseur de la tête et des vertèbres cervicales
M. élévateur de la scapula	4 à 5 premières vertèbres cervicales	Scapula	Élévateur de la scapula et léger rotateur de la scapula vers le bas
M. grand et petit rhomboïde	Processus épineux des 2 dernières vertèbres cervicales et 4 premières vertèbres thoraciques	Scapula	Mouvement médial et vers le haut de la scapula. Fixe la scapula au thorax

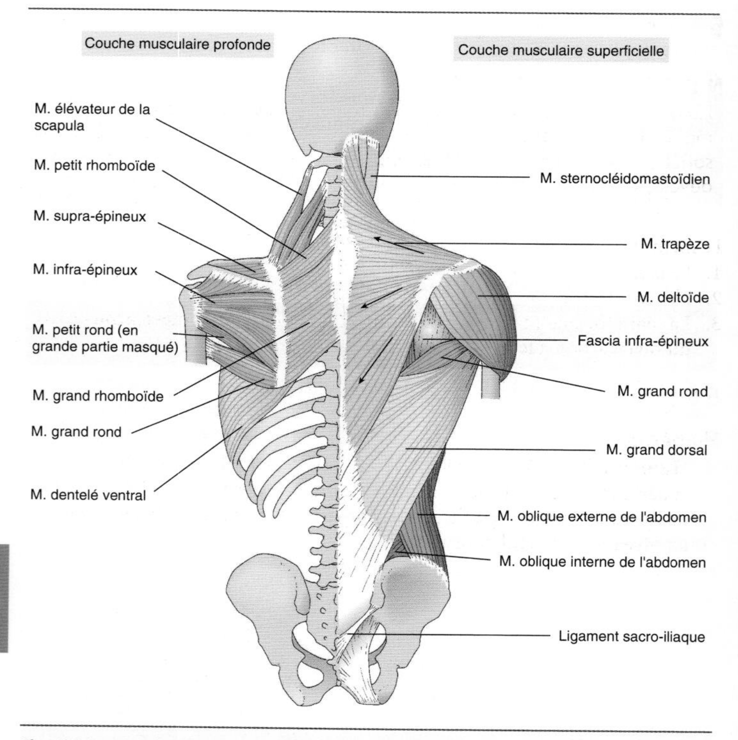

Fig. 6.21 Muscles dorsaux de la ceinture scapulaire ; à droite, muscles superficiels ; à gauche, muscles profonds.

- Groupe musculaire dorsal :
  - muscle le plus important → **muscle trapèze**, s'étire en éventail de l'os occipital et de l'ensemble des processus épineux des vertèbres cervicales et thoraciques à l'épine scapulaire, l'acromion et la clavicule. Au niveau de ces importantes surfaces d'origine, les fibres musculaires présentent diverses orientations qui permettent différents mouvements : les fibres transversales tirent la scapula médialement, tandis que les parties supérieure et inférieure du muscle entraînent une rotation de la scapula permettant respectivement l'élévation ou la descente de la cavité glénoïdale. Ce **mouvement d'élévation** se produit lorsque le bras en abduction est amené au-dessus de l'horizontale (au niveau de la scapula). Dans ce cas, la cavité glénoïdale doit « accompagner le mouvement ». Le muscle dentelé antérieur participe également à ce mouvement ;
  - d'autres muscles font aussi partie du groupe dorsal : le **muscle élévateur de la scapula** et le **muscle rhomboïde**.

6.5 Membre supérieur

NOTION MÉDICALE

Au cours de l'évolution, la forme et la fonction des membres se sont fortement modifiées : avec l'acquisition de la bipédie, les **membres supérieurs** sont devenus superflus en tant qu'organe de soutien et de marche et se sont développés en un organe complexe permettant la préhension et le toucher.

Le membre supérieur est formé de plus de 24 os. Il est divisé en trois segments :

1. Le bras formé par l'humérus
2. L'avant-bras formé de l'ulna et du radius
3. La main formée par les os du carpe (ou du poignet), les métacarpiens (os du métacarpe) et les phalanges (os des doigts)

6.5.1 Bras

Humérus

- **Humérus** (▶ fig. 6.22) : os le plus long et le plus épais du membre supérieur. Il s'articule dans sa partie proximale avec la scapula au niveau de l'articulation de l'épaule et dans sa partie distale avec l'ulna et le radius au niveau de l'articulation du coude.

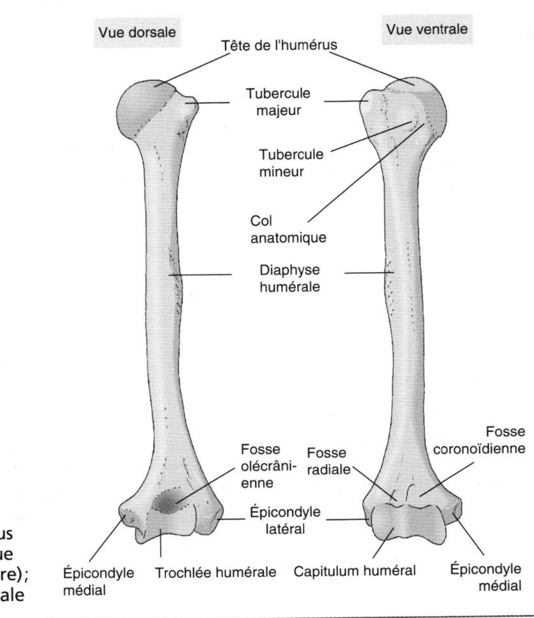

Fig. 6.22 Humérus droit; à gauche vue dorsale (postérieure); à droite vue ventrale (antérieure).

- **Tête de l'humérus** : est inclinée médialement au niveau de l'extrémité proximale de l'humérus. Pratiquement à la même hauteur se trouvent deux tubercules : le **tubercule majeur** latéral et le **tubercule mineur** ventral (antérieur).
  - **Col anatomique :** immédiatement sous la tête.
  - **Col chirurgical :** « deuxième » col situé en dessous des tubercules majeur et mineur à la frontière avec la diaphyse, il s'agit d'un « point chirurgical de plus grande fragilité ».
- La **diaphyse de l'humérus** est tubulaire et représente la partie la plus longue de l'humérus. Des aspérités et des rugosités osseuses ainsi que des tubérosités permettent les insertions terminales des muscles et des ligaments. La diaphyse humérale s'élargit distalement pour donner deux **épicondyles, médial et latéral**.
- Les **épicondyles** se trouvent à l'extérieur de l'articulation du coude → différents muscles prennent leur origine dessus. Entre les épicondyles se trouve la surface articulaire formant l'articulation du coude : elle est composée d'une trochlée (**trochlée de l'humérus**) et d'un capitulum (**capitulum de l'humérus**).
- Au-dessus de l'articulation se trouve dorsalement la **fosse olécrânienne** qui contient l'**olécrâne**, une saillie osseuse de l'ulna. À la même hauteur et en avant se trouvent deux fosses : médialement la **fosse coronoïdienne** (qui offre de la place pour le processus coronoïde de l'ulna lors de la flexion) et latéralement la **fosse radiale**, qui reçoit la tête du radius au cours de certains mouvements du bras.

Articulation du coude

L'**articulation du coude** est formée par l'humérus, l'ulna et le radius → elle se compose de trois articulations, qui forment ensemble une cavité articulaire enveloppée d'une capsule articulaire (▶ fig. 6.23) :

- **articulation huméro-ulnaire** : articulation charnière ou ginglyme (▶ fig. 5.4) ;
- **articulation huméro-radiale** : anatomiquement articulation sphéroïde, mais en pratique, du fait des ligaments entre l'ulna et le radius, seuls des mouvements de charnière et de rotation sont possibles ;

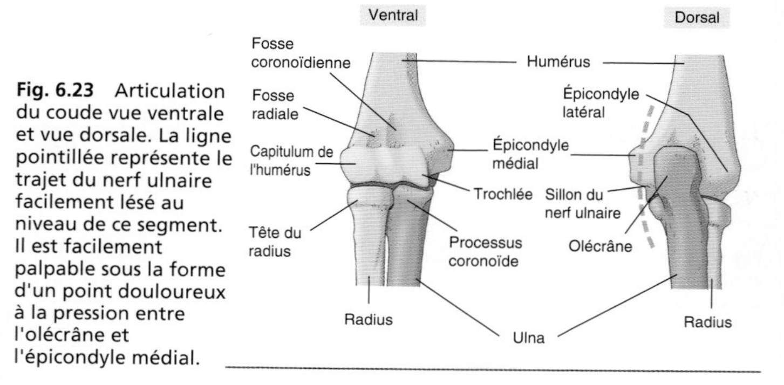

Fig. 6.23 Articulation du coude vue ventrale et vue dorsale. La ligne pointillée représente le trajet du nerf ulnaire facilement lésé au niveau de ce segment. Il est facilement palpable sous la forme d'un point douloureux à la pression entre l'olécrâne et l'épicondyle médial.

- **articulation radio-ulnaire** proximale : articulation trochoïde ou à pivot (▶ fig. 5.4) → mouvements de rotation.

→ Possibilités de mouvements de l'articulation du coude : flexion/extension et pronation/supination → **articulation de charnière et de rotation.**

Muscles du bras

Seuls deux des muscles qui s'étirent jusqu'à l'humérus en croisant l'articulation de l'épaule, le **muscle grand pectoral** et le **muscle grand dorsal**, prennent leur origine au niveau du tronc. Les autres muscles partent de la scapula (▶ tableau 6.4). La stabilisation de l'articulation de l'épaule s'effectue par les muscles de l'épaule et leurs tendons → c'est une articulation guidée et contrôlée principalement par des muscles (épaule musculaire).

Tableau 6.4 Muscles de l'épaule et du bras

Muscle	Origine	Terminaison	Fonction
Du tronc au bras			
M. grand pectoral	Clavicule, sternum, cartilage des côtes 2 à 6	Humérus	Antéversion, adduction, rotation interne
M. grand dorsal	Apophyses épineuses de la 7e vertèbre thoracique à la 5e vertèbre lombaire, sacrum, ilion, 4 dernières côtes	Humérus	Rétroversion, adduction, rotation interne ; tire le bras vers l'arrière et le bas (« comme pour nouer un tablier »), muscle expiratoire accessoire (« muscle de la toux »)
De la scapula au bras			
M. deltoïde	Clavicule, scapula	Humérus	Abduction, adduction, antéversion, rétroversion, rotation interne et externe
M. subscapulaire	Scapula (face interne)	Humérus	Rotation interne
M. supra-épineux	Scapula, face externe (au-dessus de l'épine scapulaire)	Humérus	Abduction, rotation externe

6

Tableau 6.4 Muscles de l'épaule et du bras *(Suite)*

Muscle	Origine	Terminaison	Fonction
De la scapula à l'avant-bras			
M. infraépineux	Scapula (en dessous de l'épine scapulaire)	Humérus	Rotation externe
M. grand rond	Scapula	Humérus	Rétroversion associée simultanément à une rotation interne, adduction
De la scapula et l'humérus à l'avant-bras			
M. biceps brachial	Scapula	Radius, aponévrose de l'avant-bras	Au niveau de l'épaule : • chef long : abduction, antéversion • chef court : adduction, antéversion, rotation interne Au niveau de l'avant-bras : flexion, supination
M. brachial (fléchisseur du membre supérieur)	Humérus	Ulna	Flexion de l'avant-bras
M. triceps brachial (extenseur du membre supérieur)	Scapula, humérus	Ulna	Extenseur de l'avant-bras, rétroversion, adduction au niveau de l'épaule

Muscle deltoïde

Muscle deltoïde (▶ fig. 6.24) : le plus gros muscle du bras. S'étire en formant un triangle en prenant son origine sur une large surface située sur l'épine scapulaire, l'acromion et le bord externe de la clavicule et en se terminant à la face externe du l'humérus → ses fibres empruntent trois directions → le muscle deltoïde participe aux six mouvements de l'articulation de l'épaule (▶ tableau 6.4). Principale **fonction :** élévation du bras. Avec le soutien d'autres muscles, le muscle deltoïde peut permettre la rotation du bras au niveau de l'articulation de l'épaule, l'antépulsion ou la rétropulsion du bras et sa flexion.

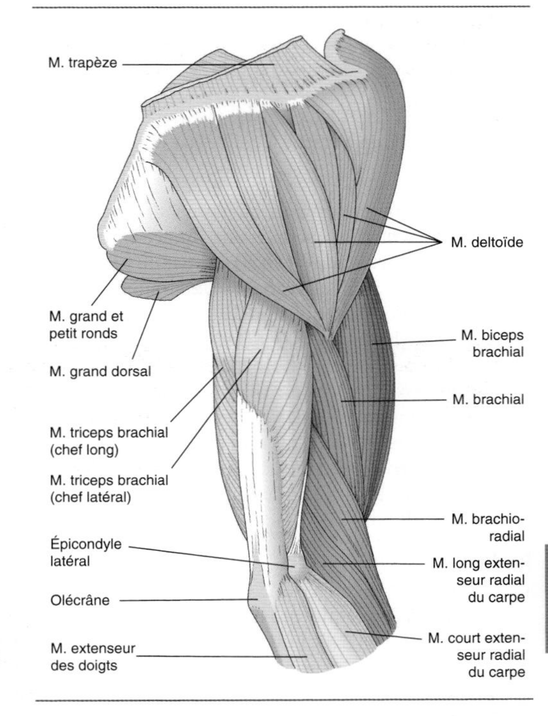

Fig. 6.24 Muscles du bras droit, vue dorsolatérale.

REMARQUE

Les muscles subscapulaire, supra-épineux, infra-épineux et grand rond forment la **coiffe des rotateurs.**

Fléchisseurs et extenseurs du coude

D'autres muscles du bras partent de l'humérus et de la ceinture scapulaire en contournant l'articulation de l'épaule → ils s'étirent jusqu'aux os de l'avant-bras → mouvements du coude. Comme il s'agit d'une articulation à la fois trochléenne (charnière) et trochoïde, ce sont des muscles extenseurs et fléchisseurs, ainsi que des muscles qui entraînent la rotation de l'avant-bras.

- Principaux fléchisseurs : **muscle biceps brachial** (biceps ▶ fig. 6.24), constitué de deux chefs musculaires (▶ fig. 6.20), qui partent séparément au-dessus de l'articulation de l'épaule et s'insèrent par un seul tendon commun sur le radius. Le tendon du chef long du biceps traverse l'articulation de l'épaule → il est souvent atteint en cas de lésion de l'articulation. Autres fonctions : supination de l'avant-bras. Autres fléchisseurs : muscle brachial et muscle brachioradial.

- **Muscle triceps brachial** (triceps) : situé sur la face postérieure de l'humérus, il se termine à la face postérieure de l'ulna. Extension de l'avant-bras au-niveau du coude → antagoniste du biceps brachial.

6.5.2 Avant-bras

L'avant-bras est compris entre le coude et le poignet. Il comprend l'**ulna** et le **radius.**

Ulna

- À son extrémité proximale, au niveau du coude, l'ulna présente une échancrure profonde semi-ronde, limitée en avant par un petit processus (le **processus coronoïde**) et en arrière par un processus de grande taille en forme de crochet (l'**olécrâne**) qui la surplombe. Cette incisure sert de cavité articulaire pour l'articulation du coude (▶ fig. 6.23) et entre en contact avec la trochlée de l'humérus (▶ 6.5.1). L'olécrâne est facile à palper de l'extérieur.
- Une plus petite incisure proche du processus coronoïde (l'**incisure radiale)** sert de surface articulaire pour la **tête du radius** et prend part à l'articulation radio-ulnaire proximale (▶ fig. 6.25).
- Au niveau de l'ulna se trouvent différentes crêtes et aspérités → terminaisons des muscles. La **tête de l'ulna**, située à l'extrémité distale, présente une petite tubérosité osseuse sur sa face dorsale (le **processus styloïde ulnaire**).

Radius

- Le radius est latéral à l'ulna (du côté du pouce, radial). La tête du radius se trouve à l'extrémité proximale → forme avec l'ulna une articulation trochoïde (▶ fig. 5.4). La diaphyse du radius présente des crêtes et des aspérités → terminaisons de nombreux muscles. L'extrémité distale est épaissie et porte les surfaces articulaires pour les os du carpe.
- Comme pour l'ulna, le radius porte un **processus styloïde radial**, au niveau de son extrémité latérale. Le radius et l'ulna sont reliés entre eux par la **membrane interosseuse**.
- Au niveau de leur extrémité distale, le radius et l'ulna s'articulent entre eux par une articulation trochoïde (ou pivot), l'**articulation radio-ulnaire distale**.

Supination et pronation

En regardant l'avant bras avec la paume de la main dirigée vers le haut, le radius et l'ulna sont parallèles l'un à côté de l'autre. Si la paume de la main est tournée vers le bas, le radius croise l'ulna et le bord latéral de la main (du côté du pouce) tire également le radius en direction médiale. Ce mouvement (vers l'intérieur) est appelé **pronation,** et le mouvement contraire (vers l'extérieur) est la **supination** (▶ fig. 6.25).

L'articulation radio-ulnaire distale fonctionne ainsi comme une **articulation trochoïde** (la partie concave de l'articulation du radius pivote sur elle-même au contact de la partie convexe de l'ulna). L'articulation radio-ulnaire proximale fonctionne aussi comme une **articulation trochoïde**, mais cette fois la tête du radius pivote autour de son propre axe à l'intérieur d'un ligament (le **ligament annulaire du radius**) ainsi que sur la surface articulaire de l'ulna.

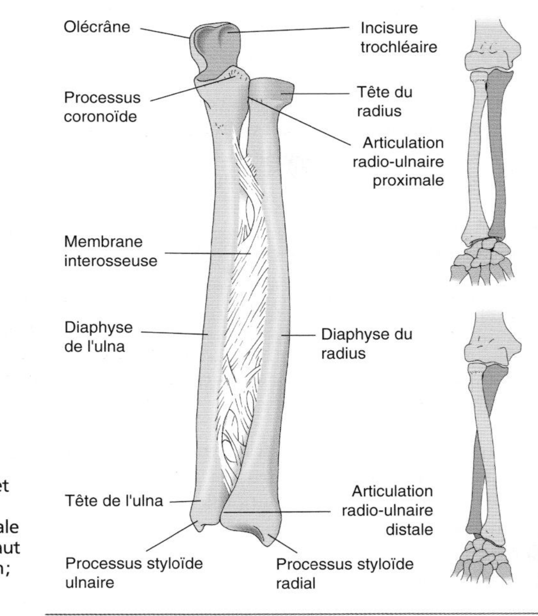

Fig. 6.25 Radius et ulna gauches. À gauche, vue ventrale (antérieure); en haut à droite, pronation; en bas à droite : supination.

REMARQUE

Moyen mnémotechnique

Supination → les mains sont tournées vers le ciel pour **sup**plier. **Pronation** → les mains sont tournées vers le bas pour **pr**endre.

Muscles de l'avant-bras

Muscles de l'avant-bras : peuvent être répartis selon leur fonction :

1. **Pronateurs :** entraînent la rotation vers l'intérieur du radius et de l'ulna autour de leur grand axe. Le **muscle rond pronateur** part de l'épicondyle médial de l'humérus, passe sur l'ulna et contourne le radius jusqu'à sa face latérale. Le **muscle carré pronateur**, court et transversal, s'étire de la face antérieure de l'ulna à la face ventrale du radius au niveau du quart distal de ces os.
2. **Supinateurs :** ils entraînent la rotation de l'avant-bras vers l'extérieur. Le supinateur le plus puissant est le **muscle biceps brachial** (▶ 6.5.1). Le **muscle supinateur** part de l'épicondyle latéral de l'humérus et se termine à la face ventrale du radius.
3. **Fléchisseurs de la main et des doigts :** partent essentiellement de l'épicondyle médial de l'humérus.
4. **Extenseurs de la main et des doigts :** partent de l'épicondyle latéral de l'humérus.

6.5.3 La main

Os du carpe

Carpe (poignet) : formé de 8 **os carpiens** reliés les uns aux autres par des ligaments et disposés en deux rangées comportant chacune 4 os (▶ fig. 6.26). Du côté radial au côté ulnaire (c'est-à-dire du pouce vers l'auriculaire) se trouvent :

- rangée proximale : le **scaphoïde**, le **lunatum**, l'**os trichetrum**, le **pisiforme** ;
- rangée distale : le **trapèze**, le **trapézoïde**, le **capitatum**, l'**hamatum**.

REMARQUE

Moyen mnémotechnique

Il en existe plusieurs, par exemple en n'utilisant que les consonnes : PéTaLeS (pisiforme, trichetrum, lunatum, scaphoïde pour la première rangée) aTTaCHés (trapèze, trapézoïde, capitatum, hamatum pour la seconde) ou un peu plus « grivois » : Sers La TaPette et Tais Toi CocHonne (dans l'ordre des rangées et de latéral à médial).

Le scaphoïde, le lunatum et le trichetrum possèdent chacun du côté proximal une surface articulaire qui s'articule avec la surface articulaire du radius et forme l'**articulation du poignet** (articulation radiocarpienne) → fonctionne comme une **articulation ellipsoïde** (▶ fig. 5.4), car les trois facettes articulaires du carpe associées ont une forme ovoïde. La tête de l'ulna ne prend pas part à l'articulation radiocarpienne ; en revanche, elle est liée indirectement à elle par un disque fibrocartilagineux.

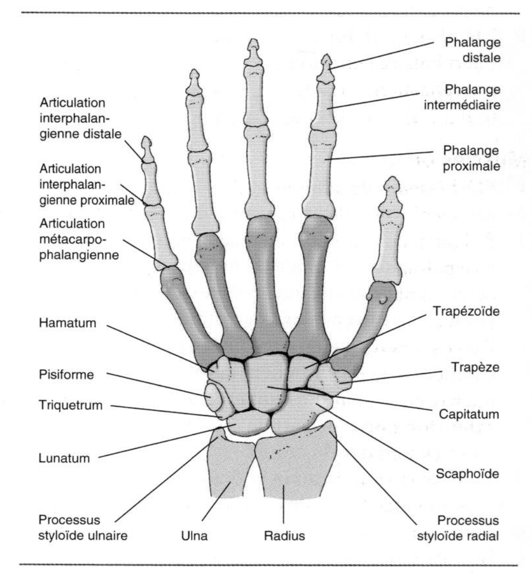

Fig. 6.26 Squelette de la main avec les articulations des doigts et du carpe. Vue palmaire.

Métacarpes

- Les os longs du métacarpe se raccordent au niveau des os du carpe (▶ fig. 6.26). Les extrémités proximale (base) et distale (tête) de ces métacarpiens (**os métacarpiens**) portent des facettes articulaires s'articulant avec les os du carpe et les phalanges.
- Le métacarpien du premier doigt (le pouce) s'articule avec le carpe par une **articulation en selle** (▶ fig. 5.4), l'**articulation trapézométacarpienne (ou carpométacarpienne du pouce)**. La facette articulaire du trapèze forme une selle sur laquelle « monte » le métacarpe. Par cette articulation, le pouce se trouve en opposition avec les autres doigts → permet de saisir et de tenir les objets.
- Les autres articulations entre le carpe et le métacarpe sont fixées par des ligaments serrés et sont pratiquement immobiles.

Phalanges

- Les **phalanges** (os des doigts) font suite aux 5 métacarpiens : elles sont au nombre de deux pour le pouce et de trois pour les autres doigts. En partant des métacarpes et en se dirigeant distalement, ces phalanges sont appelées respectivement phalanges **proximale, intermédiaire et distale** (pour le pouce uniquement phalanges proximale et distale). Elles s'articulent les unes aux autres par de petites articulations.
- Articulations entre métacarpiens et phalanges proximales → **articulation métacarpophalangienne** ; les deux autres rangées articulaires entre deux phalanges forment les **articulations interphalangiennes proximale et distale**, respectivement l'IPP et l'IPD.
- Il est possible de bouger activement les doigts en les pliant vers la paume de la main (**flexion**) ou en les étirant (**extension**) ainsi que de les écarter latéralement (**abduction**) ou de les rapprocher (**adduction**). L'articulation interphalangienne proximale du pouce et toutes les autres articulations interphalangiennes des doigts sont de véritables **articulations charnières** (▶ fig. 5.4) → ne permettent que la flexion et l'extension.

Muscles de la main et des doigts

- **Fléchisseurs de la main et des doigts** (▶ fig. 6.27) : partent principalement de l'épicondyle médial de l'humérus, de la face antérieure de l'ulna, du radius et de la membrane interosseuse. Se terminent sur la face palmaire de la main et des doigts. Fonction : **flexion palmaire.** En outre, la plupart tirent la main en direction de l'ulna ou du radius (abduction ulnaire ou radiale). Innervation : nerf ulnaire et nerf médian.
- **Extenseurs de la main et des doigts :** partent de l'épicondyle latéral de l'humérus, de la face dorsale du radius et de l'ulna, de la membrane interosseuse. Se terminent sur le dos de la main et des doigts. Fonction : **extension dorsale,** abduction radiale et ulnaire partielle. Certains de ces muscles sont des *fléchisseurs* au niveau de l'articulation du coude. Tous les extenseurs sont innervés par le nerf radial.

Les tendons des fléchisseurs ainsi que des extenseurs cheminent en grande partie en traversant des sortes de glissière de guidage, qui les séparent de la surface par des bandelettes fibreuses :

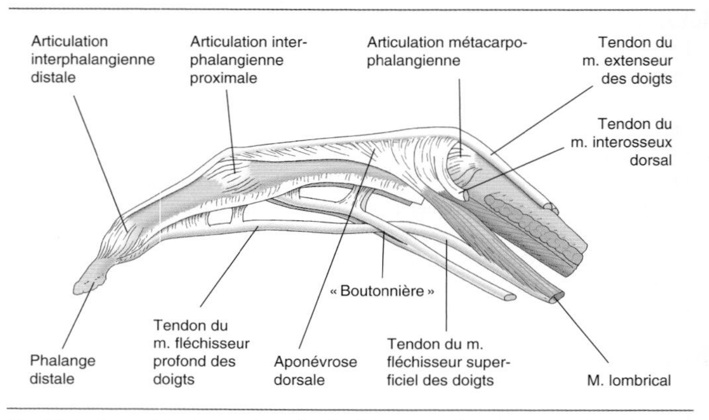

Fig. 6.27 Ensemble des tendons des fléchisseurs et des extenseurs d'un doigt. Les tendons du muscle fléchisseur profond des doigts passent entre les tendons du muscle fléchisseur superficiel des doigts qui se divisent pour laisser le passage (cela forme comme une « boutonnière »). Le muscle fléchisseur superficiel des doigts entraîne la flexion du doigt au niveau des articulations métacarpophalangiennes et interphalangiennes proximales; le muscle fléchisseur profond des doigts fait de même et entraîne en plus la flexion de l'articulation interphalangienne distale.

6

- **rétinaculum des extenseurs du poignet :** recouvre les tendons des extenseurs sur la face dorsale du carpe;
- **rétinaculum des fléchisseurs** (ligament transverse du carpe) : forme un pont au-dessus des tendons des fléchisseurs sur la face ventrale du carpe. Les os du carpe forment un sillon longitudinal dans cette zone (le **sillon carpien**) dans lequel passent les tendons des fléchisseurs. Cet espace recouvert par le rétinaculum des fléchisseurs est appelé **canal carpien** (▶ fig. 6.28). Il laisse également passer le **nerf médian** (▶ 8.5.2, ▶ fig. 8.9).

La face palmaire de la main est recouverte par une aponévrose solide (l'**aponévrose palmaire**).

Afin qu'aucune irritation liée à l'environnement ne puisse se produire malgré les mouvements incessants des tendons des extenseurs et des fléchisseurs dans les bandelettes fibreuses, ces derniers sont entourés d'une **gaine synoviale tendineuse**, qui permet le glissement du tendon sans frottement grâce à un film liquidien situé du côté interne.

NOTION MÉDICALE

Syndrome du canal carpien

L'inflammation des gaines tendineuses (**tendinite**) ou l'hypertrophie du tissu conjonctif dans le canal carpien peut engendrer des lésions de compression du nerf médian qui s'accompagnent de paresthésies des premiers doigts, d'une diminution de la sensibilité et de paralysies de la main → c'est le syndrome du canal carpien.

Traitement : lorsque la douleur est intense, section chirurgicale du rétinaculum des fléchisseurs → décompression du nerf médian.

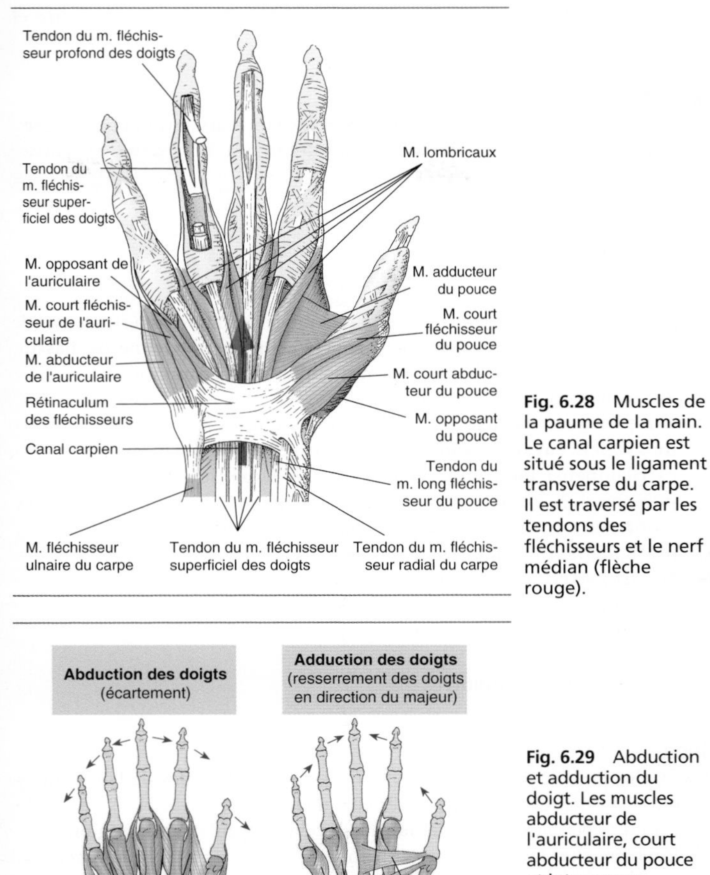

Fig. 6.28 Muscles de la paume de la main. Le canal carpien est situé sous le ligament transverse du carpe. Il est traversé par les tendons des fléchisseurs et le nerf médian (flèche rouge).

Fig. 6.29 Abduction et adduction du doigt. Les muscles abducteur de l'auriculaire, court abducteur du pouce et interosseux dorsaux écartent les doigts. Les muscles interosseux palmaires et adducteur du pouce permettent l'adduction des doigts.

Muscles courts de la main

Selon leur position anatomique, les muscles **courts de la main** peuvent être séparés en (▶ fig. 6.27, ▶ fig. 6.29) :

- **muscles thénariens** (de l'éminence thénar) ;
- **muscles palmaires** (de la paume de la main) ;
- **muscles hypothénariens** (de l'éminence hypothénar).

Tous les muscles courts de la main sont innervés par les nerfs ulnaire et médian.

REMARQUE

Les muscles interosseux sont situés entre les métacarpiens et la première phalange. Ils permettent le mouvement des doigts au niveau de l'articulation métacarpophalangienne.

6.6 Pelvis (bassin)

6.6.1 Pelvis osseux

Le **pelvis** (bassin) permet de mettre en relation les membres inférieurs avec le squelette du tronc. Il est également appelé **ceinture pelvienne ou bassin**, parce que les trois os qui le composent sont réunis en un anneau.

- **Sacrum** (▸ fig. 6.11) : paroi dorsale du bassin osseux. Il est situé entre les deux **os coxaux (ou iliaques)**, dont les branches forment un arc vers l'avant et sont réunies au niveau d'une **symphyse** cartilagineuse mesurant environ 1 cm de large (la symphyse pubienne). Les **articulations sacro-iliaques** (ASI) entre le sacrum et l'ilion sont maintenues par un ensemble de ligaments solides → pratiquement immobiles.
- Les deux os coxaux sont composés chacun de trois os (▸ fig. 6.30), qui fusionnent pendant la croissance de telle sorte que leurs frontières ne sont plus visibles à l'âge adulte :
  - **l'os ilion (ilium) ;**
  - **l'os ischion (ischium) ;**
  - **le pubis.**

Ilion

Os le plus gros de la ceinture pelvienne, comporte les **ailes de l'os ilion** → entoure les organes de la partie inférieure de l'abdomen.

- Limite supérieure : **crête iliaque**, facilement palpable dans la région lombaire chez la plupart des individus.

REMARQUE

L'os ilion contient de la moelle osseuse (MO) hématopoïétique → la **crête iliaque** est un lieu accessible bien adapté à la **ponction médullaire.**

- Quatre saillies osseuses caractéristiques :
  - dorsalement : les **épines iliaques postéro-inférieure et postérosupérieure** ;
  - ventralement : l'**épine iliaque antérosupérieure** ; peut facilement être palpée au travers de la peau. En dessous se trouve l'**épine iliaque antéro-inférieure** (▸ fig. 6.30).

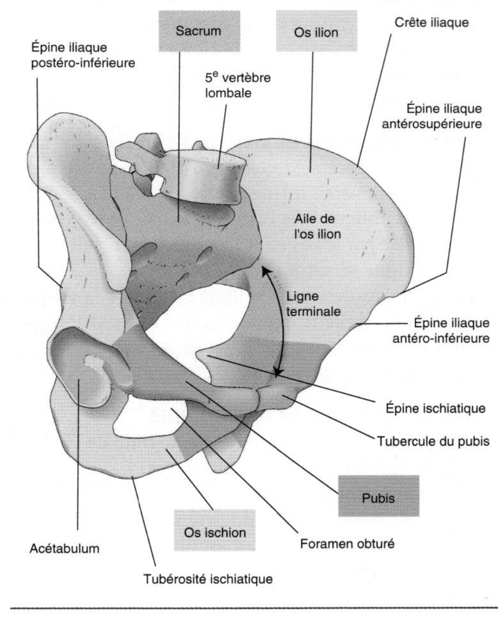

Fig. 6.30 Pelvis osseux, vue oblique ventrale (antérieure). La zone de jonction entre les faces latérales de l'os ilion, l'os ischion et le pubis constitue l'acétabulum (cotyle) de l'articulation de la hanche.

Ischion et pubis

- **Os ischion (ischium) :** part en dessous de l'os ilion → il s'agit d'un os trapu, légèrement arqué qui présente au niveau de son rebord dorsal l'**épine ischiatique** ainsi qu'en dessous la **tubérosité ischiatique**. Cette tubérosité qui est le point osseux le plus bas du bassin peut être sentie lorsque l'on s'assoit.
- **Pubis :** os de forme également incurvée. Une fente remplie de cartilage, la **symphyse pubienne,** correspond à l'articulation entre les deux os pubis. Une petite proéminence, le **tubercule du pubis**, est située au-dessus de cette surface articulaire → celui-ci correspond à la partie palpable du pubis à travers la peau.

Articulation de la hanche et structures voisines

L'**acétabulum** est formé par des portions des trois os de la hanche. Il reçoit la tête du fémur et forme avec lui l'articulation de la hanche (articulation coxo-fémorale) (▶ fig. 6.30) :

- non seulement cette **articulation sphéroïde** permet beaucoup de mouvements (▶ 6.6.3), mais de plus elle supporte d'importantes contraintes liées au poids du corps ou aux mouvements → sécurisée par un **appareil ligamentaire** résistant. Ce dernier conduit les mouvements et empêche le glissement de la tête du fémur hors de l'acétabulum ainsi que l'hyperextension de l'articulation → le bassin ne peut pas basculer en arrière lorsqu'il est en position détendue ;

- les arcs formés par l'os ischion et le pubis ainsi que le bord de l'acétabulum entourent le **foramen obturé**. Il est fermé par une membrane de tissu conjonctif, la **membrane obturatrice**, qui laisse passer les vaisseaux et les nerfs et qui sert d'insertion proximale à de nombreux muscles.

Faux (grand) pelvis et vrai (petit) pelvis

Vu dans son ensemble, le bassin osseux rappelle un entonnoir dont l'ouverture supérieure serait formée des ailes iliaques. En dessous des ailes iliaques en direction oblique vers l'avant et le bas, se trouve l'ouverture supérieure du bassin formée par les os concernés → il en résulte un rebord saillant vers l'intérieur (**la ligne terminale**).

- La région au-dessus de la ligne terminale → **grand pelvis.**
- En dessous de cette ligne se trouve une portion du sacrum avec le coccyx ainsi que l'arc formé par le pubis et l'os ischion. Cette région plus étroite est appelée le **petit pelvis.**

Pelvis de la femme et de l'homme

Le pelvis de la femme se différencie de celui de l'homme :

- chez la ♀, il est plus plat et plus léger;
- **ouverture supérieure du pelvis** = limite marquée, partant de la ligne terminale (▶ fig. 6.30) et du promontoire sacral (▶ 6.3.3, ▶ fig. 6.8), entre le grand et le petit pelvis; il est plus grand et de forme circulaire, alors qu'il est en forme de cœur chez l'♂;
- **ouverture inférieure du pelvis :** marquée à partir du bord inférieur de la symphyse pubienne, de la tubérosité ischiatique et de l'extrémité du coccyx, nettement plus large que chez l'♂;
- **angle sous-pubien** (angle entre les bras inférieurs de l'arcade pubienne) : chez la ♀, obtus (> 90°, arcade pubienne); chez l'♂, aigu (< 90°);
- le sacrum de la femme est plus court, plus large et, dans sa partie inférieure, il est incurvé vers l'avant.

6.6.2 Plancher pelvien

Comme la limite osseuse de l'ouverture inférieure du pelvis est ouverte, mais que le poids de l'ensemble des organes repose sur elle, elle doit être fermée par une couche musculaire et ligamentaire → cela forme le **plancher pelvien**. Grâce à leur tonus de base, les muscles du plancher pelvien maintiennent le poids des viscères et sont responsables de la continence fécale et urinaire (▶ fig. 6.31).

6.6.3 Muscles de la région de la hanche

La plupart des muscles de la région de la hanche s'insèrent sur le fémur et permettent le mouvement du membre inférieur dans l'articulation de la hanche (la plus grande articulation sphéroïde de l'homme) selon trois axes :

- axe horizontal : flexion du membre inférieur vers l'avant en direction du tronc (antéversion), extension vers l'arrière en s'éloignant du tronc (rétroversion);

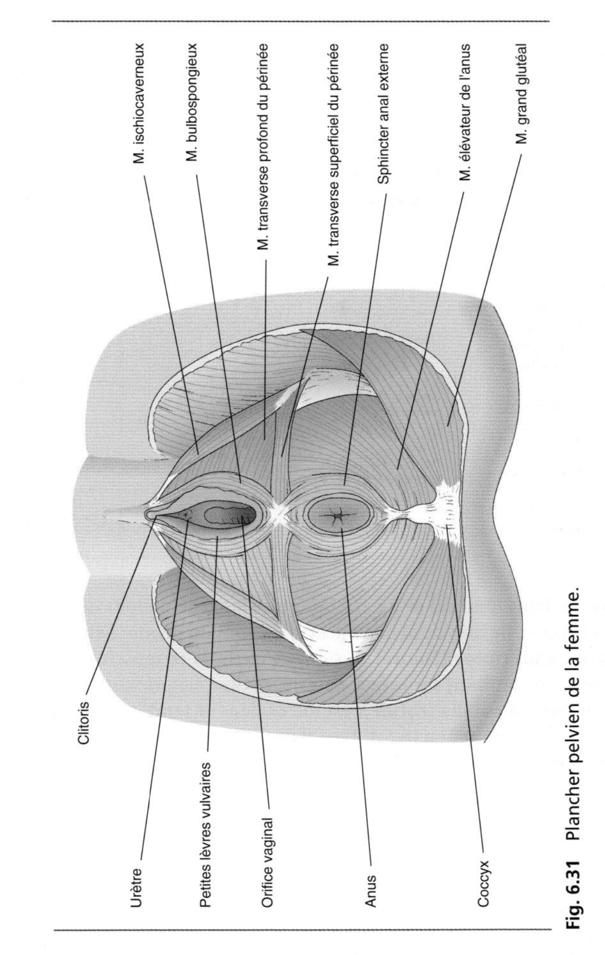

Fig. 6.31 Plancher pelvien de la femme.

- axe sagittal : écartement du membre inférieur latéralement (abduction) ou rapprochement vers le centre (adduction) ;
- axe longitudinal : rotation du membre inférieur vers l'intérieur (rotation interne) ou vers l'extérieur (rotation externe).

Fléchisseurs de la hanche

- Fléchisseur principal : **muscle iliopsoas** (▶ fig. 6.32, ▶ tableau 6.5). Formé de deux muscles : **muscle iliaque** et **muscle grand psoas** → forment une unité fonctionnelle.

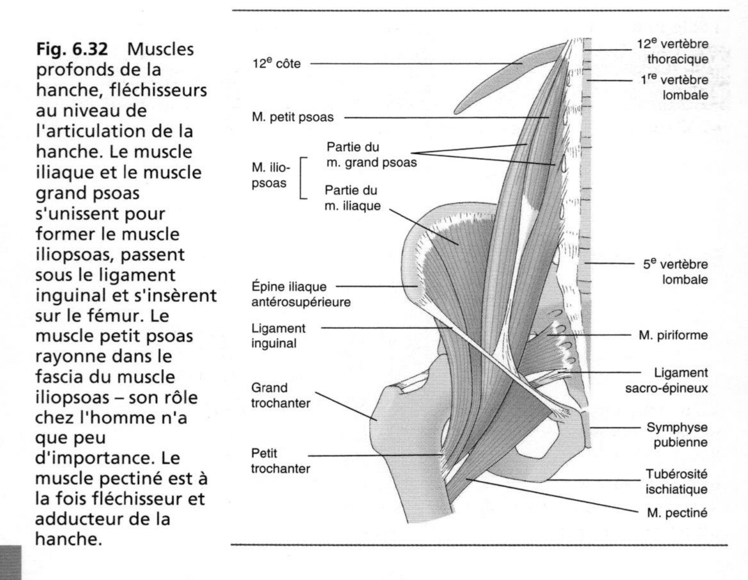

Fig. 6.32 Muscles profonds de la hanche, fléchisseurs au niveau de l'articulation de la hanche. Le muscle iliaque et le muscle grand psoas s'unissent pour former le muscle iliopsoas, passent sous le ligament inguinal et s'insèrent sur le fémur. Le muscle petit psoas rayonne dans le fascia du muscle iliopsoas – son rôle chez l'homme n'a que peu d'importance. Le muscle pectiné est à la fois fléchisseur et adducteur de la hanche.

- **Muscle droit fémoral** (▶ fig. 6.37) : croise les articulations de la hanche et du genou → flexion de la hanche et extension du genou. Fait partie du **muscle quadriceps fémoral.** Les quatre chefs de ce muscle s'insèrent par un tendon commun sur la face antérieure du tibia proximal. Un os sésamoïde, la **patella (rotule),** est inclus dans ce tendon au niveau de l'articulation du genou (▶ 5.1.2) → il prend alors le nom de **ligament patellaire**.

Extenseurs de la hanche

Les extenseurs, qui partent du pelvis et s'insèrent sur le fémur, sont situés sur la face dorsale de l'articulation de la hanche.

- Extenseur principal : **muscle grand glutéal;** contribue en outre au relevé de la partie supérieure du corps et empêche l'effondrement vers l'avant du tronc pendant la station debout.

Trois autres muscles soutiennent le muscle grand glutéal dans sa fonction (▶ tableau 6.5) :

- muscle biceps fémoral;
- muscle semi-tendineux;
- muscle semi-membraneux.

Ils sont tous trois situés en arrière de l'articulation de la hanche et du genou et s'insèrent sur le membre inférieur → ils agissent aussi comme des fléchisseurs au niveau de l'articulation du genou. Ils s'insèrent sous le genou en partie postérolatérale → ils permettent également la rotation interne et externe du genou.

Tableau 6.5 Fléchisseurs et extenseurs au niveau de la hanche

Muscle	Origine	Terminaison	Fonction
Fléchisseurs de la cuisse au niveau de la hanche			
M. iliaque	Face interne de la crête iliaque	Petit trochanter du fémur	Principal fléchisseur au niveau de la hanche (associé au grand psoas), rotation
M. grand psoas	Vertèbres lombales	Petit trochanter du fémur	Principal fléchisseur au niveau de la hanche (associé au m. iliaque), flexion de la colonne vertébrale
M. quadriceps fémoral avec le **m. droit fémoral** (origine sur l'os ilion), et les **mm. vaste médial, intermédiaire** et **latéral** (tous ayant comme origine la diaphyse fémorale)		Patella, par le ligament patellaire (tendon du quadriceps fémoral) au niveau de la tubérosité tibiale	Extension du genou ; en plus le m. droit fémoral est fléchisseur de la hanche
M. sartorius	Épine iliaque antérosupérieure	Médialement à la tubérosité tibiale	Flexion, abduction et rotation externe de la hanche ; rotation interne du genou
Extenseurs de la cuisse au niveau de la hanche			
M. grand glutéal ▶ tableau 6.6			
M. biceps fémoral avec deux chefs : • chef long : origine sur la face postérieure de l'os ischion • chef court : origine sur la ligne âpre		Tête de la fibula	Flexion et rotation externe au niveau du genou. Chef long : en plus extension de la hanche
M. semi-tendineux	Face postérieure de l'os ischion	Médialement à la tubérosité tibiale	Extension au niveau de la hanche et flexion au niveau du genou
M. semi-membraneux	Face postérieure de l'os ischion	Condyle tibial médial, face postérieure de la capsule articulaire	Extension de la hanche et rotation interne du genou

Abducteurs et adducteurs de la hanche

- **Abducteurs** du membre inférieur dans l'articulation de la hanche : muscles moyen glutéal et petit glutéal (▶ tableau 6.6) ; partent de la face externe de l'aile iliaque jusqu'au grand trochanter du fémur, à moitié recouverts par le muscle grand glutéal (▶ 6.7.1). Fonction : s'opposent, lors de la marche, à la bascule latérale du pelvis, du côté où le membre inférieur est levé. Lors de la contraction du côté du membre inférieur portant le poids, ils tirent le pelvis légèrement vers le bas. Le soulèvement simultané du côté opposé permet le pas suivant. Les muscles moyen glutéal et petit glutéal participent également à la rotation interne et à la rotation externe du membre inférieur au niveau de l'articulation de la hanche. Si ces muscles présentent une paralysie ou une

Tableau 6.6 Muscles latéraux de la hanche (▶ fig. 6.34)

Muscle	Origine	Terminaison	Fonction
M. grand glutéal	Ilion, sacrum, coccyx, aponévrose sacro-épineuse	Tractus iliotibial du fascia lata, fémur	Extension, rotation externe et abduction de la cuisse
M. moyen glutéal M. petit glutéal	Os ilion	Fémur (grand trochanter)	Abduction de la cuisse. Une partie permet la rotation interne, une partie la rotation externe de la cuisse
M. tenseur du fascia lata	Épine iliaque antérosupé-rieure	Sur le tractus iliotibial, latéralement à la tubérosité tibiale	Flexion et abduction de la cuisse
M. piriforme	Face interne du sacrum	Grand trochanter	Rotation externe et abduction
M. obturateur interne, m. obturateur externe	Membrane obturatrice et pourtour du foramen obturé (faces interne et externe respectivement)	Intertrochanté-rienne	Rotation externe
M. jumeau supérieur, m. jumeau inférieur	Épine ischiatique et tubérosité ischiatique respectivement	Tendon du m. obturateur interne	Rotation externe et adduction de la cuisse
M. carré fémoral	Tubérosité ischiatique	Intertrochanté-rienne	Rotation externe et adduction de la cuisse

6

insuffisance bilatérale, la démarche devient dandinante (**claudication ansérine de Duchenne**) parce que le pelvis bascule sur le côté à chaque pas (**boiterie ou signe de Trendelenburg**).

- Cinq **adducteurs** ramènent le membre inférieur en direction du corps (▶ fig. 6.33). Quatre d'entre eux partent de l'os ischion et du pubis et

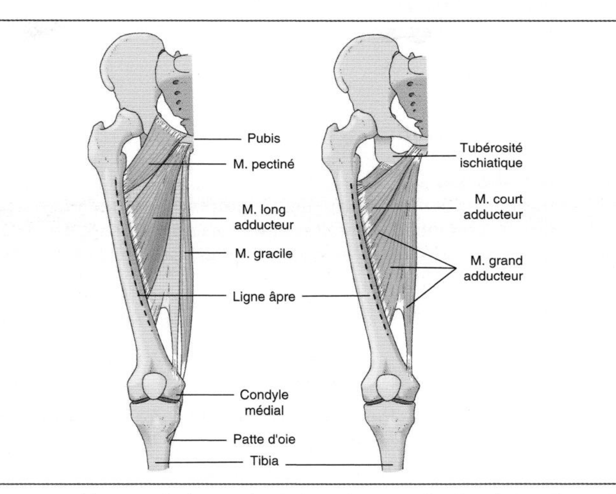

Fig. 6.33 Adducteurs du fémur. À gauche : plan superficiel; à droite, plan profond.

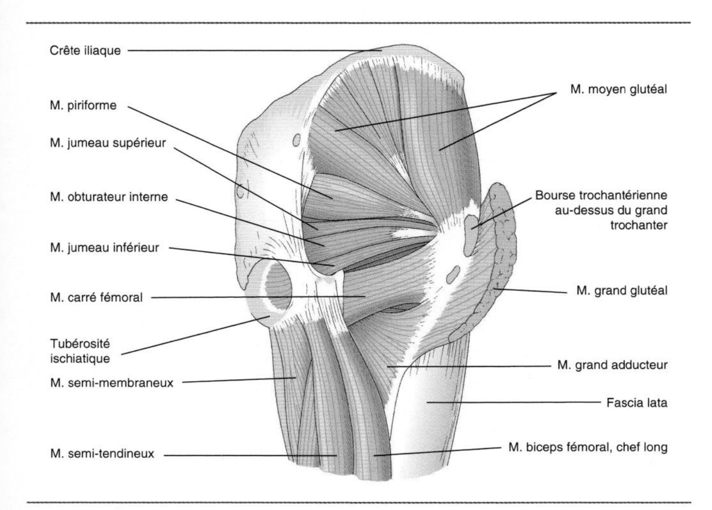

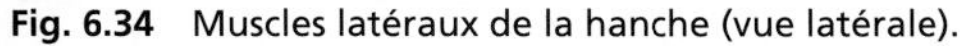

Fig. 6.34 Muscles latéraux de la hanche (vue latérale).

s'insèrent sur une crête osseuse, la **ligne âpre**, qui parcourt toute la longueur de la diaphyse fémorale sur la face dorsale. Le muscle grand adducteur s'étire, en outre, jusqu'à l'épicondyle médial du fémur ; le muscle gracile s'insère sur le tibia. Les adducteurs sont les muscles suivants :

- **muscle long adducteur ;**
- **muscle court adducteur ;**
- **muscle grand adducteur ;**
- **muscle gracile ;**
- **muscle pectiné.**

6.7 Membre inférieur

NOTION MÉDICALE

Les fonctions de maintien et d'appui des **membres inférieurs** sont encore plus importantes. Comme les membres inférieurs doivent supporter l'ensemble du poids du corps, les os et les articulations sont plus résistants.

Le membre inférieur se divise également en trois segments : la cuisse, la jambe et le pied.

6.7.1 Cuisse

Fémur (▶ fig. 6.35) : os le plus long et le plus lourd du corps. La **tête du fémur** se trouve à son extrémité proximale : elle s'articule avec l'acétabulum du pelvis pour former l'articulation de la hanche (ou articulation coxofémorale).

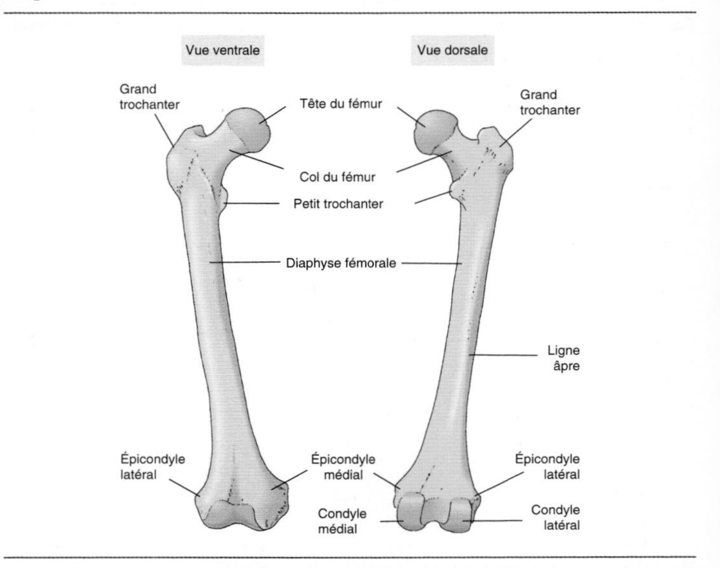

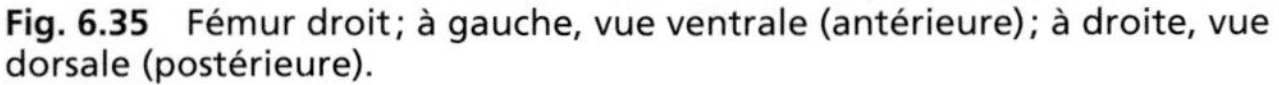
Fig. 6.35 Fémur droit ; à gauche, vue ventrale (antérieure) ; à droite, vue dorsale (postérieure).

- La diaphyse fémorale est reliée à la tête du fémur par le **col du fémur**. À la limite entre le col du fémur et la diaphyse fémorale se trouvent deux saillies osseuses : le **grand trochanter** supérieur et latéral et le **petit trochanter** dorsomédial. Le grand trochanter est palpable sous la peau. De part et d'autre, s'insèrent les muscles de la hanche.
- Au niveau des crêtes et lignes rugueuses de la **diaphyse fémorale** s'insèrent également les muscles de la hanche (ligne âpre ▶ fig. 6.35). La diaphyse fémorale suit une direction oblique et descend de dehors en dedans. À son extrémité distale, elle s'élargit en prenant la forme d'une poulie. Comme l'humérus (▶ 6.5.1), le fémur possède un **épicondyle médial** et un **épicondyle latéral**.
- L'extrémité distale du fémur s'articule avec le **tibia**, la facette articulaire s'étirant jusqu'à la face dorsale du fémur. Cela permet au tibia de « rouler » sur la facette articulaire lors de la flexion/extension de l'articulation du genou (▶ 6.7.2).

NOTION MÉDICALE

Fracture du col du fémur

Le col du fémur supporte d'importantes contraintes liées à la pression ou aux forces de cisaillement. Chez les personnes âgées, le col du fémur peut se briser à la suite d'incidents minimes, en particulier lors de lésions préalables dues à l'ostéoporose (▶ 5.1.5).

Muscles de la cuisse

Les muscles du membre inférieur sont plus puissants que ceux du membre supérieur car chaque membre doit stabiliser, soutenir et mobiliser un poids important. La plupart des muscles de la cuisse partent au-dessus de l'articulation de la hanche et croisent souvent l'articulation du genou → mouvements possibles au niveau de la hanche et du genou (▶ fig. 6.36, ▶ fig. 6.37, ▶ tableau 6.7).

6.7.2 Articulation du genou

Plus grande articulation du corps, l'articulation du genou est formée par les facettes articulaires des condyles fémoraux et du tibia (▶ fig. 6.38). Contrairement aux articulations de la hanche, les mouvements dans les articulations du genou sont pratiquement restreints à des mouvements d'extension et de flexion du fait des courroies serrées formées par les ligaments. De légers mouvements supplémentaires de rotation interne et externe sont possibles uniquement lorsque l'articulation est fléchie. L'articulation du genou est entraînée principalement par des ligaments.

- **Ménisques :** deux ménisques cartilagineux, le **ménisque médial** et le **ménisque latéral**, sont placés dans l'espace articulaire → ils permettent d'augmenter la taille des surfaces articulaires et d'égaliser les irrégularités afin d'améliorer la congruence. Le ménisque médial est en forme de demi-lune ; le ménisque latéral présente une forme

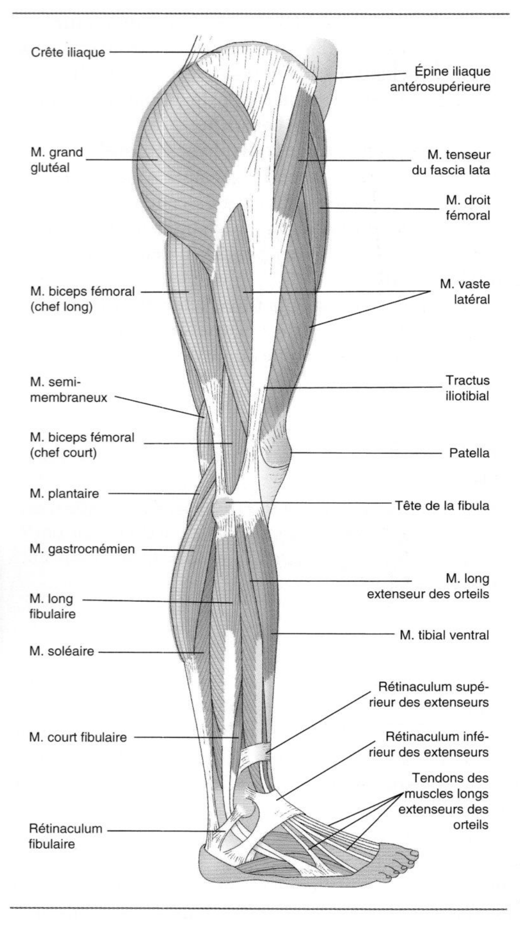

Fig. 6.36 Muscles du membre inférieur, vue latérale.

circulaire presque fermée (▶ fig. 6.38). Ils sont coalescents avec la capsule articulaire au niveau de leur bord externe épaissi, mais peuvent se déplacer sur la surface articulaire du tibia. Ils fournissent ainsi au fémur un contact adapté aux articulations respectives. Les ménisques possèdent une certaine élasticité → équilibrent les charges agissant sur le genou → meilleure répartition des forces de pression exercées sur le cartilage.

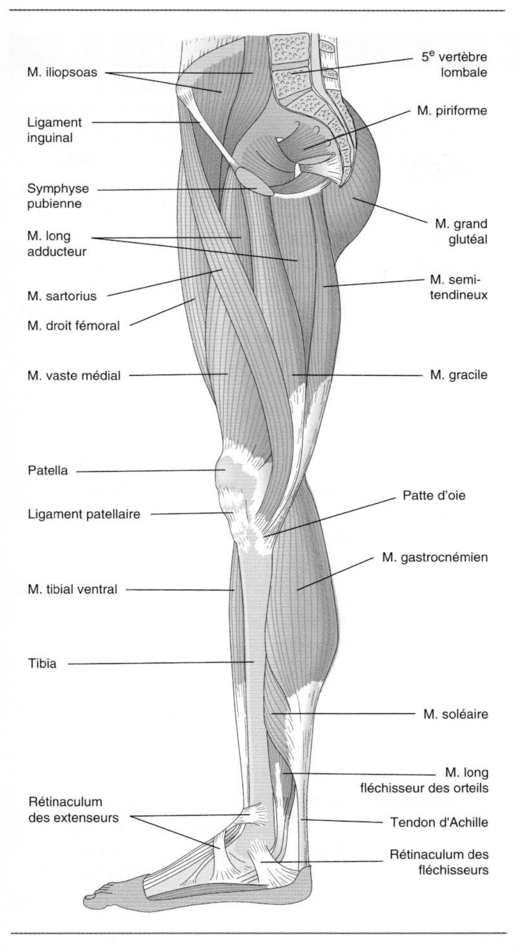

Fig. 6.37 Muscles du membre inférieur, vue médiale.

- **Ligaments :** à l'intérieur de l'articulation se trouvent des **ligaments croisés** (▶ fig. 6.38), deux ligaments solides se croisant entre eux (**ligament croisé antérieur** et **ligament croisé postérieur**) → empêchent le glissement des deux parties articulaires vers l'avant ou vers l'arrière. Médialement et latéralement, la capsule articulaire du genou est renforcée respectivement par le **ligament collatéral tibial** (ou médial) et le **ligament collatéral fibulaire** (ou latéral), dont les fibres complètent celles du ligament patellaire ventral.

Tableau 6.7 Muscles agissant sur l'articulation du genou

Muscle	Origine	Terminaison	Fonction
M. biceps fémoral	Deux chefs : • chef long : face postérieure de l'os ischion • chef court : ligne âpre	Tête de la fibula	Flexion et rotation externe au niveau du genou; chef long, en plus extension de la hanche
M. sartorius	Épine iliaque antérosupérieure	Médialement à la tubérosité tibiale par la patte d'oie superficielle (avec le m. semi-tendineux et le m. gracile)	Flexion et abduction au niveau de la hanche, rotation interne au niveau du genou
M. gracile	Branche pubienne inférieure	Médialement à la tubérosité tibiale (patte d'oie superficielle)	Adduction au niveau de la hanche, flexion et rotation interne au niveau du genou
M. semi-tendineux	Face postérieure de la tubérosité ischiatique	Patte d'oie superficielle	Extension au niveau de la hanche, flexion et rotation interne au niveau du genou
M. semi-membraneux	Face postérieure de la tubérosité ischiatique	Condyle tibial médial, partie postérieure de la capsule articulaire	Extension au niveau de la hanche, flexion et rotation interne au niveau du genou
M. quadriceps fémoral formé du **m. droit fémoral** (origine : ilion au-dessus de l'articulation de la hanche), **m. vaste médial, m. vaste latéral** et **m. vaste intermédiaire** (origine : diaphyse fémorale)		Tubérosité tibiale (avec la patella comme os sésamoïde inclus dans le tendon)	Extension du genou; le m. droit fémoral fléchit en plus l'articulation de la hanche
M. poplité	Condyle latéral du fémur	Fosse poplitée du tibia	Flexion et rotation interne du genou

Muscle	Origine	Terminaison	Fonction
M. gastrocnémien	Deux chefs : à partir des condyles fémoraux latéral et médial	Tubérosité du calcanéus (sur le tendon d'Achille), associé au **m. soléaire,** formant ensemble le **m. triceps sural**	Flexion du genou et de la cheville
Les mm. grand glutéal et tenseur du fascia lata ▶ tableau 6.6. L'effet d'extension sur le genou s'exerce par un épaississement ligamentaire, le tractus iliotibial.			

NOTION MÉDICALE

Si les contraintes sont maximales, les ménisques, les ligaments croisés ou les ligaments collatéraux peuvent se rompre ou être arrachés. Le ménisque médial est la structure la plus touchée car il est en continuité avec le ligament collatéral tibial au niveau de la capsule articulaire → moins grande souplesse.

- En outre, la face dorsale cartilagineuse de la **patella** appartient également à l'articulation du genou. Elle est incluse dans le **ligament patellaire**, qui recouvre la face ventrale de l'articulation du genou et s'insère au niveau de la tubérosité tibiale.

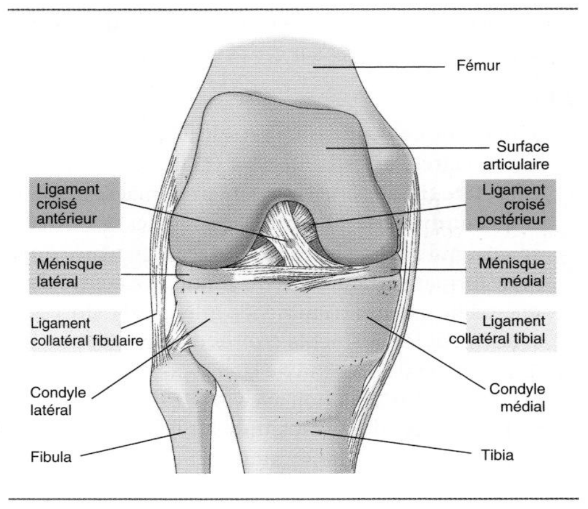

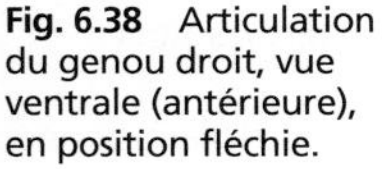

Fig. 6.38 Articulation du genou droit, vue ventrale (antérieure), en position fléchie.

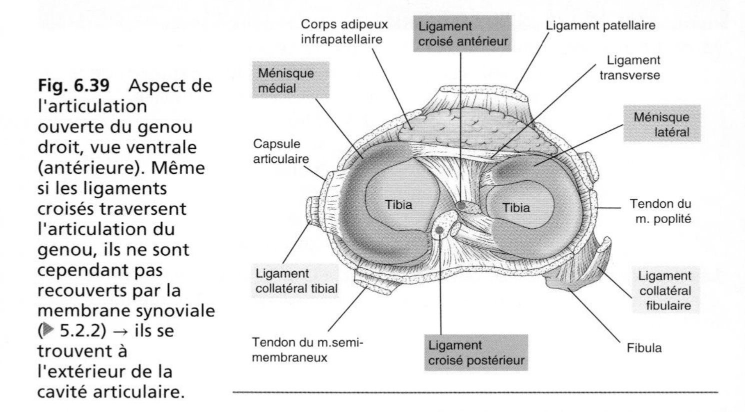

Fig. 6.39 Aspect de l'articulation ouverte du genou droit, vue ventrale (antérieure). Même si les ligaments croisés traversent l'articulation du genou, ils ne sont cependant pas recouverts par la membrane synoviale (▶ 5.2.2) → ils se trouvent à l'extérieur de la cavité articulaire.

- Le corps adipeux infrapatellaire se trouve en dessous de la patella : il épouse la forme de l'articulation du genou (▶ fig. 6.39). Des **bourses séreuses** permettent de protéger les tendons qui passent au-dessus de l'articulation : elles se trouvent au niveau de points de frottement particulier, au-dessus, devant et en dessous du genou (bourses suprapatellaire, prépatellaire et infrapatellaire). La bourse suprapatellaire est en relation avec la cavité articulaire (formant le récessus infrapatellaire), contrairement aux autres bourses.

L'articulation du genou est également stabilisée par les muscles agissant dessus qui l'amènent à effectuer divers types de mouvements physiologiques (▶ 6.6.3, ▶ tableau 6.6, ▶ tableau 6.7). La plupart de ces muscles ont leur origine au niveau du pelvis.

6.7.3 Jambe

La jambe est composée de deux os longs, le **tibia** et la **fibula** (▶ fig. 6.40) ainsi que des muscles disposés sur ces os qui, en grande partie, s'étirent jusqu'au pied.

Tibia

- **Tibia :** vue en coupe transversale, la diaphyse tibiale est de forme triangulaire. Le bord antérieur est facilement palpable sous la peau.
- De la **tête tibiale** située du côté proximal se déploient un **condyle médial** et un **condyle latéral.** Entre les condyles se trouve une surface articulaire aplatie, qui s'articule avec la surface articulaire opposée du fémur distal pour former l'articulation du genou. Au centre du plateau tibial se trouve une saillie osseuse (l'éminence intercondylaire) sur laquelle se fixent solidement les ligaments croisés de l'articulation du genou. La face dorsale latérale du condyle latéral porte une très petite facette articulaire permettant l'articulation avec la tête de la fibula.
- La **tubérosité tibiale** est située sur le bord ventral de la tête du tibia. Le ligament patellaire s'y attache.
- L'extrémité distale du tibia est également élargie et présente médialement une protubérance osseuse (la **malléole médiale**) palpable au niveau de la cheville.

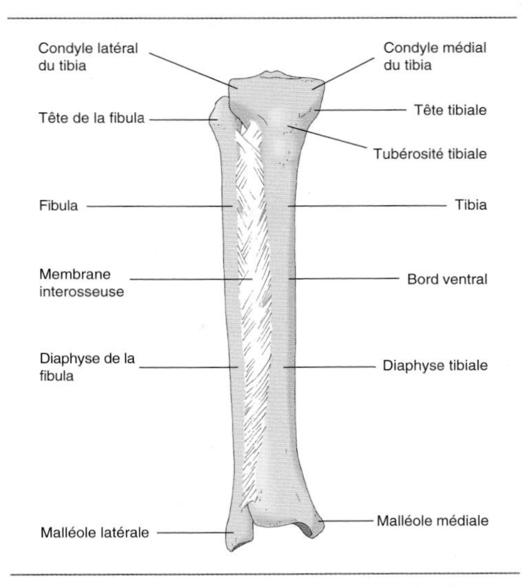

Fig. 6.40 Tibia et fibula, vue ventrale (antérieure).

- Le bord latéral de la diaphyse tibiale porte sur toute sa longueur un ligament résistant (la **membrane interosseuse**) → traverse l'espace séparant le tibia de la fibula.

Fibula

- **Fibula :** os long très fin situé latéralement au tibia. Son extrémité proximale, légèrement élargie (**tête de la fibula**), s'articule avec le condyle latéral du tibia. Elle est palpable sous la peau latéralement, en dessous de l'articulation du genou.
- L'extrémité distale nettement élargie de la fibula forme la **malléole latérale** du pied facilement palpable. La membrane interosseuse se fixe sur toute la longueur de la diaphyse de la fibula.

Mortaise tibiofibulaire

- Les deux malléoles ainsi que l'extrémité du tibia située entre elles participent à la formation de l'**articulation talocrurale**.
- La forme particulière de ces saillies osseuses dont la surface articulaire supérieure enserre le talus s'appelle la **mortaise tibiofibulaire** (ou mortaise malléolaire).
- Distalement à l'articulation talocrurale se trouvent les **articulations talo-calcanéo-naviculaire** et **subtalaire** (▶ 6.7.4). Ces trois articulations forment une unité fonctionnelle.

Muscles de la jambe

La forme caractéristique de la jambe est liée à la présence de nombreux muscles, dont la plupart ont une forme effilée en direction du pied → forme externe du mollet (▶ fig. 6.36). Les muscles sont séparés par des cloisons formées de tissu conjonctif (**septums intermusculaires**) → elles forment 4 **loges musculaires** peu extensibles (▶ fig. 6.41) :

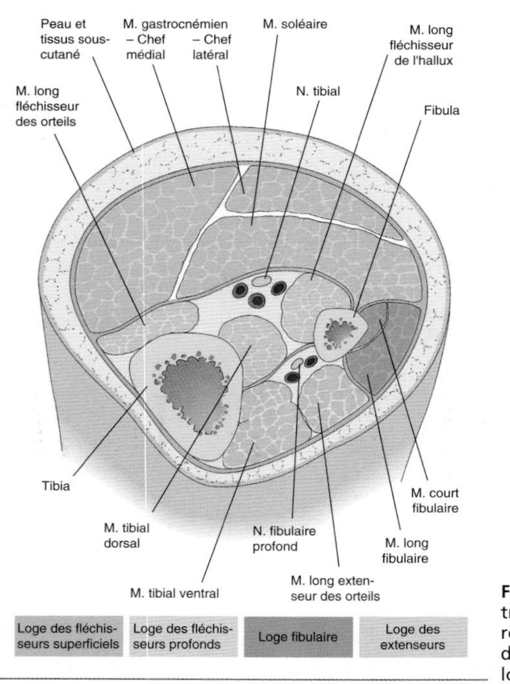

Fig. 6.41 Coupe transversale de la région proximale de la jambe avec les loges musculaires.

- antérieure : **loge des extenseurs** (ou muscles du compartiment ventral de la jambe) ;
- latérale : **loge fibulaire** (ou muscles du compartiment latéral de la jambe) ;
- entre le tibia et la fibula et directement postérieure à ces os : la **loge des fléchisseurs profonds de la jambe** (ou groupe profond du compartiment dorsal de la jambe) ;
- postérieure : **loge des fléchisseurs superficiels** (ou groupe superficiel du compartiment dorsal de la jambe).

SOINS INFIRMIERS

Syndrome des loges (ou syndrome compartimental des membres inférieurs)

Lors de gonflement œdémateux des muscles ou d'hémorragie musculaire au niveau d'une loge (par exemple suite à une fracture) → élévation rapide de la pression du fait de la très faible élasticité → compression rapide et massive des tissus mous → **syndrome compartimental (ou syndrome des loges)** s'accompagnant éventuellement d'une nécrose musculaire et de lésions nerveuses irréversibles.

Pour éviter un syndrome compartimental ou le reconnaître à temps, il est nécessaire, après une fracture de la jambe et la pose d'un plâtre, de vérifier toutes les heures le pouls, la sensibilité, la mobilité et la couleur de la peau du pied (ou des orteils) !

Les **muscles de la jambe** (▶ tableau 6.8, ▶ fig. 6.36, ▶ fig. 6.37) s'insèrent tous au niveau du pied et permettent la mobilité des articulations de la cheville, subtalaire et talo-calcanéo-naviculaire ainsi que des articulations interphalangiennes. Comme les muscles partent tous de la jambe et agissent sur l'articulation de la cheville et du pied, ils sont également appelés **muscles longs ou extrinsèques du pied** par opposition aux **muscles courts ou intrinsèques du pied** qui ont leur origine et leur terminaison exclusivement au niveau du pied. Selon leur fonction, ils sont répartis en :

- muscles extenseurs (tirent le pied et les orteils vers le haut → **extension dorsale**) ;
- muscles fléchisseurs (tirent le pied et les orteils vers le bas → **flexion plantaire**). L'ensemble des fléchisseurs, à l'exception du groupe des

Tableau 6.8 Muscles de la jambe

Muscle	Origine	Terminaison	Fonction
Groupes des extenseurs			
M. tibial ventral	Face latérale du tibia, membrane interosseuse	1er métatarsien, 1er cunéiforme	Extension dorsale; selon la position de départ, supination ou pronation
M. long extenseur des orteils	Condyle latéral du tibia, membrane interosseuse, bord ventral de la fibula	Aponévrose dorsale, orteils 2 à 5	Extension dorsale, pronation de l'articulation de la cheville, extension des orteils 2 à 5
M. long extenseur de l'hallux	Fibula, membrane interosseuse	Phalange distale de l'hallux	Extension de l'hallux, extension dorsale (dorsiflexion) du pied
Groupe fibulaire			
M. long fibulaire	Tête de la fibula et bord latéral de la fibula	1er métatarsien, cunéiforme médial	Pronation, flexion plantaire, maintien de la tension de la voûte plantaire
M. court fibulaire	Face latérale de la fibula	5e métatarsien	Pronation, flexion plantaire
Groupe des fléchisseurs superficiels			
M. gastrocnémien forme avec le m. soléaire le **m. triceps sural**	Deux chefs : épicondyles fémoraux latéral et médial	Calcanéus (sur le tendon d'Achille ou tendon calcanéen)	Flexion plantaire et supination au niveau de la cheville, flexion au niveau du genou

Tableau 6.8	Muscles de la jambe (*Suite*)		
M. soléaire	Extrémité supérieure de la fibula et du tibia	Comme le m. gastrocnémien sur le tendon d'Achille	Flexion plantaire + supination au niveau de la cheville
Groupe des fléchisseurs profonds			
M. tibial dorsal	Membrane interosseuse, tibia, fibula	Os naviculaire, cunéiformes 1 à 3, métatarsiens 2 à 4	Supination, flexion plantaire, tension de l'arche transversale du pied
M. long fléchisseur des orteils	Face dorsale du tibia	Phalange distale des orteils 2 à 5	Flexion plantaire et supination, flexion des orteils
M. long fléchisseur de l'hallux	Face dorsale de la fibula, membrane interosseuse	Phalange distale de l'hallux	Flexion plantaire, supination, tension de l'arche longitudinale du pied, flexion de l'hallux

muscles fibulaires (▶ fig. 6.41), incline également la voûte plantaire du côté médial (**supination**) ; pratiquement tous les extenseurs participent quant à eux à la **pronation** (mouvement latéral et vers le haut du bord extérieur du pied).

Tous les muscles extrinsèques du pied croisent l'articulation de la cheville sous la forme de tendons qui s'étirent ensuite jusqu'à leur terminaison. Certains soutiennent la tension de la voûte plantaire, en association avec les muscles intrinsèques et les ligaments du pied.

6.7.4 Pied

Pied : partie du corps supportant le plus de charge (supporte l'ensemble du poids du corps) → os particulièrement compacts; grand nombre de ligaments de soutien et de muscles de maintien.

Le pied, comme la main, se compose de trois segments (▶ fig. 6.42) :

- **le tarse** comportant 7 os (os du tarse) ;
- **le métatarse** (métatarse) comportant 5 **métatarsiens** ;
- **5 orteils :** l'hallux (gros orteil) est composé de deux phalanges ; les autres en possèdent chacun 3.

Tarse

- **Calcanéus** : le plus gros os du tarse et le plus dorsal. Sa limite dorsale, la **tubérosité calcanéenne** sert d'insertion au tendon calcanéen (ou tendon d'Achille) et forme le pilier dorsal de l'arche longitudinale du pied. Le calcanéus repose sous le **talus**.
- L'**os naviculaire** se trouve du côté des orteils par rapport au talus et médialement au calcanéus.
- 3 **os cunéiformes** et le **cuboïde** sont disposés en chaîne les uns à côté des autres, en avant du calcanéus et de l'os naviculaire.

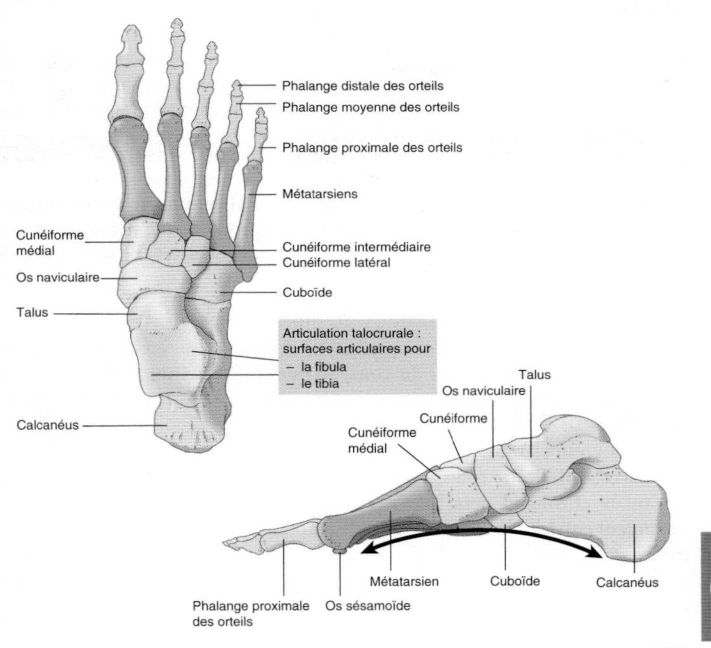

Fig. 6.42 Squelette du pied : vue dorsale et vue médiale. La flèche montre l'arche longitudinale d'un pied en bonne santé.

Articulation de la cheville

- Du côté proximal, l'**articulation talocrurale** est formée par le **talus** et les surfaces articulaires inférieures du tibia et de la fibula. Au niveau de cette articulation, le pied peut être relevé (extension dorsale) et abaissé (flexion plantaire).
- Le **calcanéus** forme l'**articulation talo-calcanéo-naviculaire** avec le talus qui repose sur lui et avec l'os naviculaire qui le suit du côté médial. Au niveau de la partie dorsale de cette articulation se trouvent le calcanéus et le talus ; au niveau de la partie ventrale se trouvent le calcanéus, le talus et l'os naviculaire. Cette articulation permet la supination et la pronation du pied.

Métatarse

Les 5 **métatarsiens** rayonnent à partir des cunéiformes et du cuboïde du tarse → ce sont de petits os longs robustes, épaissis à leurs deux extrémités en forme de piston. L'extrémité proximale s'appelle la base, l'extrémité distale, la tête.
Les deux extrémités portent des facettes articulaires qui s'articulent du côté proximal avec le tarse et du côté distal avec la phalange proximale de chaque orteil.

Orteils

Les orteils ne sont pas aussi mobiles que les doigts.

Phalanges : comme celles des doigts, ce sont des os longs, toutefois plus courts et plus trapus. Les **articulations métatarsophalangiennes** sont des articulations sphéroïdes, alors que les **articulations interphalangiennes** distales sont des articulations charnières.

Arches du pied

L'ossature du pied présente une **arche transversale** et une **arche longitudinale**. Bien qu'elles soient traversées par des ligaments, des tendons et des muscles rigides, elles restent souples → absorbent et répartissent les contraintes qui agissent sur le pied.

Muscles courts ou intrinsèques du pied

Les **muscles courts ou intrinsèques du pied** sont divisés en quatre groupes, les muscles du **dos du pied**, du **compartiment de l'hallux** (voûte plantaire médiale), du **compartiment central** (voûte plantaire centrale), du **compartiment du petit orteil** (voûte plantaire latérale).

Les trois groupes musculaires de la voûte plantaire sont recouverts par une **aponévrose plantaire** épaisse (▶ fig. 6.43). Elle débute sur le bord inférieur du calcanéus et s'étend vers l'avant en rayonnant largement. Deux cloisons s'étendent entre les muscles de la voûte plantaire perpendiculairement vers la profondeur jusqu'aux os du pied et divisent les trois compartiments de la voûte plantaire. L'aponévrose plantaire associée aux ligaments et aux muscles de la voûte plantaire renforce l'**arche longitudinale** du pied.

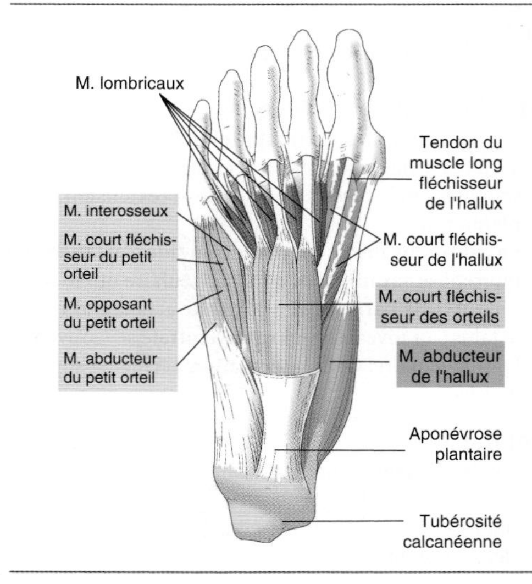

Fig. 6.43 Les trois groupes musculaires de la voûte plantaire.

6

7 Peau

Données

- **Surface :** 1,5–2 m², poids 3,5–10 kg → le plus gros organe du corps. Elle se continue par une muqueuse au voisinage des orifices corporels.
- **Fonctions :**
  - protège le corps des pertes incontrôlées de substances propres à l'organisme et des influences environnementales ;
  - organe des sens (de nombreux récepteurs et corpuscules du toucher ▶ 9.2) ;
  - fonctions de réservoir et fonctions métaboliques ;
  - participe aux défenses immunitaires (barrière vis-à-vis des germes infectieux) ;
  - régulation de la température corporelle (élimination de liquide [sueur], contraction et dilatation des vaisseaux cutanés) et de la teneur en eau ;
  - organe de communication.

Structure De l'extérieur vers l'intérieur, la peau est formée de trois couches successives :

- **épiderme ;**
- **derme ;**
- **hypoderme** (ou tissu sous-cutané).

L'épiderme et le derme sont souvent rassemblés sous le terme général de « **peau** ». En outre, il est possible de différencier deux types de peau :

- **la peau glabre ou peau épaisse** (▶ fig. 7.1) : les papilles dermiques formées de tissu conjonctif sont disposées en crêtes et sillons (comme les dents d'un

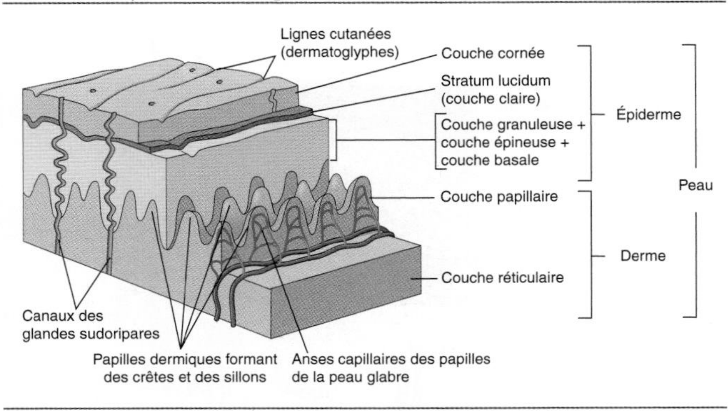

Fig. 7.1 Structure de la peau glabre. Des lignes cutanées (dermatoglyphes ou empreintes digitales) sont tracées à la surface de la peau glabre ; elles représentent des crêtes au sommet desquelles débouchent les canaux excréteurs des glandes sudoripares.

peigne) ; renferme des glandes sudoripares, mais pas de poils ni de glandes sébacées. Ne s'observe que sur la paume de la main et la plante du pied ;
- **la peau velue ou fine** (▶ fig. 7.4) : les papilles dermiques formées de tissu conjonctif sont regroupées en follicules ; contient des poils, des glandes sudoripares et des glandes sébacées.

7.1 Épiderme

Couche la plus externe de la peau, dépourvue de vaisseaux (avasculaire), mesurant entre 0,03 et 0,4 mm d'épaisseur selon la région de la peau. L'épiderme est composé d'un épithélium pavimenteux kératinisé pluristratifié (▶ fig. 4.1) contenant principalement des **kératinocytes** nucléés → produisent une substance cornée, la **kératine** → imperméabilité (hydrophobe), protection mécanique, résistance.

7.1.1 Couches de l'épiderme

De l'intérieur du corps à sa surface, différentes couches se succèdent (▶ fig. 7.2) :
- la **couche basale** (stratum basale) : couche cellulaire monostratifiée formée de cellules qui se divisent continuellement. Les cellules néoformées sont repoussées vers la surface et deviennent progressivement des cellules de la couche épineuse. Dans la peau glabre, la couche basale renferme des terminaisons nerveuses sensibles au toucher (les cellules ou disques de Merkel ▶ fig. 9.2) ;
- la **couche épineuse** (stratum spinosum) : couche pluristratifiée formée de cellules ayant des projections en forme d'épines, et dont certaines contiennent de la mélanine → cohésion des cellules les unes aux autres ;

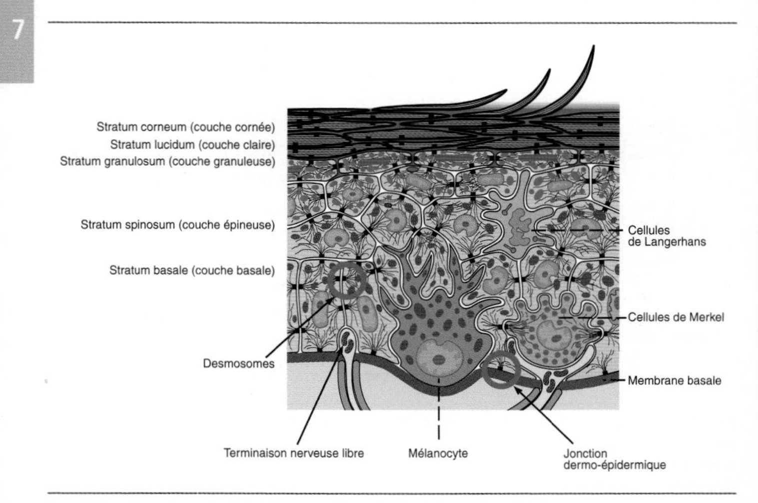

Fig. 7.2 Couches de l'épiderme. (Dessin de M. Budowick.)

- la **couche granuleuse** (stratum granulosum) : formée de 3 à 5 strates de cellules plus aplaties, qui renferment de la **kératohyaline** (importante pour la formation de la corne). En outre, elles sécrètent des substances huileuses → donne de la souplesse à l'épiderme. C'est au niveau de cette couche que les kératinocytes perdent leur noyau ;
- la **couche claire** (stratum lucidum) : n'existe qu'au niveau de la paume de la main et de la voûte plantaire ; formée de plusieurs strates de cellules aplaties translucides → protection contre les contraintes mécaniques ;
- la **couche cornée** (stratum corneum) : formée de 25 à 30 strates de cellules aplaties, anucléées, totalement remplies de kératine (les cornéocytes ou cellules cornées). Les cornéocytes sont séparés entre eux par un film lipidique → résistance, protection vis-à-vis de l'évaporation.

7.1.2 Mélanocytes

- Origine : couche basale et couche épineuse.
- Produisent un pigment, la **mélanine** → couleur de la peau et protection des couches cutanées les plus profondes vis-à-vis des rayons UV.

7.1.3 Cellules dendritiques

- La couche épineuse en particulier comporte des cellules présentatrices d'antigènes (**cellules dendritiques**) (▶ tableau 12.2, ▶ 12.2), appelées à cet endroit « cellules de Langerhans ».
- Fonction : déclenchement rapide d'une réponse immunitaire en cas d'entrée de germes pathogènes.

7.1.4 Kératinisation (cornification) de l'épiderme

Les cellules de la couche basale sont repoussées vers la surface de la peau. Sur leur chemin, elles perdent leur cytoplasme, leur noyau et leurs organites qui sont remplacés par de la kératine. Finalement, les cellules kératinisées se détachent de la peau par frottement (**desquamation**, pellicules). Le renouvellement complet avec la migration cellulaire et la desquamation dure environ 2 semaines.

7.1.5 Couleur de la peau

La couleur de la peau est déterminée par :

- **la mélanine** (pigment synthétisé par les mélanocytes) et par conséquent l'importance de l'exposition au soleil ;
- **le carotène** (pigment du derme et de l'hypoderme) ;
- **les capillaires** (la couleur de la peau permet ainsi de tirer des conclusions sur la vascularisation et la saturation en oxygène) ;
- **les dépôts** (par exemple d'hémosidérine 11.2.1).

Tous les individus ont pratiquement le même nombre de mélanocytes ; les différences de couleur de peau proviennent des différences de la quantité de mélanine synthétisée.

7.2 Derme et hypoderme

7.2.1 Derme

Le **derme** est formé de tissu conjonctif. Il peut atteindre jusqu'à 2,4 mm d'épaisseur au niveau de la peau glabre, mais ne dépasse pas 0,3 mm d'épaisseur au niveau des paupières, du pénis et du scrotum. Fonctions : résistance à la déchirure et élasticité.

- La **couche papillaire** (stratum papillare, partie supérieure) est formée de tissu conjonctif lâche. La surface de la jonction dermo-épidermique est augmentée par la formation de **papilles** (digitations de forme conique) (▶ fig. 7.1) → imbrication entre le derme et l'épiderme et formation de crêtes qui soulèvent l'épiderme et tracent des lignes sur la peau (**dermatoglyphes** ou **empreintes digitales** au niveau de la paume et de la plante des pieds ; **réseau microdépressionnaire** sur les autres parties de la peau). Les papilles contiennent des capillaires et des récepteurs tactiles (**corpuscules de Meissner** ▶ fig. 9.2).
- La **couche réticulaire** (stratum reticulare, partie inférieure) est formée de tissu conjonctif dense ; contient des fibres de collagène et des fibres élastiques (→ stabilité, élasticité), des vaisseaux sanguins, du tissu adipeux, des follicules pileux, des nerfs, des glandes sébacées ainsi que les canaux des glandes sudoripares.

SOINS INFIRMIERS

Escarres ou ulcères de décubitus

Une pression très prolongée exercée sur la peau → compression des vaisseaux irrigant la peau → troubles de la vascularisation. Il s'ensuit une diminution de l'apport d'O_2 au niveau de la peau → rougeur → nécrose → perte de substance cutanée pouvant atteindre les muscles, parfois les os (**escarre ou ulcère de décubitus**).
Les patients les plus à risque sont ceux qui restent alités. Les régions du corps les plus souvent atteintes sont celles où la peau recouvre directement les os (par exemple le sacrum, le talon, les malléoles des chevilles ▶ fig. 7.3).
La **prophylaxie des escarres** passe par le changement, toutes les 2 heures, de la position de tout patient alité, bien que des matelas spéciaux permettent d'augmenter l'intervalle de temps entre les changements de position. La prévention passe aussi par des soins cutanés de bonne qualité.

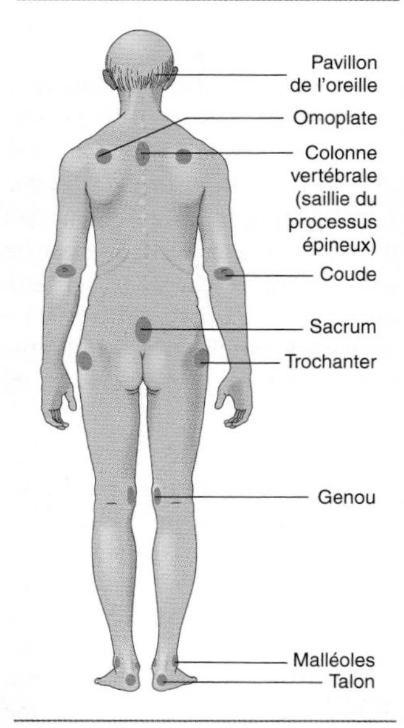

Fig. 7.3 Régions du corps particulièrement à risque de développement d'escarres.

7.2.2 Hypoderme

- Formé de tissu conjonctif lâche, c'est une couche qui permet le glissement de la peau sur les couches sous-jacentes (aponévroses musculaires, périoste).
- Contient les glandes sudoripares, la portion inférieure des follicules pileux, des récepteurs sensibles aux vibrations (les **corpuscules de Vater-Pacini** ▶ fig. 9.2), ainsi que des vaisseaux de plus gros calibre et des nerfs.
- Selon l'endroit du corps, le sexe et la corpulence, il contient aussi plus ou moins de **tissu adipeux sous-cutané** → amortisseur, protection du froid, réserve énergétique.

7.3 Annexes cutanées

Les **annexes cutanées** comprennent les cheveux, les poils, les glandes cutanées et les ongles. Elles traversent l'épiderme et s'ouvrent à la surface de la peau.

7.3.1 Cheveux et poils

Pratiquement toutes les zones de peau fine (ou velue) sont recouvertes de **poils** (ou de **cheveux**).

- Fonction : protection du corps.
- Un poil est composé de cellules kératinisées. Il est formé d'une **tige** et d'une **racine**. Chaque poil est associé à une **glande sébacée**, dont le canal excréteur s'ouvre au niveau de la tige du poil.
- La racine du poil est enfermée dans un **follicule pileux** (constitué d'une gaine épithéliale interne et d'une gaine épithéliale externe). Racine et follicule sont entourés d'une **gaine conjonctive**. Autour du follicule pileux se terminent des fibres nerveuses (▶ fig. 7.4), très sensibles, qui enregistrent les mouvements pileux les plus fins.
- L'extrémité du poil située dans la peau s'élargit pour former le **bulbe pileux**. Il contient en son centre la **papille pilaire** (qui irrigue le poil en croissance) et la **matrice du poil** à partir de laquelle se forment de nouvelles cellules pileuses.
- Le **muscle arrecteur du poil ou muscle horripilateur** longe le follicule pileux (▶ fig. 7.4, faisceau de fibres musculaires lisses). Lors de froid ou de stress → contraction → les poils du corps se soulèvent (chair de poule).

REMARQUE

La couleur des poils est liée à la teneur en mélanine des cellules kératinisées. La ↓ de production de mélanine et l'emprisonnement d'air dans la tige pileuse → couleur gris blanc des cheveux et des poils des personnes âgées.

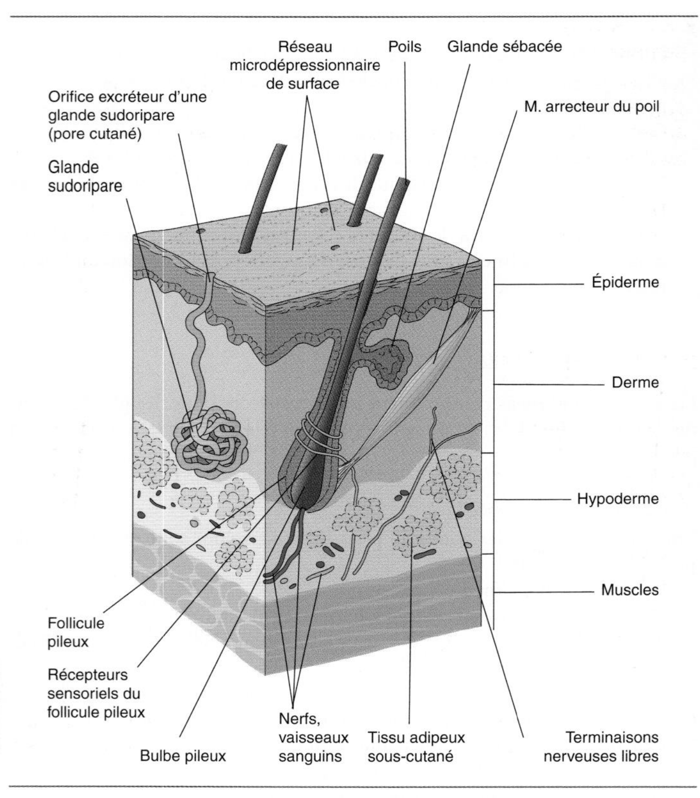

Fig. 7.4 Peau velue (ou fine) avec des poils et des glandes sudoripares et sébacées. La racine du poil se trouve soit au niveau de la partie inférieure du derme, soit au niveau de la partie supérieure de l'hypoderme. Chaque poil comporte une glande sébacée dont la sécrétion remonte le long du poil avant d'être délivrée à la surface de la peau.

7.3.2 Glandes cutanées

Le sein de la femme représente la plus grande des glandes cutanées ▶ 19.3.9.
Il est possible de différencier les glandes suivantes.

- **Glandes sébacées :** associées aux follicules pileux. La partie sécrétrice de la glande se trouve dans le derme ; elle s'abouche au niveau d'un follicule pileux. La paume de la main et la voûte plantaire ne possèdent pas de glandes sébacées. **Sébum :** mélange de lipides, de cholestérol, de protéines et d'électrolytes → préserve les poils et la peau du dessèchement ; garde la souplesse de la peau.

REMARQUE

Cérumen

Au niveau du conduit auditif, des glandes sébacées spécialisées produisent un cérumen jaune brun → il fait remonter les saletés et les corps étrangers vers le pavillon auriculaire; il peut boucher le conduit auditif externe (bouchon de cérumen) et entraîner des difficultés d'audition.

- **Glandes sudoripares :** sont réparties sur l'ensemble du corps à l'exception du bord des lèvres, du lit de l'ongle, du gland du pénis, du clitoris, des petites lèvres vulvaires et du tympan. Particulièrement nombreuses sur la paume des mains et la voûte plantaire. Le canal excréteur se termine au niveau d'un **pore cutané.**

REMARQUE

Sueur

Mélange d'eau, de sel, d'urée, d'acide urique, d'acides aminés, de sucre, de lactate et de vitamine C. Lorsque la sueur arrive à la surface de la peau, elle s'évapore → refroidissement (▶ 17.2). La sécrétion issue des glandes sudoripares est acide (pH 4,5) → **manteau acide protecteur** de la peau.

- **Glandes odorantes :** se trouvent au niveau des aisselles, du pubis et autour des mamelons. Elles produisent des sécrétions odorantes qui peuvent être influencées par des facteurs psychiques. Les sécrétions des glandes odorantes associées à l'odeur de transpiration typique → odeur corporelle de chaque individu.

7.3.3 Ongles

Cellules kératinisées aplaties de l'épiderme placées en rangs serrés. Elles facilitent la préhension et protègent l'extrémité des doigts et des orteils (▶ fig. 7.5).

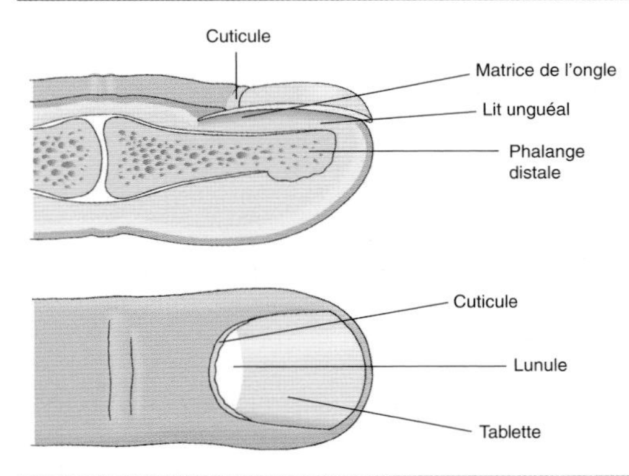

Fig. 7.5 Coupe longitudinale passant par l'extrémité du doigt et par l'ongle (en haut) et surveillance (en bas).

La **tablette** apparaît de couleur rose, du fait du lit unguéal sous-jacent bien vascularisé. Sur le **lit unguéal**, l'ongle pousse vers l'avant. La lunule apparaît blanche parce qu'elle est séparée du lit unguéal (qui n'est donc plus visible) par la présence d'une couche de cellules basales (la **matrice de l'ongle**). La cuticule n'a pas de fonction directe.
L'ongle croît à mesure que les cellules superficielles de la matrice se transforment en cellules unguéales kératinisées mortes. Un ongle pousse en moyenne de 0,5 à 1 mm/semaine.

SOINS INFIRMIERS

Observation du patient

La couleur du lit unguéal visible par transparence est un bon paramètre pour vérifier la vascularisation de la main et la saturation en O_2 du sang : si les ongles sont roses → bonne saturation; s'ils sont bleu/pâles → manque d'O_2 ou troubles de la vascularisation (par exemple froid, transfert du sang vers les organes centraux lors d'un choc).

8 Système nerveux

- **Système nerveux :** recueil, traitement, stockage et diffusion des informations → associé au système hormonal, il commande les différents systèmes de l'organisme et permet à notre organisme de s'adapter au monde qui l'entoure.
- **Récepteurs, capteurs :** enregistrement des modifications au niveau du corps et de l'environnement.
- **Fibres nerveuses afférentes :** transmission des informations aux centres supérieurs (où elles sont traitées).
- **Fibres nerveuses efférentes :** réponse avec une réaction adaptée. Les **neurones** sont les éléments de base de cette transmission et du traitement des informations.

Pour plus de détails sur les cellules et les tissus nerveux ▶ 4.5.

8.1 Fonctions des neurones

8.1.1 Éléments fondamentaux du traitement de l'information

La capacité des neurones à recevoir les informations sous forme de signaux électriques, à les traiter puis à les retransmettre repose sur des processus électriques et biochimiques. Chaque neurone présente un « **pôle récepteur** » et un « **pôle émetteur** ».

REMARQUE

- Pôle récepteur : les dendrites ou les fibres nerveuses afférentes (reçoivent les informations venant des récepteurs périphériques et les transmettent à la moelle spinale par les nerfs périphériques).
- Pôle émetteur : l'axone avec le cône axonique.

Le signal électrique arrivant au pôle récepteur se modifie en fonction des influences exercées par les autres neurones au niveau de zones de contact spécifiques (**synapses** ▶ 4.5.1, ▶ 8.2.1). Celles-ci influencent le **potentiel électrique** (ou **potentiel membranaire**) du neurone situé en aval (tension électrique entre l'intérieur de la cellule nerveuse et un point situé à l'extérieur de la cellule, ▶ fig. 8.1).

Si le potentiel membranaire du corps de la cellule dépasse un certain seuil, cela déclenche un **potentiel d'action** (PA) au niveau du cône axonique. Ces PA, comparables à une courte impulsion électrique, suivent la **loi du tout ou rien**. Selon l'importance de la stimulation au niveau du pôle récepteur, il se forme une quantité plus ou moins grande de PA, c'est-à-dire que lorsque le seuil de stimulation est dépassé, la puissance du stimulus est traduite en une

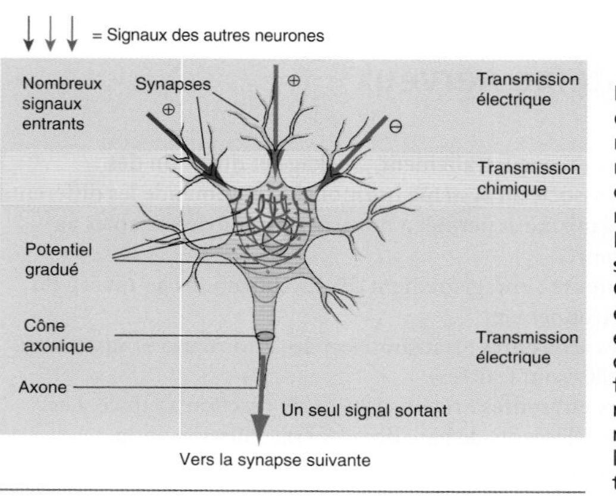

Fig. 8.1 Fonction d'intégration d'un neurone. Un neurone reçoit beaucoup de signaux des neurones voisins et les convertit en un signal de sortie. Cette information entrante se transmet électriquement tout d'abord sous la forme d'une dépolarisation de la membrane, puis sous la forme d'un potentiel d'action.

certaine fréquence de potentiel d'action (**modulation de fréquence**). Les PA se propagent automatiquement le long de l'axone d'un neurone. Si le PA atteint la synapse située au niveau d'un bouton terminal axonal (▶ 8.2.1), la synapse active le pôle récepteur du neurone suivant.

8.1.2 Potentiel de repos, potentiels gradués, potentiel d'action

- Pour qu'un neurone puisse traduire les informations en un influx électrique, il nécessite deux états : un **état de repos** (inactivé, « éteint ») et un **état activé** (« allumé »). À l'état de repos (**potentiel de repos**), il existe un certain voltage de part et d'autre de la membrane cellulaire (une **différence de potentiel**).
- Celui-ci est maintenu par une pompe sodium/potassium (▶ fig. 3.13). Les neurones sont perméables aux ions (au repos, ils sont environ 25 fois plus perméables au potassium [K^+] qu'au sodium [Na^+]).
- Du fait de la **force de diffusion** et de l'importante perméabilité (**conductivité**) aux ions K^+ → les ions K^+ chargés positivement traversent la membrane cellulaire et sortent dans le milieu extérieur → accumulation extracellulaire de charges positives et déficit intracellulaire de particules positives (avec prédominance de charges négatives dans la cellule). Les particules négativement chargées ne peuvent pas quitter la cellule (soit elles ne peuvent pas traverser la membrane, soit leur concentration intracellulaire < la concentration extracellulaire, par exemple dans le cas des ions chlorure).
- À l'état de repos, le flux de sortie du K^+ se limite de lui-même : l'accumulation de charges négatives à la face interne de la membrane s'oppose à la poursuite de la sortie du K^+ par diffusion (le gradient

8

électrique entre les charges positives extracellulaires et les charges négatives intracellulaires augmente avec l'augmentation du déséquilibre électrique et inhibe le flux → atteinte d'un état d'équilibre entre la force de diffusion et le gradient électrique → **potentiel de repos** ou potentiel d'équilibre.

REMARQUE

Potentiel de repos

Il s'agit principalement d'un potentiel de diffusion potassique ; s'élève à environ – 70 mV (négatif car l'intérieur de la cellule est chargé négativement par rapport à l'espace extracellulaire ▶ fig. 8.2).

Différents types de synapses peuvent modifier le potentiel de membrane du neurone récepteur :

- **dépolarisante** (▶ fig. 8.3) : le potentiel de repos augmente ;
- **hyperpolarisante :** le potentiel de repos continue de baisser.

La plupart des neurones présentent ces deux types de synapses au niveau de leurs ramifications dendritiques et elles sont presque toujours activées simultanément. Si l'effet dépolarisant prédomine, et que la valeur seuil est dépassée, il se produit un PA. Tant que le potentiel de membrane net n'a pas atteint la valeur seuil, il est appelé **potentiel gradué.**

Dépolarisation

- La membrane du cône axonique et de l'axone renferme des **canaux ioniques à sodium**. Lorsque le cône axonique est dépolarisé, ces canaux sodiques s'ouvrent pendant 1 ms environ → la très faible perméabilité de la membrane pour le Na^+ augmente de façon spectaculaire, d'un facteur supérieur à 100.
- Le gradient de concentration (la concentration intracellulaire de sodium est plus faible que la concentration extracellulaire) ainsi que la charge négative à l'intérieur de la cellule → **flux important de Na^+ entrant** dans la cellule (▶ fig. 8.2) → inversion du rapport de charges → pendant un très court instant, les charges positives prédominent du côté interne de la membrane et le potentiel de membrane atteint + 30 mV (▶ fig. 8.3).
- Le PA peut être transmis le long de l'axone, mais ne peut pas revenir en arrière (le corps cellulaire et les dendrites ne renferment pratiquement pas de canaux Na^+). Cette **fonction de « valve »** est importante pour le traitement des informations par les neurones.

Repolarisation

- Lorsque la dépolarisation est maximale, la membrane redevient rapidement moins perméable au Na^+ et sa perméabilité au K^+ augmente très fortement pendant un court laps de temps → ↓ entrée du Na^+, ↑ sortie K^+ → au bout d'environ 1 ms, récupération du potentiel de repos = **repolarisation** (▶ fig. 8.2, ▶ fig. 8.3).

8

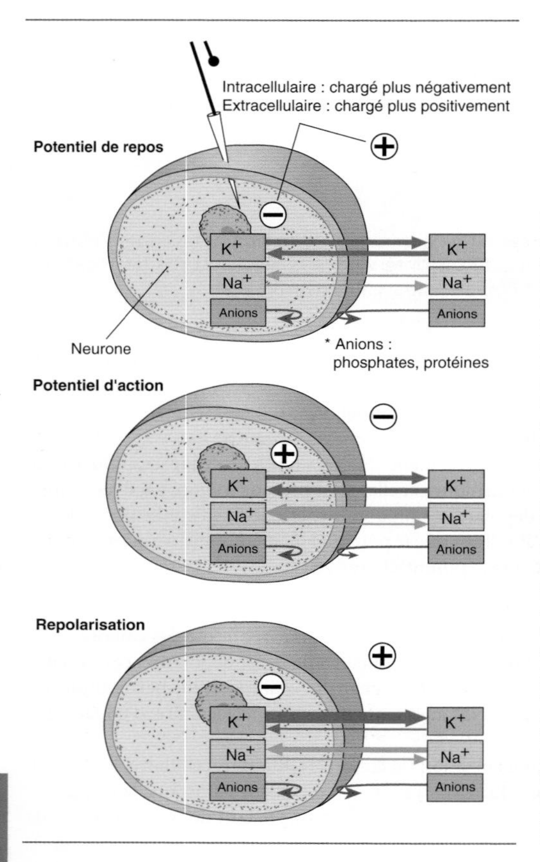

Fig. 8.2 Différences de charges de part et d'autre de la membrane cellulaire d'un neurone. Pendant le potentiel de repos, l'intérieur de la cellule est négativement chargé. Lorsque la force du stimulus est suffisante, il se produit une augmentation brutale de la perméabilité de la membrane pour le sodium → Na^+ entre dans la cellule → inversion des charges → PA. Lorsque l'inversion des charges atteint son maximum → la perméabilité de la membrane vis-à-vis du Na^+ ↓ brutalement, ↑ du flux de potassium → inversion à nouveau du rapport de charge (repolarisation).

REMARQUE

Potentiel d'action

Dépolarisation rapide par augmentation de la perméabilité pour Na^+, **repolarisation** par augmentation de la perméabilité pour K^+.

8.1.3 Période réfractaire

Pendant le déroulement du PA et immédiatement après celui-ci, la membrane cellulaire **ne** peut **plus** être excitée → **période réfractaire** (durant 1–2 ms). Les stimuli ou les influx entrant ne peuvent plus déclencher de PA.

Les canaux sodiques sont à la base de ce processus biochimique : ils se ferment automatiquement peu de temps après le début du PA et ne peuvent plus

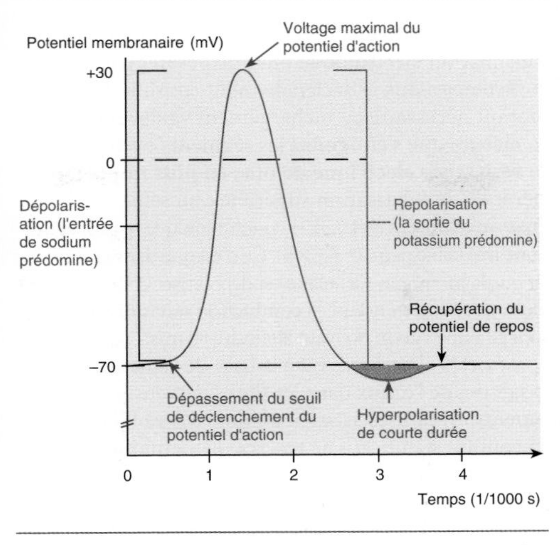

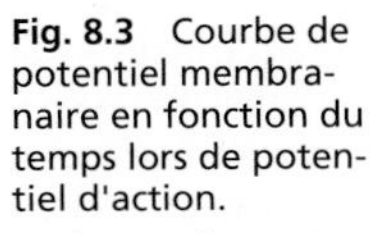
Fig. 8.3 Courbe de potentiel membranaire en fonction du temps lors de potentiel d'action.

être activés pendant un certain temps. Ce n'est que lorsque la repolarisation rétablit un potentiel membranaire inférieur à – 50 mV qu'ils peuvent s'ouvrir à nouveau.

REMARQUE

Période réfractaire

- Mécanisme de « filtre » qui protège le neurone d'une excitation permanente et ne permet sa stimulation qu'à intervalles de temps précis : parmi tous les influx entrant, seuls ceux qui parviennent en dehors de la période réfractaire peuvent entraîner une excitation.
- Empêche aussi le retour en arrière du PA le long de l'axone.

8.1.4 Conduction des signaux nerveux

- Pour transmettre les informations, le PA qui s'est formé dans un endroit doit pouvoir être transmis.
- Le segment membranaire au niveau duquel se forme le PA présente une différence de potentiel par rapport aux segments voisins non excités (PA = + 30 mV, potentiel de repos = – 70 mV, ▶ fig. 8.3) → le courant électrique va du plus vers le moins (aussi bien en intra- qu'en extracellulaire ▶ fig. 8.4). Afin qu'un circuit fermé puisse se former, le courant doit traverser la membrane cellulaire → rechargement au niveau du segment membranaire non excité = **potentiel électrotonique** (flux de courant jusqu'à l'équilibre des charges) → les segments membranaires (encore) non excités se dépolarisent jusqu'à la valeur seuil → PA → l'opération recommence sur le segment membranaire suivant → l'excitation se propage.

- Cette **conduction continue de l'excitation** (dans les fibres musculaires **non myélinisées** ▶ 4.5.3) est relativement lente, parcourant environ 0,5–3 m/s. Cette transmission électronique pure ne permet pas de franchir de grandes distances sans le déclenchement continu de nouveaux PA (le courant nécessaire au rechargement va devenir de plus en plus faible à mesure que **s'éloignent** les segments excités et non excités à cause de la **résistance électrique de plus en plus importante**) → ne peut plus générer de dépolarisation supérieure au seuil.
- Dans les **fibres nerveuses myélinisées** (▶ 4.5.3), le courant ionique se propage de nœud en nœud avec une très faible perte (▶ fig. 8.4). Ce n'est que dans la région d'un nœud de Ranvier que la membrane cellulaire est dépolarisée et qu'un PA est généré. Ce PA saute donc de nœud en nœud → **conduction saltatoire.** Dans le SNP, le courant se propage à une vitesse pouvant atteindre 80 m/s.
- L'amélioration des propriétés électriques est à la base de l'augmentation de la vitesse de propagation de l'influx dans les fibres nerveuses myélinisées : les segments myélinisés agissent comme des isolants électriques → aucun courant significatif ne traverse la membrane cellulaire → ce n'est qu'au niveau des nœuds de Ranvier que les condensateurs sont rechargés et que les canaux ioniques s'ouvrent et se ferment → circulation du courant sans ralentissement notable.

NOTION MÉDICALE

Des troubles de la conduction de l'excitation et des déficits neurologiques peuvent se produire en cas de modification structurelle d'un axone ou de lésion de la gaine de myéline (par exemple sclérose en plaques, polyneuropathies).

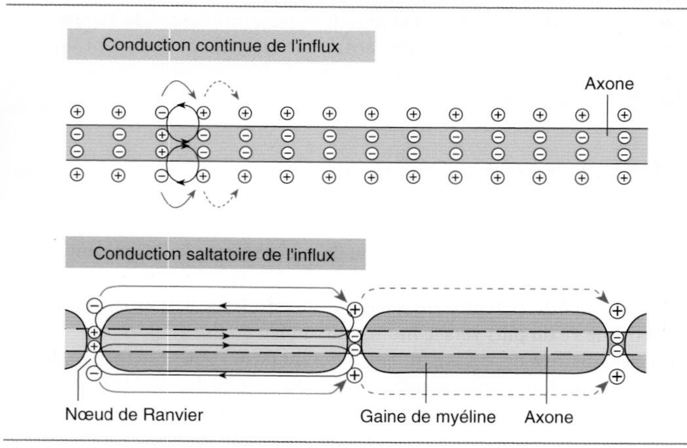

Fig. 8.4 Propagation de l'influx dans une cellule nerveuse. En haut : conduction continue dans une cellule nerveuse amyélinique. En bas : conduction saltatoire dans une cellule nerveuse myélinisée. Flèche noire : courant électrotonique; flèche rouge : déplacement vers l'avant du potentiel d'action.

8.2 Collaboration des neurones

8.2.1 Transmission de l'influx au niveau de la synapse

Pour échanger les informations, la propagation seule des influx excitateurs ne suffit pas : il faut également que le stimulus soit transmis à d'autres cellules (▶ fig. 8.1). Cela se produit au niveau des **synapses** (▶ 4.5.1). Les synapses relient principalement les neurones les uns aux autres (par exemple l'axone d'un neurone aux dendrites d'un autre neurone). Les synapses peuvent aussi relier les neurones aux cellules musculaires ou aux cellules glandulaires. La liaison synaptique entre un axone et un rhabdomyocyte forme ce qu'on appelle la **plaque motrice** (▶ 5.3.1).

Structure d'une synapse

Une synapse est composée de trois parties :

- **le neurone présynaptique** (*pré* = avant) : l'arborisation terminale de l'axone forme un **bouton synaptique** (ou corpuscule nerveux terminal). Ces boutons synaptiques renferment des vésicules (**vésicules synaptiques**) contenant des neurotransmetteurs;
- **la cellule postsynaptique** (*post* = après) avec la **membrane postsynaptique** dotée de récepteurs pour les neurotransmetteurs;
- **la fente synaptique :** située entre les cellules présynaptique et postsynaptique, remplie de liquide extracellulaire, mesurant environ 20 nm de large.

Que se passe-t-il dans la fente présynaptique ?

Un PA arrive au niveau de la terminaison axonale présynaptique → entrée d'ions calcium dans la synapse (▶ fig. 8.5) → les vésicules synaptiques

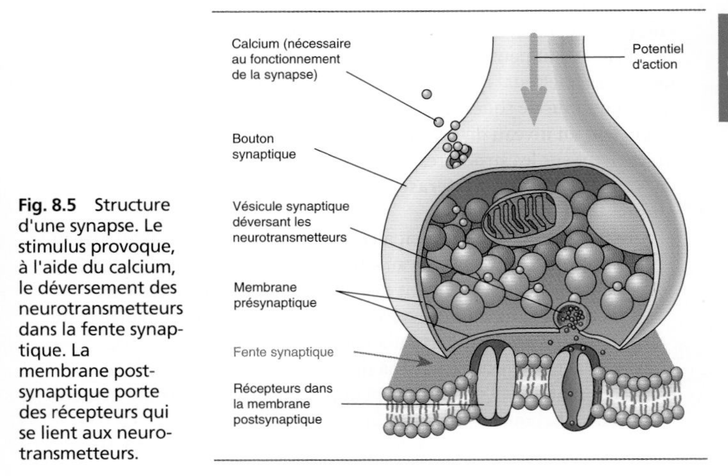

Fig. 8.5 Structure d'une synapse. Le stimulus provoque, à l'aide du calcium, le déversement des neurotransmetteurs dans la fente synaptique. La membrane postsynaptique porte des récepteurs qui se lient aux neurotransmetteurs.

fusionnent avec la membrane présynaptique → leur contenu (**neurotransmetteurs** ▶ 8.2.3) se déverse dans la fente synaptique → les molécules de neurotransmetteurs traversent la fente → se fixent sur les **récepteurs** postsynaptiques. Ces récepteurs sont couplés à un canal ionique : liaison des neurotransmetteurs → ↑ perméabilité pour certains ions → **potentiel postsynaptique.**
Après sa réaction avec le récepteur, le neurotransmetteur est inactivé : soit il est dégradé par des enzymes à l'intérieur de la fente synaptique, soit il est ramené au niveau du neurone présynaptique.

8.2.2 Potentiel postsynaptique

Selon le type de neurotransmetteur et de récepteurs, différents effets peuvent se produire au niveau de la membrane postsynaptique :

- **Synapse excitatrice : dépolarisation** de la membrane postsynaptique (= potentiel postsynaptique excitateur ou PPSE) → favorise le PA. En général, un seul PPSE ne suffit pas pour déclencher le PA (sauf au niveau de la plaque motrice ▶ 5.3.1) ; il faut plusieurs influx qui soit se succèdent rapidement dans une même synapse (sommation temporelle), soit se produisent simultanément dans plusieurs synapses (sommation spatiale) → les potentiels gradués de la membrane postsynaptique s'élèvent → déclenchent un PA.
- **Synapses inhibitrices : hyperpolarisation** de la membrane postsynaptique (= potentiel postsynaptique inhibiteur ou **PPSI**) → diminution du potentiel de repos (↓ excitabilité de la cellule postsynaptique) → le déclenchement du PA est difficile.

8.2.3 Neurotransmetteurs

Il existe de très nombreux **neurotransmetteurs**. Les plus importants sont les suivants :

- **acétylcholine (ACh) :** transmission des signaux nerveux des neurones efférents aux muscles. Lieu habituel d'action : la plaque motrice, où un seul PA entrant peut libérer un nombre si important de neurotransmetteurs qu'il se forme également un PA postsynaptique au niveau du muscle squelettique. En outre, l'ACh joue un rôle très important au niveau du SNA (▶ 8.10). L'ACh agit principalement comme un excitant sur les structures situées en aval ; il est dégradé par une enzyme, **l'acétylcholinestérase** ;
- **amines biogènes :**
  - **noradrénaline :** agit principalement comme un excitant au niveau :
    - du locus cœruleus (noyau situé dans le mésencéphale ▶ 8.8.2) : à partir de lui rayonnent des fibres nerveuses dirigées vers l'ensemble du cortex cérébral → régulation de la vigilance et du niveau d'éveil, en particulier adaptation aux situations de stress ;
    - de la médullosurrénale : sa libération est associée à celle de l'adrénaline (▶ 10.6.2) ; ne peut pas traverser la barrière hémato-encéphalique → action uniquement périphérique ;
    - des neurones efférents du système sympathique (▶ 8.10.2).

- **sérotonine :** synthétisée principalement dans le tronc cérébral et l'hypothalamus, elle peut atteindre à partir de là beaucoup d'autres parties du cerveau. Nombreuses actions aussi bien centrales que périphériques : régulation de la digestion, de la température du corps, du sommeil, de l'appétit et des émotions;
- **dopamine :** excitant, elle est synthétisée principalement dans le tronc cérébral et la substance noire (ou locus niger) (▶ 8.8.2). Responsable du contrôle des mouvements, des réactions émotionnelles et analytiques, du système des récompenses.

- **acides aminés :**
  - **GABA** (acide gamma-aminobutyrique) : neurotransmetteur inhibiteur du SNC, il entraîne une hyperpolarisation postsynaptique des cellules. Antagoniste le plus important du glutamate au niveau du SNC;
  - **glutamate :** neurotransmetteur excitateur le plus répandu du SNC. Participe aux fonctions d'apprentissage et de mémorisation (▶ 8.9). Une production excessive pathologique a été liée à la survenue de convulsions (▶ 8.13.1).
- **neuropeptides :**
  - composés de 5 à 30 acides aminés (bien plus gros que les neurotransmetteurs classiques), ils agissent principalement comme des neuromodulateurs (régulent l'activité des neurotransmetteurs);
  - les plus connus sont les **endorphines** (opioïde endogène). Présence au niveau du cortex cérébral, de l'hypophyse (▶ 10.2), de la moelle spinale, du tube digestif. Comme les opiacés (par exemple morphine et héroïne), les endorphines se lient aux neurones transmettant la douleur riches en récepteurs aux opiacés → modulation de la sensation et de la perception de la douleur (▶ 9.3). Possèdent d'autres fonctions complexes au niveau du centre de la récompense : influencent la libération de la dopamine → effet de dépendance. Participent aux fonctions de commande respiratoire et à la régulation de la température.

NOTION MÉDICALE

Syndrome parkinsonien

Maladie neurologique la plus fréquente des personnes âgées, touchant en France près de 150 000 individus. **Provoquée** par le déclin des neurones **dopaminergiques** au niveau du mésencéphale (▶ fig. 8.16); ceux-ci agissent normalement comme des inhibiteurs du striatum (▶ 8.8.6). L'absence d'inhibition → déséquilibre du **système moteur extrapyramidal** (▶ 8.8.9) → **triade symptomatique :**

- **akinésie :** pauvreté des mouvements généraux, masque au niveau du visage, déplacement par petits pas sans mouvements des bras;
- **raideur :** augmentation du tonus musculaire basal (▶ 5.3.1) → les mouvements deviennent plus difficiles;
- **tremblements :** tremblements involontaires rythmiques, en particulier des mains.

8.3 Organisation du système nerveux

- **Système nerveux central** (SNC) : formé des centres cérébraux supérieurs et de la moelle spinale.
- **Système nerveux périphérique** (SNP) : tout le système nerveux mis à part les neurones et les voies siégeant au niveau central (nerfs crâniens, nerfs spinaux et leurs ramifications ▶ 8.5, ▶ 8.7) ; relie la périphérie au SNC.
- **Système nerveux somatomoteur** (volontaire) : contrôle tous les processus conscients et volontaires (par exemple les mouvements musculaires).
- **Système nerveux autonome (végétatif)** (SNA) : agit principalement sur les organes et régule le milieu intérieur. Très peu influençable volontairement (*autonome* = indépendant).
- **Système nerveux entérique (cerveau abdominal)** (SNE) : contrôle largement de manière autonome les processus digestifs. Son activité est modulée par le SNA (▶ 8.10.4).

8.4 Moelle spinale

- **Moelle spinale** (MS, ou moelle épinière) : « autoroute » entre le cerveau (▶ 8.8) et les nerfs spinaux (nerfs spinaux ▶ 8.5) : voie de conduction nerveuse la plus puissante ; conduit les influx nerveux très rapidement par des voies ascendantes et descendantes (**substance blanche**) du cerveau aux nerfs périphériques et vice versa.
- **Substance grise :** centre de commande. Ces centres de commande améliorent l'efficacité des fonctions de la MS (par exemple certaines réactions motrices particulièrement rapides s'effectuant immédiatement par le biais de réflexes médullaires → centre réflexe).

8.4.1 Structure

La moelle spinale (MS) d'un adulte mesure environ 45 cm de long. Elle part de la région cérébrale la plus inférieure (moelle allongée ▶ 8.8.2) à hauteur du foramen magnum (trou occipital ▶ fig. 6.2) sous la forme d'un cordon d'un centimètre d'épaisseur et s'étend à l'intérieur du canal vertébral jusqu'à la 2e vertèbre lombale.

Sur toute sa longueur partent de chaque côté au total 31 paires de **racines nerveuses,** qui se réunissent en **nerfs spinaux** (▶ 8.5). Les points de départ des racines nerveuses divisent la MS en 31 **segments.** Chaque segment de la MS possède ses propres centres réflexes et d'interconnexion. Il est possible de différencier (▶ fig. 8.6) :

- 8 **segments cervicaux** C1–C8 : muscles de la respiration et membres supérieurs ;
- 12 **segments thoraciques** (T1–T12) : entre autres la plus grande partie de la paroi thoracique ;

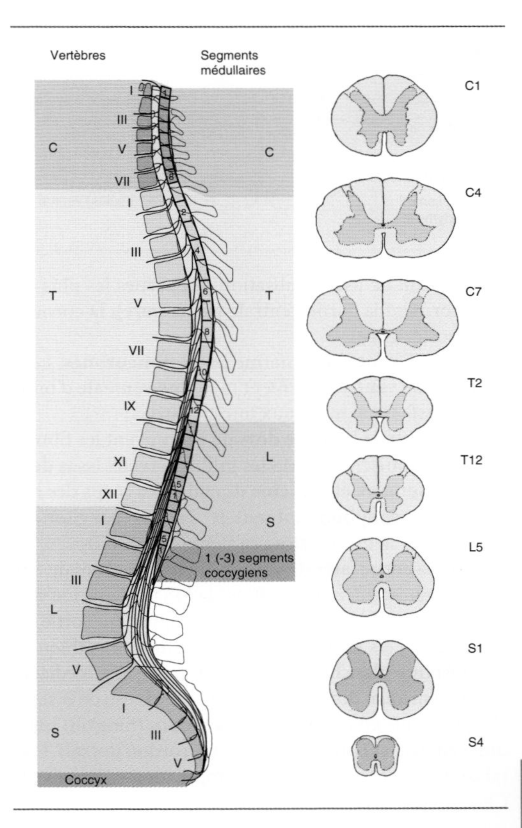

Fig. 8.6 Moelle spinale et nerfs spinaux. À gauche, vue latérale de la MS et des racines des nerfs spinaux. La MS s'étend de la première vertèbre cervicale à la 2e vertèbre lombale. En dessous de celle-ci, se trouve la « queue-de-cheval » = faisceaux de racines nerveuses spinales qui s'étirent jusqu'aux foramens intervertébraux correspondants. À droite : coupe transversale de chaque segment médullaire. Dans les régions cervicales et lombales, la substance grise est plus importante car à son niveau se trouvent des centres de commande pour les membres supérieurs et inférieurs.

- 5 **segments lombaux** L1–L5 : associés aux
- 5 **segments sacraux** S1–S5 : membres inférieurs, excepté les organes génitaux et l'anus;
- 1–3 **segments coccygiens** Co1–Co3 : région cutanée au-dessus du coccyx.

8.4.2 Substance blanche et substance grise

L'observation de la MS en coupe transversale met en évidence au centre une **substance grise** dont la forme ressemble à un papillon. Elle contient les corps cellulaires des neurones comme dans le reste du SNC. À l'extérieur se trouve la substance blanche (▶ fig. 8.7).

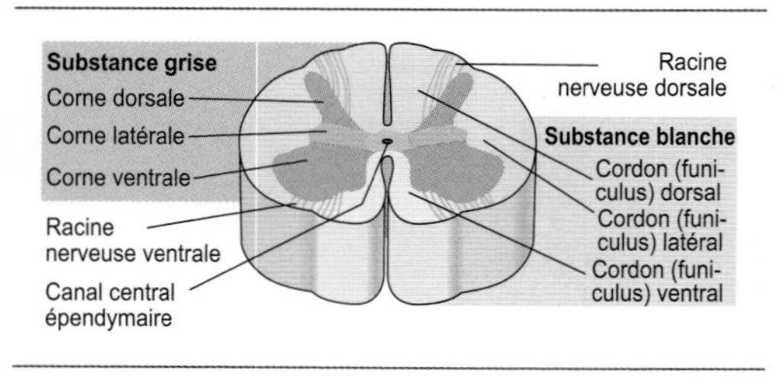

Fig. 8.7 Coupe transversale de la moelle spinale (séparation des racines ventrale et dorsale). Le canal central épendymaire traverse la totalité de la moelle spinale et est en relation avec les ventricules cérébraux (fig. 8.27).

En fonction de leur localisation, les parties les plus externes de la substance grise forment la corne ventrale (antérieure), la corne latérale et la corne dorsale (postérieure) :

- la **corne ventrale** renferme les **motoneurones.** Les axones des **cellules de la corne ventrale** forment la **racine ventrale** d'un nerf spinal et s'étirent du nerf spinal jusqu'aux muscles striés ;
- au niveau de la **corne dorsale** se trouvent les fibres nerveuses sensitives qui conduisent à la MS les influx nerveux issus de la périphérie via les nerfs spinaux et la **racine dorsale.** Les corps des neurones sont situés dans les **ganglions spinaux** (▶ fig. 8.8) (ganglion = regroupement de corps de neurones situé en dehors du SNC) ;
- dans la **corne latérale** se trouvent les neurones du SNA (▶ 8.10). Les axones des cellules efférentes quittent la MS par la racine ventrale, se séparent rapidement des nerfs spinaux peu après leur sortie du canal vertébral et se dirigent vers les ganglions de la chaîne sympathique (▶ fig. 8.23).

La **substance blanche** est divisée par une fissure médiane ventrale (antérieure) et un sillon médian dorsal (postérieur). Au niveau de la sortie des racines nerveuses, chaque moitié est divisée en trois **cordons** (funiculi) (selon leur position, un **cordon ventral**, un **cordon latéral** et un **cordon dorsal**). Les cordons ventral et latéral sont souvent associés en une appellation commune, le cordon **ventrolatéral.** Chaque cordon renferme des voies ascendantes et/ou descendantes. Les voies qui conduisent les influx au même endroit sont appelées faisceaux (**tractus**).

8

Vois ascendantes

Les **voies ascendantes (afférentes)** transmettent en permanence au cerveau des informations issues de la périphérie. Ces influx parviennent à la MS par la racine dorsale. De là, il existe trois voies de conduction possibles :

- la première voie aboutit dans le **faisceau propre (ou fondamental) de la MS.** Les fibres se terminent dans le même segment ou dans un segment voisin → transmission directe à un neurone moteur. C'est ainsi que se forment les **réflexes** (▶ 8.6) ;
- les **cordons dorsaux** (funiculus dorsal) conduisent les informations issues de la peau (pression, contact, vibrations), des muscles, des tendons et des articulations jusque dans la moelle allongée où ils croisent la ligne médiane pour passer de l'autre côté (décussation) ;
- Les **cordons ventrolatéraux** conduisent les informations concernant la douleur (nociceptives) ou la température, et croisent directement la ligne

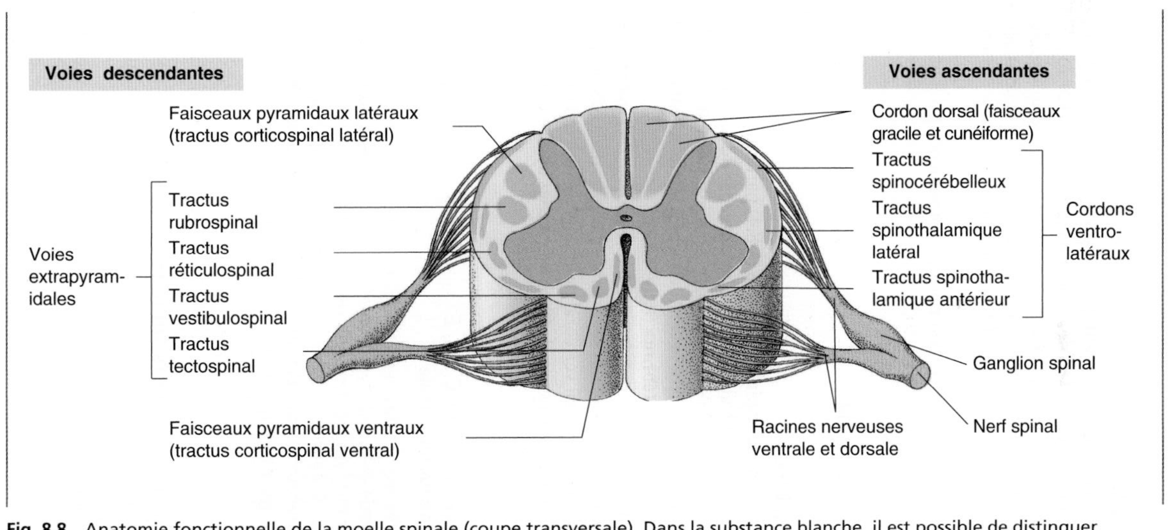

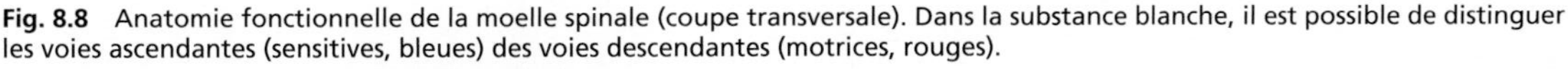

Fig. 8.8 Anatomie fonctionnelle de la moelle spinale (coupe transversale). Dans la substance blanche, il est possible de distinguer les voies ascendantes (sensitives, bleues) des voies descendantes (motrices, rouges).

médiane dès leur entrée dans la MS pour passer de l'autre côté à la même hauteur.

Voies descendantes

Les **voies descendantes (efférentes)** conduisent les informations issues des centres moteurs cérébraux (1er neurone moteur ▶ 8.8.9) jusqu'aux cornes ventrales → passage aux cellules de la corne ventrale (2e neurone moteur) → les axones s'étirent avec les nerfs spinaux jusqu'aux muscles squelettiques exécutifs. Deux grands systèmes moteurs sont à différencier :

- les **voies pyramidales :** motricité volontaire ;
- les **voies extrapyramidales :** contrôle des mouvements involontaires (▶ 8.8.9).

Voies descendantes du SNA ▶ 8.10.2.

8.5 Nerfs spinaux

8.5.1 Structure

- Sortant de chaque segment de la MS (▶ 8.4) partent de chaque côté une racine nerveuse ventrale et une racine nerveuse dorsale qui se réunissent après quelques millimètres pour former un **nerf spinal**.
- Les nerfs spinaux quittent le canal vertébral latéralement en passant par les **foramens intervertébraux** (▶ fig. 6.12).
- Chez l'adulte, la MS se termine à la hauteur de la 2e vertèbre lombale (L2) → les racines nerveuses des segments inférieurs de la MS doivent s'étirer vers le bas dans le canal vertébral pour parvenir à leurs foramens intervertébraux → faisceau de fibres nerveuses appelé **queue de cheval** (▶ fig. 8.6).

NOTION MÉDICALE

Prolapsus ou hernie discale

La MS ou les racines des nerfs spinaux peuvent être comprimées par une **hernie discale** (▶ 6.3.4). Symptômes directs : douleur du dos qui irradie selon un trajet typique, troubles de la sensibilité et paralysies.
Les **signes d'alarme** sont une paralysie s'étendant rapidement, des troubles vésicaux et colorectaux → transport immédiat dans une clinique neurochirurgicale et opération.

8.5.2 Rameaux des nerfs spinaux

Directement après la sortie des foramens intervertébraux, chaque nerf spinal se divise en plusieurs branches :

- **branche dorsale (postérieure) :** destinée à la peau et aux muscles profonds du dos ;

- **branche ventrale (antérieure) :** différentes fonctions et trajets :
  - T2 à T11 (▶ 8.4) : **nerfs intercostaux**, innervent la peau et les muscles de la région du thorax et de l'abdomen ;
  - autres segments : les branches ventrales forment les **plexus des nerfs spinaux,** puis se divisent à nouveau → formation de chaque **nerf périphérique** (▶ fig. 8.9).

8.5.3 Plexus des nerfs spinaux et principaux nerfs périphériques

Les plexus des nerfs spinaux sont nommés en fonction de chaque segment de la MS dont ils sont issus.

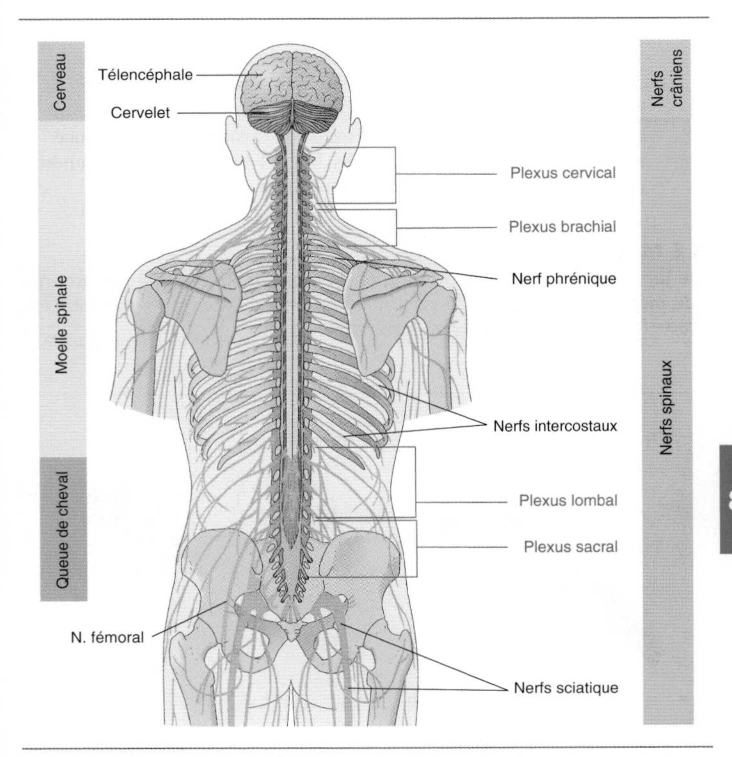

Fig. 8.9 Nerfs périphériques. Le SNP compte 12 nerfs crâniens et les nerfs spinaux avec leurs ramifications. Alors que les nerfs crâniens innervent principalement la région de la tête, les autres nerfs périphériques se divisent pour innerver le reste du corps. Dans la région de la moelle thoracique, les nerfs spinaux restent très segmentés. Les nerfs spinaux cervicaux, lombaux et sacraux se ramifient et forment des réseaux complexes (plexus).

- Le **plexus cervical** (C1–C4) innerve la peau et les muscles du cou et de la région de l'épaule. Nerf le plus important : **nerf phrénique** (anciennement nerf diaphragmatique), qui joue un rôle important dans la respiration (▶ 6.3.7, ▶ 15.8.1).
- **Plexus brachial** (C5–T1) : de ce plexus partent les trois grands nerfs du membre supérieur ainsi que des rameaux nerveux collatéraux pour la nuque et les épaules :
  - **nerf radial** : chemine le long des extenseurs jusqu'à l'avant-bras ; innervation motrice des extenseurs du bras et de l'avant-bras, innervation sensitive des extenseurs du bras et de l'avant-bras ainsi qu'en partie du dos de la main. Sa paralysie empêche l'extension de la main (**main tombante, main en col de cygne,** ▶ fig. 8.10a) ;
  - **nerf ulnaire** : chemine du côté des fléchisseurs ; innervation motrice des fléchisseurs de l'avant-bras ainsi que des muscles de la main, innervation sensitive des territoires cutanés des doigts 4 et 5 et du dos de la main adjacent. Paralysie → main avec une **griffe cubitale** (▶ fig. 8.10c) ;
  - **nerf médian** : chemine aussi du côté des fléchisseurs, mais plus du côté du pouce. Innerve les fléchisseurs de l'avant-bras et du pouce ainsi que les territoires cutanés des doigts 1 à 4. La paralysie du nerf médian → **main du serment à trois doigts** (▶ fig. 8.10b).

REMARQUE

Je jure par la Saint Médard (main du serment, médian), que j'arracherai de mes griffes les yeux d'Ulysse (main en griffe, ulnaire), si je tombe en rade (main tombante, radius) sous la pluie.

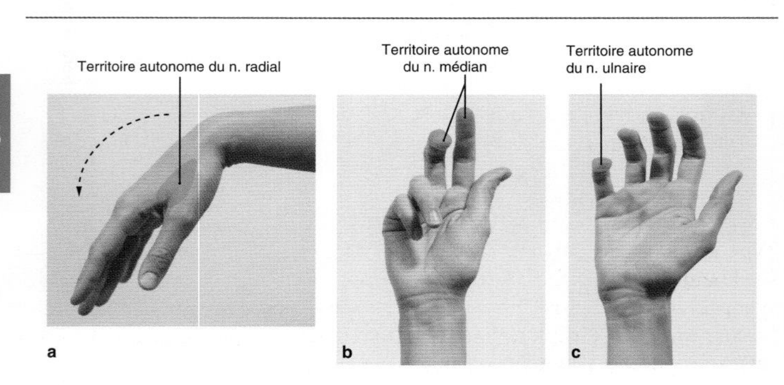

Fig. 8.10 Déficits caractéristiques en cas de paralysie des nerfs du membre supérieur : a. main tombante ; b. main du serment ; c. main en griffe. (Source : Sobotta, Atlas der Anatomie des Menschen, Band 1, 23. Aufl., Elsevier GmbH, Urban & Fischer Verlag, München 2010.)

- **Plexus lombal** (L1–L4) : ses nerfs innervent la paroi abdominale inférieure, les organes génitaux externes ainsi que les territoires cutanés sus-jacents. Ils innervent également les muscles extenseurs du membre inférieur. Le nerf le plus important : **nerf fémoral.** Il traverse le pli inguinal et descend le long de la face ventrale de la cuisse pour innerver la peau et les extenseurs.
- **Plexus sacral** (L4–S3) : le plus gros plexus. Innerve la région glutéale, le périnée et les membres inférieurs. Le nerf principal de ce plexus est le **nerf ischiatique (sciatique)** : le plus long et le plus gros nerf de l'homme. Son trajet suit la face dorsale de la cuisse et innerve les fléchisseurs. Au niveau du pli du genou, il se divise en deux branches pour innerver la jambe et le pied :
  - **nerf tibial ;**
  - **nerf fibulaire commun.**

8.6 Réflexes

De nombreux réflexes transmettent des **réactions protectrices** rapides (par exemple se retenir en cas de chute brutale). Toutefois, ils ne se produisent pas uniquement dans de telles situations, mais régissent en permanence différentes fonctions du corps (par exemple le tonus musculaire) afin qu'elles n'aient pas besoin d'être contrôlées de façon consciente. Les réactions réflexes sont commandées par le SNC et facilitent le maintien de la posture, la motricité cinétique, la marche → soulage la conscience qui est libre d'exercer des tâches plus complexes.
La transmission d'un réflexe passe par un arc réflexe :

- le **récepteur** capte le stimulus et le traduit en une excitation neuronale ;
- les **fibres nerveuses sensitives** conduisent l'influx du récepteur à l'un des **centres réflexes** du SNC (par exemple la MS), qui génère la réponse réflexe ;
- les **fibres nerveuses motrices** transmettent la réponse réflexe à l'**effecteur** (organe exécuteur : muscle).

8.6.1 Réflexe monosynaptique

Type de réflexe le plus simple : un influx entrant intervient **directement** sur le motoneurone transmettant la réponse réflexe. Présence d'**une seule** synapse centrale entre les deux neurones → **réflexe monosynaptique** (*mono,* une). Le récepteur est situé au même endroit que l'effecteur → **réflexe myotatique du muscle en réponse à son propre étirement.** Le réflexe myotatique existe dans tous les muscles qui possèdent des **fuseaux neuromusculaires** (▶ fig. 8.11). Ces derniers agissent comme des **récepteurs sensibles à l'allongement** (c'est-à-dire qu'ils sont excités par l'allongement du muscle, ▶ 9.4).

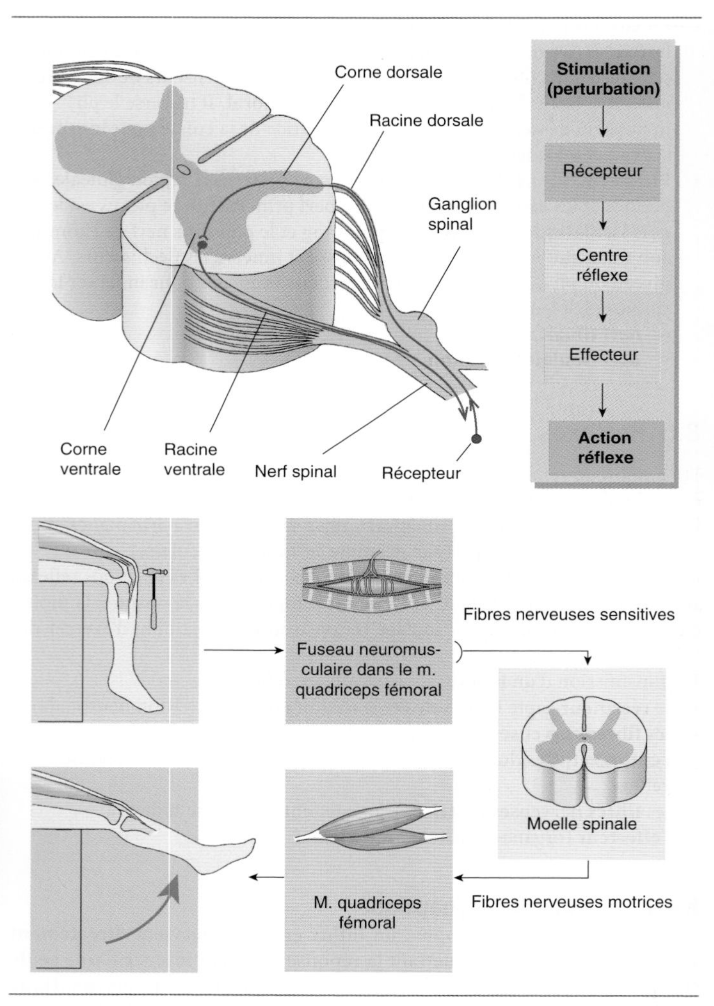

Fig. 8.11 Arc réflexe lors de réflexe monosynaptique avec comme exemple le réflexe patellaire (réflexe rotulien). La percussion du ligament patellaire → étirement du fuseau neuromusculaire → activation. Le stimulus excitateur se propage par le biais des fibres nerveuses sensitives jusqu'à la MS, transmission au niveau de la corne ventrale, atteinte des fibres motrices du muscle → contraction.

8.6.2 Réflexe polysynaptique

Pour ces arcs réflexes complexes, plusieurs neurones intermédiaires (interneurones) se trouvent au niveau du SNC entre les neurones sensitif et moteur.

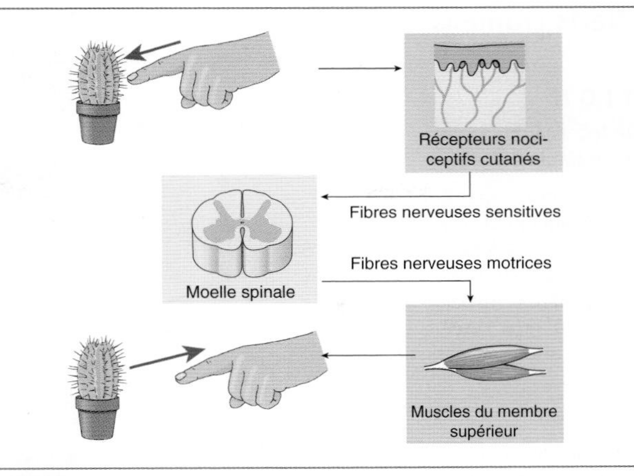

Fig. 8.12 Réflexe polysynaptique avec comme exemple la réaction de retrait après une stimulation douloureuse. Les récepteurs et les effecteurs ne sont pas situés au même endroit.

Plusieurs synapses centrales sont impliquées → réflexe polysynaptique (*poly*, plusieurs). Le récepteur ne se trouve pas au même endroit que l'effecteur → **réponse du muscle à une stimulation hors de celui-ci** (▶ fig. 8.12).
Le SNA présente également des réflexes → réglage des fonctions organiques (▶ 8.10).

8.6.3 Examen des réflexes

- Les **réflexes monosynaptiques** qui sont testés au cours de l'examen neurologique sont les suivants :
  - membre inférieur : **réflexe patellaire (rotulien)** (▶ fig. 8.11), **réflexe achilléen ;**
  - membre supérieur : **réflexe bicipital**, **réflexe tricipital.**
- **Réflexes polysynaptiques** souvent testés **: réflexe cutané abdominal** qui consiste à frotter légèrement la peau de l'abdomen → tension des muscles de la paroi abdominale.
- Les réflexes de la région de la tête (**réflexe de clignement palpébral, réflexe de déglutition**) passent par les nerfs crâniens (▶ 8.7).
- **Réactions pathologiques :** abolition des réflexes physiologiques, asymétrie de la réponse réflexe, exagération des réflexes.
- **Réflexes pathologiques :** réflexes polysynaptiques qui ne se produisent plus chez une personne en bonne santé et sont en général observés lors de lésion des voies pyramidales (▶ 8.8.9) → **signes d'atteinte des voies pyramidales.**

8.7 Nerfs crâniens

NOTION MÉDICALE

Signe de Babinsky

Signe d'atteinte pyramidale le plus significatif cliniquement chez l'adulte : frottement du bord externe du pied → hyperextension du gros orteil, flexion et écartement des autres orteils.

Les **nerfs crâniens** font partie du SNP et comprennent tous les faisceaux de fibres nerveuses qui ont quitté le SNC au-dessus de la MS. Ils innervent la tête et la région du cou ainsi qu'une grande partie des organes internes et relient des organes des sens de la tête au cerveau (▶ fig. 8.13a, ▶ fig. 8.13b, ▶ fig. 8.15). Il existe **12 paires de nerfs crâniens,** qui sont généralement désignées par des chiffres romains de I à XII. Tous les nerfs crâniens quittent le cerveau par de petits foramens situés dans les os du crâne.

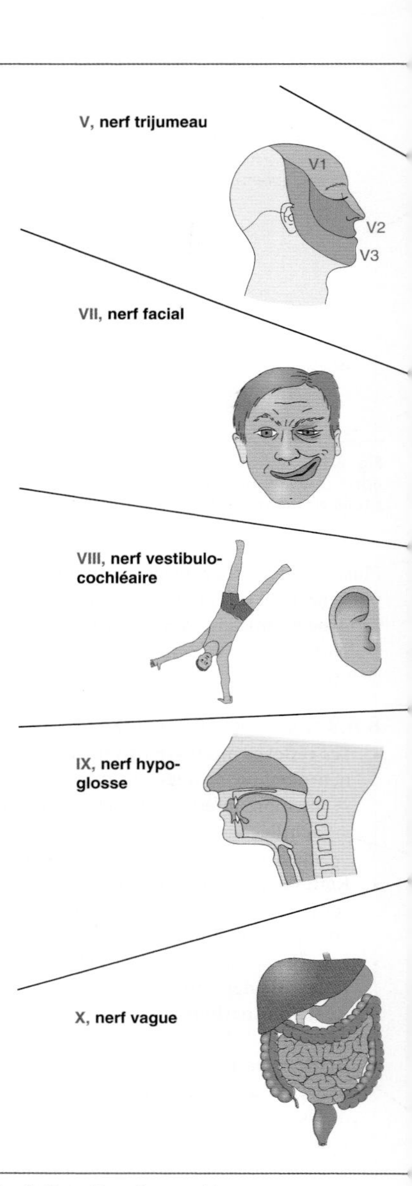

Fig. 8.13a Vue d'ensemble...

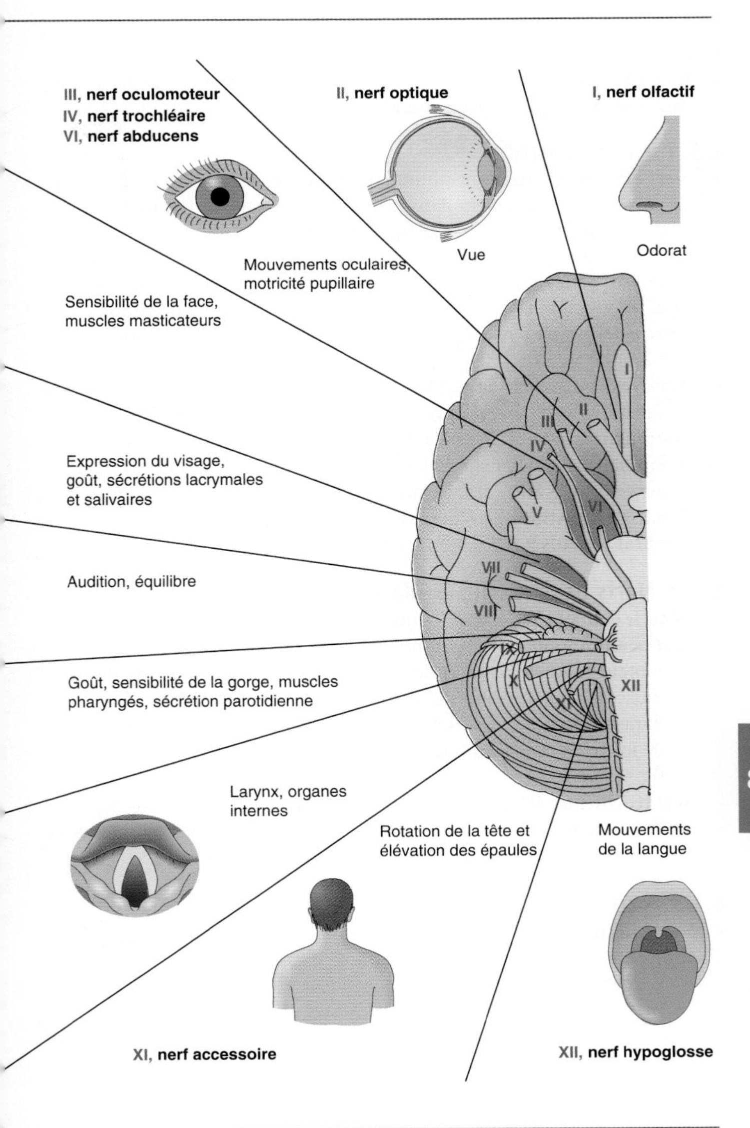

Fig. 8.13b … des douze paires de nerfs crâniens et de leurs fonctions.

Selon leurs **fonctions**, il est possible de différencier :

- les nerfs crâniens **sensitifs** (nerfs I, II et VIII) : transmettent les sensations perçues par les organes des sens jusqu'au cerveau;
- les nerfs crâniens **moteurs** (nerfs III, IV, VI, XI et XII);
- les nerfs crâniens **mixtes** (nerfs V, VII, IX et X) : comportent des fibres motrices, sensitives et parasympathiques.

8.7.1 Nerfs sensitifs

- **Nerf olfactif (I)** : nerf sensitif pur, qui transmet les sensations des odeurs. Les récepteurs se trouvent dans la muqueuse nasale → nerf olfactif → **bulbe olfactif** (▸ fig. 9.5) → **cortex olfactif** (▸ fig. 8.18).
- **Nerf optique (II)** : nerf purement sensitif. Rétine de l'œil (▸ fig. 9.10) → croise partiellement la ligne médiane au niveau du **chiasma optique** (▸ 9.7.4) → premier relais dans le thalamus (▸ 8.8.4) → **radiations optiques** → cortex visuel primaire dans le lobe occipital du cerveau (▸ 8.8.8).
- **Nerf vestibulocochléaire (VIII)** : nerf purement sensitif qui conduit les stimuli parvenant aux organes de l'équilibre (organes vestibulaires) et aux organes de l'audition (cochlée). Les stimuli vestibulaires → noyaux vestibulaires de la moelle allongée (▸ 8.8.2) → cervelet (▸ 8.8.5), MS, noyau oculomoteur, gyrus postcentral (▸ 8.8.9). Les stimuli cochléaires → nombreux relais → cortex cérébral (détails ▸ 8.8.9, ▸ 9.5, ▸ 9.7).

8.7.2 Nerfs des muscles oculaires

Trois nerfs crâniens innervent les muscles oculaires :

- **nerf oculomoteur (III)**, nerf mixte (▸ 8.10.2) :
  - moteur : muscle releveur de la paupière supérieure et quatre des six muscles oculaires externes (▸ tableau 9.1);
  - parasympathique : muscle ciliaire (accommodation, vision de près/de loin), muscle sphincter de la pupille (diamètre pupillaire ▸ fig. 9.9).
- **nerf trochléaire (IV),** moteur : muscle oblique supérieur (▸ fig. 9.13);
- **nerf abducens (VI),** moteur : muscle droit latéral (mouvement des yeux vers l'extérieur; du latin *abducere,* s'écarter, ▸ tableau 9.1).

8.7.3 Nerfs faciaux

- **Nerf trijumeau (V)** (▸ fig. 16.9) : se divise en trois grosses racines juste après sa sortie de la cavité crânienne :
  - V_1, **nerf ophtalmique,** sensitif : orbite et front;
  - V_2, **nerf maxillaire**, sensitif : peau située en dessous de l'orbite, muqueuse nasale, lèvre supérieure et dents de la mâchoire supérieure;

- V_3, **nerf mandibulaire**, mixte :
  - sensitif : région mandibulaire (lèvre inférieure, gencives et dents inférieures) ;
  - moteur : tous les muscles de la mastication et de la cavité buccale (points de sortie ▶ fig. 6.5).
- **Nerf facial (VII)**, mixte :
  - moteur : muscles de l'expression ;
  - parasympathique : glandes lacrymales (▶ 9.7.6), glandes sous-mandibulaire et sublinguales (▶ 16.2.4) ;
  - sensoriel : sensation du goût dans les ⅔ antérieurs de la langue (▶ 16.2.3).

NOTION MÉDICALE

Paralysie faciale

- **Paralysie faciale périphérique :** paralysie la plus fréquente d'un nerf périphérique faisant suite à une atteinte sur le trajet du nerf facial. Du côté atteint, la fermeture de l'œil est impossible, le front ne peut plus être plissé, la commissure des lèvres est tombante. Perturbations possibles des sécrétions lacrymales et salivaires ainsi que du goût.
- **Paralysie faciale centrale** (par exemple AVC) : déficit unilatéral des neurones excitateurs du cerveau → paralysie des muscles de l'expression du côté opposé. Exception : muscles du front (innervation bilatérale).

8.7.4 Nerfs du pharynx, du cou et de la langue

- **Nerf glossopharyngien (IX)**, mixte :
  - parasympathique : glande parotide (▶ 16.2.4) ;
  - moteur : muscles pharyngés ;
  - sensitif : muqueuse pharyngée, tympan ;
  - sensoriel : sensation du goût du tiers postérieur de la langue.
- **Nerf accessoire (XI)** purement moteur : muscles sternocléidomastoïdien et trapèze.
- **Nerf hypoglosse (XII)**, purement moteur : muscles de la langue.

8.7.5 Nerf vague

Nerf vague (X) (▶ fig. 8.14) :

- principal nerf du système parasympathique (▶ 8.10.2) :
  - influx efférents (efférence viscérale) pour les muscles lisses et les organes (sécrétion) (▶ fig. 8.23) ;
  - fibres sensitives (afférences viscérales) issues des organes vers le SNC.
- moteur et sensitif : région du larynx (parole, déglutition).

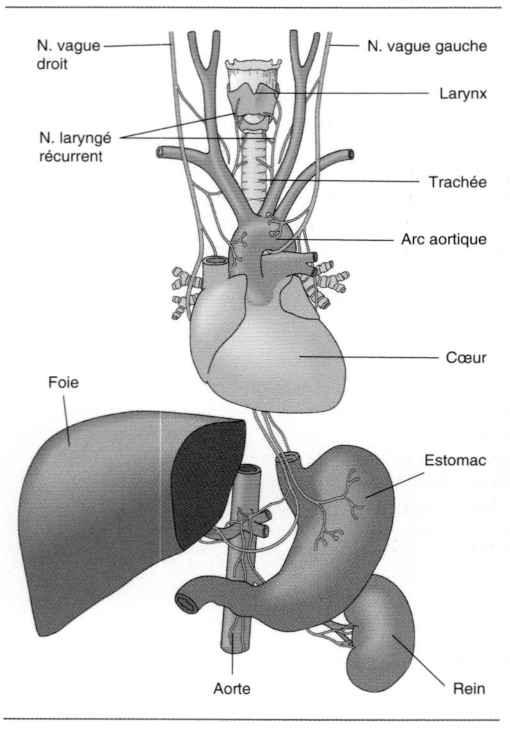

Fig. 8.14 Trajet du nerf vague. Les nerfs vagues gauche et droit suivent le trajet de la carotide en direction du cœur. Chaque nerf donne un nerf laryngé récurrent pour le larynx : le gauche entoure l'arc aortique, le droit entoure le tronc brachiocéphalique. D'autres rameaux se dirigent vers les poumons et l'œsophage. Les branches principales s'étirent jusqu'à l'atrium droit. En longeant l'aorte, le nerf vague traverse le diaphragme, atteint la cavité abdominale et innerve l'estomac, les intestins et les reins (▶ fig. 8.23).

8.8 Cerveau

Bien qu'il ne représente que 2 % du poids du corps, le cerveau (au repos) consomme près de 20 % des besoins de l'organisme en énergie et en oxygène.

8.8.1 Développement au cours de l'évolution

Le cerveau des mammifères s'est développé sans cesse depuis des millions d'années. Un certain nombre d'étapes préliminaires ont jalonné son développement.

L'évolution des premiers animaux a été contrôlée fondamentalement par l'instinct. La base anatomique du **traitement instinctif** et de la régulation des **fonctions vitales** (respiration, pression artérielle) des premiers animaux est représentée principalement par le tronc cérébral qui, chez ces animaux, représentait la plus grosse partie de la masse cérébrale. Il est composé :

- de **la moelle allongée** (medulla oblongata ou bulbe rachidien) : zone de transition entre la moelle spinale et le pont ;

- du **pont** (protubérance annulaire) : relie le tronc cérébral au cervelet;
- du **mésencéphale**.

Au fur et à mesure de l'**évolution** (▶ 3.14), de nouvelles structures ont pris de l'importance :

- le **cervelet** : contrôle fin de la motricité du corps → développement de modes de locomotion complexes (voler, grimper, bipédie);
- le **télencéphale** : partie la plus récente du cerveau d'un point de vue évolutif, centre cérébral supérieur, possède des voies se dirigeant vers toutes les autres parties du cerveau, des noyaux de substance grise spécialisés et des aires fonctionnelles corticales (▶ 8.8.9). Lieu d'origine des **sensations** et des **mouvements conscients** ainsi que de la **mémoire**;
- le **diencéphale** : poste de commande situé entre le tronc cérébral et le télencéphale. Associé au tronc cérébral, il génère entre autres le rythme circadien (veille/sommeil).

8.8.2 Tronc cérébral

Partie du cerveau la plus basse et la plus ancienne (▶ 8.8.2) :

- se divise en trois parties : la moelle allongée, le pont et le mésencéphale;
- formé de voies ascendantes et descendantes (substance blanche) ainsi que de rassemblements de neurones (substance grise).

Moelle allongée (medulla oblongata, bulbe rachidien)

Forme la partie inférieure du tronc cérébral. Au niveau du foramen magnum, la moelle allongée se prolonge par la moelle spinale sans zone de transition bien marquée (▶ fig. 8.16).

- **Substance blanche :**
  - voies descendantes issues du télencéphale : forment deux reliefs, les pyramides (▶ fig. 8.15), qui donnent aux fibres nerveuses le nom de **voies pyramidales** (▶ 8.8.9). Les fibres des voies pyramidales croisent en grande partie dans cette région la ligne médiane pour passer du côté opposé (décussation) → les voies motrices de la moitié gauche du télencéphale innervent les muscles de la moitié droite du corps et vice versa → en cas d'AVC (▶ 8.12) de la moitié droite du cerveau, les déficits s'observent sur la moitié gauche du corps;
  - voies ascendantes : croisent également la ligne médiane en grande partie dans la moelle allongée pour passer du côté opposé → environ 80 % des sensations ressenties par une moitié du corps sont réceptionnées par la moitié controlatérale du cerveau.
- **Substance grise :**
  - **centres régulateurs** de boucles de contrôle ayant une importance vitale (3.9) :
    - **centre cardiovasculaire :** influence la fréquence cardiaque et la force de contraction myocardique, contrôle le diamètre des vaisseaux sanguins et la pression artérielle;
    - **centre respiratoire :** régule le rythme de base de la respiration, s'étire sur la moelle allongée et le pont;

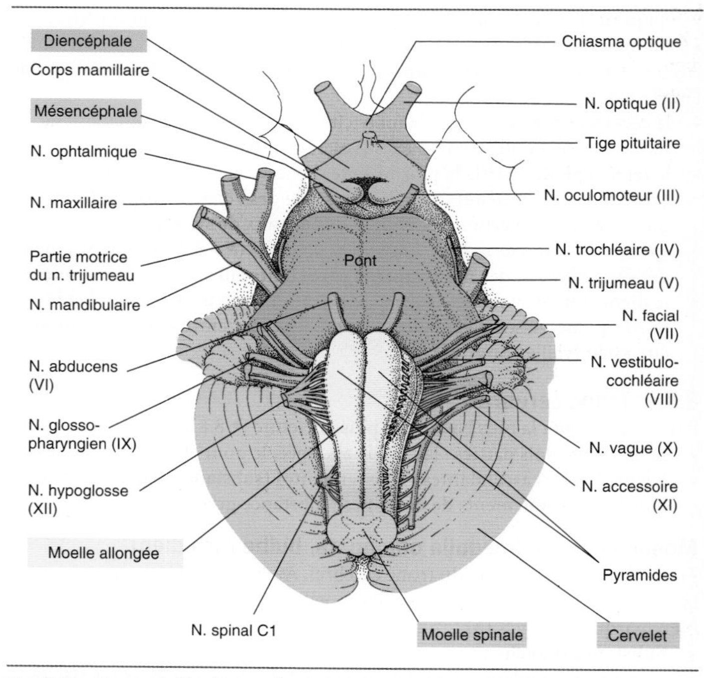

Fig. 8.15 Tronc cérébral et nerfs crâniens. Le nerf olfactif (I) n'est pas visible sur le schéma (il chemine en avant sur la face inférieure du télencéphale ▶ fig. 8.13).

- centres de la **déglutition**, de la **toux**, des **éternuements** et du **vomissement :** transmettent des réponses réflexes motrices.
- **Noyaux de substance grise** des nerfs crâniens VIII, IX, X, XI et XII (▶ 8.10) dont les efférences neurovégétatives transmettent l'influx des centres régulateurs aux organes internes.

Pont (protubérance annulaire)

- Voies longitudinales : fibres issues du télencéphale et allant à la MS (et vice versa).
- Faisceaux de fibres transversales : liaison entre le télencéphale et le cervelet.
- Noyaux de substance grise des nerfs crâniens V, VI, VII et en partie VIII (▶ 8.7).

Mésencéphale

« Zone intermédiaire » de 1,5 cm de long entre le bord supérieur du pont et le diencéphale. En coupe transversale, le mésencéphale est séparé en deux zones :

- **le tectum ou « toit » du mésencéphale** : renferme la **lame quadrijumelle** ou lame tectale (centres réflexes acoustique et optique) ;
- **les pédoncules cérébraux** :
  - **pied du mésencéphale ou crus cérébral** : deux renflements qui contiennent des fibres des voies du télencéphale et du cervelet ainsi que les voies pyramidales → échanges d'informations motrices et sensitives entre la MS, la moelle allongée, le pont, le cervelet, le diencéphale et le télencéphale → principale liaison entre les parties supérieures et profondes du cerveau et la MS ;
  - **le tegmentum (ou calotte) mésencéphalique** : noyaux des nerfs crâniens III et IV (▶ fig. 8.16).

Dans la région du tegmentum et du tectum mésencéphalique se trouvent des noyaux du système moteur extrapyramidal (▶ 8.8.9), qui harmonisent les mouvements réflexes des yeux, de la tête et du tronc avec la perception de l'équilibre provenant des yeux et de l'oreille interne :

- **substantia nigra (locus niger)** (substance noire, dont la couleur noire est due à la mélanine) ;
- **noyaux rouges** (dont la couleur rouge est due à la forte teneur en fer).

Le mésencéphale est traversé par l'**aqueduc** du mésencéphale (**de Sylvius**) qui est rempli de liquide cérébrospinal et relie le 3e ventricule au 4e ventricule (▶ 8.11.2).

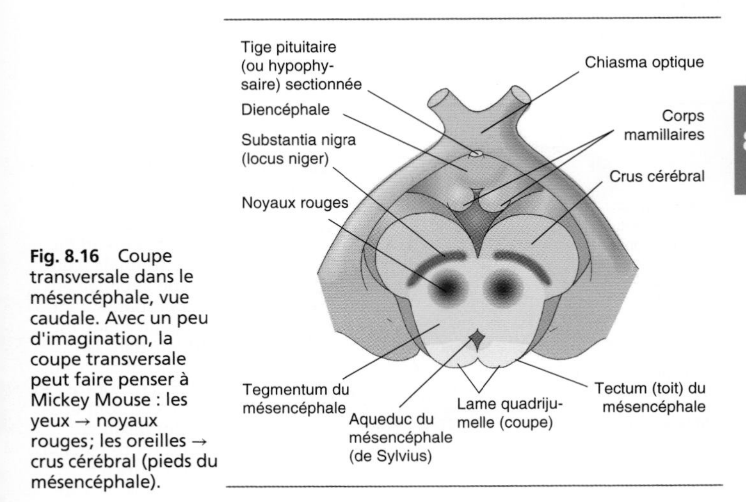

Fig. 8.16 Coupe transversale dans le mésencéphale, vue caudale. Avec un peu d'imagination, la coupe transversale peut faire penser à Mickey Mouse : les yeux → noyaux rouges; les oreilles → crus cérébral (pieds du mésencéphale).

8

8.8.3 Formation réticulée (ou réticulaire)

- Des bandes de neurones aux limites floues traversent l'ensemble du tronc cérébral jusqu'au thalamus (▶ 8.8.4). Associées à leurs fibres nerveuses, elles forment des sortes de réseaux → **formation réticulée (ou réticulaire)** (▶ fig. 8.17).
- Importance centrale en commandant les niveaux de conscience et le rythme veille/sommeil. Pour cela, le cortex cérébral est activé par l'intermédiaire du **système réticulé activateur ascendant (SRAA)**.

Altérations des niveaux de conscience

- Des lésions cérébrales peuvent entraîner des **altérations quantitatives du niveau de conscience** :
  - **obnubilation** (légère altération du niveau de conscience) : ralentissement des pensées et des actions, réactions manquant de précision ;
  - **somnolence** (endormissement pathologique) ou **coma vigile** : patient facilement réveillé par un stimulus, pouvant alors répondre à des questions simples ;
  - **coma léger** (plus forte altération de la conscience) : le patient ne peut plus être éveillé par un stimulus verbal mais uniquement par un stimulus douloureux et ne reste éveillé que très peu de temps. Il ne peut pas répondre à des questions simples ;
  - **coma profond** (perte de conscience) : le patient ne peut plus être réveillé ; le cas échéant, réactions de défense non ciblées en cas de stimulus douloureux.

La détermination précise du stade → échelle standardisée, principalement l'**échelle de Glasgow** (GCS pour *Glasgow coma scale*).

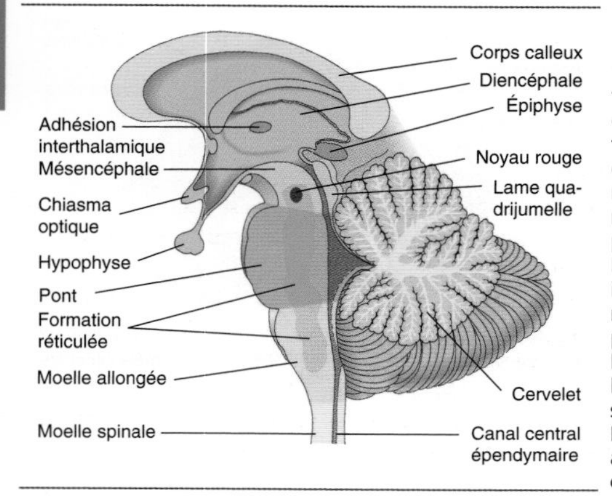

Fig. 8.17 Centres fonctionnels du tronc cérébral. La formation réticulée (en orange) s'étend du mésencéphale à la moelle allongée en passant par le pont. Le noyau rouge est indiqué dans le mésencéphale. L'épiphyse, l'hypophyse et le cervelet sont également reconnaissables sur ce schéma. Le 3e ventricule apparaît ouvert sur cette coupe.

- **Altérations qualitatives du niveau de conscience :** le **contenu** de la conscience est altéré.
  - **Désorientation** : le patient ne sait plus, par exemple, quelle est la date du jour, où il se trouve (désorientation spatiale, temporelle, personnelle). Symptôme directeur du **délire** : (trouble organique aigu) qui se produit par exemple lors d'abus d'alcool. S'accompagne d'autres symptômes comme, le plus souvent, des **hallucinations**, des troubles de la pensée, de l'agitation et des troubles végétatifs (transpiration).

Sommeil

État physiologique d'« inconscience » temporaire, phase de récupération indispensable à la vie. Le sommeil se compose de différentes phases :

- **sommeil REM :** se caractérisant par des mouvements oculaires rapides (*rapid eye movements* [REM]), une ↑ du pouls et de la fréquence respiratoire qui sont irréguliers, des fluctuations de la pression artérielle, une ↓ du tonus musculaire et souvent des rêves ;
- **sommeil non-REM :** phase de sommeil plus calme sans mouvements oculaires.

REMARQUE

Chez les individus en bonne santé, le **rythme circadien** est un rythme qui dure environ 24 heures et qui régit, entre autres, le rythme veille/sommeil et un très grand nombre d'autres fonctions corporelles et psychiques.

8.8.4 Diencéphale

Centre de commande situé entre le télencéphale et le tronc cérébral. Composé principalement du **thalamus** et de l'**hypothalamus** comportant l'**hypophyse** (▶ fig. 8.17, ▶ fig. 10.4).

L'**épiphyse** est située du côté dorsal du diencéphale, au niveau de la paroi postérieure du 3e ventricule (▶ fig. 8.19, ▶ 10.3). D'autres noyaux de substance grise du diencéphale appartiennent au système moteur extrapyramidal (▶ 8.8.9).

Thalamus

- Composé essentiellement d'environ 20 noyaux de substance grise (les **noyaux thalamiques**), le **noyau thalamique antérieur** étant l'un des plus gros (▶ fig. 8.18). Les thalamus droit et gauche entourent le 3e ventricule et sont reliés par l'adhésion interthalamique (▶ fig. 8.17).
- Toutes les informations de l'environnement extérieur ou du milieu intérieur de l'organisme (à l'exception de l'odorat, ▶ 8.7.1) parviennent au thalamus par le système des voies ascendantes → elles y sont collectées, interconnectées et traitées → voies sensorielles → cortex cérébral, traitement en sensations conscientes. D'autres connexions parviennent au système limbique (▶ 8.8.7).
- Pour que le cortex cérébral et la conscience ne soient pas submergés, le thalamus agit comme un filtre (la « porte de la conscience »).

8

Hypothalamus et hypophyse

L'**hypothalamus** est situé sous le thalamus et représente la partie la plus inférieure du diencéphale (du grec *hypo,* sous) (▶ fig. 10.4).

REMARQUE

L'hypothalamus contrôle de très nombreuses **fonctions de l'organisme :**
- la température centrale de l'organisme (par des thermorécepteurs);
- la teneur en eau et en sels (par des osmorécepteurs);
- les fonctions circulatoires, digestives et vésicales (par, entre autres, des récepteurs hormonaux);
- la prise de nourriture et de liquide (par les centres de la soif, de la faim et de la satiété).

De plus, il est impliqué, en tant que partie du système limbique (▶ 8.8.7), dans l'apparition des émotions et de l'agitation.

- La commande des fonctions vitales s'effectue en partie par **voie nerveuse** (par le SNA, ▶ 8.10), et en partie par **voie hormonale** via le sang → distribution des neurotransmetteurs/neuropeptides et des hormones → liaison centrale entre les systèmes nerveux et hormonaux.
- L'hypothalamus est en relation avec l'**hypophyse** par la **tige pituitaire** (infundibulum).
- Des hormones sont synthétisées dans des noyaux de substance grise particulièrement bien vascularisés de l'hypothalamus : le **noyau supra-optique** synthétise surtout l'**ADH,** et les **noyaux paraventriculaires** principalement l'**ocytocine** (▶ 10.2.1). Ces deux hormones traversent via les axones respectifs la tige hypophysaire jusqu'à la partie postérieure de l'hypophyse (**lobe postérieur de l'hypophyse ou neurohypophyse)** → stockage avant d'être déversées dans le sang en cas de besoin (libération hormonale par des neurone via les fibres nerveuses = **neurosécrétion**).

8

Lobe antérieur de l'hypophyse (antéhypophyse)

D'autres noyaux de substance grise de l'hypothalamus synthétisent des hormones qui n'agissent pas directement, mais stimulent ou inhibent la libération d'hormones antéhypophysaires en agissant respectivement comme des **hormones de libération** (▶ 10.2.1) ou des **hormones inhibitrices.** Elles atteignent le **lobe antérieur de l'hypophyse** (antéhypophyse) en empruntant un système vasculaire spécifique, le système porte hypothalamo-hypophysaire (▶ 10.2.1).

8.8.5 Cervelet

Situé dans la fosse crânienne postérieure (▶ fig. 6.2) en dessous des lobes occipitaux du télencéphale et derrière le pont (▶ fig. 8.15, ▶ fig. 8.17). Il se compose de plusieurs parties :
- le **vermis du cervelet** et
- deux lobes ou **hémisphères cérébelleux.**

Au niveau de la surface du cervelet finement striée se trouve une **écorce cérébelleuse** de substance grise mesurant seulement 1 mm d'épaisseur. En dessous se trouvent les fibres nerveuses de la substance blanche qui contient également de chaque côté **quatre noyaux gris cérébelleux**.

- Par l'intermédiaire de voies ascendantes et descendantes qui cheminent au niveau de trois paires de pédoncules cérébelleux, le cervelet est relié à la moelle allongée (surtout voies afférentes), au mésencéphale (principalement voies efférentes), aux organes de l'équilibration (voies afférentes) et, par le pont, au télencéphale →
- **Fonctions :** centre moteur coordinateur. Associé au télencéphale, par le biais des fibres du système extrapyramidal, le cervelet est responsable du **tonus de base musculaire** et de la **coordination des mouvements**. Associé aux organes de l'équilibration, il est responsable de l'**équilibre** (▶ 8.7.1, ▶ 9.8).

NOTION MÉDICALE

Lésions du cervelet

Beaucoup de maladies et d'intoxications (y compris l'abus d'alcool) engendrent des **lésions cérébelleuses.** Il s'ensuit une hypotonie musculaire (▶ 5.3.1), des tremblements lors de mouvements ciblés (**tremblements intentionnels**), des troubles de la coordination musculaire (**dyssynergie** avec une démarche mal assurée [**ataxie locomotrice**]) ainsi que des mouvements trop longs qui dépassent leur cible ou au contraire trop courts qui ne parviennent pas à l'atteindre (**dysmétrie**). La capacité à reproduire un ensemble de mouvements antagonistes (par exemple pronation et supination de l'avant-bras lors de mouvements de rotation ▶ 6.5.2) est également limitée (**adiadococinésie**). Beaucoup de patients se plaignent de vertiges.

8.8.6 Ganglions de la base

- Les **ganglions de la base (noyaux gris centraux)** : noyaux gris situés en profondeur principalement au niveau du télencéphale et du diencéphale, mais aussi en partie au niveau du mésencéphale (▶ 8.8.2). Forment les centres supérieurs du **système extrapyramidal** (▶ 8.8.9, ils commandent les mouvements musculaires et le tonus musculaire autonomes, modifient la motricité volontaire).
- **(Néo)striatum** : plus gros amas de noyaux des ganglions de la base, divisé en deux par la voie pyramidale (▶ fig. 8.21), le **noyau caudé** et le putamen.
- Le **putamen** forme avec le **globus pallidus** le **noyau lenticulaire**. Ils ne sont associés que d'un point de vue topographique, mais leurs fonctions les différencient fortement (le putamen a une origine télencéphalique, le globus pallidus diencéphalique). D'autres structures de substance grise peuvent être rattachées aux ganglions de la base comme le **noyau subthalamique** (appartient au système extrapyramidal) et l'**amygdale** (fait partie du système limbique, ▶ 8.8.7).

Des lésions des ganglions de la base conduisent à des dysfonctions de la séquence des mouvements (par exemple syndrome parkinsonien ▶ 8.2.3).

8.8.7 Système limbique

Unité fonctionnelle formée de structures du télencéphale, du diencéphale et du mésencéphale (▶ fig. 8.18). Composée entre autres :

- de l'amygdale;
- de l'hippocampe;
- d'une partie de l'hypothalamus, les corps mamillaire qui reçoivent les signaux de l'hippocampe passant par le fornix.

Ce système très ancien phylogénétiquement joue un rôle essentiel dans la formation des émotions ainsi que dans les réactions végétatives et les comportements qui leur sont liés.

Par l'hypothalamus, le système limbique influence de très nombreuses fonctions organiques → centre supérieur de la régulation endocrinienne, végétative et émotionnelle (anglais : *visceral brain* ou cerveau viscéral). De plus, il joue un rôle central dans la mémoire.

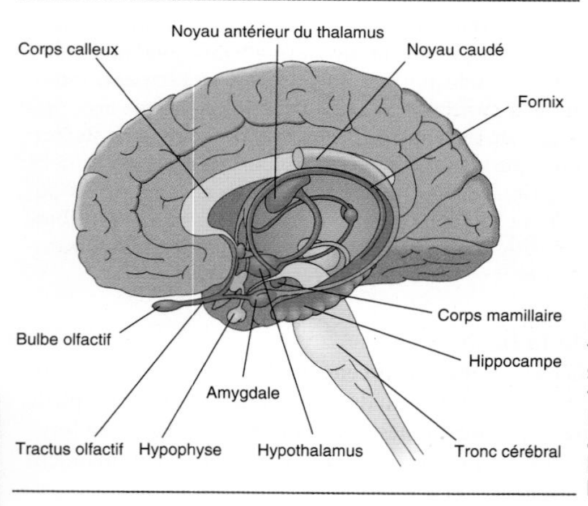

Fig. 8.18 Système limbique. Les structures appartenant au système limbique forment comme une lisière (latin *limbus*) autour du corps calleux et du tronc cérébral (▶ 8.8.2).

8.8.8 Structure du télencéphale

Le **télencéphale** est la plus grosse partie du cerveau et recouvre, de ce fait, le diencéphale et le mésencéphale → il forme la face externe du cerveau située sous la calotte crânienne.

Une coupe du télencéphale met en évidence :

- des **voies de conductions** (substance blanche) : voies de connexion à l'intérieur du SNC;
- des **noyaux télencéphaliques** formant des amas de substance grise en profondeur du cerveau;
- le **cortex cérébral** : couche externe mesurant 1,5 à 4,5 mm d'épaisseur, formée de substance grise; présente des crêtes appelées

circonvolutions ou **gyrus** (pluriel gyri ou gyrus si francisé) et des vallées appelés **sillons** ou **sulcus** (pluriel sulci ou sulcus si francisé) ; comme il n'a cessé d'augmenter au fur et à mesure de l'évolution et qu'il est limité par la taille de la cavité crânienne, sa surface importante (environ 2200 cm^2) n'a pu se développer que par la formation d'un important plissement.

Fissures (scissures) et lobes

Les sillons particulièrement profonds sont appelés **fissures (scissures).** La **fissure longitudinale** qui s'étire de l'avant vers l'arrière, sépare le télencéphale en deux **hémisphères cérébraux** droit et gauche. La face latérale convexe est séparée de la face médiale par le **bord supérieur de l'hémisphère**. Les deux hémisphères sont reliés uniquement en profondeur par un large système de fibres transversales, appelé le **corps calleux** (▶ fig. 8.19).
D'autres fissures divisent chacun des hémisphères en quatre **lobes cérébraux** (▶ fig. 8.20) :

- **sillon central (ou scissure de Rolando)** : entre le **lobe frontal** et le **lobe pariétal ;**
- **sillon latéral :** sépare le **lobe temporal** du lobe pariétal ;
- sillon pariéto-occipital : sépare, sur la face médiale, le lobe occipital du lobe pariétal.

Substance grise du télencéphale

Cortex cérébral (ou **écorce**) : recouvre aussi bien la face convexe des hémisphères jusqu'à la calotte crânienne (convexité cérébrale) que la face inférieure plane des hémisphères (base du cerveau). Malgré sa faible épaisseur, il contient 70 % de l'ensemble des neurones du cerveau.
Les neurones ayant des fonctions semblables sont disposés côte à côte et forment des **aires corticales**, qui extérieurement ne sont pas différenciables les unes des autres. D'un point de vue fonctionnel, il est possible de différencier :

- les **aires motrices :** neurones ayant des connexions avec l'ensemble des muscles squelettiques → commande des contractions ;
- les **aires sensitives :** neurones traitant les impressions sensorielles provenant de l'ensemble des organes des sens (y compris les récepteurs cutanés et articulaires) qui sont amenées au cerveau ;
- les **aires associatives :** associent les stimulations des différentes aires corticales et les traitent pour engendrer des réactions motrices, émotionnelles et intellectuelles.

La partie profonde du télencéphale contient, au sein de la substance blanche, d'autres amas de cellules nerveuses disposés par paires (**noyaux du télencéphale**). Parmi eux citons :

- des parties des ganglions de la base (▶ 8.8.6) ;
- des structures du système limbique, par exemple l'amygdale (▶ 8.8.7).

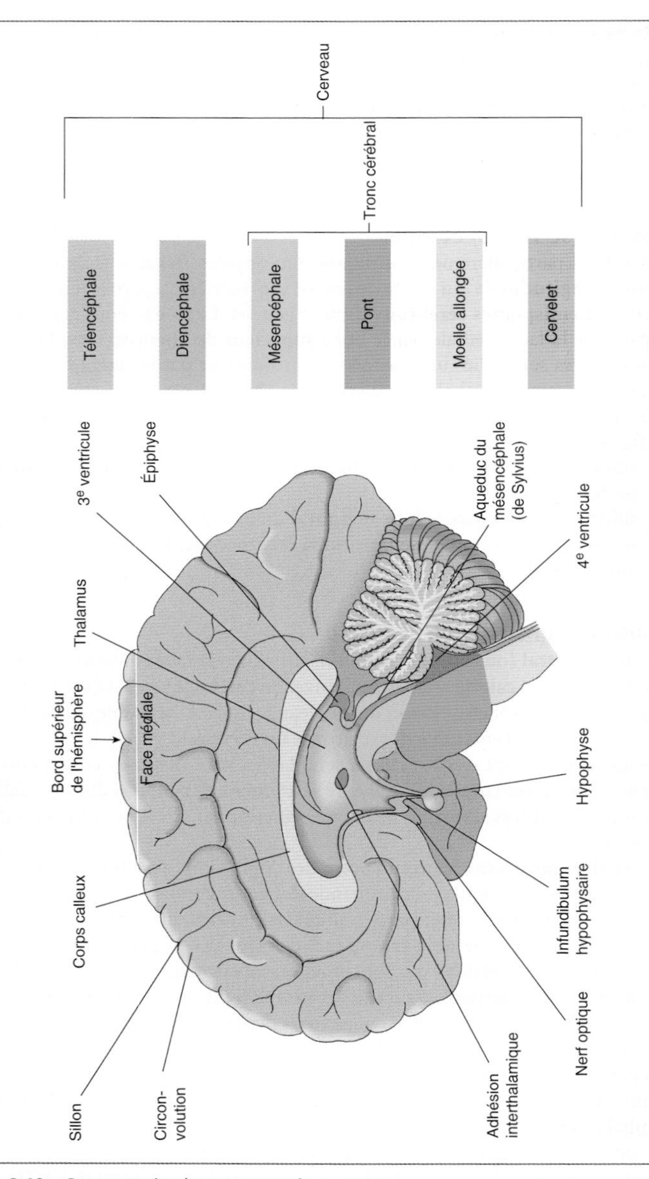

Fig. 8.19 Coupe sagittale traversant le cerveau.

Substance blanche du télencéphale

Formée de faisceaux de fibres nerveuses qui relient différentes régions cérébrales :

- les **faisceaux commissuraux :** sont disposés transversalement et relient les hémisphères cérébraux droit et gauche. Le **corps calleux** est le faisceau de fibres commissurales le plus important (▶ fig. 8.18, ▶ fig. 8.20) ;
- les **faisceaux d'association :** conduisent les influx d'un endroit à l'autre à l'intérieur d'un même hémisphère ;
- **faisceaux de projection :** relient le télencéphale avec les structures plus profondes du cerveau et avec la MS.

8.8.9 Aires fonctionnelles du télencéphale

Les aires corticales motrices et sensitives sont différenciées en :

- **aires primaires :** en relation point par point avec la périphérie du corps, envoient les signaux aux muscles striés et reçoivent les influx de différents récepteurs et capteurs ;
- **aires secondaires ou associatives :** stockage des expériences, des souvenirs et de modes opératoires pour exécuter des séquences de mouvements complexes ou pour interpréter les informations entrantes (par exemple écrire et lire). Les aires primaires sont donc connectées en aval et en amont par des faisceaux d'association.

De gros faisceaux de projection permettent de relier les aires corticales à la périphérie de l'organisme ainsi qu'aux régions cérébrales situées plus en profondeur.

Cortex moteur primaire

Le **cortex moteur primaire** réside en grande partie dans le **gyrus précentral** (▶ fig. 8.20). Dans cette aire, les neurones destinés à la motricité volontaire sont disposés en rangs serrés.

Chaque région du corps possède son propre territoire dans cette aire, mais chaque groupe musculaire particulier est représenté de façon très différente : ce n'est pas la **taille** du muscle qui détermine le nombre de neurones présents dans le gyrus précentral, mais la **précision** des mouvements qu'il permet → la « caricature » du corps (latin *homunculus,* petit homme, ▶ fig. 8.22) au niveau du gyrus précentral est déformée du fait de la hiérarchisation des différentes régions du corps.

8

Voie pyramidale

La **voie pyramidale** (▶ fig. 8.21) transmet les commandes des mouvements conscients. Elle a pour cible les noyaux moteurs des nerfs crâniens (fibres corticonucléaires) et la MS (fibres corticospinales). Trajet : gyrus précentral → **capsule interne** → moelle allongée → là, croisement de la ligne médiane (décussation) par > 80 % des fibres de la voie pyramidale pour passer du côté controlatéral et poursuite par le **faisceau corticospinal latéral (ou faisceau pyramidal croisé)** dans la MS jusqu'aux motoneurones destinés à la périphérie du corps. Les fibres restantes se poursuivent sans décussation par le **tractus corticospinal antérieur (ou faisceau pyramidal direct)** (▶ fig. 8.8) et ne croisent la ligne médiane pour passer du côté controlatéral qu'au niveau de la MS.

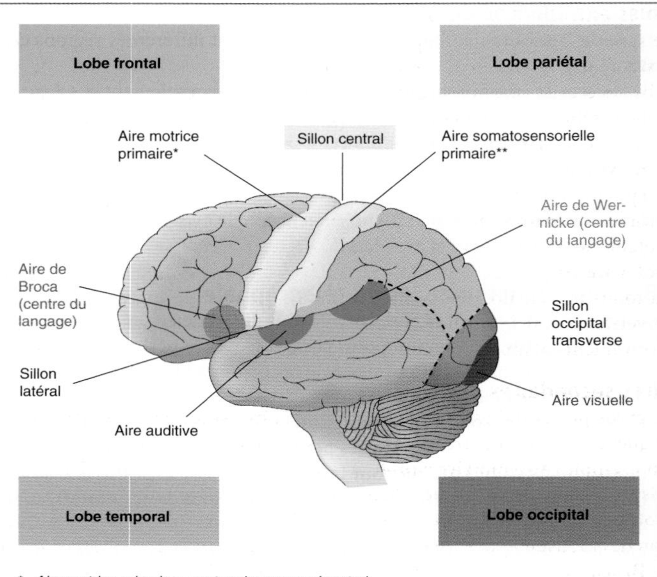

Fig. 8.20 Répartition morphologique et fonctionnelle des lobes cérébraux sur la vue latérale.

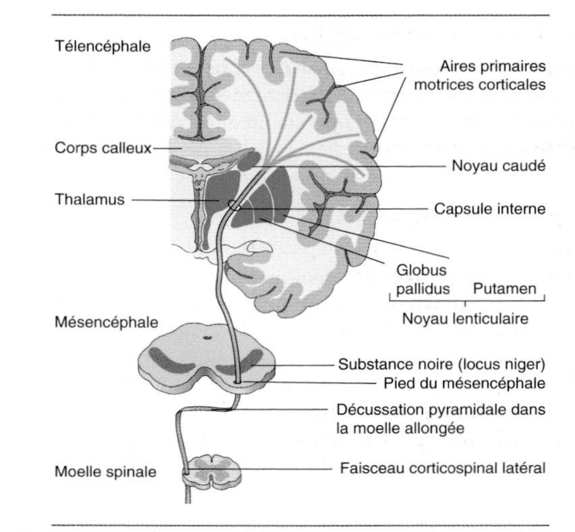

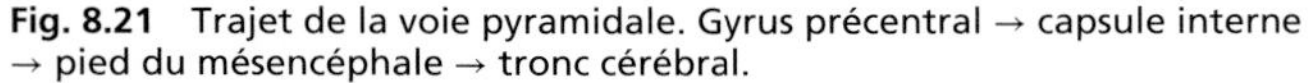

Fig. 8.21 Trajet de la voie pyramidale. Gyrus précentral → capsule interne → pied du mésencéphale → tronc cérébral.

Voies extrapyramidales

Le système de conduction pyramidal travaille en étroite collaboration avec le **système extrapyramidal** dont les neurones sont situés dans les noyaux de substance grise sous-corticaux (entre autres les ganglions de la base et le tronc cérébral). Ses fibres s'étirent également du télencéphale à la MS, mais passent cependant *en dehors* des voies pyramidales – d'où le terme de système *extra*pyramidal.

Le système extrapyramidal est principalement responsable des mouvements musculaires **autonomes (involontaires)** et il agit parallèlement au système moteur de la voie pyramidale ; toutefois, il intervient également dans la **motricité volontaire :** modification de la motricité volontaire et commande du tonus musculaire de base. En communication avec le cortex cérébral, le cervelet (▶ 8.8.5), le système optique et le sens de l'équilibre → commande des mouvements complexes, maintien de l'équilibre.

Aires secondaires motrices

Le gyrus précentral est en relation avec les **aires secondaires motrices** dans lesquelles sont enregistrées des modèles de séquences motrices complexes ; par exemple l'**aire motrice supplémentaire** proche du bord supérieur de l'hémisphère peut, en cas de défaillance, prendre en partie les fonctions de l'aire motrice primaire. En outre, il existe des **aires prémotrices** pour la planification des mouvements ainsi qu'un centre cortical moteur pour le langage (**aire de Broca**). L'aire de Broca est située dans l'hémisphère gauche chez environ 90 % des droitiers et 60 % des gauchers ; elle est bilatérale (des deux côtés) chez une grande partie des gauchers restants.

NOTION MÉDICALE

Aphasie motrice ou aphasie de Broca

Si l'aire de Broca est lésée (par exemple lors d'un AVC ▶ 8.12.3), le patient ne peut plus parler de façon fluide, bien qu'il ne présente aucune anomalie des muscles permettant la parole → **troubles du contrôle vocal, aphasie motrice** (aphasie de Broca).

Aire corticale somatosensorielle primaire

L'**aire somatosensorielle primaire** permettant les **sensations conscientes** est située dans le **gyrus postcentral**. Elle reçoit des informations des récepteurs et des capteurs périphériques (par exemple peau, muscles, organes internes) → voies ascendantes → thalamus → relais → capsule interne → gyrus postcentral et territoires voisins.

Pour cela, chaque région du corps est associée à un territoire spécialisé (▶ fig. 8.22). Comme pour les aires corticales motrices, la taille de l'aire somatosensorielle n'est pas corrélée à la taille de la région corporelle correspondante, mais dépend de la densité des récepteurs sensoriels dans la région en question.

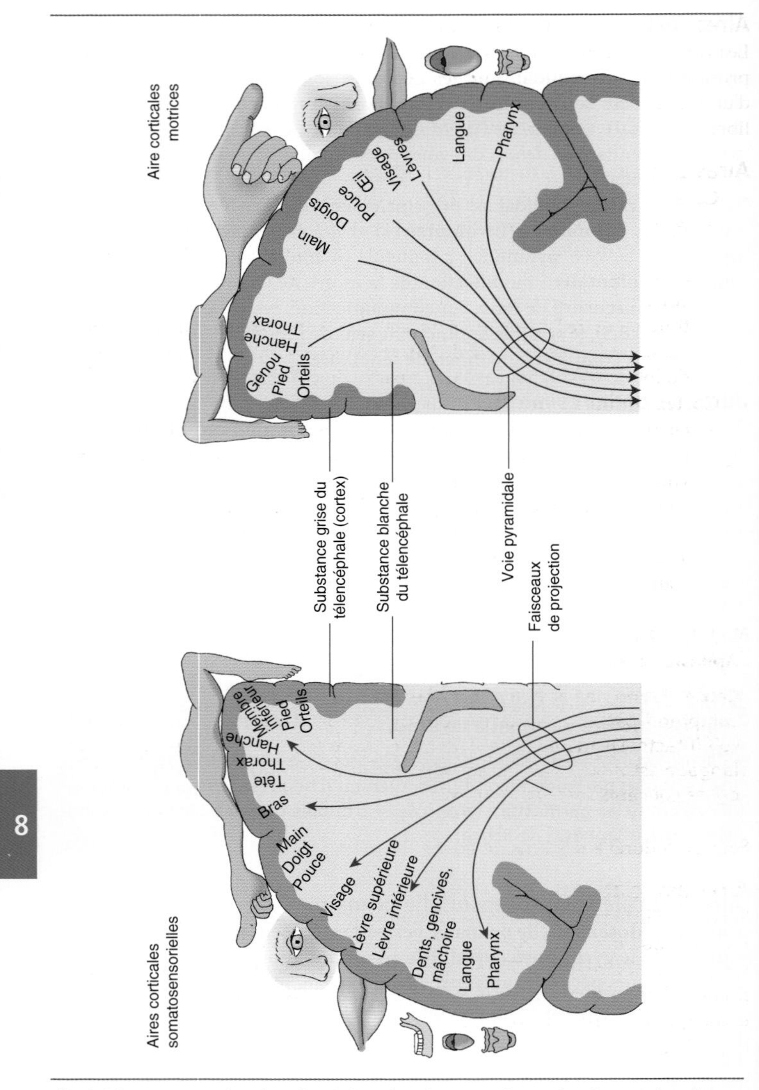

Fig. 8.22 Homonculus dans la région des aires motrices primaires et des aires somatosensorielles primaires. Dans les deux cas, une caricature du corps se trouve au-dessus des aires cérébrales correspondantes.

Aires corticales somatosensorielles secondaires

Les **aires corticales somatosensorielles secondaires** sont reliées aux aires primaires. Elles servent au stockage des sensations déjà ressenties → l'entrée d'une nouvelle information (par exemple position d'une articulation, équilibre) peut être comparée aux précédentes, reconnue et interprétée.

Aires corticales des organes des sens

- **Cortex visuel :** situé dans les lobes occipitaux (▶ fig. 8.20) :
  - **cortex visuel primaire :** terminaisons des voies optiques (▶ 9.7.4). Traitement avec séparation spatiale des couleurs, des formes et des mouvements ;
  - **cortex visuel secondaire** (cortex visuel associatif) : poursuite du traitement de l'image → ce qui est vu n'est pas seulement perçu, mais aussi identifié. Le **centre de la lecture**, situé dans la région postérieure du lobe pariétal, fait également partie du cortex visuel secondaire.
- **Cortex auditif :** situé dans le lobe temporal (▶ fig. 8.20) :
  - **cortex auditif primaire :** situé directement sous le sillon latéral (appelé circonvolution ou gyrus transverse de Heschl, ▶ 8.8.8). Les voies auditives se terminent à son niveau ;
  - **cortex auditif secondaire :** permet l'identification des informations auditives. Le centre du langage sensoriel (aire de **Wernicke**) est adjacent et très lié fonctionnellement au cortex auditif secondaire. L'aire de Wernicke permet la compréhension de la parole.

NOTION MÉDICALE

Aphasie sensorielle

Cause : lésion de l'aire de Wernicke (aphasie de Wernicke). Le patient ne comprend pas la signification des mots prononcés, bien que l'audition soit intacte. De même, la lecture et l'écriture sont souvent perturbées. Le langage est fluide mais n'a souvent aucun sens, car beaucoup de notions ou de concepts sont mal utilisés.

Sens de l'odorat ▶ 9.5, sens du goût ▶ 9.6.

Aires associatives

Servent à l'**intégration** des sensations des organes des sens et des modes opératoires moteurs. Elles relient entre elles les aires corticales somatosensorielles des différents sens ainsi qu'avec les aires motrices → à la base de nombreuses performances cérébrales. Les aires associatives sont composées d'une grande partie du cortex cérébral ainsi que de parties du système limbique (▶ 8.8.7).

8.8.10 Paralysies

Paralysie périphérique

Défaillance du **deuxième neurone moteur** (neurone moteur situé dans la corne ventrale de la MS) ou des fibres nerveuses motrices correspondantes →

plus aucune conduction de l'influx vers les muscles → les arcs réflexes sont également interrompus → plus de tonus musculaire de base → les muscles paralysés sont flasques et s'atrophient.

Paralysie centrale

Défaillance du **premier neurone moteur** (aires cérébrales motrices) → les réflexes musculaires sont conservés, le tonus musculaire de base (tonus au repos) est augmenté par la suppression des influences inhibitrices du SNC → paralysie **spastique** (du grec *spasmos,* convulsion, contraction). Les muscles paralysés présentent une augmentation de la résistance à la mobilisation passive et ne s'atrophient pas. Causes : AVC (▶ 8.12.3), sclérose en plaques, manque d'oxygène à la naissance (paralysie cérébrale infantile).

- **Plégie** ou **paralysie :** les muscles en question sont totalement incapables d'effectuer un mouvement.
- **Parésie :** diminution, sans abolition, de la capacité à effectuer un mouvement.

REMARQUE

La paralysie **périphérique** pure est toujours une paralysie **flasque** et la paralysie **centrale** pure est toujours une paralysie **spastique.**

Paralysie transverse

Paralysie majoritairement centrale avec une composante périphérique. Apparaît suite à une atteinte de la MS (lors d'un accident par exemple) :

- **en dessous de la lésion** → paralysie centrale (lésion des voies pyramidales). Les réflexes monosynaptiques sont augmentés;
- **à hauteur** de la lésion → paralysie **périphérique** et perte des réflexes (destruction des motoneurones de la corne ventrale).

Atteinte également des fonctions **neurovégétatives** en plus de la sensibilité et de la motricité volontaire → troubles possibles des fonctions vésicales et intestinales, des fonctions sexuelles, de la vascularisation cutanée, ainsi que de la régulation de la pression artérielle et de la température (ce qu'on appelle le syndrome transverse).

L'ampleur des déficits est déterminée par la hauteur de la lésion de la MS :

- au-dessus de C6 → paralysie des deux membres supérieurs et des deux membres inférieurs (**tétraplégie,** du grec *tetra,* quatre);
- en dessous de T1 → paralysie des membres inférieurs (**paraplégie**); comme les plexus brachiaux sont épargnés (▶ fig. 8.9), les membres supérieurs fonctionnent.

8.9 Mémoire

Notre cerveau est capable d'une performance considérable, à savoir d'enregistrer de nouveaux contenus mnésiques (**apprendre**) et de s'en rappeler ultérieurement (**se souvenir**) → **réception de l'information, stockage et traitement.**

8.9.1 Mémoire déclarative et non déclarative

Chez l'homme, il est possible de différencier deux types de mémoire d'un point de vue qualitatif :

- la **mémoire déclarative** (explicite) : contient des connaissances factuelles (par exemple les noms, les chiffres, les événements) qui peuvent être retransmises sous forme de langage (déclarative). Les structures cérébrales impliquées sont l'hippocampe, une partie du thalamus et le lobe temporal ;
- la **mémoire non déclarative** (implicite, procédurale) **:** stocke entre autres les informations sur les aptitudes à effectuer certaines choses (comme jouer d'un instrument). Selon la tâche de l'apprentissage, le télencéphale, le striatum, l'amygdale et le cervelet sont impliqués.

8.9.2 Mémoire à court et à long terme

REMARQUE

Les bases neurobiologiques de la mémoire à court et à long terme sont à l'origine de la « capacité d'apprendre » : ce sont des synapses qui, grâce à leur plasticité, peuvent se modifier sur le long terme **(plasticité synaptique)**.

La mémoire n'a pas une capacité indéfinie → elle ne stocke que des contenus qui ont été suggérés au cerveau par les circonstances (par exemple mémorisation à long terme de la date de naissance).

Il est ainsi possible de diviser la mémoire en trois « réserves » temporelles ayant des capacités différentes et une durée de stockage différente :

- la **mémoire sensorielle** (mémoire ultra-courte) : stocke automatiquement les informations d'actualité qui sont importantes pour permettre des réactions de courte durée vis-à-vis de stimulations environnementales (un « caillou sur la chaussée »). Son contenu est constamment réactualisé par les signaux entrant en permanence. Seules quelques informations sélectionnées sont transmises à la mémoire à court terme après quelques secondes à quelques minutes ;
- la **mémoire à court terme :** capacité limitée, relie le temps présent au passé immédiat (« qu'avons-nous mangé hier midi ? »). Le contenu stocké persiste quelques minutes à quelques jours et se modifie constamment comme celui de la mémoire sensorielle. Les informations présentes sont chassées par les nouvelles informations ;
- la **mémoire à long terme :** n'enregistre les nouvelles informations que très lentement. Ce qui y parvient est vraisemblablement fixé pour le restant de la vie ; seul *l'accès* à l'information peut être oublié. La mémoire à long terme est encouragée par la répétition (« les exercices »). Elle est liée à l'élaboration de nouvelles molécules qui sont nécessaires à l'édification et à la modification des synapses, des récepteurs et des transmetteurs. L'*oubli* est également commandé à l'échelle moléculaire.

NOTION MÉDICALE

Amnésie

Trouble sévère de la capacité d'apprentissage et de la mémoire faisant suite par exemple à un traumatisme, une tumeur cérébrale, un AVC, une commotion d'origine mécanique ou un abus chronique d'alcool (**syndrome de Korsakoff**).

- **Amnésie rétrograde :** la perte des souvenirs concerne l'espace temps qui précède la survenue de la lésion.
- **Amnésie antérograde :** les lésions empêchent la capacité d'apprentissage et de stockage de nouvelles informations.

8.10 Système nerveux autonome (ou neurovégétatif)

Fonctions du système nerveux autonome (neurovégétatif) (SNA) (▶ fig. 8.23) : commande des fonctions organiques ayant une importance vitale. Contrairement au système nerveux volontaire, le SNA travaille en grande partie de manière indépendante de la volonté et de façon inconsciente. Opérant sous la forme de boucles de contrôle (▶ 3.9), le SNA commande la circulation, la respiration, le métabolisme, la digestion, la teneur en sel et en eau de l'organisme et, jusqu'à un certain point, les fonctions sexuelles.

Le SNA est divisé en deux parties : le système nerveux **sympathique** et le système nerveux **parasympathique**, ayant souvent des effets opposés (tableau 8.1).

- SN sympathique : principalement fonctions dirigées vers l'**extérieur** (par exemple travail physique, réactions de réponse au stress).
- SN parasympathique : principalement fonctions corporelles dirigées vers l'**intérieur** (par exemple ingestion, digestion, excrétion).

Presque tous les organes sont innervés par ces deux systèmes. Selon la performance de l'organe en question, le sympathique ou le parasympathique pourront agir comme des activateurs ou des inhibiteurs (tableau 8.1).

8.10.1 Partie centrale du SNA

La partie centrale du SNA régit les activités des organes innervés par le système végétatif périphérique à différents niveaux :

- les fonctions intestinales, vésicales et sexuelles sont en partie déjà régulées par **voie réflexe** au niveau de la MS ou au niveau ganglionnaire, mais restent sous contrôle des centres cérébraux supérieurs ;
- les centres régulateurs de la respiration, du cœur et de la circulation sont situés dans le tronc cérébral (▶ 8.8.2) ;
- les fonctions végétatives complexes (par exemple la régulation de la température) sont contrôlées par l'hypothalamus et en partie par le cortex cérébral.

8.10.2 Partie périphérique du SNA

- **Voies de conduction afférentes :** les informations issues des organes (par exemple le tonus musculaire intestinal) sont reçues par des

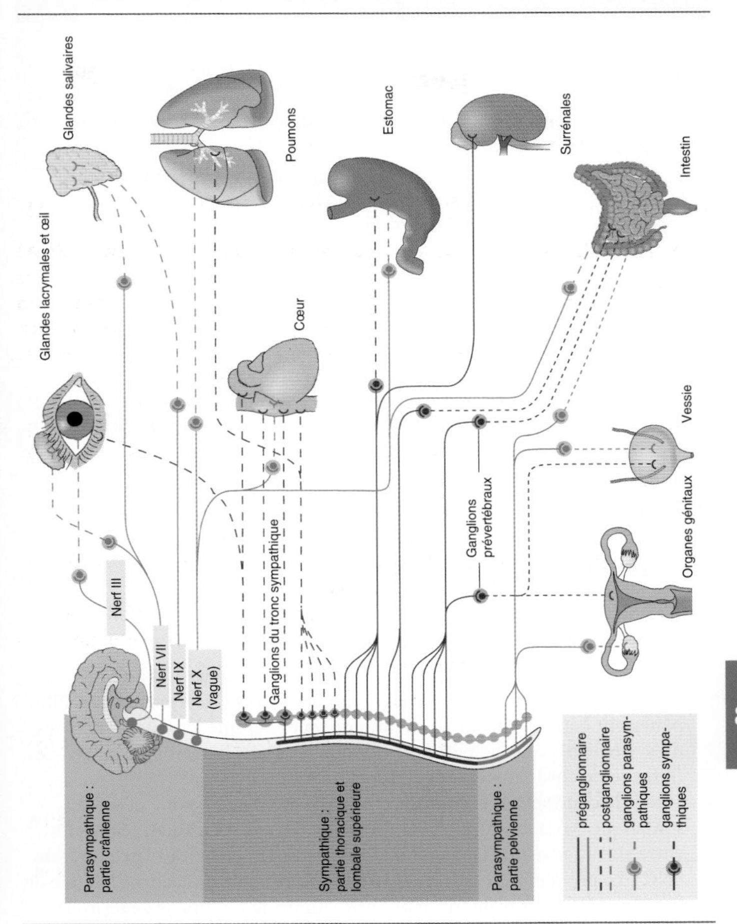

Fig. 8.23 Vue d'ensemble du système nerveux autonome. Les fibres parasympathiques partent des nerfs crâniens III, VII, IX et X ainsi que des nerfs spinaux situés au niveau de la moelle sacrale et se dirigent vers les organes. Les fibres sympathiques proviennent de la moelle cervicale inférieure, de la moelle thoracique et de la partie supérieure de la moelle lombale et s'étirent jusqu'aux organes après avoir formé une synapse dans le tronc sympathique ou dans les ganglions prévertébraux.

Tableau 8.1 Fonctions importantes du système nerveux sympathique et du système nerveux parasympathique

Organe	Effets du sympathique	Effets du parasympathique
Myocarde	↑ de la fréquence et de la force des contractions	↓ modeste de la fréquence et de la force des contractions
Vaisseaux cutanés, muqueux et viscéraux	Contraction vasculaire	Pas d'effets connus
Vaisseaux musculaires	Dilatation/contraction vasculaire selon les sollicitations	Pas d'effets connus
Vaisseaux cérébraux	Légère contraction vasculaire	Pas d'effets connus
Bronches	Dilatation bronchique	Contraction bronchique
Glandes salivaires	↓ sécrétion	↑ sécrétion
Tube digestif	↓ tonus et mouvements, contraction sphinctérienne	↑ tonus et mouvements, relâchement sphinctérien
Glandes digestives	↓ sécrétion	↑ sécrétion
Organes sexuels masculins	Déclenchement de l'éjaculation	Déclenchement de l'érection
Glandes lacrymales	Pas d'effets connus	↑ sécrétion
Pupille	Dilatation (mydriase)	Rétrécissement (myosis)

récepteurs, transformées en influx électriques et transmises au SNC. Ces voies afférentes sensitives sont dénommées **fibres viscérosensibles.** Elles pénètrent dans la MS par les racines dorsales comme les voies sensitives du système nerveux somatique (volontaire). Dans la région de la tête, ces fibres se raccordent au nerf vague.

- **Voies de conduction efférentes :** contrairement au système nerveux somatique (volontaire), elles sont formées de *deux* neurones, connectés entre eux au niveau d'un ganglion (ensemble de neurones à l'extérieur du SNC). Le premier neurone (**préganglionnaire**) part de la corne latérale de la MS ou des noyaux de substance grise du tronc cérébral et se termine dans un ganglion végétatif. Là, il est relié à un **neurone postganglionnaire** dont les fibres amyéliniques se terminent dans l'organe cible (▶ fig. 8.24).
- **Neurotransmetteurs :**
  - préganglionnaire : toujours **ACh ;**
  - postganglionnaire : l'ACh pour le parasympathique ; en général la **noradrénaline** pour le sympathique (▶ 8.2.3).

Système sympathique : partie périphérique

Origine : corne latérale de la partie basse de la MS cervicale (C8), de la MS thoracique et de la partie haute de la MS lombale (jusqu'à L2, ▶ fig. 8.23).

Les axones myélinisés des neurones sympathiques préganglionnaires quittent la MS par la **racine ventrale** (▶ fig. 8.8), cheminent avec les nerfs spinaux respectifs sur une courte distance puis les quittent en formant les **rameaux communicants blancs** → se poursuivent jusqu'aux **ganglions du tronc (ou de la chaîne) sympathique** éloignés de quelques centimètres et disposés de façon étagée (par segments) (ganglions paravertébraux). Contrairement aux ganglions spinaux, ils sont reliés les uns aux autres par des fibres nerveuses comme les perles d'un collier. Dans ces ganglions, les axones préganglionnaires forment une synapse avec les neurones postganglionnaires pour innerver les régions de la tête, du cou et du thorax. Les axones non myélinisés de ces nerfs postganglionnaires forment aussi les **rameaux communicants gris** qui retournent aux nerfs spinaux pour être distribués avec eux jusqu'au lieu de leur action.

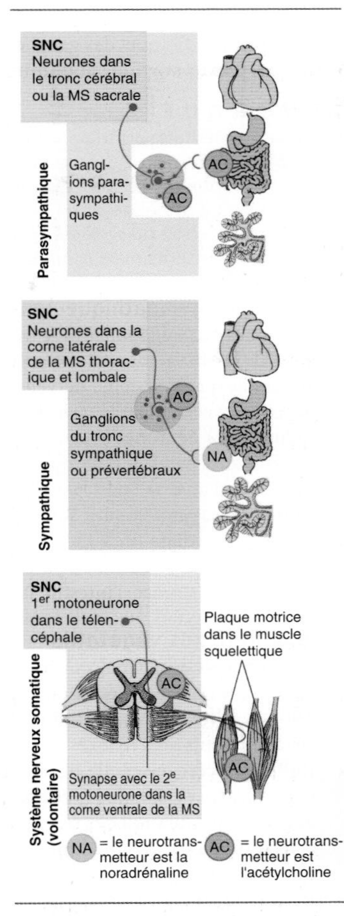

Fig. 8.24 Comparaison des voies de conduction efférentes des systèmes nerveux autonome (végétatif) et somatique (volontaire).

Les axones préganglionnaires destinés à l'innervation des régions abdominale et pelvienne traversent, sans former de synapse, les ganglions de la chaîne sympathique pour atteindre des ganglions se trouvant à proximité des grosses artères abdominales et de la région du pelvis (**ganglions prévertébraux**) pour y former une synapse.

Les fibres partant des ganglions prévertébraux forment des **plexus** et cheminent avec les vaisseaux sanguins jusqu'aux organes abdominaux et pelviens.

Dans ces plexus nerveux, les fibres nerveuses sympathiques entrent en contact avec des fibres et des ganglions parasympathiques. Exemples : **plexus cœliaque, plexus aortique abdominal.**

REMARQUE

La glande **médullosurrénale** représente une composante importante et une particularité du système sympathique périphérique. Les neurones postganglionnaires se sont transformés ici en **cellules chromaffines** qui libèrent de l'adrénaline et de la noradrénaline dans le courant sanguin lors de stimulation du système sympathique → n'agissent pas comme des neurotransmetteurs mais comme des hormones (▶ 10.6.2).

Système parasympathique : partie périphérique

Les neurones préganglionnaires se trouvent dans le **tronc cérébral** et les cornes latérales de la **MS sacrale** (S2–S4) → ces deux centres sont très éloignés l'un de l'autre tandis que le système nerveux sympathique remplit pratiquement tous l'espace qui les sépare par le biais de la chaîne ganglionnaire sympathique.
Les axones des neurones préganglionnaires du parasympathique atteignent leurs ganglions parasympathiques associés aux nerfs crâniens ou aux nerfs spinaux. À l'inverse des ganglions sympathiques paravertébraux, ces ganglions parasympathiques sont très éloignés de la MS et résident dans la proximité immédiate ou à l'intérieur même de l'organe cible (par exemple plexus intramural situé sur la paroi ou à l'intérieur de la paroi des organes creux comme l'estomac, l'intestin, la vessie ou l'utérus).

8.10.3 Réflexes végétatifs

Sont transmis par des afférences viscérales et le SNA → appelés **réflexes végétatifs.** Par exemple le **réflexe de sécrétion salivaire** à la vision ou à l'odeur d'un repas → sécrétion de salive et de suc gastrique au niveau de l'estomac et du pancréas.
Il existe différents arcs réflexes :

- **Réflexe viscéro-viscéral :** implique uniquement des afférences viscérales et le SNA (par exemple le **réflexe vésical :** augmentation du remplissage vésical → stimulation des récepteurs à l'étirement de la paroi vésicale → activation du parasympathique → contraction des muscles vésicaux, ouverture de l'urètre → vidange vésicale réflexe, 18.5.4).
- **Réflexe musculaire viscéro-somatique :** une excitation sensitive afférente au niveau d'un organe interne conduit à une action réflexe sur les muscles squelettiques (par exemple l'appendicite) → tension réflexe des muscles abdominaux.
- **Réflexe viscéro-cutané :** → affections des organes internes → rougeur ou douleur au niveau de la peau (par exemple douleur dans le bras gauche lors d'infarctus du myocarde).

8.10.4 Système nerveux entérique

Le **système nerveux entérique** (système nerveux autonome gastro-intestinal, SNE) fait partie du SNA → contrôle les mouvements du tube digestif (par exemple le péristaltisme intestinal et la force de contraction des sphincters

▶ 16.8.3), le flux sanguin, les sécrétions de sucs digestifs et l'absorption des matières d'origine intestinale.
Il occupe une place particulière : il fonctionne également sans aucune influence du SNC, mais le SNC peut agir dessus en le renforçant ou en l'inhibant → coordination de la digestion avec les autres fonctions du corps. Le nombre total de neurones du SNE est d'environ 100 millions → correspond à peu près à celui de la MS.
Les neurones du SNE sont situés principalement dans deux plexus à l'intérieur de la paroi intestinale (▶ 16.1.2) :

- **plexus sous-muqueux** (plexus de Meissner) : proche de la muqueuse, règle la motilité et les sécrétions de la muqueuse;
- **plexus myentérique** (plexus d'Auerbach) : situé plus profondément, contrôle la motricité intestinale.

Les neurones du SNE peuvent être différenciés en fonction de leurs **neurotransmetteurs** (▶ 8.2.3) :

- la **noradrénaline :** les **neurones adrénergiques** inhibent les muscles lisses et les glandes, augmentent le tonus sphinctérien; renforcement de l'effet par le système sympathique;
- l'**ACh :** les **neurones cholinergiques** ont une action excitatrice sur les cellules musculaires et glandulaires; leurs effets sont renforcés par le système parasympathique;
- les **neuropeptides** (système non adrénergiques non cholinergiques ou NANC) : les neurones **NANC** inhibent les fonctions digestives et sont activés par le système parasympathique.

8.11 Irrigation et dispositifs de protection du SNC

Le cerveau et la MS sont situés respectivement dans la cavité crânienne et le canal vertébral où ils sont protégés. Ils sont en plus protégés par trois **méninges** formées de tissu conjonctif, qui recouvrent la MS et le cerveau (▶ fig. 8.25, ▶ fig. 8.26).

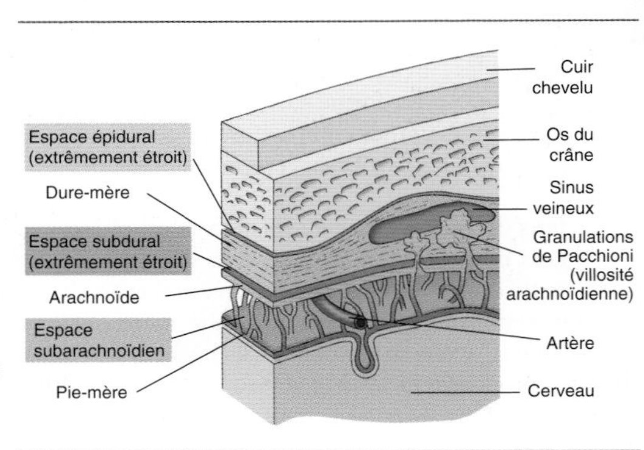

Fig. 8.25 Coupe passant par les os du crâne et les méninges. Les deux feuillets de la dure-mère sont confondus au niveau du cerveau; l'espace péridural n'existe pratiquement pas (virtuel).

8

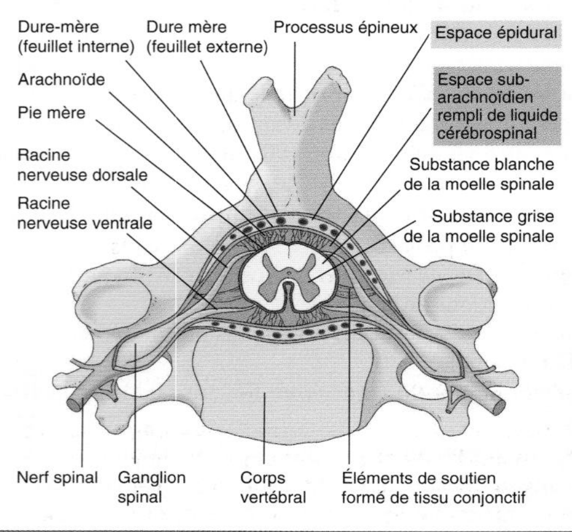

Fig. 8.26 Méninges de la moelle spinale. L'injection d'un anesthésique local dans l'espace épidural (anesthésie péridurale [APD]) → bloc nerveux, très utilisé (par exemple lors d'opération sur les membres inférieurs, de césarienne).

8.11.1 Méninges

Dure-mère et espace épidural (ou péridural)

Dure-mère : enveloppe externe du SNC formée de tissu conjonctif dense (▶ 4.3.3).

- Au niveau de la MS, la dure-mère est formée de deux feuillets : le feuillet externe est placé contre la face interne du canal vertébral ; le feuillet interne entoure comme un manchon la MS et les racines des nerfs spinaux. Entre ces deux feuillets se trouve l'**espace péridural ou épidural** (contient de la graisse, du tissu conjonctif et des veines) → protège la MS lors des mouvements des vertèbres. La dure-mère se poursuit dans le canal vertébral plus loin que la MS et entoure une partie de la queue de cheval (▶ fig. 8.6).
- Dans la cavité crânienne, les feuillets de la dure-mère sont en grande partie accolés l'un à l'autre → pas de cavité péridurale (épidurale). En outre, la dure-mère forme dans la cavité crânienne des expansions rigides qui divisent les grands compartiments cérébraux (**septums**) → maintiennent les parties du cerveau en place lors des mouvements de la tête :
  - **faux du cerveau :** sépare les deux hémisphères cérébraux ;
  - **faux du cervelet** : sépare les deux hémisphères cérébelleux ;
  - **tente du cervelet** : sépare le cerveau du cervelet.

À certains endroits, les feuillets de la dure-mère, qui la plupart du temps sont accolés l'un à l'autre, se séparent → ils forment des canaux aux parois rigides (**sinus**), qui collectent le sang veineux de la cavité crânienne → veine jugulaire interne (▶ fig. 14.9) → veine cave supérieure.

Arachnoïde et espace subdural (sous-dural)

- **Arachnoïde :** méninge moyenne, pratiquement avasculaire, située sur la face interne de la dure-mère.
- **Espace subdural (ou sous-dural) :** situé entre la dure-mère et l'arachnoïde (normalement fente virtuelle qui n'est visible que lors d'hémorragie interne). Les **villosités arachnoïdiennes** ou **granulations de Pacchioni** sont des proliférations de l'arachnoïde qui font protrusion dans les sinus → c'est à ce niveau que le liquide cérébrospinal (**LCS** ▶ 8.11.2) provenant d'espaces situés dans la MS et le cerveau se déverse dans le système veineux (résorption du LCS ▶ fig. 8.28).

NOTION MÉDICALE

Hématome subduraux (ou sous-duraux) et épiduraux

- Hémorragies dans l'espace subdural → **hématome subdural,** débutant le plus souvent de façon insidieuse et touchant principalement les personnes âgées. Cause fréquente : petit saignement veineux, déclenché par un léger traumatisme → peut rester **asymptomatique** des semaines voire des mois (!) avant que ne se développent des changements de la personnalité, des troubles du comportement ou des paralysies.
- **Hématome péridural ou épidural ou extradural :** provoqué principalement par des ruptures artérielles (le plus souvent de l'artère méningée moyenne) entre la dure-mère et la calotte crânienne : troubles de la conscience apparaissent au bout de quelques heures, signes de paralysie.

Pie-mère

La **pie-mère** désigne la méninge interne fragile très richement vascularisée. Elle recouvre directement le cortex et s'enfonce dans l'ensemble des scissures et des sillons. Dans le canal vertébral, la pie-mère se termine au même niveau que la MS à hauteur de la 2e vertèbre lombale (L2). L'arachnoïde et la pie-mère sont appelées **méninges molles (leptoméninges).**

NOTION MÉDICALE

Méningite et encéphalite

Les bactéries et les virus (plus rarement les champignons et les protozoaires ▶ tableau 12.3) peuvent parvenir au SNC → **méningite** (inflammation des méninges) ou **encéphalite** (inflammation de l'encéphale). **Symptômes :** fièvre, céphalée, raideur du cou, nausées, sensibilité à la lumière, puis ultérieurement troubles de la conscience.

Espace subarachnoïdien (ou sous-arachnoïdien)

Entre l'arachnoïde et la pie-mère se trouve l'**espace subarachnoïdien** contenant le LCS. Cet espace est traversé par de fines fibres de l'arachnoïde qui servent, avec le LCS, à maintenir le cerveau en suspension dans la cavité crânienne et à le protéger des chocs.

NOTION MÉDICALE

Hémorragie subarachnoïdienne

Désigne un saignement dans l'espace subarachnoïdien. **Cause** principale : rupture d'anévrisme d'une artère cérébrale, le plus souvent dans la région de la base du cerveau (▶ fig. 8.29).
Symptômes : apparition soudaine, céphalée importante, vomissements, perte de connaissance.

8.11.2 Liquide cérébrospinal (LCS) et espaces contenant le LCS

Liquide cérébrospinal (LCS) : liquide clair, incolore, contenu dans des cavités cérébrales ainsi que dans l'espace subarachnoïdien. La quantité de LCS circulant est d'environ 150 ml. Contient des ions, une faible quantité de protéines (12–50 mg/dl), du glucose (40–80 mg/dl), de l'urée et des leucocytes (≤ 4/µl).

- **Sécrétion** (filtration) : à partir du plasma sanguin au niveau des **plexus choroïdes** (plexus capillaires de la pie-mère formant des villosités), environ 500 ml/j (▶ fig. 8.27).

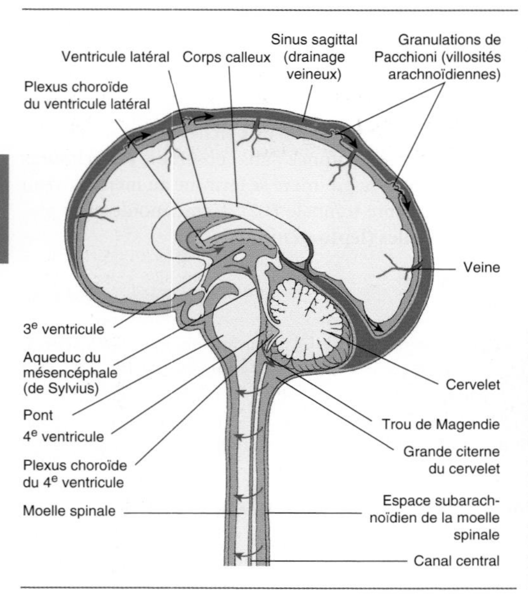

Fig. 8.27 Compartiments du LCS. Le LCS est sécrété par les plexus choroïdes des ventricules. Il baigne l'ensemble du cerveau et de la MS. Les flèches indiquent la direction du flux. Au niveau des granulations de Pacchioni, le LCS est déversé dans le système veineux.

- **Résorption :** au niveau de la convexité du cerveau via les granulations de Pacchioni (villosités arachnoïdiennes) qui le déversent dans les veines. Une partie retourne au système sanguin via les gaines des nerfs spinaux (gaines durales).
- **Fonctions :** protège les tissus nerveux de la pesanteur, des chocs, des frottements, de la pression. L'échange continu d'éléments entre le sang et le tissu nerveux permet aux nutriments d'origine sanguine d'entrer dans le cerveau et aux produits du métabolisme de sortir des tissus nerveux.
- **Compartiments périphériques du LCS :** espace subarachnoïdien (▶ 8.11.1), qui entoure le cerveau et la MS.
- **Compartiments internes du LCS :** système ventriculaire du cerveau et canal central de la MS. Il existe quatre ventricules : les **ventricules latéraux** (VL) sont des cavités en forme d'arc situées dans les hémisphères cérébraux (▶ fig. 8.28). Ils sont en relation avec le **3e ventricule** (V3) par le **foramen interventriculaire** (trou de Monro). Le troisième ventricule, en forme de fente, est situé dans le diencéphale ; il communique avec le **4e ventricule (V4)** par l'**aqueduc du mésencéphale (de Sylvius)**. Le 4e ventricule se poursuit dans le **canal central épendymaire** de la MS, mais présente avant deux autres ouvertures latérales (**trous de Luschka**) et une ouverture médiale (**trou de Magendie**) communiquant avec l'espace subarachnoïdien → connexion entre les compartiments périphériques et internes du LCS.

Barrière sang/LCS

Afin que, lors de la filtration du LCS à partir du plasma sanguin, aucune substance nocive contenue dans le sang ne puisse passer dans le tissu nerveux, il existe une barrière, la **barrière sang/LCS,** analogue à la barrière hémato-encéphalique (▶ 4.5.2). Cette membrane faisant office de frontière dans la région

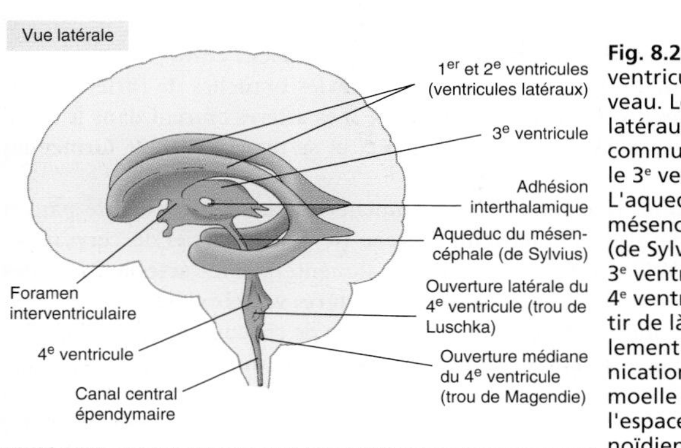

Fig. 8.28 Système ventriculaire du cerveau. Les ventricules latéraux sont en communication avec le 3e ventricule. L'aqueduc du mésencéphale (de Sylvius) relie le 3e ventricule au 4e ventricule. À partir de là il existe également des communications avec la moelle spinale et l'espace subarachnoïdien.

des capillaires des plexus choroïdes est formée de cellules gliales et de parties de la pie-mère.

NOTION MÉDICALE

Hypertension intracrânienne

Du fait de son enveloppe osseuse, la cavité crânienne n'est pas extensible → toute augmentation de volume (hémorragie, hydrocéphalie, tumeur) → élévation de la pression dans les cavités crâniennes (hypertension crânienne) (normale < 15 mmHg) → compression et troubles de la vascularisation des tissus nerveux :

- **élévation lente de la tension intracrânienne** (par exemple tumeur) → tout d'abord symptômes non spécifiques (céphalée, troubles visuels, apathie, troubles de mémoire, nausées et vomissements à jeun en jets). Chez les adultes s'accompagne souvent d'une baisse des capacités intellectuelles, chez les enfants parfois de troubles sévères du développement. Par la suite, troubles de la conscience pouvant aller jusqu'au coma. Examen du fond de l'œil : œdème papillaire (modification typique de la papille du nerf optique). ↑ pression → refoulement des tissus cérébraux en direction du foramen magnum → **engagement cérébral et compression du tronc cérébral → menace vitale !**
- **élévation aiguë de la tension intracrânienne** (par exemple après un traumatisme cérébral, une hémorragie cérébrale) : l'évolution est plus ou moins dramatique → éventuellement très rapidement perte de connaissance, troubles cardiorespiratoires, paralysie et perte des réflexes. Malgré un traitement optimal, beaucoup de patients décèdent.

8.12 Vascularisation du SNC

Des lésions cellulaires irréparables se produisent après une interruption de l'apport en O_2 pendant quelques minutes seulement → déficits neurologiques pouvant aller jusqu'à la mort cérébrale (▶ 1.9.1).

8

8.12.1 Artères de la moelle spinale et du cerveau

La **moelle spinale (MS)** est vascularisée par des branches de l'artère vertébrale, des artères intercostales et de l'aorte. Les artères entrent dans le canal vertébral par les foramens intervertébraux et se ramifient pour former un réseau.

L'apport continu d'oxygène et de nutriments au **cerveau** est assuré par un système artériel situé à la **base du cerveau** (le cercle artériel du cerveau ou polygone de Willis, ▶ fig. 8.29), qui est alimenté par les **artères carotides internes** gauche et droite ainsi que par les **artères vertébrales.**

- L'artère carotide interne se divise au niveau de chacune de ses branches terminale en → **artères cérébrales antérieure** et **moyenne** → vascularisation des territoires antérieur et moyen du cerveau.
- Les artères vertébrales donnent des branches pour la MS → pénètrent par le foramen magnum → au niveau de la base du cerveau, s'unissent

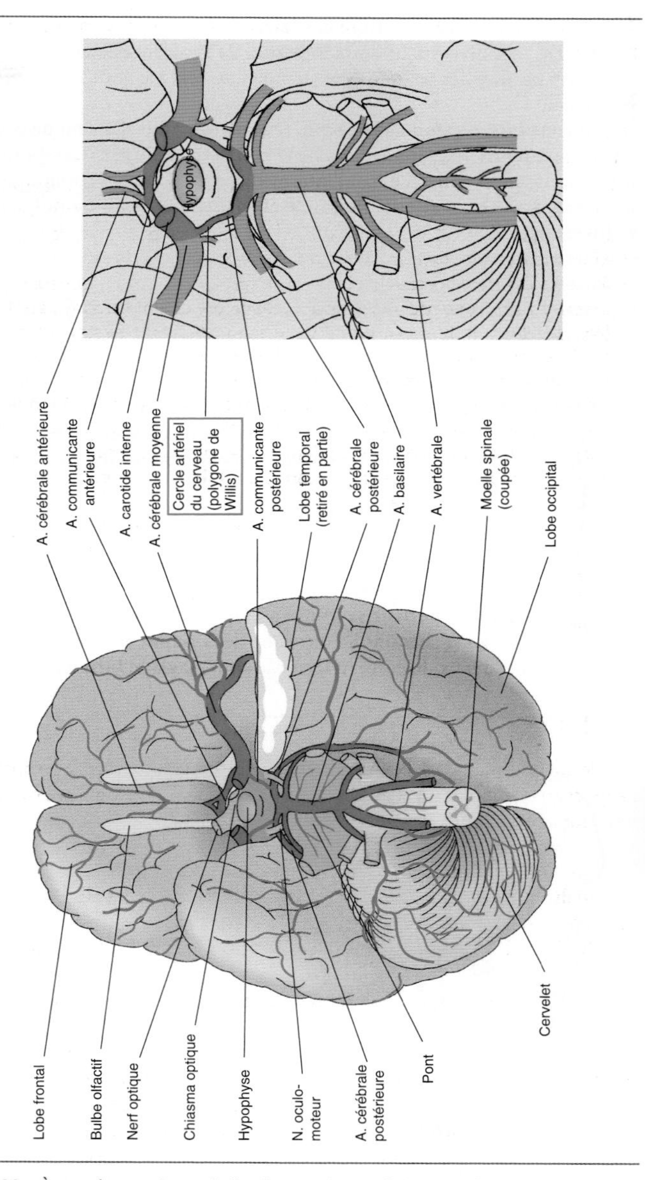

Fig. 8.29 À gauche : artères cérébrales au niveau de la base du cerveau (vue de dessous). À droite : détail du cercle artériel du cerveau ou polygone de Willis.

ensemble pour former l'**artère basilaire** → plusieurs branches pour le cervelet → se divise pour donner deux **artères cérébrales postérieures** → vascularisation des territoires postérieurs du cerveau et de la base du cerveau.

Pour qu'une interruption de la vascularisation sanguine dans un de ces vaisseaux ne conduise pas immédiatement au déclin des tissus cérébraux, ces artères sont reliées entre elles par l'intermédiaire de branches communicantes au niveau d'un cercle artériel (**le cercle artériel du cerveau ou polygone de Willis**) :

- **artère communicante postérieure :** relie l'artère cérébrale moyenne à l'artère cérébrale postérieure ;
- **artère communicante antérieure** : relie les deux artères cérébrales antérieures.

8.12.2 Veines du cerveau

Le drainage veineux s'effectue principalement par des veines dépourvues de valvules, suivant pour la plupart un trajet indépendant de celui des artères :

- **veines cérébrales internes (profondes) :** collectent le sang issu des régions centrales du cerveau ;
- **veines cérébrales externes (superficielles) :** collectent le sang issu de la surface du cerveau.

Le sang est ensuite déversé dans des canaux veineux aux parois rigides, dépourvus de muscle, appelés **sinus veineux :**

- le **sinus sagittal supérieur** se trouve au niveau du bord supérieur de la faux du cerveau et chemine en direction de l'occiput (▶ fig. 8.30). Le bord inférieur de la faux du cerveau forme le **sinus sagittal inférieur,** qui est

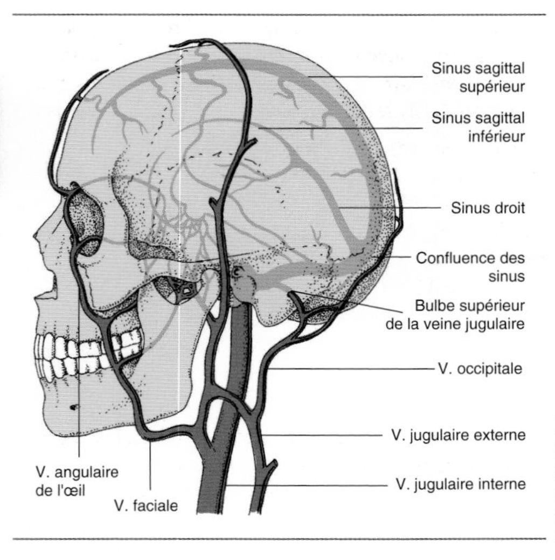

Fig. 8.30 Anatomie des veines et des sinus cérébraux. Intégration des sinus dans la dure-mère (▶ fig. 8.24).

raccordé au **sinus droit**. À partir de là, le sang s'écoule avec le sang provenant du sinus sagittal supérieur jusqu'aux sinus sigmoïdes recourbés en forme de S, en empruntant les deux **sinus transverses.** Après la traversée des foramens jugulaires (orifices situés de part et d'autre du foramen magnum ▶ fig. 6.2), le sang se déverse dans les veines jugulaires internes (▶ 14.2.3).

8.12.3 Accident vasculaire cérébral (AVC)

NOTION MÉDICALE

Perturbation brutale de la vascularisation artérielle → dégradation des tissus cérébraux :
- 85 % liée à un **infarctus cérébral** (↓ vascularisation, principalement du fait d'une sténose ou d'une obstruction artérielle par athérosclérose ▶ 14.1.4).
- 15 % liée à une **hémorragie intracérébrale** (hémorragie artérielle au niveau du cerveau, facteur de risque majeur : hypertension ▶ 14.4.1).

Survient principalement au niveau de l'artère cérébrale moyenne. Selon sa localisation et son étendue, de très nombreux symptômes sont possibles; par exemple déficit de la motricité volontaire (**hémiparésie** = paralysie unilatérale) et/ou de la sensibilité du côté opposé du corps, troubles de la parole ou de la vision. En règle générale, les déficits apparaissent brutalement puis récupèrent, du moins partiellement, avec le temps. Explication : les neurones lésés, mais qui n'ont pas été détruits, finissent par récupérer; certaines fonctions sont prises en charge par des zones non lésées du cerveau (**plasticité cérébrale**).

Signal d'alarme Déficits fugaces. Des déficits neurologiques brefs qui apparaissent puis disparaissent rapidement (souvent trouble visuel au niveau d'un œil [**amaurose fugace ou cécité monoculaire transitoire**], troubles de la sensibilité, paralysies) représentent des signes d'alarme qui devront faire l'objet d'un diagnostic.

Prophylaxie Du fait des conséquences sévères, les mesures de prévention sont particulièrement importantes :
- diminution des principaux facteurs de risque : hypertension, hypercholestérolémie, diabète;
- prophylaxie médicamenteuse chez les patients à risque : acide acétylsalicylique (Aspirine®) ▶ 11.5.8.

8

8.13 Méthodes diagnostiques

8.13.1 Électroencéphalographie (EEG)

Les tensions électriques liées à l'activité des cellules nerveuses dans les régions du cortex cérébral sont mesurées par des électrodes placées sur le cuir chevelu. Elles sont ensuite amplifiées puis enregistrées. Cet examen dépourvu d'effets secondaires s'appelle l'**électroencéphalographie** (EEG). Chez un adulte en bonne santé, l'examen normal présente plusieurs rythmes (ondes) :

- rythme β : les yeux ouverts, ondes typiques et régulières ;
- rythme γ (non visible sur l'EEG standard) : lors de processus d'apprentissage ou de vigilance, ondes de plus haute fréquence que le rythme β ;
- rythme α : les yeux fermés et le patient détendu, rythme de plus basse fréquence que le rythme β ;
- rythmes θ et δ : pendant le sommeil profond (▶ 8.8.3), basse fréquence.

L'EEG est un examen non invasif qui peut donner des informations diagnostiques importantes au cours de nombreuses maladies neurologiques (par exemple épilepsies ▶ fig. 8.31). Il représente l'un des nombreux paramètres utilisés pour constater l'état de mort encéphalique (ou mort cérébrale) (EEG « plat » ▶ 1.9.1).

NOTION MÉDICALE

Épilepsie (convulsions)

- L'**épilepsie** (convulsions d'origine cérébrale) se caractérise par une excitation répétée, brutale et simultanée de groupes importants de neurones du cerveau. La forme d'épilepsie la plus connue est la crise tonicoclonique généralisée ou grand mal s'accompagnant d'une perte de connaissance brutale ainsi que d'une raideur et d'une contraction des muscles du dos et des membres (**phase tonique**), suivie de secousses des membres (**phase clonique**). En outre, les morsures de la langue, l'émission de salive spumeuse, d'urine et de selles sont également fréquentes.
- Il faut différencier de l'épilepsie les **crises situationnelles** plus fréquentes, qui se produisent exclusivement en cas de sollicitations très importantes (par exemple lors de méningites ou de fièvre chez les enfants).

8.13.2 Potentiels évoqués

Si, lors de l'enregistrement d'un EEG, un organe des sens est stimulé, l'augmentation de l'activité cérébrale qui en résulte (**potentiel évoqué**) peut être enregistrée sur l'EEG et analysée par informatique. Le **potentiel évoqué visuel** (PEV) obtenu par stimulation visuelle peut mettre en évidence, par exemple, une (ancienne) inflammation du nerf optique (névrite optique) ; le **potentiel évoqué auditif** (PEA) permet d'évaluer les voies auditives.

8.13.3 Électroneurographie et électromyographie

- **Électroneurographie** (ENG) : mesure de la vitesse de conduction nerveuse dans les nerfs périphériques → diagnostic des lésions nerveuses (↓ vitesse).
- **Électromyographie** (EMG) : mesure de la somme des potentiels d'action d'un muscle → diagnostic et suivi d'une paralysie.

8.13.4 Techniques d'imagerie

- **Imagerie par résonance magnétique** (**IRM**) : utilise un champ magnétique. Dure 20 à 30 minutes voire plus longtemps. Le patient doit absolument rester immobile.
- **CT-scan (tomographie crânienne)** : tomographie de la tête (informatisée).

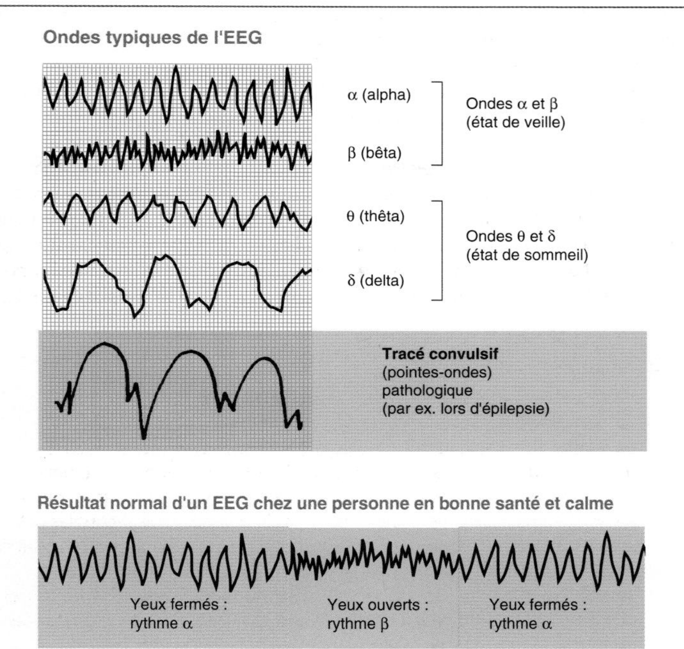

Fig. 8.31 EEG. Des électrodes sont placées au niveau de 19 positions définies du cuir chevelu. Cela permet d'enregistrer les tensions électriques du cortex cérébral. Les épileptiques présentent un « tracé convulsif », par exemple des images caractéristiques de pointes-ondes, pendant les crises, mais également parfois aussi entre les crises.

L'examen à réaliser dépend de sa disponibilité et de l'interrogatoire du patient. Les deux examens permettent de mettre en évidence les tumeurs et les AVC. Les structures osseuses sont mieux mises en évidences par le tomodensitométrie crânienne, les tissus mous plutôt par l'IRM.

REMARQUE

Les **tics** sont des réactions stéréotypées (toujours identiques) provoquées par des stimulations spécifiques. Ne peuvent pas être réprimés mais uniquement modulés (influencés) volontairement dans une certaine limite.

9 Sensibilité et organes des sens

9.1 Introduction

NOTION MÉDICALE

Sensibilité

Capacité de percevoir les stimulations parvenant aux **cellules sensorielles** ou aux **organes des sens** dans leur ensemble. Processus simplifié :
- la stimulation agit sur un récepteur sensoriel → excitation → déclenchement d'un influx nerveux → conduction jusqu'à la moelle spinale (MS) et/ou le cerveau ;
- « filtration » au niveau du thalamus (▶ 8.8.4) ;
- seuls les signaux importants pour l'individu sont conscients au niveau du cortex cérébral.

Les récepteurs sensoriels (capteurs) sont des cellules spécialisées (souvent des neurones) qui sont excitées par des stimuli spécifiques et transmettent cette excitation sous forme d'un influx électrique ou d'une réaction chimique.

9.1.1 Cellules sensorielles primaires et secondaires

- **Cellules sensorielles primaires :** conduisent les influx le long de leur propre **axone** → le récepteur et la cellule nerveuse ne font qu'un.
- **Cellules sensorielles secondaires :** reliées par une synapse aux fibres nerveuses afférentes d'un ou de plusieurs neurones, qui transmettent l'information (▶ fig. 9.1).

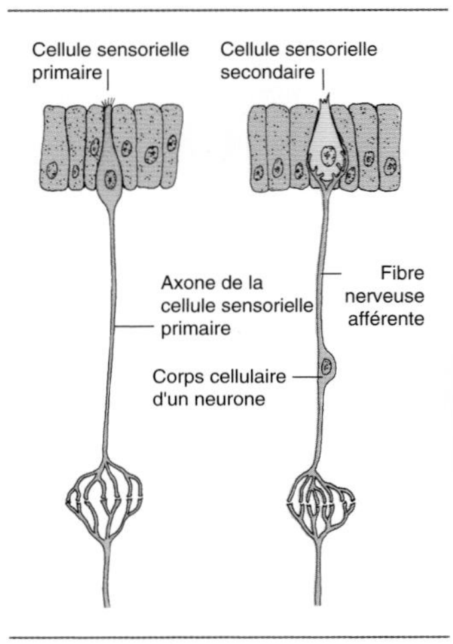

Fig. 9.1 Cellules sensorielles primaire et secondaire.

9.1.2 À quoi réagissent les récepteurs ?

- **Mécanorécepteurs** (par exemple récepteurs au toucher) : réagissent aux déformations mécaniques (appui ou traction) du récepteur ou des cellules voisines. Cas particulier : **récepteurs à l'étirement** du fuseau neuromusculaire (▶ 8.6.1).

- **Thermorécepteurs :** sensibles aux changements de température.
- **Photorécepteurs :** sensibles à la lumière.
- **Chimiorécepteurs :** sensibles aux arômes et aux substances odorantes parvenant dans la bouche ou le nez, à la concentration en oxygène, en dioxyde de carbone ou en glucose dans les liquides corporels.
- **Nocicepteurs :** réagissent aux stimulations douloureuses.

9.1.3 Traitement du stimulus

Les informations enregistrées et converties en influx nerveux suscitent différentes réactions à différents niveaux du SNC :

- au niveau de la MS et du tronc cérébral → les réponses s'effectuent **inconsciemment** (réflexe ▶ 8.6);
- les influx qui parviennent au thalamus sont filtrés et pondérés;
- seuls les influx qui sont transmis au cortex cérébral par le thalamus suscitent une sensation consciente.

9.2 Sensibilité cutanée : tactile et à la température

La peau contient un très grand nombre de récepteurs sensoriels (▶ fig. 9.2) : « zones de signalisation » périphériques des neurones sensitifs qui se

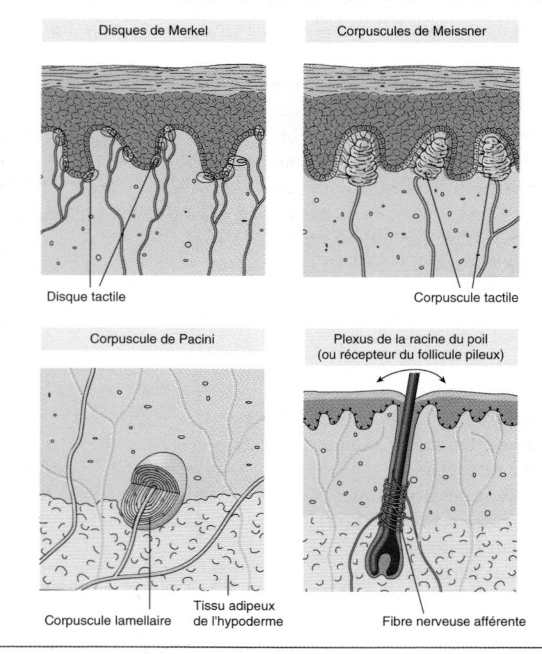

Fig. 9.2 Principaux mécanorécepteurs cutanés.

terminent au niveau de la peau et sont inclus dans le tissu conjonctif. Signal → fibres nerveuses afférentes → ganglion spinal (▶ fig. 8.8) → différents relais → aires corticales somatosensorielles (▶ fig. 8.22). Les différents récepteurs cutanés sont spécifiques de certains types de stimuli (▶ fig. 9.2).

- **Mécanorécepteurs :**
  - **disques de Merkel** (cellules de Merkel ▶ fig. 9.2) : cellules cutanées spécialisées de la peau glabre (principalement paume de la main et plante du pied) qui sont en contact avec des cellules nerveuses sensitives et sont stimulées par des déformations mécaniques. Les **corpuscules de Ruffini** sont situés légèrement plus en profondeur dans la peau glabre et dans la peau velue. Tout comme les cellules de Merkel, ils réagissent principalement à la pression ;
  - **corpuscules de Meissner (tactiles) :** au niveau de la peau glabre (principalement le bout des doigts et des orteils, les paupières, les lèvres) ; structures ovoïdes ayant de très nombreuses fibres nerveuses afférentes. Enregistrent les stimuli tactiles. Les fibres nerveuses afférentes des récepteurs tactiles de la peau velue sont situées autour de la racine du poil (**récepteurs sensoriels des follicules pileux**) ;
  - **corpuscules de Pacini (ou Vater-Pacini) :** sont formés de lamelles de tissu conjonctif disposées comme les couches d'un oignon. À l'intérieur se trouvent des capteurs sensoriels (extrémité d'une fibre nerveuse afférente). S'observent surtout dans l'hypoderme, les organes internes, les muscles et les articulations. Réagissent principalement aux vibrations et **s'adaptent** très rapidement à la stimulation (c'est-à-dire qu'ils deviennent rapidement insensibles lorsque le stimulus persiste) ;
  - **terminaisons nerveuses libres :** fibres nerveuses afférentes dépourvues de gaine conjonctive. Sensibles également à la température et à la douleur.
- **Thermorécepteurs** : transmettent constamment au SNC des informations sur les conditions de température externe et interne. Terminaisons nerveuses libres qui arrivent au niveau de la peau, à l'intérieur du corps et au SNC. Spécialisés vis-à-vis des stimuli chauds ou froids → **récepteurs au chaud ou au froid** → mesure de la température entre 10 et 45 °C. En dehors de cet intervalle, ce sont surtout les **nocicepteurs** qui sont actifs (▶ 9.3).

9.3 Sensation douloureuse

9

La **douleur** est couplée à une forte motivation à l'évitement. Les stimuli douloureux (nociceptifs) représentent un système d'alarme d'une importance vitale, qui est actif lorsque l'intégrité du corps est menacée. Les **récepteurs à la douleur** (**nocicepteurs ou récepteurs nociceptifs**) sont présents dans la plupart des organes. Exception : par exemple le cerveau et le foie.

9.3.1 Genèse de la douleur

- Les sensations douloureuses sont principalement transmises par des terminaisons nerveuses libres. Les récepteurs nociceptifs réagissent à des substances chimiques qui sont libérées lors d'une lésion ou d'une inflammation tissulaire (▶ 1.5) (par exemple les prostaglandines, la

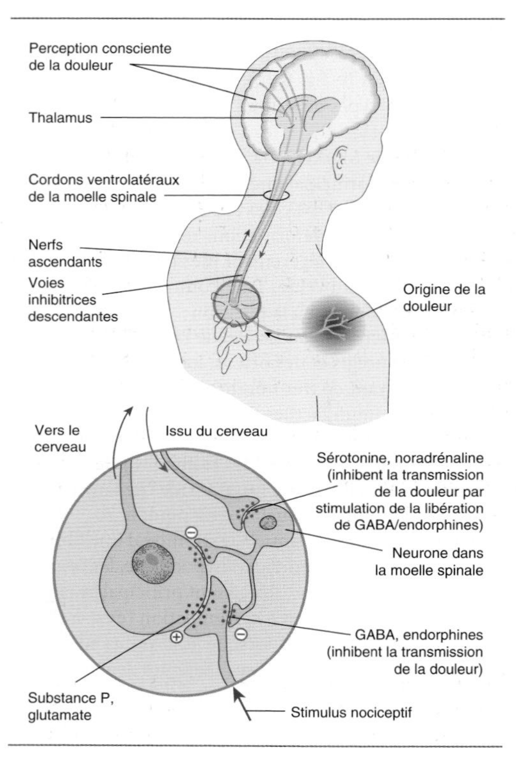

Fig. 9.3 Du stimulus douloureux à la perception de la douleur.

sérotonine, la bradykinine, l'histamine). Toute action qui entraîne une lésion tissulaire peut déclencher de la douleur.

- **Système activateur ascendant :** les corps cellulaires des récepteurs nociceptifs sont situés dans les ganglions de la racine dorsale (▶ fig. 8.8) et le noyau du nerf trijumeau (▶ 8.8.2). Excitation des récepteurs nociceptifs → signal → nerfs périphériques mixtes → MS (neurotransmetteur : le **glutamate** et un neuropeptide, la **substance P** ▶ 8.2.3) → favorisent la sensation douloureuse → cordons ventrolatéraux (▶ fig. 8.8) → thalamus → aire corticale somatosensorielle. À ce niveau la sensation douloureuse peut être modulée par les neuropeptides (▶ fig. 9.3).
- **Système d'inhibition descendant :** peut supprimer la douleur au niveau de la MS. Cerveau → voies descendantes (neurotransmetteur : **sérotonine**) → activation de certains neurones dans la MS → sécrétion d'**endorphines** (▶ 8.2.3) et d'**encéphalines** → inhibition des synapses conductrices de la douleur (suppriment l'effet favorisant la douleur de la substance P et du glutamate).

9.3.2 Classification de la douleur

Selon le lieu d'origine

- **Douleur somatique** : la sensation douloureuse provient de la peau, de l'appareil locomoteur ou du tissu conjonctif. Se différencie en :
  - **douleur superficielle** (issue de la peau) ayant deux composantes :
    - **douleur superficielle de type 1 :** caractère plus tranché, peut être bien définie dans le temps et dans l'espace, se calme rapidement → déclenchement d'une réaction de fuite réflexe ;
    - **douleur superficielle de type 2 :** se répète après de courtes pauses, caractère plus sourd ou sensation de brûlure, plus difficile à localiser, s'élimine plus lentement.
  - **douleur profonde** (issue des muscles, articulations, os et tissu conjonctif) : irradie souvent dans des régions corporelles éloignées (**douleur irradiante**), par exemple dans le bras gauche lors d'un infarctus du myocarde.
- **Douleur viscérale** : homologue à la douleur somatique, ressemble aux douleurs profondes par leur caractère sourd et les réactions végétatives qui l'accompagnent. Causes : inflammation, fortes contractions des muscles lisses, troubles vasculaires (ischémie), coliques. Des récepteurs nociceptifs se trouvent également dans la paroi des vaisseaux sanguins.

REMARQUE

Les douleurs somatique et viscérale sont souvent réunies sous le terme de **douleur nociceptive**.

- **Douleur neurogène (neuropathique) :** apparaissent lors de l'excitation de fibres nerveuses qui sont lésées ou interrompues ; caractère tranché, lancinant par exemple névralgie du trijumeau, douleur fantôme après une amputation.
- **Douleur psychogène :** provoquée par un trouble psychique au cours duquel le patient ne parvient à traiter ses conflits psychiques qu'en se plaignant de douleurs. Ce trouble psychique trouve son expression par la douleur.

Selon la durée de la douleur

- **Douleur aiguë :** durée limitée, disparaît rapidement, peut être supportée même lorsque l'intensité de la douleur est importante.
- **Douleur chronique :** douleur permanente (par exemple douleur tumorale) ou revenant régulièrement (par exemple douleur de l'angor ou angine de poitrine), difficilement supportable.

9.3.3 Analgésiques (antalgiques)

Les analgésiques sont des médicaments qui calment la douleur. En France, ils font partie des médicaments les plus souvent consommés et beaucoup peuvent être obtenus sans ordonnance. Problème : effets secondaires en cas de consommation sur le long terme et éventuel développement d'une dépendance.

Antalgiques non opiacés

Ils agissent surtout au niveau périphérique (sur le lieu de la douleur), principalement par inhibition d'une enzyme, la **cyclo-oygénase** (COX) → ↓ synthèse des **prostaglandines**, responsables de la douleur (▶ 1.5.2).

- **Paracétamol :** (par exemple Doliprane®) agit comme un antalgique et un antipyrétique (abaisse la fièvre). Chez les enfants, c'est le produit de premier choix en cas de fièvre ou de douleur. En plus d'être un inhibiteur des COX, le paracétamol agit également sur le SNC. Consommation en grande quantité → risque de lésions hépatiques.
- **Anti-inflammatoires non stéroïdiens (AINS)** : agissent comme antalgiques, antipyrétiques et anti-inflammatoires, par exemple l'**acide acétylsalicylique** (Aspirine®), l'**ibuprofène,** les **coxibs.**

Antalgiques opiacés

Dérivés de l'opium, agissent sur le SNC via les récepteurs aux endorphines (▶ 8.2.3) et en imitent ainsi les actions → action centrale : ↓ sensation douloureuse, ↓ vigilance, modification de l'humeur (surtout euphorie). Risque de développement d'un état de dépendance et nombreux effets indésirables (inhibition du centre respiratoire, constipation, rétention urinaire) → utilisation uniquement en cas de douleur intense (par exemple douleur opératoire ou d'origine tumorale).

- **Opiacés de palier faible :** par exemple tramadol (Tramadol®).
- **Opiacés de palier haut :** par exemple morphine.

Co-analgésiques ou co-antalgiques

L'association des substances précitées avec certains psychotropes permet parfois d'augmenter considérablement leurs effets antalgiques; par ailleurs, le spectre d'action des antidépresseurs comporte également une composante antalgique.

NOTION MÉDICALE

Placebo

L'**effet placebo** est un effet important utilisé d'un point de vue thérapeutique. Il peut diminuer ou éliminer la douleur, améliorer ou aussi susciter la guérison d'une maladie sans recourir à un principe actif.

9.4 Sensibilité profonde

Le SNC reçoit des informations sur la position et la localisation du corps dans l'espace via des mécanorécepteurs situés dans les muscles, les tendons et les articulations (▶ 9.2) (**sens de la position**), sur les interactions entre les muscles (**sens du mouvement**) et sur le travail musculaire nécessaire pour surmonter les résistances (**sens de la résistance**) = **sensibilité profonde.** Il existe plusieurs types de récepteurs :

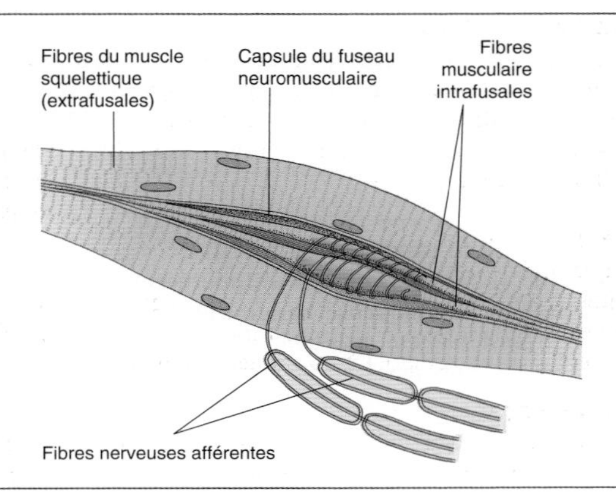

Fig. 9.4 Structure d'un fuseau neuromusculaire.

- **le fuseau neuromusculaire :** il est situé entre les fibres musculaires des muscles striés (appelées aussi fibres extrafusales). Il est composé de fibres musculaires striées intrafusales spécialisées à chaque extrémité et d'un capteur sensible à l'étirement au centre (▶ fig. 9.4). Le tout est entouré d'une capsule de tissu conjonctif remplie de liquide. Il est excité par l'**étirement** du muscle en question, ce qui permet au SNC d'être informé, via les fibres nerveuses efférentes, de la **longueur** du muscle. Les motoneurones de la moelle spinale entraînent la contraction des **fibres musculaires intrafusales** → quelle que soit la longueur du muscle, les capteurs gardent toujours une sensibilité optimale à l'étirement (▶ 8.6.1).
- Les **organes tendineux de Golgi :** ils sont situés dans la zone de transition entre le muscle et son tendon. Ils mesurent et régulent la **tension** d'un muscle (contraction isométrique, ▶ fig. 5.9) → mouvements fins, s'opposent à une trop forte tension musculaire.
- Différents récepteurs situés dans les **articulations ou la capsule articulaire** et en particulier les corpuscules de Pacini (▶ 9.2). Ils enregistrent les déformations mécaniques → informations sur la position des articulations.

9.5 Olfaction ou odorat

L'olfaction agit comme un **poste de surveillance** de l'air inspiré.

REMARQUE

La diversité des **odeurs** (environ 10 000) est liée aux différentes combinaisons de l'activation d'environ 350 (!) types différents de **récepteurs olfactifs.**

Pour pouvoir sentir une substance, celle-ci doit être sous forme d'un gaz et réagir avec les récepteurs olfactifs. Les substances les mieux senties sont celles qui contiennent à la fois des molécules hydrosolubles et des molécules liposolubles. La perte du sens de l'odorat s'appelle l'**anosmie.**

9.5.1 Structure de la muqueuse olfactive

Les récepteurs de l'olfaction sont des **chimiorécepteurs** situés dans les **régions olfactives** de la **muqueuse nasale (ou muqueuse olfactive)** qui se trouvent sur le bord inférieur de la lame criblée de l'ethmoïde, dans la partie supérieure du septum nasal et au niveau du cornet nasal supérieur (▶ fig. 15.2).

La muqueuse olfactive est composée, au niveau microscopique, de trois types de cellules (▶ fig. 9.5) :

- **des cellules de soutien :** cellules épithéliales prismatiques, qui forment la partie principale ;
- **les cellules basales :** cellules souches servant au renouvellement des cellules olfactives, dont la durée de vie est de 1 à 2 mois ;
- **les cellules olfactives** : neurones de forme allongée. Ce sont des cellules sensorielles primaires → forment le premier neurone de la voie olfactive. Elles ont une structure bipolaire : du côté de l'air, présentent un prolongement en forme de renflement comportant de très nombreux cils (**cils olfactifs**) → réagissent avec les substances odorantes de l'air inspiré ; à l'autre extrémité, leurs axones s'étirent pour former le premier nerf crânien (**nerf olfactif** ▶ 8.7.1) qui traverse la lame criblée jusqu'au **bulbe olfactif.** La muqueuse olfactive contient des **glandes de Bowman** dont les sécrétions dissolvent les substances odorantes.

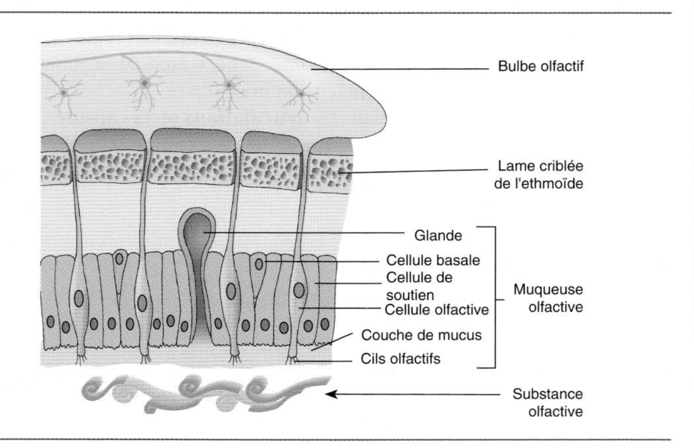

Fig. 9.5 Structure de la muqueuse olfactive.

9.5.2 Voies olfactives

Les bulbes olfactifs sont situés, de chaque côté, dans la fosse crânienne antérieure sous le lobe frontal. C'est ici que les influx des cellules olfactives sont transmis au 2e neurone de la **voie olfactive**. Leurs axones s'allongent, en passant par le tractus olfactif, pour atteindre diverses parties les plus anciennes, d'un point de vue évolutif, du cortex cérébral qui, associées au bulbe olfactif et au tractus olfactif, forment le **cerveau olfactif** (en relation étroite avec le système limbique ▶ fig. 8.18).

9.6 Goût

Le sens du goût fonctionne comme un poste de surveillance des ingrédients alimentaires.
Les chimiorécepteurs du goût sont excités par les substances dissoutes se trouvant dans la cavité buccale. Le sens du goût transmet également des réflexes. Tout comme les odeurs agréables et les plats savoureux stimulent l'appétit ainsi que les sécrétions salivaires et gastriques, les odeurs nauséabondes ou les plats ayant mauvais goût déclenchent une aversion et des nausées.

9.6.1 Récepteurs du goût

Les récepteurs du goût sont situés dans les **bourgeons du goût (ou bourgeons gustatifs)** qui se trouvent principalement au niveau de la langue. Ils sont particulièrement nombreux à l'intérieur des **papilles gustatives** (élévations de la muqueuse sensibles au goût et au toucher).
Les bourgeons gustatifs sont composés de **cellules de soutien** et de **cellules gustatives.** Les cellules de soutien sont des cellules épithéliales spécialisées de la muqueuse buccale qui forment une capsule entourant les cellules gustatives. Les **cellules basales** sont à l'origine de ces cellules de soutien ainsi que des cellules gustatives qui ne vivent que 14 jours environ. Chaque cellule gustative est dotée d'une projection, ou **cil gustatif** qui fait saillie dans la cavité buccale et représente la partie de la cellule gustative recevant le stimulus (▶ fig. 9.6).

9.6.2 Excitation des récepteurs gustatifs

Pour qu'une sensation gustative puisse se former, les substances doivent être dissoutes dans la salive et parvenir jusqu'au pore du **bourgeon gustatif**. Là, elles réagissent avec les cellules sensorielles : les différentes particularités chimiques des substances gustatives → action sur les canaux ioniques ou diffusion → déclenchement de potentiels gradués (▶ 8.1.2).

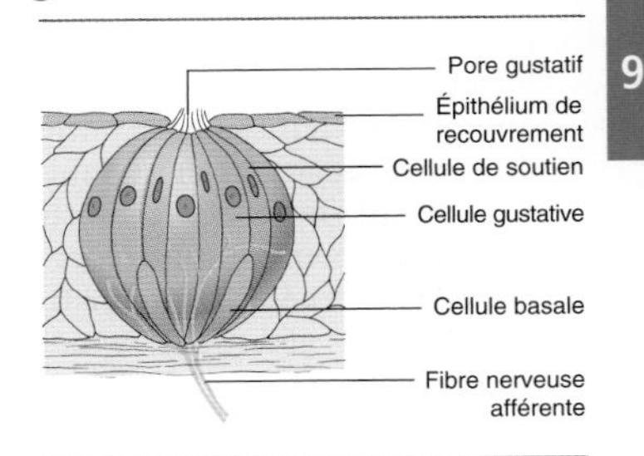

Fig. 9.6 Structure d'un bourgeon gustatif.

9

Notre faculté à différencier les goûts est moins bonne que notre faculté à différencier les odeurs. Toutes les sensations gustatives peuvent être ramenées à quelques qualités fondamentales ; il existe vraisemblablement un type de récepteur ou un canal ionique responsable de chacune de ces qualités gustatives fondamentales.

9.6.3 Voies de conduction du goût

À partir des (seconds) **récepteurs gustatifs** de la langue, des fibres nerveuses s'allongent, accompagnant principalement les nerfs crâniens VII et IX jusqu'à la moelle allongée pour se terminer dans les **noyaux gustatifs** (noyau du tractus solitaire). À partir de là, l'excitation est transmise au thalamus et au gyrus postcentral (▶ 8.8.9).

9.7 Œil et sens de la vue (vision)

La vue ne sert pas uniquement à recueillir des **différences de luminosité** et de **couleur** : la perception par les deux yeux des différences de distance et des positions permet la formation d'une **image spatiale** du monde extérieur. L'œil a également une haute résolution **temporelle** : en lumière du jour, il peut différencier jusqu'à 15 images/seconde, mais seulement 5 images/seconde dans l'obscurité. Un tiers du cortex cérébral est occupé par le système visuel ; près de 40 % de l'ensemble des voies de conduction menant au SNC appartiennent aux voies optiques.

9.7.1 Bulbe oculaire (ou globe oculaire)

Il est logé dans l'**orbite** et inclus dans un tissu adipeux. Il est mobilisé par six muscles oculomoteurs (▶ fig. 9.13) et formé de trois tuniques (ou enveloppes) : les tuniques externe, moyenne et interne de l'œil (▶ fig. 9.7, ▶ fig. 9.8).

Tunique (enveloppe) externe

Les structures appartenant à la **tunique externe de l'œil** sont les suivantes.

- **Sclérotique :** entoure l'ensemble du globe oculaire sauf sa partie la plus antérieure. Formée de tissu conjonctif dense → résistance, forme et protection du globe oculaire. Dans la région du nerf optique, la sclérotique se continue par une des couches de la dure-mère adjacente entourant le nerf (▶ 8.11.1) et, en avant, elle se continue par la cornée. La portion antérieure visible de la sclérotique est pratiquement recouverte et protégée par la **conjonctive** jusqu'au bord de la cornée. La conjonctive recouvre également la face interne des paupières et les relie au bulbe oculaire. Elle renferme de très nombreuses terminaisons nerveuses libres → particulièrement sensible à la douleur.
- **Cornée** (▶ fig. 9.7) : avasculaire, transparente.

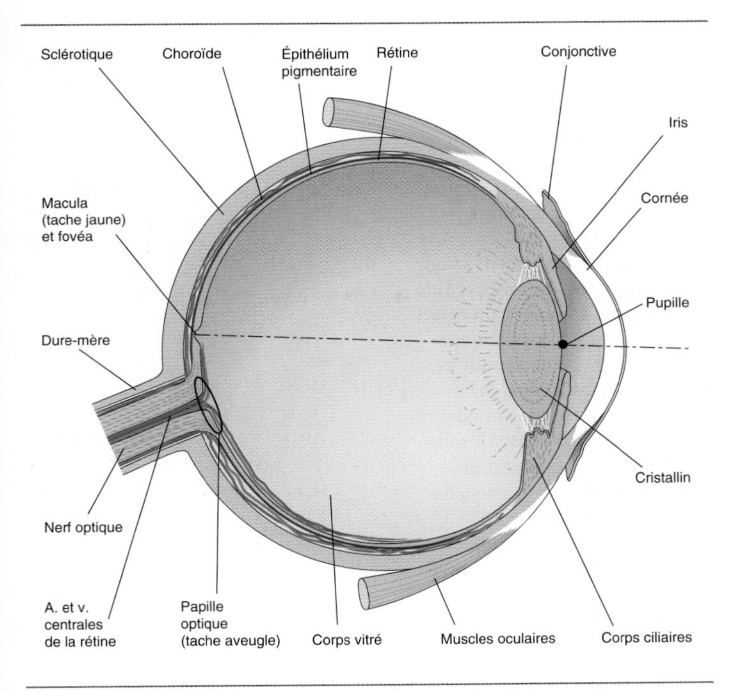

Fig. 9.7 Structure du bulbe oculaire avec la cornée et le nerf optique. La lumière parvient à l'intérieur de l'œil en traversant la cornée. Elle doit ensuite traverser la chambre antérieure de l'œil, le cristallin et le corps vitré avant d'atteindre la rétine. Les stimulations de la rétine sont ensuite transmises au cerveau par l'intermédiaire du nerf optique.

Tunique (enveloppe) moyenne

La **tunique moyenne de l'œil** est formée des structures suivantes (▶ fig. 9.11).

- **Choroïde :** pigmentée de brun noir, elle tapisse la face interne de la sclérotique. Elle contient de très nombreux vaisseaux sanguins permettant de nourrir la rétine. Pigment noir → empêche la réflexion de la lumière à l'intérieur du bulbe oculaire.
- En avant, la choroïde se continue par le **corps ciliaire**. Il est composé de projections de tissu conjonctif (TC; procès ciliaires) formant des fibres qui maintiennent en suspension le cristallin (zonule de Zinn ou ligament suspenseur du cristallin), et d'un **muscle ciliaire** en forme d'anneau. Lorsque celui-ci se contracte, les zonules de Zinn se relâchent → le cristallin peut suivre son élasticité → il prend une forme sphérique, c'est-à-dire plus bombée → passage de la vision de loin à la vision de près (▶ 9.7.2). Les procès ciliaires sont richement vascularisés → sécrètent l'**humeur aqueuse**, un liquide transparent qui nourrit la cornée et le cristallin et dont la composition

correspond à peu près à celle du liquide cérébrospinal (▶ 8.11.2). L'humeur aqueuse remplit l'espace du bulbe oculaire situé devant le cristallin et qui est divisé par l'iris en deux chambres, la **chambre antérieure** et la **chambre postérieure de l'œil** (▶ fig. 9.8). Au niveau de l'**angle iridocornéen**, délimité par l'iris et la cornée, se trouve un espace en forme de fente par lequel s'infiltre l'humeur aqueuse avant d'entrer dans le **canal de Schlemm** de forme arrondie pour être évacuée dans le sang veineux. Normalement, la production d'humeur aqueuse est en équilibre avec son évacuation → la **pression intra-oculaire** d'une personne en bonne santé est de 10–20 mmHg.

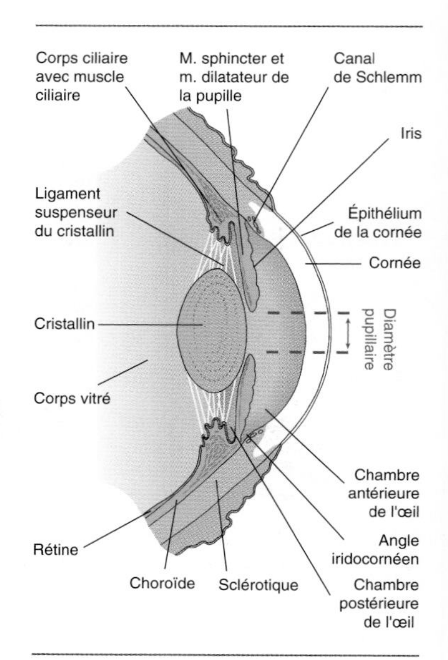

Fig. 9.8 Corps ciliaire, cristallin et ligament suspenseur du cristallin.

NOTION MÉDICALE

Glaucome

En cas de glaucome, la **pression intra-oculaire** est élevée. Principales causes : obstacle à l'écoulement de l'humeur aqueuse dans la région de l'angle iridocornéen, souvent observé chez les personnes âgées. ↑ pression intra-oculaire → lésions de la rétine et du nerf optique → si absence de traitement : cécité.
Cette évolution chronique est à différencier du **glaucome aigu** s'accompagnant de troubles plus violents : ↓ de l'acuité visuelle avec vision trouble, céphalées, nausées et vomissements.

- **Iris :** partie visible, colorée du bulbe oculaire. La couleur des yeux est provoquée par des dépôts pigmentaires et apparaît dans l'année qui suit la naissance (les yeux bleus sont moins pigmentés que les yeux marrons). L'iris contient des fibres musculaires lisses disposées de façon concentrique et radiaire et présente un trou en son milieu, la
- **pupille** → modifications du diamètre pupillaire (▶ fig. 9.9, ▶ 9.7.2) :
  - système parasympathique → contraction du **muscle sphincter de la pupille** → le diamètre pupillaire diminue (la pupille se contracte, **myosis**) ;
  - système sympathique → contraction du **muscle dilatateur de la pupille** → le diamètre pupillaire s'agrandit (la pupille se dilate, **mydriase**).

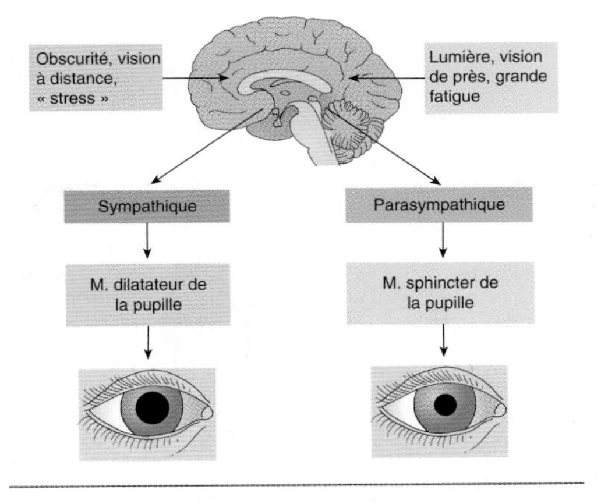

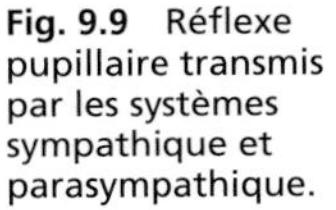
Fig. 9.9 Réflexe pupillaire transmis par les systèmes sympathique et parasympathique.

De nombreux médicaments agissent également sur la pupille (par exemple atropine → mydriase; opiacés → myosis).

Tunique (enveloppe) interne

La tunique interne de l'œil se compose des structures suivantes :

- la **rétine** avec les récepteurs sensoriels permettant la réception des images;
- l'**épithélium pigmentaire,** qui recouvre la rétine et annule la dispersion néfaste de la lumière (▶ fig. 9.10). L'épithélium pigmentaire est en continuité avec la choroïde; il est également étroitement lié à la rétine, mais seulement dans la région du départ du nerf optique (**papille**) ainsi qu'au niveau des corps ciliaires. Dans les autres régions, le contact étroit entre ces deux couches est assuré par la pression intra-oculaire.

Vaisseaux rétiniens

- Vascularisation artérielle : artère centrale de la rétine, branche de l'artère carotide interne (▶ fig. 14.8).
- Vascularisation veineuse : **veine centrale de la rétine**.

Les artères et les veines vascularisent l'ensemble de la rétine sous la forme de quatre branches principales (exception : fovéa ▶ fig. 9.7).

Structure histologique et fonction de la rétine

La rétine est une unité complexe formée de couches de cellules disposées les unes derrière les autres.

- **Photorécepteurs :** les plus externes, premiers neurones des voies optiques, plongent par l'intermédiaire de leur segment externe dans l'épithélium pigmentaire. Ils sont divisés en :
  - **bâtonnets** (vision crépusculaire ▶ fig. 9.10) et
  - **cônes** (vision diurne des couleurs). Les 6 millions de cônes sont regroupés pour la plupart dans la région de l'axe optique, au niveau

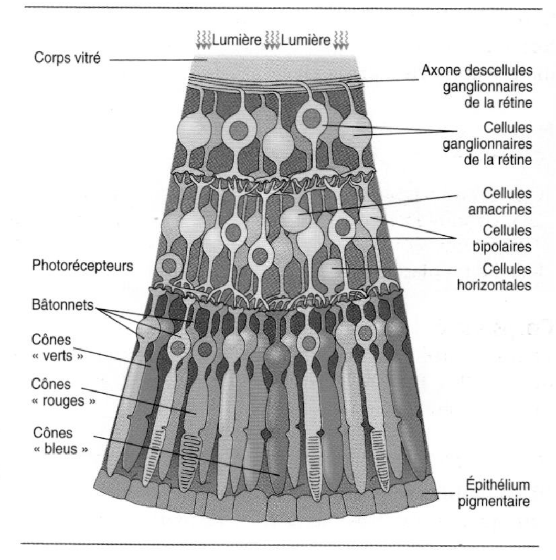

Fig. 9.10 Structure des couches de la rétine. La lumière doit d'abord traverser le 3e et le 2e neurones ainsi que les interneurones avant d'arriver au niveau du 1er neurone (photorécepteur).

de la **macula** (ou **tache jaune**). Elle contient une zone, formant une petite dépression, où l'acuité visuelle est la plus forte (la **fovéa**). Lorsque nous fixons un objet, notre appareil visuel se positionne de façon à ce que le rayon lumineux se concentre exactement au niveau de la fovéa. Les cônes transmettent également une résolution précise des images. La luminosité est indispensable à leur fonctionnement → il n'y a pas de perception des couleurs en lumière crépusculaire. Dans l'obscurité, la vision est meilleure si l'on ne fixe pas exactement les objets.

- **Cellules bipolaires :** deuxième neurone, en aval des photorécepteurs.
- **Cellules amacrines** et **cellules horizontales :** interneurones (▶ 4.5.1), réalisent les premières modulations des informations visuelles (par exemple réglage de l'intensité lumineuse ▶ 9.7.3, formation des contrastes, ou analyse des mouvements).
- **Cellules ganglionnaires** (▶ fig. 9.10) : les plus internes, troisième et dernier neurone de la rétine vers où convergent toutes les informations. Les axones des cellules ganglionnaires quittent l'œil au niveau de la **papille** et forment le **nerf optique**. Au niveau de son point de départ, il n'y a aucune cellule sensible à la lumière → zone de la **tache aveugle**. Normalement, elle n'est pas perçue parce que le cerveau « complète » cette défaillance.

Cristallin

Structure transparente et avasculaire formée de fines **fibres cristalliniennes**, et entourée d'une capsule de tissu conjonctif. La surface du cristallin est convexe de chaque côté (biconvexe). Contribue, par son pouvoir de réfraction, à concentrer sur la rétine les rayons lumineux entrants pour qu'ils y forment une image nette. Le ligament suspenseur du cristallin (▶ fig. 9.11) maintient le cristallin en place derrière la pupille.

NOTION MÉDICALE

Cataracte

Opacification du cristallin → dégradation progressive de l'acuité visuelle. Le plus souvent : cataracte sénile apparaissant généralement vers 60 ans. **Traitement :** chirurgical → remplacement du cristallin opaque par une lentille en plastique.

Corps vitré

Le **corps vitré** remplit la chambre interne du bulbe oculaire, située en arrière du cristallin. Formé d'une masse transparente et gélatineuse → maintient la forme du bulbe oculaire.

9.7.2 Fonction visuelle : réfraction lumineuse et accommodation

Afin qu'un objet puisse être représenté de façon nette, les rayons lumineux émis par cet objet doivent être concentrés très exactement sur la rétine. Cette déviation des rayons lumineux est appelée **réfraction de la lumière.** L'image de l'objet observé qui se forme sur la rétine est **plus petite, en miroir** et **renversée** (tête en bas) (▶ fig. 9.11). Cette image rétinienne est remise correctement « sur pied » par le cerveau.

Pouvoir de réfraction de l'œil

- Le **pouvoir de réfraction** d'un système optique correspond à l'importance de la déviation de la lumière entrante qu'il permet. La mesure de ce pouvoir de réfraction s'effectue en **dioptries (D)**. Une dioptrie se définit comme l'inverse de la distance focale (en mètres) du système optique. Par exemple : une lentille avec une distance focale de 0,1 mètre → pouvoir de réfraction = 10 dioptries. Le nombre de dioptries des lentilles convergentes → positif; le nombre de dioptries des lentilles divergentes → négatif.
- Milieux réfractifs de l'œil : la cornée, l'humeur aqueuse, le cristallin et le vitré. **Pouvoir de réfraction total** : normalement 59 dioptries; la cornée, avec une vergence de 43 dioptries, est le milieu le plus réfractif, suivie du cristallin (pouvoir de réfraction variable : accommodation).

NOTION MÉDICALE

Acuité visuelle

- **Acuité visuelle** : faculté de percevoir séparément deux points lorsqu'ils se trouvent éloignés de l'œil d'une certaine distance.
- Examen dans la pratique quotidienne : placer l'échelle d'acuité visuelle à une distance de 5 mètres; demander au patient de reconnaître les lettres ou les anneaux de Landolt (cercles brisés) de différentes tailles.

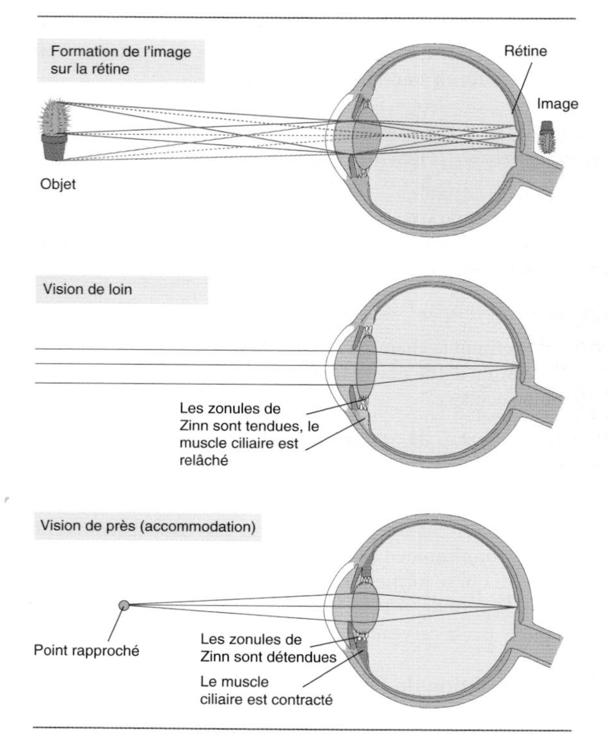

Fig. 9.11 Formation de l'image sur la rétine, vision de loin et accommodation de près.

Vision de loin et de près (accommodation)

Les objets, qu'ils soient éloignés ou proches, se forment nettement sur la rétine. L'adaptation à ces différences de distance s'appelle l'**accommodation :** elle est rendue possible par le changement de courbure du cristallin (et, de ce fait, par le changement de son pouvoir de réfraction) :

- **vision de près** : le muscle ciliaire, innervé par le système parasympathique, se contracte (▶ 9.7.1) → relâchement des zonules de Zinn (▶ fig. 9.7, ▶ fig. 9.11) → ↑ courbure du cristallin (du fait de sa **propre élasticité**) → ↑ du pouvoir de réfraction ;
- **vision de loin :** le muscle ciliaire se relâche → les zonules de Zinn se tendent → cette tension se transmet sur le cristallin → aplatissement du cristallin → ↓ du pouvoir de réfraction.

Réflexe d'accommodation-convergence

Lorsque le regard se porte au loin → les axes visuels des deux yeux sont parallèles → les objets éloignés sont représentés sur la rétine de chaque œil dans

des endroits qui se correspondent. Si l'objet est plus rapproché, les globes oculaires doivent se tourner en direction du nez, afin que la représentation puisse se faire sur des régions correspondantes de la rétine.
Cette **accommodation-convergence** est une réaction réflexe passant par les muscles oculomoteurs (▶ tableau 9.1), l'accommodation de près et le myosis. Le cerveau reconnaît l'**éloignement** d'un objet grâce à la mesure indispensable de l'importance de ces réflexes d'accommodation-convergence des deux yeux.

NOTION MÉDICALE

Anomalies de la vision

Presbytie, myopie, hypermétropie ▶ fig. 9.12

Astigmatisme
La courbure de la cornée n'est pas régulière → les rayons lumineux issus d'un point ne parviennent pas sur la rétine sous la forme d'un point mais d'une ligne. Anomalie la plupart du temps héréditaire. Compensation : verres « cylindriques » ou lentilles de contact toriques; dans les cas très marqués, greffe de cornée.

9.7.3 Stimulation des photorécepteurs

Pour que la sensation visuelle puisse se former, les rayons lumineux qui parviennent sur la rétine doivent être traduits en influx nerveux. Première étape : absorption des photons par les **photopigments** des bâtonnets et des cônes → modification de la structure moléculaire des photopigments → quelques étapes intermédiaires → modification du potentiel de membrane (▶ 8.1.2) d'abord des photorécepteurs puis des cellules bipolaires → formation de potentiels d'action (PA) transmissibles au niveau des cellules ganglionnaires. C'est ainsi que l'« énergie lumineuse » est traduite en un PA.

Excitation des bâtonnets

Les **bâtonnets** (récepteurs permettant la vision crépusculaire) contiennent un photopigment appelé **rhodopsine** (pourpre rétinien) → composé instable qui, sous l'effet d'une lumière faible, se scinde en deux parties par le biais d'une réaction chimique en chaîne. Décomposition → **hyperpolarisation** des bâtonnets → transmission au neurone suivant → déclenchement de PA au niveau des cellules ganglionnaires. Sous une lumière crépusculaire, la rhodopsine est rapidement resynthétisée afin que les bâtonnets puissent à nouveau être prêts à recevoir une nouvelle stimulation.

Excitation des cônes

Les **cônes** (récepteurs permettant la vision des couleurs) contiennent trois photopigments formés de protéines différentes, dont chacune est particulièrement sensible à une gamme de longueurs d'ondes particulières (par exemple des récepteurs pour le rouge-jaune, le vert, le bleu-violet). Le large éventail des couleurs se forme au niveau du cerveau par sommation des

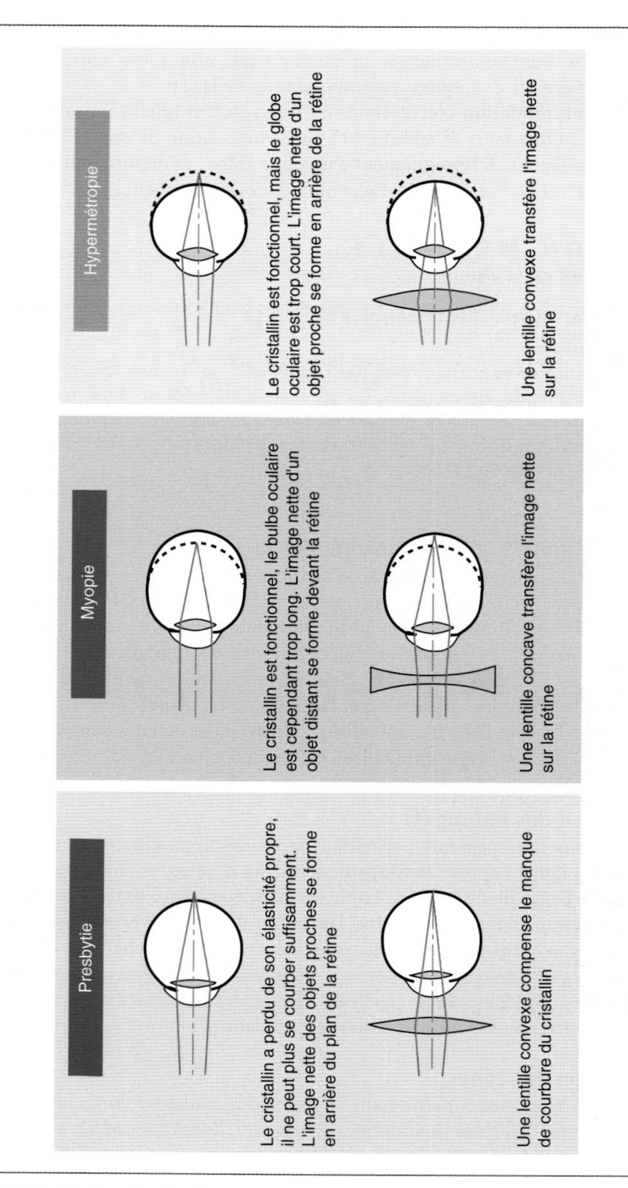

Fig. 9.12 Trajectoire des faisceaux lumineux au cours de différentes anomalies de la vision (anomalies de réfraction) : presbytie, myopie, hypermétropie. Images en haut : sans correction; images en bas : avec correction.

stimuli de ces trois types de récepteurs (mélange additif de couleur). Ces derniers ne sont suffisamment stimulés qu'en lumière vive.

Adaptation aux changements de luminosité (lumière/obscurité)

L'œil a la faculté de **s'adapter au changement de luminosité** (adaptation à des stimuli de différentes intensités). C'est très important car la gamme de luminosité perceptible par l'œil est très large. L'adaptation à l'obscurité demande environ 30 minutes, alors que l'adaptation à la luminosité (éblouissement) ne dure que quelques secondes.

9.7.4 Voies visuelles

- Potentiels d'action (PA) issus des cellules ganglionnaires → **nerf optique → chiasma optique** (▶ fig. 8.15). À ce niveau, 50 % des fibres issues des nerfs optiques droit et gauche sont échangées : les fibres de la moitié interne de la rétine (côté nasal) croisent la ligne médiane pour passer du côté opposé et forment avec les fibres directes (n'ayant pas croisé) issues de la moitié externe (temporale) de la rétine les **tractus optiques** gauche et droit respectivement.
- Une partie des fibres issues de la fovéa croisent la ligne médiane; les autres sont directes → atteignent les deux moitiés du cerveau. La plus grande partie des fibres du tractus optique atteignent les **corps géniculés (ou genouillés) latéraux (ou externes)** du thalamus → relais aux neurones suivants dont les axones forment les **radiations optiques** qui gagnent ensuite l'aire visuelle primaire située dans les lobes occipitaux (▶ fig. 8.20).
- À ce niveau, les informations issues des deux yeux se mélangent pour former une image unique. Dans l'aire visuelle secondaire se forme une expérience consciente de ce qui a été vu (▶ 8.8.9). Le restant des fibres du tractus optique se dirige au niveau du mésencéphale (▶ 8.8.2) et prend part aux réflexes (par exemple réflexes pupillaires ou photomoteurs, réflexes d'accommodation).

NOTION MÉDICALE

Champ visuel

Territoire qui peut être perçu lorsque les yeux fixent un point particulier. Beaucoup de maladies réduisent le champ visuel : les lésions des nerfs optiques, par exemple liées à un glaucome, un décollement rétinien (▶ 9.7.1) ou une tumeur cérébrale.

9.7.5 Système oculomoteur

Les bulbes oculaires peuvent être mobilisés volontairement grâce à l'action de six muscles oculomoteurs (▶ fig. 9.13, ▶ tableau 9.1). Ils participent également aux **réflexes d'accommodation/convergence** involontaires (▶ 9.7.2).

Tableau 9.1 Fonctions et innervation des muscles oculomoteurs (nerfs crâniens ▶ 8.7)

Muscle oculaire	Fonction	Innervation
M. droit supérieur	Élévation et rotation interne de l'œil	N. oculomoteur (III)
M. droit inférieur	Abaisse le regard et rotation externe de l'œil	N. oculomoteur (III)
M. droit latéral	Abduction de l'œil (mouvement vers l'extérieur)	N. abducens (VI)
M. droit médial	Adduction de l'œil (mouvement en direction nasale)	N. oculomoteur (III)
M. oblique supérieur	Abduction, rotation vers l'intérieur, abaisse le regard, le tendon traverse la trochlée (▶ fig. 9.13)	N. trochléaire (IV)
M. oblique inférieur	Élève le regard, abduction et rotation vers l'extérieur de l'œil	N. oculomoteur (III)

NOTION MÉDICALE

Strabisme

Lors d'un **strabisme**, la coordination entre les muscles oculomoteurs est perturbée. Les axes visuels ne parviennent plus à être réglés de manière à projeter un objet fixe sur des points correspondants au niveau des rétines des deux yeux.

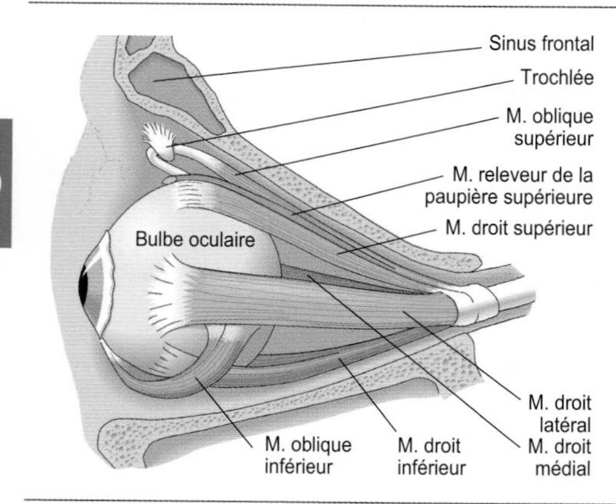

Fig. 9.13 Coupe traversant l'orbite avec aperçu latéral de quatre muscles droits et deux muscles obliques du système oculomoteur. Ils mobilisent le bulbe oculaire dans l'orbite.

9.7.6 Structures protectrices de l'œil

Les structures protectrices de l'œil comprennent les sourcils, les paupières, les cils, la conjonctive (▶ 9.7.1) et les glandes lacrymales.

- **Sourcils :** protection des rayonnements solaires intenses, des corps étrangers et de l'hyperhydrose du visage.
- Les **paupières supérieure et inférieure** délimitent la fente palpébrale. Contiennent le muscle orbiculaire de l'œil (▶ fig. 6.5) → fermeture de la fente palpébrale. Les muscles permettant l'ouverture des paupières sont le **muscle supérieur du tarse** (ou muscle lisse de Müller) ayant une innervation sympathique et le **muscle releveur de la paupière supérieure** influençable volontairement. Lors de paralysie de ce muscle → la paupière tombe sur l'œil (**ptose**). Clignement des paupières → humidification des parties de l'œil qui sont exposées à l'air (important car l'apport des nutriments à la cornée n'est garanti que lorsque son humidification est suffisante).
- **Cils :** se trouvent sur le bord des paupières. Diverses glandes débouchent au niveau du follicule de chaque cil : **glandes de Meibomius,** de **Moll, de Zeiss** → synthétisent un film recouvrant le liquide lacrymal → protection de l'évaporation. Ces glandes peuvent présenter une inflammation :
  - **orgelet** (hordéole) : très douloureux;
  - **chalazion** : indolore, fait principalement suite à un obstacle à l'écoulement des sécrétions des glandes de Meibomius.

Appareil lacrymal

Le liquide lacrymal est synthétisé par les **glandes lacrymales** (**glandes séreuses** ▶ 4.2.5). Elles sont situées dans l'orbite au-dessus de l'angle externe de l'œil et sécrètent le **liquide lacrymal** via de nombreux canaux excréteurs situés dans le cul-de-sac conjonctival supérieur. Le liquide lacrymal est une solution aqueuse, qui contient du sel, du mucus et une enzyme bactéricide (qui tue les bactéries), le **lysosyme**. Fonctions :

- compensation des irrégularités de surface de la cornée → ↑ propriétés optiques;
- élimination des corps étrangers;
- protection de la cornée du dessèchement (sinon danger d'opacification !);
- défense vis-à-vis des germes pathogènes (lysozyme ▶ 12.2.1, IgA ▶ 12.3.3);
- film lubrifiant pour la paupière.

Écoulement des larmes : de la surface antérieure de l'œil → angle interne de l'œil → points lacrymaux supérieur et inférieur → **canal lacrymal** → **sac lacrymal** → **conduit lacrymonasal** → cavité nasale (▶ fig. 15.2).

NOTION MÉDICALE

Les irritations de la cornée et de la conjonctive ainsi que les fortes excitations émotionnelles → stimulation parasympathique importante des glandes lacrymales → les voies lacrymales ne suffisent plus pour éliminer l'excès de liquide, les larmes s'écoulent du bord de la paupière (**pleurs**).

9

9.8 Organes de l'audition et de l'équilibration

9.8.1 Situation

Les **organes de l'audition et de l'équilibration** font partie des structures les plus vulnérables de notre corps → leur position est bien protégée dans la partie pétreuse de l'os temporal (rocher) (▶ fig. 6.2).

- **Audition :** enregistre les stimulations sonores (ou acoustiques).
- **Organe de l'équilibration :** enregistre la position du corps et ses mouvements dans l'espace.

La transmission de l'information au SNC passe par un nerf crânien, le **nerf vestibulocochléaire** (VIII), qui chemine, accompagné des vaisseaux sanguins irrigant l'oreille, de l'oreille interne jusqu'à l'intérieur du crâne en passant par le méat acoustique interne.

9.8.2 Oreille externe

L'oreille externe est formée du **pavillon auriculaire** et du **conduit auditif externe.** Le pavillon de l'oreille, cartilagineux, intercepte les ondes sonores et les transmet au **conduit auditif externe.** Celui-ci chemine du pavillon auriculaire jusqu'au tympan en faisant un léger coude. Il contient des glandes sécrétant du **cérumen** (▶ 7.4.2) ainsi que des poils (protection vis-à-vis des corps étrangers).

Le **tympan (membrane tympanique)** est une fine membrane conjonctive qui sert de limite entre l'oreille externe et l'oreille moyenne. Il peut être directement examiné par **otoscopie.**

9.8.3 Oreille moyenne

L'**oreille moyenne** (▶ fig. 9.14) est située dans une cavité osseuse remplie d'air située dans l'os temporal. Sa principale structure est la **caisse du tympan** ; recouverte d'épithélium, elle est située entre le tympan et la paroi osseuse de l'oreille interne. À l'intérieur se trouvent deux fenêtres osseuses fermées par une membrane (la **fenêtre ovale ou vestibulaire** et la **fenêtre ronde ou cochléaire**), derrière lesquelles se trouvent l'oreille interne. Vers l'arrière, la caisse du tympan communique avec les **cellules mastoïdiennes**.

Trompe auditive (d'Eustache)

La **trompe auditive** (tube auditif ou trompe d'Eustache) relie l'oreille moyenne à la partie supérieure du pharynx (▶ fig. 15.5) → équilibration entre la pression dans l'oreille moyenne et la pression de l'air extérieur → optimise les mouvements du tympan pour la conduction des sons et protège le tympan des variations brutales de pression. La trompe auditive s'ouvre lors de la déglutition et des bâillements → il est possible d'équilibrer volontairement les pressions.

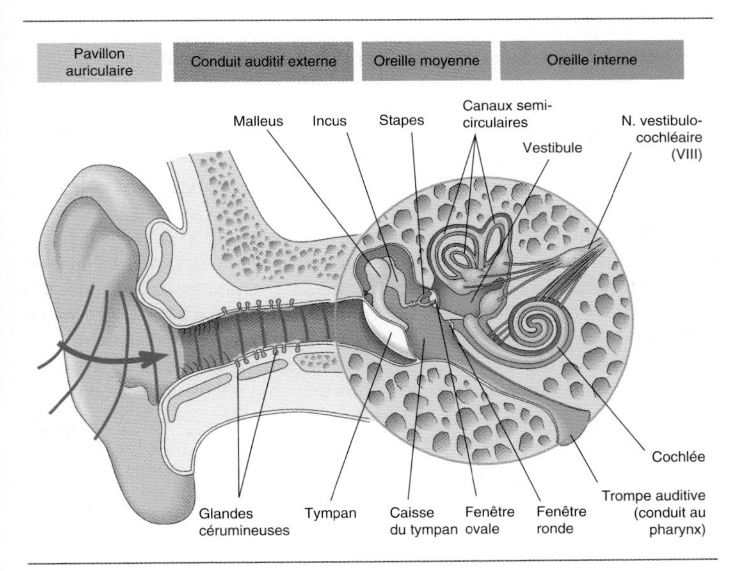

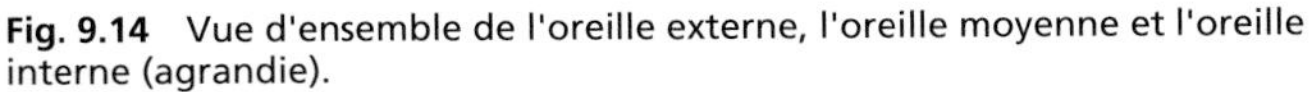

Fig. 9.14 Vue d'ensemble de l'oreille externe, l'oreille moyenne et l'oreille interne (agrandie).

Osselets

La **chaîne des osselets** traverse la caisse du tympan (▶ fig. 9.14) :

- le **malleus** ou **marteau** : son manche est fermement lié au tympan, la tête repose sur la paroi de l'oreille moyenne, et s'articule avec l'incus (enclume) ;
- l'**incus** ou **enclume** s'articule avec le stapes (étrier) ;
- le **stapes** ou **étrier** : est appliqué sur la fenêtre ovale par sa base (platine) en direction de l'oreille interne.

→ Transmission des ondes sonores (▶ 9.8.5) du tympan à la petite fenêtre ovale. Les **muscles de l'oreille moyenne** (muscles tenseur du tympan, stapédien) améliorent l'analyse acoustique et protègent l'oreille interne des stimulations acoustiques excessives (contraction réflexe).

NOTION MÉDICALE

Otite moyenne aiguë (inflammation aiguë de l'oreille moyenne)

Cause : principalement infection nasale ou pharyngée, qui remonte dans la caisse du tympan par la trompe d'Eustache. **Symptômes :** fièvre, douleur d'oreille (otalgie), difficulté d'audition. Sécrétion inflammatoire → ↑ pression dans la caisse tympanique → déchirure possible (perforation) du tympan. Expansion possible au niveau des cavités mastoïdiennes (mastoïdite) ou des méninges (méningite ▶ 8.11.1) ; peut passer à la chronicité (**otite moyenne chronique**). **Traitement :** gouttes nasales décongestionnantes (pour améliorer la perméabilité de la trompe d'Eustache), éventuellement antibiotiques.

9.8.4 Oreille interne

- **Oreille interne :** les récepteurs sensoriels des sens de l'audition et de l'équilibration sont situés dans le **labyrinthe osseux** de la partie pétreuse de l'os temporal (rocher). Il est formé d'un vestibule, de canaux semi-circulaires et de la cochlée ou limaçon (▶ fig. 9.15). Les récepteurs sensoriels de l'organe de l'équilibration se trouvent dans le vestibule et les canaux semi-circulaires. La cochlée contient les récepteurs sensoriels de l'audition situés dans l'organe de Corti.
- La **cochlée osseuse** est enroulée sur elle-même en une spirale. Elle est remplie d'un liquide, la **périlymphe,** de composition semblable au liquide cérébrospinal. La base de la cochlée contient les fenêtres ovale et ronde (▶ fig. 9.14) ; l'apex de la cochlée est appelé **hélicotrème**. Une paroi interne sépare la cochlée en deux étages, la **rampe vestibulaire supérieure** qui commence au niveau de la fenêtre ovale et se poursuit jusqu'à l'apex où elle devient la **rampe tympanique inférieure** qui retourne à la fenêtre ronde en suivant le contour de la spirale de la cochlée (▶ fig. 9.16).
- Entre la rampe vestibulaire et la rampe tympanique se trouve le **conduit cochléaire** membraneux, canal de forme triangulaire en coupe, rempli d'**endolymphe** (composition à peu près semblable au liquide intracellulaire). Le conduit cochléaire est limité du côté de la rampe vestibulaire par la **membrane de Reissner** et du côté de la rampe tympanique par la **membrane basilaire** qui s'élargit au cours de son trajet depuis la base à l'apex de la cochlée.
- L'**organe de Corti** repose sur la membrane basilaire (▶ fig. 9.16). Il est formé de **cellules de soutien** et de **cellules ciliées** dont le bord libre porte des cils qui se projettent dans l'endolymphe du conduit cochléaire. Les cils sont en contact avec la membrane tectoriale gélatineuse, qui recouvre

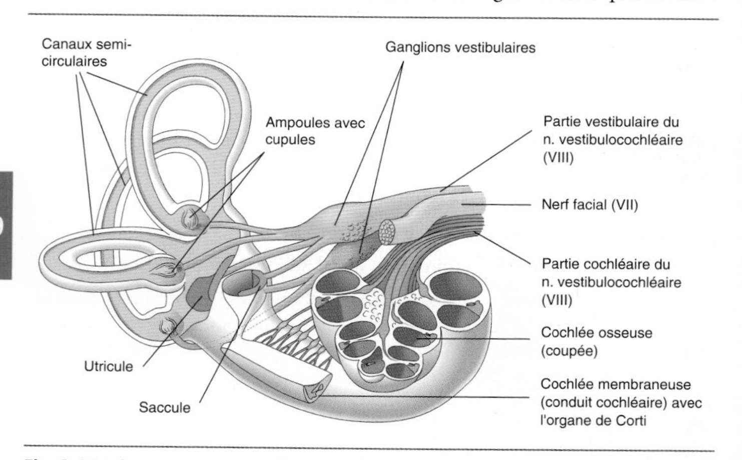

Fig. 9.15 Coupe passant par la cochlée osseuse, les canaux semi-circulaires et le vestibule, avec représentation des nerfs crâniens VII et VIII.

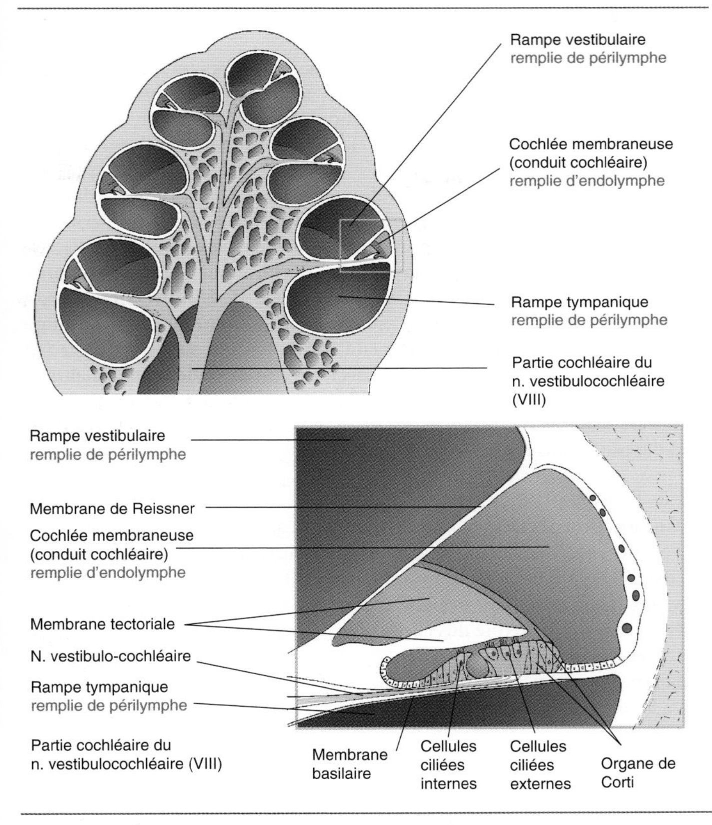

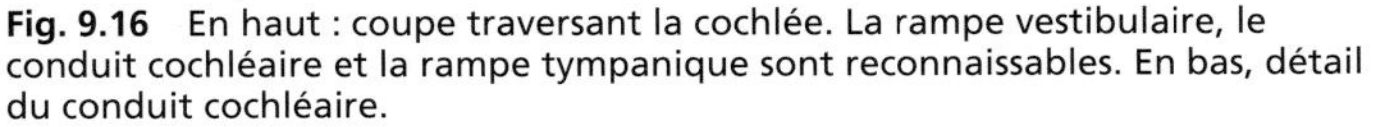

Fig. 9.16 En haut : coupe traversant la cochlée. La rampe vestibulaire, le conduit cochléaire et la rampe tympanique sont reconnaissables. En bas, détail du conduit cochléaire.

l'organe de Corti. Il est possible de différencier des **cellules ciliées externes** plus nombreuses et des **cellules ciliées internes.** Les cellules ciliées externes renforcent les vibrations qui sont transmises à l'oreille interne. Les cellules ciliées internes sont des cellules sensorielles secondaires : elles convertissent les vibrations mécaniques en signaux nerveux et sont entourées à leur base de fibres de la huitième paire de nerfs crâniens (nerf vestibulocochléaire, VIII).

9.8.5 Ondes sonores (acoustiques)

Les **ondes sonores (ou acoustiques)** sont des variations de pression de l'air. Ces oscillations (ou vibrations) se propagent comme les vagues à la surface de l'eau.

- **Hauteur tonale :** nombre de vibrations par seconde (fréquence, mesurée en Hertz, [Hz]).
- **Intensité sonore :** dépend de la taille de la vibration (amplitude).

L'homme peut percevoir des ondes sonores situées dans un intervalle de fréquence allant de 20 à 20 000 Hz, notre audition étant la plus sensible aux fréquences de 2000 à 5000 Hz (▶ fig. 9.17). La limite supérieure des fréquences diminue nettement avec l'âge.

La mesure physique de l'amplitude des oscillations de pression (et donc du volume sonore) est la **pression sonore**. Comme notre audition permet de percevoir une large gamme de pressions sonores d'environ 10^{-5} à 10^{2} Pa, une autre grandeur à été introduite, la mesure logarithmique du **niveau de pression acoustique** qui se mesure en **décibels** (dB). L'**impression sonore (sonie)**, subjectivement ressentie, est également une mesure logarithmique qui est donnée en **phones**. Elle dépend de la pression sonore et de la fréquence. Vers 1000 Hz, les valeurs en décibels correspondent aux valeurs en phones. Du fait de la relation logarithmique, une augmentation de l'intensité sonore de seulement 20 dB correspond à une augmentation d'un facteur 10 de la pression acoustique réelle !

9.8.6 Physiologie des voies auditives

- **Conduction aérienne** : les ondes sonores arrivant au niveau de l'oreille sont interceptées par le pavillon auriculaire et conduites jusqu'au tympan en passant par le conduit auditif externe. Le tympan se met à vibrer du fait des ondes sonores. Ces vibrations sont transmises à la chaîne des osselets par le manche du malleus fortement appliqué au tympan. Par l'incus et le stapes, elles atteignent la fenêtre ovale.

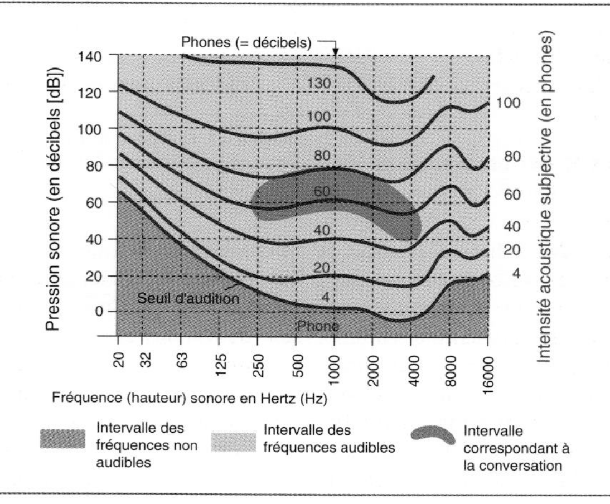

Fig. 9.17 Courbes isosoniques de l'homme.

REMARQUE

Comme le manche du malleus forme un bras de levier plus long que celui de l'incus et que la surface du tympan est plus grande que celle de la fenêtre ovale, la pression acoustique dans l'oreille moyenne est pratiquement multipliée par 20. Si l'onde arrivait directement sur la fenêtre ovale, seulement 2 % de l'énergie sonore serait absorbée ; l'appareil situé dans l'oreille moyenne augmente cette valeur à ≥60 % !

- **Conduction osseuse :** les ondes acoustiques peuvent être directement transmises à l'oreille interne par l'intermédiaire des os du crâne (par exemple en superposant un diapason) sans passer par l'oreille moyenne.

Comme la cochlée est remplie de liquide, tout appui sur la fenêtre ovale engendré par les ondes sonores entraîne inversement un renflement de la fenêtre ronde. Cette transmission de la pression s'effectue par le conduit cochléaire mobile et le fait dévier. Les vibrations du stapes au niveau de la fenêtre ovale déplacent la périlymphe de la rampe vestibulaire sous la forme d'ondes qui sont transmises à la rampe tympanique : cela stimule la formation d'ondes dans le conduit cochléaire situé entre les deux rampes. Ces ondes ainsi produites se déplacent en direction de l'**hélicotrème** (et sont donc appelées **ondes progressives**) (▶ fig. 9.18).

La membrane basilaire se met à vibrer avec le conduit cochléaire → mouvement de cisaillement entre les cellules ciliées de l'organe de Corti et la membrane tectoriale gélatineuse → les cils des cellules ciliées sont courbés. Cette stimulation mécanique de courbure génère un potentiel gradué dans les cellules ciliées.

- **Cellules ciliées externes :** réagissent à ces modifications de potentiel par une modification active de leur longueur. Elles commencent à osciller en consommant de l'énergie → renforcement des ondes progressives.
- **Cellules ciliées internes :** libèrent des transmetteurs en rythme avec les vibrations mécaniques → PA au niveau des fibres nerveuses afférentes adjacentes.

Différences de hauteur tonale

- La membrane basilaire est étroite au niveau de la base de la cochlée et s'élargit à mesure qu'elle se rapproche de l'hélicotrème. Ainsi, elle perd en rigidité mais gagne en masse.
- Comme la combinaison entre la rigidité et la masse de la membrane basilaire dépend de la localisation, chaque oscillation de fréquence se déplaçant sur la membrane basilaire engendre une déformation maximale (résonance) à un endroit très précis, c'est-à-dire qu'à cet endroit, les cellules ciliées externes sont excitées au maximum et renforcent au maximum l'oscillation. Les oscillations de haute fréquence (= hauteur tonale élevée, sons aigus) ont ce maximum près de la fenêtre ovale ; plus les fréquences s'abaissent (= faible hauteur tonale, sons graves), plus le maximum se rapproche de l'extrémité de la cochlée.

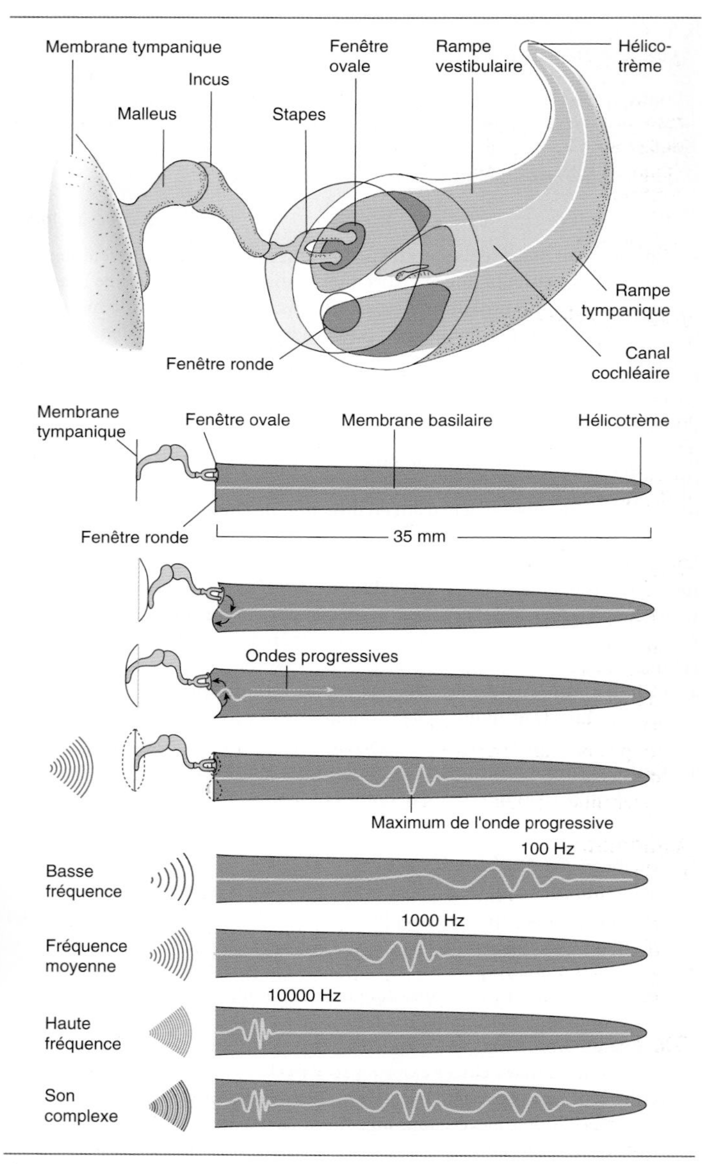

Fig. 9.18 Théorie des ondes progressives. La spirale de la cochlée a été déroulée pour plus de clarté. Les vibrations de la membrane basilaire sont exagérées sur la représentation.

REMARQUE

Tonotopie

Chaque fréquence d'oscillation et, de ce fait, chaque hauteur tonale correspond à un emplacement bien particulier de la déformation maximale de la membrane basilaire (résolution de fréquence suivant le principe de l'emplacement, **tonotopie**). Si, pour une fréquence donnée, l'intensité du son augmente, les cellules ciliées sont plus fortement excitées → forment un plus grande nombre de PA par cellules → ce son est ressenti subjectivement comme étant plus fort.

Voies auditives

Les potentiels gradués des cellules ciliées qui dépassent le seuil (▶ 8.1.2) déclenchent des PA au niveau des fibres nerveuses qui entourent les cellules ciliées. Ces fibres nerveuses forment la partie *cochléaire* du nerf vestibulo*cochléaire*. Elles se continuent jusqu'aux noyaux de la moelle allongée et croisent en grande partie à ce niveau la ligne médiane pour passer de l'autre côté (décussation). Les fibres s'étirent ensuite d'un côté jusqu'au mésencéphale et au thalamus (transmission des réflexes acoustiques) et de l'autre côté jusqu'aux centres de l'audition situés dans les lobes temporaux (perception sonore ▶ 8.8.9).

Orientation dans l'espace

- Le traitement simultané des informations acoustiques provenant des deux **oreilles** est décisif pour l'audition directionnelle et l'**orientation auditive** dans l'espace.
- Les signaux issus des oreilles droite et gauche sont légèrement différents, car les oreilles ne se trouvent pas en général à la même distance de la source du son. L'oreille du côté opposé à la source sonore entend le son un peu plus tard (**décalage de phase**) et un peu moins fort (**décalage d'intensité**). Par le traitement de cette différence, le SNC peut déterminer l'emplacement de la source du son.

Audiométrie

- Un générateur de son (**audiomètre**) produit des sons d'une fréquence et d'une intensité spécifiques → détermination du **seuil d'audition** de chaque individu (intensité du son pour laquelle des sons d'une fréquence particulière peuvent être perçus avec précision, seuil d'audition chez les personnes en bonne santé ▶ fig. 9.17).
- En cas de perte d'audition, les seuils d'audition sont plus élevés.

Oto-émission acoustique

- L'oto-émission acoustique (OEA) représente des **vibrations inaudibles** à l'oreille qui se forment suite au propre mouvement des cellules ciliées externes et qui sont émises hors de l'oreille.
- Leur enregistrement, à l'aide d'un microphone, ne nécessite aucune coopération du patient → test objectif de l'audition, utilisable même pour un dépistage auditif chez le nouveau-né.

NOTION MÉDICALE

Perte d'audition ou surdité totale

Handicap important car l'orientation et, en particulier, la communication avec les autres personnes sont fortement compromises :

- **Surdité de transmission :** trouble situé au niveau de l'oreille externe ou de l'oreille moyenne jusqu'à la fenêtre ovale. Principales causes : bouchon de cérumen dans le conduit auditif externe, otite moyenne, otospongiose. Un traitement causal est souvent possible et peut être efficace.
- **Surdité de perception :** trouble situé dans l'oreille interne (par exemple destruction des cellules ciliées par un traumatisme sonore), au niveau du nerf vestibulocochléaire (par exemple neurinome de l'acoustique), sur les voies auditives ou dans le cortex auditif. Le traitement causal est le plus souvent impossible.

9.8.7 Organe de l'équilibration

Le **sens de l'équilibre** (sens de la position et de la rotation) permet l'orientation dans l'espace et le maintien de la posture de la tête et du corps au repos et lors du déplacement (en association avec d'autres organes des sens). Les **organes de l'équilibration** (système vestibulaire) sont formés du **vestibule** et de trois **canaux semi-circulaires** (▶ fig. 9.15), qui se trouvent dans le labyrinthe osseux du rocher (portion pétreuse de l'os temporal) avec les organes de l'audition (▶ fig. 6.2).

Système maculaire

Vestibule : partie centrale du labyrinthe osseux conduisant vers l'arrière aux canaux semi-circulaires et vers l'avant à la cochlée. Rempli de périlymphe dans laquelle se trouvent des structures membraneuses remplies d'endolymphe (**organes maculaires**).

- L'**utricule** et le **saccule** (▶ fig. 9.15) sont reliés entre eux par deux fins conduits. Contiennent chacun au niveau de leurs parois un segment sensoriel, la **macule** → dans l'utricule, la macule se trouve dans un plan horizontal; dans le saccule, elle est dans un plan vertical. Comme l'organe de Corti, les macules sont composées de cellules sensorielles et de cellules de soutien. Les cellules sensorielles sont des cellules ciliées dont les cils font saillie dans une membrane gélatineuse qui recouvre la macule. À la surface de la couche gélatineuse se trouvent encastrés des cristaux de carbonate de calcium (**otolithes,** statolithes ou statoconie) → **membrane otolithique** (▶ fig. 9.19).
- Port de tête droit, au repos → la membrane otolithique de la macule sacculaire *verticale* est tirée vers le bas → les cils sensoriels sont cisaillés vers le bas → transmission au SNC. Pas de signalisation au niveau de l'utricule dans cette situation → macule utriculaire *horizontale* → les cils sensoriels ne sont pas cisaillés. En position allongée, ces relations s'inversent : la macule utriculaire est maintenant perpendiculaire → les cils

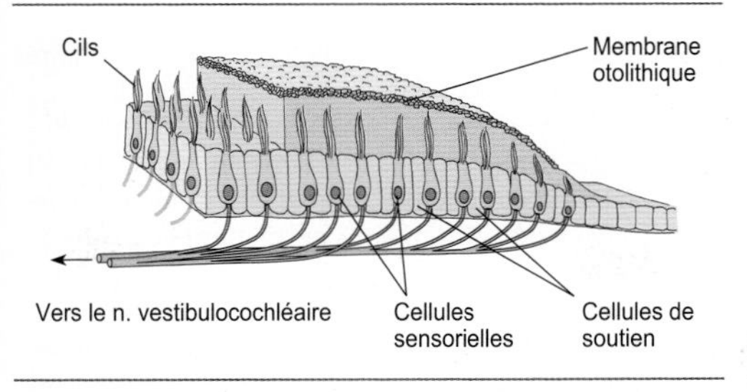

Fig. 9.19 Structure de la macule.

sensoriels sont cisaillés. La macule sacculaire au contraire est orientée horizontalement → n'envoie plus d'influx de cisaillement.

- Les stimulations adaptées des cellules sensorielles des organes maculaires correspondent à la **gravité** et à l'**accélération linéaire** (accélération en direction rectiligne).
- Traitement central de l'information → sensation consciente (debout, allongé) et ajustement réflexe du tonus et des mouvements musculaires.

Canaux semi-circulaires

- Trois canaux semi-circulaires sont disposés de manière orthogonale les uns par rapport aux autres dans les trois plans de l'espace : canaux **vertical antérieur, vertical postérieur et horizontal latéral**. Tous commencent et se terminent au niveau du vestibule et forment un anneau avec celui-ci. À l'intérieur des canaux semi-circulaires osseux se trouvent des canaux semi-circulaires membraneux remplis d'endolymphe. Chaque canal semi-circulaire est élargi à son extrémité en une **ampoule**. C'est là que se trouvent les cellules sensorielles → cellules ciliées entourées de cellules de soutien, dont les cils font saillie dans la **cupule** gélatineuse.
- Mouvement de rotation de la tête → mouvement identique des cupules (fortement liées au crâne par les canaux semi-circulaires. L'endolymphe qui les entoure est une masse inerte (comme tout liquide) → suit en partie seulement les accélérations de la tête et de façon retardée dans le temps → la cupule gélatineuse contenant les cils inclus est déviée → excitation des cellules ciliées → transmission de l'influx nerveux au SNC → sensation consciente du **mouvement de rotation** et contrôle réflexe des muscles pour s'adapter à la situation.
- L'endolymphe et la cupule s'adaptent au bout d'un certain temps au mouvement de la crête ampullaire → seules les modifications du mouvement de rotation entraînent une excitation du système des canaux semi-circulaires → les stimulations adaptées sont les **accélérations ou les décélérations angulaires.**

Voies de conduction des organes de l'équilibration

- Cellules ciliées → fibres de la partie *vestibulaire* du nerf *vestibulo*cochléaire (les corps cellulaires se trouvent dans un ganglion du conduit auditif interne) → une grande partie se dirige aux noyaux de la substance grise de la moelle allongée ; une petite partie se dirige directement aux noyaux du cervelet. Les noyaux vestibulaires médullaires → relais vers les voies vestibulaires secondaires → transmission de l'information à la moelle spinale, au cervelet, à la formation réticulaire, au thalamus et aux noyaux des nerfs crâniens (principalement III, IV, VI, XI) → connexion entre l'appareil de l'équilibration et le système moteur → contrôle réflexe des mouvements musculaires permettant la position de la tête, du corps et des yeux.

- Le **cervelet** joue pour cela un rôle important (▶ 8.8.5). Le thalamus transmet les informations issues des organes de l'équilibration au cortex cérébral → perception consciente de la position du corps.

NOTION MÉDICALE

Vertige positionnel paroxystique bénin

Si un cristal se détache de la membrane otolithique, il se déplace librement dans l'endolymphe. S'il parvient dans un canal semi-circulaire, il peut produire une déformation de la cupule → il génère alors au niveau du SNC une information sur un mouvement de rotation qui est en contradiction avec les autres informations provenant des autres organes des sens → **crise de vertige**. La position du cristal et, de ce fait, le vertige dépendent de la position et du mouvement de la tête → appelé **vertige positionnel.** Il est possible d'évacuer l'otolithe du canal semi-circulaire par des manœuvres de positionnement de la tête.

Test de l'équilibre et recherche d'un nystagmus par un test calorique

- **Test du sens de l'équilibre** → exécution de certains mouvements les yeux fermés. Les divergences par rapport aux résultats normaux permettent de déduire les causes du trouble.
- **Test calorique pour rechercher un nystagmus** → application d'eau froide ou d'eau chaude dans un seul des deux conduits auditifs → dans le canal circulaire horizontal se forme un mouvement de l'endolymphe d'origine thermique → déclenchement d'un **nystagmus :** connexion entre les noyaux des muscles oculaires et l'organe vestibulaire → une perturbation située dans la région vestibulaire peut conduire à des mouvements oculaires rythmiques involontaires. Ce nystagmus peut également être physiologique (en tant que mouvement de retour de l'œil dans sa position normale lors d'accélération angulaire ou après celle-ci). Un nystagmus spontané (nystagmus se produisant sans stimulus externe) est en règle générale pathologique.

10 Système hormonal (ou endocrinien)

10.1 Fonction et mode d'action des hormones

Les **hormones** sont des molécules de signalisation et des messagers chimiques :

- communication entre les cellules et les organes ;
- influencent certains événements, processus ou sensations biologiques

Mécanismes de sécrétion (▶ fig. 4.2) :

- **sécrétion endocrine :** les hormones parviennent aux cellules cibles par voie sanguine et agissent à distance du lieu où elles sont sécrétées ;
- **sécrétion paracrine :** les hormones atteignent par diffusion les cellules cibles situées au voisinage ;
- **sécrétion autocrine :** les hormones agissent sur les cellules mêmes qui la sécrètent.

Différence entre les signaux hormonaux et les signaux nerveux (▶ tableau 10.1).

Les résultats de recherches récentes sur les neurotransmetteurs et les neuropeptides mettent en évidence une limite assez floue entre le système nerveux et le système hormonal :

- des hormones ayant une « double fonction » (par exemple l'ocytocine, l'ADH) influencent, en tant que **neuropeptides**, l'apprentissage, la mémoire et le comportement. La noradrénaline agit également comme une hormone *et* un neurotransmetteur (▶ 8.2.3) ;

Tableau 10.1 Comparaison de la signalisation nerveuse et de la signalisation hormonale

	Système nerveux	Système endocrinien
Transmission du signal	Électrique (neurones, axones) et chimique (synapse)	Chimique (hormone)
Cellules cibles	Cellules musculaires, glandulaires et nerveuses	Toutes les cellules du corps ayant un récepteur hormonal adapté
Début de l'effet	Millisecondes à secondes	Secondes à mois
Réaction produite	Contraction musculaire, sécrétion, activation d'autres cellules	Principalement modification de l'activité métabolique

- des cellules nerveuses peuvent produire des hormones (**neurohormone,** comme l'ADH) ;
- beaucoup de cellules immunitaires produisent des messagers chimiques de type hormonal (▶ 12.1.4).

REMARQUE

Endocrinologie

Spécialité qui traite de la structure et des fonctions des hormones ainsi que du diagnostic et des traitements des troubles du système hormonal (ou endocrinien). Dans d'autres spécialités, des spécialistes s'occupent également de troubles endocriniens (gynécologie, andrologie).

10.1.1 Classification

Les hormones peuvent être classées de plusieurs façons ou en plusieurs types, par exemple selon :

- **leur lieu de synthèse :**
  - **glandes endocrines** (sécrétrices d'hormones) : synthétisent des **hormones glandulaires.** Contrairement aux glandes exocrines (▶ 4.2.5), les glandes endocrines délivrent leur produit dans l'interstitium qui est, la plupart du temps, parcouru par un réseau capillaire dense. À partir de là, les hormones diffusent dans les capillaires puis se distribuent rapidement dans l'ensemble du corps via le courant sanguin. Elles atteignent ainsi leurs cellules cibles, qui sont capables de comprendre le « message hormonal » grâce à la présence de récepteurs adaptés (▶ 10.1.4) ;
  - le **système endocrine diffus** est formé de cellules spécialisées situées à l'extérieur des glandes endocrines et qui sécrètent des hormones. L'érythropoïétine et les prostaglandines font partie de ces **hormones tissulaires** (hormones non glandulaires) (▶ tableau 10.3).
- **leur structure chimique** (▶ tableau 10.2).

10.1.2 Mode d'action et récepteurs hormonaux

Pour recevoir un signal hormonal, la cellule cible doit posséder des récepteurs hormonaux spécifiques sur lesquels se fixent les hormones. Ce n'est que lorsque l'hormone et le récepteur correspondent, comme une clé dans sa serrure, que se déclenchent des processus métaboliques complexes qui conduisent à l'effet hormonal souhaité.

De ce fait, pour une même hormone, il existe souvent *plusieurs* types de récepteurs selon le type de cellule des différents tissus → les effets hormonaux peuvent être différents. En outre, chaque cellule peut être la cible de différentes hormones → portent *différents* récepteurs hormonaux. Ainsi, chaque cellule de notre corps peut être incitée à produire diverses réactions par le biais de différentes hormones.

- **Récepteurs membranaires :** la plupart des hormones dérivées des acides aminés, ainsi que les hormones peptidiques et polypeptidiques sont **hydrophiles** et, de ce fait, ne peuvent pas traverser la membrane cellulaire

Tableau 10.2 Classification des hormones selon leur structure chimique

Classe	Hormone	Lieu principal de synthèse
Hormones dérivées des acides aminés (principalement hydrophiles sauf les hormones thyroïdiennes [▶ 2.8.3])	• Thyroxine, tri-iodothyronine	Thyroïde
	• Catécholamines : adrénaline, noradrénaline	Médullosurrénale
Hormone peptidique et polypeptidique (essentiellement hydrophiles, ▶ fig. 2.20)	• Ocytocine, ADH • Libérines, statines	Hypothalamus
	• Insuline	Pancréas
	• GH, prolactine, TSH, ACTH, FSH, LH	Antéhypophyse
	• Calcitonine	Thyroïde (cellules C)
	• PTH	Parathyroïdes
Hormones stéroïdiennes (dérivées du cholestérol → liposolubles)	• Aldostérone, cortisol	Corticosurrénale
	• Testostérone	Testicules
	• Œstrogènes, progestérone	Ovaires
Hormones dérivées de l'acide arachidonique (liposoluble, ▶ fig. 2.16)	• Prostaglandines, thromboxane	N'importe où dans l'organisme

lipophile (▶ 3.4). Ces hormones se fixent à l'extérieur de la cellule sur un récepteur membranaire → ce récepteur modifie sa conformation (est «activé») → déclenche une voie de signalisation intracellulaire qui aboutit à la réponse cellulaire «souhaitée». La voie de signalisation la plus fréquente et la **voie de l'adénylate cyclase** : le récepteur active une enzyme, l'**adénylate cyclase**, située à la face interne (cytoplasmique) de la membrane cellulaire → transformation de l'ATP en **AMPc** (adénosine monophosphate cyclique) → l'AMPc active une **protéine kinase**, qui phosphoryle d'autres enzymes (▶ 2.8.1) et entraîne une inhibition ou une activation → déclenche la réponse hormonale souhaitée par la cellule cible (▶ fig. 10.1). La réaction en chaîne se termine par la dégradation de l'AMPc par une **phosphodiestérase.**

REMARQUE

Les molécules comme l'AMPc, qui fonctionne à l'intérieur de la cellule comme un messager situé après l'hormone, sont appelées messagers secondaires (ou **seconds messagers**). De ce fait, beaucoup d'hormones ont besoin initialement du même second messager. L'hormone fixée à l'extérieur de la membrane cellulaire est le **premier messager.**

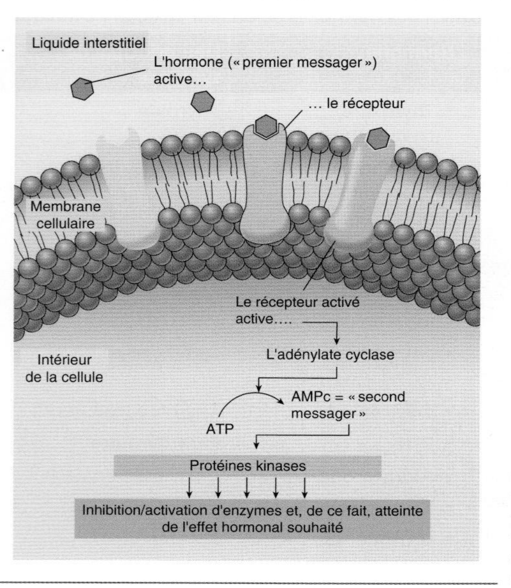

Fig. 10.1 Transmission de l'effet hormonal par le « premier » et le « second » messagers lorsque l'hormone est hydrophile.

- **Récepteurs hormonaux intracellulaires :** les hormones stéroïdiennes et thyroïdiennes sont lipophiles → peuvent traverser la membrane cellulaire et se fixer sur des **récepteurs hormonaux intracellulaires.** Les récepteurs hormonaux thyroïdiens se trouvent dans le noyau de la cellule, les récepteurs des hormones stéroïdiennes dans le cytoplasme. Toutefois, les complexes hormones/récepteurs formés dans le cytoplasme finissent par entrer dans le noyau. Là, l'hormone agit directement sur l'ADN → influence la biosynthèse des protéines et la fonction cellulaire (▶ fig. 10.2).

10.1.3 Transport et dégradation

Toutes les hormones liposolubles doivent être fixées sur l'albumine ou sur une **protéine de transport** spécifique pour pouvoir être transportées dans le sang. Par exemple, les hormones thyroïdiennes se fixent sur la **TBG** (pour *thyroxine binding globulin* ou globuline fixant la thyroxine). Toutefois, seule l'hormone libre, c'est-à-dire non fixée sur une protéine, est biologiquement active (▶ 10.4).

Les hormones circulantes sont inactivées soit lorsqu'elles entrent dans les cellules cibles, soit quand elles sont dégradées dans le plasma, les reins ou le foie. Les hormones stéroïdiennes et thyroïdiennes sont principalement dégradées dans le foie. L'excrétion des produits de dégradation s'effectue via les reins et le foie.

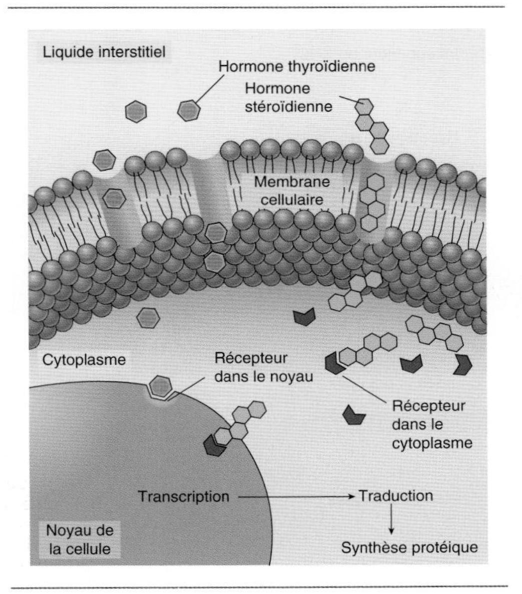

Fig. 10.2 Hormones liposolubles (lipophiles) : traversent la membrane cellulaire et se lient directement sur un récepteur intracellulaire situé dans le cytoplasme ou le noyau de la cellule.

10.1.4 Contrôle de la sécrétion

La quantité d'hormone sécrétée dans le sang est minime; même de très légères variations de leur concentration ont le pouvoir d'entraîner de profondes conséquences → la sécrétion hormonale doit être contrôlée avec précision, ce qui passe par des **boucles de rétrocontrôle (feed-back).**

- Régulation par feed-back (ou rétrocontrôle) négatif : rétrocontrôle le plus simple (▶ 3.9), par exemple régulation de la glycémie par l'insuline.
- **Axe hypothalamo-hypophysaire :** bien souvent plus complexe. La plupart du temps, **plusieurs** boucles de rétrocontrôle agissent en même temps sur **une seule** hormone; le contrôle de la sécrétion de plusieurs hormones est **hiérarchisé** (▶ fig. 10.3) :
  - premier centre régulateur : le plus souvent l'**hypothalamus.** Il influence un deuxième centre régulateur soit en l'activant par des **hormones de libération (libérines)**, soit en le freinant par des **hormones inhibitrices (inhibines)**. Ce centre est
  - **l'antéhypophyse** : elle libère des **hormones agissant sur des glandes endocrines** (**stimulines**), qui influencent la glande endocrine située en aval;

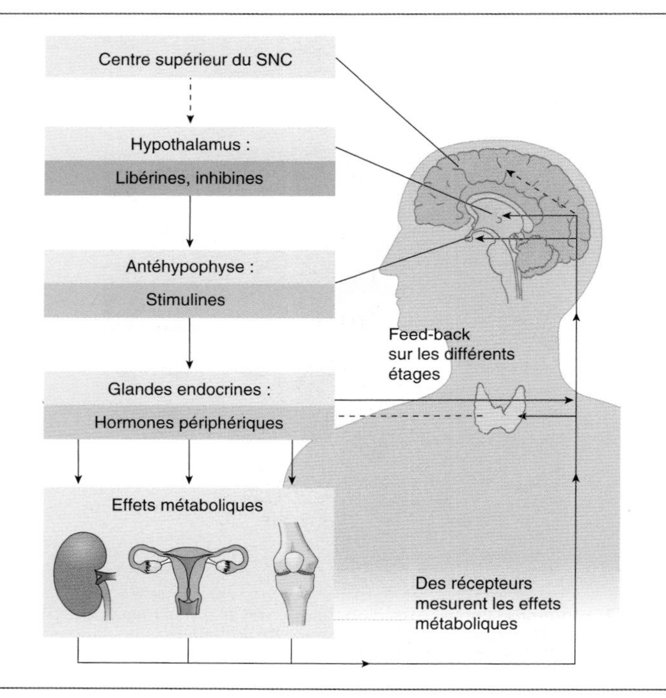

Fig. 10.3 Hiérarchie de la régulation hormonale.

- ces **glandes endocrines** (par exemple la thyroïde) se trouvent en bas de la hiérarchie et influencent, par le biais des hormones périphériques, les **cellules cibles** qui leur sont affectées ;
- des rétrocontrôles sont alors possibles à chaque étage.

10.2 Hypothalamus et hypophyse

L'hypothalamus et l'hypophyse (glande pituitaire) se trouvent dans le diencéphale (▶ 8.8.4).

- **Hypothalamus :** poste de commande le plus élevé du système hormonal. Là s'observent, d'une part, le feed-back provenant des structures situées plus bas dans la hiérarchie et, d'autre part, la résultante des stimulations nerveuses issues des centres supérieurs sous la forme de sécrétions hormonales → zone de liaison entre le système nerveux et le système hormonal (▶ fig. 10.4).
- **Hypophyse :** formée des structures suivantes :
  - l'**antéhypophyse** (lobe antérieur de l'hypophyse, adénohypophyse) : représente 75 % du poids total de l'hypophyse ; elle est formée d'un tissu glandulaire ;

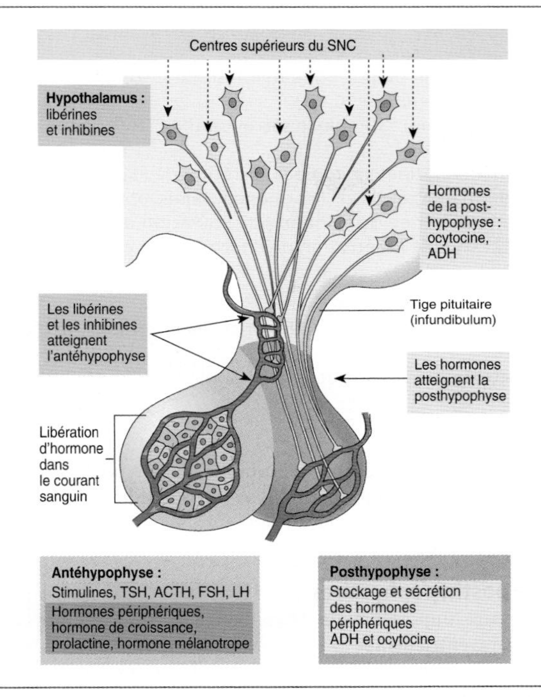

Fig. 10.4 Rôle de l'hypophyse dans la sécrétion et la régulation hormonales.

– la **posthypophyse** (lobe postérieur de l'hypophyse, neurohypophyse) : principalement formée d'un amas d'axones (▶ fig. 10.4) dont les corps cellulaires sont situés dans l'hypothalamus → d'un point de vue fonctionnel et anatomique, la posthypophyse est une annexe de l'hypothalamus.

10.2.1 Hormones hypothalamiques et post-hypophysaires

Dans l'hypothalamus, les hormones suivantes sont synthétisées.

Libérines (RH pour *releasing-hormone,* hormones de libération) et inhibines (hormones de freinage)

La synthèse des **libérines** (RH, hormones de libération) et des **inhibines** (hormones de freinage) a lieu dans la région hypophysiotrope de l'hypothalamus. Ces hormones sont déversées dans le système porte hypophysaire puis transportées jusqu'à l'hypophyse en passant par l'infundibulum (▶ fig. 10.4). Les libérines et les inhibines agissent sur l'hypophyse (▶ 10.2.2).

NOTION MÉDICALE

Libérines

- **TRH** (thyréolibérine ou hormone thyréotrope) : stimule la sécrétion de la TSH (thyréostimuline ▶ 10.4.1)
- **CRH** (corticolibérine) : stimule la sécrétion d'ACTH (hormone corticotrope ▶ 10.6)
- **GnRH** (gonadolibérine) : stimule la sécrétion de FSH (hormone folliculostimulante) et de LH (hormone lutéinisante ▶ 19.3.7)
- **GHRH** (somatolibérine ou hormone de libération de l'hormone de croissance) : stimule la sécrétion de l'hormone de croissance (GH) (▶ 10.2.2)

Inhibines

- **SRIF** (somatostatine) : freine la libération de l'hormone de croissance (GH)
- **PIF** (prolactostatine, identique à la dopamine) : freine la libération de prolactine (▶ 20.9.2)

La sécrétion d'un grand nombre d'hormones antéhypophysaires n'est pas continue mais intermittente, périodique ou pulsatile suivant un rythme endogène (« horloge interne »). La structure établissant ce rythme est probablement l'hypothalamus.

Hormones posthypophysaires

D'autres noyaux importants de l'hypothalamus sont les noyaux supraoptiques et paraventriculaires → synthèse d'**ocytocine** et d'ADH → transport axonal jusqu'à la posthypophyse, où elles sont déversées dans le courant sanguin en cas de besoin. Du fait de leur lieu de sécrétion, ces deux hormones sont également appelées **hormones posthypophysaires** :

- **Ocytocine :** contractions régulières de l'utérus au moment de l'accouchement, éjection du lait hors des canaux galactophores pendant l'allaitement (▶ 20.9.2).
- **Hormone antidiurétique ou vasopressine** (ADH) :
  - régularisation de la pression osmotique (▶ 3.7.1) et du volume liquidien ;
  - à forte concentration, effet vasoconstricteur → appelée aussi **vasopressine** ;
  - favorise la réabsorption d'eau par les reins (qui retourne donc dans le sang), en augmentant la perméabilité à l'eau des membranes cellulaires au niveau du tubule distal et du tube collecteur (▶ 18.1.6) → ↓ excrétion urinaire.

Commande de leur sécrétion : par les récepteurs hypothalamiques qui mesurent la pression osmotique (**osmorécepteurs**). Si celle-ci augmente, augmentation de la sécrétion d'ADH → augmentation de la réabsorption d'eau par les reins → l'urine devient hyperosmolaire → ↓ pression osmotique. Influencée également par les barorécepteurs se trouvant dans les atriums, l'aorte et les sinus carotidiens.

REMARQUE

Un déficit en ADH au niveau hypothalamique → **diabète insipide** s'accompagnant d'une production excessive d'urine (**polyurie**) → perte liquidienne → soif intense (**polydipsie**).

10.2.2 Antéhypophyse

Antéhypophyse (lobe antérieur de l'hypophyse, adénohypophyse) : synthétise différentes hormones peptidiques et polypeptidiques.

NOTION MÉDICALE

Stimulines de l'antéhypophyse

- Agissent sur des glandes endocrines d'un niveau hiérarchique inférieur :
  - **TSH** : favorise le fonctionnement thyroïdien (▶ 10.4.1);
  - **ACTH** stimule la libération des hormones corticosurrénaliennes (▶ 10.6.1);
  - **FSH** et **LH** favorisent le fonctionnement des gonades et contrôlent la production des hormones sexuelles (▶ 19, ▶ 20).
- Agissent directement sur les cellules :
  - **hormone de croissance (GH)** : contrôle la croissance corporelle (▶ 10.2.2);
  - **prolactine** : agit entre autres sur la production lactée dans la glande mammaire (sein);
  - **MSH** (hormone mélanotrope, mélanotropine) : est toujours sécrétée en même temps que l'ACTH (▶ 10.6.1) et influence, entre autres, la pigmentation de la peau (▶ 7.1.2).

Hormone de croissance

Sa synthèse et sa sécrétion sont régulées par les hormones hypothalamiques GHRH et SRIF (somatostatine). Effets :

- ↑ la croissance cellulaire et la multiplication cellulaire;
- ↑ la biosynthèse protéique;
- ↑ la dégradation des graisses et du glycogène;
- diminue l'utilisation à long terme du glucose → ↑ glycémie.

La GH agit en partie directement, en partie via la **somatomédine** (qui, du fait de sa ressemblance avec l'insuline, est aussi appelée **facteur de croissance analogue à l'insuline** ou IGF).

10.3 Épiphyse

L'**épiphyse** (glande pinéale) : glande située au-dessus du mésencéphale, mesurant environ la taille d'un petit pois (▶ fig. 8.17). Synthétise principalement la **mélatonine** à partir de la sérotonine (sécrétion ↑ à l'obscurité, ↓ à la lumière).

Les fonctions exactes de l'épiphyse et de la mélatonine ne sont pas encore totalement clarifiées. Ce qui est certain, c'est que l'épiphyse fait partie du système **photoneuroendocrinien**, qui contrôle le rythme circadien (jour/nuit) et des saisons. Il est probable qu'elle ait également des influences sur la reproduction.

10.4 Glande thyroïde et hormones thyroïdiennes

La **glande thyroïde** pèse environ 25 g. Elle est située en profondeur en dessous du cartilage thyroïdien, en avant de la trachée, à proximité de vaisseaux importants et du nerf vague (▶ fig. 10.5). Elle est formée de deux lobes latéraux, reliés par un pont tissulaire (**isthme**). La thyroïde est divisée en lobules par des cloisons de tissu conjonctif (septums). Chaque lobule renferme de nombreuses petites vésicules (les **follicules**), dont les parois sont formées d'un **épithélium folliculaire** unistratifié.

Les cellules folliculaires produisent deux hormones thyroïdiennes contenant de l'iode :

- la **thyroxine** (tétraiodothyronine, T_4) : peu active biologiquement ;
- la **triiodothyronine** (T_3) : hormone véritablement active.

10.4.1 Fonctions des hormones thyroïdiennes

Les hormones thyroïdiennes agissent sur presque tous les organes (▶ fig. 10.6) :

- ↑ du métabolisme et de la production de chaleur du corps, ↑ consommation en O_2. Stimulent la dégradation des graisses et du glycogène. Aux concentrations physiologiques, elles agissent sur l'anabolisme protéique (synthèse protéique) et favorisent la croissance et la maturation du SNC ;
- augmentation de l'activité du système nerveux ; par exemple taux élevé d'hormones thyroïdiennes → réflexe myotatique excessif ;

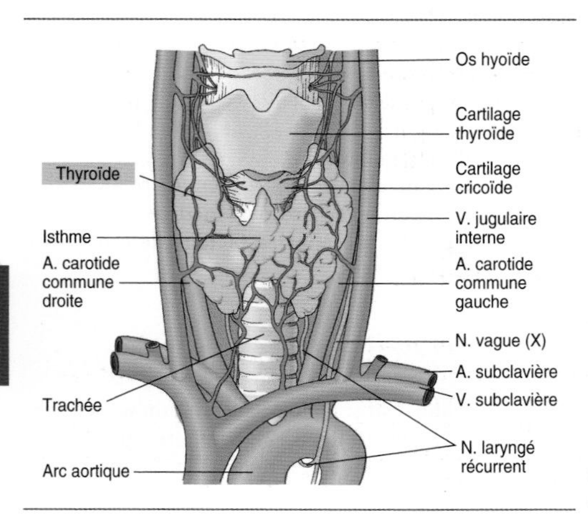

Fig. 10.5 Anatomie de la glande thyroïde.

10

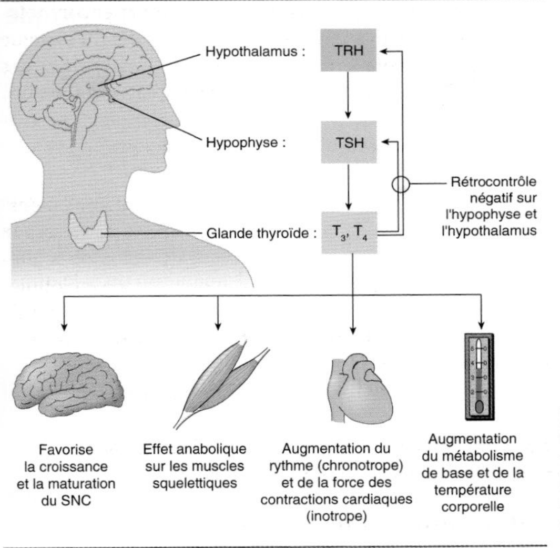

Fig. 10.6 Régulation des hormones thyroïdiennes (en haut). Action de T_3 et T_4 sur différents organes.

- agissent sur le cœur : inotrope positive, dromotrope positive, chronotrope positive (▶ tableau 13.1) ;
- chez l'enfant : croissance normale du corps et développement physiologique du cerveau. Agit en **synergie** (action coordonnée) avec la GH.

10.4.2 Régulation des hormones thyroïdiennes

La **TRH** (ou **thyréolibérine**) est la libérine agissant sur les hormones thyroïdiennes → stimule la sécrétion de **TSH** par l'antéhypophyse.

Au niveau de la thyroïde, la TSH conduit à une augmentation de la synthèse de T_3 et T_4 et à leur libération du **colloïde**, leur lieu de stockage intermédiaire. T_3 et T_4 parviennent dans toutes les parties du corps par voie sanguine. L'augmentation de leur concentration sanguine est perçue par l'hypophyse et l'hypothalamus → ↓ de la synthèse de TRH et de TSH → ↓ de la poursuite de la sécrétion de T_3 et T_4 (feed-back [ou rétrocontrôle] négatif ▶ fig. 10.6).

NOTION MÉDICALE

Différenciation des pathologies thyroïdiennes

- **Selon la fonction :**
  - fonctionnement normal = **euthyroïdie ;**
  - hyperfonctionnement = **hyperthyroïdie** (excès de production de T_3/T_4) ;
  - hypofonctionnement = **hypothyroïdie** (déficit en T_3/T_4).
- **Selon la taille :** taille normale ou hypertrophie thyroïdienne (**goitre**).

Ces **modifications de la taille et de la fonction** peuvent apparaître simultanément, mais aussi séparément et sont très fréquentes.

10.5 Glandes parathyroïdes et régulation phosphocalcique

10.5.1 Parathormone

Les **glandes parathyroïdes** sont quatre nodules, de la taille d'un grain de blé, situés sur la face dorsale de la thyroïde (▶ fig. 10.7). Elles sécrètent la **parathormone** (PTH) → régulation du métabolisme phosphocalcique en association avec la vitamine D (calcitriol) et la calcitonine.
La diminution de la calcémie → sécrétion de PTH ; l'élévation de la calcémie inhibe la sécrétion.
Effets : ↑ calcémie, ↓ phosphatémie :

- au niveau **osseux :** ↑ dégradation (ostéolyse) → ↑ libération du calcium (activation des ostéoclastes ▶ 5.1.5) ;
- au niveau **rénal :** ↓ excrétion calcique, ↑ excrétion des phosphates ;
- au niveau **intestinal :** ↑ indirecte de l'absorption du calcium (par l'augmentation de la concentration hormonale en vitamine D).

10.5.2 Vitamine D (hormone)

Abréviation vit. D ; cholécalciférol, calcitriol : ↑ calcémie (▶ fig. 10.8).
Synthèse : la vit. D fait partie des hormones et non pas des vitamines parce que notre organisme peut la synthétiser lui-même au niveau de notre peau, à partir de précurseurs du cholestérol, sous l'influence des UV. Diverses conversions chimiques ayant lieu dans le foie et les reins donnent finalement naissance à la forme hormonalement active de la vit. D, le 1,25-$(OH)_2$-

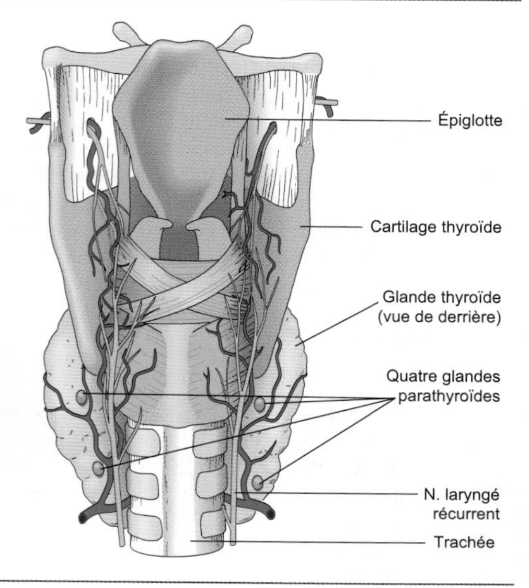

Fig. 10.7 Anatomie des glandes parathyroïdes. Vue dorsale de la trachée et de l'œsophage.

10

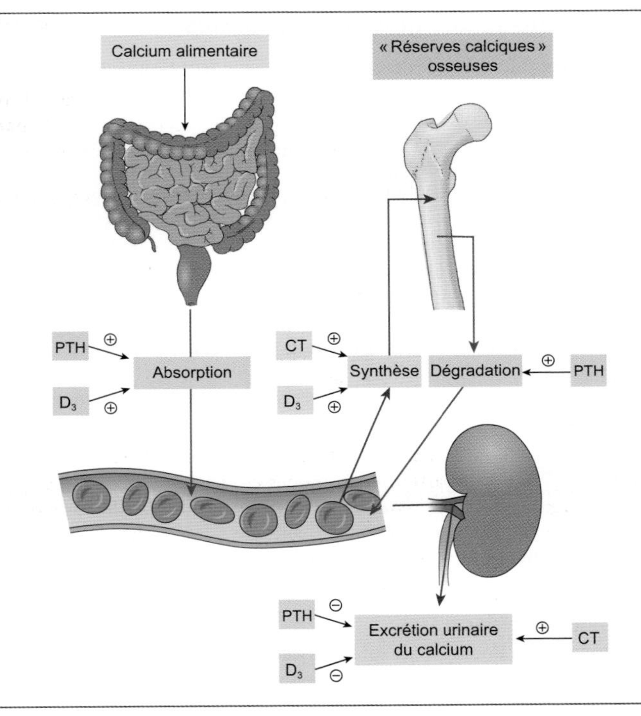

Fig. 10.8 Régulation de la calcémie. Vert = processus qui augmentent la calcémie ; bleu = processus qui diminuent la calcémie. CT : calcitonine ; D_3 : cholécalciférol (vitamine D) ; PTH : parathormone.

cholécalciférol (ou calcitriol). L'homme a également la capacité d'absorber le calcitriol d'origine alimentaire au niveau de son tube digestif.

- Au niveau intestinal : ↑ l'absorption du calcium.
- Au niveau rénal : ↑ la réabsorption du calcium.
- Au niveau osseux : stimule les ostéoblastes (▶ 5.1.5), lorsque la concentration est trop élevée. Stimule les ostéoclastes.
- Au niveau des glandes parathyroïdes : ↓ la sécrétion de PTH.

10.5.3 Calcitonine

Calcitonine (ou thyrocalcitonine) : synthétisée dans la thyroïde par les **cellules C** (cellules parafolliculaires, situées entre les follicules thyroïdiens et également présentes dans les glandes parathyroïdes et dans le thymus).

- Au niveau **osseux :** ↓ libération du calcium et des phosphates, ↑ de leur intégration dans la matrice osseuse (▶ 4.3.6).
- Au niveau **rénal :** ↑ excrétion des ions phosphates, calcium, sodium, potassium et magnésium → ↓ calcémie.

10.6 Hormone des glandes surrénales

Glandes surrénales : glandes paires, pesant chacune 5 g, situées au-dessus de chaque pôle rénal supérieur. Elles sont divisées en deux parties : la corticosurrénale et la médullosurrénale (▶ fig. 10.9).

10.6.1 Corticosurrénales

Corticosurrénale : représente plus des ¾ de l'ensemble de la glande surrénale. D'un point de vue histologique, il est possible de différencier trois couches, produisant chacune des hormones différentes (▶ fig. 10.9; pour l'ordre de l'extérieur vers l'intérieur voir le moyen mnémotechnique) :

- **minéralocorticoïdes** (par exemple aldostérone) dans la **zone glomérulée** externe;
- **glucocorticoïdes** (par exemple cortisol) dans la **zone fasciculée** intermédiaire;
- **hormones sexuelles** (surtout androgènes), dans la **zone réticulée** interne.

REMARQUE

Moyen mnémotechnique : « l'eau MINÉRALE avec du SUCRE rend SEXY »

Toutes les hormones de la corticosurrénale sont des hormones stéroïdiennes (▶ 10.1.1).

Minéralocorticoïdes

Le principal minéralocorticoïde est l'**aldostérone** : sa sécrétion s'effectue principalement via le système rénine-angiotensine-aldostérone (▶ fig. 18.11), déclenché par une natrémie basse, une kaliémie élevée, une hypovolémie ou une pression artérielle basse.

L'aldostérone agit principalement sur les reins → régulation de la teneur en électrolytes et en eau, du volume sanguin et de la pression artérielle :

- ↑ de la réabsorption du sodium et, par là même, de la réabsorption d'eau;
- ↑ de l'excrétion potassique.

→ ↑ natrémie, ↓ kaliémie.

Glucocorticoïdes

Glucocorticoïdes : leur sécrétion est commandée par la **CRH** d'origine hypothalamique et l'**ACTH** d'origine hypophysaire. La CRH favorise la sécrétion d'ACTH; l'ACTH stimule la sécrétion des hormones corticosurrénaliennes. La sécrétion des glucocorticoïdes est soumise à un rythme journalier (pic au cours des premières heures de la matinée).

Le **cortisol** est le glucocorticoïde ayant le plus d'effets; autres glucocorticoïdes : la **cortisone,** la **corticostérone.**

Associés à d'autres hormones, les glucocorticoïdes commandent l'**approvisionnement en sources énergétiques** (glucose et acides gras) → maîtrise des situations de stress.

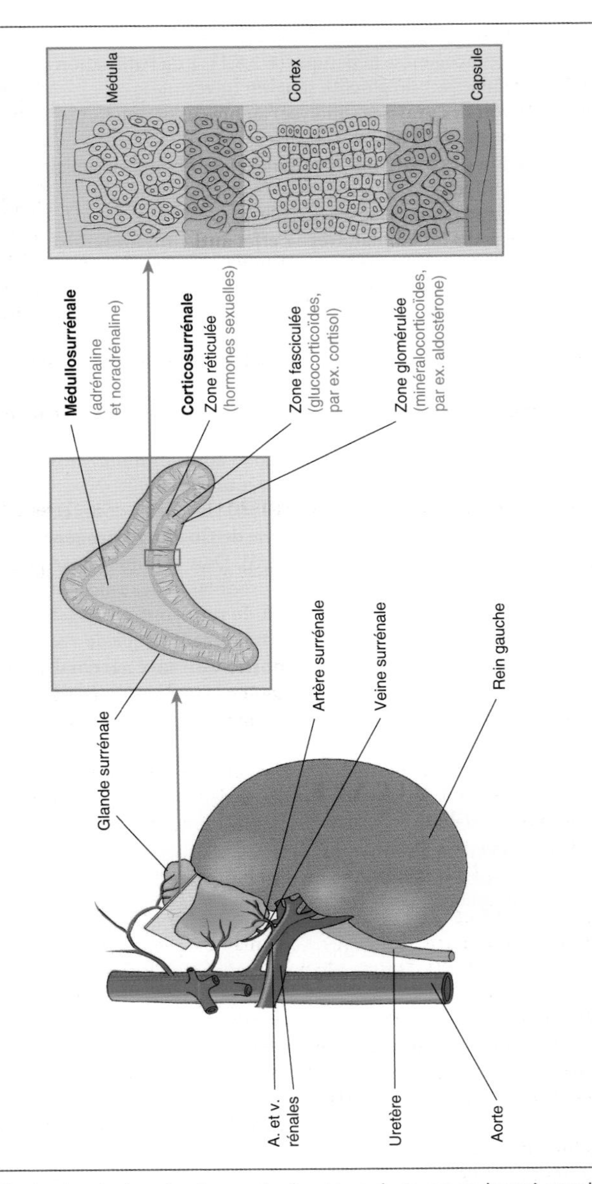

Fig. 10.9 Anatomie des glandes surrénales. L'axe de coupe en haut à gauche est représenté à droite sous forme d'une « lamelle de verre ».

Effets :

- ↑ de la néoglucogenèse hépatique (▶ 2.8.1), ↓ de l'utilisation du glucose dans la cellule → ↑ du glucose sanguin (glycémie) ;
- **dégradation des graisses** (lipolyse) au niveau périphérique → libération des acides gras dans le sang ;
- **dégradation des protéines (protéolyse)** au niveau musculaire, cutané et des tissus adipeux ;
- ↑ de la **dégradation osseuse (ostéolyse) ;**
- ↓ des processus inflammatoires → **effet anti-inflammatoire ;**
- ↓ des processus immunitaires → à forte concentration **effet immunosuppresseur ;**
- ↓ des réactions inflammatoires à la suite de réactions Ag-Ac excessives → **effet anti-allergénique.**

Corticothérapie

- en raison de leur effet anti-inflammatoire et immunosuppresseur, les glucocorticoïdes sont adaptés au traitement des allergies, des inflammations chroniques, des maladies auto-immunes ainsi qu'à la prévention des réactions de rejets après une greffe.
- Ces traitements ont un prix (▶ fig. 10.10) : les fortes doses et les traitements à long terme → **syndrome de Cushing iatrogène** (iatrogène = provoqué par un traitement médical). Dose critique : **dose-seuil du syndrome de Cushing.** En outre, la production des glucocorticoïdes par l'organisme lui-même s'épuise du fait du rétrocontrôle négatif sur la sécrétion d'ACTH. L'arrêt brutal du traitement risque de s'accompagner d'un déficit en glucocorticoïdes, c'est l'**insuffisance surrénalienne aiguë,** représentant une menace vitale. Afin que la corticosurrénale puisse reprendre sa propre production, la dose de glucocorticoïdes doit être lentement réduite (« dose dégressive », « sevrage »).

NOTION MÉDICALE

Syndrome de Cushing

L'augmentation persistante du taux de glucocorticoïdes engendre le développement d'un **syndrome de Cushing** (▶ fig. 10.10). (NdR : En France, il est le plus souvent un effet secondaire de la corticothérapie.) Autres causes : tumeurs hormono-sécrétantes (par exemple adénome antéhypophysaire ou adénome surrénalien).

Hormones sexuelles

- Chez l'homme comme chez la femme, des hormones sexuelles masculines sont synthétisées dans la corticosurrénale (**androgènes**) ainsi que des hormones sexuelles féminines en plus petites quantités (**œstrogènes**). Chez la femme, la corticosurrénale est la principale glande productrice d'androgènes.
- La **déhydroépiandrostérone** (DHEA) est le principal androgène synthétisé par la corticosurrénale. Elle est convertie en testostérone et en œstrogènes dans les cellules cibles.

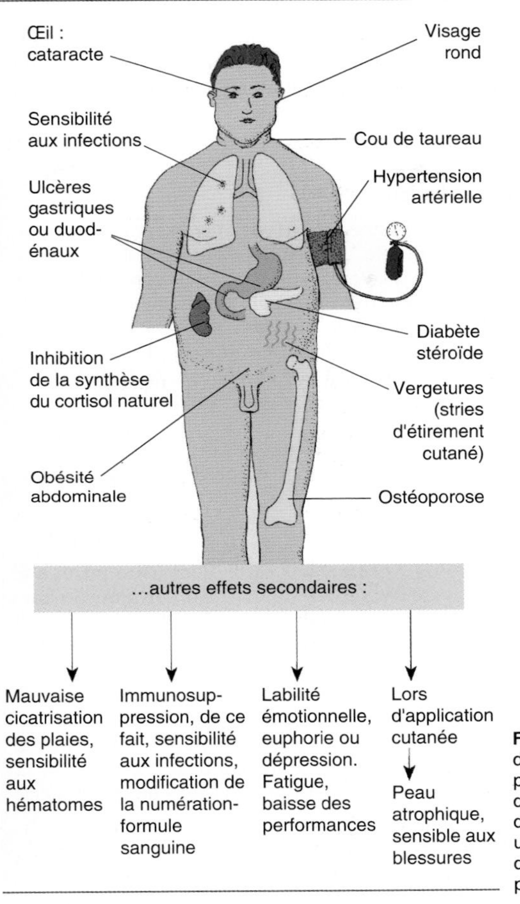

Fig. 10.10 Un syndrome de Cushing peut être la conséquence d'une maladie ou représenter un effet secondaire d'une corticothérapie à long terme.

10.6.2 Médullosurrénales

- La médullosurrénale n'est pas une glande endocrine au sens strict car elle correspond, d'un point de vue développemental, à un ganglion sympathique transformé → formée de neurones sympathiques hautement spécialisés.
- Sa stimulation par les neurones végétatifs du SNC (▶ 8.10) → sécrétion d'**adrénaline** et de **noradrénaline** dans le sang.

- L'adrénaline et la noradrénaline appartiennent à la famille des **catécholamines** et sont des neurotransmetteurs (▶ 8.2.3). Principale fonction : approvisionnement en énergie. Elles sont sécrétées en continu par la médullosurrénale en faible concentration; leur hypersécrétion dans les situations de stress est caractéristique.

NOTION MÉDICALE

Réactions de réponse au stress

Un événement déclenchant un stress (physique : par exemple une infection, une intervention chirurgicale, une forte performance physique; psychique : par exemple la peur, la colère, la pression liée aux performances, le plaisir) engendre dans le SNC deux réactions en chaîne parallèles qui sont décrites sous le terme de **réponse au stress** :

- **système sympathique** → active la médullosurrénale → libération d'un mélange de catécholamines (80 % d'adrénaline, 20 % de noradrénaline) → en quelques minutes, augmentation de leur teneur sanguine;
- **activation de l'hypothalamus** → ↑ sécrétion de CRH → ↑ sécrétion d'ACTH par l'antéhypophyse → ↑ sécrétion de glucocorticoïdes par la corticosurrénale.

À très court terme, l'effet des catécholamines domine → toutes les fonctions organiques importantes pour la survie sont activées : ↑ de la fréquence et de la force des contractions cardiaques (chronotrope et inotrope positives), ↓ vascularisation de la peau et des organes internes. La vascularisation des organes qui doivent être rapidement mobilisés pour combattre la situation de stress est augmentée (SNC, muscles squelettiques, myocarde, glandes surrénales, poumons; ▶ 8.10). Le diamètre des bronches augmente (bronchodilatation) afin que le travail musculaire puisse disposer d'un plus grand apport d'oxygène. Le foie libère une plus grande quantité de glucose dans le sang. Les processus intellectuels sont bloqués en faveur de processus réflexes préprogrammés. Toutes les fonctions corporelles sont « en état d'alerte et prêtes à fuir ».

Sur le long terme, ce sont les effets essentiellement négatifs des glucocorticoïdes qui dominent.

10.7 Îlots pancréatiques et pancréas endocrine

Entre les acini du pancréas exocrine (pancréas ▶ 16.6.1, ▶ 16.9) se trouvent des amas de cellules disposés en îlots d'environ 0,2 mm de grosseur (**îlots de Langerhans** ou **îlots pancréatiques**). Ces îlots sont formés de cellules endocrines actives, qui synthétisent diverses hormones peptidiques :

- **cellules B ou bêta** (60–80 %) : → **insuline;**
- **cellules A ou alpha** (15–20 %) : → **glucagon;**
- **cellules D ou delta** (5–15 %) : → **somatostatine.** Les cellules D sont dispersées dans l'ensemble du tractus gastro-intestinal.

10.7.1 Structure et signification biologique de l'insuline

Insuline : hormone peptidique formée de deux chaînes d'acides aminés. Hormone anabolisante classique :

- ↑ de la perméabilité au glucose des membranes cellulaires (surtout des cellules musculaires et hépatiques) → les molécules de glucose présentes dans le plasma et le liquide interstitiel entrent massivement dans la cellule ;
- ↑ de l'utilisation du glucose par les cellules (production d'énergie et mise en réserve sous la forme de glycogène) ;
- ↑ de la perméabilité membranaire pour les acides gras libres. Dans les tissus hépatiques et adipeux → les acides gras sont associés en triglycérides (lipogenèse) et mis en réserve ;
- ↑ de la synthèse protéique ; ↓ de la dégradation protéique (par exemple dans les muscles squelettiques).

REMARQUE

Régulation de la glycémie

L'insuline est la *seule* hormone qui abaisse la glycémie (hypoglycémiante) et rend le glucose disponible pour la production d'énergie. En revanche, il existe de *nombreuses* hormones (glucagon, adrénaline, glucocorticoïdes, hormone de croissance) hyperglycémiantes (qui élèvent la glycémie).

10.7.2 Glucagon

Glucagon : hormone peptidique produite par les cellules A. Antagoniste de l'insuline → augmente la glycémie (hyperglycémiante) en favorisant la **dégradation du glycogène** (glycogénolyse) et la synthèse du glucose (**néoglucogenèse** ▶ 2.8.1). Le glucagon augmente la dégradation des graisses et des protéines.

10.7.3 Diabète sucré

Le **diabète sucré** (ou plus simplement diabète) : maladie largement répandue ; la France compte 3,5 millions de diabétiques connus, mais le chiffre réel est surement supérieur. Il existe deux types principaux de diabète.

Diabète de type 1

Maladie d'origine auto-immune se déclarant principalement avant l'âge de 30 ans (▶ 12.4.2) : il est probable qu'en présence d'une prédisposition héréditaire, une infection virale déclenche la synthèse d'auto-anticorps → destruction des cellules bêta pancréatiques → le pancréas ne produit pratiquement plus, voire plus du tout d'insuline → **déficit absolu en insuline.**

Tableau clinique Se développe en général en quelques semaines à quelques mois. Augmentation de l'excrétion urinaire de glucose (**glycosurie**) → **polyurie** (production de grandes quantités d'urine). Bien que le patient ait très soif et boive beaucoup (**polydipsie**), il se déshydrate (**déshydratation**). L'augmentation du déséquilibre métabolique entraîne l'apparition de nausées et de troubles de la conscience. La glycémie est nettement augmentée (**hyperglycémie**).

Diabète de type 2

Représente en France 90 % de l'ensemble des cas de diabète. Les patients les plus touchés sont des adultes d'âge moyen ou avancé. Les principaux facteurs de son déclenchement sont le surpoids (obésité) et le manque d'activité physique. Excès d'alimentation → ↑ besoins en insuline → les récepteurs tissulaires à l'insuline deviennent insensibles (**insulinorésistance**) → les cellules pancréatiques bêta doivent produire de plus en plus d'insuline jusqu'à ce qu'elles ne « puissent plus suivre » au bout de plusieurs années → **déficit relatif en insuline** → la maladie se manifeste alors.

Les diabétiques de type 2 restent souvent asymptomatiques pendant de nombreuses années ou ne présentent que peu de symptômes (souvent diagnostiqué par hasard). Les premiers symptômes à apparaître sont une faiblesse généralisée, une augmentation de la fréquence des infections urinaires ou des mycoses, des démangeaisons. La polyurie et la polydipsie surviennent plus tardivement.

NOTION MÉDICALE

Syndrome métabolique

Trouble de la tolérance au glucose ou diabète de type 2, surcharge pondérale, augmentation des lipides sanguins (dyslipidémie) et hypertension : ces symptômes sont souvent associés. Ce **syndrome métabolique** augmente considérablement le risque d'apparition d'une maladie cardiovasculaire (potentiellement mortelle).

REMARQUE

Valeur normale de la glycémie

La **glycémie** normale **à jeun** (glucose plasmatique après un jeûne de 8 heures, sans apport calorique) doit être inférieure à 5,6 mmol/l (100 mg/dl).

Critères de diagnostic

Diabète sucré si :

- glycémie à jeun ≥ 7 mmol/l (≥ 126 mg/dl) ou
- glycémie 2 heures après un apport oral de glucose (75 g) (test d'hyperglycémie provoquée) ≥ 11 mmol/l (≥ 200 mg/dl) ou
- symptômes de diabète *et* glycémie à un moment quelconque ≥ 11 mmol/l (≥ 200 mg/dl) ou
- hémoglobine glyquée (HbA_{1c}) ≥ 6,5 % (48 mmol/l).

Plus la glycémie est élevée, plus il y aura une grande quantité de glucose liée de façon irréversible à l'hémoglobine (▶ 11.2.1). La concentration en HbA_{1c} est le témoin de la glycémie moyenne au cours des semaines précédentes. La **HbA_{1c}** est la plus souvent dosée (normale ≤ 6 %).

Traitement

Principe

- **Diabète sucré de type 1 :** traitement à vie pour compenser le déficit en insuline par des injections d'insuline (insulinothérapie) ainsi qu'une alimentation adaptée.
- **Diabète sucré de type 2 :** en premier lieu, régime (perte de poids) et augmentation de l'activité physique → l'application stricte de ces mesures entraîne souvent une amélioration du métabolisme, parfois même une normalisation. En cas d'échec → antidiabétiques par voie orale. Il n'est pas rare qu'au bout d'un certain nombre d'années la production d'insuline propre du patient décline fortement → à ce moment, insulinothérapie comme chez les patients ayant un diabète de type 1.

Antidiabétiques oraux

- La **metformine (une biguanide)** est la plus adaptée pour le traitement du diabète de type 2 → améliore les effets de l'insuline au niveau tissulaire, inhibe la néoglucogenèse hépatique, facilite la perte de poids.
- En présence de contre-indications, d'autres **antidiabétiques oraux** peuvent être administrés.
- Il est possible d'associer plusieurs antidiabétiques oraux ou de les associer à l'insulinothérapie.

Insuline

L'insuline doit être administrée par voie **parentérale** (pour contourner le tube digestif) car elle est dégradée par les enzymes digestives. Aujourd'hui, de nouvelles directives sont proposées pour l'**insuline humaine** ou les **analogues de l'insuline**.

Règle empirique :

- 0,5–0,7 UI par kg sont nécessaires ;
- 1 UI d'insuline abaisse la glycémie d'environ 1,7–2,8 mmol/l (30–50 mg/dl).

L'injection s'effectue en règle générale avec un **stylo à insuline**, plus rarement avec une **pompe à insuline.** Chaque insulinothérapie nécessite une mesure pluriquotidienne de la glycémie (autocontrôle).

Il existe plusieurs types d'**insuline :**

- **insuline d'action rapide :** l'insuline normale rapide (par exemple Actrapid®) est la seule insuline qui peut être également injectée en IM ou en IV ; les **analogues de l'insuline** à **action ultra-rapide** agissent encore plus vite ;
- **insuline lente** (Insuline retard) : pour couvrir les besoins de base ;
- **mélanges d'insuline :** formés d'insuline lente et d'insuline rapide dans différentes proportions.

Complications aiguës

Hyperglycémie et coma diabétique

Une élévation importante de la glycémie (hyperglycémie) → ↑ de la soif et de l'excrétion urinaire → déshydratation, nausées, faiblesse. Si ces signes d'appel sont négligés, il peut se développer un **coma diabétique** représentant une urgence vitale. En particulier, la première manifestation d'un diabète de type 1 peut être un coma diabétique qui doit être traité par une réanimation en soins intensifs avec un apport liquidien (réhydratation) et l'administration d'insuline.

NOTION MÉDICALE

- **Coma hyperosmolaire :** principalement chez les patients atteints de diabète de type 2. Glycémie très élevée > 720 mg/dl.
- **Coma acidocétosique :** principalement chez les patients atteints de diabète de type 1. Déficit important en insuline → ↑↑ de la lipolyse (▶ 2.8.2) → corps cétoniques → chute du pH sanguin (▶ 18.9) → **acidocétose** (acidification par les corps cétoniques). Typiquement : **odeur d'acétone** de l'air expiré.

Hypoglycémie

- Si la glycémie tombe en dessous de 2,8 mmol/l (50 mg/dl), le patient présente une faim intense, est nerveux et tremble.
- Si le patient ne réagit pas rapidement à ces signes d'**hypoglycémie** en consommant des glucides d'absorption rapide (du glucose), il peut survenir, parfois très rapidement en quelques minutes, un **coma hypoglycémique** → le patient présente des sueurs froides, des troubles de la conscience jusqu'au coma et éventuellement des déficits neurologiques. L'administration de glucose entraîne souvent une amélioration rapide.

Complications chroniques du diabète (maladies venant compliquer le diabète)

L'espérance de vie et la qualité de vie des patients diabétiques dépendent de la survenue de **complications chroniques du diabète**. Des maladies venant compliquer le diabète se développent d'autant plus tôt que la glycémie est mal équilibrée. Chez les patients atteints de diabète de type 2, elles peuvent être déjà présentes au moment du diagnostic, car le diabète peut évoluer à bas bruit parfois pendant 10 ans sans être décelé.

Tous les organes peuvent être atteints :

- **macroangiopathie** (atteinte des artères de gros calibre) : **artériosclérose et athérosclérose** marquées → coronaropathie d'installation précoce (avec risque d'infarctus myocardique), AVC, troubles de la vascularisation artérielle périphérique, en particulier des membres inférieurs.
- **Microangiopathie** (atteinte des artères de petit calibre) :
  - rénale (responsable de la néphropathie diabétique);
  - nerveuse (responsable de la neuropathie diabétique);
  - oculaire : la **rétinopathie diabétique** (▶ fig. 9.10) est une des principales causes de cécité.

10

NOTION MÉDICALE

Pied diabétique

Conséquence de l'angiopathie et/ou de la neuropathie. Se déclenche souvent sur les points d'appui ou au niveau de petites plaies, qui du fait de la polyneuropathie ne sont pas symptomatiques. En particulier, les orteils ou le talon peuvent être le siège d'une **gangrène diabétique** (dégénérescence tissulaire à la suite d'une diminution de la perfusion sanguine) ; des ulcérations cutanées profondes, formant des trous (perforantes) peuvent se développer au niveau du talon ou des têtes métatarsiennes (**mal perforant**). Un traitement précoce permet d'éviter l'amputation !

10.8 Autres tissus ayant une activité endocrine

Bien qu'elles soient les plus connues, les glandes endocrines ne sont pas les seules à sécréter des hormones (▶ tableau 10.3). Des hormones tissulaires régulent les activités métaboliques de notre organisme, par exemple les processus digestifs (pour plus de détails ▶ 16). La fonction exacte de ces tissus sécréteurs d'hormone et des hormones qu'ils synthétisent n'est pas encore totalement élucidée.

Tableau 10.3 Principales hormones tissulaires

Hormone (se reporter à)	Lieu de synthèse	Effets
Angiotensine II (▶ 18.3.1)	Dans le sang par l'ECA à partir de l'angiotensine I	• Vasoconstriction, ↑ de la pression artérielle • ↑ de la libération d'aldostérone par la corticosurrénale • Soif et envie de sel
Cholécystokinine-pancréozymine (▶ 16.6.4)	Muqueuse de l'intestin grêle	• ↑ des sécrétions pancréatiques • Contraction de la vésicule biliaire • ↑ de la motricité intestinale, ↓ de la motricité gastrique
Érythropoïétine (EPO ▶ 18.3.2)	Surtout les reins	• ↑ de l'érythropoïèse (formation de nouvelles hématies)
Gastrine (▶ 16.4.3)	Cellules G de la muqueuse gastrique	• ↑ de la synthèse d'acide chlorhydrique dans l'estomac, favorise la motricité gastrique • ↑ des sécrétions biliaires et pancréatiques
Ghréline (▶ 17.3.1)	Fundus de l'estomac	Régule la faim et le sentiment de satiété

Tableau 10.3 Principales hormones tissulaires (*Suite*)

Hormone (se reporter à)	Lieu de synthèse	Effets
Histamine (▶ 12.4.1)	Principalement les mastocytes; également neurotransmetteur dans certaines parties de l'hypothalamus	• Via les récepteurs H_1 contraction des muscles lisses des vaisseaux sanguins de gros calibre, des bronches, de l'intestin, de l'utérus; dilatation des vaisseaux sanguins de petit calibre (peau) et des artères coronaires; perméabilité capillaire élevée, libération d'adrénaline, douleur et démangeaisons • Via les récepteurs H_2 ↑ de la fréquence cardiaque (chronotrope) et de la force des contractions cardiaques (inotrope), ↑ de la sécrétion de suc gastrique
Leptine (▶ 17.3.1)	Tissu adipeux	Régule l'appétit et le métabolisme énergétique
Peptide natriurétique atrial (ou facteur atrial natriurétique) (▶ 14.3.4)	Cellules myoendocrines principalement atriales	Baisse de la pression artérielle : • ↑ DFG • ↑ de l'excrétion rénale de sodium et d'eau • ↓ de la sécrétion de rénine, d'aldostérone et d'ADH • Dilate les artérioles
Prostaglandines (▶ 1.5.2)	Pratiquement partout dans le corps; nombreux sous-types (par ex. PGE_1, PGE_2, PGI_2)	• Rôle important dans l'inflammation, la douleur, la fièvre • Rôles très divers, parfois effets opposés dans pratiquement tous les organes et les tissus
Sécrétine (▶ 16.4.4)	Muqueuse de l'intestin grêle	• ↑ de la synthèse de bicarbonates dans le pancréas • ↑ du flux biliaire • ↓ de la motricité et de la sécrétion gastriques

Hormone (se reporter à)	Lieu de synthèse	Effets
Sérotonine (▶ 8.2.3)	Muqueuse intestinale, thrombus, granulocytes basophiles, également neurotransmetteur du SNC	• Vasoconstriction au niveau pulmonaire et rénal, vasodilatation au niveau des muscles squelettiques • ↑ de la fréquence et de la force des contractions cardiaques (chronotrope et inotrope) • Influence le tonus des muscles lisses du tube digestif et des bronches
Thymosine, thymopoïétine (▶ 11.6.4)	Thymus	Contrôle la maturation et la différenciation des cellules immunitaires dans les lymphonœuds
VIP ou peptide intestinal vasoactif	Neurones de la paroi intestinale	• ↓ de la sécrétion du suc gastrique et de la motricité gastro-intestinale • ↑ des sécrétions biliaires et pancréatiques

Le **tissu adipeux** n'est pas seulement une réserve énergétique, c'est aussi un **organe endocrinien :**

- il libère des substances endocrines proportionnellement au nombre d'adipocytes ;
- il contrôle le poids du corps et les réserves en graisse via l'appétit et le métabolisme énergétique ;
- il influence la coagulation sanguine (hémostase), le tonus vasculaire et la sensibilité des tissus à l'insuline.

La **leptine** est l'hormone la plus connue du tissu adipeux (▶ 17.3.1) :

- au niveau du SNC, la leptine inhibe l'appétit chez les personnes en bonne santé. Chez les personnes obèses, il semble que le SNC présente un déficit en récepteurs de la leptine → l'appétit n'est pas atténué malgré une forte concentration en leptine ;
- au niveau périphérique, la leptine augmente la pression artérielle et inhibe la sécrétion d'insuline.

11 Sang et lymphe

11.1 Le sang : composition et rôle

De nombreuses maladies s'accompagnent de modifications de la composition sanguine → examens sanguin dans un but diagnostique ou pour le suivi thérapeutique.

NOTION MÉDICALE

Hématologie

Branche de la médecine interne qui traite du diagnostic et du traitement des maladies du sang (hémopathies). La médecine transfusionnelle s'occupe des traitements des patients par l'administration de sang et de ses dérivés.

La centrifugation permet de séparer le sang en deux fractions (▶ fig. 11.1) :

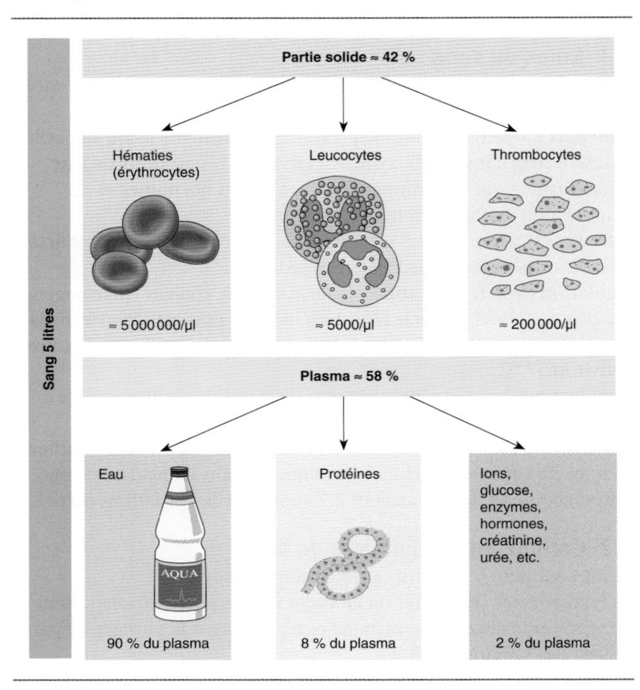

Fig. 11.1 Aperçu des composants du sang (valeurs approximatives).

- la fraction cellulaire (solide) (**cellules sanguines) :** 40–45 % du volume sanguin ;
- la fraction liquidienne (**plasma sanguin**) : environ 55–60 % du volume sanguin.

L'élimination du fibrinogène et des autres facteurs de la coagulation se trouvant dans le plasma permet d'obtenir le **sérum** (moyen mnémotechnique : **Pl**asma = sérum **pl**us facteurs de coagulation). Lorsque le sang est laissé à coaguler dans un tube, le surnageant liquide qui se forme représente le sérum.
Chez l'homme, le volume de sang circulant correspond à environ 7 % du poids du corps exprimé en kg (donc chez un adulte de 70 kg, environ 5 litres).

SOINS INFIRMIERS

Sang : risque infectieux

Le sang peut contenir des bactéries et des virus. Il est nécessaire de porter des gants à **chaque** manipulation de sang ou de milieu contenant du sang pour éviter toute infection.

11.1.1 Rôles du sang

Le sang, en empruntant les vaisseaux sanguins, peut atteindre les moindres recoins de notre corps. Il a les rôles suivants :

- **transport :** le sang amène l'oxygène et les nutriments jusqu'aux cellules et récupère en échange le dioxyde de carbone et les produits de leur métabolisme pour les éliminer. Transporte des hormones → transmission d'informations ;
- **défense :** certaines cellules sanguines sont des cellules immunitaires ; le plasma contient des anticorps (▶ 12.3.3) ;
- **régulation de la température :** la formation de chaleur (thermogenèse) a lieu principalement dans le foie et les muscles puis est répartie via la circulation sanguine. L'intérieur du corps conserve une température d'environ 37 °C ;
- **comblement** des pertes de substance de la paroi vasculaire grâce à l'hémostase ;
- **maintient la constance du milieu interne :** il règle avec les poumons et les reins les valeurs du pH et de la concentration saline. Le système tampon contenu dans le sang (▶ 2.7.4) atténue les variations du pH.

11.1.2 Composants cellulaires du sang

Les cellules sanguines peuvent se répartir en trois types :

- les **érythrocytes** (**hématies** ou globules rouges [GR]) : transportent l'oxygène et le dioxyde de carbone et représentent la plus grosse partie des cellules sanguines (99 %) ;
- les **leucocytes** (globules blancs [GB]) : servent à combattre les germes pathogènes et les substances étrangères à l'organisme. Ils sont composés des **granulocytes,** des **lymphocytes** et des **monocytes ;**
- les **thrombocytes** (plaquettes sanguines) : participent à l'hémostase.

11.1.3 Généralités sur l'hématopoïèse

Chaque seconde, plus de 2 millions de cellules sanguines sont éliminées et au même moment beaucoup sont nouvellement formées au niveau de la moelle osseuse (MO) (▶ 5.1.3) grâce au processus de l'**hématopoïèse** (▶ fig. 11.2). Toutes les cellules sanguines proviennent du même type de **cellules souches pluripotentes** (c'est-à-dire pouvant se différencier en plusieurs types cellulaires 20.1.2). Celles-ci forment, d'une part, des cellules filles ayant les mêmes propriétés et, d'autre part, des **cellules progénitrices** spécialisées ne pouvant se développer qu'en des types cellulaires limités. Les cellules progénitrices ne sont pas différenciables en microscopie, mais il est prouvé, dans les conditions de laboratoire, qu'elles peuvent donner naissance à des colonies de cellules sanguines pratiquement matures (appelées **CFU pour *colony* forming unit** ou unités formant une colonie). La poursuite de leurs divisions cellulaires

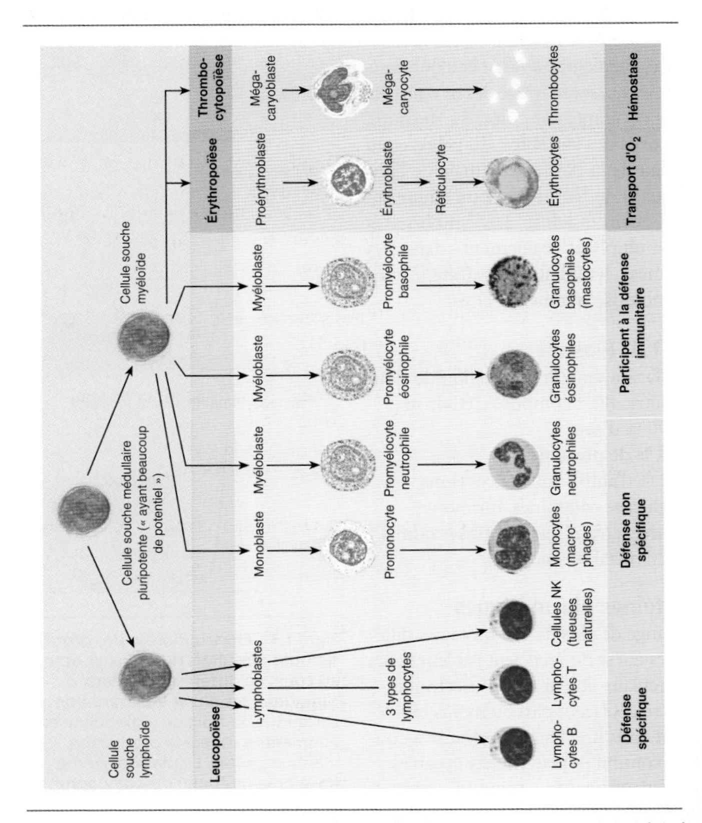

Fig. 11.2 Hématopoïèse (schéma simplifié, la taille des mégacaryocytes a été réduite).

forme les « cellules finales » : hématies, granulocytes, lymphocytes, monocytes et thrombocytes.

La division et la différenciation des cellules sont contrôlées par divers **facteurs de croissance** : **interleukines** (▶ 12.2.5), **hématopoïétine, facteurs stimulant les colonies** (CSF pour *colony stimulating factors*). Certains sont utilisés en thérapeutique comme :

- l'**érythropoïétine** pour lutter contre l'anémie liée à l'insuffisance rénale ;
- le **facteur stimulant les colonies de granulocytes** ou **G-CSF** pour lutter contre le déficit en granulocytes engendré par les cytostatiques ou pour augmenter leur concentration dans le sang avant un prélèvement des cellules souches sanguines.

Avant la naissance, les cellules souches sont formées dans le sac vitellin, le foie, la rate et la cavité médullaire renfermant la moelle osseuse. Après la naissance, l'hématopoïèse n'a lieu que dans la moelle osseuse rouge des os courts et plats du crâne, des côtes, du sternum, du corps des vertèbres, du pelvis et au niveau de la partie proximale de l'humérus et du fémur (chez un adulte, au total environ 400 g). Les lymphocytes se multiplient également dans les organes lymphatiques (rate, lymphonœuds, thymus) (▶ 11.6).

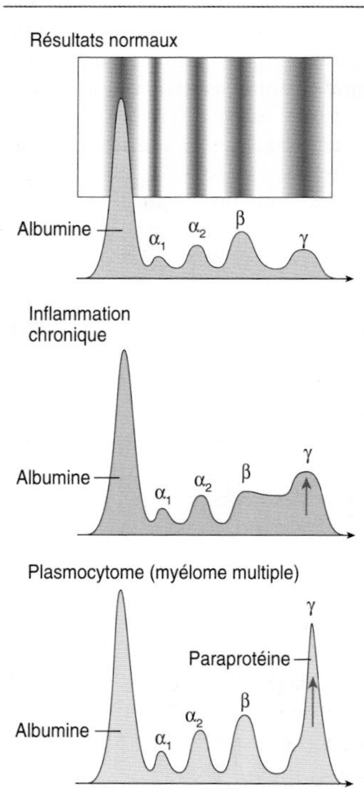

Fig. 11.3 Électrophorèse des protéines sériques : résultats normaux et observés au cours de différents tableaux cliniques. Lors d'une inflammation chronique, la fraction γ-globuline est augmentée suite à la production d'anticorps (Ac). Le plasmocytome (myélome multiple) s'accompagne d'une synthèse incoercible d'Ac qui apparaît par un pic dans la région des γ-globulines.

11.1.4 Plasma

Le plasma sanguin est un liquide clair, jaunâtre. Il est composé d'environ :

- 90 % d'eau ;
- 8 % de protéines ;
- 2 % d'autres substances (ions, glucose, vitamines, hormones, urée, créatinine et autres produits du métabolisme).

Protéines plasmatiques

Mélange de plus de 100 protéines différentes qui se différencient par leur poids moléculaire et leur charge électrique → elles se déplacent plus ou moins rapidement dans un champ électrique à courant continu → peuvent être séparées.

L'**électrophorèse sérique** permet ainsi de différencier cinq fractions protéiques (▶ fig. 11.3) : **albumine** (la plus importante quantitativement), α_1-**globuline**, α_2-**globuline**, β-**globuline** et γ-**globuline.**

Les protéines plasmatiques ont plusieurs fonctions :

- maintiennent la **pression oncotique** (ou osmotique colloïdale) (▶ 3.7.1, principalement par l'albumine). Cette pression influence fortement les échanges de molécules et la répartition de l'eau entre le plasma et le liquide interstitiel (▶ 14.1.5) ;
- **transportent des molécules :** beaucoup de petites molécules (hormones, bilirubine, fer, cholestérol, médicaments) se trouvent dans le sang liées à des protéines de transport ou aux protéines plasmatiques ;
- **rôle de tampon :** les protéines peuvent fixer des ions H^+ et OH^- → maintiennent le pH constant (▶ 18.9.1) ;
- **rôle dans l'hémostase :** les facteurs de la coagulation font partie des protéines plasmatique (▶ 11.5.5) ;
- **rôle de défense immunitaire :** les anticorps (Ac) font partie de la fraction γ-globuline (immunoglobulines, Ig ▶ 12.3.3) ;
- **réservoir protéique :** le plasma d'un adulte contient environ 200 g de protéines en solution, ce qui représente une réserve rapidement accessible pour l'édification des protéines dont le corps a besoin.

11.2 Érythrocytes (hématies, globules rouges)

Les érythrocytes sont des cellules en forme de disque déprimé en son milieu (épaisseur des bords 2 µm, épaisseur centrale 1 µm) de diamètre environ égal à 7,5 µm. La membrane plasmique des globules rouges (GR) est semi-perméable (bonne perméabilité aux substances comme l'eau, peu perméable aux grosses molécules ▶ 3.4.2). Les GR sains peuvent se déformer fortement et traverser des capillaires ayant un diamètre de 3–5 µm.

11.2.1 Hémoglobine

D'un point de vue fonctionnel, le composant le plus important du GR est une protéine, l'**hémoglobine** (Hb), qui représente environ 1/3 de la masse de la cellule. Elle participe au transport de l'O_2 (▶ 15.9.2) et du CO_2 (▶ 15.9.3) ainsi qu'à l'effet tampon (▶ 18.9.1) du sang. Elle est responsable de la couleur rouge des GR.

Structure : quatre chaînes polypeptidiques (**globines**), qui portent chacune une structure, l'**hème,** contenant du fer. Le fer du groupement hème s'unit par liaison lâche à l'oxygène au niveau des poumons et le libère facilement au niveau des tissus.

Courbe de fixation de l'oxygène sur l'hémoglobine

Le rôle de l'Hb est de transporter l'oxygène très peu soluble dans le plasma. De ce fait, il doit se fixer sur l'hémoglobine au niveau des poumons (**oxygénation de l'Hb**) et être libéré à nouveau au niveau des tissus (**désoxygénation de l'Hb** ▶ fig. 11.4).

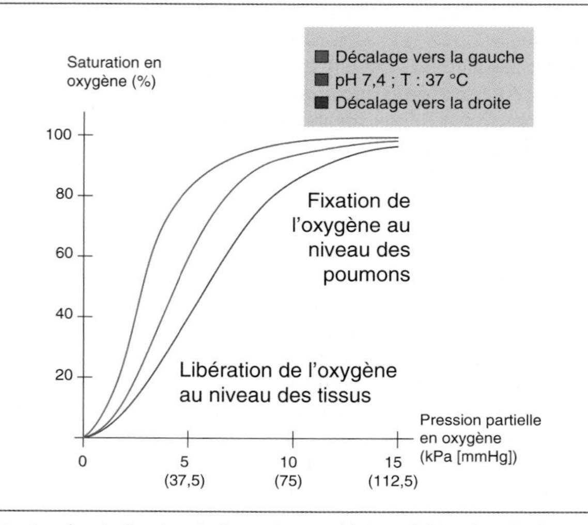

Fig. 11.4 Courbe de fixation de l'oxygène sur l'hémoglobine (ou de dissociation de l'hémoglobine). Décalage vers la droite (courbe bleue) par exemple en cas de baisse du pH ou d'augmentation de la pCO_2 → la fixation de l'oxygène au niveau des poumons est plus difficile; la libération au niveau des tissus est facilitée. Lors de décalage à gauche (courbe verte) se produisant dans les circonstances inverses → la capture de l'oxygène dans les poumons est facilitée, la libération tissulaire est plus difficile. **Effet Bohr :** la position de la courbe de dissociation dépend du pH.

L'étude de la **courbe de fixation de l'oxygène (ou courbe de dissociation de l'hémoglobine)** nous montre si l'hémoglobine est capable de remplir cette fonction :

- poumons : la pO_2 (▶ 15.9.1) chez un individu en bonne santé est d'environ 13 kPa (95 mmHg), et la **saturation en oxygène** (pourcentage d'Hb chargé d'oxygène par rapport à l'Hb totale) > 95 %. La courbe dans cette région est plane → la chute de la pO_2 conduit à des modifications relativement faibles de la saturation en oxygène → même lorsque les conditions pulmonaires sont moins favorables, le sang peut être suffisamment enrichi en oxygène;
- tissus : la pO_2 qui est d'environ 2,7–8,1 kPa (20–60 mmHg) se trouve donc dans la partie pentue de la courbe → même une légère baisse de la pO_2 conduit à une réduction nette de la saturation en oxygène → libération d'une quantité supplémentaire d'oxygène significative au niveau des tissus.

Fer

Partie essentielle de l'Hb, oligoélément essentiel (▶ 17.9.2).

- De 10 à 40 % du fer provenant de l'alimentation (10–30 mg/jour) est absorbé au niveau du duodénum et se lie, au niveau du plasma, à une protéine de transport du fer appelée **transferrine** qui le transporte jusqu'aux tissus. La majeure partie est utilisée pour la synthèse de l'Hb.

Le fer non utilisé est d'abord mis en réserve dans la **ferritine,** puis dans l'**hémosidérine** lorsque toute la ferritine est saturée.

- **Pertes physiologiques de fer :** ♂ 1 mg/jour, ♀ 1,5–2 mg/jour, à peu près équivalent à l'apport de fer par la nourriture. Comme 1 ml de sang contient environ 0,5 mg de fer, il est possible que, lors de menstruations abondantes chez la ♀, les pertes en fer dépassent les apports alimentaires. Pendant la grossesse, une quantité de fer supplémentaire d'environ 0,8–1 g est nécessaire (ce qui correspond à un besoin quotidien de 4–7 mg!).

11.2.2 Érythropoïèse : formation des érythrocytes

Cellules souches → **proérythroblaste** → **érythroblaste** (▶ fig. 11.2). Ces derniers commencent déjà à synthétiser de l'Hb. Les érythroblastes possèdent encore un noyau de forme normale (sont nucléés) → le noyau devient de plus en plus dense et se rétrécit de plus en plus → **normoblaste.**

Avant de quitter la MO, le GR perd son noyau (et, de ce fait, sa capacité à se diviser). **Réticulocytes :** ils contiennent encore une structure réticulée (du latin *rete,* réseau), correspondant aux restes de l'ARN ribosomique (▶ 3.11). Au bout de quelques jours, ils perdent cette structure réticulée → **érythrocyte mûr (ou mature)** (durée de vie environ 120 jours, ▶ fig. 11.5).

11.2.3 Numération et indices érythrocytaires

À l'hôpital, les examens sanguins sont très importants. Un certain nombre de paramètres sont importants :

- **concentration sanguine en hémoglobine** (Hb) : la quantité d'hémoglobine en grammes par décilitre. Valeurs normales : ♂ 13,5–17,5 g/dl (135–175 g/l), ♀ 12–16 g/dl (120–160 g/l) ; ↓ en cas d'anémie (quelle qu'elle soit) (▶ 11.2.4) ;
- **numération érythrocytaire** (hématies) : valeurs normales : ♂ 4,5–5,9 T/l sang, ♀ 4,1–5,1 T/l. Les modifications suivent très souvent celles de l'Hb ;
- **hématocrite** (Ht) : volume occupé par les cellules sanguines dans le volume total de sang, correspond essentiellement aux érythrocytes. Donné en % ou en fraction décimale (par exemple 42 % = 42/100 = 0,42). Valeur normale : ♂ 40–53 %, ♀ 36–48 % ; fluctue avec l'âge. ↑ lors de polyglobulie ou de déshydratation par exemple, ↓ lors d'anémie ou d'hyperhydratation ;
- **réticulocytes :** normalement 0,5 à 2 % des érythrocytes ont encore la structure réticulée des jeunes globules rouges ; ↑ lors de néoformation massive d'érythrocytes, par exemple après une hémorragie ou lors d'hémolyse.

REMARQUE

À partir des valeurs précédentes, il est possible d'obtenir des **rapports indépendants du genre,** qui donnent des indices sur les causes d'une anémie (▶ 11.2.4) :

- teneur corpusculaire moyenne en hémoglobine : **TCMH** = Hb/GR (normal 28–33 pg)
- volume globulaire moyen : **VGM** = Ht/GR (normal 80–96 fl ou μ^3)
- concentration corpusculaire moyenne en hémoglobine : **CCMH** = Hb/Ht (normal 33–36 g/dl)

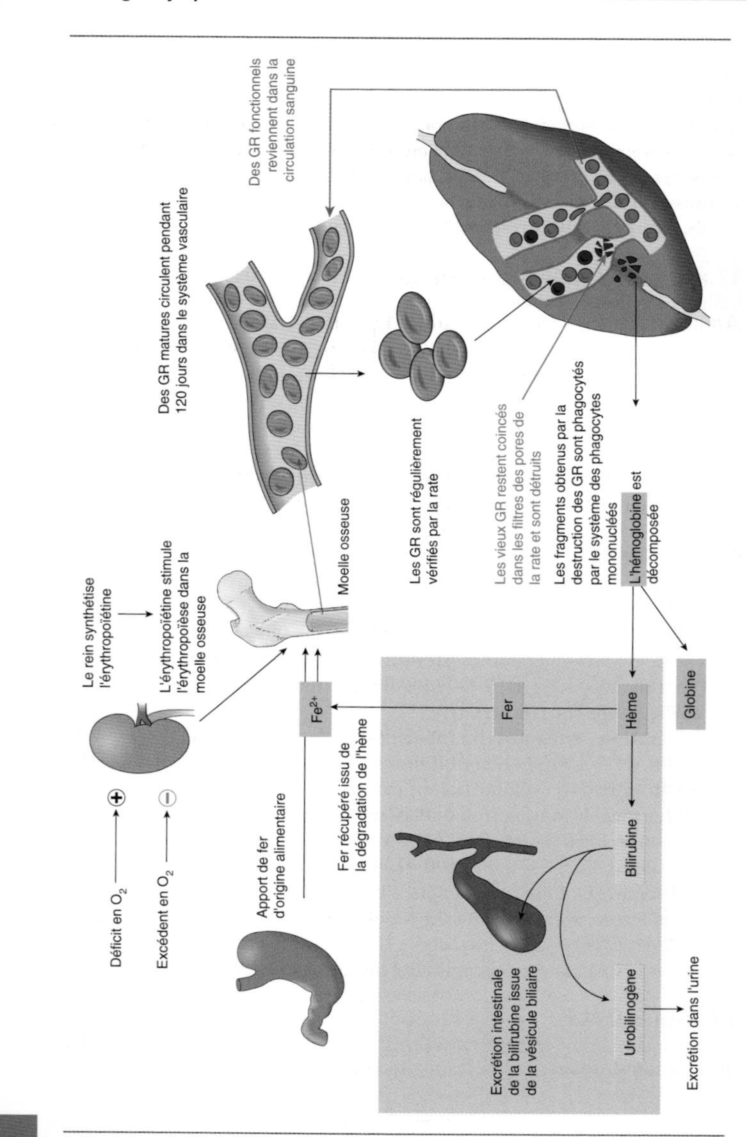

Fig. 11.5 Cycle de vie d'un globule rouge. De 90 à 95 % de la teneur en fer qui est nécessaire à la synthèse de nouvelles molécules d'Hb provient des érythrocytes dégradés. Les acides aminés des globines sont réutilisés pour la synthèse protéique. Un **ictère** se développe si l'excrétion de la bilirubine est perturbée ou lors de production excessive de bilirubine (▶ 16.10.4).

11.2.4 Anémie

Définition Concentration en Hb ♀ < 12,0 g/dl (femme enceinte 11,0 g/dl) et ♂ < 13,0 g/dl.

Symptôme Pâleur, fatigue, dyspnée importante, tachycardie (le cœur bas plus vite pour compenser le déficit en transporteur d'oxygène en augmentant la fréquence du transport des GR dans la circulation).

Causes

- **Troubles de l'érythropoïèse** (le plus souvent).
- Destruction excessive des érythrocytes (**anémie hémolytique**).
- Hémorragie (**anémie par perte sanguine**).

Anémies causées par un trouble de l'érythropoïèse

- La principale cause d'anémie est le **manque de fer** (**anémie ferriprive**) → trouble de la synthèse d'Hb → déficit en Hb.
  - ↓ VGM (**microcytaire**)
  - ↓ TCMH (**hypochrome**)
- L'anémie ferriprive s'observe lors :
  - d'une perte plus importante liée à un saignement (par exemple menstruations ou suintements hémorragiques de la muqueuse digestive) ;
  - d'une augmentation des besoins en fer (par exemple grossesse) ;
  - d'apports alimentaires limités (par exemple alimentation végétarienne, car le fer d'origine végétale est plus difficilement absorbé que le fer d'origine animale).
- **Maladie chronique :** inflammation chronique ou tumeur → trouble du recyclage du fer et augmentation de la destruction des GR. Ces anémies peuvent être **hypochromes** ou **normochromes** de même que **microcytaires** ou **normocytaires.**
- Carence en **vitamine B_{12}** et en **acide folique :** la vitamine B_{12} et l'acide folique (▶ 17.8) jouent un rôle important dans la synthèse de l'ADN (et, de ce fait, dans la division cellulaire). Une carence en vitamine B_{12} ou en acide folique → anémie typiquement **macrocytaire** (↑ VGM), **hyperchrome** (↑ TCMH), c'est-à-dire qu'il y a une ↓ du nombre des GR, mais les GR disponibles sont trop gros et contiennent trop d'Hb. La MO renferme des précurseurs anormaux de la lignée des GR (**mégaloblastes**). Causes :
  - déficit en **facteur intrinsèque,** indispensable à l'absorption de ces nutriments (▶ 16.4.3) ;
  - malnutrition (par exemple alimentation végane, ▶ 17.3) ;
  - symptômes : souvent troubles neurologiques (paralysies, troubles sensoriels).
- **Anémie d'origine rénale :** les patients atteints d'insuffisance rénale chronique (▶ 18.6.2) présentent presque toujours une anémie, parce que leur rein ne peut pratiquement plus synthétiser d'érythropoïétine. Le VGM et le TCMH sont normaux (anémie normochrome, normocytaire). Le traitement consiste à administrer de l'érythropoïétine fabriquée par génie génétique.
- **Anémie aplasique :** trouble de la division des cellules souches dans la MO. Ses causes restent souvent inconnues ; plus rarement, elle peut avoir une origine allergique, toxique, infectieuse. Généralement normochrome, normocytaire.

Anémie hémolytique

La destruction massive et prématurée des GR s'accompagne d'un déficit en érythrocytes fonctionnels malgré l'augmentation de la synthèse des GR. Les **anémies hémolytiques** sévères conduisent souvent à un **ictère** (▶ 16.10.4), car le foie ne parvient plus à excréter la quantité plus importante de produits de dégradation de l'Hb engendrée. Causes possibles :

- maladies héréditaires (par exemple thalassémie avec trouble de la synthèse de l'Hb) ;
- infections (par exemple paludisme) ;
- maladies auto-immunes et réactions d'allergie médicamenteuse ;
- osmotique (▶ 3.7.1).

Les anémies hémolytiques sont hypochromes ou normochromes et microcytaires ou normocytaires.

Anémie par perte sanguine

Chaque **perte sanguine** > 1–2 litres engendre une anémie. Causes :

- postopératoire ;
- hémorragies gastro-intestinales (ulcères, tumeurs, diverticules, ▶ 16).

Les anémies hémorragiques sont normochromes, normocytaires.

11.2.5 Polyglobulie

L'hématocrite (Ht) a une forte influence sur la viscosité du sang et, par là même, sur sa fluidité. En cas de **polyglobulie** (« trop » de GR), les troubles de la perfusion sont favorisés suite à l'obstruction des plus petits vaisseaux. Ces **troubles de la microcirculation** peuvent, par exemple, entraîner un AVC (▶ 8.12.3).

Principales causes :

- apport insuffisant d'oxygène suite à un dysfonctionnement pulmonaire ;
- physiologique lors de séjour en haute altitude ;
- **polycythemia vera** (maladie de la MO).

11.3 Leucocytes

Les **leucocytes** (globules blancs, GB) doivent leur nom à leur couleur blanchâtre sur un frottis sanguin non coloré. Après une centrifugation du sang, ils forment une étroite couche blanchâtre au-dessus des GR (la **couche leucocytaire** ou « ***buffy coat*** » en anglais). Les GB ne représentent pas un groupe uniforme de cellules (▶ fig. 11.6). Points communs : ce sont des cellules nucléées, mobiles, participant aux réactions de défense vis-à-vis des corps étrangers et des germes pathogènes (▶ tableau 12.2) ainsi qu'aux processus inflammatoires (▶ 1.5).

Toutefois, à peine 10 % des GB disponibles dans notre organisme circulent dans le sang. Le système vasculaire n'est qu'un moyen de transport pour les GB : il les amène de leur lieu de fabrication à leur lieu de travail au sein des tissus.

11.3.1 Granulocytes

Après coloration, les **granulocytes** observés au microscope contiennent des **granulations.** Ils sont nettement plus gros que les GR (Ø 10–17 μm). Selon leur faculté de coloration, il est possible de différencier les sous-groupes suivants :

- les **neutrophiles :** représentent environ 95 % des granulocytes, soit une écrasante majorité. Ils ont de fines granulations très légèrement colorées. Après leur maturation dans la MO, ils ne persistent dans le sang que 6 à 8 heures avant de passer dans les tissus (principalement les muqueuses) → participent aux réactions de défense non spécifiques et phagocytent (« mangent », ▶ fig. 3.15, ▶ 12.2.2) les bactéries ainsi que les cellules mortes propres de l'organisme. Puis ils meurent également → mélange de restes de granulocytes et d'autres débris tissulaire (**pus** ▶ 1.5.2) ;
- les **éosinophiles :** ils possèdent dans leur cytoplasme des granulations colorées en rouge par l'éosine. Fonctions : réactions de défense vis-à-vis des parasites, réactions allergiques ;
- les **basophiles :** ils présentent dans leur cytoplasme des granulations colorées en bleu, qui contiennent en particulier de l'héparine (▶ 11.5.8) et de l'histamine (▶ 12.4.1). Ils prennent part, avec les granulocytes éosinophiles, aux réactions allergiques de type immédiat, au cours desquelles ils libèrent les molécules contenues dans leurs granulations.
  - **mastocytes :** très semblables aux granulocytes basophiles, ils contiennent également des granulations basophiles. Participent aux réactions d'allergie locales.

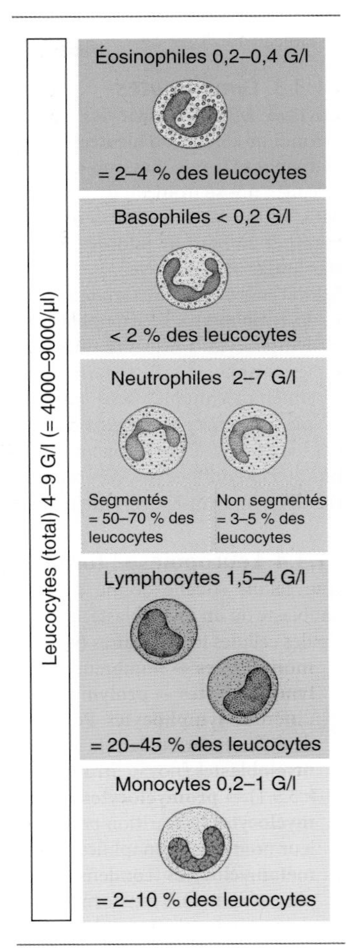

Fig. 11.6 Classification (différenciation) des leucocytes avec présentation des valeurs normales.

11.3.2 Monocytes

Ce sont les plus grosses cellules sanguines (Ø 12–20 µm). Ils contiennent un gros noyau en fer à cheval ou lobé dans un cytoplasme bleuté (azurophile). Ils persistent 1 à 2 jours dans le système vasculaire → passent dans les différents organes → se différencient localement en **macrophages** → phagocytent les micro-organismes et font partie des cellules présentatrices d'antigènes (▶ tableau 12.2).

11.3.3 Lymphocytes

Environ 1/3 des leucocytes sanguins, Ø 7–12 µm. Possèdent un noyau arrondi de coloration bleutée. Ils sont formés dans la MO, les lymphonœuds, le thymus et la rate. Environ 4 % des lymphocytes seulement se trouvent dans le sang, 70 % se trouvent dans les organes lymphatiques (▶ 11.6), 10 % dans la MO, le reste dans les autres organes. Les lymphocytes à courte durée de vie meurent au bout de 8 jours environ, mais il existe aussi des lymphocytes à très longue durée de vie.
Selon l'endroit de leur formation, il est possible de différencier :

- les **lymphocytes T** (se forment au niveau du thymus) : avec les sous-groupes de **lymphocytes T helper (ou auxiliaires)**, **cytotoxiques** et **mémoire** (▶ 12.3.1);
- les **lymphocytes B** (se forment au niveau de la MO, moyen mnémotechnique : *bone marrow*) : peuvent se différencier à nouveau en **plasmocytes** producteurs d'**anticorps** (▶ 12.3.2).

Les lymphocytes B et T jouent un rôle clé dans les réactions de défense spécifiques. Les lymphocytes comprennent aussi les lymphocytes NK (pour *natural killer*, ou lymphocytes tueurs naturels ▶ 12.2.3).

11.3.4 Leucopoïèse : formation des leucocytes

Une cellule souche donne d'abord naissance à un monoblaste, un lymphoblaste ou un myéloblaste, à partir desquels sont issues les lignées des principales cellules leucocytaires (▶ fig. 11.2) :

- **monoblastes** → nombreuses divisions → **promonocytes** → **monocytes**;
- **lymphoblastes** → **prolymphocytes** → différenciation donnant les différents **lymphocytes.** Pour cela, ils doivent encore passer par les stades de différenciation dans la MO ou le thymus;
- **myéloblastes** (noyau arrondi de grande taille avec plusieurs nucléoles, ▶ 3.5.1) → **promyélocytes** (avec des granulations éosinophiles) → **myélocytes** (apparition pour la première fois des granulations donnant leur nom aux éosinophiles, basophiles ou neutrophiles) → **métamyélocytes** (condensation du noyau et du cytoplasme, ne peuvent plus se diviser). Transformation d'abord en **granulocytes non segmentés** qui passent activement dans le sang. Dernière étape de maturation : segmentation du noyau → **granulocytes segmentés.**

Le **décalage vers la gauche** correspond à la présence, dans un frottis sanguin, de nombreux granulocytes non segmentés («juvéniles») (la proportion des stades de développement se décale vers une augmentation des formes immatures, ▶ fig. 11.7) → par exemple lors d'infection aiguë (la MO libère rapide-

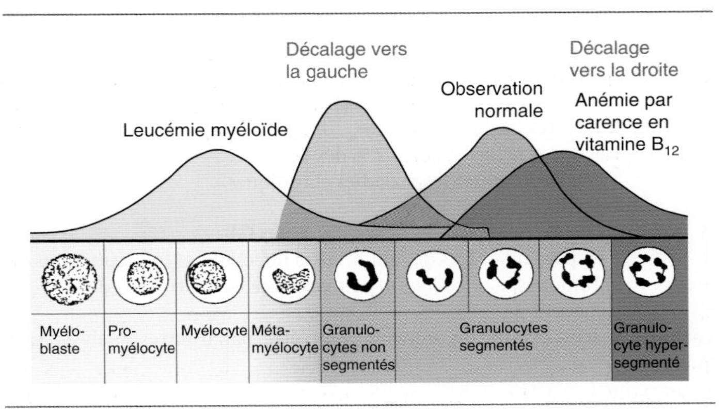

Fig. 11.7 Étapes de la maturation des granulocytes (de gauche à droite). L'âge du granulocyte est estimé par la forme de son noyau. Lors de leucémie myéloïde, des précurseurs des granulocytes s'observent dans le sang. Décalage vers la gauche = augmentation de la proportion de formes immatures; décalage vers la droite = augmentation de la proportion de granulocytes âgés.

ment plus de granulocytes pour renforcer les réactions de défense). Le **décalage vers la droite** correspond à un frottis contenant exclusivement des formes granulocytaires segmentées ou même hypersegmentées (= formes très âgée) (▶ fig. 11.7) : il est en faveur d'un trouble de la leucopoïèse dans la MO (par exemple anémie par carence en vitamine B_{12} ▶ 11.2.4).

11.3.5 Numération-formule leucocytaire

La détermination de la concentration de chaque type de leucocyte donne souvent des informations décisives sur les maladies :

- **numération leucocytaire** (leucocytes) : quantité totale de leucocytes/volume unitaire de sang. Normalement 4 à 9 G/l ≙ 4000 à 9000/µl. La **formule leucocytaire** apporte des informations, en particulier lorsque la numération leucocytaire est trop basse (**leucopénie**) ou trop élevée (**leucocytose**) en donnant les proportions des différents types de leucocytes ainsi que leur valeur numérique :
  - **lymphocytes :**
    - valeurs normales 1,5–4 G/l ≙ 20–45 % des GB;
    - ↑ (**lymphocytose**) par exemple lors de coqueluche, de tuberculose et de nombreuses infections virales ainsi qu'avec quelques tumeurs;
    - ↓ (**lymphopénie**) par exemple lors de lymphome malin (▶ 11.6.2), d'infection par le VIH (▶ 12.7.4), de traitement immunosuppresseur.
  - **granulocytes neutrophiles :**
    - valeur normale 2–7 G/l ≙ 50–70 % des GB;
    - ↑ lors d'infection bactérienne et de nombreuses inflammations non infectieuses (par exemple arthrite rhumatoïde).

- **granulocytes éosinophiles :**
  - valeur normale 0,2–0,4 G/l ≙ 2–4 % des GB ;
  - ↑ (**éosinophilie**) lors de maladies allergiques, parasitaires et de quelques maladies auto-immunes.
- **granulocytes basophiles** :
  - valeur normale 0,2 G/l ≙ 2 % des GB ;
  - ↑ lors de nombreuses maladies chroniques.
- **Monocytes :**
  - valeur normale 0,2–1 G/l ≙ 2–10 % des GB ;
  - ↑ en particulier lors de nombreuses infections et inflammations chroniques, d'infections aiguës en phase de guérison et de tumeurs.

La formule leucocytaire est souvent complétée par d'autres analyses sanguines :

- **protéine C réactive** (**CRP**) : synthétisée dans le foie, fait partie des **protéines de phase aiguë** ; représente aujourd'hui le principal paramètre mesuré pour le diagnostic d'une inflammation. Paramètre fiable qui réagit rapidement et de manière sensible aux inflammations. Valeur normale 0,8–8 mg/l sérum ;
- **vitesse de sédimentation** (**VS**) : test adapté en particulier au dépistage d'une inflammation : une pipette spéciale est remplie de sang puis laissée à reposer 1 heure ; ensuite, mesure de combien de millimètres s'est abaissée la fraction solide du sang. Valeur normale : ♀ 10–20 mm/h et ♂ 5–10 mm/h. Inconvénient : non spécifique (beaucoup de maladies peuvent être responsables), peu sensible (beaucoup de maladies n'entraînent pas d'augmentation de la VS) ; lors d'inflammation, réagit beaucoup plus lentement que la CRP.

NOTION MÉDICALE

Leucémie

Se produisent suite à la multiplication incontrôlée des cellules souches immatures de la lignée blanche :

- dégénérescence de la lignée granulocytaire → **leucémie myéloïde** ;
- dégénérescence de la lignée lymphocytaire → **leucémie lymphoïde**.

Prolifération incontrôlée des précurseurs leucocytaires immatures dans la MO → élimination de toutes les lignées cellulaires matures normales →

- déficit érythrocytaire → anémie ;
- déficit en thrombocytes → tendance aux saignements ;
- leucocytes non fonctionnels → faiblesse des défenses immunitaires et sensibilité aux infections.

11.4 Groupes sanguins

Le mélange du sang de différents donneurs de sang entraîne souvent une **agglutination** en raison des différents groupes sanguins.

11.4.1 Systèmes des groupes sanguins

Système ABO

Chaque individu présente l'un des quatre phénotypes de groupe sanguin : **A, B, AB** ou **O**. Ils correspondent à des caractéristiques structurelles de la surface des érythrocytes, qui sont transmis héréditairement selon des règles strictes (▶ 3.13), persistent toute la vie durant et provoquent des réactions immunitaires chez d'autres individus → ce sont donc des **antigènes** (▶ 12.1.1).

REMARQUE

- Les GR du groupe A portent l'antigène A à leur **surface.**
- Les GR du groupe B portent l'antigène B.
- Les GR du groupe AB portent des antigènes A **et** des antigènes B.
- Les GR du groupe O ne portent **pas** d'antigène (**ni** A **ni** B).

Pourquoi se produit-il une agglutination ?

Le plasma contient des anticorps (Ac ▶ 12.3.3) qui se fixent sur les antigènes (Ag) de surface des GR appartenant aux autres groupes sanguins. Seuls sont produits des Ac contre les Ag qui **n'existent pas** sur les GR propres de l'organisme :

- plasma du groupe sanguin A : contient des Ac contre les Ag B (**anti-B**) ;
- plasma du groupe sanguin B : possède des anticorps anti-A ;
- plasma du groupe sanguin AB : ne possède **pas d'anticorps** ;
- plasma du groupe sanguin O : possède des anticorps **anti-A** *et* **anti-B**.

Les Ac du système ABO sont des IgM (▶ 12.3.3) → ils forment un réseau en reliant les GR les uns aux autres → agglutination du sang (▶ fig. 12.5) → ces Ac sont appelés **hémagglutinines**.

Exploitation comme examen de laboratoire : le mélange des GR d'un individu avec deux sérums test contenant respectivement des Ac anti-A et anti-B permet la détermination du groupe sanguin A, B ou O (▶ fig. 11.8).

Système Rhésus (Rh)

En plus du système ABO porté par les GR, il existe de nombreux autres systèmes de **groupes sanguins.** Le **système Rhésus** est cliniquement important. Il comprend de nombreux antigènes de groupe sanguin (C, c, D, E, e), l'**antigène D** entraînant les réactions les plus fortes ; 86 % de la population possède cet antigène D (sont **Rhésus-positifs** [Rh+ ou D]) et 14 % ne possèdent pas l'antigène D (sont **Rhésus-négatifs** [Rh– ou d]).

Les trois différences suivantes entre les systèmes ABO et Rhésus sont cliniquement importantes :

- les Ac Rhésus sont des Ac **irréguliers** (c'est-à-dire qu'ils ne sont synthétisés **qu'après** un contact avec les « mauvais » érythrocytes) ;
- les Ac Rhésus sont des IgG (▶ 12.3.3) → n'entraînent pas directement l'agglutination des cellules, mais doivent activer par exemple le **système du complément** (par **lyse**) qui agglutine ensuite les GR (▶ 12.2.4) ;
- les Ac Rhésus traversent la barrière placentaire contrairement aux Ac ABO (▶ 20.3.4).

Groupe sanguin	Sérum test		
	Anti-A	Anti-B	Anti-A+B
A	Agglutination	Pas d'agglutination	Agglutination
B	Pas d'agglutination	Agglutination	Agglutination
AB	Agglutination	Agglutination	Agglutination
0	Pas d'agglutination	Pas d'agglutination	Pas d'agglutination

Groupe sanguin	Anticorps sérique	Réaction avec des hématies, test du groupe sanguin		
		A	B	AB
A	Anti-B	Pas d'agglutination	Agglutination	Agglutination
B	Anti-A	Agglutination	Pas d'agglutination	Agglutination
AB	—	Pas d'agglutination	Pas d'agglutination	Pas d'agglutination
0	Anti-A Anti-B	Agglutination	Agglutination	Agglutination

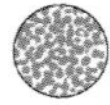
Agglutination

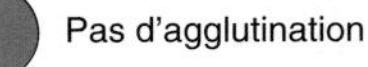

Fig. 11.8 Détermination du groupe sanguin selon le système ABO. À gauche : réaction des érythrocytes avec les sérums test. Le test de vérification consiste à mélanger le sérum de la personne testée à des érythrocytes test. Les résultats de ces deux épreuves ne doivent pas se « contredire ».

NOTION MÉDICALE

Incompatibilité Rhésus

Un patient Rhésus négatif recevant une transfusion avec un sang Rhésus positif se met à fabriquer des **anticorps anti-D**. Si, **après** cette sensibilisation, le patient est **à nouveau** transfusé avec un sang Rhésus positif, il peut présenter des symptômes liés à la réaction Ag-Ac, qui correspondent à ceux d'une incompatibilité ABO, mais le plus souvent ne sont pas aussi marqués. Lors de transfusion d'un patient avec un sang issu d'un autre groupe ABO, la première transfusion est déjà dangereuse.

Système Kell

Le troisième système de groupe sanguin entraînant une forte antigénicité (immunogénicité) est le **système Kell.** Dans ce cas, les antigènes importants sont K et k (mode de transmission héréditaire co-dominant ▶ 3.13).

11.4.2 Don de sang, produits dérivés du sang et transfusions de sang

Beaucoup d'états pathologiques s'accompagnent d'un déficit en composants sanguins. La **substitution** avec des **produits sanguins labiles** permet souvent de sauver la vie.

Chaque administration de produits sanguins labiles fait courir deux risques :

- des **réactions d'incompatibilité :** d'un point de vue immunologique, chaque transfusion sanguine correspond à une transplantation ;
- un risque de **transmission de germes pathogènes :** en particulier des virus, par exemple VIH, hépatites B, C.

NdR : De nos jours en France, le risque d'infection lors d'administration d'une poche de sang est pratiquement négligeable si le traitement du sang prélevé, les tests effectués et son mode de conservation suivent les bonnes modalités.

Pour éliminer les réactions d'agglutination et les autres incompatibilités, des **épreuves de compatibilité croisées** doivent être effectuées avant une transfusion sanguine. Il s'agit d'une obligation réglementaire. Pour éviter toute erreur, le groupe sanguin du receveur est ensuite à nouveau contrôlé au lit, immédiatement avant la transfusion (**contrôle pré-transfusionnel au lit**).

NOTION MÉDICALE

- **Réaction transfusionnelle légère** → agitation, céphalée, vertiges, nausées, vomissements, fièvre, frissons, démangeaisons.
- **Incompatibilité grave** (surtout lors d'erreur de groupe sanguin ABO) → tout d'abord douleurs dans le bas du dos et bouffées de chaleur, fièvre, frissons, choc, signes d'hémolyse aiguë, puis troubles du rythme et insuffisance rénale.

11.5 Hémostase (coagulation)

L'intégrité du système vasculaire n'est pas seulement menacée par les blessures visibles ; constamment, de petits vaisseaux de notre corps laissent s'échapper du sang, par exemple lors de processus de croissance, d'inflammation. Comme le système vasculaire artériel est sous pression, notre corps peut perdre du sang même en cas de toute petite lésion vasculaire. Pour empêcher cela, les vaisseaux sont colmatés de l'intérieur par le **système de la coagulation sanguine**. Trois processus réactionnels s'imbriquent les uns dans les autres :

1.	Temps vasculaire	→	**hémostase primaire**
2.	Temps de l'adhésion et de l'agrégation plaquettaires		
3.	Temps de la coagulation plasmatique	→	**hémostase secondaire**

11.5.1 Thrombocytes (plaquettes)

Thrombocytes (plaquettes sanguine) : plaquettes anucléées qui se forment dans la MO, ont une durée de vie 1 à 2 semaines, puis sont dégradées dans la rate et le foie ; 1–4 µm de long, 0,5 µm d'épaisseur. Valeur normale 150–400 G/l.

- **Thrombocytose :** augmentation de la concentration des thrombocytes soit à cause d'une infection (**thrombocytose réactive**), soit en tant que maladie indépendante, maligne (**thrombocytémie essentielle**) → apparition de thrombose (▶ 11.5.7).
- **Thrombocytopénie :** déficit en plaquette → ↑ tendance aux saignements (▶ 11.5.9).
- **Thrombocytopathie :** dysfonctionnement des thrombocytes (▶ 11.5.9).

11.5.2 Thrombocytopoïèse : formation des plaquettes

Certaines cellules souches de la MO se différencient en **mégacaryoblastes** (▶ fig. 11.2, Ø 25 µm, noyau rond sans nucléole). Sous l'influence d'une hormone, la **thrombopoïétine**, ces derniers se différencient en **promégacaryocytes** puis en **mégacaryocytes** (cellules géantes de la MO). Ø 30–100 µm → les plus grosses cellules de la MO. Par scission de son cytoplasme, un mégacaryocyte donne naissance à 4000–5000 **plaquettes.**

11.5.3 Temps vasculaire

Un vaisseau se contracte immédiatement après avoir subi une lésion (**vasoconstriction**) → ↓ flux sanguin → ↓ perte de sang. L'endothélium vasculaire lésé s'enroule sur lui-même.

11.5.4 Temps de l'adhésion et de l'agrégation plaquettaires

Lésion vasculaire → avec l'aide du **facteur de Willebrand** (WF) libéré par l'endothélium et les plaquettes, les plaquettes se déposent sur les bords de la plaie (**adhésion plaquettaire**), se déforment et s'accumulent (**agrégation plaquettaire**), → **clou plaquettaire** (ou thrombus blanc) qui peut sceller une plaie peu importante en 1 à 3 minutes.

REMARQUE

Temps de saignement : temps écoulé entre le moment de la blessure et l'arrêt du saignement.

Pendant l'agrégation, les plaquettes libèrent diverses substances contenues dans leurs granulations :

- **thromboxane A_2 :** favorise la vasoconstriction et l'agrégation plaquettaire ;
- **facteur 3 plaquettaire** (PF 3 pour *platelet factor-3*) : agit lors de la coagulation sanguine (▶ 11.5.5).

Le thrombus qui se forme lentement au niveau des berges de la plaie est appelé **thrombus blanc** du fait de sa couleur. Un thrombus contenant des hématies s'appelle **thrombus rouge.**

NOTION MÉDICALE

Inhibition de l'agrégation plaquettaire

La tendance des plaquettes à l'agglutination peut être inhibée par l'administration de médicaments utilisés en prophylaxie et pour le traitement des AVC (▶ 8.12.3), des infarctus myocardiques (▶ 13.7.3) et d'autres troubles de la perfusion. L'**acide acétylsalicylique** inhibe la synthèse du thromboxane A_2 → prévention de la formation de thrombus. D'autres substances sont utilisées pour diminuer l'**activation** des plaquettes dépendant de l'ADP (le clopidogrel, par exemple Plavix®) ou pour bloquer le **récepteur de la glycoprotéine GP IIb/IIIa** (eptifibatide).

11.5.5 Temps de la coagulation plasmatique (hémostase secondaire)

- La réaction vasculaire et l'agrégation plaquettaire arrêtent *provisoirement* les petites hémorragies en quelques minutes, mais elles ne suffisent pas à elles seules pour permettre une hémostase *durable* : après quelques minutes, les vaisseaux contractés recommencent à se dilater et, en l'absence d'un autre mécanisme, le clou plaquettaire peut se détacher ou être emporté par le courant ; dans ce cas, les saignements reprennent.
- Le **processus de coagulation plasmatique** commence pratiquement en même temps que l'agrégation plaquettaire et forme un réseau **fibrineux** incluant des GR autour du clou plaquettaire. C'est l'apparition du **caillot définitif insoluble** (▶ fig. 11.9).
- **Facteurs de la coagulation :** protéines plasmatiques qui, dans leur conformation active, agissent comme des enzymes. Traditionnellement, ils sont décrits par un chiffre romain de I à XIII (▶ fig. 11.10).

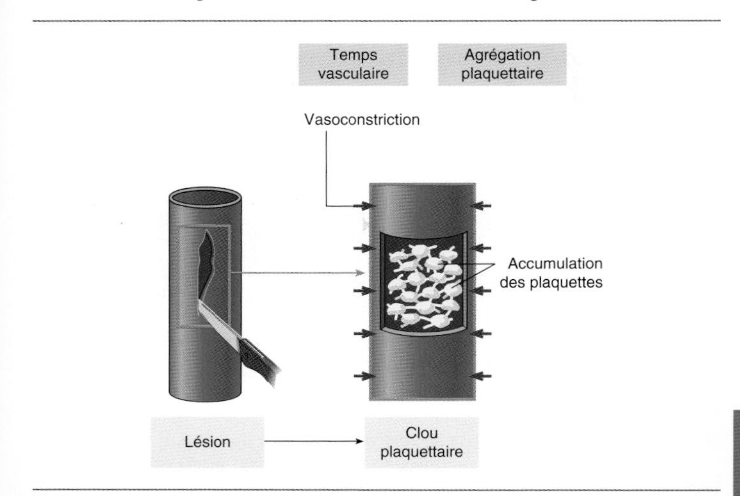

Fig. 11.9 Aperçu de l'hémostase primaire.

11

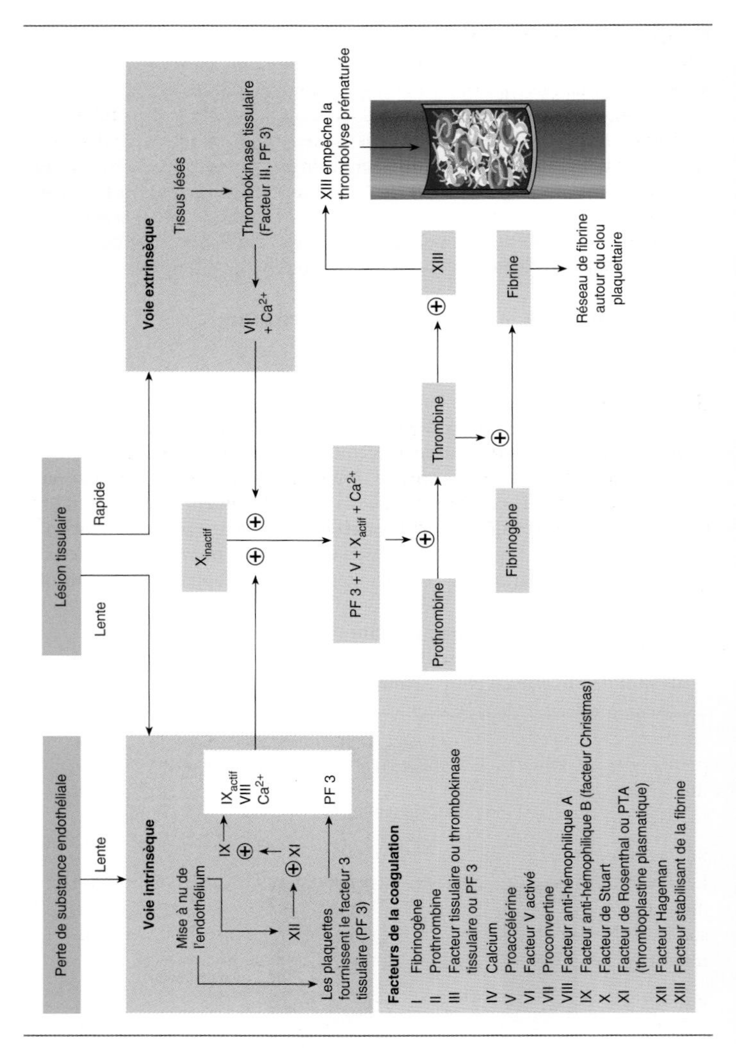

Fig. 11.10 La cascade de la coagulation.

REMARQUE

Pour que de la fibrine puisse se former au niveau du sang, il faut au préalable que de nombreux facteurs de la coagulation aient été activés les uns après les autres, selon une réaction en chaîne. Cette suite de réactions est appelée la **cascade de la coagulation.**

Cascade de la coagulation

L'hémostase secondaire passe par l'activation de deux voies :

- **voie extrinsèque ou exogène :** est activée lors d'importantes blessures s'accompagnant d'un saignement interne dans les tissus environnants. Dès que du sang pénètre dans les tissus, le facteur III est libéré ; il active le facteur VII, ce qui met en marche, en quelques secondes, la cascade de coagulation. Le facteur VII activé associé au calcium active à son tour le facteur X (▶ fig. 11.10) ;
- **voie intrinsèque ou endogène :** lorsque la lésion se limite à l'endothélium vasculaire. Le contact avec l'endothélium lésé → activation du facteur XII (activation par contact) → active le facteur XI → active le facteur IX → avec le facteur VII, le calcium et PF 3, il active le facteur X.

REMARQUE

Les voies intrinsèques et extrinsèques se réunissent à partir de l'étape de l'activation du facteur X en un **tronc commun final** de la cascade de la coagulation : le facteur X associé au facteur V et au calcium transforme la prothrombine en thrombine qui elle-même transforme le fibrinogène en fibrine. Le **facteur XIII** protège le caillot terminal de sa dissolution.

Autres points concernant la coagulation plasmatique

Rôle clé du calcium

Le **calcium** représente un facteur essentiel pour la formation de la thrombine ainsi que dans plusieurs autres réactions de la cascade (▶ fig. 11.10).

Synthèse des facteurs de la coagulation

De nombreux facteurs de la coagulation sont synthétisés dans le foie → les pathologies du foie peuvent entraîner des déficits en facteurs de la coagulation et des troubles de l'hémostase. Le foie a besoin de **vitamine K** pour synthétiser les facteurs II, VII, IX et X (▶ 17.8).

Rétraction et réorganisation du caillot

Le réseau de fibrine se contracte progressivement (**rétraction**) → rapprochement des berges de la plaie. Des fibroblastes migrent alors dans le réseau stable de fibrine (▶ 1.5.3) et réorganisent le caillot afin d'obturer définitivement la plaie → tissu conjonctif cicatriciel (**cicatrice**).

Inhibiteurs des facteurs de la coagulation

Aussi essentielle qu'elle soit, la coagulation, si elle devient excessive ou mal placée, peut conduire à une obstruction vasculaire et éventuellement à des troubles de la perfusion sanguine → de ce fait, des **inhibiteurs** de la coagulation circulent toujours dans le sang et s'assurent que la coagulation plasmatique n'a lieu qu'aux sites des lésions. Les principaux inhibiteurs de la coagulation sont l'antithrombine III (**AT III**), la **protéine C** et la **protéine S** (▶ fig. 11.10). Un déficit en inhibiteur → thrombose (▶ 11.5.7).

Terminaison de la cicatrisation d'une plaie et fibrinolyse

Il n'y a aucun intérêt à maintenir une obstruction permanente des vaisseaux ayant été lésés → quelques jours à quelques semaines après la cicatrisation adaptée de la plaie, le caillot de fibrine est dégradé → réouverture du vaisseau (**reperméabilisation vasculaire**). La **fibrinolyse** correspond aux réactions en chaîne qui se produisent pour permettre ce résultat (du grec *lysis,* dissolution ; ▶ fig. 11.11).

La fibrinolyse est initiée par une enzyme, la **plasmine**. Le **plasminogène,** son précurseur, circule dans le sang : il est transformé en plasmine active en présence d'activateurs. Les activateurs physiologiques sont par exemple l'urokinase (uPA, pour *urokinase plasminogen activator*) et l'activateur tissulaire du plasminogène (tPA, pour *tissue plasminogen activator*).

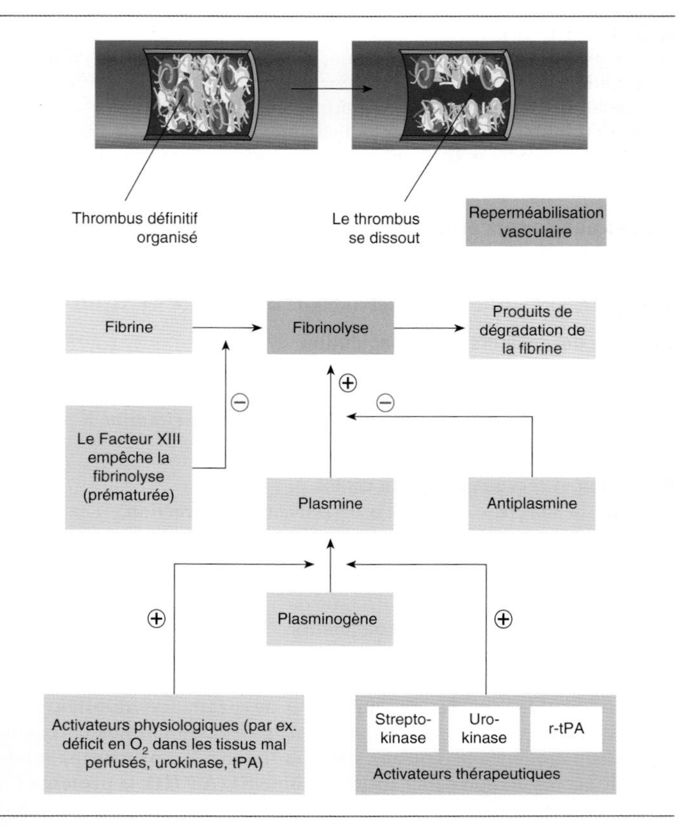

Fig. 11.11 Étapes de la fibrinolyse.

11.5.6 Exploration de la coagulation

Pour évaluer l'hémostase, il est nécessaire de disposer généralement de sang citraté ou prélevé sur EDTA (le citrate de sodium et l'EDTA fixent le calcium → le sang est rendu incoagulable). Les analyses les plus importantes sont les suivantes.

- **Temps de Quick** (temps de thromboplastine, taux de prothrombine) : le sang citraté est mélangé au facteur III (PF 3) et au calcium → début de la cascade de la coagulation. Le temps écoulé avant que ne commence la coagulation dépend entre autres des facteurs I, II, V, VII et X (▶ fig. 11.10) → le temps de Quick teste la **voie extrinsèque.** Les résultats s'expriment en % (taux de prothrombine) par rapport à une droite d'étalonnage : normal 70–120 %. ↓ lors de troubles de l'hémostase ou de traitement par des anticoagulants (▶ 11.5.8).
- **INR** (*International Normalized Ratio*) : l'inconvénient du temps de Quick est qu'il dépend fortement des réactifs utilisés → les valeurs obtenues par différents laboratoires ne sont pas comparables → l'INR, qui utilise un **facteur de correction** pour compenser ces différences, est de plus en plus souvent déterminé. La valeur normale est 1,0 ; ↑ lors de trouble de l'hémostase ou de traitement par des anticoagulants.
- **TTP** (temps de thromboplastine partiel) : le plasma citraté est mélangé à du calcium, un minéral pour l'activation par contact, et au PF 3 ; le temps écoulé avant le commencement de la coagulation est ensuite mesuré. Le résultat dépend du laboratoire et de la méthode utilisée ; en général, il ne dépasse pas 40 secondes → contrôle les facteurs de la **voie intrinsèque.** ↑ TTP correspond à un déficit en facteur VIII ou en facteur IX. Le TTP est important pour la surveillance d'une héparinisation générale (▶ 11.5.8).
- **Temps de thrombine** : mesure du temps de coagulation après l'ajout de thrombine au plasma citraté (norme : 17–24 secondes) → méthode de surveillance d'une héparinisation ou d'une thrombolyse.
- **Temps de saignement :** test de dépistage de la fonction plaquettaire (normal 1 à 3 minutes).
- **Numération plaquettaire :** norme : 150–400 G/l (150 000–400 000/µl).
- **Taux de fibrinogène :** par exemple pour le diagnostic d'une augmentation de la tendance aux saignements (▶ 11.5.9). Norme : 4,4–10,3 µmol/l (1,5–3,5 g/l).
- **Monomères de fibrine** (complexes solubles de fibrine) : une augmentation de leur concentration correspond à une élévation de l'activité de la thrombine et donc à une hypercoagulabilité.
- **D-Dimères :** se forment lors de la dégradation de la fibrine par fibrinolyse. Mesurés lors de suspicion de thrombose veineuse profonde (TVP) ou de coagulopathie de consommation (▶ 12.5.1).

11.5.7 Thrombose et embolie

Si un caillot se forme à l'intérieur d'un vaisseau et provoque une occlusion vasculaire, il se forme une **thrombose** (formation d'un caillot sanguin). Trois facteurs favorisent l'apparition d'une thrombose (**triade de Virchow**) :

- **stase** (ralentissement du flux sanguin) : par exemple lors d'immobilisation (plâtre, intervention chirurgicale ou alitement) ;
- **hypercoagulabilité** (augmentation de la tendance à la coagulation du sang) : la principale cause (6–8 % de la population) est la **mutation du facteur V Leiden** ;le facteur V ne peut plus être inactivé par la protéine C (**résistance à la PCA ou protéine C activée**) → coagulation excessive (▶ fig. 11.11). Autres : déficit en protéine S, protéine C ou en antithrombine III ;
- **lésion des parois vasculaires** (par exemple les lésions d'artériosclérose de l'intima ▶ fig. 14.3) qui favorisent l'agrégation plaquettaire.

Thromboses veineuses

- **Thrombose veineuse profonde** (TVP, phlébite) : touche en particulier les veines d'un seul membre inférieur, plus rarement des deux, ou également les veines pelviennes. Symptômes : souvent seulement sensation de lourdeur ou de tension, parfois totalement asymptomatique. Classiquement, apparition locale d'un œdème et de chaleur.
- Si le thrombus (ou une partie du thrombus) se détache, il circule avec le courant sanguin ; dans ce cas, il est dénommé **embole**. Il peut engendrer une **embolie** dès qu'il se bloque dans un vaisseau étroit et l'obstrue. Les thrombus issus des veines pelviennes ou des veines profondes du membre inférieur se déplacent souvent jusqu'au cœur droit, puis passent dans les artères pulmonaires → ils peuvent provoquer une **embolie pulmonaire** potentiellement mortelle (▶ 15.11.5).

Thrombose artérielle et embolie

Des caillots peuvent également se former dans le **système vasculaire artériel.**

- Assez fréquemment, le thrombus se forme dans le ventricule gauche lors de fibrillation atriale non traitée (▶ 13.5.6) → déplacement → AVC (▶ 8.12.3), infarctus myocardique (▶ 13.7.3), ischémie artérielle aiguë d'un membre inférieur (entraîne une douleur aiguë et intense, une pâleur de la peau et une impotence musculaire ; absence de palpation du pouls au niveau du pied, froideur du membre). Traitement : traitement de la douleur et, selon les possibilités, intervention chirurgicale rapide pour retirer l'embole (embolectomie), thrombolyse ou héparinisation.
- Plus rarement, la thrombose peut être locale lors d'artériosclérose préexistante.

11.5.8 Traitement anticoagulant et thrombolyse

Pour la prévention d'une thrombose *veineuse* et d'une embolie chez les patients à risque, il est nécessaire d'abaisser la capacité de coagulation du sang par l'administration de médicaments : les **anticoagulants** (inhibiteurs de la coagulation). L'**héparine** et les **dérivés coumariniques** sont les deux principaux anticoagulants utilisés.

REMARQUE

La **thrombolyse** consiste à activer la fibrinolyse d'un caillot déjà constitué afin de le dissoudre.

Héparine

L'héparine empêche la synthèse de la fibrine en formant un complexe avec l'antithrombine III, ce qui inhibe les facteurs II et X activés.

- **Héparinothérapie à faible dose :** utilisée en prophylaxie de la thrombose, consiste aujourd'hui à administrer 1 ×/j par injection de l'héparine fractionnée ou de l'**héparine de bas poids moléculaire** (HBPM, par exemple Lovenox®, Fragmine®).
- **Héparinisation générale** (héparinisation thérapeutique) : prévention de la formation de nouveaux thrombus, par exemple lors de thrombose veineuse, d'embolie pulmonaire ou d'infarctus myocardique. Consiste à administrer de l'**héparine non fractionnée ou standard** en IV par perfusion ou (de plus en plus souvent) de l'HBPM par injection sous-cutanée adaptée au poids du patient.

Dérivés coumariniques

Pour un traitement anticoagulant de longue durée, seuls les **dérivés coumariniques** (ou antivitamines K [AVK]) sont utilisés en pratique (par exemple Coumadine®, Sintrom®). Ils peuvent être donnés en comprimés contrairement à l'héparine. Les dérivés coumariniques sont des antagonistes de la vitamine K → inhibent la synthèse hépatique des facteurs de coagulation II, VII, IX et X. Pour contrer le risque d'hémorragie, la posologie doit être régulièrement contrôlée par la mesure du temps de Quick ou de l'INR (objectif selon la maladie sous-jacente : 15–25 % ou 2,0–3,5 respectivement).

Le traitement coumarinique est institué pendant 3 à 12 mois (ou éventuellement à vie), par exemple pour prévenir les rechutes d'une thrombose veineuse des membres inférieurs ou des veines pelviennes, d'une embolie pulmonaire et d'un infarctus du myocarde en présence de facteurs de risque supplémentaires.

À noter des nouveaux anticoagulants oraux (NACO) n'appartenant pas à la famille des AVK comme le rivaroxaban, nouvel **anticoagulant** administrable **per os**, qui inhibe directement et sélectivement le facteur X activé (facteur Xa).

NOTION MÉDICALE

Thrombolyse thérapeutique

Il est possible de tenter d'éliminer l'obstruction vasculaire thrombotique ou embolique en utilisant des substances fibrinolytiques. Il existe d'autres produits en plus de la **streptokinase,** comme l'**urokinase** et le **r-tPA** obtenus par génie génétique (forme recombinante de l'activateur du plasminogène tissulaire) ainsi que leurs produits dérivés. Ils présentent comme effets secondaires importants le risque de saignements spontanés.

11.5.9 Augmentation de la tendance aux saignements (diathèse hémorragique)

Dans les cas légers, le patient se plaint de saignements de nez plus fréquents ou d'apparition de taches bleues; dans les cas sévères, une hémorragie mortelle peut se déclencher sans raison apparente.

Troubles plaquettaires

Une augmentation **perceptible** de la tendance aux saignements se produit lorsque la numération plaquettaire est < 30 G/l (30 000/µl). Les signes typiques d'une hémorragie d'origine plaquettaire sont l'apparition de petits points rouges sur la peau liés aux hémorragies capillaires (**pétéchies**) ou des hémorragies survenant sur de petites surfaces (**purpura**).

Coagulopathies

Cause : déficit ou dysfonctionnement des facteurs de la coagulation. Les plus connues sont les **hémophilies :**

- hémophilie A → déficit en facteur VIII;
- hémophilie B → déficit en facteur IX (bien plus rare).

Les deux maladies sont héréditaires récessives et liées à l'X (▶ 3.13) → ce sont presque toujours des ♂ qui sont atteints.

Bien plus fréquentes :

- maladie de **Willebrand** liée à un déficit en **facteur de Willebrand** (WF), qui sert de molécule de transport du facteur VIII et joue un rôle dans l'agrégation plaquettaire (11.5.4). Souvent d'évolution sans gravité et découverte par hasard lors d'un examen de routine préopératoire;
- coagulopathies de consommation ▶ 12.5.1.

11.6 Système lymphatique

Ensemble des voies lymphatiques et des **organes lymphatiques** (▶ fig. 11.12). Tous les organes lymphatiques sont formés de tissu conjonctif réticulaire (ou réticulé) (▶ 4.3.3), dans lequel de nombreux lymphocytes (▶ 11.3.3) sont intercalés.

D'un point de vue anatomique, le système lymphatique est, à quelques détails près, identique aux organes du système immunitaire (▶ 12.1.2); il remplit cependant deux autres rôles en plus de celui de défense immunitaire :

- **transport** des graisses alimentaires hors de l'intestin (▶ 16.7.3);
- **drainage** des liquides interstitiels dans le système veineux (appelé **lymphe**).

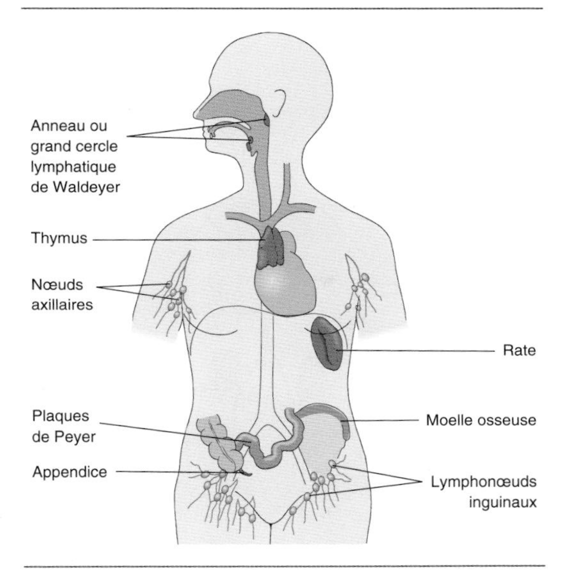

Fig. 11.12 Les organes lymphatiques. Après leur formation et leur maturation, les lymphocytes migrent vers les organes lymphatiques.

11.6.1 Lymphe et voies lymphatiques

REMARQUE

Chaque jour, dans la portion artérielle des capillaires, environ 20 litres de liquide sont filtrés et passent dans le liquide interstitiel, mais seulement 18 litres environ sont réabsorbés dans la portion veineuse des capillaires (▶ fig. 14.4). Les 2 litres restants (environ 10 % du liquide filtré) forment la **lymphe.** Composition : comme le plasma sanguin mis à part une concentration protéique inférieure avec près de 2/3 de moins de protéines que le plasma (20 g/l versus 70–80 g/l dans le plasma).

La lymphe est absorbée par les **capillaires lymphatiques**, qui commencent partout dans le corps par une portion en cul-de-sac (extrémité borgne) (▶ fig. 14.4). Ils cheminent à peu près parallèlement aux veines et se réunissent en vaisseaux lymphatiques de diamètre de plus en plus grand. Dans les vaisseaux lymphatiques sont intercalés des **lymphonœuds (ou ganglions lymphatiques ou nœuds lymphatiques)** (▶ 11.6.2). Ces derniers permettent d'éliminer les produits du métabolisme, les débris cellulaires, les lymphocytes ou les corps étrangers. Après le passage d'un lymphonœud, les vaisseaux lymphatiques confluent dans les gros vaisseaux collecteurs lymphatiques (▶ fig. 11.13) :

- les gros vaisseaux collecteurs de la moitié inférieure du corps se réunissent dans la **citerne du chyle** qui se poursuit par le **conduit thoracique** qui traverse le diaphragme et remonte dans le médiastin postérieur;

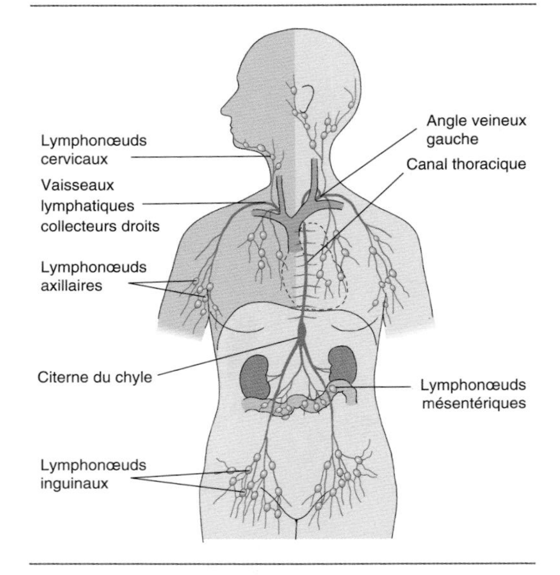

Fig. 11.13 Vaisseaux lymphatiques et lymphonœuds importants. Le canal thoracique collecte la plus grande partie du drainage lymphatique. Le restant de la lymphe est collecté par le canal lymphatique droit.

- après avoir reçu la lymphe des vaisseaux lymphatiques collecteurs des membres supérieurs gauche et de la moitié gauche de la tête, le conduit thoracique s'abouche dans le sang au niveau de l'**angle veineux** gauche (ou confluent de Pirogoff) (confluent veineux des veines gauches de la tête et du membre supérieur) ;
- la lymphe provenant de la partie supérieure droite du corps conflue dans le **canal lymphatique droit** qui s'abouche dans l'angle veineux droit. Les vaisseaux lymphatiques ramènent les liquides interstitiels dans le sang.

11.6.2 Lymphonœuds (ganglions lymphatiques)

NOTION MÉDICALE

Les **lymphonœuds** mesurent plusieurs millimètres de long. Ils sont en forme de haricot et entourés d'une capsule de tissu conjonctif (▶ fig. 11.14). Des cloisons (**travées**) de tissu conjonctif partent de la capsule et s'enfoncent vers l'intérieur. Entre elles se trouvent des **cellules réticulaires** à activité phagocytaire qui existent également dans les autres organes lymphatiques (rate, MO) et qui forment une trame cellulaire de soutien. Dans les espaces, se trouve le tissu lymphatique où se produit la multiplication des lymphocytes.

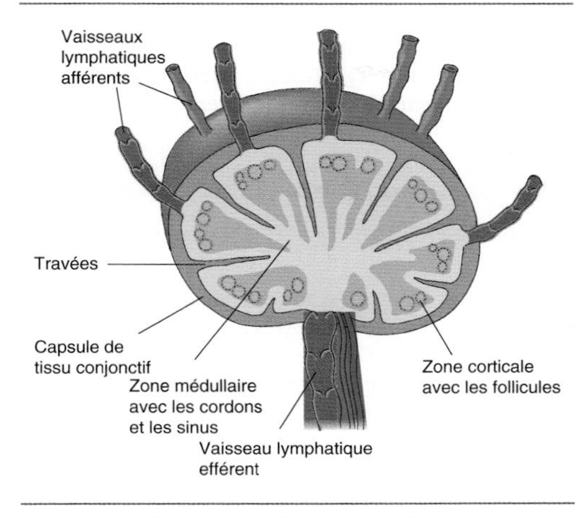

Fig. 11.14 Lymphonœuds (ganglions lymphatiques).

Les lymphonœuds sont regroupés en sortes de « stations de filtration » intercalées dans les **voies lymphatiques**. Chaque région de l'organisme possède ainsi un groupe de **lymphonœuds régionaux** (▶ fig. 11.12). Dans le lymphonœud, la lymphe est purifiée, les lymphocytes se multiplient et entrent en contact avec les antigènes se trouvant dans la lymphe → mise en place d'une défense immunitaire spécifique en cas d'infection.

Les lymphonœuds comportent deux zones : une **zone corticale** externe et une **zone médullaire** interne. La corticale renferme principalement des lymphocytes B dans des **follicules corticaux** (amas denses sphériques). Les lymphocytes T se trouvent principalement entre la corticale et la médullaire. La médullaire contient en particulier des lymphocytes B et des plasmocytes regroupés en cordons.

La lymphe atteint le lymphonœud par le **vaisseau lymphatique afférent** situé sur la face convexe du nœud. Elle s'écoule alors lentement au travers d'un système de cavités complexes (sinus) en direction de la face concave, où elle quitte le lymphonœud en empruntant un ou deux **vaisseaux lymphatiques efférents**.

NOTION MÉDICALE

Hypertrophie des lymphonœuds (lymphadénopathie)

- Lors d'inflammation, les lymphonœuds régionaux réagissent par un gonflement douloureux (par exemple les lymphonœuds cervicaux lors d'amygdalite). Ils sont douloureux à la palpation/pression et bien mobilisables.
- Une maladie tumorale peut également se manifester par une augmentation de la taille et un durcissement des lymphonœuds régionaux. Les lymphonœuds infiltrés par les cellules tumorales sont typiquement non mobilisables, englobés dans le tissu périphérique et indolores.

11.6.3 Rate

La **rate** pèse environ 150 g et se situe sous le diaphragme dans la partie supérieure gauche de l'abdomen (▶ fig. 16.25). L'**artère splénique** pénètre dans la rate au niveau du hile splénique et la **veine splénique** la quitte à cet endroit.

REMARQUE

Taille de la rate : formule « 4711 » (de l'eau de Cologne)

4 cm d'épaisseur, 7 cm de largeur, 11 cm de longueur.

- **Structure :** la rate est entourée d'une capsule de tissu conjonctif dense et épais à partir de laquelle partent de très nombreuses cloisons (**trabécules ou septums**) irradiant vers l'intérieur de l'organe (▶ fig. 11.15). Cette charpente entoure le tissu splénique propre (pulpe) :
  - **pulpe rouge :** tissu étendu de couleur rouge foncé, formé de sinus et d'un fin maillage de tissu conjonctif dans lequel sont inclus de nombreux leucocytes et de nombreuses hématies. De petits foyers ou îlots blancs de la taille d'une tête d'épingle sont dispersés dans la pulpe rouge et forment la pulpe blanche ;
  - **pulpe blanche :** tissu lymphatique qui s'élargit le long des vaisseaux artériels. En outre, il existe des follicules lymphoïdes.

Le rapport pulpe rouge sur pulpe blanche est d'environ 3 pour 1.

- **Fonctions :**
  - associée aux cellules du système des phagocytes mononucléés (macrophages/monocytes) (▶ 12.2.2), la rate identifie et détruit les cellules sanguines trop âgées ;
  - capture et dégrade les petits caillots sanguins ;
  - hématopoïèse prénatale (▶ fig. 11.2).

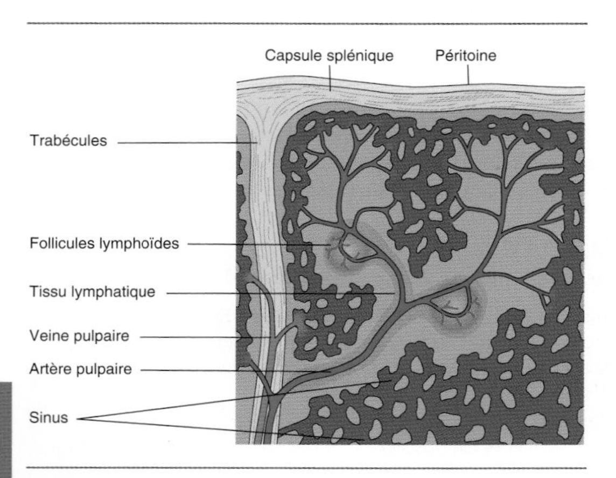

Fig. 11.15 Structure histologique de la rate.

REMARQUE

Chez l'adulte, la rate ne fait pas partie des organes vitaux. Ses fonctions peuvent être reprises par le foie, la MO et les autres organes lymphatiques. Cependant, surtout les premiers temps après une **splénectomie** (ablation chirurgicale de la rate), il n'est pas rare d'observer des complications (augmentation de la tendance à la coagulation, grande fatigue, tendance aux infections bactériennes [▶ 12.6] avec une augmentation du risque de sepsis). De ce fait, après une splénectomie, il faut **vacciner vis-à-vis de certains germes.**

11.6.4 Thymus

Le **thymus** est situé dans le médiastin antérieur au-dessus du péricarde (▶ fig. 11.12). Chez les enfants et les adolescents, il est totalement formé (poids maximal 40 g) ; chez l'adulte, il est peu à peu remplacé par du tissu adipeux. Entouré d'une capsule de tissu conjonctif, il est formé de deux lobes qui, à leur tour, sont divisés en lobules.

Les précurseurs des lymphocytes T migrent dans le cortex thymique des enfants et s'y multiplient. La plupart des cellules néoformées meurent dans le cadre d'un processus complexe de sélection → seuls les lymphocytes T dirigés vers les substances étrangères à l'organisme et non pas vers les substances propres à l'organisme quittent le thymus (▶ 12.3.1).

Le thymus sécrète des hormones (comme la thymosine), qui agissent vraisemblablement comme des facteurs de croissance (▶ tableau 10.3).

NOTION MÉDICALE

Lymphome

Toutes les maladies malignes des lymphocytes sont appelées **lymphomes malins.** Elles sont divisées en **maladie de Hodgkin** (lymphogranulomatose) et **lymphome non hodgkinien** (LNH).

Symptômes : lymphadénopathie typiquement *indolore*, baisse de vitalité, fatigue, perte de poids, sueurs nocturnes, fièvre d'origine mal identifiable.

Plasmocytome

Fait partie des LNH. Dégénérescence d'un plasmocyte (▶ 12.3.2) → production de très grandes quantités d'un seul Ac (qui n'est cependant pas fonctionnel). À la suite de symptômes non spécifiques, comme de la léthargie et de la perte de poids, se développent souvent une insuffisance rénale et des fractures pathologiques (▶ 5.1.9), parce que les plasmocytes tumoraux phagocytent le tissu osseux sain. Une très grande quantité d'Ac anormaux peut être mise en évidence dans l'urine (**protéine de Bence-Jones**) ou dans le sérum (paraprotéine ▶ fig. 11.3).

12 Système immunitaire et infections

Chaque jour, des millions de micro-organismes cherchent à entrer dans notre corps. Beaucoup d'entre eux ne nous causent aucun dommage, et nous en avons même besoin (par exemple pour notre digestion). La plupart des micro-organismes qui peuvent nous nuire détruisent notre **système immunitaire** (système de défense). Il est rare que notre système de défense soit défaillant, mais si c'est le cas, il se produit une **infection** (▶ 12.5).
Les cellules anormales de notre organisme sont aussi en général reconnues et détruites.

12.1 Composants du système immunitaire

12.1.1 Les quatre mécanismes de défense de notre système immunitaire

Notre système immunitaire est particulièrement complexe : il est composé d'un très grand nombre de protéines, de cellules et d'organes. Il existe quatre grands **mécanismes de défense** (tableau 12.1), qui sont *interconnectés* les uns aux autres et travaillent en étroite collaboration :

1. **Système immunitaire inné non spécifique : indépendant des antigènes** (▶ 12.2), disponible dès la naissance. Bien que très rapide, ce mécanisme de défense ne suffit pas toujours à lui seul à détruire totalement les germes pathogènes. Il peut en général les tenir « en échec » jusqu'à ce qu'un deuxième système devienne opérationnel.

Tableau 12.1 Aperçu rapide des quatre mécanismes de défense immunitaire

	Immunité cellulaire	Immunité humorale
Immunité innée non spécifique	• Macrophages (▶ 12.2.2) • Granulocytes neutrophile (▶ 11.3.1, ▶ 12.2.2) • Cellules NK (tueuses naturelles ou *natural killer*)	• Système du complément (▶ 12.2.4) • Cytokines (▶ 12.2.5) • Lysosyme (▶ 12.2.1)
Immunité acquise spécifique	**Lymphocytes T** (▶ 12.3.1) : • lymphocytes T helper (ou auxiliaires) • lymphocytes T cytotoxiques • lymphocytes T mémoire	• Anticorps (▶ 12.3.3) produits par des **lymphocytes B** activés (= plasmocytes ▶ 12.3.2)

2. **Système immunitaire acquis spécifique :** dirigé vers un **antigène spécifique** (Ag ▶ 12.3). Ce mécanisme de défense a besoin de plusieurs jours à plusieurs semaines pour élaborer une riposte efficace ; de ce fait, il est hautement **sélectif** (précis) et a la faculté de « mémoriser » les germes pathogènes (**mémoire immunitaire**) ; ainsi, si le germe pénètre une nouvelle fois dans l'organisme, il peut l'éliminer rapidement et efficacement.
3. **Immunité cellulaire :** cellules immunitaires qui sont impliquées directement dans l'élimination des substances étrangères.
4. **Immunité humorale** (humoral = qui concerne les liquides corporels) : substances non cellulaires, qui se trouvent en solution dans le plasma ou dans les liquides corporels, comme les **anticorps** (Ac ▶ 12.3.3) et certains systèmes enzymatiques (par exemple **cascade du complément** ▶ 12.2.4).

NOTION MÉDICALE

Antigène

Ce sont toutes les structures étrangères à l'organisme ou propres à l'organisme, mais qui ont été modifiées, et qui déclenchent une **réponse immunitaire**. D'un point de vue chimique, les antigènes sont souvent composés de protéines de grande taille (▶ 2.8.3) ou de glucides couplés à une protéine (glycoprotéine). Ils se déposent sur la face externe de la membrane des cellules → « étiquette » signifiant soit « propre à l'organisme », soit « étranger à l'organisme ». Les substances comme le latex ou le nickel peuvent également agir comme des antigènes (allergènes 12.4.1).

12.1.2 Organes du système immunitaire

Toutes les cellules immunitaires sont formées dans la moelle osseuse (MO) et s'y multiplient également. Ensuite elles se dirigent vers les organes lymphoïdes → poursuivent leur développement. Les organes lymphoïdes sont différenciés en :

- **organes lymphoïdes primaires :** les lymphoblastes immatures (▶ fig. 12.2) subissent une maturation pour donner des cellules **immunoréactives** (immunocompétentes) : celles-ci sont en mesure de reconnaître des Ag étrangers. Le thymus et la MO font partie des organes lymphoïdes primaires. Les cellules immunitaires parviennent ensuite, via le sang et les voies lymphatiques dans les :
- **organes lymphoïdes secondaires :** ce sont des sortes de « lieu de travail » : il s'agit de la rate, des lymphonœuds, des amygdales (tonsilles), des tissus lymphoïdes de l'anneau de Waldeyer, des plaques de Peyer de l'intestin grêle (▶ 16.5.3) et d'autres tissus lymphoïdes associés aux muqueuses → reconnaissance des Ag et poursuite de la multiplication.

12.1.3 Cellules du système immunitaire

Toutes les cellules immunitaires (tableau 12.2) proviennent des cellules souches **pluripotentes** de la MO (▶ fig. 11.2). Au moment de leur différenciation (« spécialisation »), elles peuvent suivre deux voies :

- les précurseurs des **cellules myéloïdes** (du grec *myelos*, moelle) (ou myéloblastes) se différencient en donnant les trois types de **granulocytes**

Tableau 12.2 Fonction des cellules immunitaires les plus importantes*

Nom	Fonction
Monocyte	Précurseurs des macrophages dans le sang
Macrophage	Phagocytes dans les tissus et la lymphe
Cellules présentatrice d'antigènes (CPA)	Macrophages, lymphocytes B, cellules dendritiques des lymphonœuds et de la MO; présentent les Ag aux lymphocytes T afin d'initier la réaction en chaîne de la réponse immunitaire
Granulocytes	
Granulocytes neutrophiles	Phagocytes des bactéries, des virus, des champignons dans le sang; principale cellule immunitaire sanguine
Granulocytes éosinophiles	Défense vis-à-vis des parasites; impliqués dans les réactions allergiques
Granulocytes basophiles et mastocytes	Défense vis-à-vis des parasites; impliqués dans les réactions allergiques, libération d'histamine → prurit (démangeaisons), œdème
Lymphocytes B	
Lymphocytes B	Précurseurs des plasmocytes
Plasmocytes	Produisent les Ac
Lymphocytes B mémoire	Se souviennent des Ag
Lymphocytes T	
Lymphocytes T helper (ou auxiliaires)	Stimulent les lymphocytes B pour qu'ils se différencient en plasmocytes, reconnaissent les Ag sur les CPA
Lymphocytes T cytotoxiques	Reconnaissent et détruisent les cellules infectées par des virus ainsi que les cellules tumorales, réagissent aux Ag des cellules cibles
Lymphocytes T mémoire	Se souviennent des Ag (lymphocytes T helper, lymphocytes T cytotoxiques)
Cellules NK (*natural killer* ou tueuses naturelles)	Attaquent de manière non spécifique les cellules infectées par des virus ainsi que les cellules tumorales porteuses d'anticorps

* Les cellules présentatrices d'antigène appartiennent d'un point de vue **fonctionnel** à un même groupe cellulaire : elle présentent toutes des antigènes.

(▶ 11.3.1) ainsi que des **monocytes** et des **macrophages** et forment une partie de la défense immunitaire non spécifique (innée) (▶ 12.2);

- les précurseurs des **cellules lymphoïdes** (ou lymphoblastes) vont se différencier en **lymphocytes T et lymphocytes B** qui permettent les défenses immunitaires spécifiques acquises (▶ 12.4) ainsi qu'en **cellules NK** (*natural killer* ou tueuses naturelles) (▶ 12.2.3).

Toutes les cellules citées ci-dessus sont des **leucocytes** (▶ 11.3). Bon nombre d'entre eux patrouillent constamment à la recherche d'intrus (Ag étrangers) ou de cellules de l'organisme devenues étrangères (« dégénérées »). Seuls 10 % d'entre eux environ restent dans le sang ; 90 % se trouvent dans les organes lymphoïdes, les vaisseaux lymphatiques et la **matrice extracellulaire** (▶ 4.3).

En présence d'un processus immunitaire, les leucocytes se déplacent en grand nombre sur le lieu du dommage. La libération de **médiateurs de l'inflammation** (par exemple histamine, bradykinine, prostaglandines) déclenche les **signes typiques de l'inflammation :** rougeur, gonflement, douleur (▶ 1.5). L'hypertrophie des lymphonœuds qui en résulte (▶ 11.6.2) est liée à la multiplication des cellules immunitaires.

12.1.4 Médiateurs du système immunitaire

Notre corps ne dispose pas uniquement de mécanismes de défense cellulaires. Un grand nombre de molécules font partie du système immunitaire (par exemple le système du complément ▶ 12.2.4, les cytokines ▶ 12.2.5) ; elles permettent la communication entre les différentes cellules immunitaires et peuvent détruire les micro-organismes. Ces **médiateurs** peuvent stimuler la multiplication des cellules immunitaires et forment une sorte de trace qui attire d'autres cellules immunitaires ; cela s'appelle la **chimiotaxie**.

12.2 Immunité non spécifique (innée)

L'**immunité non spécifique** est formée par :

- des barrières extérieures ;
- plusieurs groupes de leucocytes (▶ 11.3) ;
- des facteurs immunitaires (système du complément, cytokines, lysozymes).

12.2.1 Barrières protectrices extérieures

Les **barrières protectrices extérieures** comme la peau (7) et les muqueuses peuvent bloquer la plupart des micro-organismes pathogènes entrants. Elles agissent comme une paroi protectrice mécanique.

Grâce à des **substances antimicrobiennes** (substances inhibant les bactéries), les barrières externes sont encore plus efficaces. La salive, le mucus bronchique et les larmes contiennent une enzyme (▶ 2.9.1), le **lysozyme,** qui peut détruire les structures de la paroi des bactéries à Gram positif (▶ 12.6). Dans l'estomac, les germes sont tués par la forte teneur en acides du suc gastrique (▶ 16.4.4).

La **flore normale** (micro-organismes qui colonisent certaines régions de notre corps de manière tout à fait physiologique) soutient souvent notre système immunitaire via son activité métabolique.

12.2.2 Phagocytes

Lorsque les micro-organismes parviennent à pénétrer à l'intérieur de l'organisme, ils sont en général rendus inoffensifs grâce à l'action des **phagocytes** (cellules « mangeuses »). Les monocytes, les macrophages et les granulocytes neutrophiles sont les cellules ayant la plus forte activité phagocytaire (tableau 12.2, ▶ 11.3.1). Ces cellules entourent les particules étrangères, les engloutissent et les digèrent (▶ fig. 3.15). Les phagocytes sont particulièrement « actifs » lorsque ces particules étrangères ont été marquées spécifiquement par des anticorps (▶ 12.3.3) ou des facteurs du complément (▶ 12.2.4) (**opsonisation** = « rendues appétissantes »).

Les macrophages (▶ 11.3.2) se développent à partir de monocytes indifférenciés circulant dans le sang. Ces derniers ne persistent que peu de temps dans le sang après leur départ de la moelle osseuse (MO) et se faufilent dans les tissus en passant par les capillaires. Là, ils deviennent des macrophages à longue durée de vie.

NOTION MÉDICALE

Système des phagocytes mononucléés (monocytes et macrophages)

Ensemble des cellules ayant des capacités phagocytaires et provenant de précurseurs cellulaires communs.

Le système des phagocytes mononucléés comprend les macrophages, les cellules microgliales du SNC (▶ 4.5.2), les macrophages alvéolaires (▶ 15.6.1), les cellules de Kupffer hépatiques (cellules stellaires) (▶ 16.10.2), les ostéoclastes (▶ 5.1.5) ainsi que les **cellules dendritiques**. Les cellules dendritiques immatures de la MO parviennent dans les organes non lymphoïdes (en particulier la peau → cellules de Langerhans) → phagocytose des structures antigéniques → les cellules dendritiques matures passent ensuite dans les lymphonœuds → réponse immunitaire spécifique (▶ 12.3).

12.2.3 Cellules NK (*natural killer*)

Sous-groupe de lymphocytes qui agissent principalement sur les cellules infectées par des virus ou présentant des modifications tumorales (comme les lymphocytes T cytotoxiques ▶ 12.3.1). Ces cellules « dégénérées » sont repérées du fait de la présence de molécules du CMH-1 défectueuses ou de l'absence de ces molécules (▶ 12.3.5) sur leur membrane plasmique. L'absence de ce signal de reconnaissance d'« appartenance à l'organisme » rend les lymphocytes NK agressifs → libération de substances cytotoxiques (qui lèsent les cellules) appelées **cytotoxines** → destruction de la cellule.

12.2.4 Système du complément

Principal système de l'immunité humorale non spécifique qui vient en **complément** (complète) du système des anticorps (▶ 12.3.3). Détruit les cellules étrangères à l'organisme et favorise la réaction inflammatoire.

Formé de neuf **facteurs du complément** (protéines plasmatiques 11.1.4), abrégés de C1 à C9 → enzymes inactives qui sont activées par une cascade enzymatique (comme les facteurs de la coagulation ▶ 11.5.5).

Rôles :

- facteur C3 → opsonisation des bactéries ;
- facteurs C3 et C5 actifs → importants médiateurs de l'inflammation, chimiotaxie ▶ 12.1.4 ;
- les facteurs C5 à C9 forment le **complexe d'attaque membranaire** → engendre une sorte de trou dans la membrane de la cellule étrangère → entrée de calcium, sodium et liquide dans la cellule → la cellule étrangère éclate et meurt (cytolyse ▶ fig. 12.1).

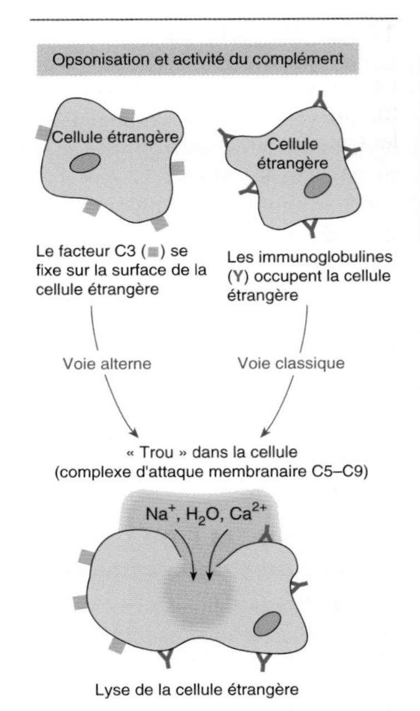

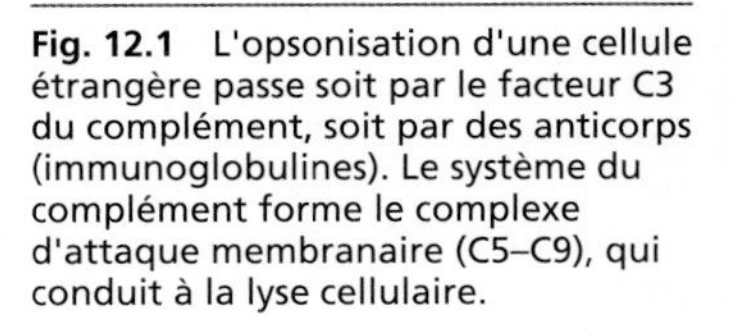

Fig. 12.1 L'opsonisation d'une cellule étrangère passe soit par le facteur C3 du complément, soit par des anticorps (immunoglobulines). Le système du complément forme le complexe d'attaque membranaire (C5–C9), qui conduit à la lyse cellulaire.

12.2.5 Cytokines : médiateurs du système immunitaire

Les **cytokines** (ou **lymphokines** lorsqu'elles sont produites par des lymphocytes) sont des médiateurs hormonaux. Elles incitent les lymphocytes T et les lymphocytes B matures à se multiplier et à se différencier et agissent comme des facteurs de croissance hématopoïétiques (▶ 11.1.3).

- **Interleukine** (IL ▶ fig. 12.4) : cytokines les plus connues, très nombreuses sortes différentes, par exemple :
  - **IL-2 :** principalement synthétisées par les lymphocytes T helper (ou auxiliaires), agissent sur ces même lymphocytes T et stimulent leur multiplication. Avec l'**IL-4**, soutient la différenciation des lymphocytes B en plasmocytes ;
  - **IL-1 :** attirent par exemple les granulocytes et les fibroblastes sur le lieu d'une inflammation (chimiotaxie) et provoquent la fièvre.
- **Interférons** : protéines qui sont libérées en particulier par les cellules infectées par les virus. Les interférons déclenchent la production de protéines « antivirales »→ protègent les cellules saines de la réplication virale.
- **Facteur de nécrose tumorale** (*tumor necrosis factor* [TNF]) : a un effet cytotoxique direct ; stimule les lymphocytes T cytotoxiques (▶ 12.3.1) et les granulocytes neutrophiles (▶ 11.3.1).

12.3 Système immunitaire spécifique

Le **système immunitaire spécifique** est plus récent, d'un point de vue évolutif, que le système immunitaire non spécifique. Les cellules impliquées sont les **lymphocytes** T et B. Ce système immunitaire présente des particularités :

- **spécificité :** le système immunitaire spécifique a la capacité de reconnaître certaines caractéristiques moléculaires du germe et de ne réagir qu'en présence de ces caractéristiques. Cette spécificité repose sur les **molécules de reconnaissance des antigènes** qui sont :
  - soit des **récepteurs aux antigènes des lymphocytes T :** fixés sur la membrane des lymphocytes T ;
  - soit des **anticorps :** libres dans les liquides corporels ou fixés sur la membrane des lymphocytes B.
- les récepteurs aux Ag des lymphocytes T et les Ac sont différents structurellement mais appartiennent à une même famille ;
- **fonction mémoire :** une des particularité du système immunitaire est sa « faculté à se souvenir » de l'antigène étranger (**réaction primaire,** « première reconnaissance »). Chaque rencontre suivante avec le même Ag ou un Ag très semblable (réaction secondaire, « deuxième » reconnaissance) se manifeste par une modification de la réponse immunitaire et participe ainsi à la protection pouvant durer une grande partie de la vie (par exemple vis-à-vis du virus de la rougeole).

La mémoire immunologique repose sur l'existence de **cellules mémoires**. Celles-ci vivent des mois à des années, reconnaissent un Ag particulier par le biais de récepteurs particuliers et conduisent, lors de nouveau contact, à une réaction immunitaire très rapide et efficace ; ainsi, la personne qui subit ce second contact avec le germe ne le remarque pratiquement pas (c'est-à-dire qu'il est protégé ou **immunisé**).

12.3.1 Lymphocytes T

Ils subissent une maturation au niveau du **t**hymus pour donner des **cellules immunocompétentes** ; au cours de cette maturation, ils « apprennent » à différencier le « moi » de « l'étranger ». Seuls les lymphocytes T dirigés contre les Ag étrangers quittent le thymus. Les lymphocytes T dirigés contre les structures propres à l'organisme sont triés, puis phagocytés (▶ 12.2.2).

Les lymphocytes T possèdent des récepteurs à leur surface, les **récepteurs aux antigènes des lymphocytes T (ou TCR pour *T-cell receptor*),** qui leur permettent d'identifier les Ag de type étranger. Si le TCR s'adapte à l'Ag présenté (▶ 12.3.4), le lymphocyte T est stimulé, il se multiple et se différencie en différents sous-groupes. Les nouveaux lymphocytes T qui apparaissent portent tous le même récepteur que la cellule mère et s'engagent dans d'autres réactions au cours desquelles ils éliminent l'Ag.

Sous groupes

Il existe trois sous-groupes ayant différents rôles :

- **les lymphocytes T helper ou auxiliaires** : appelés aussi lymphocytes T CD4+ parce qu'ils portent une molécule caractéristique de surface,

CD4. Leur membrane est marquée par la présence d'un TCR pour la molécule du CMH-II (▶ 12.3.5), qui participe, avec CD4, à la reconnaissance des cellules présentatrices d'antigènes comme les macrophages (▶ tableau 12.2, ▶ fig. 12.2) et les lymphocytes B (▶ fig. 12.4). Ils sont de deux types :
  - les lymphocytes auxiliaires TH1 qui activent les macrophages ;
  - les lymphocytes auxiliaires TH2 qui activent les lymphocytes B. Pour cela, ils doivent synthétiser des cytokines et les sécréter (▶ 12.2.5).
- **les lymphocytes T cytotoxiques** (LTc) : appelés aussi lymphocytes cytotoxiques T8, ils portent CD8 comme molécule de surface. Ils possèdent un récepteur TCR reconnaissant les molécules du CMH-I portant les antigènes (▶ 12.3.5) → destruction directe des cellules infectées par des virus ou portant des modifications tumorales (▶ fig. 12.3) : s'ils reconnaissent ce type de cellule, ils émettent de la **perforine** (protéine qui peut attaquer la membrane de la cellule ciblée comme « proie » et la perforer) → entrée dans la cellule de sel, d'eau et d'une enzyme, la **granzyme B** → déclenchement de la **mort cellulaire programmée** (**apoptose** ▶ 3.1.6) ;

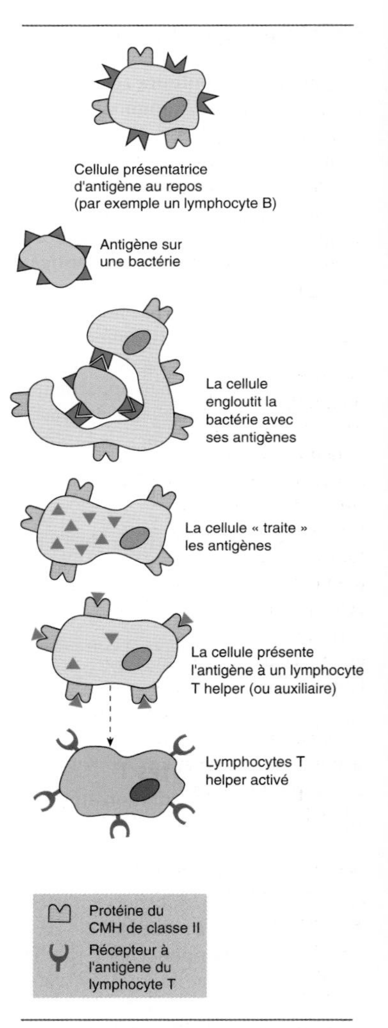

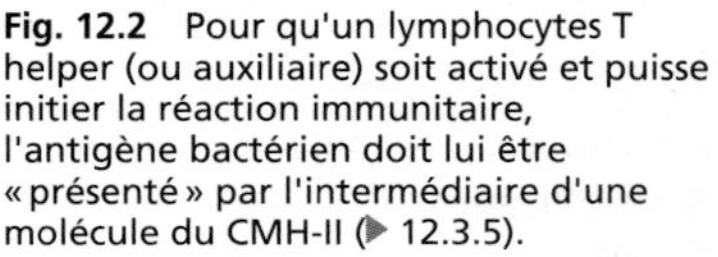

Fig. 12.2 Pour qu'un lymphocytes T helper (ou auxiliaire) soit activé et puisse initier la réaction immunitaire, l'antigène bactérien doit lui être « présenté » par l'intermédiaire d'une molécule du CMH-II (▶ 12.3.5).

- **les lymphocytes T mémoire** : lymphocytes T spécifiques d'un antigène qui sont « mis en attente » après le premier contact avec un antigène étranger. Lors d'une attaque importante ultérieure de l'organisme par cet antigène, ils peuvent le combattre immédiatement de manière totalement ciblée (▶ 12.4.5, ▶ tableau 12.2).

12.3.2 Lymphocytes B

Les **lymphocytes B** poursuivent leur maturation dans la MO pour devenir des cellules immunocompétentes. Fonction principale : production des **anticorps** (Ac; système humoral de l'immunité spécifique ou acquise). Ce sont de grosses molécules qui sont tout d'abord fixées à la surface de la membrane plasmique des lymphocytes B sous la forme d'anticorps de surface; ils ont la même fonction que les molécules de reconnaissance des lymphocytes T qui sont en permanence liées à la membrane : si un lymphocyte B reconnaît « son » antigène, il se multiplie → formation de très nombreux **plasmocytes.** Cette opération nécessite l'aide des lymphocytes TH2 (▶ fig. 12.4).

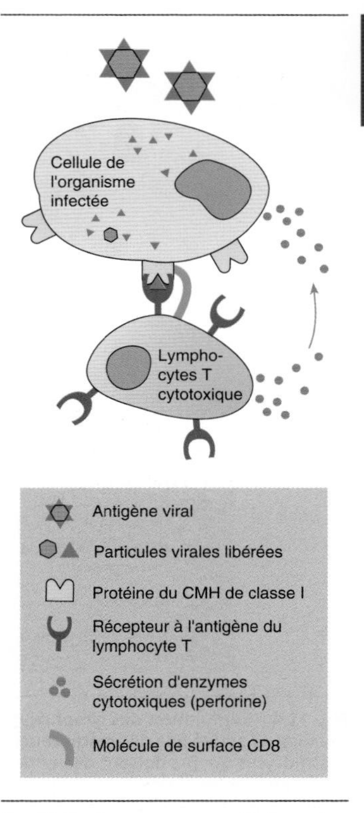

Fig. 12.3 De nouveaux antigènes de surface apparaissent sur les cellules infectées par des virus. Ils sont reconnus par les lymphocytes T cytotoxiques qui, de ce fait, libèrent des enzymes cytotoxiques qui tuent la cellule infectée.

Les plasmocytes libèrent une très grande quantité d'Ac spécifiques pendant les quelques jours que dure leur vie. Les Ac libres sont très exactement complémentaires aux Ag qui ont stimulé les lymphocytes B.

D'autres lymphocytes B appartiennent aux **lymphocytes B mémoire** et se trouvent principalement dans les lymphonœuds et la MO (▶ 11.6, ▶▶ fig. 12.4).

12.3.3 Anticorps

Les **anticorps** (**immunoglobulines** [Ig]) sont des protéines qui possèdent une complémentarité hautement sélective vis-à-vis de certains Ag. Ils sont sécrétés par les plasmocytes. Ils représentent la branche humorale de l'immunité spécifique (tableau 12.1).

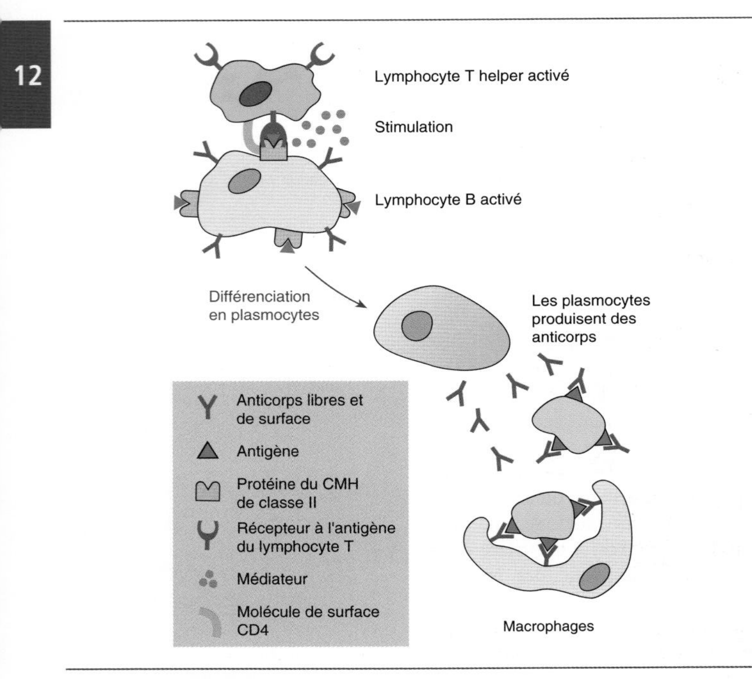

Fig. 12.4 Stimulation des lymphocytes B par un lymphocyte T helper (auxiliaire) activé par des médiateurs (interleukines). Cela active la formation de plasmocytes qui produisent des anticorps vis-à-vis de l'antigène bactérien. Les macrophages sont attirés par la présence des complexes antigène-anticorps, sont activés et phagocytent les bactéries porteuses de ces complexes en surface.

Structure et fonction

Les quatre chaînes protéiques reliées les unes aux autres (deux chaînes lourdes et deux chaînes légères) forment une molécule en Y (▶ fig. 12.5). Le **site de liaison à l'antigène** se trouve au niveau des bras du Y. Le corps du Y sert de structure de reconnaissance (opsonisation 12.2.2), par exemple pour les cellules intervenant dans la défense immunitaire non spécifique (granulocytes, cellules NK).

Cinq classes d'anticorps

Les anticorps peuvent être différenciés en :

- **immunoglobulines G** (IgG) : représentent la plus grande partie des Ac (environ 80 %). Synthétisées principalement à la phase tardive de la première infection et en cas de nouvelle infection avec le même germe pathogène;
- **immunoglobulines M** (IgM) : très grosses molécules formée de 5 molécules d'Ac en Y (pentamère). Du fait du grand nombre de site de liaison pour les Ag, les cellules porteuses d'IgM peuvent s'agglutiner (▶ 11.4.1). Les IgM sont

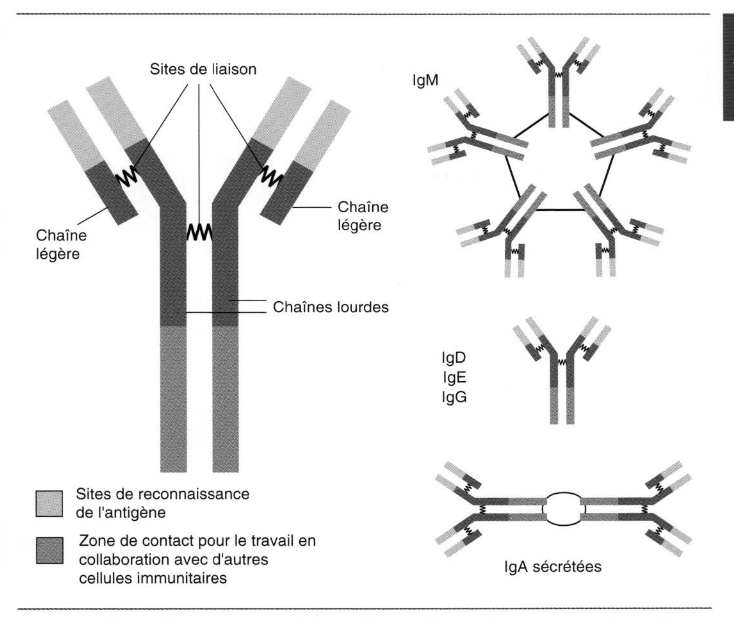

Fig. 12.5 À gauche : structure de base de tous les anticorps. Au milieu et à droite : structure des différentes classes d'anticorps/immunoglobulines.

les premiers Ac sécrétés par les plasmocytes lors d'une infection → mise en évidence d'une primo-infection par des examens de laboratoire;

- **Immunoglobulines A** (IgA) : se trouvent sous forme d'une molécule unique dans le sang ou sous forme de dimères (molécule double) dans différentes sécrétions (salive, suc intestinal, mucus bronchique). Soutiennent les défenses immunitaires locales, en empêchant la fixation des germes sur les muqueuses;
- **immunoglobulines E** (IgE) : défense vis-à-vis des parasites (par exemple des vers) et lors d'allergie (▶ 12.4.1). Le corps de la molécule en Y est pourvu d'une structure qui peut se fixer sur les mastocytes (▶ fig. 12.7). Les mastocytes et leurs sécrétions sont les principaux responsables des symptômes survenant lors de réactions allergiques;
- **immunoglobulines D** (IgD) : apparaissent à la surface des lymphocytes B et servent de molécules membranaires de reconnaissance des antigènes. Aucune autre fonction n'a été mise en évidence jusqu'à présent.

12.3.4 Réaction antigène-anticorps

REMARQUE

Un germe pathogène ne peut être détruit par un Ac que si cet Ac est exactement complémentaire à l'Ag du germe → **principe de la clé dans la serrure.**

Si l'Ac réagit avec « son » Ag, il se forme un complexe antigène-anticorps. Les Ac peuvent agir de différentes façons sur les germes pathogènes ou les toxines :

- **agglutination :** les IgM ont la possibilité d'agglutiner des cellules entières les unes aux autres – de ce fait, les **anticorps de groupe sanguin** anti-A et anti-B (▶ 11.4.1) font partie de la classe des IgM. Les complexes Ag-Ac sont ensuite phagocytés (▶ fig. 12.6) ;
- **activation du système du complément :** la fixation d'IgG ou d'IgM sur un Ag membranaire → activation du système du complément (▶ 12.2.4) → lyse de la cellule pathogène ;
- **opsonisation :** les cellules recouvertes d'IgG (opsonisées) représentent un « repas » privilégié pour les phagocytes (▶ 12.2.2).

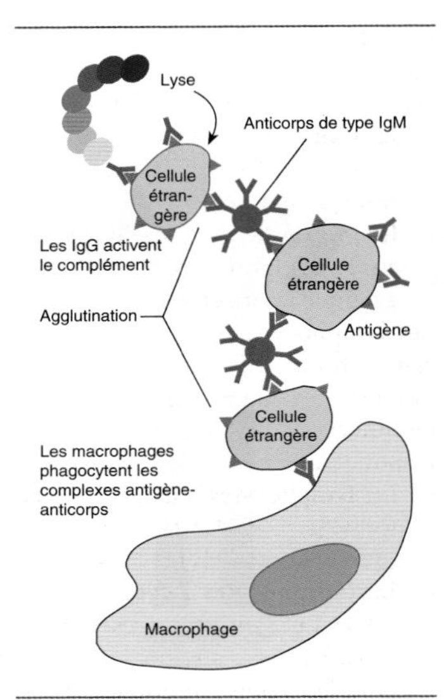

Fig. 12.6 Réaction antigène-anticorps : les Ac de type IgM peuvent agglutiner les cellules étrangères (par exemple les hématies d'un groupe sanguin étranger). Les complexes sont éliminés par les phagocytes. Les IgM et les IgG peuvent activer le système du complément.

12.3.5 Molécules d'auto-reconnaissance

Une des facultés indispensables des réactions de défense spécifiques doit être de différencier les structures moléculaires étrangères des structures propres à l'organisme. Si ce n'était pas le cas, les mécanismes de défense seraient également dirigés contre notre propre organisme et entraîneraient sa mort.

Molécules du CMH

Le travail des **molécules du CMH** (pour complexe majeur d'histocompatibilité) consiste à éviter la destruction de nos propres cellules. Les molécules du CMH sont hautement spécifiques d'un individu ; par conséquent, elles sont différentes chez chaque individu (à l'exception des vrais jumeaux), mais identiques à toutes les cellules (nucléées) d'*un même* individu.

REMARQUE

Les molécules du CMH associées à un peptide stocké forment une sorte de « passeport » utilisé par le système immunitaire pour différencier les structures étrangères des structures propres à notre organisme **(contrôle d'identité)**. Ce n'est que lorsque le peptide présenté est un produit de dégradation étranger à notre corps que le système immunitaire est activé.

Le CMH est aussi appelé **HLA** (anglais *human leukocyte antigen,* ou antigène des leucocytes humains), car il a été en premier lieu découvert sur les leucocytes. Il est possible de différencier :

- **les molécules du CMH de classe I (CMH-I) :** se trouvent sur toutes les cellules nucléées et les plaquettes; c'est l'antigène « classique » de transplantation;
- **les molécules du CMH de classe II (CMH-II) :** se trouvent uniquement sur les lymphocytes et les cellules présentatrices d'antigène (CPA, par exemple les macrophages).

Les lymphocytes T ne peuvent pas directement reconnaître les Ag, mais ceux-ci doivent leur être présentés par les CPA (▶ tableau 12.2, ▶ fig. 12.2). Au moment de cette **présentation antigénique,** la CPA « montre » également au lymphocyte T, en plus du fragment Ag, la molécule de CMH de la classe correspondante.

- Les **lymphocytes T helper ou auxiliaires** (▶ 12.3.1) identifient le complexe formé par le **CMH-II** et l'Ag présenté → activation des macrophages (lymphocytes TH1) et des lymphocytes B (lymphocytes TH2).
- Les **lymphocytes T cytotoxiques** reconnaissent le complexe formé par le CMH-I et l'antigène présenté (▶ fig. 12.3) → libération de perforine (▶ 12.3.1) → destruction de la cellule cible. Cela est également valable pour les cellules tumorales car elles synthétisent aussi des Ag étrangers.

12.4 Pathologies du système immunitaire

Infection par le VIH et sida ▶ 12.7.3.

12.4.1 Allergies (réactions d'hypersensibilité)

NOTION MÉDICALE

Allergie (hypersensibilité)

Hypersensibilité spécifique vis-à-vis de certains antigènes qui sont généralement inoffensifs par eux-mêmes. Le système immunitaire développe, par exemple vis-à-vis du pollen, une réaction si importante que les symptômes de cette réaction excessive entraînent une souffrance et peuvent même engager le pronostic vital.

L'hypersensibilité tout comme l'immunité nécessitent, pour se déclencher, un contact préalable avec l'antigène (Ag) : c'est la **sensibilisation.** L'Ag en question est appelé **allergène.** Après une période quiescente pouvant durer des jours à des années, l'hypersensibilité apparaît.

Types de réactions d'hypersensibilité (ou allergiques)

Il existe quatre types de réactions d'hypersensibilité (ou allergiques), qui se différencient par le mécanisme de la réponse immunitaire (▶ fig. 12.7).

- **Réaction d'hypersensibilité (ou d'allergie) de type I (immédiate) :** dans ce cas, ce sont les IgE qui jouent le rôle principal. Les individus prédisposés

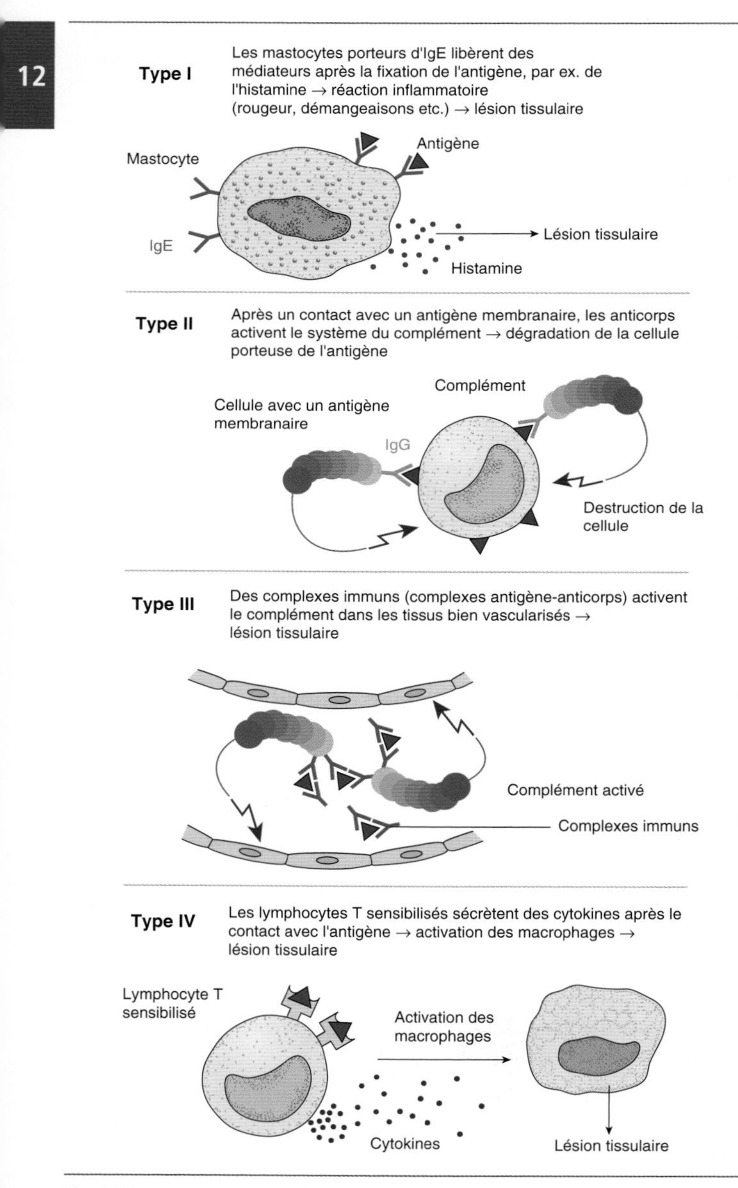

Fig. 12.7 Les quatre types de réactions d'hypersensibilité (réactions allergiques).

réagissent à certains Ag (par exemple le pollen, la pénicilline) par la synthèse particulièrement massive d'IgE (▶ 12.3.3), qui se fixent par le corps du Y sur les mastocytes et les granulocytes basophiles. Lors d'un nouveau contact antigénique, les Ag se lient aux Ac de type IgE fixés sur les cellules → libération massive d'**histamine** et de différentes substances des mastocytes → vasodilatation → sortie des liquides intravasculaires → **apparition d'un œdème** (▶ 14.1.5) en quelques secondes à quelques minutes, ↓ de la pression artérielle, apparition possible d'un prurit (démangeaison) et d'une détresse respiratoire. Dans les cas favorables, la réaction reste **localisée**, par exemple rhume des foins ou urticaire. La forme la plus grave est le **choc anaphylactique** (▶ 14.4.3) s'accompagnant d'une chute de la pression artérielle, d'une bronchoconstriction et d'un œdème laryngé pouvant engager le pronostic vital. S'observe particulièrement fréquemment après l'injection de certains médicaments ou certaines piqûres d'insecte.

URGENCE

Mesures à prendre en cas d'anaphylaxie

Une réaction d'hypersensibilité généralisée de type I ne doit jamais être sous-estimée. Quelques minutes après un début semblant tout à fait anodin, un choc anaphylactique peut se développer. De ce fait :

- arrêter immédiatement l'apport d'allergène;
- allonger le patient à plat en soulevant les jambes (Trendelenbourg). Contrôler les paramètres vitaux;
- appeler le médecin urgentiste;
- mise en place de plusieurs voies d'abord veineuses;
- préparer les médicaments suivants : solution de Ringer lactate, adrénaline (par exemple Adrénaline®), glucocorticoïdes, antihistaminiques (par exemple Polaramine®), éventuellement de la théophylline, de la dopamine;
- éventuellement préparer le matériel d'intubation.

- **Réaction d'hypersensibilité de type II (type cytotoxique ou cytolytique) :** dans ce cas, ce sont les IgG et les IgM associées au système du complément qui jouent le rôle décisif. Par exemple, incompatibilité des différents groupes sanguins : les Ac propres du receveur se lient aux érythrocytes étrangers du donneur → activation du complément → destruction → **hémolyse** (▶ 11.4.2).
- **Réaction d'hypersensibilité de type III (type à immuns complexes) :** provoquée par des complexes Ag-Ac circulant dans le sang qui ne sont pas engloutis puis détruits par les phagocytes, pour des raisons non encore totalement élucidées. Ces complexes peuvent par exemple « rester accrochés » à la membrane basale (▶ 4.2.1) → activation des facteurs du complément → lésion tissulaire (▶ fig. 12.7). Cette réaction se produit particulièrement souvent au niveau des reins → glomérulonéphrite (inflammation des glomérules rénaux 18.4.4). Les autres sites de dépôt sont les articulations et la peau → douleurs articulaires, urticaire.

- **Réaction d'hypersensibilité de type IV (type retardé, réaction médiée par les lymphocytes T) :** médiée principalement par les lymphocytes TH1 (▶ 12.3.1), les macrophages et les lymphocytes T cytotoxiques. Les Ac ne jouent aucun rôle. Les symptômes sont maximaux 2 à 4 jours après le contact avec l'allergène → réaction allergique de type retardée. Par exemple : **allergie au nickel** (les sels de nickel se fixent sur des protéines de notre organisme, ce qui imite une structure antigénique étrangère et entraîne une attaque par les lymphocytes T) et **réactions de rejet des greffes.** À la surface des cellules du greffon se trouvent des molécules du CMH étrangères à celles du receveur (▶ 12.3.5). Les lymphocytes T reconnaissent le caractère étranger → libération de cytokines → lésion directe du tissu cible et activation des macrophages qui détruisent de leur côté le tissu étranger (▶ fig. 12.7). D'un point de vue diagnostique, le **test tuberculinique** utilise cette réaction d'hypersensibilité de type IV (▶ 12.6.4).

12.4.2 Maladies auto-immunes

Lorsqu'elles se différencient dans le thymus (lymphocytes T) ou la MO (lymphocytes B), les cellules immunitaires dirigées contre les cellules propres de l'organisme sont normalement écartées par tri et éliminées. Cette absence d'intervention vis-à-vis de nos propres antigènes est appelée **immunotolérance.** Ce processus d'« apprentissage de la reconnaissance du soi » commence à peu près au moment de la naissance. Les substances avec lesquelles le système immunitaire entre en contact à ce moment-là sont normalement reconnues toute la vie durant comme faisant partie « du soi », et toutes celles qui entrent en contact ultérieurement sont considérées comme « étrangères ». Toute défaillance de cette différenciation survenant au cours de la vie engendre une **maladie auto-immune** qui se caractérise par la synthèse d'**auto-anticorps** dirigés contre les tissus propres de l'organisme.

NOTION MÉDICALE

Traitement immunosuppresseur

L'évolution des maladies auto-immunes est souvent sévère et parfois mortelle. Leur traitement passe par l'administration d'**immunosuppresseurs** qui répriment le système immunitaire. Ces médicaments sont utilisés également après une transplantation pour réprimer les réactions de rejet du greffon. Il s'agit par exemple de glucocorticoïdes (cortisone 10.6.1), de cytostatiques (par exemple le cyclophosphamide), de la ciclosporine A, du tacrolimus, du mycophénolate-mofétil et des anticorps monoclonaux (▶ 12.3.3).

12.5 Maladies infectieuses

Les **maladies infectieuses** se développent à la suite de l'entrée et de la multiplication de micro-organismes. En pratique, le terme d'**infection** est souvent employé, bien que cela ne soit pas tout à fait correct : ce terme décrit à proprement parler la transmission, l'adhésion, la pénétration et la multiplication de micro-organismes (groupes de germes ▶ tableau 12.3) dans le corps humain.

Tableau 12.3 Aperçu des micro-organismes pathogènes pour l'homme*

Micro-organisme	Caractéristiques	Exemples
Bactérie	**Procaryotes****, organisme cellulaire simple, dépourvu d'organites et de noyau. Le matériel génétique se trouve en vrac dans le cytoplasme (par exemple sous la forme d'un long filament d'ADN) → multiplication plus rapide. La plupart ont une paroi cellulaire	Strept., Staph., Salmonelles, *E. coli*, *Proteus*, *Klebsiella*, formes particulières : rickettsies et mycoplasmes (extrêmement petits, sans paroi cellulaire)
Virus	Ne contiennent qu'une information génétique (ADN ou ARN) enfermée dans un manteau protéique (**capside**) (l'ensemble forme le *core* en anglais) et éventuellement une enveloppe externe lipidique. Ne peuvent se multiplier que dans les cellules supérieures	Virus de la grippe, de l'hépatite, herpèsvirus, VIH, virus de la varicelle, de la rougeole, des oreillons, de la rubéole
Prions	Particule protéique « infectieuse » ne contenant pas d'acide nucléique (selon les connaissances actuelles) pouvant se replier comme les protéines propres de l'organisme	Le prion (qui n'a pas encore été plus précisément défini) responsable de la survenue de la maladie de Creutzfeldt-Jakob, de l'encéphalopathie spongiforme bovine et du Kuru
Champignons	Micro-organisme de type végétal, n'étant pas capable de photosynthèse (qui est le mode d'obtention d'énergie à partir de CO_2 et de la lumière solaire, utilisé par les végétaux)	*Candida albicans* (levure la plus importante d'un point de vue médical), *Aspergillus fumigatus* (moisissure)
Vers, insectes	Animaux parasites (eucaryotes**)	Taenia, ascaris, poux, acariens
Protozoaires	Organisme unicellulaire vivant comme parasite (eucaryote**)	Plasmodium, trichomonas, amibes

* Les viroïdes ne sont pas mentionnés ici (ce sont des mini-virus nus) car jusqu'à présent ils n'ont été observés que chez les plantes.

** Les animaux, les plantes et les protozoaires sont des eucaryotes et non pas des procaryotes. Chez les eucaryotes, le matériel génétique est séparé du cytoplasme : il se trouve sous la forme de chromosomes dans le noyau, entouré d'une enveloppe nucléaire (▶ fig. 3.4).

REMARQUE

- **Épidémie :** augmentation de la fréquence d'une maladie infectieuse dans une population.
- **Pandémie :** épidémie observée pratiquement dans le monde entier.
- **Endémie :** apparition « normale », habituelle, stable d'un germe dans une population.
- **Hygiène :** mesures prises pour prévenir une infection.

12.5.1 Formes

- **Infection inapparente/apparente :** la plupart des infections évoluent de manière **inapparente,** c'est-à-dire qu'elles ne déclenchent pas de signes chez les individus infectés. Dans ce cas, après l'infection, le germe est totalement éliminé par le système immunitaire. Les infections plus sévères ont une évolution **apparente,** c'est-à-dire qu'elles s'accompagnent de signes de maladie.
- **Infection locale :** l'infection reste limitée au niveau de la porte d'entrée du germe. Exemples : infection d'une plaie, gastro-entérite avec diarrhée sans dégradation importante de l'état général.
- **Infection générale** (infection systémique) : le germe parvient au sang en passant par les lymphonœuds et les voies lymphatiques. Exemples : varicelle, mononucléose infectieuse, hépatite virale. Presque toutes les infections virales sévères sont des infections générales.
- **Bactériémie :** bref passage des bactéries dans le sang (par exemple après une ablation dentaire). Il ne se produit pas de multiplication dans le sang, ni de dissémination aux organes.
- **Sepsis** (septicémie) : les germes passent continuellement ou périodiquement dans le sang à partir d'un foyer infectieux (par exemple une plaie) → ils parviennent dans tous les organes via le sang et se multiplient également souvent dans les voies sanguines. Les risques de complications sont importants et, malgré des soins intensifs, bien souvent le sepsis s'avère fatal :
  - dissémination infectieuse (**métastase septique**) qui peut entraîner une atteinte d'organes vitaux ;
  - très souvent défaillance du système de la coagulation (**coagulopathie de consommation,** coagulation intravasculaire disséminée [CIVD]) → hémorragie interne engageant le pronostic vital ;
  - **choc septique** (▶ 14.4.3) = complications circulatoires sévères ; les réactions inflammatoires qui se déroulent simultanément conduisent à un effondrement des mécanismes de régulation circulatoire.

12.5.2 Évolution d'une infection

Chaque infection évolue en passant par plusieurs phases :

- **phase d'invasion** (contamination) : le germe pathogène pénètre dans l'organisme, mais ne se multiplie pas encore ;
- **phase d'incubation :** après une phase d'« acclimatation » (de quelques heures à quelques jours), le germe pathogène commence à se multiplier ;

l'individu infecté ne présente pas encore de signes cliniques. La phase de multiplication de type « explosive » a lieu juste avant l'apparition de la fièvre et des autres symptômes ;

NOTION MÉDICALE

Période d'incubation

Délai entre la contamination et l'apparition de la maladie. Très variable selon les différentes maladies infectieuses : virus grippal 1–3 jours, oreillons environ 3 semaines, VIH souvent > 10 ans.

- **phase d'état :** selon la sévérité de la maladie infectieuse, le patient peut présenter de légers troubles (par exemple gorge enrouée, léger mal de tête) ou des symptômes graves (allant par exemple de la forte fièvre au sepsis) ;
- **phase de convalescence :** élimination du germe pathogène une fois que l'organisme a surmonté l'infection ;
- **portage chronique :** parfois la maladie est vaincue, mais le germe ne parvient pas à être éliminé → le germe pathogène se retire dans une « niche » de l'organisme. Par exemple les salmonelles peuvent persister dans la vésicule biliaire et continuer à être excrétées à partir de là hors de l'organisme par voie intestinale → transmission de l'infection aux autres ;
- **persistance :** les herpèsvirus se cachent pendant très longtemps dans l'organisme (par exemple dans les cellules des lymphonœuds régionaux) et y restent à l'état de dormance sans occasionner de symptômes (▶ 12.7.2).

12.5.3 Sources infectieuses

Les germes persistent dans des réservoirs qui servent de **sources infectieuses** pour la dissémination du germe pathogène :

- **individu infecté :** principale source infectieuse. Les germes pathogènes peuvent être éliminés par exemple par les expectorations ou par les selles. L'individu atteint n'a pas pour autant besoin d'être malade (de façon visible) ;
- **animaux :** les ruminants et les porcins lors de téniasis (▶ 12.9) ;
- beaucoup de micro-organismes ne sont pas tributaires de l'homme ou de l'animal mais peuvent survivre dans le **milieu extérieur (environnement inanimé) ;** par exemple le germe responsable du tétanos restant dans la terre, le germe de la tuberculose dans la poussière.

REMARQUE

- **Infection exogène :** le germe pénètre dans le corps à partir de *l'extérieur*.
- **Infection endogène :** provoquée par des germes *propres à l'organisme*, qui parviennent dans des régions dans lesquelles ils ne vivent pas habituellement à l'occasion d'une faiblesse des défenses immunitaires locales ou générales (par exemple passage des germes intestinaux dans la vessie).

12.5.4 Modes de contamination et porte d'entrée

Les principaux **modes de contamination** de l'homme sont les suivants :

- **infection par contact :** direct ou indirect ;
- **contamination par voie orofécale** (infection par les « mains sales ») par contact avec des selles infectieuses ;
- **contamination par gouttelettes** suite à de la toux, des éternuements ou la parole ;
- **contamination par l'air (aérogène) :** par le biais de microgouttelettes disséminées par l'air ;
- **contamination parentérale** : par exemple piqûre avec une aiguille contaminée ;
- **contamination sexuelle** lors d'un rapport sexuel ;
- **contamination transplacentaire** de la mère infectée au fœtus ;
- **contamination par des vecteurs spécifiques** (transmission active), par exemple des moustiques.

Les principales **portes d'entrée** sont les suivantes :

- petites blessures cutanées ou muqueuses ;
- piqûre d'insecte (par exemple paludisme 12.9) ;
- muqueuse intacte (par exemple salmonelles 12.6.2). Quelques germes parviennent à traverser la peau intacte (cas par exemple de la bilharziose ou schistosomiase).

SOINS INFIRMIERS

Désinfection et stérilisation

- **Désinfection** (« diminution du nombre de germes ») : élimination *ciblée* (incomplète) des germes pathogènes (par exemple situés à la surface des mains, de la peau ou du matériel).
- **Stérilisation** (« élimination des germes ») : *tous* les micro-organismes sont tués et tous les virus sont totalement inactivés (malheureusement pas les prions). Cela nécessite soit une température élevée (120–200 °C, le plus souvent associée à une haute pression, de l'humidité, des rayonnements radioactifs), soit l'application de produits chimiques agressifs → seul le matériel résistant comme les instruments médicaux, les solutions injectables ou le linge sont stérilisables.

12.5.5 Infections nosocomiales

Certains germes provoquent l'apparition d'une infection pratiquement chez tout individu n'étant pas suffisamment protégé par des anticorps → **germes pathogènes obligatoires.**

À l'hôpital, il existe des **germes pathogènes facultatifs**, observés principalement chez les personnes âgées ou chez les patients souffrant de déficit immunitaire (immunodéprimés). Ils conduisent à des **infections opportunistes** uniquement lors de faiblesse immunitaire (par exemple infections vésicales suite à la pose d'un cathéter à demeure ▶ 18.5.5, infection des plaies opératoires).

Les principales **infections nosocomiales** (ou acquises à l'hôpital) sont les suivantes :

- infections des voies urinaires (par exemple à la suite de la pose d'un cathéter vésical à demeure) ;
- infections des voies respiratoires (par exemple à la suite d'une respiration artificielle [pneumonie sous ventilation assistée]) ;
- infections postopératoires des plaies (transfert de germes souvent au moment du changement de pansement).

12.6 Infections bactériennes

Les maladies infectieuses sont souvent déclenchées par des **bactéries** (▶ tableau 12.3, ▶ fig. 12.8). Dans ce cas, les symptômes peuvent être provoqués non seulement par les bactéries elles-mêmes, mais également par les **toxines** qu'elles synthétisent.

Les bactéries peuvent être classées sur la base de nombreux critères, par exemple leur **forme** ou leur **mode de coloration :**

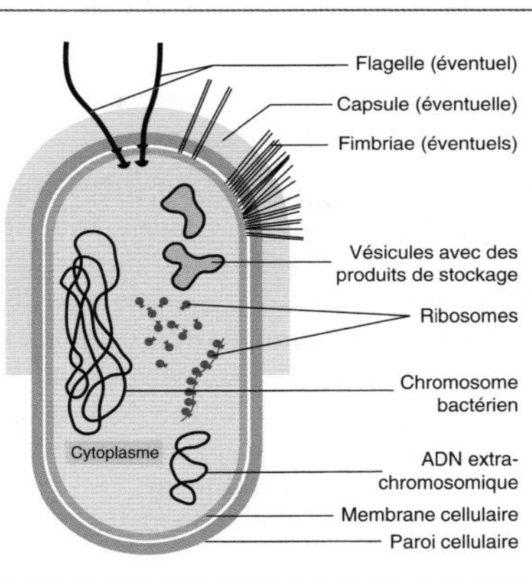

Fig. 12.8 Bactérie (schématisée).

- **bactéries à Gram positif** (staphylocoques, streptocoques, pneumocoques), prennent la **coloration de Gram** → elles apparaissent en **violet** au microscope optique ;
- **bactéries à Gram négatif** (la majorité des bacilles (de forme allongée, par exemple *E. coli*, salmonelles) : la coloration violette est très facilement éliminée par lavage et les bactéries peuvent être alors recolorées avec un colorant **rouge**.

NOTION MÉDICALE

Réactions de défense immunitaire vis-à-vis des bactéries

Très souvent, ce sont les phagocytes qui découvrent puis phagocytent les bactéries (▶ tableau 12.3, ▶ fig. 12.8) dès leur pénétration au niveau de la porte d'entrée (par exemple une petite blessure cutanée) (▶ fig. 3.15). En présence d'une grande quantité de bactéries ou de germes particulièrement virulents (dangereux), la réponse immunitaire spécifique doit venir en renfort. Les lymphocytes B présentateurs d'antigène se différencient, à l'aide des lymphocytes TH2 en plasmocytes qui synthétisent des Ac (▶ fig. 12.4). Les Ac se fixent sur le germe pathogène → activation du système du complément et opsonisation → lyse et phagocytose par les macrophages et les granulocytes.

12.6.1 Infections à cocci

- **Staphylocoques :** bactéries **sphériques (coques)** regroupées en grappes de raisin, réparties dans le monde entier. Les staphylocoques inoffensifs font partie de la flore normale de chaque individu (par exemple *S. epidermidis* sur la peau). Les staphylocoques dangereux (surtout *S. aureus*) et, dans certaines circonstances, également les types de staphylocoques normalement inoffensifs, engendrent de nombreuses inflammations purulentes.
- **Streptocoques :** bactéries sphériques disposées en chaînes, largement répandues. De nombreux types de streptocoques peuvent détruire les hématies (**hémolyse**).
  - **Pneumocoques** (*S. pneumoniae*) : bactéries sphériques regroupées par deux dans une **capsule**.

12.6.2 Infections gastro-intestinales

Bien que le suc gastrique puisse être capable de tuer de nombreux micro-organismes, les maladies gastro-intestinales sont fréquentes. La bactérie, ***Helicobacter pylori*** (▶ 16.4.7) s'est même spécialisée dans le milieu acide de l'estomac.

- **Intoxication alimentaire d'origine bactérienne :** se produit lorsque des bactéries se multiplient dans les denrées alimentaires et produisent des **toxines**. Consommation → toxines arrivent dans le tube digestif → symptômes (principalement gastro-entérite peu de temps après la consommation de l'aliment).
- **Infections d'origine alimentaire :** se produisent lors de l'entrée des bactéries (ou des virus) dans le tube digestif. Une partie des germes a la capacité de traverser la muqueuse intestinale pour entrer dans le courant sanguin.
- Les **virus** peuvent également engendrer des maladies infectieuses gastro-intestinales.

12.6.3 Infections des voies urinaires

Facteurs favorisants : rétention urinaire à la suite d'une sténose (rétrécissement) au niveau des uretères ou de l'urètre, ou bien de la présence d'un cathéter à demeure permettant aux bactéries se trouvant à la surface de la peau de pénétrer dans le tractus urinaire. Pendant la grossesse, les infections urinaires peuvent être responsables de fausses couches.

12.6.4 Antibiotiques et antibiorésistance

Les bactéries sont souvent tuées par l'administration d'**antibiotiques** (médicament actif sur les bactéries). Tous les antibiotiques ne sont pas actifs sur toutes les bactéries ! Même lorsqu'un antibiotique particulier est généralement efficace, **une résistance peut se développer** et rendre cet antibiotique inefficace. Beaucoup de bactéries développent des mécanismes rendant les antibiotiques inefficaces soit en enrichissant, soit en modifiant leur matériel génétique. C'est pourquoi, devant chaque infection, il est nécessaire de tester la sensibilité des bactéries vis-à-vis de différents antibiotiques (**antibiogramme** ou test de sensibilité microbienne). Il faut parfois modifier le traitement déjà institué suite au résultat des tests de résistance afin d'administrer un antibiotique efficace.

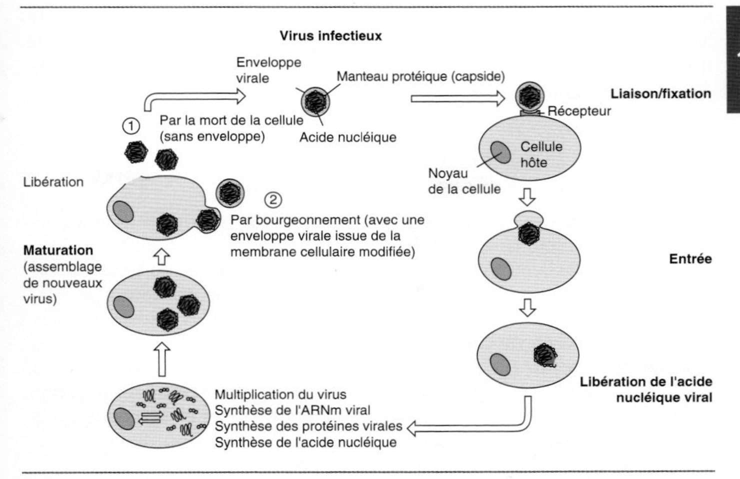

Fig. 12.9 Entrée dans la cellule hôte, multiplication et propagation des virus. (D'après : Mims, C. et al. : Medical Microbiology, 3rd ed. 2004, Elsevier Mosby.)

12.7 Infections virales

Parmi les **infections virales,** il faut citer les maladies « liées au froid » (rhume, grippe, bronchite), beaucoup d'entérites infectieuses (▶ 12.6.2), la plupart des hépatites (▶ 16.10.6) et des méningites (▶ 8.11.1) ainsi que la majorité des maladies infantiles (▶ 12.10).

Les **virus** ne sont composés que de matériel génétique (ADN ou ARN → classification en virus à ADN ou virus à ARN), d'un manteau protéique (la capside) et très souvent d'une enveloppe virale. Ils n'ont aucune possibilité d'obtenir de l'énergie, ni d'effectuer la synthèse protéique → ils ne peuvent pas survivre par eux-mêmes → pour se multiplier, ils doivent infecter une cellule hôte dans laquelle ils libèrent leur matériel génétique qui va s'intégrer dans l'ADN de la cellule hôte → synthèse de particules virales → production de nouveaux virus (▶ fig. 12.9). La cellule hôte meurt d'« épuisement » → libération des nouveaux virus et infection de nouvelles cellules de l'organisme.

REMARQUE

Quelques virus intègrent leur matériel génétique à celui de la cellule hôte, mais celle-ci survit et transmet le matériel génétique viral à sa descendance. C'est ainsi que le virus peut sommeiller pendant des années avant que l'infection ne se déclare plusieurs années après (ce sont les **infections à virus lents** ou **lentivirus**). D'autres virus peuvent transformer la cellule hôte en une cellule tumorale dont la croissance n'est plus contrôlée (**virus oncogènes**).

Les virus sont nettement plus difficiles à traiter par des médicaments que les bactéries. Presque tout médicament ciblant le virus cible aussi la cellule hôte. Il n'existe donc que dans quelques cas des médicaments efficaces contre les virus (**virostatiques**).

NOTION MÉDICALE

Réactions de défense immunitaire vis-à-vis des virus

Les **virus** (▶ tableau 12.3, ▶ fig. 12.9) ne peuvent se multiplier qu'une fois à l'intérieur de leur cellule hôte.
Ni les Ac, ni les lymphocytes T ne peuvent reconnaître les virus qui se trouvent déjà dans une cellule hôte et les neutraliser. Toutefois, les cellules atteintes peuvent présenter des particules virales associées à des molécules du CMH de classe I à la surface de leur membrane plasmique (présentation des Ag ▶ fig. 12.3) → les lymphocytes T reconnaissent les cellules comme étant infectées et les tuent. En même temps, les lymphocytes B commencent à se transformer en plasmocytes et à produire des anticorps. Lorsque les virus, après leur multiplication, sont libérés de la cellule hôte, ils deviennent accessibles aux Ac.
Les cellules infectées par des virus libèrent des **interférons** à l'extérieur → protègent les cellules voisines (▶ 12.2.5).

12.7.1 Refroidissements et grippe

Lorsque le commun des mortels parle de grippe, il fait le plus souvent référence au **refroidissement (rhume) banal** (état grippal), qui peut être causé par un très grand nombre de virus. Il dure en général 1 semaine environ avec une évolution habituellement bénigne.
La véritable grippe (**grippe virale**) est provoquée par les *virus Influenza de type A, B ou C* et se transmet par gouttelettes.

REMARQUE

Pour les personnes à risque, la **vaccination préventive** est conseillée (du fait des modifications rapides du virus d'une année sur l'autre, la vaccination doit être annuelle et se fait avec un vaccin efficace contre le type viral « probablement présent »).

12.7.2 Infection par l'herpèsvirus (herpèsvirose)

Les **herpèsvirus** persistent après la première infection toute la vie durant dans les tissus nerveux, les muqueuses, les glandes salivaires ou les cellules sanguines. Là, certaines espèces restent à l'état **latent** (ils ne déclenchent aucun symptôme). Lors de faiblesse des défenses immunitaires ou d'autres troubles, ils se multiplient → maladie visible (**réactivation**).

NOTION MÉDICALE

Varicelle et zona

Le virus **varicelle-zona** (VZV pour ***varicella-zoster virus***), responsable de la **varicelle** est également un herpèsvirus. Symptômes : éruption cutanée généralisée formant des papules et des vésicules principalement au niveau du visage et du tronc qui cicatrisent au bout de 1 à 2 semaines. Ensuite, **persistance** dans les ganglions spinaux (▶ fig. 8.18) et, pour la zone du visage, dans le ganglion trigéminal (nerf crânien V 8.7.3).
Lors d'une baisse des défenses immunitaires (par exemple chez les personnes âgées), le virus peut sortir des ganglions → le plus souvent, inflammation douloureuse unilatérale de la région cutanée drainée par le ganglion atteint (dermatome). La zone cutanée enflammée se reconnaît par l'apparition d'une éruption cutanée vésiculaire en forme d'hémi-ceinture s'étirant de la colonne vertébrale jusqu'au milieu de l'abdomen ou du thorax → c'est le zona. Traitement : virostatiques.

12.7.3 Syndrome d'immunodéficience acquise (sida)

REMARQUE

Le sida (syndrome d'immunodéficience acquise) fait suite à une infection par le virus de l'immunodéficience humaine (**VIH**), qui détruit les lymphocytes T helper (ou auxiliaires).

- Ce virus est transmis exclusivement par contact avec des sécrétions corporelles infectées. Une forte concentration virale se trouve au niveau du sang, du sperme et des sécrétions vaginales → les rapports sexuels non protégés et le « partage d'aiguille » chez les toxicomanes effectuant des injections IV sont les principales voies de transmission. Il n'existe pas de vaccination préventive.
- Peu de temps après l'infection, il peut apparaître un syndrome grippal (**phase aiguë de l'infection par le VIH**). Ensuite, l'individu infecté ne présente aucun symptôme (phase **asymptomatique**), jusqu'à l'apparition, plusieurs mois à années plus tard, d'une augmentation de volume persistante des lymphonœuds situés dans plusieurs régions de l'organisme (**lymphadénopathie généralisée**).
- La destruction de plus en plus importante des lymphocytes T helper → faiblesse des défenses immunitaires → augmentation du nombre d'infections opportunistes (▶ fig. 12.10) et de tumeurs. Certaines d'entre elles sont si typiques, comme la pneumocystose (pneumonie à *Pneumocystis*) ou le sarcome de Kaposi, qu'elles sont décrites comme des **maladies définissant le sida**. La plupart des patients meurent de ces infections opportunistes.

- Les infections par le VIH et le sida ne sont pas curables mais peuvent être maîtrisées dans les pays industrialisés :
  - la multiplication virale peut être inhibée par une multithérapie associant plusieurs antiviraux (**HAART** pour *highly active antiretroviral therapy*). En raison des effets secondaires et de l'apparition de résistances, le traitement est toutefois complexe et demande une très forte coopération de la part des patients ;
  - les infections opportunistes doivent être rigoureusement traitées et éventuellement aussi de manière prophylactique ;
  - un mode de vie sain en évitant les facteurs affaiblissant les défenses immunitaires peut retarder l'évolution de la maladie.
- Malgré les progrès, l'état de santé finit par se dégrader à long terme et la dépendance vis-à-vis des autres devient de plus en plus importante. Un soutien psychosocial est essentiel.

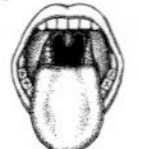

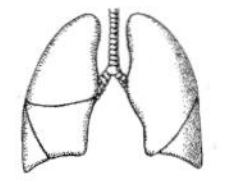

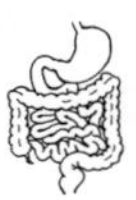

Fig. 12.10 Symptômes cliniques du sida liés à la faiblesse immunitaire.

12.8 Mycoses (infections par les champignons)

NOTION MÉDICALE

- Les champignons répandus en Europe engendrent chez les individus sains uniquement des **mycoses** localisées à la **peau** et aux **muqueuses** qui se traitent généralement bien avec des **antimycosiques** locaux (par exemple Mycohydralin®, Mycostatine®).
- Chez les individus immunodéprimés, certains champignons peuvent passer dans le sang et entraîner des lésions d'organes internes comme les poumons, le cœur ou le cerveau (**mycoses systémiques opportunistes,** par exemple candidose systémique).
- Les **mycoses systémiques primaires** sont rares en Europe ; elles sont liées à des **champignons pathogènes obligatoires** et atteignent les organes internes également des individus en bonne santé.

Il faut différencier :

- **Les levures** : mycoses les plus fréquentes. Multiplication par bourgeonnement. Les candidoses sont des infections très fréquentes provoquées par ***Candida albicans*** (**muguet**). Elles se développent par voie endogène (à partir d'autres sites de l'organisme du patient) et, si l'on excepte la candidose génito-fessière du nourrisson, surviennent principalement lors de traitements antibiotiques et d'immunodépression (diabète, infection par le VIH).

REMARQUE

L'antibiothérapie peut favoriser les candidoses car non seulement elle élimine les germes pathogènes, mais de plus elle affaiblit la flore bactérienne naturelle qui entre généralement en concurrence avec les champignons et les « tient en respect ».

- **Les champignons filamenteux :** engendrent fréquemment des infections chez l'homme, par exemple des **mycose du pied** ou des **mycoses unguéales** (onychomycoses). Plus de 50 % des adultes sont atteints par des mycoses cutanées situées dans les espaces interdigités des orteils. Traitement : antimycosiques et maintien des pieds au sec.
- **Les moisissures** (par exemple *Aspergillus*) : très répandues dans l'environnement, provoquent des mycoses pulmonaires, des oreilles ou systémiques, uniquement chez les patients immunodéprimés.

12.9 Protozooses et autres parasitoses

- **Infections par les protozoaires ou protozooses :** par exemple le **paludisme** (très répandu dans le monde). Les germes se multiplient dans les hématies et les détruisent → anémie. Symptômes : poussées de fièvre, frissons, céphalées sévères, sentiment de faiblesse. Une évolution mortelle est possible en cas de lésion rénale ou cérébrale.
- **Helminthoses** (**maladies dues aux vers**) : reflètent une mauvaise hygiène de vie, par exemple **infection par les oxyures** (oxyurose), différents **téniasis.**
- **Acarioses (infections par les acariens) :** la plupart des espèces d'acariens sont inoffensifs pour l'homme. Seul l'agent de la **gale** (*Sarcoptes scabiei*) peut parasiter l'homme et déposer ses œufs dans des galeries cutanées qu'il a creusées.
- **Infections par les insectes,** par les poux de la tête, des vêtements ou du pubis.

NOTION MÉDICALE

Système de défense immunitaire vis-à-vis des parasites

Pour combattre les **parasites** (**vers** et parasites unicellulaires pathogènes pour l'homme = **protozoaires,** ▶ tableau 12.3), le système immunitaire utilise en premier lieu les phagocytes ainsi que les lymphocytes B et T. En outre, les mastocytes, les granulocytes éosinophiles (▶ tableau 12.2) ainsi que les Ac de type IgE jouent également un rôle → sécrétion de substances lésant les cellules et les tissus. Les parasites recouverts d'IgE sont facilement reconnus par les mastocytes → adhésion → lésion du parasite par émission de cytokines.

12.10 Prophylaxie des infections : vaccination

12.10.1 Immunité

Certaines infections entraînent une maladie la première fois, mais ensuite les individus sont protégés, pratiquement toute leur vie durant, des réinfections suivantes. Le germe ne se modifie pas et notre organisme développe une mémoire immunologique (▶ 12.3.2) : lors d'un nouveau contact, les réactions immunitaires sont si rapides que l'individu atteint ne remarque même pas l'infection. Il s'agit d'une **immunité acquise.**

Le phénomène des **maladies infantiles** vient de là : si le germe, après le premier contact, a laissé derrière lui une immunité persistant toute la vie durant, dans une population très large, pratiquement tous les enfants tomberont malades alors que les adultes, en général, seront **immunisés** suite au premier contact.

12.10.2 Immunisation active

Vaccination préventive : agit comme la primo-infection décrite précédemment; infection artificielle (par des germes tués, des germes vivants ayant subi un traitement spécifique ou des molécules de toxines) → réaction immunitaire sans maladie → fabrication d'Ac actifs par le système immunitaire → mémoire immunologique (▶ fig. 12.4, ▶ 12.3.2).

S'il se produit ultérieurement une infection réelle, les germes pathogènes sont la plupart du temps éliminés rapidement de façon totalement inapparente.

12.10.3 Immunisation passive

Il peut être dangereux qu'une femme enceinte soit infectée par le virus de la rubéole alors qu'elle n'est pas protégée par des anticorps (en particulier pendant les trois premiers mois). Le risque que l'embryon subisse des dommages sévères est très important. Pour éviter cette **embryopathie rubéolique**, il est possible d'injecter à la femme enceinte des Ac anti-rubéole (sérum hyper-immun vis-à-vis de la rubéole) qui rendront le virus de la rubéole inoffensif avant qu'il ne puisse contaminer l'enfant et se substitueront ainsi aux Ac propres de la mère qui ne sont pas disponibles. Cela s'appelle l'**immunisation passive** car ce n'est pas le système immunitaire lui-même qui est actif.

L'immunisation passive est également très importante chez les malades qui sont en danger suite à la production de **toxines** par le germe pathogène → les sérums hyper-immuns interceptent les toxines qui circulent dans le sang; par exemple lors d'infection diphtérique, rabique ou tétanique.

- Inconvénient : très onéreux pour une durée de protection limitée dans le temps (de 1 à 3 mois, car les Ac fournis sont progressivement dégradés ▶ fig. 12.5).
- Avantage : la maladie peut être évitée ou soulagée à court terme.

REMARQUE

Calendrier vaccinal

En France, les recommandations vaccinales sont régulièrement publiées et sont disponibles sur solidarites-sante.gouv.fr).

13 Cœur

13.1 Généralités

NOTION MÉDICALE

Cardiologie

Spécialité de la médecine interne qui traite des structures, des fonctions et des maladies du cœur.

13.1.1 Centre du système cardiovasculaire

Le **cœur** est la pompe centrale du système circulatoire. Les vaisseaux sanguins et le cœur forment le **système cardiovasculaire.** Ce système a différents rôles :

- apporter à l'ensemble de l'organisme de l'O_2 et des nutriments ;
- transporter en retour les produits issus du métabolisme et le CO_2 ;
- produire des hormones permettant la régulation de la volémie et de la pression artérielle (▶ tableau 10.3).

13.1.2 Deux demi-cœurs pour deux circulations

Le cœur est divisé en deux par une **cloison médiane** formée du **septum interatrial** et du **septum interventriculaire**. Cette cloison sépare le cœur droit du cœur gauche : le cœur droit propulse le sang au niveau des poumons et le cœur gauche propulse le sang dans l'ensemble du corps (▶ fig. 13.1).

REMARQUE

Les artères partent du cœur, les veines arrivent au cœur.

13.1.3 Position, taille et poids du cœur

- **Position :** entre les poumons, dans le **médiastin** ; 2/3 dans la partie gauche du thorax, 1/3 dans la partie droite.
- **Structures voisines :** dorsalement, œsophage et aorte ; ventralement, face dorsale du sternum ; face inférieure, diaphragme. L'axe du cœur est oblique avec une orientation supéro-postérieure droite à inféro-antérieure gauche.
- Taille/poids du cœur d'un sujet sain : à peu près de la taille du poing. ♂ : environ 310 g, ♀ : environ 225 g.

13.1.4 Apex du cœur et impulsion apicale

L'apex du cœur (ou pointe) se trouve près de la paroi thoracique gauche. Ainsi, il est possible d'évaluer la position et la taille du cœur sans appareil, par la palpation de l'**impulsion apicale** au niveau du 5e espace intercostal.

Anatomie et physiopathologie en soins infirmiers

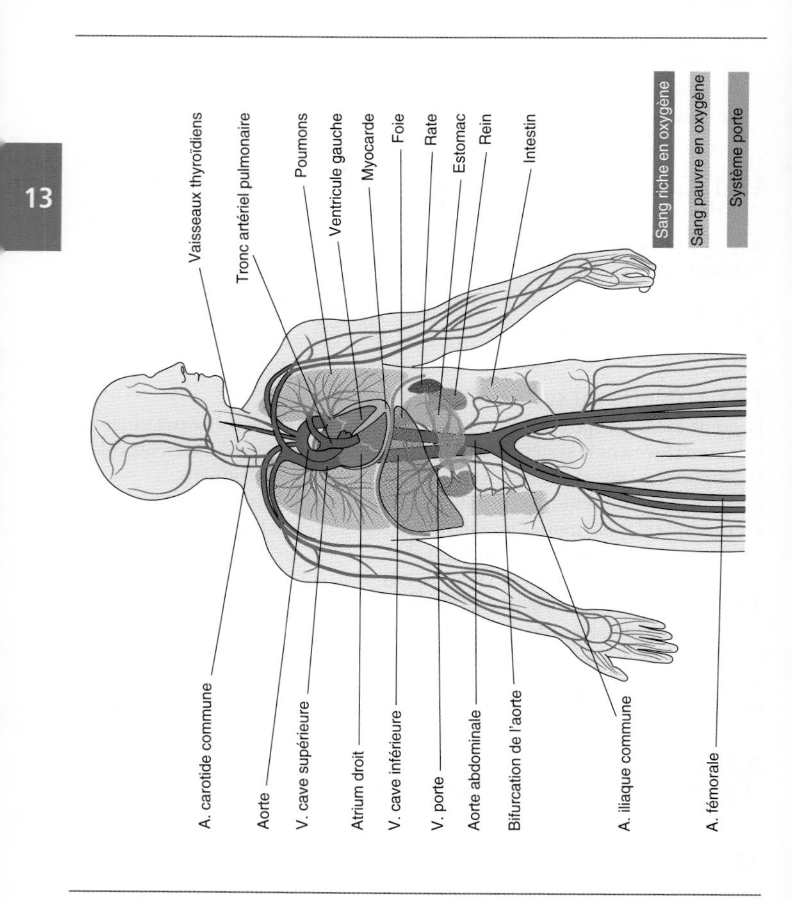

Fig. 13.1 Circulation pulmonaire et circulation systémique (simplifiée, non représentée à l'échelle exacte) : le sang pauvre en oxygène (bleu) arrive dans le cœur droit par les veines de la circulation systémique (grande circulation) → circulation pulmonaire (petite circulation) : enrichissement avec de l'oxygène (sang rouge riche en oxygène) → cœur gauche → aorte et artères de la circulation systémique. Violet : système porte. (Pour plus de détails ▶ 14.2.2.)

13.2 Structures du cœur

13.2.1 Ventricules et atriums

Le cœur est un muscle creux composé de **quatre chambres internes.** Chaque moitié du cœur est composée de deux cavités (▶ fig. 13.2) :

- un petit **atrium** (oreillette) entouré d'un muscle peu développé, qui « recueille » le sang issu de l'organisme ou des poumons ;

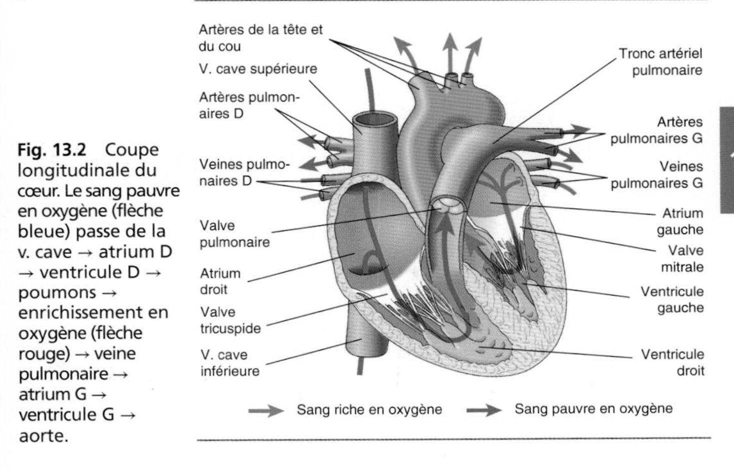

Fig. 13.2 Coupe longitudinale du cœur. Le sang pauvre en oxygène (flèche bleue) passe de la v. cave → atrium D → ventricule D → poumons → enrichissement en oxygène (flèche rouge) → veine pulmonaire → atrium G → ventricule G → aorte.

- un **ventricule**, qui reçoit le sang issu de l'atrium et le propulse dans la circulation systémique ou pulmonaire.

La **cloison cardiaque** est formée du **septum interatrial** et du **septum interventriculaire**. Avant la naissance, il existe un orifice ovale dans le septum interatrial (foramen ovale).

NOTION MÉDICALE

Communication interatriale (CIA) et interventriculaire (CIV)

Communication interatriale : en raison du gradient de pression (pression G > pression D), une partie du sang riche en oxygène repasse sous pression de l'atrium gauche (G) vers l'atrium droit (D) en passant par un « trou » dans le septum (shunt gauche-droit).
Si la communication se trouve au niveau des ventricules (**communication interventriculaire**), il se passe la même chose. Il s'agit de la malformation cardiaque congénitale la plus fréquente, assez facile à corriger chirurgicalement.
Shunt gauche-droit → surcharge du cœur droit → insuffisance cardiaque précoce (insuffisance cardiaque ▶ 13.6.3). Complications dangereuses : augmentation de la résistance des vaisseaux pulmonaires → augmentation de la pression dans le cœur droit → pression D > G → inversion de shunt (**shunt droite-gauche**) → l'approvisionnement de l'organisme en oxygène est menacé !

13.2.2 Valves cardiaques

Les quatre **valves cardiaques** (▶ fig. 13.3) se trouvent au niveau de l'entrée et de la sortie des ventricules et assurent que le flux sanguin suive une direction bien définie. Entrée des ventricules : au niveau du passage atrium → ventricule ; sortie des ventricules : au niveau du passage ventricule → artères (aorte et tronc artériel pulmonaire).

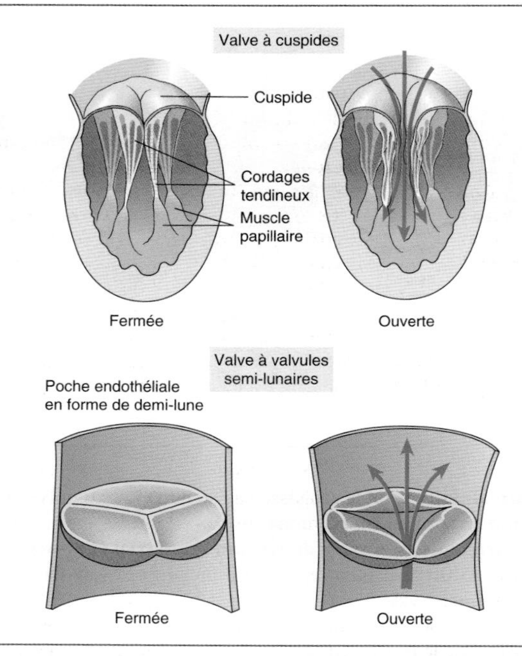

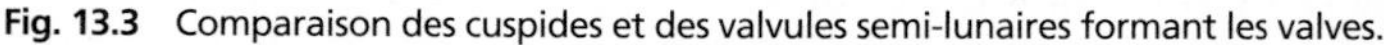

Fig. 13.3 Comparaison des cuspides et des valvules semi-lunaires formant les valves.

- **Valve atrioventriculaires** (valves AV) entre les atriums et les ventricules :
  - valve atrioventriculaire G composée de deux cuspides : **valve mitrale ou bicuspide ;**
  - valve atrioventriculaire D avec trois cuspides : **valve tricuspide.**
- Les bords libres des cuspides sont reliés aux **muscles papillaires** par les cordages tendineux. Cet ancrage au muscle papillaire s'oppose au retournement des cuspides vers l'atrium lors de la contraction ventriculaire (systole ▶ 13.4).
- **Valvules semi-lunaires :** entre les ventricules et les grosses artères. Il faut différencier :
  - la **valve aortique** entre le ventricule gauche (VG) et l'aorte ;
  - la **valve pulmonaire** entre le ventricule droit (VD) et le tronc artériel pulmonaire.
- Pendant la phase d'éjection, les valvules semi-lunaires s'écartent les unes des autres et la valve s'ouvre. Lorsque la pression artérielle dans l'artère dépasse la pression ventriculaire, les valvules semi-lunaires se remplissent du sang qui reflue, ce qui ferme la valve (▶ fig. 13.3).

NOTION MÉDICALE

Insuffisance valvulaire

Une valve cardiaque doit pouvoir s'ouvrir pour permettre au flux sanguin de s'écouler dans la bonne direction. D'un autre côté, elle doit pouvoir aussi se refermer rapidement afin d'empêcher le reflux sanguin (**régurgitation**). Chacune de ces deux fonctions peut être perturbée.

- **Sténose valvulaire :** les valves ne s'ouvrent pas suffisamment → il faut une plus forte pression pour éjecter le sang. Une **insuffisance cardiaque** se développe si les capacités du travail cardiaque sont dépassées (▶ 13.6.3).
- **Insuffisance valvulaire** : la valve ne se ferme pas hermétiquement → perte de la fonction de valve : malgré la « fermeture » de la valve, à chaque contraction cardiaque, du sang reflue par la valve (régurgitation). Augmentation de la surcharge volumétrique → insuffisance cardiaque. (Par exemple lors de rupture du muscle papillaire ou d'inflammation entraînant un rétrécissement cicatriciel.)

13.2.3 Plan valvulaire

Les quatre valves sont entourées par une armature de tissu conjonctif appelé le **squelette du cœur** (anneaux fibreux valvulaires) qui sépare les atriums des ventricules. Les valves se trouvent ainsi dans un même plan, le **plan valvulaire** ou **plan de soupape.**

13.2.4 Atrium droit (AD)

Deux grosses veines ramènent le sang pauvre en oxygène **à l'atrium droit** :

- **veine cave supérieure :** draine le sang issu de la moitié supérieure du corps;
- **veine cave inférieure :** draine le sang issu de la moitié inférieure du corps.

L'AD reçoit également le sang ayant irrigué le cœur lui-même : le sang veineux issu des vaisseaux coronaires (▶ 13.7.1), notamment la grande veine coronaire qui se dilate à sa partie terminale en **sinus coronaire** lequel se jette dans l'AD.

NOTION MÉDICALE

Auricules

Chaque atrium présente un renflement, l'**auricule,** visible de l'extérieur. Comme ils sont fréquemment le siège de la formation de caillots (**thrombus** ▶ 11.5.7), ils sont importants cliniquement du fait du risque de départ d'emboles dans les vaisseaux périphériques. Si, par exemple, l'embole migre dans des artères cérébrales, il se produit un AVC (▶ 8.12.3).

13.2.5 Ventricule droit (VD)

La cavité interne du **ventricule droit** (VD) contient de nombreuses structures musculaires fines (les **trabécules charnues**) et trois cônes musculaires plus épais, les **muscles papillaires** sur lesquels sont fixées les valves tricuspides via les cordages.

Le **tronc artériel pulmonaire** représente la « porte de sortie » du VD. Le sang passe ensuite dans les poumons par l'**artère pulmonaire droite ou gauche** (▶ fig. 13.2). La **valve pulmonaire** sépare le VD du tronc artériel pulmonaire.

13.2.6 Atrium gauche (AG)

Quatre **veines pulmonaires,** au trajet horizontal, ramènent le sang pulmonaire, riche en oxygène, dans l'**atrium gauche.** La valve mitrale représente la « porte » donnant sur le ventricule gauche (▶ 13.2.2).

13.2.7 Ventricule gauche (VG)

Le myocarde du **ventricule gauche** est près de trois fois plus important que celui du VD. La paroi interne du VG présente également des trabécules et deux muscles papillaires.
Le VG propulse le sang dans l'**aorte**. La valve aortique sépare le VG de l'aorte. Elle ressemble à la valve pulmonaire et s'oppose au reflux du sang de l'aorte au ventricule.

13.3 Structure pariétale du cœur

Les trois tuniques qui forment la paroi du cœur sont, de l'intérieur vers l'extérieur (▶ fig. 13.4) :

- l'**endocarde** (tunique interne ; environ 1 mm) ;
- le **myocarde** (tunique musculaire ; VG environ 8–11 mm, VD environ 2–4 mm, atriums environ 1 mm) ;
- l'**épicarde** (tunique externe ; environ 1 mm).

Le **péricarde séreux** est formé de deux feuillets : l'épicarde (feuillet viscéral) et un feuillet pariétal (▶ 13.3.3). Un feuillet fibreux vient entourer le feuillet pariétal du péricarde séreux.
Le contour du cœur est visible sur les radiographies du thorax (▶ fig. 13.5).

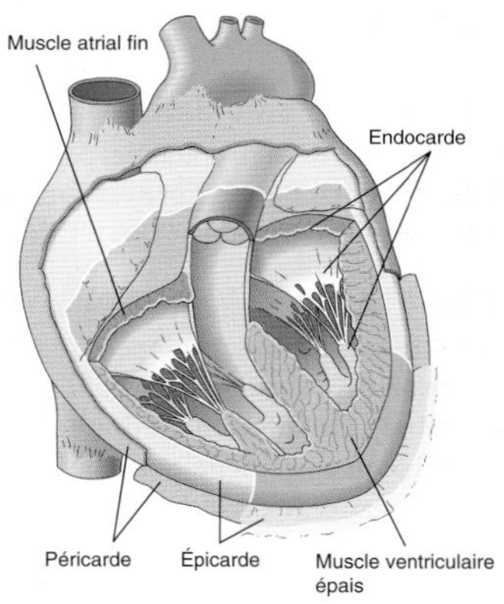

Fig. 13.4 Coupe longitudinale du cœur. Les trois tuniques pariétales sont bien visibles. Les valves cardiaques sont formées de deux couches d'endocarde.

13.3.1 Endocarde

L'endocarde est une couche épithéliale très fine et lisse, qui tapisse comme un papier peint les deux atriums et les deux ventricules et recouvre les valves.

NOTION MÉDICALE

Endocardite

Elle peut être d'origine infectieuse ou déclenchée par des auto-anticorps (▶ 12.4.2). Ses conséquences sont particulièrement notables au niveau des valves, car ces dernières sont formées uniquement d'une fine plaque de tissu conjonctif, avasculaire. Peut se compliquer tardivement d'une insuffisance valvulaire (▶ 13.2.2).

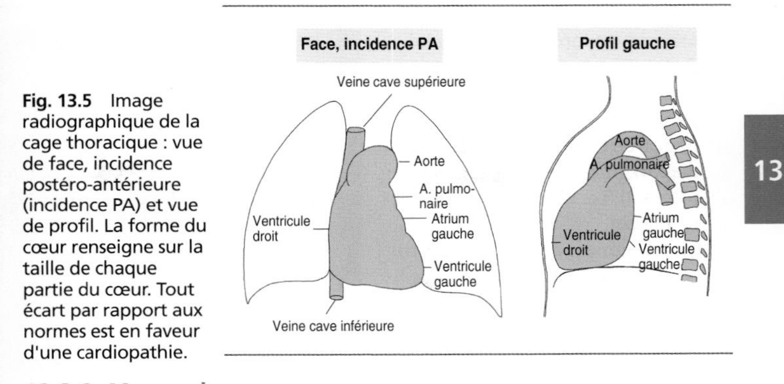

Fig. 13.5 Image radiographique de la cage thoracique : vue de face, incidence postéro-antérieure (incidence PA) et vue de profil. La forme du cœur renseigne sur la taille de chaque partie du cœur. Tout écart par rapport aux normes est en faveur d'une cardiopathie.

13.3.2 Myocarde

Le myocarde du VG doit fournir la force de contraction la plus importante : le sang partant du VG est éjecté dans la circulation systémique qui oppose une plus grande résistance au cœur que la circulation pulmonaire. Cela explique pourquoi le myocarde est plus épais dans le VG. La couche myocardique des atriums est très fine et soutient le flux sanguin passant de l'atrium au ventricule (▶ 13.4.1, ▶ 13.4.3). D'un point de vue microscopique, le myocarde est formé d'un réseau de fibres musculaires striées. D'un point de vue fonctionnel, les fibres du myocarde possèdent à la fois des propriétés des fibres musculaires lisses et des fibres musculaires striées (▶ 4.4, ▶ 13.5.4) :

- comme les fibres musculaires lisses, elles ne sont pas soumises aux influences volontaires;
- elles peuvent se contracter aussi vite que les fibres musculaires striées.

NOTION MÉDICALE

Hypertrophie myocardique

Le myocarde (muscle cardiaque) peut s'adapter à des contraintes permanentes, et pour cela chaque fibre musculaire s'allonge et s'épaissit de plus en plus (**s'hypertrophie** ▶ 1.3.2).

- *Physiologique :* une **hypertrophie myocardique (ou hypertrophie cardiaque)** s'observe chez les sportifs à l'entraînement.
- *Pathologique :* s'observe par exemple lors d'hypertension artérielle ou de sténose valvulaire. Dans ce cas, le cœur doit se contracter en permanence en faisant face à une résistance vasculaire plus importante. Dans les stades avancés, les cavités cardiaques finissent par se **dilater** à cause de l'augmentation de la pression à l'intérieur du cœur.

13.3.3 Péricarde

Le **péricarde** forme une enveloppe de tissu conjonctif entourant le cœur :

- l'**épicarde** forme le feuillet interne (viscéral) du péricarde séreux;
- le **feuillet pariétal du péricarde séreux,** recouvre l'épicarde et est formé d'une couche séreuse;

- le **péricarde fibreux**, le plus externe, est formé d'une couche de tissu conjonctif grossier et forme le feuillet superficiel du péricarde. À l'extérieur, le péricarde est uni en bas au diaphragme et latéralement à la plèvre. Il fixe ainsi le cœur dans le médiastin.

Dans les zones d'entrée des gros vaisseaux, l'épicarde se fond avec le péricarde. Ces deux feuillets sont séparés par un espace très fin, la cavité péricardique, contenant une petite quantité de **liquide péricardique** (10–15 ml). Il sert de film lubrifiant pendant les contractions cardiaques et réduit ainsi au minimum les frottements entre les feuillets du péricarde.

REMARQUE

Systole et diastole

La phase de contraction du cœur s'appelle la **systole** (du grec, qui signifie contraction) et dure 0,25 seconde. La phase de relâchement et de remplissage s'appelle la **diastole** (du grec, pour expansion). Sa durée dépend fortement de la fréquence (lors de 70 bpm, à peine 0,60 seconde).

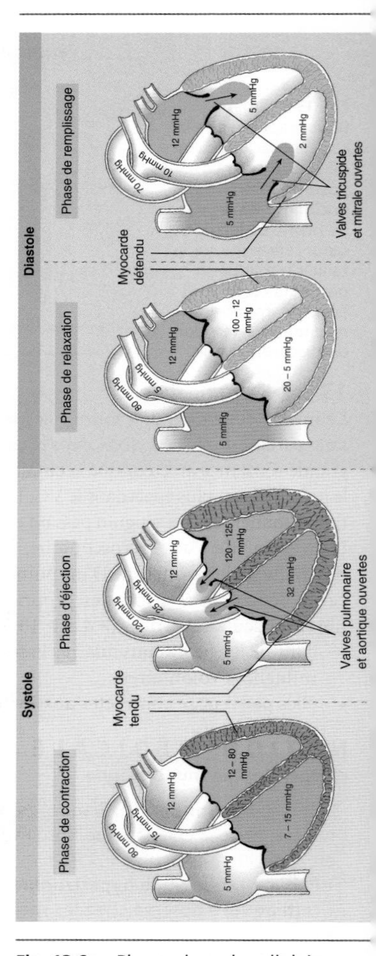

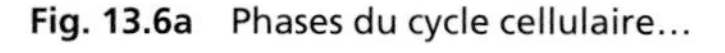

Fig. 13.6a Phases du cycle cellulaire…

13.4 Cycle cardiaque

Chez un adulte en bonne santé, la fréquence cardiaque (FC) au repos est d'environ 70 bpm (battements par minute). À chaque **contraction**, le sang est éjecté du ventricule à la circulation pulmonaire ou à la circulation systémique. Contraction → augmentation de la pression ventriculaire (▶ fig. 13.6), ouverture des valves → brusque

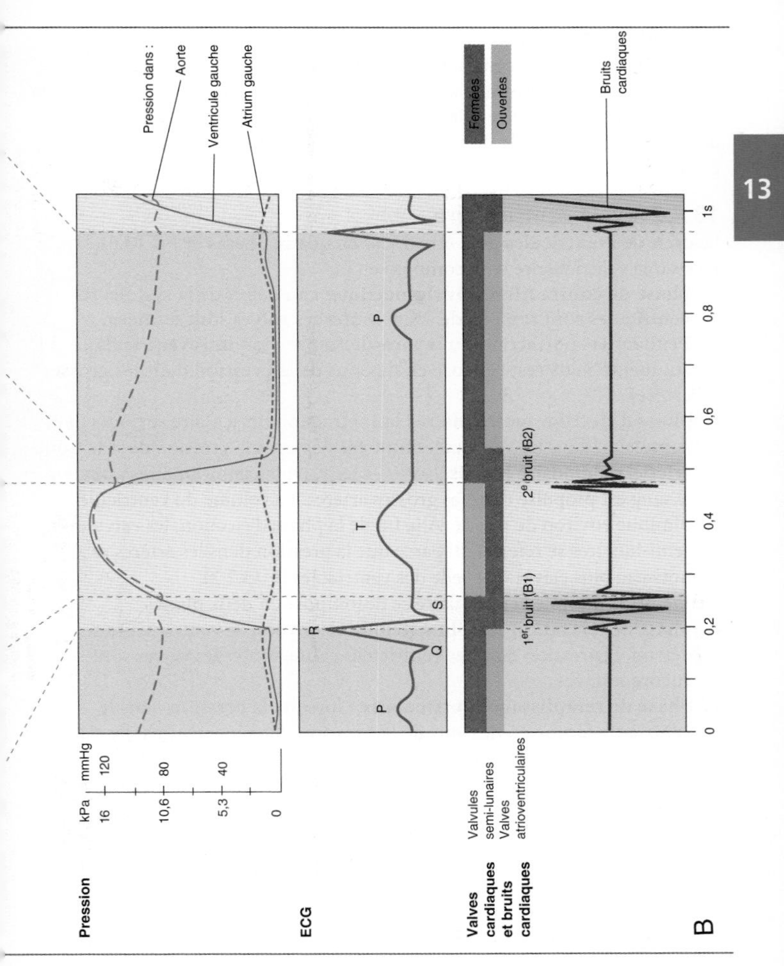

Fig. 13.6b … avec répartition de la pression dans l'aorte, le VG et l'AG (dans ce cas pour une FC d'environ 80 bpm). En outre, un ECG et l'enregistrement des bruits cardiaques (phonocardiogramme) sont également présentés.

diminution de l'espace des cavités cardiaques → éjection du sang. Finalement, relâchement musculaire : les cavités s'élargissent à nouveau et se remplissent de sang du fait de la baisse de pression engendrée.

13.4.1 Cycle atrial

Les phases du cycle de contraction des atriums et des ventricules sont exactement harmonisées les unes aux autres → fraction d'éjection optimale : la contraction atriale a lieu environ 0,12–0,20 seconde avant celle du ventricule, de sorte qu'à la fin de la diastole, le ventricule ait reçu le maximum de sang possible.

13.4.2 Cycle ventriculaire

Le **cycle des ventricules** peut être divisé en quatre phases (▶ fig. 13.6).
La systole ventriculaire se décompose en :

- **phase de contraction isovolumétrique :** au début de la systole, les ventricules sont remplis de sang, toutes les valves sont fermées. Pendant la contraction du myocarde, la pression intraventriculaire augmente mais reste encore en dessous de la pression dans les grosses artères ;
- **phase d'éjection ventriculaire :** la contraction musculaire se poursuit et la pression dans les ventricules finit par dépasser la pression dans le tronc artériel pulmonaire et dans l'aorte → les valvules semi-lunaires s'ouvrent, le sang est propulsé dans les grosses artères. Le volume du ventricule diminue environ de moitié. À la fin de la phase d'éjection, les valvules semi-lunaires se referment, parce que la pression dans les artères est à nouveau plus élevée que celle des ventricules (▶ 13.2.2).

De même, la diastole ventriculaire se décompose en deux phases :

- **phase de relaxation isovolumétrique :** le myocarde ventriculaire se détend, la pression dans les ventricules chute, toutes les valves sont encore fermées ;
- **phase de remplissage ventriculaire :** lorsque la pression dans le ventricule tombe en dessous de la pression dans les atriums, les valves atrioventriculaires s'ouvrent → le sang s'écoule passivement des atriums aux ventricules (▶ 13.2.2, ▶ 13.4.3). Lorsque la FC cardiaque est normale, la contraction active des atriums (systole atriale) ne contribue qu'à 10 à 15 % environ du remplissage ventriculaire. Si elle disparaît (par exemple lors de fibrillation atriale), il peut se former un thrombus atrial qui se détache sous forme d'un embole et peut engendrer un AVC, un infarctus myocardique, etc. La phase de remplissage se termine par la fermeture des valves atrioventriculaires : une nouvelle systole débute.

REMARQUE

Volume d'éjection systolique

Une personne adulte en bonne santé (et non entraînée) au repos éjecte environ 70 ml se sang par battement cardiaque.

13.4.3 Mécanisme valvulaire

- Pendant la phase d'éjection, le plan des valves cardiaques est déplacé en direction de la pointe du cœur (▶ 13.2.3) → les atriums relaxés sont dilatés → la pression dans les atriums diminue. En raison de cette baisse de la pression, le sang se trouvant dans les grosses veines entre **passivement** dans les atriums.

Pendant la diastole, le plan des valvules retourne à sa position de départ et les ventricules se dilatent → il se forme un gradient de pression entre les ventricules et les atriums → entrée passive du flux sanguin dans les ventricules (« aspiration » du sang dans les atriums ou dans les ventricules).

13.4.4 Rapport de pression pendant le cycle cardiaque

Pendant le cycle cardiaque chez une personne en bonne santé, la pression du sang dans les quatre chambres cardiaques se modifie de manière prévisible (▶ fig. 13.6a,b).

NOTION MÉDICALE

Cathétérisme cardiaque

Pour le clinicien, ces « pressions cardiaques » sont très importantes : toute cardiopathie marquée (par exemple une insuffisance valvulaire) s'accompagne d'une perturbation grave de cet équilibre de pression finement ajusté. Celui-ci peut être mesuré au cours d'un examen spécifique de cathétérisme cardiaque effectué par un cardiologue.

13.4.5 Bruits du cœur et souffles cardiaques

Le cœur ne travaille pas en silence. La contraction musculaire et les mouvements des valves engendrent des vibrations qui sont transmises à la cage thoracique. Elle peuvent y être entendues par **auscultation** (« **écoute** »).

- **Bruits cardiaques :** il s'agit de sons brefs (▶ fig. 13.6). L'auscultation cardiaque d'un individu en bonne santé permet d'entendre deux bruits cardiaques :
  - **1er bruit cardiaque (B1) :** audible pendant la phase de contraction isovolumétrique de la systole. Le myocarde des parois ventriculaires se rapproche brusquement (bruit de contraction) ;
  - **2e bruit cardiaque (B2) :** est lié au « claquement » des valves aortiques et pulmonaires. Il marque la fin de la systole ventriculaire. Il est décrit comme un bruit valvulaire.

NOTION MÉDICALE

Les bruits cardiaques pendant la systole sont dits **systoliques** ; ceux survenant pendant la diastole sont dits **diastoliques.**

- **Souffles cardiaques :** sont principalement liés à des turbulences du flux sanguin. Ils durent plus longtemps que les bruits cardiaques. Ils croissent et décroissent plus lentement. Alors que les souffles cardiaques sont le plus souvent anodins chez l'enfant, chez l'adulte ils suggèrent la présence d'un trouble circulatoire.

13.5 Formation et conduction de l'excitation

13.5.1 Autonomie du cœur

- Chaque muscle nécessite une impulsion électrique pour se contracter (▶ 5.3). Toutefois, contrairement au muscle squelettique (stimulation nerveuse), le cœur peut s'auto-stimuler : il travaille de manière **autonome** (indépendante).
- Les systèmes sympathique et parasympathique envoient des influx régulateurs et modulent ainsi l'activité cardiaque.
- Cette autonomie est liée à des cellules musculaires spécialisées capables de **former** et de **conduire** l'**excitation** : elles forment le **système cardionecteur** (▶ fig. 13.7).

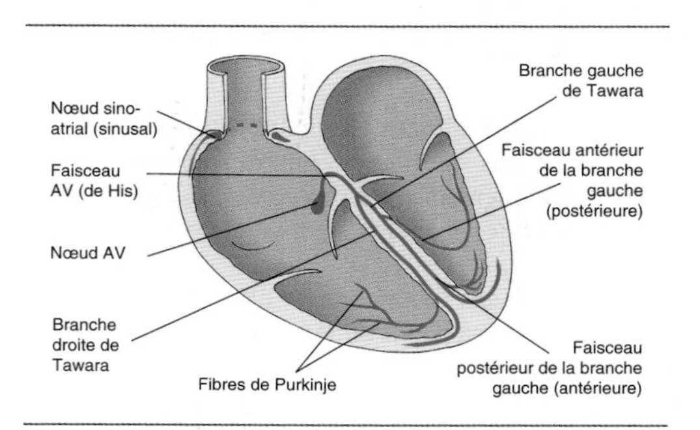

Fig. 13.7 Système cardionecteur avec représentation schématique du nœud sino-atrial (sinusal), du nœud AV, des branches ventriculaires gauche et droite de Tawara, des fibres de Purkinje. Le faisceau de His traverse le plan des valves.

13.5.2 Déroulement physiologique de l'excitation

▶ Fig. 13.8

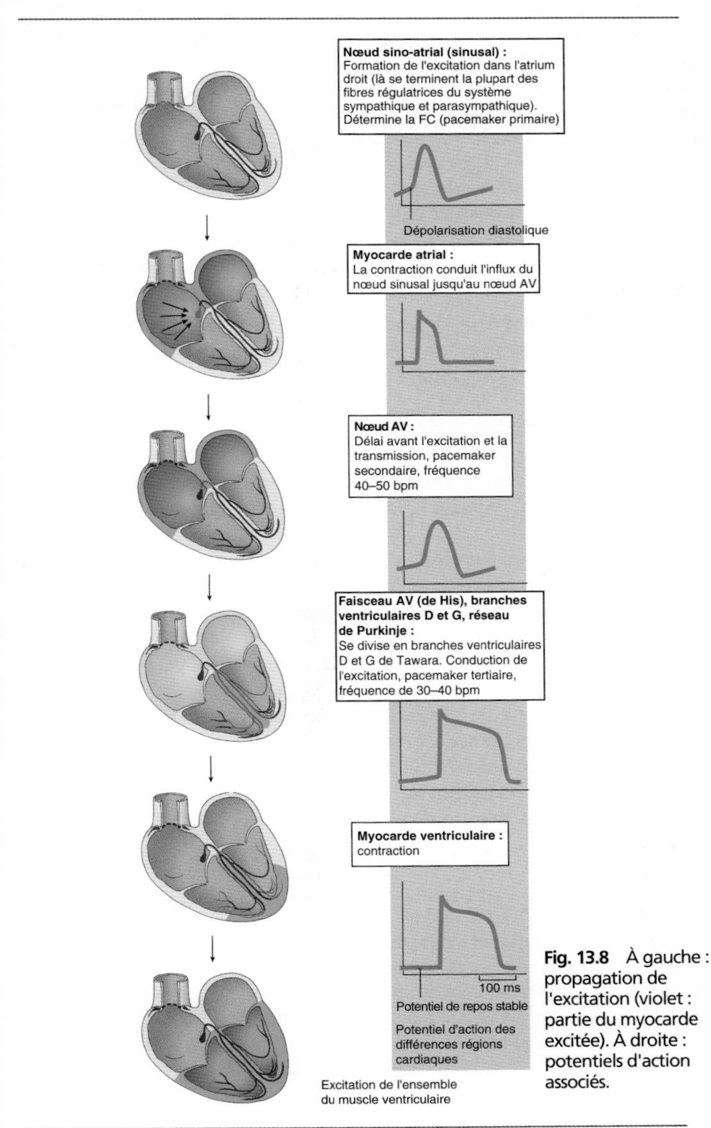

Fig. 13.8 À gauche : propagation de l'excitation (violet : partie du myocarde excitée). À droite : potentiels d'action associés.

REMARQUE

Signification du système cardionecteur

Synchronisation des activités cardiaques : le système cardionecteur (signifie « conduction de l'excitation ») propage l'excitation *très rapidement* à *l'ensemble* du muscle cardiaque → les cellules musculaires des différentes régions cardiaques sont excitées pratiquement toutes en même temps → **contraction efficace.**
Uniquement au niveau du nœud AV, la conduction de l'excitation connaît un léger retard → les atriums se contractent en *premier*, *suivis* des ventricules (en commençant par le septum) → le sang issu de la contraction des atriums permet de remplir encore plus les ventricules avant leur contraction isovolumétrique.

13.5.3 Fondements de la formation de l'excitation

Tout comme les cellules des muscles squelettiques et les cellules nerveuses, les cellules myocardiques présentent deux types de potentiels (▶ 5.3, ▶ 8.1.2) :

- **un potentiel de repos :** physiologiquement stable comme celui des muscles squelettiques ;
- **un potentiel d'action (PA) :** n'est déclenché que lorsqu'un influx venant de *l'extérieur* a d'abord dépolarisé la membrane cellulaire jusqu'au potentiel de seuil.

En revanche, au niveau des cellules du système cardionecteur, le potentiel de repos n'est pas stable. Après un PA, il augmente continuellement depuis sa valeur la plus négative (**potentiel diastolique maximal**) jusqu'à atteindre le potentiel de seuil et libérer un nouveau PA (= **dépolarisation diastolique spontanée ou automatique,** à la base de la formation de l'excitation au niveau du cœur).

Par principe, chaque partie du système cardionecteur a la faculté de présenter une dépolarisation spontanée. Comme cette dépolarisation est plus rapide au niveau du nœud sino-atrial (sinusal), l'excitation issue du nœud sino-atrial (sinusal) atteint de l'extérieur les centres secondaires *a priori* avant que ceux-ci n'aient atteint leur propre potentiel de seuil (▶ fig. 13.8).

NOTION MÉDICALE

La capacité des **centres d'excitation secondaires** (nœud AV, faisceau AV [de His], branches ventriculaires, faisceau de Purkinje) à engendrer l'excitation peut être vitale : lors de défaillance du nœud sino-atrial (sinusal) ou de trouble de la conduction de l'excitation aux ventricules, un des centres secondaires prend le relais et devient le pacemaker (le plus souvent le nœud AV, ayant la plus forte fréquence d'excitation spontanée après le nœud sino-atrial ou sinusal). Le ventricule se contracte alors au repos à la vitesse de 40 à 50 bpm.

13.5.4 Particularités du myocarde

- **Principe du tout ou rien :** au niveau des muscles squelettiques, plus il y a de fibres nerveuses excitées arrivant aux muscles, plus la contraction musculaire est importante (raison : recrutement d'une quantité différente d'**unités motrices** qui peuvent être excitées séparément les unes des autres ; la force de chaque unité motrice dépend de la fréquence des PA entrant [▶ 5.3]). C'est tout à fait différent dans le myocarde : les cellules musculaires du cœur ne sont pas électriquement isolées les unes des autres. L'excitation se transmet via les **jonctions communicantes** (contact intercellulaire spécialisé ▶ 4.2.2) d'une cellule myocardique à la suivante → l'excitation atteint toujours l'ensemble des cellules myocardiques : soit le stimulus engendre une contraction de l'ensemble du myocarde, soit il n'engendre rien (« tout ou rien »).
- **Période réfractaire, muscle non tétanisable :** immédiatement après l'action, les muscles squelettiques et cardiaques sont **réfractaires** pendant une période donnée (▶ 8.1.3). La période réfractaire est étroitement liée à la durée du PA (pour le cœur, elle est de 0,3 seconde, ce qui est relativement long) → protège d'une suite de contractions trop rapide. Au niveau du muscle squelettique (PA et période réfractaire très courts), l'augmentation de la fréquence du stimulus peut entraîner une contraction permanente (**tétanie**). Cela serait létal s'il en était de même pour le cœur, car celui-ci a besoin de la phase de relaxation (diastole) pour se remplir à nouveau de sang. Le cœur n'est donc pas **tétanisable.**

NOTION MÉDICALE

À la fin de la période réfractaire, le cœur se trouve dans une phase vulnérable : une partie des fibres est prête à être à nouveau excitée. C'est pourquoi l'arrivée d'une nouvelle stimulation (par exemple une extrasystole) peut, dans certaines circonstances, entraîner une fibrillation ventriculaire (▶ 13.5.6).

13.5.5 Électrocardiogramme (ECG)

La propagation de l'excitation au travers du cœur engendre un faible courant électrique qui ne se limite pas seulement au cœur. Il est ainsi possible de mesurer une différence de potentiel électrique au niveau de la paroi thoracique, des bras et des jambes qui est enregistrée sous la forme d'un **électrocardiogramme** (**ECG**). Il existe plusieurs types d'ECG :

- **ECG de repos :** points définis précisément pour la transmission de la tension (dérivations) afin d'obtenir des résultats standardisés et exploitables ;
- **ECG d'effort :** sert par exemple au diagnostic et au suivi de cardiopathies ischémiques (▶ 13.7.2) dans les conditions d'effort.
- **Holter** (**ECG prolongé**) **:** (en général sur 24 heures) permet de mettre en évidence les troubles du rythme qui surviennent périodiquement.

Chez les personnes en bonne santé, le tracé de l'ECG est formé d'une suite typique d'ondes, d'intervalles et de complexes (▶ fig. 13.6) :

- **onde P :** activation atriale;
- **intervalle PR** (délai atrioventriculaire) : s'étend du début de l'onde P jusqu'au début du complexe QRS;
- **complexe QRS :** activation ventriculaire;
- **onde Q :** activation du septum ventriculaire;
- **onde R :** activation de la plus grosse partie du myocarde ventriculaire;
- **onde S :** activation terminale du VG;
- **onde T :** repolarisation du ventricule (la repolarisation atriale se superpose au complexe QRS);
- **intervalle QT :** systole ventriculaire générale (▶ fig. 13.6).

NOTION MÉDICALE

Tachycardie : FC trop rapide (> 90–100 bpm au repos).
Bradycardie : FC trop lente (< 50–60 bpm).

Intérêt de l'ECG

- Détermination du rythme et de la fréquence cardiaques.
- Reconnaissance et localisation des troubles liés à la formation et à la propagation de l'excitation ainsi que des troubles de repolarisation (aspect typique de l'ECG ou des modifications de l'ECG par exemple lors d'infarctus myocardique [▶ 13.7.3] du fait de la nécrose des tissus musculaires; lors d'extrasystoles; lors de déséquilibres électrolytiques sanguins).

13.5.6 Troubles du rythme

Bloc atrioventriculaire (BAV)

Lors de **BAV,** la propagation de l'excitation des atriums aux ventricules est retardée de façon pathologique ou interrompue (▶ fig. 13.9).

NOTION MÉDICALE

- **Syncope :** perte de connaissance brève.
- **Syndrome (ou syncope) d'Adams-Stokes :** lorsque la syncope est provoquée par un trouble du rythme (par exemple un BAV 3).

Extrasystoles

- **Extrasystoles :** battement cardiaque survenant en dehors du rythme général régulier.
  - **Extrasystoles supraventriculaires** (ESSV) : partent du nœud sino-atrial (sinusal), du nœud AV, du myocarde atrial. S'observent chez les personnes en bonne santé ou atteintes de cardiopathies. Traitement uniquement si elles sont fréquentes et surviennent les unes derrière les autres (par « salves ») → danger de flutter atrial ou de fibrillation atriale.
  - **Extrasystoles ventriculaires** (ESV) : proviennent du myocarde ventriculaire ou du faisceau AV (de His). Sont ressenties comme des « palpitations »

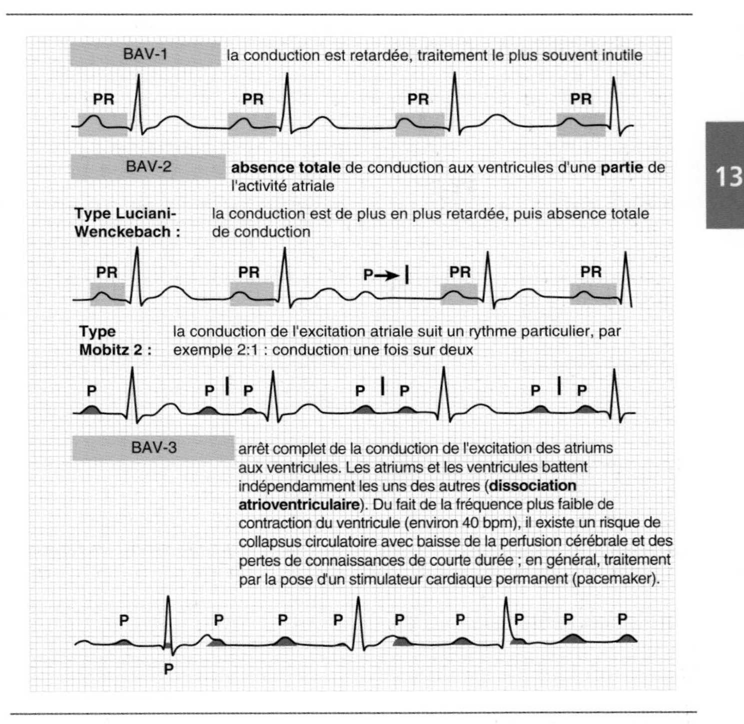

Fig. 13.9 ECG lors de différents BAV.

désagréables. L'apparition d'ESV isolée est possible également chez le sujet sain, mais les ESV sont principalement liées à une cardiopathie organique (par exemple maladie coronarienne ▶ 13.7.2).

Elles risquent d'entraîner une **tachycardie ventriculaire** et, dans les formes les plus sévères, un **flutter ventriculaire** et une **fibrillation ventriculaire** (▶ 13.5.6).

Fibrillation atriale (FA)

Particulièrement fréquente chez les personnes âgées. La propagation de l'activité électrique n'est plus organisée au niveau des atriums, mais désynchronisée (« excitation en boucle »). Raison : trouble du système cardionecteur dans la région atriale. L'activité de l'atrium n'est pas très importante pour les performances cardiaques → souvent peu de symptômes. L'irrégularité du pouls, qui est toujours présente (**arythmie absolue,** ▶ fig. 13.10) n'est souvent pas remarquée par les patients. Les conditions hémodynamiques défavorables peuvent s'accompagner de la formation de thrombus, en particulier au niveau de l'AG, et de leur migration dans les artères → le risque d'AVC est fortement augmenté (▶ 8.12.3).

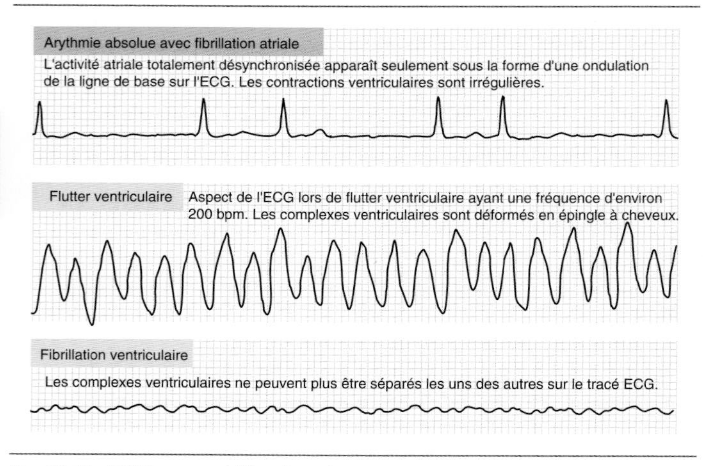

Fig. 13.10 Différents troubles du rythme.

Chez certains patients, le rythme sinusal peut être rétabli. Dans le cas contraire, le traitement passe par la prophylaxie des embolies par l'administration d'anticoagulants à long terme (warfarine) (▶ 11.5.8).

Fibrillation ventriculaire (FV)

Comme la fibrillation atriale, la FV apparaît suite à une « excitation en boucle » (par exemple lors d'infarctus myocardique), mais elle engage le pronostic vital ! La FC est > 400 bpm mais n'entraîne aucune activité cardiaque suffisante. Le cœur ne fait que de « trembler » et aucun pouls n'est palpable à l'examen externe → arrêt cardiocirculatoire fonctionnel.
La fibrillation ventriculaire peut représenter l'évolution d'un **flutter ventriculaire** (250–400 bpm ▶ fig. 13.10). Dans certaines circonstances, lors de flutter ventriculaire, il est encore possible d'observer certaines contractions cardiaques isolées coordonnées.

13.5.7 Les électrolytes et leur signification sur l'activité cardiaque

Pour que l'activité cardiaque se déroule sans perturbation, il est nécessaire que la teneur sanguine en différents **électrolytes**, en particulier en ions potassium (K^+) et calcium (Ca^{2+}), soit dans l'intervalle de normalité (▶ 18.8) :

- **calcium :** le PA entraîne une contraction musculaire (et cardiaque) uniquement si la concentration en Ca^{2+} est suffisante (**couplage électromécanique**). Pendant le PA, ouverture des canaux calciques → entrée dans la cellule d'une grande quantité de Ca^{2+} → contraction (▶ fig. 5.7) ;
- **potassium :** la concentration intracellulaire du potassium est élevée. En cas d'insuffisance de K^+ dans le liquide extracellulaire (**hypokaliémie**) → diminution de la perméabilité membranaire au K^+. Malgré

l'augmentation du gradient de concentration de K^+ entre le liquide extracellulaire et intracellulaire (et, de ce fait, de l'hyperpolarisation de la cellule ▶ 8.1.2), l'excitation se forme et se propage plus facilement → trouble du rythme avec extrasystoles pouvant aller jusqu'à la fibrillation ventriculaire.

REMARQUE

Une augmentation massive de la concentration en K^+ (**hyperkaliémie**) modifie la formation et la propagation de l'excitation. Raison : dépolarisation suite à la diminution du gradient de concentration en K^+. Lors d'hyperkaliémie sévère, le cœur ne peut plus être excitable (raison : dépolarisation permanente) et, de ce fait, il est paralysé.

13.6 Performance cardiaque et régulation

À chaque battement cardiaque, l'augmentation de la pression dans le ventricule permet l'éjection du volume sanguin malgré la résistance à l'écoulement du sang (relation pression-volume). En outre, le **travail cardiaque** qui est fourni est nécessaire à l'accélération du sang (rapporté au temps, cela donne la **performance cardiaque**).

13.6.1 Débit cardiaque

La **fréquence cardiaque** (FC) d'un adulte au repos est d'environ 70 bpm. Le VG et le VD envoient à chaque contraction cardiaque environ 70 ml de sang dans la circulation (**volume d'éjection systolique**). Le **débit cardiaque** se calcule ainsi :

Volume d'éjection systolique × fréquence cardiaque = débit cardiaque

Il est calculé en minute. Au repos, le débit cardiaque est d'environ 5 litres de sang/min (70 ml × 70 bpm = 4,900 ml/min).

13.6.2 Performance cardiaque

Facteurs influençant les performances cardiaques

- **Précharge** (anglais *preload*) : représente la relation entre la longueur des fibres musculaires cardiaques avant la contraction et leur capacité à se contracter activement ; une fibre musculaire cardiaque courte ne peut se contracter que faiblement. Si elle est légèrement pré-étirée, sa force de contraction est considérablement plus élevée. Si l'étirement est trop important, sa force de contraction diminue à nouveau. Au niveau cardiaque, ce n'est pas l'étirement de chaque fibre musculaire cardiaque qui est représentatif de la précharge, mais l'étirement lié au volume de remplissage du ventricule gauche à la fin de la diastole (volume télédiastolique). La capacité du cœur à se contracter commence donc par augmenter à mesure que le cœur se remplit avant de rediminuer, une fois qu'un certain seuil optimal a été franchi.

- **Postcharge** (anglais *afterload*) : correspond à la résistance à l'éjection que doit surmonter le ventricule pour éjecter le sang dans l'aorte. Mesure clinique : pression aortique moyenne. Plus elle est élevée, plus le volume d'éjection est faible, toutes conditions égales par ailleurs.
- Inotropie positive **: augmentation de la contractilité** sous l'influence du système sympathique (▶ tableau 13.1). Pour un *même* volume télédiastolique, le VG développe une plus grande force cardiaque : cela augmente le volume d'éjection ou permet l'éjection du sang en présence d'une résistance à l'éjection plus élevée.

Régulation

Le système nerveux autonome (SNA) (▶ 8.10) agit constamment sur le cœur (▶ tableau 13.1).

NOTION MÉDICALE

Loi de Frank-Starling

Dans une certaine limite, le cœur peut réguler le volume d'éjection indépendamment de l'innervation. Par exemple : augmentation de la pression dans l'aorte → plus grande quantité de sang résiduel dans le VG → ↑ précharge (▶ 13.6.2), le muscle du ventricule est plus étiré. Comme le cœur travaille physiologiquement quelque peu en dessous de la valeur optimale d'étirement (« réserve de précharge »), l'augmentation de la précharge a des répercussions favorables : les fibres musculaires peuvent se contracter plus fortement et éjecter le sang avec plus de force : ↑ volume d'éjection, ↓ sang résiduel jusqu'au volume normal (éventuellement en plusieurs étapes).
Lors d'étirement trop important des fibres musculaires cardiaques (par exemple augmentation chronique de la pression ou du volume), la « réserve de précharge » est dépassée → la loi de Frank-Starling ne fonctionne plus.

Tableau 13.1 Influence du système nerveux végétatif sur le cœur

	Système sympathique	Système parasympathique (n. vague ▶8.7.5, ▶8.10.2)
Lieu d'action	Ensemble du cœur	AD, nœud sinusal
Fréquence cardiaque (effet chronotrope)	↑ (chronotrope positif)	↓ (chronotrope négatif)
Force de contraction (contractilité) (effet inotrope)	↑ (inotrope positif)	↓ (inotrope négatif)
Temps de conduction (conductibilité) (effet dromotrope)	Accélération (dromotrope positif)	Ralentissement (dromotrope négatif)

Tableau 13.2 Comparaison des causes fréquentes et des signes et symptômes d'appel d'une insuffisance cardiaque gauche et d'une insuffisance cardiaque droite

	Insuffisance cardiaque gauche	Insuffisance cardiaque droite
Causes les plus fréquentes	Maladie coronarienne, hypertension artérielle, insuffisance valvulaire (principalement cœur gauche), infarctus myocardique, trouble du rythme (TR)	Insuffisance cardiaque gauche, insuffisance valvulaire (principalement cœur droit), pneumopathie
Signes et symptômes d'appel	• Faiblesse et fatigabilité • Dyspnée d'effort, éventuellement aussi au repos • Râles crépitants pulmonaires, toux • Cyanose	• Turgescence des veines jugulaires (stase et dilatation) • Œdème/ascite → prise de poids • Hépatomégalie
Symptômes communs	• ↓ performances, dyspnée • Mictions fréquentes, en particulier la nuit (nycturie) • Tachycardie d'effort, TR • Cardiomégalie, épanchement pleural et péricardique	

13.6.3 Insuffisance cardiaque

Généralités ↓ de la fraction d'éjection du VG (**insuffisance cardiaque gauche**), du VD (**insuffisance cardiaque droite**) ou des deux ventricules (**insuffisance cardiaque globale**) → le cœur n'est plus capable d'assurer le débit sanguin nécessaire pour satisfaire aux besoins de l'organisme.

- **Mécanismes de compensation :**
  - loi de Frank-Starling (▶ 13.6.2) puis hypertrophie cardiaque (▶ 13.3.2) ; ces deux mécanismes ne sont bénéfiques que jusqu'à un certain point ;
  - augmentation du tonus sympathique (▶ tableau 13.1) ;
  - activation du système rénine-angiotensine-aldostérone (SRAA ▶ 18.3.1) : vasoconstriction et rétention d'eau → augmentation de la pression artérielle malgré l'insuffisance cardiaque ; toutefois, à long terme, le cœur en insuffisance présente des signes de souffrance suite à l'augmentation de la pré- et de la postcharge.
- **Insuffisance cardiaque compensée :** le cœur peut encore maintenir un débit cardiaque suffisant.
- **Insuffisance cardiaque décompensée :** signes de faiblesse cardiaque même lors de faible effort : cyanose (couleur bleue de la peau/des muqueuses par manque d'oxygénation ▶ 15.9.4), dyspnée, œdème, trouble du rythme, tachycardie.

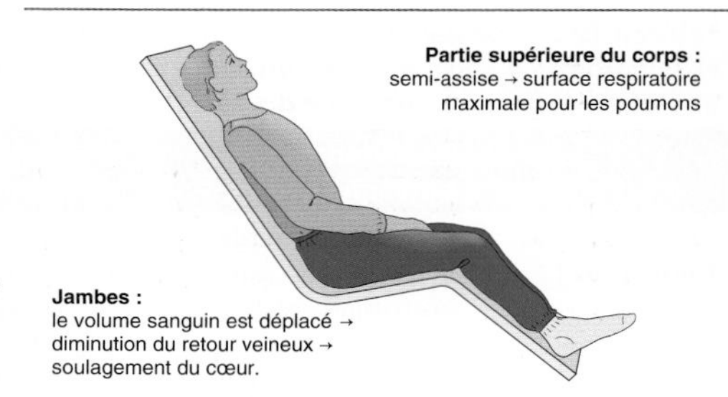

Fig. 13.11 Position en « chaise cardiaque » lors d'insuffisance cardiaque aiguë, par exemple en utilisant une chaise inclinable ou un lit ayant une position spécifique de « chaise cardiaque » avec position déclive réglable de la partie « repose-jambe ».

- La New York Heart Association (**NYHA) a classé l'insuffisance cardiaque** en quatre **stades de I à IV** (plus le stade est élevé, plus l'insuffisance cardiaque est sévère).

NOTION MÉDICALE

Œdème

↓ des performances de la pompe cardiaque → stase sanguine dans les atriums et les veines de la grande circulation (circulation systémique, insuffisance cardiaque droite) ou de la petite circulation (circulation pulmonaire, insuffisance cardiaque gauche).
Comme les capillaires sont perméables, une partie du liquide stagnant dans le compartiment vasculaire diffuse dans les tissus → infiltration liquidienne = **formation d'œdèmes** (▸ 14.1.5).

- Insuffisance cardiaque droite : œdèmes des membres inférieurs, abdomen (**ascite** ▸ 16.10.6), espace pleural (**épanchement pleural** ▸ 13.6.3).
- Insuffisance cardiaque gauche : épanchement pleural et dans les tissus pulmonaires; dans les formes les plus sévères : **œdème du poumon** entraînant une dyspnée engageant le pronostic vital (▸ fig. 13.11).

Un œdème d'origine **cardiaque** se caractérise par sa dépendance vis-à-vis de la position : lors du sommeil, les jambes sont à l'horizontale → élimination de l'œdème → miction nocturne (**nycturie**).

Diagnostic Certitude : tableau clinique et échocardiographie (▸ 13.3). Examens de laboratoire : BNP (*brain natriuretic peptide*), synthétisé lors d'une augmentation du volume dans le ventricule. Les radiographies et l'ECG au repos sont souvent peu révélateurs.

Principe du traitement Objectif : ↓ préchage (▸ 13.6.2), ↓ postcharge → ↑ du volume d'éjection.

- Traitement de l'affection sous-jacente (par exemple maladie coronarienne, hypertension artérielle, trouble du rythme).
- Soulagement du cœur par des médicaments vasodilatateurs et diurétiques.
- Mesures générales (par exemple activité physique, baisse du poids, alimentation hyposodée et restriction hydrique, arrêt du tabac et de l'alcool).

Traitement médical Les classes médicamenteuses suivantes sont administrées soit isolément, soit en association :

- **Inhibiteurs du SRAA :** améliorent de façon avérée le pronostic des insuffisances cardiaques.
  - **IEC (inhibiteurs de l'enzyme de conversion de l'angiotensine) :** inhibent *l'enzyme de conversion de l'angiotensine* (▶ 18.3.1, ▶ fig. 18.11) → entre autres, diminution de la résistance périphérique → ↓ postcharge.
  - Alternatives en cas d'intolérance : **antagonistes des récepteurs de l'angiotensine II** (inhibiteurs de l'AT_1, sartans). Blocage de l'effet de l'AT au niveau du récepteur AT_1, semblable aux IEC.
- **Bêta-bloquants sélectifs :** ce sont des antagonistes principalement des récepteurs β_1-adrénergiques du cœur ; ils agissent de ce fait sur la tachycardie observée lors d'insuffisance cardiaque chronique (liée à l'augmentation du tonus sympathique).
- **Diurétiques :** médicaments entraînant une diurèse (▶ 18.2.4) → évacuation des œdèmes, ↓ précharge et postcharge :
  - **thiazidiques :** effet modéré à moyen, principalement adaptés pour réduire la pression artérielle. L'effet diurétique lors d'insuffisance cardiaque est souvent limité ;
  - **antagonistes de l'aldostérone :** faible effet, néanmoins intéressant sur le cœur et les vaisseaux ;
  - **diurétiques de l'anse :** action plus rapide et plus puissante que les diurétiques thiazidiques.
  - Contrôle régulier de la kaliémie (▶ 13.5.7) et de la créatinémie (▶ 18.2.5).
- **Glycosides cardiotoniques ou digitaliques :** inotropes positifs, chronotropes négatifs et dromotropes négatifs. Aujourd'hui, ils sont uniquement administrés à faible dose lors d'insuffisance cardiaque avec fibrillation atriale et lors d'insuffisance cardiaque de haut grade.
- **Dérivés nitrés :** libération de monoxyde d'azote (NO) → dilatation des muscles lisses d'origine vasculaire plus importante au niveau des veines que des artères → ↓ pré- et postcharge, en particulier lors d'insuffisance cardiaque aiguë (en IV ou en pulvérisation) et de maladie coronarienne (▶ 13.7.2).

13.7 Vascularisation du cœur

Le cœur utilise déjà au repos de 5 % du débit sanguin (250–300 ml/min), bien qu'il ne représente que 0,5 % du poids du corps (en kg) !

13.7.1 Artères coronaires

Le cœur est irrigué par deux **artères coronaires** qui prennent directement naissance au niveau de l'aorte :

- l'**artère coronaire droite** (ACD) irrigue l'AD, la plus grande partie du VD, la paroi dorsale du cœur et une petite partie du septum interventriculaire ;
- l'**artère coronaire gauche** (ACG) se divise en deux branches, la **branche circonflexe** et la **branche interventriculaire antérieure**, qui irrigue l'AG, la plus grande partie du VG et une grande partie du septum interventriculaire.

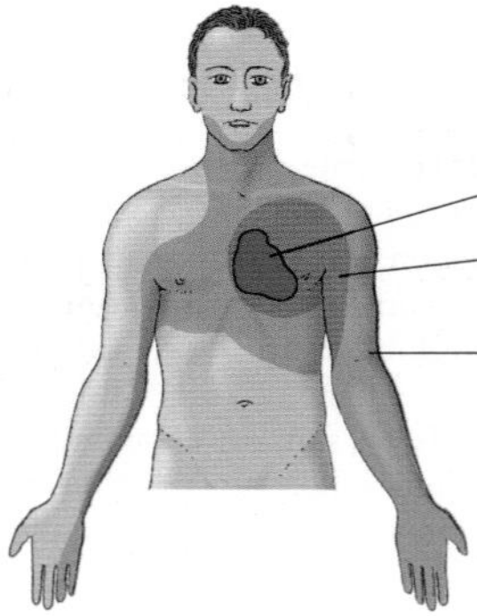

Fig. 13.12 Répartition caractéristique de la douleur irradiante de l'angine de poitrine. Toutefois, celle-ci n'est pas toujours présente (en particulier chez les femmes et les patients diabétiques).

Des variations sont possibles. Les veines cheminent à peu près parallèlement aux artères et se déversent dans l'atrium droit via essentiellement le **sinus coronaire** (▶ 13.2.4).

13.7.2 Maladie coronarienne

Sténose coronarienne (rétrécissement des artères coronaires) : essentiellement due à une **athérosclérose** (▶ 14.1.4). Facteurs de risque principaux : tabagisme, hypertension artérielle, diabète et trouble du métabolisme lipidique. ↓ du flux sanguin → ↓ oxygénation du muscle cardiaque. La **maladie coronarienne** et ses complications représentent la principale cause de mortalité dans les pays industrialisés.

NOTION MÉDICALE

Symptômes de la maladie coronarienne

- Troubles du rythme
- Insuffisance cardiaque
- Crises d'angor (angine de poitrine)
- Infarctus myocardique éventuellement avec choc cardiogénique (▶ 14.4.3)
- Mort cardiaque subite (insuffisance cardiaque soudaine, par exemple à la suite d'une fibrillation ventriculaire)

Angor (angine de poitrine)

Lors de réduction nette de la perfusion du myocarde (ischémie), il se produit une douleur aiguë dans la région du cœur (**angine de poitrine ou angor**) à la suite d'un exercice physique, d'un repas abondant, lors de froid ou de « stress ». Typiquement : douleur irradiant dans le bras gauche, mais aussi dans la mâchoire inférieure, au niveau du dos ou de l'abdomen; nausées et vomissements possibles (▶ fig. 13.12).

REMARQUE

Signal d'alarme

La réapparition des symptômes d'angor ou des modifications de ces symptômes sont des signes avant-coureurs d'un infarctus du myocarde.

Diagnostic

- Premiers examens : ECG de repos, d'effort et éventuellement Holter (▶ 13.5.5) ainsi qu'échocardiographie (▶ 13.3).
- **Angiographie coronarienne (coronarographie) :** en général, cathétérisme du cœur gauche et examen sous fluoroscopie après injection dans les coronaires d'un produit de contraste radio-opaque. Les sténoses ou les occlusions vasculaires présentes apparaissent sous la forme d'une perte de substance dans la colonne de contraste.

Traitement médical

- **Dérivés nitrés :** diminution de la précharge et de la postcharge, vasodilatation coronarienne → ↑ apport d'oxygène au myocarde. Prophylaxie des crises d'angor et des infarctus myocardiques, influence possible sur l'insuffisance cardiaque (▶ 13.6.3). Crise d'angor aiguë : administration sous forme de spray sous la langue (sublingual) ou de comprimés à croquer. L'absorption est rapide par la muqueuse buccale → diminution des symptômes en quelques minutes. Pour le traitement de longue durée : comprimés ou timbre transdermique.
- **Bêta-bloquants :** inhibition de l'effet du système sympathique sur le cœur → ↓ fréquence cardiaque, ↑ durée de la diastole → ↓ consommation d'oxygène, ↑ apports d'oxygène (▶ tableau 13.1, ▶ 8.10.2)
- **Inhibiteurs calciques :** bloquent l'entrée du calcium dans la cellule lors de l'excitation → inotropes négatifs, chronotropes négatifs, dromotropes négatifs. Vasodilatation artérielle → baisse de la tension artérielle, dilatation des artères coronaires.
- **Anti-agrégants plaquettaire :** inhibent l'agrégation des plaquettes (▶ 11.5.4) → s'opposent à la formation d'un thrombus dans les artères coronaires; par exemple l'acide acétylsalicylique, le clopidogrel.
- **Statines (hypolipémiants** ▶ 17.5.2) : inhibent la biosynthèse du cholestérol → ↓ du cholestérol sanguin (↑ cholestérol LDL = facteur de risque de maladie coronarienne).

Mesures de recanalisation (revascularisation)

Lors de sténose coronarienne marquée, il faut tenter de dilater l'artère pour augmenter sa lumière :

- **Angioplastie transluminale coronaire percutanée** (**ATC, angioplastie coronaire par ballonnet**) : sous fluoroscopie, un fin cathéter à ballonnet est introduit depuis l'artère fémorale dans l'artère coronaire lésée; le ballonnet est gonflé au niveau du rétrécissement, ce qui ouvre la sténose. Très souvent complété par la pose d'un stent.

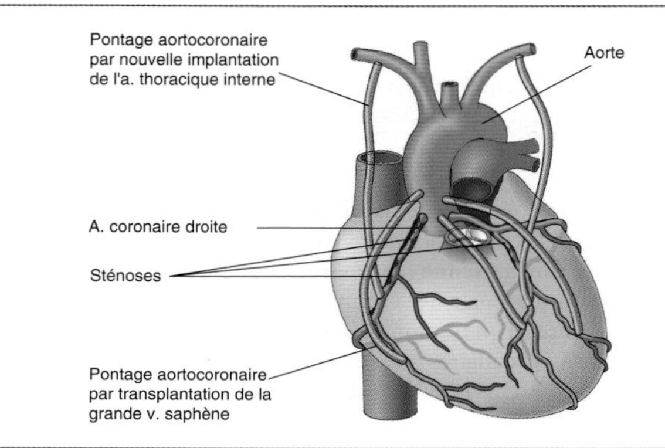

Fig. 13.13 Lors de pontage aortocoronaire par une veine, un ou plusieurs segments veineux (le plus souvent issus de la grande veine saphène) sont prélevés et placés entre la partie de l'aorte proche du cœur et les segments des artères coronaires distaux à la sténose ou à l'obstruction. Dans près de 75 % des cas, c'est une artère qui est utilisée pour le pontage ; dans ce cas l'artère thoracique interne (ou artère mammaire interne) rétrosternale, issue de l'artère subclavière, est sectionnée distalement et réimplantée distalement au rétrécissement de l'artère coronaire (**pontage par l'artère thoracique interne ou mammaire**).

- Pose d'un **stent :** dispositif formé d'une sorte de treillis qui est placé dans le vaisseau une fois dilaté et qui le maintient ouvert. Requiert en outre l'administration d'anti-agrégants plaquettaires.
- En présence de plusieurs sites de sténose, il est le plus souvent préférable de recourir à l'intervention chirurgicale avec pose d'un greffon court-circuitant l'obstruction (**pontage**) (▶ fig. 13.13).

13.7.3 Infarctus myocardique

Généralités Occlusion d'une artère coronaire → mort (nécrose) du tissu myocardique alimenté par cette artère (▶ fig. 13.14). Le myocarde ne se régénère pas → tissu conjonctif cicatriciel (cicatrice fibreuse). En France, touche 120 000 personnes par an, ♂:♀ 2:1.

L'**infarctus du myocarde** fait partie des principales causes de mortalité en France. Le décès suit le plus souvent immédiatement la chute brutale des performances cardiaques ou fait suite au trouble du rythme qui se propage à partir de la zone infarcie. La menace pour le pronostic vital est maximale au cours de la première heure qui suit l'infarctus.

NOTION MÉDICALE

Signes et symptômes d'appel de l'infarctus du myocarde

Douleur rétrosternale aiguë, irradiant et persistante (♀ : souvent douleur épigastrique !), dyspnée, angoisse, sentiment de mort imminente, pâleur, sueurs froides, sensation de « poitrine serrée dans un étau ».

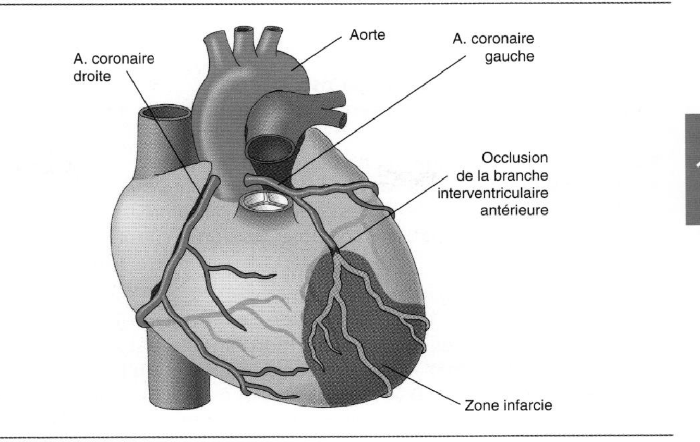

Fig. 13.14 Infarctus myocardique.

Diagnostic de certitude

- ECG :
  - **infarctus du myocarde avec sus-décalage du segment ST (STEMI** pour *ST-elevation myocardial infarction*), typique lorsque l'infarctus intéresse toutes l'épaisseur du myocarde = infarctus transmural ;
  - **infarctus du myocarde sans sus-décalage du segment ST (NSTEMI** pour *non-ST-elevation myocardial infarction*), lors de nécrose uniquement de la couche interne du myocarde (sous endocardique).
- Examens de laboratoire : les **protéines myocardiques intracellulaires** ainsi que les **enzymes** cardiaques apparaissent dans le sang à la suite de la mort des cellules liées à l'infarctus : leurs concentrations sanguines sont donc plus élevées et mesurables. Ces concentrations donnent des indices sur l'évolution dans le temps et la sévérité de l'infarctus. La **troponine I** et la **troponine T** sont des marqueurs très fiables des deux formes d'infarctus myocardique. Elles peuvent être mesurées dès 3 à 4 heures après le début de l'apparition de la douleur. L'élévation de la **CK/MB** (fraction MB de la créatine kinase), spécifique du cœur, se produit un peu plus tardivement.

Objectif Revascularisation (recanalisation) des vaisseaux occlus. Si une unité de cathétérisme cardiaque peut être atteinte rapidement, elle effectuera immédiatement une coronarographie avec ATC qui est très efficace pour la plupart des patients. Une alternative consiste à effectuer une thrombolyse conservative (dissolution des caillots) dans une unité de soins intensifs.

URGENCE

Mesures d'urgence lors d'infarctus

Avant l'arrivée du médecin urgentiste

- Appeler immédiatement le service des urgences et le médecin urgentiste.
- Éventuellement réanimer immédiatement le patient.
- Placer le patient en soulevant la moitié supérieure du corps, retirer les vêtements serrés, maintenir des conditions de calme.
- Ne pas laisser seul le patient, contrôler les signes vitaux.

Dans l'ambulance

- Administrer de l'oxygène (oxygénothérapie).
- PA_{syst} > 100 mmHg → 1 à 2 vaporisation de nitroglycérine en spray.
- Médecin : antalgiques (par exemple morphine) ; sédatif, tranquillisant (par exemple Valium®) → ↓ besoins en oxygène et inhibition du SNC, anti-agrégants (▶ 11.5.4) et anticoagulants (▶ 11.5.8) → prophylaxie de la formation de thrombus dans les artères coronaires. Traitement des complications comme les troubles du rythme ou le choc (▶ 14.4.3).

14 Circulation et système vasculaire

14.1 Structure du système vasculaire

14.1.1 Système cardiovasculaire

14

REMARQUE

Le **système cardiovasculaire** comprend le cœur et l'ensemble des vaisseaux sanguins.

Il faut différencier :

- la **circulation systémique** (grande circulation) (▶ fig. 13.1) :
  - sang riche en oxygène : ventricule gauche (VG) → **aorte** (artère principale) → **artères** (gros vaisseaux, ▶ fig. 14.8) → **artérioles** → **capillaires** (c'est au travers de la paroi de ces vaisseaux, aussi fins qu'un cheveu, qu'ont lieu les échanges gazeux, nutritifs et métaboliques entre les tissus et le sang) ;
  - sang pauvre en oxygène : **capillaires** (conduisent le sang devenu pauvre en oxygène) → **veinules** → **veines** → **veines caves supérieure** et **inférieure** (les deux plus grosses veines, ▶ fig. 14.9) → atrium droit (AD).
- la **circulation pulmonaire** (petite circulation) (▶ fig. 13.1) :
  - ventricule droit (VD) → tronc pulmonaire → artères pulmonaires → artérioles →
  - réseau des capillaires pulmonaires : enrichissement du sang en O_2, et élimination concomitante de CO_2 (qui est expiré) →
  - veinules → veines pulmonaires → atrium gauche (AG).

REMARQUE

Artère ou veine ?

- **Artères :** partent du cœur en direction de la circulation systémique : sang riche en oxygène; artères de la circulation pulmonaire : sang pauvre en oxygène.
- **Veines :** reviennent vers le cœur. Veines de la circulation systémique : sang pauvre en oxygène; veines de la circulation pulmonaire : sang riche en oxygène.
- **Système à haute pression :** VG et grosses artères de la circulation systémique; pression 60–100 mmHg (▶ 14.3.4).
- **Système à basse pression :** toutes les veines du corps, le cœur droit, tous les vaisseaux pulmonaires, l'AG (▶ fig. 13.1); pression < 20 mmHg.

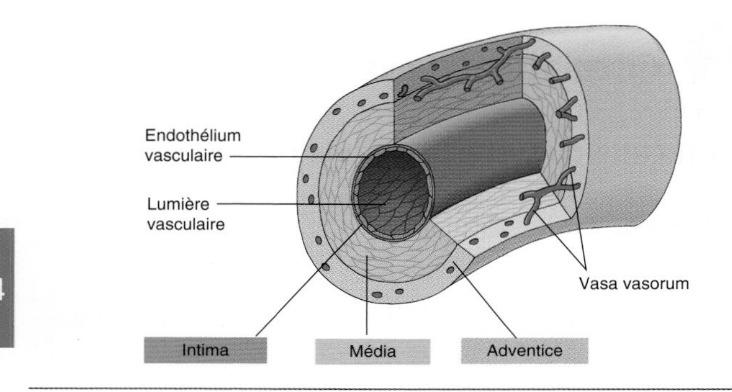

Fig. 14.1 Structure des couches pariétales d'une artère.

14.1.2 Artères

- **Structure de la paroi :** la paroi des artères est formée de trois couches qui délimitent la **lumière vasculaire** (lumière : calibre intérieur d'un organe creux ▶ fig. 14.1). De l'intérieur vers l'extérieur se trouvent :
  - l'**endothélium vasculaire** (épithélium pavimenteux simple monocouche, ▶ fig. 4.1) qui tapisse la lumière, en contact direct avec le sang;
  - l'**intima** (tunique interne) : tissu conjonctif fibreux et une membrane élastique;
  - la **média** (tunique moyenne) : cellules musculaires lisses et fibres élastiques;
  - l'**adventice** (tunique externe) : tissu conjonctif et fibres élastiques; contient, au niveau des grosses artères, les **vasa vasorum** et les nerfs qui alimentent la paroi artérielle.
- **Types d'artères :**
  - **artères élastiques :** ce sont les grosses artères proches du cœur (aorte/artère carotide) appelées également artères de conduction. Leur média contient principalement des fibres élastiques : lors de la systole, le sang éjecté brutalement étire la paroi vasculaire → lors de la diastole, la paroi vasculaire élastique se contracte à nouveau → le sang est envoyé plus loin → propagation plus uniforme du courant sanguin. Ce mécanisme, permis par ce type d'artère, s'appelle l'**effet Windkessel** ▶ (fig. 14.2);

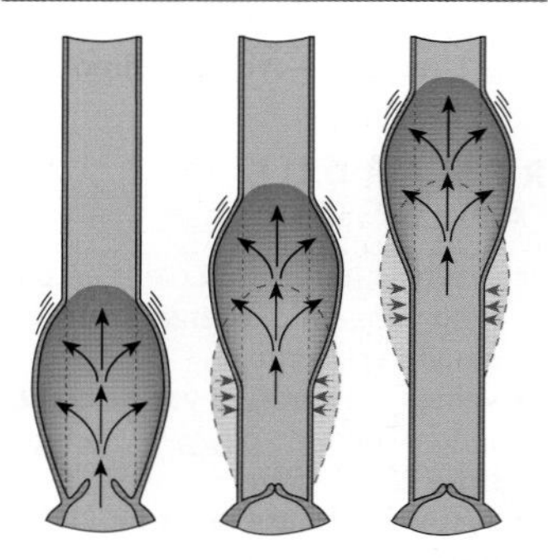

Fig. 14.2 Effet Windkessel. L'effet Windkessel permet aux grosses artères proches du cœur de propager le courant sanguin et les ondes de pouls de manière continue dans les artères.

- **artères musculaires :** ce sont les artères de la périphérie de l'organisme appelées aussi artères de distribution. Leur média contient principalement des cellules musculaires lisses qui par leurs contractions/relâchements → influencent le calibre de la lumière vasculaire et, par là même, la résistance à l'écoulement (▶ 14.3.1) et la perfusion des organes.

14.1.3 Artérioles

REMARQUE

Les **artérioles** représentent les vaisseaux de transition entre les artères et les capillaires. Ce sont également des artères de distribution qui jouent un rôle essentiel dans la régulation de la résistance vasculaire (▶ fig. 14.10).

- **Structure pariétale :** endothélium, réseau de fibres réticulaires et une seule couche de cellules musculaires lisses.
- Contrôle de la tension des muscles lisses par :
  - le système nerveux autonome (▶ 8.10) ;
  - les produits du métabolisme, localement présents ;
  - les messagers synthétisés par l'endothélium →
- Contrôle de la perfusion dans le lit capillaire qui leur fait suite grâce à :
  - la **vasoconstriction** : contraction musculaire → ↓ surface des sections transversales capillaires → ↓ perfusion ;
  - la **vasodilatation** : relâchement musculaire → ↑ surface des sections transversales capillaires → ↑ perfusion.

14.1.4 Athérosclérose

Affection vasculaire généralisée s'accompagnant de modifications de l'endothélium et de l'intima (provoquées par des

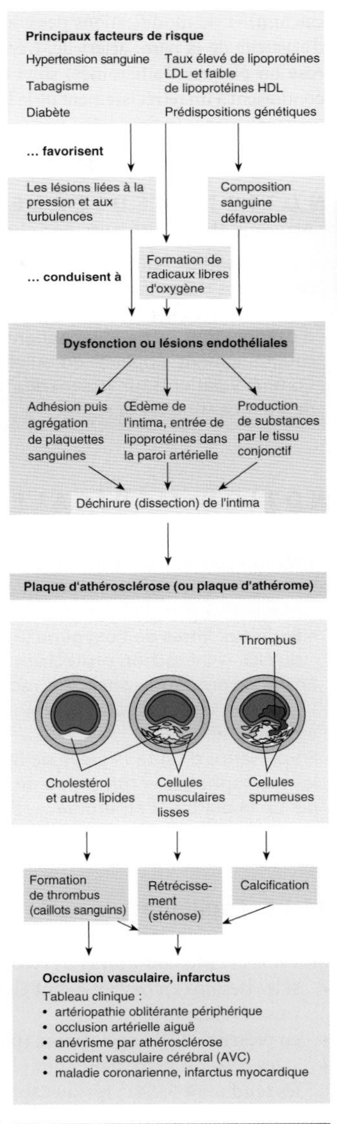

Fig. 14.3 Facteurs de risque, pathogénie et suites de l'athérosclérose.

dépôts de lipides, de glucides, de constituants sanguins, de tissu conjonctif et de calcium) et de modifications des couches musculaires → durcissement et perte d'élasticité de la paroi artérielle. L'épaississement pariétal (plaques d'athérosclérose ou plaques d'athéromes) suivi de la formation secondaire d'un thrombus conduisent à un rétrécissement de la lumière vasculaire → déficit de perfusion des tissus et organes (▶ fig. 14.3).

NOTION MÉDICALE

Artériopathie oblitérante périphérique (AOP)

L'artériopathie oblitérante périphérique (AOP) s'observe lors d'atteinte des artères des membres (et des jambes dans 90 % des cas). Premier signe : froideur des pieds. Évolution : douleur lors de la marche liée au déficit d'oxygénation → pauses pendant la marche (**claudication intermittente,** communément appelée en Allemagne la « maladie du lèche-vitrine »). Comme 9 patients sur 10 sont des fumeurs, les profanes parlent également de « jambe du fumeur ».

NOTION MÉDICALE

Dysfonction endothéliale

- **Monoxyde d'azote (NO) :** il est produit par l'endothélium (▶ 14.3.2) et a une fonction protectrice : vasodilatation, inhibition de l'agrégation plaquettaire et de la migration des macrophages dans l'intima.
- **Radicaux libres de l'oxygène** (▶ fig. 2.6) : ils réduisent la disponibilité du NO → ↓ fonction protectrice du NO.

En cas de prépondérances des radicaux libres → dysfonction endothéliale → lésions endothéliales → migration des macrophages (▶ 12.2.2) → inflammation.

En présence d'un taux élevé de lipoprotéines LDL → capture des LDL par les macrophages → formation de cellules spumeuses = constituant principal de la plaque d'athérome.

14.1.5 Capillaires

Le fin réseau de capillaires microscopiques réunit les artérioles aux veinules. Il est plus ou moins développé :

- si les besoins en oxygène sont élevés (muscles, reins) : réseau capillaire très développé ;
- en présence d'échanges gazeux (poumons) : réseau capillaire très développé ;
- si les besoins en oxygène sont plus faibles (tissus « bradytrophes » comme les tendons ▶ 5.2.4) : réseau capillaire peu développé ;
- si les tissus sont alimentés par diffusion (cristallin, cornée, cartilages, valvules cardiaques, épiderme) : absence de capillaire chez les sujets en bonne santé.

Au sein des capillaires, les échanges entre les différentes substances sont favorisés par :

- la surface totale très importante des sections transversales capillaires → le courant sanguin est fortement ralenti (▶ fig. 14.10) ;
- la paroi des capillaires, poreuse, composée uniquement d'un endothélium et d'une fine membrane basale (▶ 4.2.1), **semi-perméable** (▶ 3.4.2) qui laisse passer librement n'importe quelle substance excepté les cellules sanguines et les protéines plasmatiques.

Gradient de pression au niveau des capillaires

Selon le gradient de pression, soit les liquides et les nutriments passent dans les tissus environnants (**filtration**), soit les produits de dégradation retournent dans le système vasculaire (**réabsorption** ▶ fig. 14.4).

- Passage vers « l'extérieur » (sortie vers le liquide interstitiel) :
  - pression hydrostatique intracapillaire (= « pression sanguine de repos ») : « repousse » l'eau et les petites molécules pour les faire entrer dans les tissus ;
  - à l'entrée de la portion artérielle du capillaire : environ 30 mmHg ;
  - à la sortie de la portion veineuse du capillaire : environ 10 mmHg ;
  - **pression oncotique** (▶ 3.7.1) du liquide interstitiel : « attire » l'eau et les molécules dans le liquide interstitiel, environ 5 mmHg.
- Passage vers « l'intérieur » (entrée dans les vaisseaux) :
  - **pression oncotique** intravasculaire : les protéines (en particulier l'**albumine**), qui ne peuvent pas traverser les pores, retiennent fermement l'eau dans les vaisseaux ; dans les portions artérielle et veineuse du capillaire, environ 25 mmHg ;
  - pression hydrostatique du liquide interstitiel : environ 0 mmHg, peut être considérée comme négligeable ;
  - **pression effective de filtration :**
    - portion artérielle des capillaires : 30 mmHg + 5 mmHg – 25 mmHg = 10 mmHg → les liquides et les petites molécules vont filtrer et passer dans le liquide interstitiel ;
    - portion veineuse des capillaires : la baisse de la pression artérielle permet à la force dirigée vers l'intérieur de l'emporter → les liquides et les petites molécules sont réabsorbés ▶ (fig. 14.4).

NOTION MÉDICALE

Œdème

Accumulation pathologique de liquide dans les tissus ; se produit lors de perturbation de l'équilibre entre, d'un côté, la filtration et, de l'autre, la réabsorption associée au drainage lymphatique, la balance allant vers une augmentation de la filtration.

Étiologie :

- ↑ **pression artérielle intracapillaire** → ↑ filtration. Lorsque la capacité de transport des vaisseaux lymphatiques est dépassée → les liquides s'accumulent dans les tissus :
  - ↑ pression dans le compartiment artériel : par exemple en cas d'hypertension ;

– ↑ pression dans le compartiment veineux : en cas d'insuffisance cardiaque (généralisée), de thrombose veineuse (localisée) ;
– ↑ pression hydrostatique lors d'insuffisance valvulaire veineuse et de station debout prolongée → œdèmes articulaires.

- ↓ **pression oncotique** → lors de ↓ du taux d'albumine sanguin (albuminémie) :
  – diminution de la synthèse : pathologie hépatique sévère, inanition ;
  – augmentation des pertes : syndrome néphrotique, brûlures.
- **trouble du drainage lymphatique :** compression des voies lymphatiques (par exemple tumeur) → œdème dans la région desservie ;
- ↑ **perméabilité de la paroi capillaire** : par exemple lors d'allergie ou d'inflammation → œdème local **riche en protéines.**

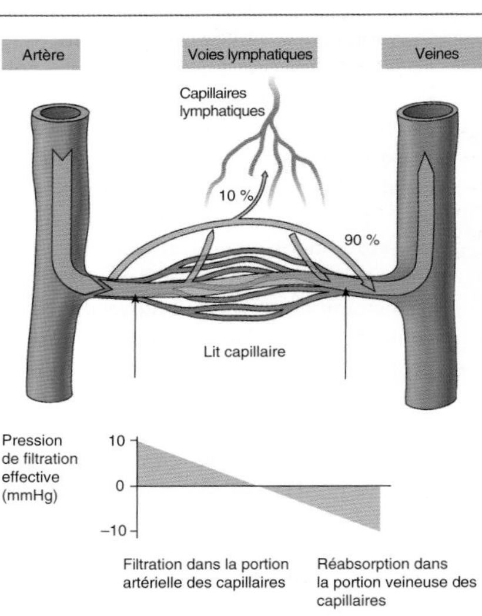

Fig. 14.4 Formation des lymphatiques et gradient de pression dans le lit capillaire. Dans la portion artérielle des capillaires, les forces dirigées vers l'extérieur prédominent, les liquides sont filtrés. Dans la portion veineuse des capillaires, le gradient de pression s'inverse, les liquides sont réabsorbés. Au total, 20 litres de liquide sont filtrés par jour dont 18 litres sont réabsorbés. Les 2 litres restant retournent dans le sang via le système lymphatique (▶ 11.6.1).

14.1.6 Veinules et veines

Après avoir traversé les capillaires, le sang arrive dans les **veinules.** Celles-ci se réunissent pour former les plus grosses veines qui conduisent au cœur.

URGENCE

Collapsus vasculaire : utilisation du volume veineux

L'important volume sanguin du système veineux (▶ fig. 14.5) est utilisé, par exemple, lors du positionnement d'un patient présentant un collapsus vasculaire : par l'élévation de ses jambes → le sang se trouvant dans les veines des jambes s'écoule vers le cœur → ↑ de la pression de remplissage et du volume d'éjection systolique.

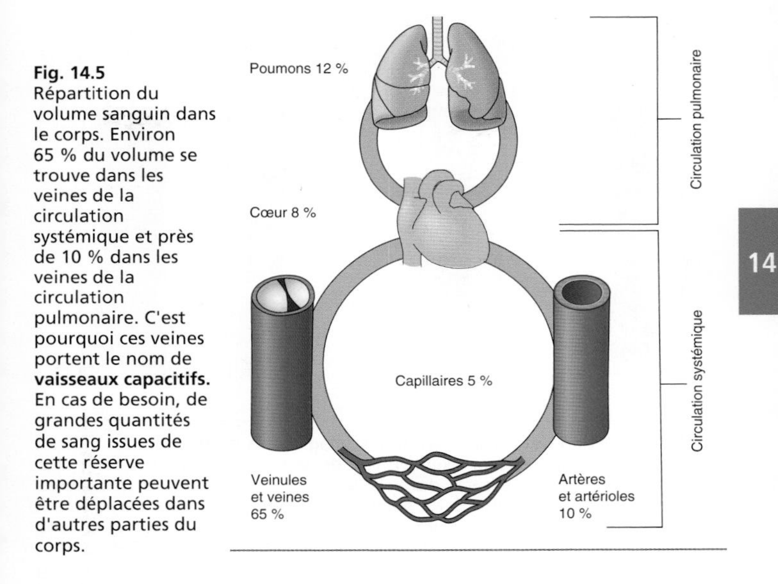

Fig. 14.5
Répartition du volume sanguin dans le corps. Environ 65 % du volume se trouve dans les veines de la circulation systémique et près de 10 % dans les veines de la circulation pulmonaire. C'est pourquoi ces veines portent le nom de **vaisseaux capacitifs.** En cas de besoin, de grandes quantités de sang issues de cette réserve importante peuvent être déplacées dans d'autres parties du corps.

- **Structure de la paroi :** veines : la pression est plus faible que dans les artères → la paroi des veines est plus fine. La structure des couches de la paroi des veines correspond globalement à celle des artères. Les différences sont les suivantes :
  - adventice : plus épaisse;
  - média : muscles moins importants;
  - intima : forme la paroi externe des veines ainsi que les **valvules ou replis semi-lunaires** des veines des membres inférieurs; les protubérances endothéliales opposées forment une valve qui permet de conduire le courant sanguin au cœur (▶ fig. 14.6). Si le courant sanguin s'écoule dans le sens opposé, les valvules se déplient et empêchent le reflux.
- Au niveau des jambes, il existe trois types de veines présentant des valvules :
  - **les veines profondes :** elles se trouvent dans la profondeur des muscles et transportent le sang au cœur;
  - **les veines superficielles :** elles forment un réseau sous-cutané;
  - **les veines perforantes** (perforation = percer) : elles relient les veines superficielles aux veines profondes. Les veines perforantes saines sont des voies à sens unique – le sang ne peut passer que des veines superficielles vers les veines profondes.

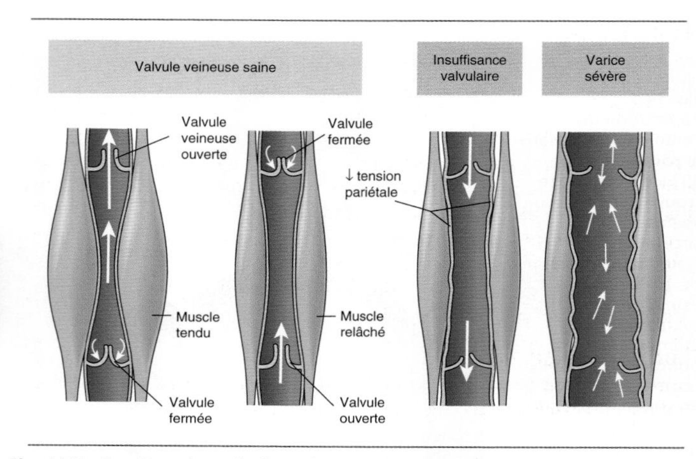

Fig. 14.6 Fonction des valvules veineuses. Image 1 : la contraction des muscles squelettiques sus-jacents (par exemple lors de la marche) envoie le sang sous pression vers le haut au travers des valvules ouvertes. Les valvules inférieures, fermées, empêchent le reflux. Cette **pompe musculaire** accroît considérablement le retour veineux au cœur. Lorsque les muscles sont détendus (image 2), le sang s'écoule vers le bas en traversant les valvules maintenant ouvertes. Si les veines sont dilatées (image 3), les valvules ne peuvent plus se fermer totalement. Le sang s'écoule à nouveau par gravité en direction de la périphérie du corps (image 4). Il se forme une varice.

14.2 Composantes du système circulatoire

14.2.1 Artères de la circulation systémique

Circulation systémique : VG → aorte → capillaires → système veineux → veines caves inférieure et supérieure → AD.

Tête

Plusieurs branches se forment au niveau de l'**arc de l'aorte** :

- **tronc brachiocéphalique** → **artère subclavière droite** et **artère carotide commune droite** ;
- **artère carotide commune gauche** ;
- **artère subclavière gauche.**

Les deux artères **carotides** partent en direction de la tête et se divisent au niveau de la **bifurcation carotidienne** située sur le bord supérieur du larynx en :

- **artère carotide externe** (qui distribue le sang au larynx, à la cavité buccale, à la glande thyroïde, aux muscles élévateurs de la mandibule, au nez, au visage) et
- **artère carotide interne** (qui distribue le sang aux yeux et à une grande partie du cerveau ▶ 8.12). La bifurcation carotidienne est légèrement plus large (**sinus carotidien**).

Membre supérieur

Les artères subclavières (▶ fig. 14.7) s'étirent jusqu'aux aisselles en donnant plusieurs branches :

- **artères vertébrales :** longent les vertèbres cervicales et vont au cerveau ;
- ramifications pour la paroi pectorale, la région du cou et de la nuque.

À partir de la région axillaire, l'artère subclavière prend le nom d'**artère axillaire** ; elle chemine jusqu'au bras où elle prend alors le nom d'**artère brachiale.** Celle-ci se divise au niveau du pli du coude en :

- **artère radiale** qui chemine le long du radius jusqu'à la main. Le pouls est généralement mesuré à son niveau ;
- **artère ulnaire** qui chemine le long de l'ulna. Ces deux artères s'anastomosent pour irriguer l'avant-bras et la main.

Thorax et abdomen

L'aorte thoracique descendante chemine en avant du rachis et donne au niveau du thorax les **artères intercostales** qui longent le bord inférieur des côtes. Elle traverse ensuite le diaphragme et entre dans le rétropéritoine (▶ 16.1.3).

Dans la cavité abdominale, l'aorte abdominale abandonne d'abord le **tronc cœliaque** (▶ fig. 14.7), qui se divise en trois branches :

- **artère gastrique gauche** pour l'estomac ;
- **artère hépatique commune** pour le foie principalement ;
- **artère splénique** pour la rate.

Plus bas, l'aorte donne les **artères mésentériques supérieure** et **inférieure** qui irriguent l'intestin. En dessous de l'artère mésentérique supérieure partent les **artères rénales** (▶ fig. 14.8a, ▶ fig. 14.8b).

Bassin et membre inférieur

Juste avant la 4e vertèbre lombaire, l'aorte se divise en **artères iliaques communes droite et gauche,** qui se divisent à leur tour en **artères iliaques interne** et **externe**.

L'artère iliaque interne irrigue les organes du bassin. L'artère iliaque externe entre dans la **lacune vasculaire** (espace entre le pubis et le ligament inguinal ▶ fig. 6.19). Au cours de son trajet, elle donne tout d'abord l'**artère fémorale** puis l'**artère poplitée.** Sous la fosse poplitée, elle se divise en trois branches qui irriguent la jambe et le pied :

- **artère fibulaire** (**a. péronière**) ;
- **artère tibiale antérieure ;**
- **artère tibiale postérieure.**

14.2.2 Système porte

Le sang veineux issu des organes abdominaux s'écoule par la veine porte (**veine porte**), qui ramène au foie le sang riche en nutriments, provenant des organes digestifs. Dans le foie, ce sang se mélange au sang de l'artère hépatique, riche en oxygène (▶ fig. 16.6, ▶ fig. 16.28).

De très nombreux processus biochimiques ont lieu dans le foie → détoxification des substances nocives et préparation des substances absorbées pour qu'elles puissent être traitées ultérieurement dans les cellules de l'organisme

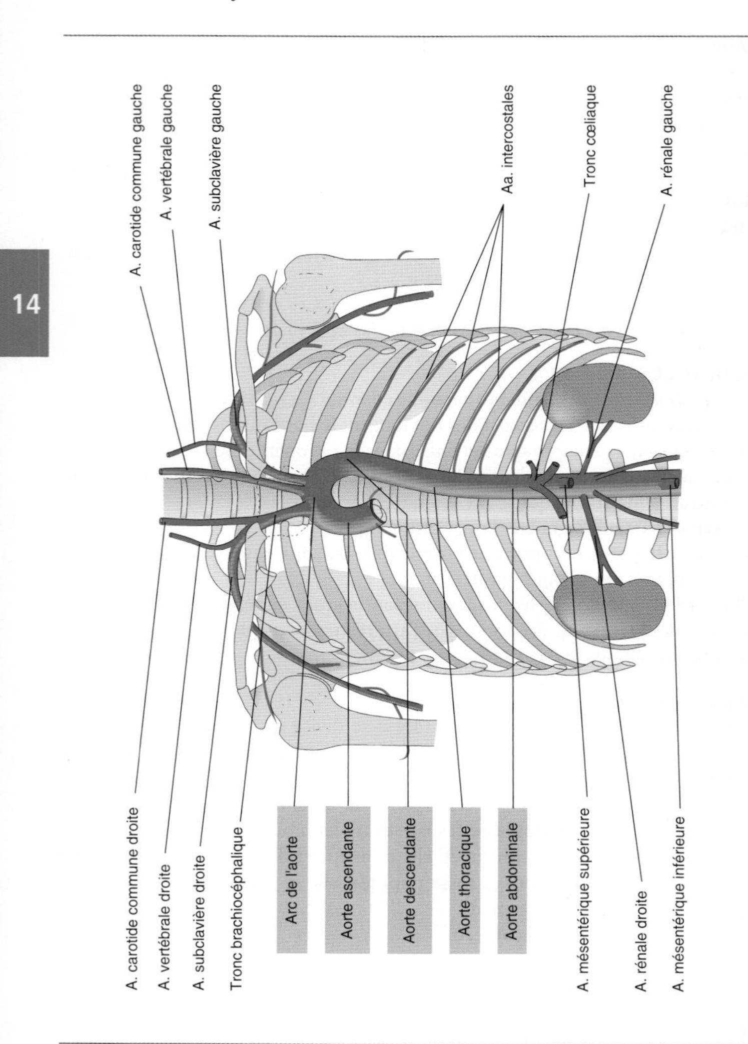

Fig. 14.7 Principales branches de l'aorte. L'aorte donne tout d'abord les artères **coronaires droite** et **gauche** (▶ 13.7.1) qui distribuent le sang au myocarde (muscle cardiaque). Elle remonte ensuite (**aorte ascendante**), forme un arc (ou crosse) au-dessus du tronc pulmonaire avant de redescendre vers le bas du corps (**aorte descendante**).

(▶ 16.10.3). Pour cela, le sang issu de l'artère hépatique et de la veine porte traverse le lit capillaire hépatique avant de retourner à l'AD en passant par les **veines hépatiques** et la veine cave inférieure.

14.2.3 Veines de la circulation systémique

REMARQUE

Le trajet des veines suit globalement celui des artères. Les veines débouchent finalement dans la veine cave supérieure ou inférieure.

La **veine cave supérieure** recueille le sang issu des bras, de la tête, du cou et de la poitrine. La **veine cave inférieure** reçoit le sang de la cavité abdominale, de la paroi abdominale, des organes du bassin et des jambes.

- Le sang veineux du myocarde parvient à l'AD en passant par le **sinus coronaire**.
- Au niveau du bras, les **veines ulnaires** et les **veines radiales** ramènent le sang dans la **veine brachiale → veine subclavière** (▶ fig. 14.9). Au niveau des **confluents (ou angles) veineux de Pirogoff** droit et gauche, la veine subclavière s'unit à la **veine jugulaire interne** ainsi qu'à la grande veine lymphatique (à droite) ou au conduit (ou canal) thoracique à gauche (▶ fig. 11.13) → veine cave supérieure.
- La veine jugulaire interne transporte le sang issu du cerveau et de la face. Le sang veineux provenant cuir chevelu, de la peau de l'occiput et du plancher buccal se déverse dans la **veine jugulaire externe** → veine subclavière ou angle veineux de Pirogoff.
- Sang provenant des organes abdominaux → veine porte (▶ 14.2.2), sang des organes du bassin → **plexus veineux** → veine cave inférieure.
- Au niveau des jambes, le sang veineux circule principalement dans le **réseau veineux profond** et se déverse d'abord dans la **veine poplitée → veine fémorale → veine iliaque externe → veine iliaque commune.**
- Une petite partie du sang veineux passe par le **réseau veineux superficiel** et parvient à la **veine grande saphène (ou saphène interne)** qui débouche dans la veine fémorale au niveau du **trigone fémoral** (▶ fig. 14.9a, ▶ fig. 14.9b).

14.2.4 Circulation pulmonaire

VD → **tronc pulmonaire → artère pulmonaires gauche** et **droite** → artérioles → capillaires. Les capillaires s'étendent sur l'ensemble des alvéoles pulmonaires (alvéoles, ▶ fig. 15.9) et amènent le sang pauvre en oxygène dans les alvéoles pour permettre l'échange gazeux.

REMARQUE

Les veinules et les veines se réunissent en quatre grosses **veines pulmonaires,** qui amènent le sang, maintenant riche en oxygène, à l'AG.

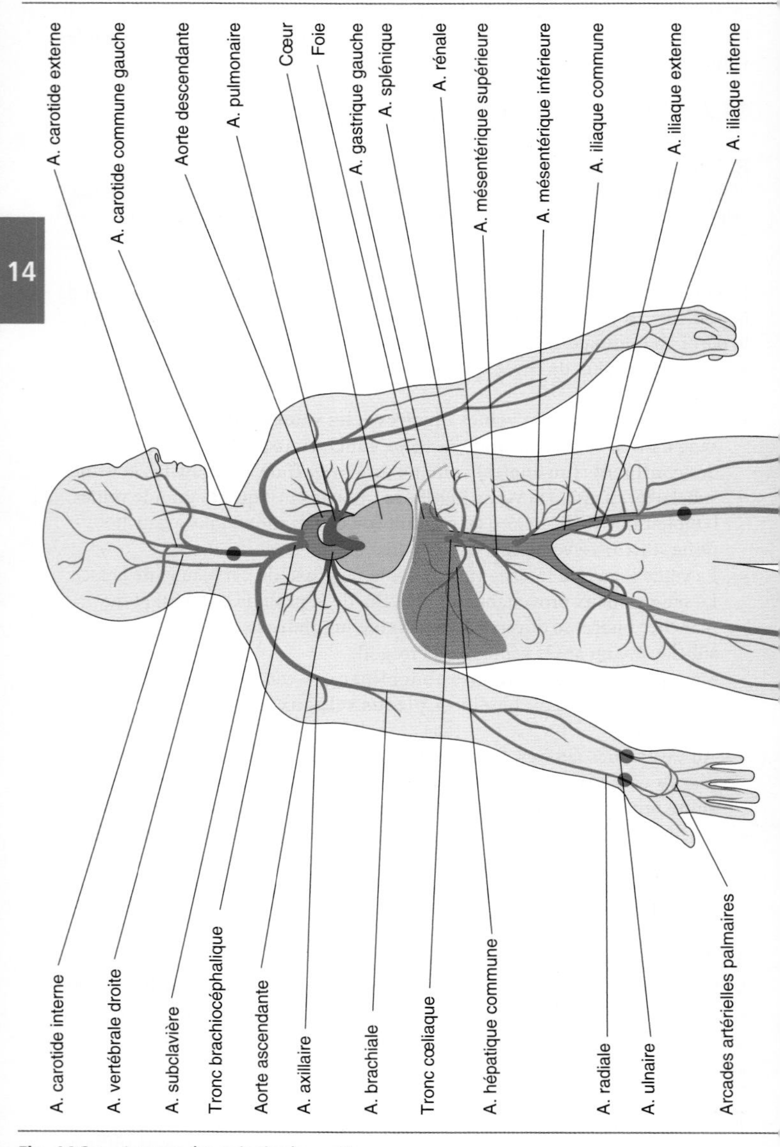

Fig. 14.8a Aperçu des principales artères.

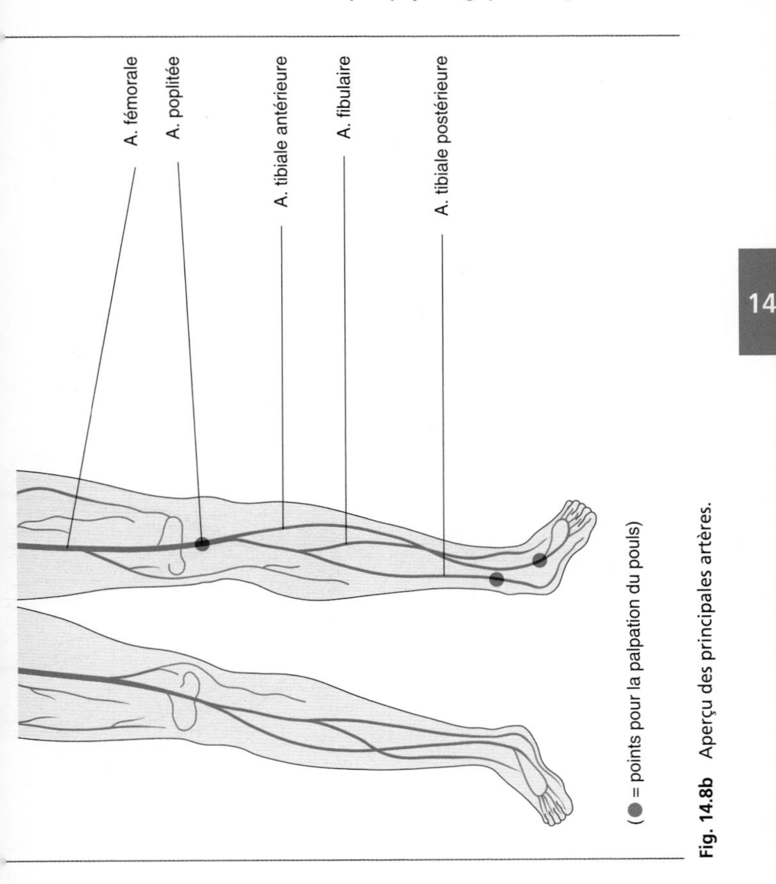

Fig. 14.8b Aperçu des principales artères.

14.3 Caractéristiques physiologiques du système vasculaire

Le **courant sanguin** se forme du fait de différences de pression dans le système circulatoire. Son débit dépend de la **résistance à l'écoulement** (▶ fig. 14.10) et de la **pression artérielle** (▶ 14.3.4).

14.3.1 Résistance à l'écoulement

Les vaisseaux sanguins opposent une **résistance à l'écoulement** du courant sanguin. Celle-ci est certainement influencée par :

- le **diamètre des vaisseaux** (fondamentalement influencé par le **tonus vasculaire**) : si un vaisseau se rétrécit, l'augmentation de la résistance est inversement proportionnelle au rayon élevé à la puissance 4 (si le rayon

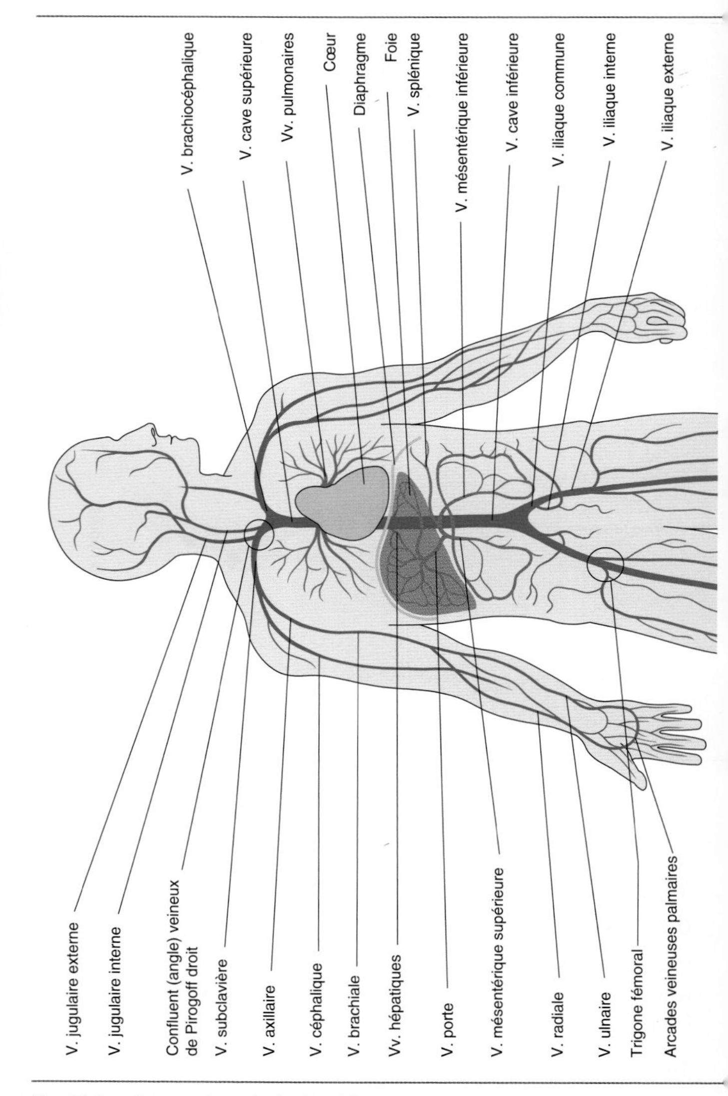

Fig. 14.9a Aperçu des principales veines.

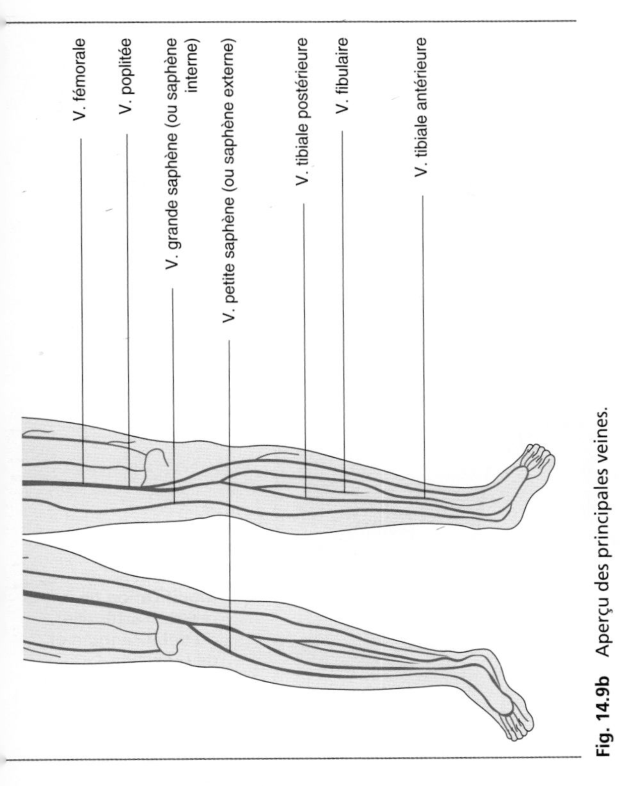

Fig. 14.9b Aperçu des principales veines.

diminue de moitié → la résistance ↑ d'un facteur $2^4 = 16$; si le vaisseau double de rayon → la résistance ↓ de 1/16 de sa valeur initiale) → régulation de la pression artérielle et de la perfusion ;

- la **viscosité sanguine** (résistance ou « frottement interne » d'un fluide) : dépend du rapport entre les composants sanguins solides et liquides ainsi que de la composition en protéines du plasma. La proportion d'érythrocytes (**hématocrite** [Ht] ▶ 11.2.3) est un facteur décisif. ↑ Ht (par exemple lors de déshydratation = perte d'eau de l'organisme ▶ 18.7) → ↑ de la viscosité → ↑ de la résistance périphérique à l'écoulement.
- la **longueur** du vaisseau (ne peut être modifiée) ;
- la **section transversale totale vasculaire** (plus la surface totale du lit vasculaire est importante, moins il y a de résistance).

REMARQUE

La **résistance périphérique totale** s'obtient en ajoutant les résistances à l'écoulement des différents tronçons vasculaires successifs. Si celle-ci augmente, la pression artérielle augmente.

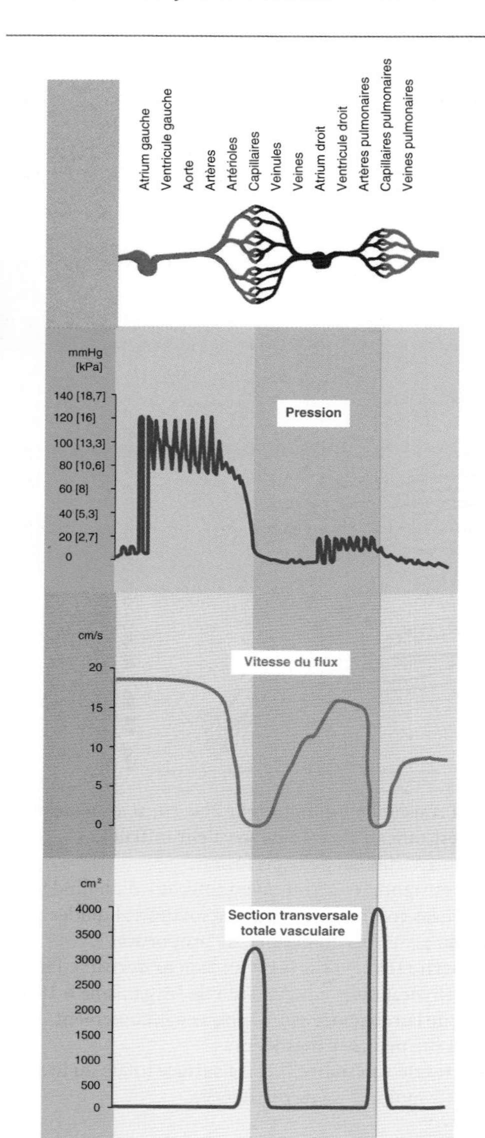

Fig. 14.10 Modification de la pression artérielle, du débit sanguin et de la section transversale totale le long des différents segments vasculaires. Artérioles : la pression artérielle (liée à la résistance élevée) ↓ rapidement. Le débit moyen à un point donné = inversement proportionnel au calibre total du lit vasculaire en ce point → le débit sanguin est le plus rapide dans l'aorte et le plus lent au niveau du lit capillaire (plus un fleuve est large, plus il s'écoule lentement).

14.3.2 Répartition du sang et vascularisation du corps

La circulation dans les différents organes est maintenue par différents mécanismes sous différentes conditions de gravité et s'adapte aux variations des besoins en oxygène et en nutriments :

- cœur : modifications du volume d'éjection et de la fréquence cardiaque (FC) ;
- système vasculaire : modifications du calibre des vaisseaux (surtout des artères de distribution) → **redistribution sanguine** ;
- modifications du volume sanguin.

Régulation locale de la circulation sanguine dans les organes

Certains organes (cerveau, cœur et surrénales) doivent toujours être bien vascularisés alors que d'autres (par exemple muscles squelettiques) nécessitent moins de sang au repos, mais une bonne irrigation lorsqu'ils sont sollicités → les mécanismes nécessaires à la **régulation locale de la circulation dans les divers organes** (qui s'effectue surtout par un changement du calibre des artères de distribution) sont les suivants :

- **mécanismes myogènes :** les muscles de la paroi des vaisseaux assurent une perfusion constante des organes, tant que la pression artérielle n'est pas tombée en dessous d'un certain seuil critique (**autorégulation** des vaisseaux, très marquée au niveau des reins, du cerveau ; inexistante au niveau pulmonaire) : ↑ pression artérielle → vasoconstriction, ↓ pression artérielle → vasodilatation ;
- **produits du métabolisme :** les artérioles réagissent aux influences chimiques locales (↓ oxygène, ↑ CO_2, ↑ lactate) par une augmentation de leur calibre → ↑ perfusion locale → amélioration de l'évacuation des produits du métabolisme (par exemple lors d'augmentation de l'activité organique ou de travail musculaire intense). À l'inverse : ↓ CO_2 → ↓ de la perfusion locale (par exemple hyperventilation → « voile noir devant les yeux » par diminution de la perfusion cérébrale) ;
- **mécanismes hormonaux** et produits issus de l'endothélium et des thrombocytes (▶ tableau 10.3) : histamine, bradykinine, sérotonine et prostaglandines, thromboxane, NO, endothéline, adénosine, AT II, ADH, adrénaline et noradrénaline ;
- **influx nerveux :** le système nerveux sympathique joue un rôle très important (▶ 8.10) → régule le calibre des artères de distribution. Selon la tension vasculaire au repos et le nombre de récepteurs (excitation des récepteurs α → vasoconstriction, excitation des récepteurs β → vasodilatation), il agit surtout comme un vasoconstricteur ; toutefois, au niveau des muscles squelettiques au travail, il agit plutôt comme un vasodilatateur → amélioration des performances.

14.3.3 L'organisme lors de travail corporel

Une activité musculaire intense nécessite :

- jusqu'à 100 fois plus d'oxygène qui doit être amené aux muscles ;
- le **CO_2** et les **lactates** (acide lactique) doivent être évacués.

Ce sont les mécanismes décrits ci-dessous qui permettent au corps d'y parvenir.

Vasodilatation des capillaires

Cette vasodilatation est déclenchée par la grande quantité de produits métaboliques issus du métabolisme énergétique **anaérobie** (= qui se produit sans oxygène) (en particulier du lactate) ainsi que par la chute locale de la pression partielle en oxygène (▶ 15.9.1).

Augmentation du débit cardiaque

- Principalement par ↑ de la FC :
  - **si l'état est stable (état d'équilibre),** la FC passe d'environ 70 bpm au repos à 130 bpm au maximum ; cet état peut être maintenu plusieurs heures. Si l'effort est maximal mais de courte durée, la FC peut augmenter jusqu'à environ 200 bpm.
- Mécanisme de moindre importance : ↑ du **volume d'éjection** (▶ 13.6.1). De 25 %, chez une personne non entraînée, à 50 % chez une personne entraînée → le **débit cardiaque** passe de 5 litres/min jusqu'à 20 litres/min chez une personne non entraînée.
- **Redistribution** du volume sanguin : tube digestif, ↓ perfusion ; cerveau et rein, diminution **relative** de la perfusion.
- **Travail léger à modéré :** la concentration en lactate et la FC atteignent une valeur moyenne constante (état d'équilibre) → pas de fatigue.
- **Travail intense :** le cœur ne parvient pas à maintenir en continu le rendement nécessaire. La FC ↑ jusqu'à ce que le cœur fatigue, puis le débit cardiaque s'abaisse à nouveau. La fatigue est exacerbée par l'augmentation de la concentration en lactate (le lactate formé ne peut pas être dégradé) → acidose métabolique (acidification du sang ▶ 18.9.2) → arrêt du rendement.

REMARQUE

Lorsque le travail commence, il se produit un déficit en oxygène qui sera récupéré à la fin du travail → même lorsque la FC est élevée à la fin du travail. Ce déficit en oxygène peut être mesuré par la **vitesse de rétablissement de la fréquence cardiaque post-effort** = nombre total de battements cardiaques mesurés depuis la fin du travail jusqu'à la récupération du pouls au repos.

Accélération de la respiration

▶ 15.10.

- Par une respiration plus profonde et plus rapide – passage d'un volume respiratoire minute (▶ 15.8.4) d'environ 7 litres/min au repos à 100 litres/min lors d'effort corporel extrême.
- Au-delà de la limite d'endurance, le corps commence à s'enrichir en lactate → hyperventilation (▶ 15.8.5) → rejet de CO_2 et de gaz carbonique (▶ 2.7.4) → s'oppose à la chute du pH engendrée par les lactates (▶ 2.7.3 ; ▶ 18.9.1).

14.3.4 Pression artérielle et régulation de la pression artérielle

Pression (sanguine) artérielle (PA)

- **Pression artérielle** = force exercée par le sang sur les parois vasculaires. Son importance est fonction du débit cardiaque (▶ 13.6.1), de la résistance périphérique totale et du volume sanguin. Rôle de la position du corps : en position debout, la **pression hydrostatique** augmente en dessous du cœur et diminue au-dessus du cœur (mesure ▶ fig. 14.11).
  - **Pression artérielle systolique (PAS) selon Riva-Rocci :** apparaît suite à l'augmentation de la pression dans l'aorte pendant la phase d'éjection du cycle cardiaque.
  - **Pression artérielle diastolique (PAD) selon Riva-Rocci :** apparaît suite à la chute de la pression dans l'aorte au moment du relâchement du ventricule.
- **Pression artérielle différentielle ou pulsée** = différence entre PAS et PAD (PAS – PAD).

REMARQUE

Valeurs normales de la pression artérielle chez l'adulte :

- < 120/80 mmHg, valeur considérée comme optimale ;
- 120–129/80–84 mmHg, valeur considérée comme normale ;
- 130–139/85–89 mmHg, valeur considérée comme normale « haute ».

- **Pression artérielle moyenne (PAM)** dans l'aorte (environ 95 mmHg) = PAD + ⅓ de (PAS – PAD).

Une PA trop élevée (hypertension ▶ 14.4.1) peut entraîner des lésions rénales, cardiaques et cérébrales. Si la PA est trop basse (hypotension ▶ 14.4.2) → ↓ apports de nutriments et d'oxygène → signal d'alarme : vertiges (↓ irrigation du cerveau). Cas extrêmes : état de choc (▶ 14.4.3).

NOTION MÉDICALE

Conditions nécessaires à la régulation de la pression artérielle

Le corps a la capacité de mesurer lui-même sa pression artérielle. Il l'effectue principalement au niveau de l'aorte et du sinus carotidien par le biais de **barorécepteurs,** des cellules sensibles à la tension (▶ fig. 14.12). Une forte PA → étirement important de la paroi → ↑ fréquence des influx sur les barorécepteurs. Une PA faible → ↓ fréquence des influx.

Régulation à court terme de la pression artérielle

Les mécanismes de la **régulation à court terme de la PA** entrent en jeu en quelques secondes :

- **barorécepteurs :** ↓ pression artérielle → stimulation réflexe du système sympathique → ↑ volume d'éjection, éventuellement vasoconstriction au niveau de la peau, des reins et du tube digestif.

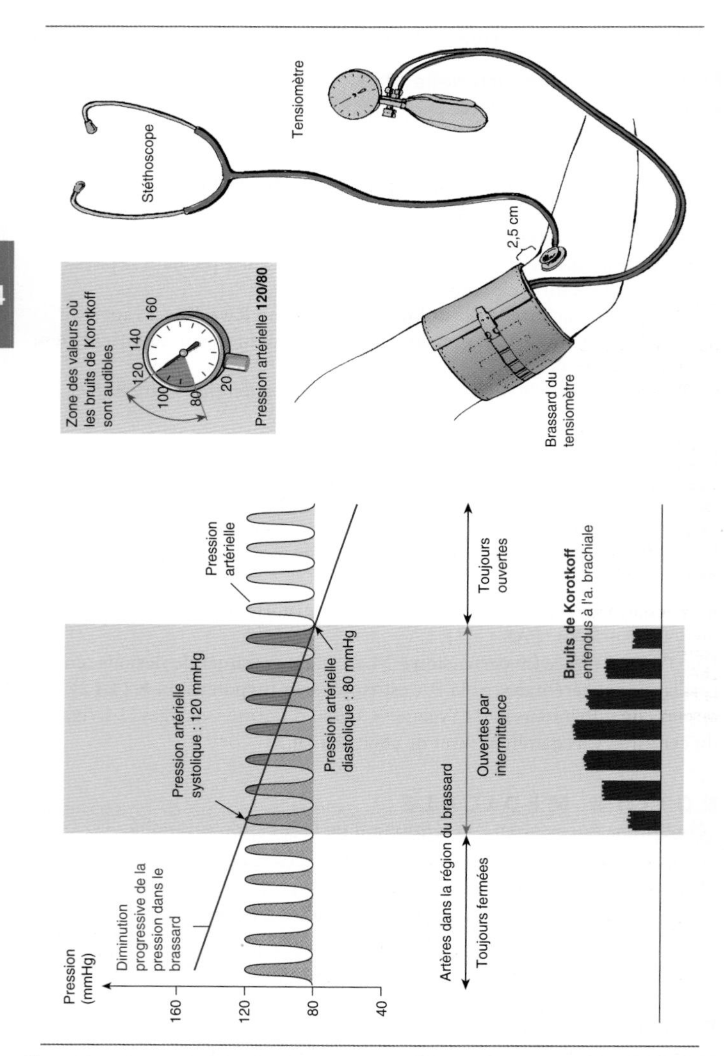

Fig. 14.11 Mesure indirecte non invasive de la pression artérielle (PA) selon Riva-Rocci : placer le stéthoscope dans le pli du coude (sur le trajet de l'artère brachiale) – gonfler le brassard du tensiomètre placé juste au-dessus jusqu'à ce que le bruit des pulsations ne soit plus audible – relâcher doucement la pression. Lorsque la pression dans le brassard passe en dessous de la PA systolique, le sang qui s'écoule de façon synchrone au pouls génère des bruits audibles (**bruits de Korotkoff**). Premier bruit : PA systolique. Lorsque la pression diminue, les bruits deviennent plus faibles → PA diastolique. Le résultat est donné en millimètres de mercure (**mmHg**).

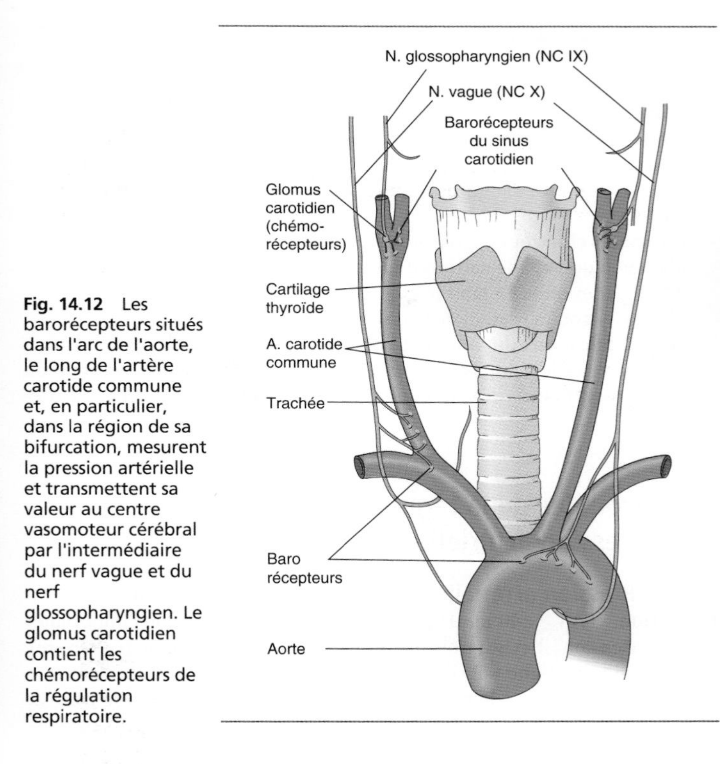

Fig. 14.12 Les barorécepteurs situés dans l'arc de l'aorte, le long de l'artère carotide commune et, en particulier, dans la région de sa bifurcation, mesurent la pression artérielle et transmettent sa valeur au centre vasomoteur cérébral par l'intermédiaire du nerf vague et du nerf glossopharyngien. Le glomus carotidien contient les chémorécepteurs de la régulation respiratoire.

↑ Pression artérielle → ↓ activité sympathique. L'arc réflexe passe par le centre bulbaire cardiovasculaire ;

- **volorécepteurs, sensibles à l'étirement** (dans les atriums) : leur réaction est semblable à celle des barorécepteurs mais plus faible.

Régulation à moyen terme de la pression artérielle

- **Système rénine-angiotensine-aldostérone (SRAA)** (▶ fig. 18.11) : ↓ perfusion rénale (par exemple du fait de la chute de la PA, d'une sténose des artères rénales) → ↑ libération de rénine dans le rein. La rénine favorise la conversion de l'angiotensinogène en angiotensine I, qui, via l'**ECA** (enzyme de conversion de l'angiotensine) est transformée à son tour en angiotensine II (à fort pouvoir vasoconstricteur → ↑ PA).

Régulation à long terme de la pression artérielle

Par la régulation de la volémie (passant de ce fait par les reins) :

- **pression de diurèse :** ↑ PAM →↑ élimination d'eau par les reins (débit urinaire). ↓ PAM → ↓ élimination d'eau par les reins (▶ 18.2) ;

- **hormone antidiurétique** (ADH) : ↑ volume dans le système vasculaire → ↓ sécrétion d'ADH par l'hypothalamus (▶ 10.2.1) → ↑ diurèse (▶ 18.2). ↓ Volume circulant → ↑ sécrétion d'ADH → ↓ diurèse ;
- **aldostérone :** activation du SRAA par la chute de la PA (▶ 18.3.1) → ↑ sécrétion aldostérone → ↑ réabsorption d'eau et de sodium par le rein → ↑ volume sanguin. Augmentation de la PA → inhibition du SRAA ;
- **messagers chimiques** agissant sur les reins **:** ↑ volume sanguin → libération du peptide natriurétique atrial (ou facteur atrial natriurétique, **ANP**) par exemple (▶ tableau 10.3) par les atriums cardiaques → ↑ diurèse → compensation de l'excédent volumique.

→ Les modifications du volume plasmatique influencent l'état d'étirement des vaisseaux et le remplissage veineux (la pression veineuse centrale ou **PVC**) et agissent ainsi sur la fraction d'éjection cardiaque et la pression artérielle.

14.4 Troubles de la régulation de la pression artérielle

14.4.1 Pression artérielle trop élevée (hypertension)

Définition PAS ≥ 140 mmHg et/ou PAD ≥ 90 mmHg. Selon l'importance de l'hypertension, il existe trois degrés de sévérité (légère, modérée, sévère). **Hypertension maligne** = PAD ≥ 120 mmHg avec complications.

Étiologie 80–90 % : **hypertension essentielle (primaire).** Facteurs de risque : surpoids, tabagisme, forte consommation de sel, manque d'exercice, stress, prédispositions génétiques.

10 % : hypertension secondaire. Actuellement, le syndrome de Conn semble être la principale cause d'hypertension secondaire, suivi des néphropathies, des hypertensions artérielles rénovasculaires et des hypertensions artérielles d'origine médicamenteuse (glucocorticoïdes, « pilules », par exemple).

Symptômes Bien souvent non caractéristiques (sensation de pression dans la tête, céphalée, acouphènes, vertiges) → il n'est pas rare que le diagnostic se fasse au moment de l'apparition des complications (insuffisance cardiaque ▶ 13.6.3, coronaropathie ▶ 13.7.2, AVC ▶ 8.12.3).

Traitement

- Hypertension secondaire → traitement en priorité de la cause.
- Hypertension primaire : associer un traitement non médicamenteux au traitement médicamenteux.

Objectif Abaisser la valeur de la pression artérielle en dessous de 140/90 mmHg. Chez le diabétique par exemple, les valeurs « normales hautes » doivent également être traitées.

NOTION MÉDICALE

Traitement de l'hypertension

- **Traitement non médicamenteux :** la modification du mode de vie (alimentation, exercice, arrêt de la consommation d'alcool et de tabac) peut permettre de normaliser la pression artérielle lors d'hypertension modérée.
- **Traitement médicamenteux :** les groupes de médicaments les plus souvent employés soit seuls soit en association sont les suivants (modes d'action ▶ 13.7.2) : les IEC (inhibiteurs de l'enzyme de conversion de l'angiotensine), les antagonistes des récepteurs de l'angiotensine II (ARA II), les bêta-bloquants, les diurétiques ou les inhibiteurs calciques (à action prolongée).

14.4.2 Pression artérielle trop basse (hypotension)

Une pression artérielle trop basse (**hypotension**) qui s'accompagne de valeurs < 100/60 mmHg a nettement moins de signification médicale. Symptômes : fatigue, baisse des performances et de la concentration, vertiges.

Le plus souvent, il s'agit d'une **hypotension primaire** sans aucune cause décelable, observée fréquemment chez les jeunes femmes très minces. Les mesures physiques suffisent le plus souvent pour la traiter (par exemple entraînement du système vasculaire, cures de physiothérapie de Kneipp, utilisation de brosses de massage, sport).

14.4.3 États de choc

REMARQUE

État de choc = insuffisance circulatoire généralisée qui ne permet plus à l'organisme d'irriguer correctement un organe isolé ou l'ensemble des organes → aboutit à un déficit en oxygène de certains tissus importants → perte de conscience, insuffisance organique (en particulier rénale) → mort.

Étiologie

- **Choc hypovolémique :** déficit volumique → ↓ retour veineux → ↓ débit cardiaque (par exemple lors de pertes sanguines importantes).
- **Choc cardiogénique :** lié à une insuffisance cardiaque. S'observe en présence de toute cardiopathie sévère, en particulier lors d'infarctus myocardique aigu, de troubles du rythme aigus, d'embolies pulmonaires.
- **Choc anaphylactique :** présence de substances vasodilatatrices → vasodilatation généralisée (▶ 14.1.3) → ↓ pression artérielle. Provoqué par des réactions allergiques vis-à-vis de médicaments ou de piqûres d'insectes (▶ 12.4.1).
- **Choc septique** (▶ 14.4.3) : présence de toxines libérées par des micro-organismes présents dans le sang circulant → vasodilatation.

NOTION MÉDICALE

Contre-régulation et conséquences

Libération d'**adrénaline** et de **noradrénaline** (▶ 10.6.2) → **vasoconstriction périphérique et redistribution du sang vers les organes centraux :** ↓ de la perfusion de la peau, des muscles et du tube digestif en faveur de la perfusion cérébrale et cardiaque.
→ **Hypoxie tissulaire** (hypoxie = manque d'oxygène) et **acidose** (acidification du sang ▶ 18.9.2).
→ Lésion des capillaires → **processus de coagulation intravasculaire disséminée** (qui a lieu dans les vaisseaux) (coagulopathie de consommation) → occlusion vasculaire → nécrose tissulaire → insuffisance organique (par exemple rénale). Cet état prend alors le nom d'**état de choc décompensé.**

Mesures et prévention

- **Élimination de la cause :** par exemple arrêt des hémorragies.
- **Position anti-choc** (▶ fig. 14.13) : interdit lors de choc cardiogénique, lors de perte de conscience, d'arrêt respiratoire, de fracture osseuse des jambes, du bassin, du rachis ainsi que lors de blessure du crâne !
- En cas de perte de conscience, placer le patient en **position latérale de sécurité,** si possible en relevant les jambes.
- **Voie veineuse périphérique :** administration de solutés (remplissage vasculaire) et de médicaments.
- **Amélioration de la fonction respiratoire :** oxygénothérapie, éventuellement par ventilation assistée.

SOINS INFIRMIERS

Estimation de l'état circulatoire

Index de choc = fréquence du pouls ÷ PAS
Risque de choc si les valeurs > 1 !

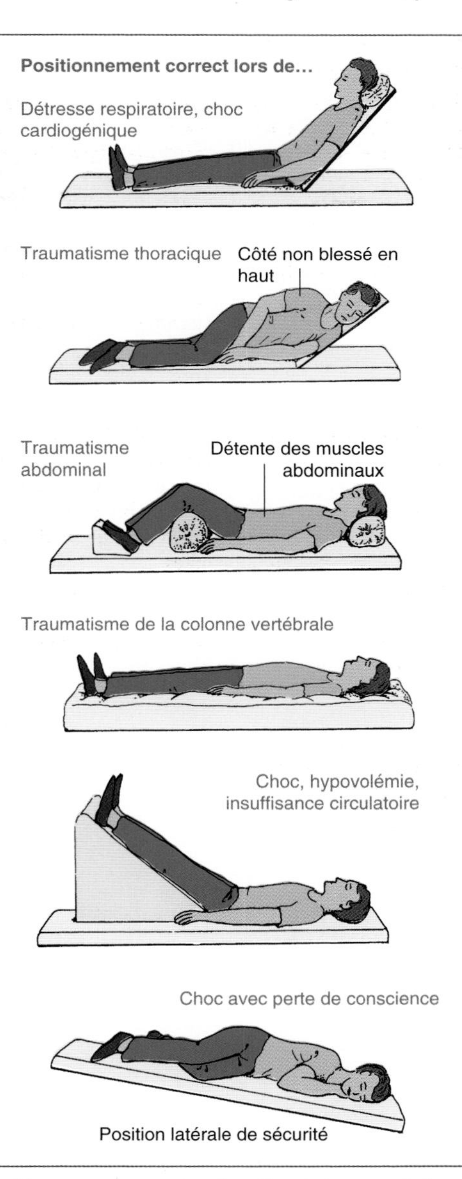

Fig. 14.13 Positionnement correct en fonction de la cause de la pathologie.

15 Système respiratoire

Notre organisme échange des gaz entre le sang et l'environnement grâce au **système respiratoire** → c'est la **respiration externe.** Cette respiration permet aux poumons de prélever l'oxygène présent dans l'air ambiant et d'y rejeter le dioxyde de carbone représentant le produit final du métabolisme de l'organisme. Par ce processus, les poumons participent également au maintien de l'équilibre acidobasique (▶ 18.9).

REMARQUE

Respiration interne

Cette respiration correspond à la production d'ATP qui a lieu dans les cellules et passe par la « combustion » des nutriments (▶ 2.8.5) par l'oxygène apporté par la respiration externe.

Les voies respiratoires supérieures (hautes) sont placées en amont des voies respiratoires inférieures (basses) (▶ fig. 15.1) :

- **voies respiratoires supérieures ou hautes** (ou voies aériennes supérieures ou hautes) : nez/nasopharynx, cavité buccale/oropharynx, sinus;
- **voies respiratoires inférieures ou basses** (ou voies aériennes inférieures ou basses) : larynx, trachée, bronches, poumons.

15.1 Nez

15.1.1 Structure

- Anatomie externe du nez : **narines, ailes du nez, pointe du nez, dos du nez, racine du nez.** Sa forme extérieure est principalement façonnée par un grand nombre de petits **cartilages nasaux**.
- Les **fosses nasales** (ou **cavités nasales)** forment la vaste partie interne; leur rôle est essentiel (▶ fig. 15.2). Elles reposent horizontalement sur le palais osseux (▶ fig. 15.1). Leurs parois latérales partent de l'os maxillaire et s'unissent à la **lame criblée de l'ethmoïde** située sous la base du crâne (▶ fig. 6.2, ▶ fig. 15.2), pour former le **toit des fosses nasales** → elles ont donc une forme presque triangulaire et sont divisées en deux moitiés, droite et gauche, par le **septum nasal (ou cloison nasale)**.
- Les poils situés à l'entrée du nez s'opposent à la pénétration de corps étrangers. L'orifice postérieur des fosses nasales qui s'ouvre sur le pharynx est formé par les **choanes.**
- La présence des **cornets nasaux inférieur, moyen et supérieur** augmente la surface des parois latérales. Ces trois « passerelles » délimitent respectivement trois **méats : inférieur, moyen et supérieur** (▶ fig. 15.2).

Anatomie et physiopathologie en soins infirmiers

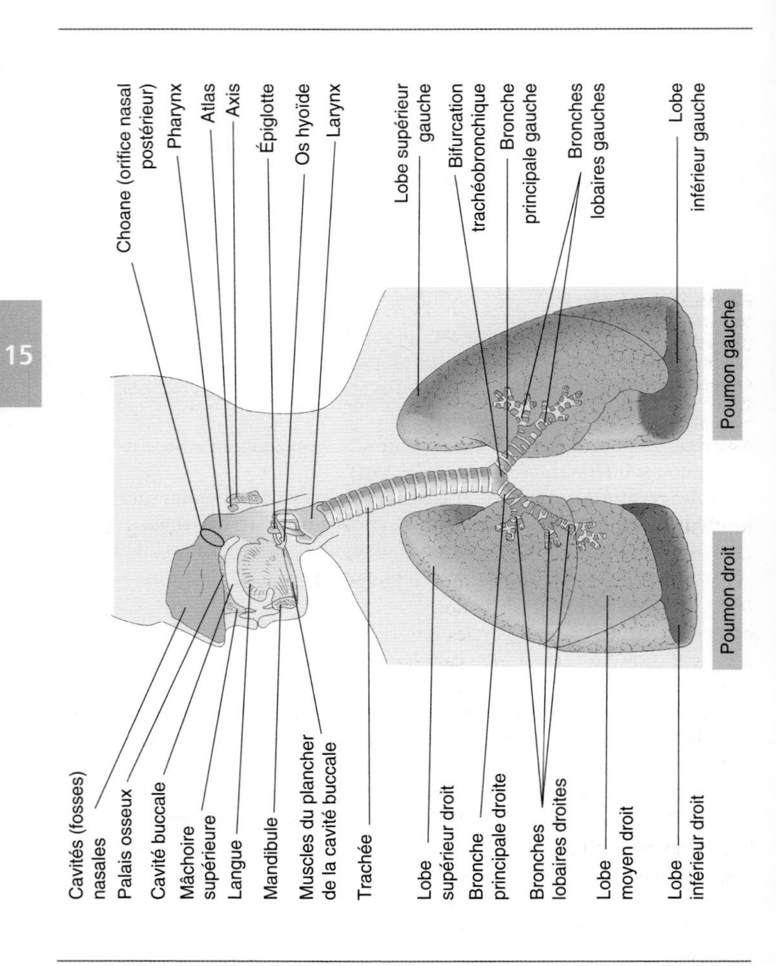

Fig. 15.1 Vue générale du système respiratoire.

15.1.2 Fonctions

Les **fosses (cavités) nasales** ont trois fonctions principales :

- réchauffement, nettoyage et humidification de l'air inspiré;
- hébergement des organes olfactifs;
- caisse de résonance de la voix.

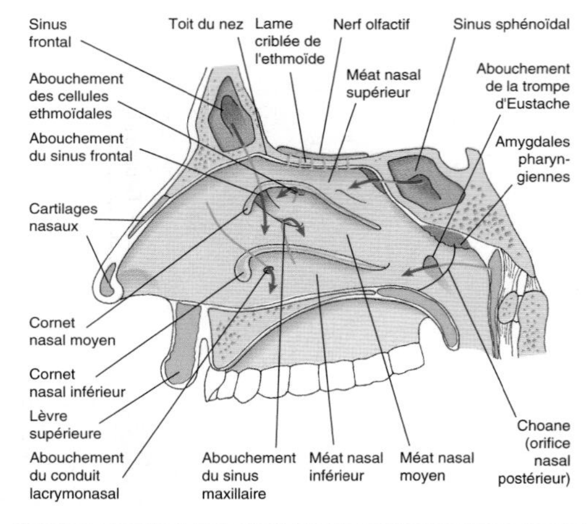

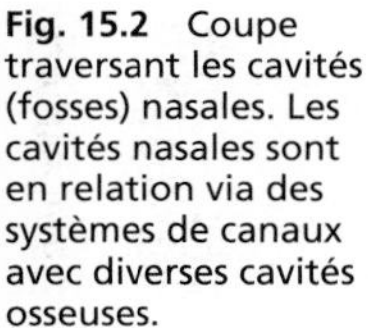
Fig. 15.2 Coupe traversant les cavités (fosses) nasales. Les cavités nasales sont en relation via des systèmes de canaux avec diverses cavités osseuses.

Réchauffement, nettoyage et humidification de l'air inspiré

Les parois de la cavité nasale sont recouvertes d'une muqueuse à la surface de laquelle se trouve un **épithélium cilié pseudostratifié portant des cils** (▶ fig. 4.1). Les cils battent rythmiquement en direction du pharynx. Les particules de poussière et les bactéries interceptées sont amenées au pharynx où elles sont dégluties. Les **cellules caliciformes** situées entre les cellules épithéliales ciliées produisent du mucus (▶ fig. 15.3). Le mouvement des cils et la sécrétion permanente de liquides permettent de nettoyer et d'humidifier l'air. Le réchauffement préalable de l'air inhalé s'effectue par l'épais réseau de fins vaisseaux sanguins situé sous la muqueuse nasale : plus l'air inhalé est froid, plus la perfusion de la muqueuse est importante. Ces vaisseaux peuvent éclater en cas de petites blessures, d'inflammation ou d'infection → **saignement de nez** (épistaxis).

Fonction olfactive

Sous le plafond des fosses nasales se trouve la **muqueuse olfactive** (▶ fig. 9.5). Les cellules olfactives qui y sont dispersées sont en fait les corps cellulaires du **nerf olfactif** (nerf crânien I). Ce nerf est formé de nombreux **filets** (fila olfactoria) qui remontent dans la fosse crânienne antérieure en traversant la lame criblée de l'ethmoïde. Ils signalent au **cerveau olfactif** tout changement d'odeur de l'air inspiré (▶ 9.5.2).

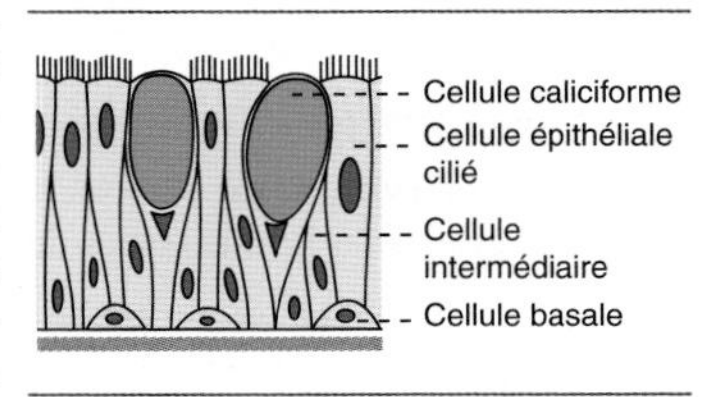

Fig. 15.3 Épithélium cilié. (Illustration du Pr Ulrich Welsch, Munich.)

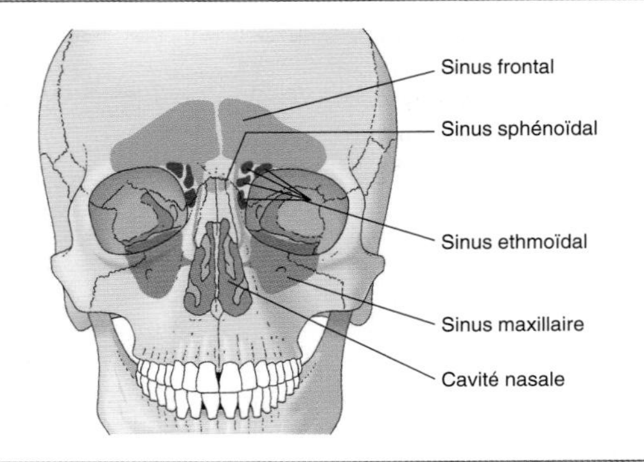

Fig. 15.4 Sinus paranasaux.

15.1.3 Sinus paranasaux

Les sinus paranasaux, disposés par paires, communiquent avec la cavité nasale. Ils sont d'une grande importance clinique (▶ fig. 15.4) :

- **sinus frontaux ;**
- **sinus maxillaires ;**
- **sinus ethmoïdaux ou cellules ethmoïdales ;**
- **sinus sphénoïdaux.**

Les conduits des sinus frontaux, maxillaires et ethmoïdaux s'abouchent au niveau du méat nasal moyen; le conduit du sinus sphénoïdal s'abouche au-dessus du cornet nasal supérieur.

Fonctions : diminution du poids du crâne osseux, caisse de résonance pour la voix.

NOTION MÉDICALE

Sinusite

Les infections des cavités nasales peuvent se propager et être transmises aux sinus paranasaux : la muqueuse enflammée devient œdématiée (elle gonfle) → les communications avec les cavités nasales sont obstruées → l'écoulement des sécrétions est compromise (inflammation des sinus paranasaux, **sinusite**) → formation d'une collection de pus, par exemple, dans les sinus paranasaux pouvant durer des semaines à des mois → fatigue, céphalée, douleur maxillaire.

15.1.4 Conduit lacrymonasal

Le **conduit lacrymonasal** s'abouche au niveau du méat nasal inférieur (▶ 9.7.6) et évacue les larmes issues de l'angle interne de l'œil (▶ fig. 15.2).

15.2 Pharynx

Le **pharynx** est un conduit musculaire qui s'étire de la base du crâne jusqu'à la trachée. Position : il est situé ventralement aux vertèbres cervicales et dorsalement aux cavités nasales et buccale.

Le pharynx est le carrefour des voies aériennes et digestives; celles-ci s'y croisent avant de se séparer à nouveau en deux voies :

- ventralement : poursuite des voies aériennes (larynx et trachée);
- dorsalement : poursuite des voies digestives par le laryngopharynx puis l'œsophage placé ventralement par rapport vertèbres cervicales (**œsophage** ▶ 16.3, ▶ fig. 15.5).

15.2.1 Nasopharynx

Le **nasopharynx** correspond au tiers supérieur du pharynx. Les choanes ainsi que les **trompes d'Eustache** (appelées aussi trompes auditives ou tubes auditifs) s'y abouchent. Ces dernières sont deux fins canaux qui relient le pharynx à la caisse du tympan de l'oreille moyenne → ventilation de l'oreille moyenne et équilibration des pressions entre la cavité de l'oreille moyenne et l'air ambiant (▶ 9.8.3).

NOTION MÉDICALE

Les **amygdales (ou tonsilles) pharyngiennes** sont situées dans le nasopharynx → défense vis-à-vis des infections. Chez les enfants, elles peuvent fortement proliférer (**végétations adénoïdes**) → la respiration par le nez devient difficile → rhume, pharyngite ou bronchite chronique et obstruction de l'orifice d'abouchement de la trompe d'Eustache s'accompagnant d'une otite moyenne chronique → intervention chirurgicale (**amygdalectomie**).

15.2.2 Oropharynx

L'**oropharynx** correspond au tiers moyen du pharynx et s'ouvre largement sur la cavité buccale → segment permettant le passage commun de l'air et des aliments.

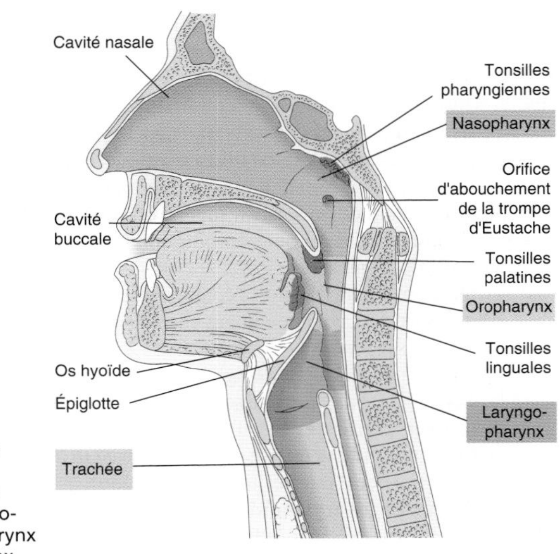

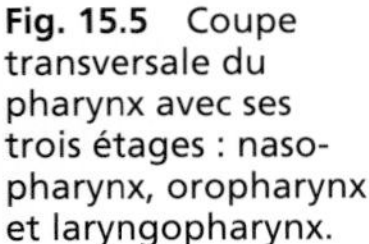

Fig. 15.5 Coupe transversale du pharynx avec ses trois étages : nasopharynx, oropharynx et laryngopharynx.

De part et d'autre se trouvent les **tonsilles palatines** situées entre les piliers antérieur et postérieur du voile du palais (amygdales palatines, ▶ fig. 15.4, ▶ fig. 16.7) → représentent une partie de l'anneau ou grand cercle lymphatique de Waldeyer (▶ 12.1.2) → défense immunitaire.

REMARQUE

Grand cercle (ou anneau) lymphatique de Waldeyer

En plus des **tonsilles palatines**, il se compose des **tonsilles pharyngiennes**, des **tonsilles tubaires** qui sont situées au-dessus des tonsilles palatines et des **tonsilles linguales** situées à la base de la langue.

15.2.3 Laryngopharynx

Le **laryngopharynx** correspond au tiers inférieur du pharynx; il s'étend de l'os hyoïde à l'œsophage et au larynx. C'est ici que s'effectue véritablement la déglutition.

15.3 Larynx

Le **larynx** a deux fonctions :

- fermeture des voies respiratoires basses lorsque cela est nécessaire → protection de l'aspiration d'aliments (fausses routes);
- principal organe de l'élaboration de la voix (phonation).

15.3.1 Structure

Structure cartilagineuse de forme tubulaire (▶ fig. 15.6), repérable par la **pomme d'Adam** facilement palpable à la face ventrale du cou, en particulier chez les individus de sexe masculin. Il s'étend de la base de la langue jusqu'à la trachée. Il contient deux structures importantes : l'**épiglotte** et les **ligaments vocaux** (▶ 15.3.2). Il tire sa rigidité de neuf cartilages, qui sont reliés entre eux par des ligaments et par des muscles situés sur leur faces interne et externe; ces muscles s'insèrent en totalité sur les structures laryngées (muscles laryngés intrinsèques) ou seulement en partie (muscles laryngés extrinsèques).

- Le plus gros cartilage est le **cartilage thyroïde**, dont la proéminence forme la pomme d'Adam et donne au larynx sa forme triangulaire.
- L'**épiglotte** est située sur le bord supérieur du cartilage thyroïde → poste de commande du « carrefour » aérodigestif (croisement des voies respiratoires et digestives) :
  - inspiration et expiration → l'épiglotte est étirée vers le haut → l'air respiré sort des choanes en haut et se dirige vers le bas et l'avant pour entrer dans le larynx;
  - déglutition (▶ 16.2.7) → l'épiglotte se place au-dessus de l'entrée du larynx → le bol alimentaire sort de la cavité buccale en haut pour se diriger vers l'arrière et entrer dans l'œsophage situé dorsalement.
- Le **cartilage cricoïde** se trouve sous le cartilage thyroïde avec lequel il s'articule (présence d'une véritable articulation).
- Les petits **cartilages aryténoïdes** sont responsables de la position et de la tension des cordes vocales (▶ fig. 15.6).

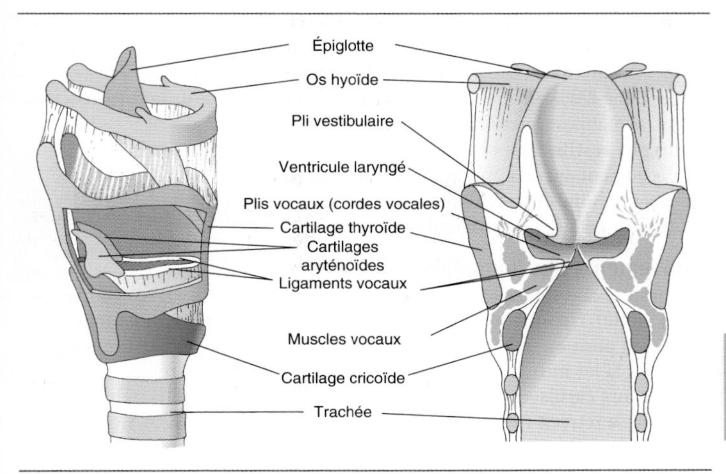

Fig. 15.6 À gauche : os hyoïde et structure cartilagineuse du larynx. À droite : coupe longitudinale traversant le larynx (vue dorsale).

15.3.2 Ligaments vocaux et voix

La muqueuse laryngée forme deux paires de replis :

- les **plis vocaux (ou cordes vocales)** : les deux véritables **ligaments vocaux** forment le bord supérieur des plis vocaux (▶ fig. 15.7) et s'étirent vers l'arrière de la face interne du cartilage thyroïde jusqu'aux cartilages aryténoïdes (▶ fig. 15.6). Là se trouvent plusieurs petits muscles qui entraînent la rotation des cartilages aryténoïdes → mobilisent indirectement les ligaments vocaux. Les ligaments vocaux délimitent entre eux la **fente glottique,** qui est plus ou moins ouverte en fonction de la configuration des muscles laryngés. Les ligaments vocaux sont recouverts d'un épithélium pavimenteux non kératinisé, qui apparaît rose clair brillant à l'examen laryngoscopique. La plupart des muscles permettant le mouvement des ligaments vocaux sont

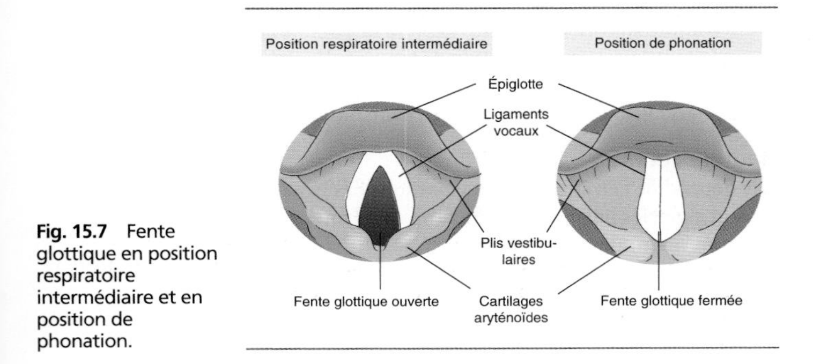

Fig. 15.7 Fente glottique en position respiratoire intermédiaire et en position de phonation.

innervés par le nerf laryngé inférieur (nerf récurrent, branche du nerf vague, ▶ fig. 8.14). Dans certains cas, lors d'une intervention chirurgicale sur les glandes thyroïdes, le nerf laryngé inférieur (récurrent) peut être lésé → paralysie des ligaments vocaux (**paralysie récurrentielle de la corde vocale**), qui se manifeste généralement par une voix enrouée;
- les **plis vestibulaires** : sont situés au-dessus des plis vocaux et ne participent pas à la phonation (formation de la voix).

Les évaginations de la muqueuse situées entre les plis vestibulaires et les plis vocaux s'appellent les **ventricules laryngés**.

Mouvements des ligaments vocaux

L'air respiré doit traverser la fente entre les deux ligaments vocaux (**fente glottique**, glotte). Lorsque la respiration est calme, les ligaments vocaux sont maintenus en position respiratoire intermédiaire par une tension musculaire modérée. Si les **muscles crico-aryténoïdiens latéraux** pairs reliant le cartilage cricoïde aux cartilages aryténoïdes se raccourcissent (se contractent), la fente glottique se rétrécit (position permettant la production de la voix ou position de phonation, ▶ fig. 15.7; par exemple lors de mots comme «affiche» ou «auto»). La fente glottique est dans ce cas d'abord fermée puis s'ouvre brutalement du fait de la pression de l'air.

REMARQUE

Lors de consonne aspirée (présence d'un souffle entre la consonne et la voyelle, par exemple le «t» du mot anglais «*time*», comparé à «temps» en français), la fente glottique doit être bien ouverte. Cela est possible grâce aux muscles **crico-aryténoïdiens postérieurs**, qui maintiennent la fente glottique également ouverte lors de la respiration normale. Ce sont les seuls muscles qui **ouvrent la fente glottique.**

Production de la voix (phonation)

Le flux d'air fait vibrer les ligaments vocaux et les déplace → influence la hauteur, le volume sonore et la sonorité de notre voix :
- la fréquence des vibrations (**hauteur** du son de base) peut être régulée par la modification de la tension des ligaments vocaux;
- le **volume sonore (intensité)** dépend de l'amplitude des vibrations et, de ce fait, de l'importance du flux d'air;
- la **sonorité** de la voix est produite par la caisse de résonance formée par le pharynx, la cavité buccale et la cavité nasale.

Hauteur tonale

Elle dépend de la fréquence des vibrations des ligaments vocaux :
- son aigu : les ligaments vocaux sont plus fortement tendus par le mouvement des muscles laryngés;
- son grave : les ligaments vocaux sont relâchés par le mouvement des muscles laryngés → les vibrations sont plus lentes et plus larges → son plus grave.

Formation des sons

Pour la formation des sons (**articulation**), l'air contenu dans les cavités buccale, nasale et pharyngienne est modelé pour prendre une certaine forme par le mouvement des muscles du cou et de la tête puis mis en vibration (**caisse de résonance,** «résonateur»). Les vibrations peuvent prendre naissance soit au niveau des ligaments vocaux, soit au niveau de structures comme les dents ou les lèvres.

REMARQUE

Lors du **chuchotement,** les ligaments vocaux ne vibrent pas, mais l'air qui remonte dans le larynx est exploité pour la formation du son au niveau des résonateurs → après une ablation chirurgicale du larynx, les patients peuvent encore parler.

Selon la forme des caisses de résonance, des fréquences particulières et une résonance caractéristique sont produites → différents sons.

NOTION MÉDICALE

Réflexe de toux

Sert au nettoyage de l'arbre bronchique → en présence d'un corps étranger dans le larynx ou dans les voies respiratoires basses, les ligaments vocaux se rapprochent immédiatement l'un de l'autre du fait de la tension musculaire importante → **toux irritative** se déclenchant par voie réflexe → dans l'idéal, les corps étrangers sont rejetés dans la cavité buccale par une forte poussée d'air expiré (qui ouvre de force la fente glottique).

15.4 Trachée

La **trachée** (▶ fig. 15.1, ▶ fig. 15.8) commence en dessous du cartilage cricoïde; il s'agit d'un tube d'environ 11 cm de long formé de 16 à 20 anneaux cartilagineux (reliés entre eux par des muscles lisses) → maintiennent la trachée ouverte même lors de la pression négative liée à inspiration.

- Les anneaux cartilagineux sont ouverts du côté dorsal où ils ne sont revêtus que par la fine paroi musculaire de la trachée. Au niveau de cette paroi postérieure molle, la trachée est en contact avec l'œsophage (▶ fig. 15.5).
- Entre chaque anneau cartilagineux se trouve un tissu conjonctif élastique → il confère à la trachée son **élasticité transversale et longitudinale** (par exemple la trachée peut être étirée en longueur sans aucun problème au moment de la déglutition lorsque le larynx est déplacé vers le haut). L'élasticité transversale est principalement importante lors de quintes de toux → grande capacité de glissement de la paroi trachéale → les corps étrangers ou le mucus peuvent être emportés par le flux d'air très rapide déclenché par la quinte de toux.
- Comme le reste de l'appareil respiratoire, la trachée est également recouverte d'une muqueuse ayant un épithélium cilié (▶ fig. 15.3) et des cellules caliciformes. Sous l'épithélium se trouvent les **glandes trachéales** qui produisent le mucus → humidification de la muqueuse. Par le battement des cils → les petites particules sont transportées vers le haut.

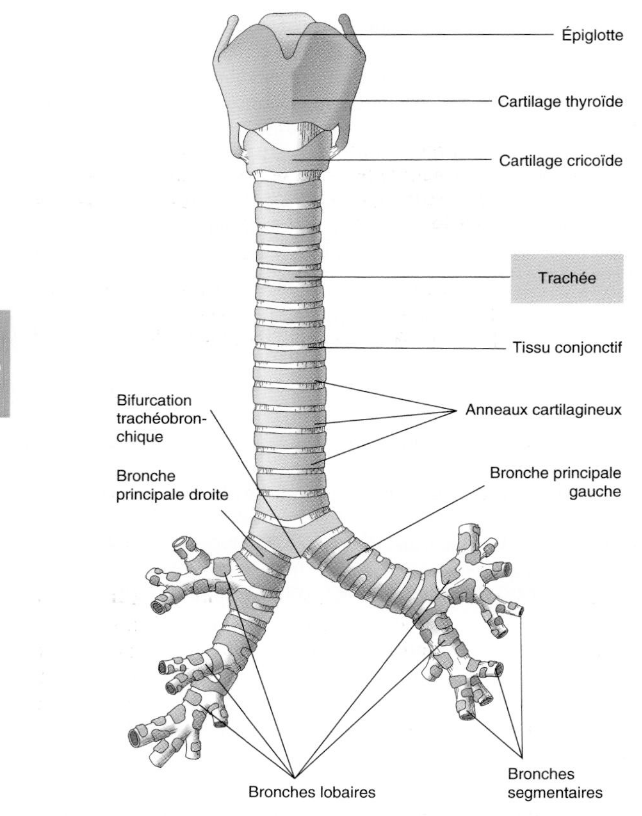

Fig. 15.8 Aperçu du larynx, de la trachée et des grosses bronches.

URGENCE

Prophylaxie de la fausse route

Du fait du carrefour aérodigestif, les individus peuvent être affectés par un passage accidentel d'aliments dans les voies respiratoires (**fausse route**, aspiration d'aliments) : les aliments parviennent dans les voies respiratoires basses. Le pharynx, l'épiglotte et le réflexe de toux protègent les poumons de l'entrée de grosses particules au moment du repas et de la déglutition.

15.5 Bronches, bronchioles et alvéoles

15.5.1 Bronches

REMARQUE

À la hauteur des 4/5e vertèbres thoraciques, la trachée se divise en deux **bronches principales** en formant la **bifurcation trachéobronchique**. À ce niveau, il existe une structure cunéiforme remarquable, la **carène (carina)**, bien visible en **bronchoscopie.**

Le trajet de la bronche principale droite est plus vertical que celui de la bronche principale gauche qui doit s'adapter à la présence du cœur situé en dessous → en général, les corps étrangers glissent plus facilement dans la bronche principale droite.
La paroi des bronches principales est formée d'anneaux cartilagineux et d'une muqueuse revêtue d'un épithélium cilié.
Après quelques centimètres, les bronches principales se divisent à nouveau (▶ fig. 15.10) :

- la bronche principale droite en *trois* bronches lobaires pour les trois lobes du poumon droit;
- la bronche principale gauche en *deux* bronches lobaires pour les deux lobes du poumon gauche.

Ces **bronches lobaires** se divisent ensuite en **bronches segmentaires** (▶ fig. 15.8), qui se divisent à leur tour en ramifications encore plus petites → plus de 20 étapes de division → **arbre bronchique.** Plus la bronche est petite, plus sa structure est simple et plus sa paroi est fine. Déjà au niveau des bronches lobaires, les gros anneaux cartilagineux ont été remplacés par de petites plaques cartilagineuses. De la trachée aux alvéoles, il y a en moyenne 23 divisions.

15.5.2 Bronchioles

Ce sont les plus petites ramifications bronchiques, ayant un diamètre interne < 1 mm; elles n'ont plus du tout de cartilage. De ce fait, elles sont riches en **faisceaux de fibres musculaires lisses** (▶ 4.4) → régulation active du flux d'air entrant et sortant.

15.5.3 Alvéoles

Les bronchioles terminales se ramifient en de microscopiques **bronchioles respiratoires.** Celles-ci se prolongent immédiatement avec le tissu pulmonaire propre respiratoire constitué des **canaux alvéolaires** avec les **alvéoles pulmonaires**. Les alvéoles sont serrées les unes aux autres autour des canaux alvéolaires et des bronchioles respiratoires.

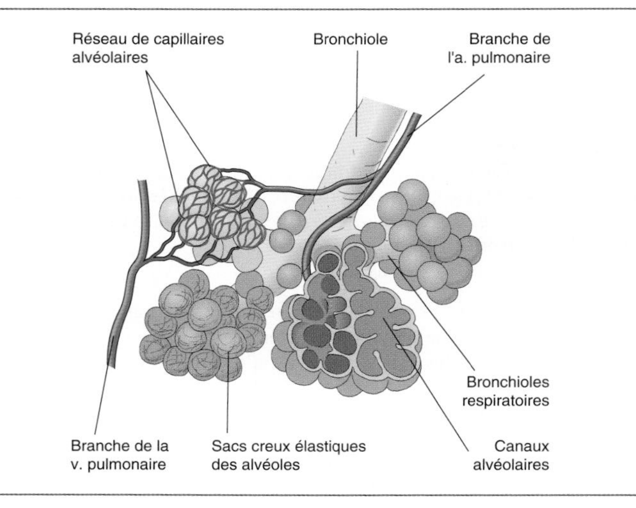

Fig. 15.9 Canaux alvéolaires et alvéoles, à gauche vue de dessus, à droite vue en coupe longitudinale.

Au niveau des alvéoles, le sang est séparé de l'air uniquement par la **barrière sang-air** (ou **alvéolocapillaire**) : l'oxygène de l'air alvéolaire passe dans le sang capillaire en traversant une fine couche formée par l'épithélium alvéolaire, une membrane basale et l'endothélium capillaire; le dioxyde de carbone emprunte le chemin inverse (▶ fig. 15.9).

NOTION MÉDICALE

Surfactant

Le diamètre des alvéoles à l'expiration est de 0,2 mm environ et elles s'étirent au moment de l'inspiration pour atteindre un diamètre de 0,4 mm. Leur paroi est formée d'un épithélium simple aplati (épaisseur environ 1 µm). La face interne des alvéoles est recouverte d'un mélange phospholipidique, le **surfactant** (en anglais *surface active agent*, facteur actif de surface), synthétisé par les cellules épithéliales alvéolaires (▶ 2.8.2). Le surfactant diminue la tension superficielle que les alvéoles doivent franchir pour se dilater → déploiement sans grande dépense énergétique.

15.6 Poumons

Les deux **poumons** sont formés des voies aériennes qui servent au transport des gaz (bronches et ramifications) ainsi que du tissu alvéolaire qui sert à l'échange gazeux.

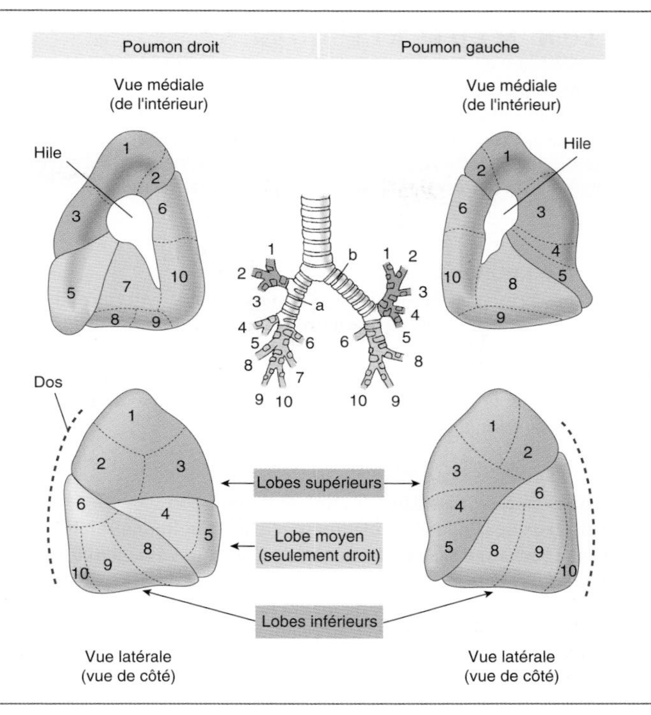

Fig. 15.10 Division du poumon en lobes et segments : en haut, vue médiale; en bas, vue latérale. Les lobes inférieurs sont adjacents principalement à la paroi thoracique dorsale; les lobes supérieurs et le lobe moyen droit sont au contraire principalement en position ventrale. (a = bronche principale droite, b = bronche principale gauche.)

- **Position :** situés dans la cavité thoracique, ils limitent le médiastin du côté latéral, et sont appliqués sur les côtes par leur faces externes (ou face costale). Leur limite inférieure repose sur le diaphragme; vers le haut, leur sommet (apex) dépasse légèrement la clavicule. Le cœur est situé entre les poumons droit et gauche → le poumon gauche devant épouser sa forme, il est plus petit que le droit.
- La partie des poumons reposant sur le diaphragme est appelé la **base**, et la partie supérieure le **sommet** (ou apex). La base des poumons descend d'environ 3 à 4 cm à l'inspiration du fait de la contraction du diaphragme; elle remonte à l'expiration.
- Le poumon gauche est divisé en deux lobes : un **lobe** supérieur et un lobe inférieur, le poumon droit est divisé en trois **lobes, inférieur, moyen et supérieur**. De ce fait, il y a trois **bronches lobaires** à droite et deux à gauche correspondant à ces lobes (▶ fig. 15.10).

NOTION MÉDICALE

Les poumons sont ensuite divisés en segments : il y a 10 **segments pulmonaires** à droite et 10 segments à gauche, chacun desservi par une **bronche segmentaire**. Les limites segmentaires ne sont pas visibles de l'extérieur, mais chaque segment possède sa propre vascularisation artérielle (**unité broncho-artérielle**). Importance lors de chirurgie thoracique → la segmentectomie (ablation d'un segment pulmonaire) est délicate mais peut être réalisée.

15.6.1 Hile pulmonaire

Les bronches principales et les vaisseaux pulmonaires entrent dans chaque poumon au niveau du **hile pulmonaire** (racine du poumon) situé du côté médial de chaque poumon.

Cette région comporte en plus des lymphonœuds. Dans les vaisseaux lymphatiques circulent des leucocytes et des **macrophages alvéolaires** → phagocytent les corps étrangers ou les toxiques (▶ 12.2.2).

15.6.2 Vascularisation des poumons

Il existe deux réseaux vasculaires au niveau du poumon :

- les vaisseaux de la petite circulation (circulation pulmonaire) (▶ 14.2.4) servent à l'**échange gazeux**. Les artères pulmonaires amènent le sang pauvre en oxygène jusqu'aux alvéoles → libération du dioxyde de carbone et absorption d'oxygène. Le sang maintenant riche en oxygène est ramené dans l'atrium gauche par les veines pulmonaires ;
- les **artères bronchiques :** partent de l'aorte et servent à la **vascularisation propre** des tissus pulmonaires.

15.7 Plèvre

- Les poumons sont recouverts d'une très fine enveloppe vascularisée, la **plèvre viscérale**.
- La plèvre viscérale est séparée de la **plèvre pariétale** par un espace rempli de liquide. Celle-ci tapisse la paroi thoracique, le diaphragme et le médiastin. Les deux feuillets pleuraux forment ensemble la **plèvre**. La plèvre pariétale est innervée par des nerfs sensitifs → sensible à la douleur. La plèvre viscérale et les tissus pulmonaires ne sont pas sensibles à la douleur. Les deux feuillets sont séparés par la cavité pleurale (virtuelle).
- Au niveau du hile (▶ 15.6.1), les feuillets viscéral et pariétal se réfléchissent l'un sur l'autre → espace clos.

Dépression entre les deux feuillets pleuraux

- Dans la cavité pleurale, il règne une pression négative (**dépression intrapleurale**) → tous les mouvements de la paroi thoracique sont directement transmis aux poumons : mouvements d'inspiration → étirement et expansion des tissus pulmonaires.

- Les feuillets pleuraux sont recouverts d'une seule couche de cellules aplaties (cellules mésothéliales) qui produisent le **liquide pleural** aqueux → glissement des poumons dans la cavité thoracique sans aucun frottement lors de l'inspiration et de l'expiration.

NOTION MÉDICALE

Pneumothorax

Entrée d'air dans la cavité pleurale (par exemple lors de blessure par piqûre ou d'éclatement des alvéoles) → suppression de la pression négative entre la plèvre viscérale et la plèvre pariétale → affaissement des tissus pulmonaires en raison de leur élasticité propre (collapsus) → aucun échange gazeux n'est plus possible.

Traitement : retrait de l'air par la pose d'un drain approprié (**drainage pleural**). Lors de pneumothorax sous tension, l'intervention doit être réalisée en urgence : l'évacuation rapide de l'air (également par drainage pleural) permet de sauver la vie du patient.

Épanchement pleural

Accumulation de liquide dans la cavité pleurale. Apparaît par exemple lors d'inflammation ou de réaction pleurale en présence d'une tumeur pulmonaire ou pleurale, mais aussi lors d'augmentation de la pression dans la circulation pulmonaire (par exemple en cas d'insuffisance cardiaque gauche). Dans le cas des épanchements pleuraux liés à la « pression », les deux côtés sont généralement touchés.

Les épanchement pleuraux liés à une inflammation ou d'origine tumorale se forment à la suite de modifications de la perméabilité des capillaires → l'épanchement pleural est riche en protéines (**exsudat,** « excrétion »). Les épanchements pleuraux liés à la « pression » sont formés d'un liquide pauvre en protéines provenant du plasma (**transsudat**). Si l'épanchement est important et se forme rapidement → les poumons ne peuvent plus se déployer suffisamment → dyspnée.

15.8 Mécanique respiratoire

La fréquence respiratoire (FR) de l'adulte est d'environ 15 cycles par minute ; chez l'enfant, elle est d'environ 25 cycles par minute.

REMARQUE

Mouvements respiratoires : de deux types

- Inspiration
- Expiration

Comme les poumons ne sont pas activement mobiles par eux-mêmes, ils suivent passivement les mouvements du thorax et du diaphragme. La largeur de la cage thoracique est déterminée par la position des côtes et la profondeur du diaphragme (▶ fig. 15.11).

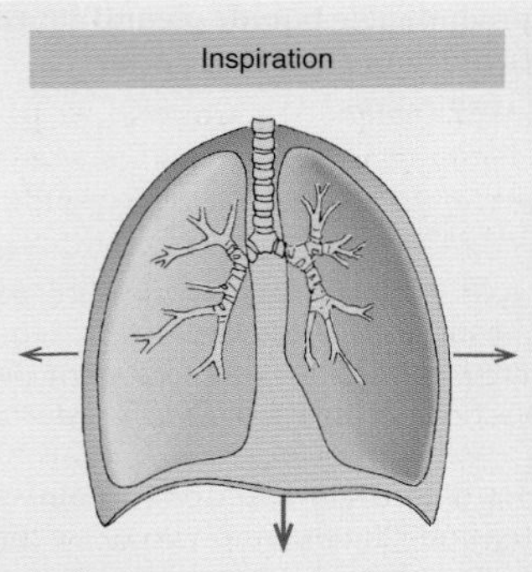

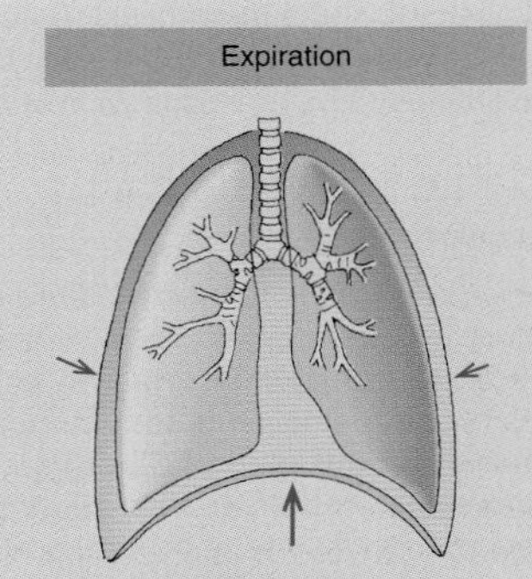

Le diaphragme se contracte, la coupole diaphragmatique s'aplatit

Le diaphragme se détend, la coupole diaphragmatique se soulève

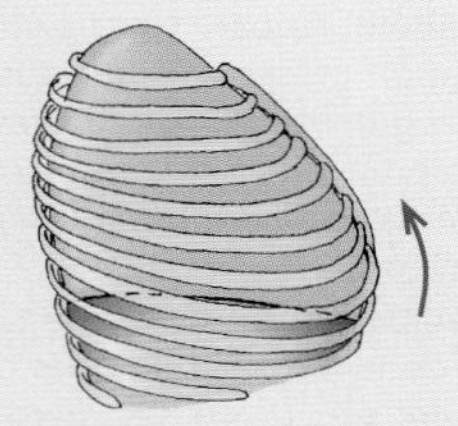

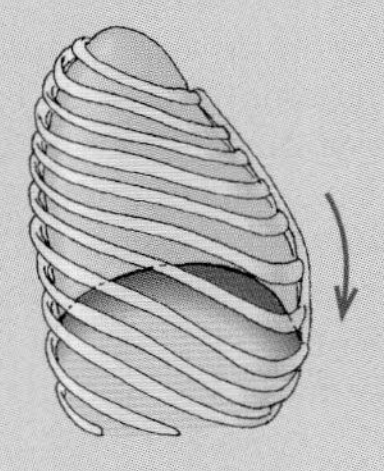

Les muscles intercostaux externes se contractent et soulèvent la cage thoracique. Le volume du thorax augmente

Les muscles intercostaux internes se contractent et abaissent la cage thoracique. Le volume du thorax diminue

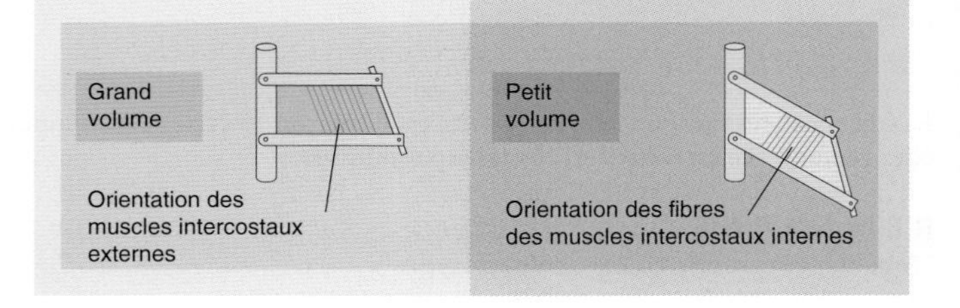

Fig. 15.11 Mécanique de l'inspiration et de l'expiration. La contraction du diaphragme et le soulèvement simultané de la cage thoracique entraînent l'augmentation de volume du thorax. Les poumons se dilatent. L'aspiration engendrée entraîne l'entrée de l'air dans les poumons (inspiration). Le processus inverse a lieu lors de l'expiration.

15.8.1 Diaphragme

Muscle plat et large en forme de coupole qui sépare la cavité thoracique de la cavité abdominale (▶ fig. 6.15). De part et d'autre du cœur (qui est fermement relié au diaphragme par des ligaments péricardiques) se trouvent les poumons qui reposent par leur base sur le diaphragme (▶ fig. 15.11). Un centre tendineux situé au milieu du diaphragme reçoit l'insertion médiane des fibres musculaires du diaphragme.

15.8.2 Inspiration

Elle est active : le diaphragme se contracte → les coupoles diaphragmatiques s'aplatissent → étirement des poumons. Les **muscles intercostaux externes** se contractent pendant l'inspiration pour soutenir le diaphragme → élargissement du thorax vers l'avant et latéralement.

- **Respiration abdominale :** inspiration essentiellement par l'abaissement du diaphragme avec gonflement de l'abdomen (par exemple nouveau-nés).
- **Respiration thoracique :** inspiration principalement par le soulèvement des côtes.

NOTION MÉDICALE

Muscles inspiratoires accessoires

Lors de respiration plus profonde (par exemple en cas de dyspnée), le diaphragme et les muscles intercostaux externes sont soutenus par les **muscles inspiratoires accessoires** → en cas de nécessité, force musculaire supplémentaire pour élargir la cage thoracique (pour plus de détails ▶ 6.3.6).

15.8.3 Expiration

Principalement passive. Relâchement des muscles intercostaux externes et du diaphragme → le thorax se rétrécit du fait de l'élasticité propre des tissus pulmonaires et de la cage thoracique. La contraction des **muscles intercostaux internes** vient en renfort. L'orientation de leurs fibres amène chaque côte à se rapprocher de la côte sous-jacente → diminution du volume du thorax.

REMARQUE

L'expiration aussi peut faire intervenir des muscles expirateurs accessoires. Les muscles de la ceinture abdominale sont utilisés pour faciliter l'expiration → ils abaissent les côtes et, en se comprimant (**compression abdominale, presse abdominale**), ils repoussent les viscères contre le diaphragme, ce qui le remonte (▶ 16.8.5).

15.8.4 Volume pulmonaire et volumes respiratoires

À chaque cycle respiratoire, environ 500 ml d'air entre dans l'appareil respiratoire (**volume respiratoire**) (▶ fig. 15.12). Environ les 2/3 parviennent dans les alvéoles; le reste se trouve dans **l'espace mort anatomique** formé par le larynx, la trachée et les bronches, et ne participe pas aux échanges gazeux.

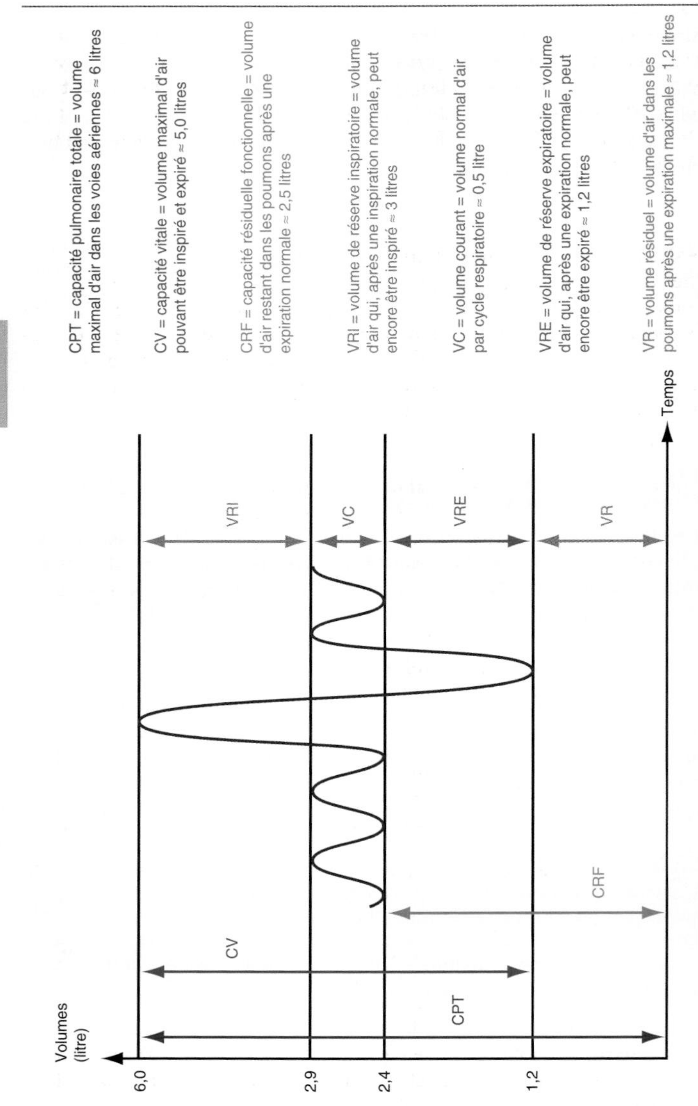

Fig. 15.12 Volumes respiratoires lors de respiration au repos et lors d'inspiration et expiration profondes. L'addition des différents volumes respiratoires donne les différentes capacités.

15

REMARQUE

Un individu adulte de sexe masculin en bonne santé a une **fréquence respiratoire** d'environ 15 cycles par minute. Son **volume courant** (volume respiratoire) au repos est d'environ 500 ml → le **débit ventilatoire** (volume d'air ventilé par unité de temps) est d'environ 7,5 litres/min. Le volume courant dépend de la taille du corps → chez la femme, il est 15 à 20 % plus faible.

Test de la fonction pulmonaire (spirométrie)

Chez de nombreux individus présentant une cardiopathie ou une pneumopathie ainsi que lors de l'anesthésie, il est important de connaître exactement les volumes respiratoires et le flux respiratoire → test de la **fonction pulmonaire.** Les patients doivent souffler dans un tuyau relié à un **spiromètre** → obtention de la courbe respiratoire sous la forme d'une courbe volume-temps ou d'une courbe débit-volume (▶ fig. 15.12).

- **Capacité vitale** (CV) : après une inspiration maximale, le maximum d'air possible doit être expiré.
- **Volume expiratoire maximal par seconde (VEMS)** (indice de Tiffeneau, **CVF** = *capacité vitale forcée*) : après une inspiration maximale, le patient doit expirer avec le plus de force possible. Il faut alors déterminer sur la courbe le volume expiré au cours de la première seconde. La valeur normale doit être égale à 75–85 % de la CV. ↓ fortement en particulier lors d'asthme.
- Ensuite, il faut déterminer le volume de l'espace mort, le volume résiduel, le volume de réserve inspiratoire (VRI) et le volume de réserve expiratoire (VRE).

15.8.5 Ventilation

Les volumes respiratoires déterminent l'importance de la ventilation pulmonaire. Le **débit ventilatoire** que nous avons vu plus haut représente une bonne mesure de la ventilation (calculé à partir de la fréquence respiratoire et du volume courant).

Une ventilation suffisante est surtout importante pour l'élimination du dioxyde de carbone (l'apport d'oxygène peut théoriquement être suffisant même si la ventilation est faible) :

- si la ventilation passe en dessous d'un seuil critique (**hypoventilation**), le sang s'enrichit en dioxyde de carbone. Causes : par exemple faiblesse des muscles respiratoires, troubles de la commande respiratoire ;
- si la ventilation est excessive (**hyperventilation**) → ↓ de la concentration en dioxyde de carbone dans le sang. Causes : peur (▶ 15.10.3), phénomène normal pendant la grossesse et en haute altitude, augmentation de l'acidité sanguine (acidose ▶ 15.10.2, ▶ 18.9.2).

15.9 Échanges gazeux

Les **échanges gazeux** ont lieu dans les alvéoles (le dioxyde de carbone diffuse hors des capillaires pour entrer dans les alvéoles, l'oxygène diffuse dans le sang).

REMARQUE

Le passage de l'oxygène dans le sang s'appelle l'**oxygénation** du sang (▶ 11.2.1).

Les alvéoles augmentent considérablement la surface interne des poumons qui peut atteindre, chez un adulte, presque 100 m^2 ; cette surface est appelée la **surface (ou zone) d'échange gazeux.** En outre, les corps étrangers (par exemple les particules de suie) sont phagocytés par les macrophages alvéolaires au niveau des alvéoles.

Les alvéoles sont enveloppés au niveau de leur face externe par les capillaires de la circulation pulmonaire. La portion artérielle des capillaires contient le sang riche en dioxyde de carbone et pauvre en oxygène provenant du ventricule droit (▶ 13.2.5). Pendant qu'il passe dans les capillaires pulmonaires, ce sang doit se charger en oxygène et se délester de son dioxyde de carbone : le temps de contact du sang avec l'air alvéolaire est de 0,8 seconde si le corps est à l'état de repos et de 0,3 seconde si le corps effectue un travail intense. Pour diffuser, l'oxygène et le dioxyde de carbone doivent traverser :

- l'épithélium alvéolaire ;
- la membrane basale ;
- l'endothélium capillaire.

Ces trois assises forment ensemble la **barrière alvéolocapillaire** (ou barrière air-sang) (ayant une épaisseur < 1 µm chez l'individu sain).

REMARQUE

Du fait de l'échange gazeux, par rapport à l'air inspiré, la teneur en oxygène de l'air expiré est abaissée d'environ 4 % et sa teneur en dioxyde de carbone est augmentée d'environ 4 %.
Si ces nombres sont convertis en volume inspiré, il est évident que le volume de gaz réellement échangé est très faible : > 90 % de l'air ne fait que d'aller et venir, et seulement 1/5 de l'oxygène total inspiré est consommé (▶ tableau 15.1).

Tableau 15.1 Comparaison de la composition de l'air inspiré et de l'air expiré

	Air inspiré (%)	Air expiré (%)
Azote	79	79
Oxygène (O_2)	21	17
Dioxyde de carbone (CO_2)	0,04	4

NOTION MÉDICALE

Composants des échanges gazeux (▶ fig. 15.13)

- **Ventilation pulmonaire :** l'air issu de l'extérieur doit atteindre la surface d'échange gazeux.
- **Diffusion au travers de la barrière alvéolocapillaire :** les gaz doivent passer des alvéoles au sang ou inversement.
- **Transport gazeux :** dans le sang, les gaz sont transportés fixés sur l'hémoglobine.
- **Perfusion pulmonaire :** l'oxygène inspiré doit arriver au contact du sang. La perfusion des poumons doit être exactement adaptée à la ventilation; dans le cas contraire, une partie de la ventilation ou une partie de la perfusion est « gaspillée » (cela est appelé l'**inégalité du rapport ventilation/perfusion**).

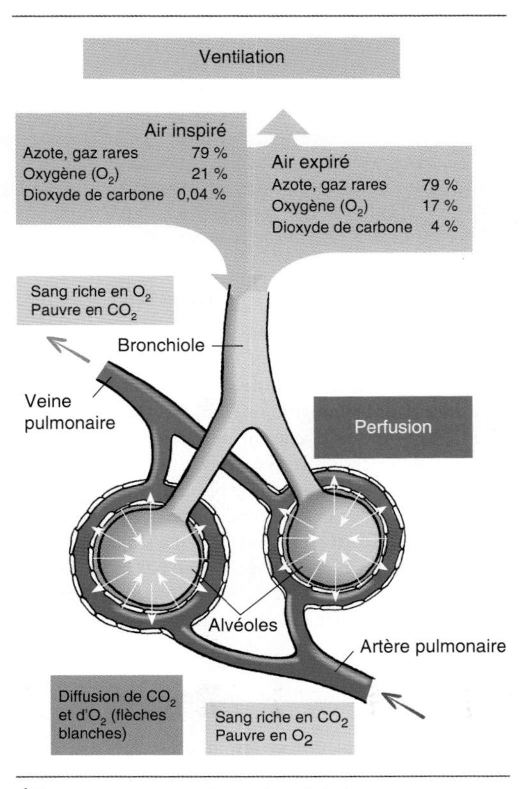

Fig. 15.13 Échanges gazeux au niveau des alvéoles.

15.9.1 Pression partielle

Le passage de l'oxygène des alvéoles aux capillaires s'effectue par **diffusion** passive (▶ 3.7.1). Lors de la diffusion entre une cavité remplie de gaz (alvéoles) et une cavité remplie de liquide (capillaires), la quantité des échanges gazeux dépend de la **pression partielle** de chaque gaz dans ces espaces (du latin *pars,* partie) :

- le sang a une teneur en oxygène de 21 %. Pour une pression atmosphérique totale de 101 kPa (760 mmHg), la **pression partielle en oxygène** (pO_2) est de 21 % de 101 kPa (760 mmHg) = 21,2 kPa (159 mmHg). Comme la pression partielle dans les capillaires est plus faible, l'oxygène diffuse dans les capillaires;
- de même, le passage du **dioxyde de carbone** dans les alvéoles repose sur le gradient des pressions partielles qui est élevé dans la portion veineuse des capillaires et faible dans les alvéoles → le gradient de diffusion du CO_2 dans les poumons suit donc une direction opposée à celle du gradient de diffusion de l'oxygène.

REMARQUE

Capacité de diffusion

La **capacité de diffusion** mesure la capacité des poumons à effectuer les échanges gazeux. Elle est définie par le volume d'un gaz qui, pour une différence de pression partielle donnée, diffuse par minute des alvéoles au sang (ou l'inverse). Plus la surface alvéolaire est importante et la barrière alvéolocapillaire est petite, plus la capacité de diffusion est importante.

15.9.2 Transport sanguin de l'oxygène

L'oxygène qui arrive dans le sang diffuse immédiatement dans les hématies. La **teneur en O_2** du sang dépend :

- de la **concentration en hémoglobine :** la plus grande partie de l'oxygène est emmagasinée dans l'hémoglobine (Hb) (▶ 11.2.1). S'il y a peu d'Hb (anémie ▶ 11.2.4) → moins d'oxygène peut être transporté → baisse des performances, fatigue, essoufflement. Environ 1,5 % de l'oxygène est transporté sous forme dissoute dans le plasma;
- de la **saturation en O_2** de l'Hb : normalement dans le sang artériel, la saturation en O_2 de l'Hb est d'environ 97 %. La saturation en O_2 peut être mesurée dans le sang ou au niveau de la peau par l'intermédiaire de capteurs qui la retransmettent sur un écran (**oxymétrie de pouls**).

L'**offre en O_2** (combien d'oxygène peut être donné aux tissus et utilisé par ces derniers) dépend:

- de la teneur en O_2 du sang;
- des performances cardiaques (débit sanguin);
- de la perfusion locale.

Dans les capillaires de la circulation systémique, l'oxygène se sépare de l'Hb et diffuse dans les tissus. Cette diffusion est permise par la différence de concentration entre le sang riche en oxygène et les tissus pauvres en oxygène.

De ce fait, le sang se retrouve significativement plus pauvre en oxygène. L'**extraction tissulaire de l'oxygène** au repos est d'environ 25 %, mais elle oscille entre 7 % (dans les reins) et 60 % (dans le myocarde). Dans les muscles squelettiques, elle passe de 28 % au repos à 80 % lors d'effort intense. Lors d'anémie et de cyanose, elle est également élevée (▶ 15.9.4).

NOTION MÉDICALE

Hypoxie et Hypoxémie

- L'**hypoxémie** apparaît lorsque la teneur du sang en oxygène tombe en dessous des valeurs normales. Comme au repos, seulement ¼ environ de l'oxygène est utilisé effectivement par les cellules, l'hypoxémie n'entraîne pas immédiatement une limitation de l'apport d'oxygène aux cellules.
- L'**hypoxie** se définit par une teneur en oxygène du sang si faible que l'apport d'oxygène aux cellules est limité. Les fonctions et les performances cellulaires sont réduites (par exemple pertes de connaissance lors d'important déficit en oxygène).

15.9.3 Transport sanguin du dioxyde de carbone

Le dioxyde de carbone est transporté dans le sang sous les formes suivantes :

- 10 % sous forme physiquement dissoute dans le plasma (▶ fig. 15.14) ;
- 80 % sous forme de **bicarbonates (HCO_3^-)** dans les hématies. La conversion à partir du dioxyde de carbone s'effectue directement après l'absorption du CO_2 dans la portion veineuse des capillaires :

$$CO_2 + H_2O \rightarrow H_2CO_3 \rightarrow HCO_3^- + H^+$$

- dans le plasma, cette réaction est très lente alors que dans les hématies elle est accélérée d'un facteur 10 000 par une enzyme, l'**anhydrase carbonique**. Après cette réaction :
  - 45 % des bicarbonates retournent par diffusion dans le plasma sanguin ;
  - 35 % restent dans les hématies.
- 10 % sont directement entreposés dans l'hémoglobine ($HbCO_2$).

Toutes les réactions décrites ci-dessus s'effectuent dans le sens contraire lors de la libération du CO_2 dans les poumons.

Au moment du passage dans les poumons, toutes les molécules de dioxyde de carbone et de bicarbonates ne sont pas éliminées du sang. Cela n'aurait pas de sens, car il est nécessaire que le sang conserve une certaine teneur en dioxyde de carbone par exemple pour maintenir le pH physiologique du sang (▶ 18.9.1) et réguler la fonction respiratoire (▶ 15.10).

NOTION MÉDICALE

Au cours de nombreuses maladies pulmonaires et circulatoires, l'évacuation du dioxyde de carbone est insuffisante → surcharge en CO_2 → **hypercapnie.** Elle s'accompagne d'une diminution du pH (acidose).

15.9.4 Cyanose

Une cyanose apparaît lorsque > 5 g/dl Hb n'est pas saturé en oxygène (soit environ 1/3).

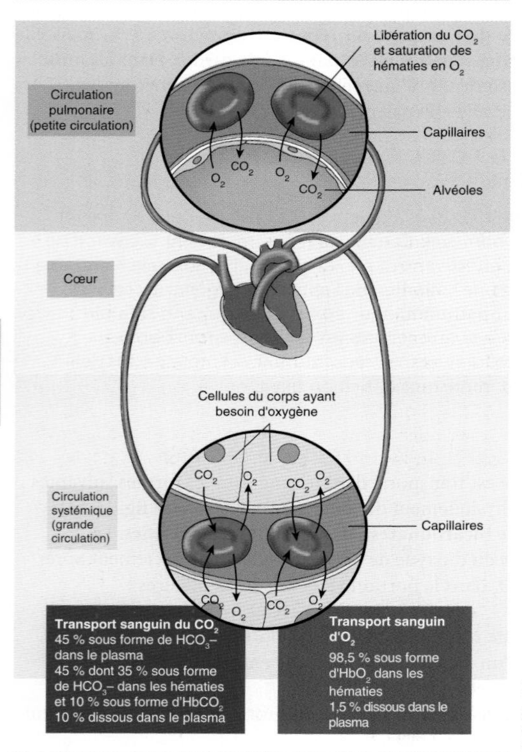

Fig. 15.14 Transport de l'oxygène et du dioxyde de carbone dans le sang.

Il faut différencier :

- la **cyanose centrale :** la saturation du sang en oxygène est insuffisante dans l'ensemble du sang circulant → s'observe aux endroits où la peau est fine et où le lit capillaire est important (par exemple au niveau des lèvres). Apparaît lors de pneumopathie (limitation de l'absorption d'oxygène) ou de certaines insuffisances cardiaques.
- la **cyanose périphérique :** s'observe aux endroits où le flux sanguin est naturellement ralenti (doigts et orteils [ongles], d'où le nom de « périphérique » ou d'acrocyanose). Apparaît lors d'augmentation de l'extraction tissulaire de l'oxygène, de froid, d'insuffisance cardiaque ou de choc (↓ flux sanguin).

NOTION MÉDICALE

Cyanose

Coloration en bleu de la peau ou des muqueuses en raison d'une baisse de la teneur sanguine en O_2.

15.10 Régulation de la respiration

Contrairement à l'activité cardiaque (▶ 13.5.1), l'activité respiratoire, également rythmique, n'est possible que grâce à l'action d'une « horloge centrale », le **centre de la respiration** situé dans le SNC, au niveau de la moelle allongée (bulbe rachidien) (▶ 8.8.2).

REMARQUE

Centre de la respiration

- Contrôlant l'ensemble des muscles de la respiration, il est composé de **noyaux inspiratoires** et de **noyaux expiratoires**.
- Le passage de l'inspiration à l'expiration (et inversement) s'effectue par la commutation rythmique de l'envoi des influx par l'un ou l'autre de ces noyaux; ces influx sont transmis le long de la moelle cervicale puis aux nerfs périphériques, et provoquent la contraction des muscles respiratoires et des muscles accessoires de la respiration.
- L'augmentation de la pression intracrânienne (hypertension intracrânienne) peut conduire à un engagement de la moelle allongée (bulbe rachidien) contenant les centres de la respiration (▶ 8.11.2).

15.10.1 Types de respiration

Respiration d'un individu en bonne santé : régulière, chaque cycle respiratoire a pratiquement la même profondeur, l'expiration dure plus longtemps que l'inspiration. De nombreuses maladies métaboliques, pulmonaires ou circulatoires se caractérisent par un **type** particulier **de respiration** (▶ fig. 15.15) :

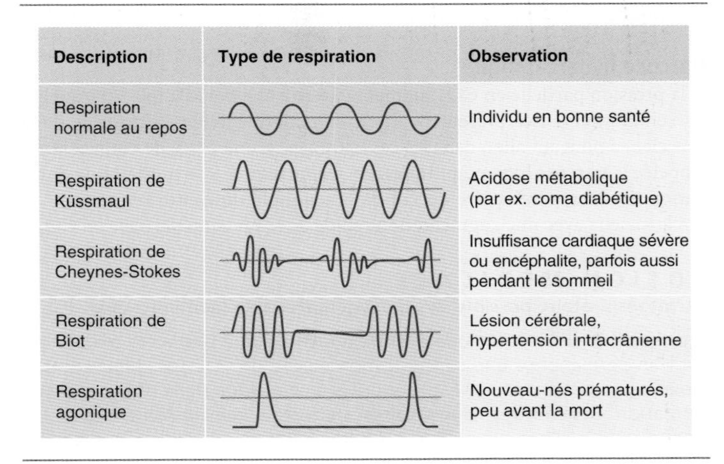

Fig. 15.15 Différents types de respiration. La ligne horizontale correspond à la position respiratoire de repos.

15.10.2 Contrôle de la fonction respiratoire par les gaz sanguins

Contrôle chimique de la respiration : une activité respiratoire supplémentaire est déclenchée dans les situations suivantes :

- ↑ de la pression partielle en CO_2 (réponse au CO_2) ;
- ↓ du pH (réponse au pH) ;
- ↓ de la pression partielle en O_2 (réponse à l'O_2).

Exemple : lorsque les besoins en oxygène augmentent, la pression partielle en oxygène diminue au niveau sanguin ; en même temps, la pression partielle en dioxyde de carbone augmente par l'augmentation du nombre de molécules de dioxyde de carbone. Accumulation de CO_2 → augmentation du taux de bicarbonates (HCO_3^-) et d'ions hydrogènes (H^+) dans le sang (▶ 15.9.3) → diminution du pH sanguin (**acidose** ▶ 18.9.2) → ↑ expiration de CO_2 par l'augmentation de la ventilation. Avant tout, l'augmentation de la pression partielle en CO_2 conduit à une nette augmentation du débit ventilatoire.

NOTION MÉDICALE

Chimiorécepteurs

- Les pressions partielles en O_2 et CO_2 ainsi que la valeur du pH sont mesurées par des **chimiorécepteurs périphériques** et les résultats sont transmis au centre de la respiration. Les récepteurs sont situés dans de petits plexus parasympathiques des nerfs crâniens IX et X placés au niveau de la bifurcation carotidienne (**glomus carotidien** ▶ fig. 14.12) et entre l'artère pulmonaire et l'arc aortique (glomus aortique).
- Les **chimiorécepteurs centraux** se trouvent dans la moelle allongée (▶ 8.8.2). Ils réagissent à l'élévation de la pCO_2 et à la chute du pH → réponse au pH et au CO_2 → augmentation du volume respiratoire → plus de CO_2 est éliminé → élévation du pH.

Narcose hypercapnique

Si la pression partielle en CO_2 augmente jusqu'à 8,0–9,4 kPa (60–70 mmHg), les cellules nerveuses présentent des dysfonctionnements → troubles de la conscience pouvant aller, dans les cas extrêmes, à une perte de connaissance (appelée la **narcose hypercapnique**). En même temps, il se produit une diminution du débit ventilatoire du fait de la paralysie du centre respiratoire → cercle vicieux avec une augmentation rapide de la pression partielle en CO_2.

NOTION MÉDICALE

Arrêt respiratoire possible lors d'oxygénothérapie (administration d'O_2)

Les patients présentant une pathologie chronique des voies aériennes ont en permanence une concentration élevée de CO_2. Les chimiorécepteurs s'y habituent et ne réagissent plus à l'élévation de la pCO_2 → la stimulation des centres respiratoires s'effectue principalement par le manque d'O_2. Chez ces patients, l'administration d'oxygène concentré (oxygénothérapie) élimine cette dernière régulation des fonctions respiratoires (à savoir la faible pO_2) → **arrêt respiratoire** possible(apnée).

Analyse des gaz du sang (gazométrie)

Les valeurs de la pO_2, de la pCO_2 et du pH sont très importantes à connaître en soins intensifs de réanimation et au cours d'une anesthésie. Comme les gaz du sang et le pH dépendent des fonctions pulmonaires et de l'équilibre acidobasique (▶ 18.9), l'**analyse des gaz du sang** (**GDS** ou gazométrie) est utilisée en particulier lors de pneumopathie, de ventilation assistée et de troubles de l'équilibre acidobasique (par exemple lors de coma diabétique, de choc). Dans les services de réanimation et de soins intensifs ou à proximité des salles d'opération ou d'accouchement se trouvent généralement des appareils de mesure de la gazométrie (analyseurs de gaz du sang).

REMARQUE

Chez les patients en soins intensifs, l'analyse des GDS s'effectue principalement au niveau du sang artériel. Pour cela, l'artère radiale par exemple peut être ponctionnée par une fine aiguille.

15.10.3 Autres facteurs influençant la respiration

- **Travail corporel :** augmentation du débit ventilatoire par
  - excitation des chimiorécepteurs centraux et périphériques (▶ 15.10.2) et
  - stimulation du centre respiratoire lorsque débute le travail et par le cortex moteur (▶ 8.8.9).
- **Stimulation par la douleur (nociceptive) et la température :** un froid intense réduit la fonction respiratoire.

NOTION MÉDICALE

Hyperventilation psychogène

Respiration trop rapide ou trop profonde (hyperventilation) ; par exemple stress des examens, panique.
Augmentation de l'expiration de CO_2 → ↓ pCO_2 → alcalose sanguine (▶ 18.9.3) → ↓ concentration du calcium libre en solution dans le sang (hypocalcémie) → symptômes neurologiques.
Symptôme Fourmillements dans les mains et autour de la bouche, crampes de la main avec raidissement des doigts (« **mains d'accoucheur** », signe de Trousseau). Apparition de vertiges, étourdissements, angoisse et crampes musculaires. Pour terminer, apparition d'une vasoconstriction des vaisseaux cérébraux du fait de la baisse de la pCO_2 → perte de connaissance.
Traitement Calmer le patient. Souvent, il peut être utile de demander au patient de souffler dans un sac en plastique : l'air riche en CO_2 s'accumule dans le sac plastique et est à nouveau inhalé → la pression partielle en CO_2 se normalise. Dans les cas sévères, la sédation est nécessaire (par exemple avec du diazépam).

15.11 Tableaux cliniques les plus fréquents

15.11.1 Pneumonie

NOTION MÉDICALE

Pneumonie (inflammation des poumons)

Infection des tissus pulmonaires par différents germes.
- **Bronchopneumonie :** l'inflammation se limite aux tissus limitrophes à l'arbre bronchique.
- **Pneumonie lobaire** : l'inflammation touche tout un lobe pulmonaire.

Symptôme Fièvre, tachycardie, respiration rapide, superficielle et difficile (éventuellement avec utilisation des muscles inspiratoires accessoires ▶ 15.8.2). Souvent toux et expectoration. Il se produit une condensation pulmonaire et une augmentation de la quantité d'eau dans les tissus → le diagnostic radiologique se fonde sur ces lésions. La condensation pulmonaire peut être si importante que les alvéoles ne peuvent plus participer à l'échange gazeux → réduction de l'absorption d'oxygène → encore aujourd'hui, l'évolution peut être fatale.

Traitement Lors d'infection bactérienne → antibiotiques. Lors d'évolution sévère, oxygénothérapie, éventuellement intubation et ventilation assistée (▶ 15.12).

15.11.2 Asthme (bronchique)

NOTION MÉDICALE

Asthme (bronchique)

Réaction (inadaptée) du système immunitaire au niveau de la muqueuse bronchique → inflammation chronique → **hyperréactivité** du système bronchique → gonflement œdémateux important de la muqueuse bronchique (**œdème**), contraction des muscles bronchiques (**bronchospasme**) et sécrétion d'une quantité excessive d'un mucus épais → crises de détresse respiratoire récidivantes.

Déclencheurs allergènes (par exemple acariens de maison, poils d'animaux, pollen), infections, excitation psychique, effort. Souvent, la crise de détresse respiratoire se déclenche sans cause apparente.

NOTION MÉDICALE

Crise d'asthme

Bronchoconstriction liée à la contraction des muscles bronchiques et au gonflement œdémateux d'origine inflammatoire de la muqueuse bronchique → c'est principalement l'expiration qui est la plus difficile. Le mucus particulièrement épais obstrue les petites voies aériennes.

Traitement Toujours par des médicaments pris sous forme d'inhalation, à compléter par des comprimés en fonction de la sévérité. Les inhalations ont comme avantage de permettre une forte concentration des médicaments dans les voies aériennes et une faible concentration sanguine (essentiel pour éviter la majorité des effets secondaires indésirables). Les **sympathomimétiques** dilatent les bronches lors des crises et améliorent, de ce fait, les symptômes (▶ tableau 8.1). Les **glucocorticoïdes** inhalés qui luttent contre l'inflammation des voies aériennes sont régulièrement prescrits (▶ 10.6.1).

15.11.3 Bronchopneumopathie chronique obstructive (BPCO)

NOTION MÉDICALE

BPCO

Bronchopneumopathie chronique obstructive : obstruction permanente des voies aériennes basses.

Symptômes Début semblant anodin → toux du fumeur avec expectoration d'un mucus blanchâtre (80 % des personnes atteintes étaient ou sont des fumeurs). Avec le temps, les symptômes s'aggravent ; il apparaît une obstruction d'origine inflammatoire et cicatricielle → les médicaments ne soulagent que partiellement les symptômes – la **bronchite chronique** s'est transformée en **bronchite chronique obstructive**. Elle se manifeste par des difficultés respiratoires de plus en plus grandes, tout d'abord lors d'effort et d'infection des voies aériennes.
Si le facteur lésionnel se poursuit, le tissu pulmonaire perd une grande partie des septums alvéolaires (paroi très fine séparant les alvéoles) → le thorax s'élargit et ne peut plus se rétrécir autant au moment de l'expiration (**emphysème pulmonaire**, hyperdistension des poumons). Restructuration des tissus pulmonaires et destruction des alvéoles → l'espace mort augmente (▶ 15.8.4) → les poumons ne peuvent plus suffisamment ventiler → insuffisance respiratoire chronique avec augmentation de la concentration sanguine en CO_2 et diminution de la concentration sanguine en O_2 (▶ 15.10.2).
Complications La résistance au flux vasculaire augmente dans la petite circulation → le cœur droit doit se contracter avec plus de force pour contrer l'hypertension → hypertrophie du ventricule droit puis insuffisance cardiaque droite à long terme (**cœur pulmonaire**).
Médicaments Peuvent diminuer les symptômes, mais seule l'élimination des facteurs lésionnels (en particulier l'arrêt du tabac) permet de ralentir l'évolution de la maladie. Stades avancés : oxygénothérapie à domicile associée à une ventilation au masque.

15.11.4 Carcinome pulmonaire

NOTION MÉDICALE

Principale cause

Tabagisme → les substances cancérigènes (▶ 1.7.3) parviennent dans les poumons. Autres causes : cancérigènes présents sur le lieu de travail, par exemple fibres d'amiante, particules de poussière.

Fumée de cigarette → irritation de l'épithélium bronchique → les cellules caliciformes produisent une quantité excessive de mucus → entraîne la **toux du fumeur** (▶ 15.11.3). D'autres cellules réagissent à l'action des produits nocifs par une multiplication exagérée et des modifications de l'ADN → dégénérescence cellulaire → **carcinome.**

15.11.5 Embolie pulmonaire

NOTION MÉDICALE

Embolie pulmonaire

Obstruction (partielle) des artères pulmonaires par un embole (principalement issu des veines des membres inférieurs ou du bassin) → perfusion pulmonaire brutalement limitée → détresse respiratoire et cyanose (▶ 15.9.4).

Diagnostic de certitude Angioscanner ou angiographie par tomodensitométrie.

Traitement Héparine IV, **thrombolyse** lors d'embolie pulmonaire massive (▶ 11.5.8) ou retrait chirurgical du caillot sanguin (**embolectomie**).

Il n'est pas rare que l'évolution soit fatale. S'observe le plus souvent après une intervention chirurgicale, lors d'accouchement ou chez les patients immobilisés → mobilisation rapide du patient et prophylaxie des thromboses (▶ 11.5.8).

15.11.6 Mucoviscidose

NOTION MÉDICALE

Mucoviscidose (fibrose kystique)

Maladie métabolique héréditaire la plus fréquente, ayant une transmission sur le mode autosomique récessif (▶ 3.13) → 4 % de la population est porteuse hétérozygote (donc non malade) en Occident. La fréquence de la maladie n'est en revanche « que » de 1 pour 2000 nouveau-nés vivants. L'espérance de vie aujourd'hui est > 30 ans.

Toutes les glandes exocrines éliminent des sécrétions trop épaisses.

- Obstruction des canaux pancréatiques → il n'y a pas assez d'enzymes digestives parvenant aux intestins → importants troubles digestifs. Chez les nouveau-nés, il peut se produire une obstruction intestinale par le méconium (excréments du nouveau-né) (**iléus méconial**).
- Mucus bronchique épais → le mécanisme de nettoyage des poumons fonctionne difficilement → accumulation de bactéries dans le tractus respiratoire → **inflammation chronique des bronches et des poumons.** Les problèmes pulmonaires s'observent déjà souvent chez les nourrissons et s'accompagnent souvent d'une malnutrition → **troubles de la croissance.**

Jusqu'à présent, il n'existe aucun traitement causal.

15.12 Ventilation artificielle

La **ventilation artificielle** permet de réduire le manque d'oxygène lors de déficience des fonctions pulmonaires et de maintenir les fonctions vitales.

REMARQUE

Le plus souvent utilisée au cours des anesthésies générales accompagnant les interventions chirurgicales.

Différentes possibilités de ventilation artificielle :

- **intubation endotrachéale :** ventilation via une sonde introduite dans la trachée ;
- **masque laryngé :** utilisé souvent lors d'anesthésie de courte durée ;
- **canule trachéale :** canule introduite dans la trachée par un orifice (« stoma ») créé directement au niveau du cou lors d'une intervention chirurgicale. Principalement chez les patients ventilés sur le long terme ;
- **masque facial :** par exemple en cas d'urgence ou lors de ventilation à domicile la nuit chez les patients atteints de BPCO (▶ 15.11.3).

Le travail respiratoire est pris en charge par un **respirateur artificiel** (appareil de ventilation, ventilateur).

16 Système gastro-intestinal (appareil digestif)

16.1 Généralités

16.1.1 Structure et fonctions

REMARQUE

Digestion et résorption

Les aliments, une fois ingérés, sont mécaniquement broyés puis décomposés chimiquement par les enzymes digestives (**digestion mécanique puis chimique**).

- **Digestion :** dégradation des aliments en composants pouvant être absorbés (assimilables).
- **Absorption :** passage des nutriments dans la circulation sanguine : ils doivent pour cela traverser la muqueuse digestive puis entrer dans les petits vaisseaux lymphatiques ou sanguins.

L'**appareil digestif** (**système gastro-intestinal, tractus gastro-intestinal** ou **tube digestif** [TD]) forme un tube continu allant de la bouche à l'anus (▶ fig. 16.1) :

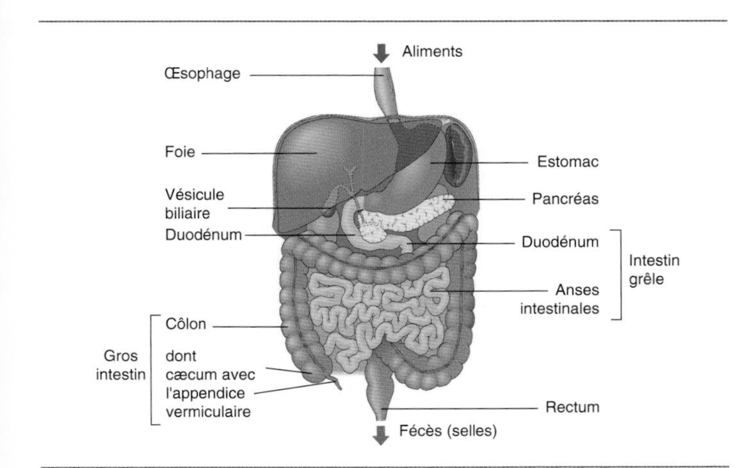

Fig. 16.1 Aperçu des organes digestifs.

- contractions musculaires de la paroi du TD → broyage mécanique et mélange du bol alimentaire ;
- contractions musculaires formant des ondes allant dans une direction (**péristaltisme**) → transport du bol alimentaire.

Les glandes salivaires, la glande pancréatique, ainsi que le foie et la vésicule biliaire produisent ou stockent des sécrétions digestives riches en enzymes qui sont ensuite déversées dans le TD par le biais de canaux excréteurs.

REMARQUE

Renouvellement liquidien

Tout individu consomme environ 2 litres de liquide par jour (boisson et eau contenue dans les aliments ▶ fig. 18.14). Le TD transporte environ 10 litres de liquide par jour. La plus grosse partie du liquide, correspondant à environ 8 litres, est formée des sécrétions digestives elles-mêmes. Sur ces 10 litres, plus de 95 % sont réabsorbés dans l'intestin grêle et 3 % dans le gros intestin et retournent dans la circulation systémique. Le reste (environ 150 ml ; < 2 %) est éliminé par les selles.

16.1.2 Structure histologique du tube digestif

La paroi du TD est formée de quatre tuniques, dont la structure est légèrement différente en fonction des exigences des différentes portions du TD (▶ fig. 16.2). De l'intérieur (lumière) vers l'extérieur nous trouvons :

- la **muqueuse** : il s'agit d'un épithélium fin de revêtement directement en contact avec les aliments. Sous cet épithélium se trouve un tissu conjonctif (TC) lâche (chorion) et une couche musculaire formée d'un muscle lisse aux contractions autonomes (musculaire-muqueuse) → mouvements autonomes de la muqueuse permettant un contact étroit avec les aliments ;
- la **sous-muqueuse :** fine couche de TC séparant la muqueuse de la musculeuse. À partir de l'œsophage, elle contient un plexus nerveux appartenant au système nerveux entérique (SNE), le **plexus sous-muqueux de Meissner** (plexus nerveux de Meissner ▶ 8.10.4) ;
- la **musculeuse** (couche musculaire) : au niveau de la bouche, du pharynx et de la partie supérieure de l'œsophage, elle est formée de fibres musculaires striées qui peuvent se contracter volontairement (▶ 4.4). Dans le reste du TD, elle est formée de fibres musculaires lisses (▶ 4.4), qui en général sont disposées sur deux couches : une couche circulaire interne et une couche longitudinale externe. Entre ces deux couches se situe le **plexus myentérique d'Auerbach** (ou plexus nerveux d'Auerbach) qui représente la partie suivante du SNE ;
- la **séreuse :** membrane très fine → sécrète le mucus → permet le glissement des différents organes les uns sur les autres (le feuillet qui recouvre les viscères porte également le nom de **péritoine viscéral**, ▶ fig. 16.4). La séreuse n'est observée qu'au niveau des organes situés *dans* la cavité abdominale. Au niveau de la cavité buccale, du pharynx et de l'œsophage, elle est remplacée par du TC lâche (l'**adventice**) qui permet de relier ces organes aux tissus voisins.

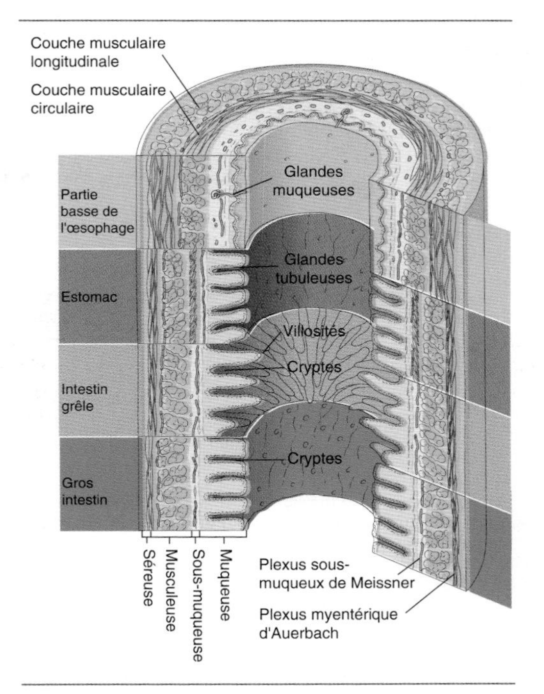

Fig. 16.2 Structure pariétale du tube digestif. Entre le segment le plus inférieur de l'œsophage et le gros intestin, la structure pariétale est globalement identique.

16.1.3 Péritoine

L'**abdomen** contient la majorité des organes digestifs; il est limité, au niveau de sa paroi ventro-latérale, par les muscles de la paroi abdominale et dorsalement par les muscles du dos, en haut par le diaphragme et en bas par les muscles du plancher du bassin. Tout l'abdomen est recouvert de **péritoine** qui entoure ainsi la cavité formée, ou **cavité abdominale**. La cavité située en arrière de la cavité abdominale s'appelle l'**espace rétropéritonéal** (ou **rétropéritoine)** (latin *retro,* en arrière).

Intra-, rétro- et extrapéritonéal

Les organes digestifs ont des rapports différents avec le péritoine (▶ fig. 16.3). Cela s'explique par leur développement embryonnaire.
Le TD de l'embryon est relié par un large pont avec le rétropéritoine; ce pont se rétrécit au fur et à mesure du développement.
La position des organes digestifs se modifie du fait d'un allongement considérable (et inégal) du tube digestif, d'une rotation des parties gastro-intestinales ainsi que des accolements de couches tissulaires.
Si la plus grande partie de l'organe est recouverte de péritoine (par exemple la majorité de l'intestin grêle), il est alors situé en **intrapéritonéal** (*dans* la cavité

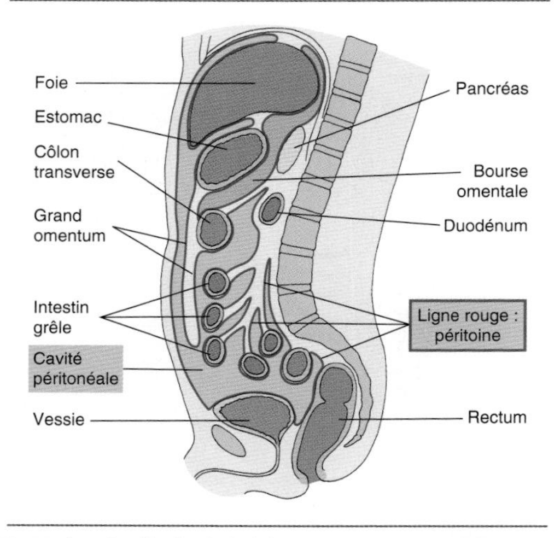

Fig. 16.3 Coupe longitudinale de l'abdomen et rapports péritonéaux. Entre l'estomac et le pancréas se trouve une cavité (la bourse omentale) en relation avec la cavité abdominale. Ses parois s'accolent pour former le grand omentum qui couvre les anses intestinales.

péritonéale). L'organe est en contact avec la paroi dorsale (postérieure) de l'abdomen par l'intermédiaire des deux couches (feuillets) du péritoine. Les deux feuillets péritonéaux, renforcés par du TC, forment des replis, ou méso élastiques suspendant les organes. Ces « mésos » (appelé **mésentère** pour l'intestin grêle, **mésocôlon** pour le gros intestin) contiennent des vaisseaux sanguins et lymphatiques ainsi que des nerfs permettant respectivement la perfusion, le drainage et l'innervation de ces organes.
Si un organe n'est recouvert qu'en partie (par sa face ventrale) par le péritoine, il est considéré comme étant en position **rétropéritonéale**. Ces organes (comme le pancréas, le duodénum, les reins, la vessie, l'aorte abdominale et la veine cave inférieure) n'ont pas de méso, mais sont fermement fixés à la paroi abdominale par leur face dorsale (postérieure).
Les **organes extrapéritonéaux** n'ont aucun contact avec le péritoine et ne sont pas enveloppés de péritoine; c'est le cas par exemple du rectum. Ces rapports sont illustrés à l'aide d'un modèle explicatif (▶ fig. 16.4).

Péritonite

- **Inflammation du péritoine :** très nombreuses causes possibles, en particulier :
  - **infections bactériennes** : la principale cause (> 90 %) de péritonite est représentée par la **perforation** d'une portion du TD colonisée par des germes (par exemple de l'appendice, d'où appendicite ▶ 16.8.1, ou des diverticules, d'où diverticulite ▶ 16.8.7) → propagation des germes dans la cavité abdominale;

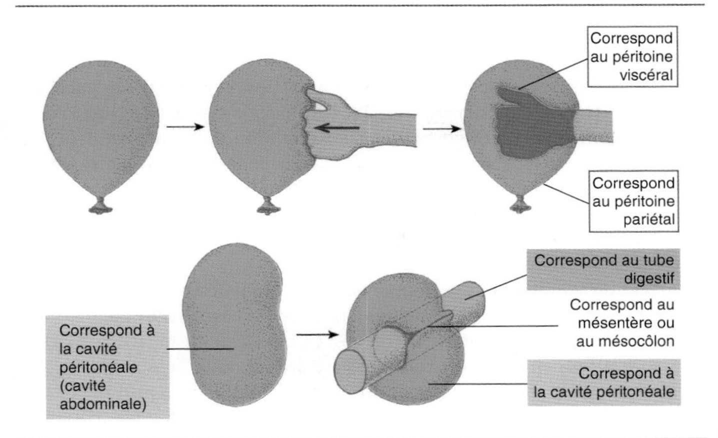

Fig. 16.4 Modèle décrivant les relations entre les organes abdominaux et le péritoine : un objet (les viscères) est avancé dans un ballon gonflé d'air (la cavité abdominale avec le péritoine). De ce fait, le revêtement du ballon se dépose sur l'objet (**péritoine viscéral**). Le péritoine pariétal correspond **à la partie du péritoine qui recouvre la paroi de la cavité abdominale**.

  - **inflammation chimiques/toxiques :** plus rare (< 10 %), l'inflammation n'est pas due à des substances infectieuses (par exemple caillot sanguin, bile, suc pancréatique).
- **Péritonite circonscrite :** péritonite localement limitée → symptômes uniquement locaux (principalement douleur abdominale importante mais localisable).
- **Péritonite diffuse (généralisée) :** tension de la paroi avec défense abdominale de plus en plus importante de l'ensemble des muscles abdominaux, l'abdomen pouvant devenir dur « comme du bois ».

Sans traitement, des symptômes de choc se développent (▶ 14.4.3) ainsi qu'une paralysie intestinale (iléus paralytique ▶ 16.8.7) → symptômes aigus engageant le pronostic vital. Un traitement chirurgical d'urgence doit être entrepris.

URGENCE

Abdomen aigu : engagement du pronostic vital

Association d'une douleur abdominale violente d'apparition brutale (souvent avec nausées, vomissements), d'une tension de défense abdominale (« ventre dur ») et de troubles circulatoires.
Des dizaines de causes peuvent être à l'origine de ce tableau clinique (par exemple : inflammation de l'appendice du cæcum [appendicite], inflammation de la vésicule biliaire [cholécystite], calculs urétéraux, grossesse extra-utérine, troubles métaboliques, infarctus mésentérique).
L'abdomen aigu est toujours une urgence → transport immédiat à l'hôpital !

16.1.4 Vascularisation de la cavité abdominale

Artères

Les organes digestifs de la cavité abdominale sont vascularisés par trois branches artérielles antérieures issues de l'aorte abdominale (▶ fig. 16.5) :

- **tronc cœliaque :** première branche naissant immédiatement après la traversée du diaphragme, se divise en trois branches, **artère gastrique gauche**, **artère hépatique commune** et **artère splénique**. Ces branches se ramifient encore pour assurer la vascularisation complète du foie, de la vésicule biliaire et de l'estomac ainsi que la vascularisation partielle du pancréas et du duodénum ;
- **artère mésentérique supérieure :** naît immédiatement en dessous du tronc cœliaque et donne de petites branches qui vascularisent le duodénum, l'estomac et le pancréas. Elle donne ensuite naissance à des ramifications en forme d'arcades → vascularisation de l'ensemble de l'intestin grêle et d'environ 50 % du gros intestin (environ jusqu'à la moitié du côlon transverse) ;
- **artère mésentérique inférieure :** naît quelques centimètres en dessous de l'artère mésentérique supérieure → ramifications en forme d'arcades → vascularisation du gros intestin à partir de la moitié du côlon transverse.

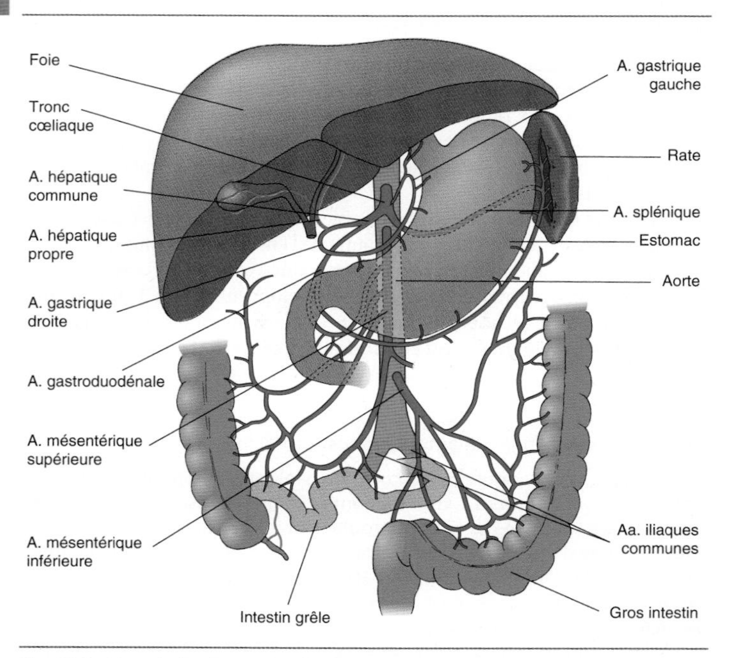

Fig. 16.5 Vascularisation artérielle des organes abdominaux.

Branche terminale : **artère rectale supérieure** qui assure la majeure partie de la vascularisation du rectum. Le rectum reçoit aussi de petites branches issues des artères du petit bassin (artère rectale moyenne issue de l'artère iliaque interne et artère rectale inférieure issue de l'artère pudendale interne).

Veines

Le drainage veineux des organes vascularisés par les artères précitées est assuré par la réunion des veines spléniques et mésentériques supérieure et inférieure qui forment la **veine porte**. Celle-ci transporte le sang jusqu'au foie à l'intérieur duquel elle s'abouche à nouveau dans un système de capillaires (▶ fig. 16.6).

REMARQUE

Les veines de la partie moyenne et basse du rectum ramènent le sang à la **veine cave inférieure** par les veines iliaques. Cela est important d'un point de vue clinique : si un médicament est administré par voie rectale (suppositoire), le principe actif parvient directement dans la circulation systémique sans passer par le foie → pas de métabolisation par le foie.

Vaisseaux lymphatiques et lymphonœuds

Le trajet des vaisseaux lymphatiques suit en général celui des artères. Après leur passage par les lymphonœuds, ils s'abouchent à la citerne du chyle, une dilatation formant un bassin collecteur. À partir de là, la lymphe entre dans le

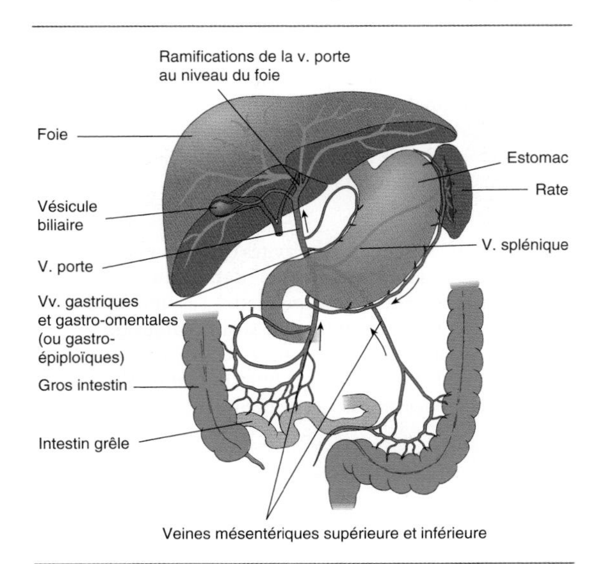

Fig. 16.6 Veines de la cavité abdominale. La veine porte collecte le sang veineux issu de l'estomac, de la rate, de l'intestin grêle et de la plus grande partie du gros intestin et le ramène au foie.

conduit thoracique (fig. 11.13), qui chemine le long des vertèbres thoraciques et s'abouche au niveau de l'angle veineux gauche (ou confluent de Pirogoff).

16.1.5 Examen gastro-entérologique

Les troubles gastro-intestinaux sont fréquents ; derrière la douleur abdominale se cachent de très nombreuses maladies (du ballonnement au carcinome).

NOTION MÉDICALE

Gastro-entérologie

Domaine de la médecine interne qui traite des maladies du tube digestif.

Comme pour les autres systèmes organiques, la base du diagnostic repose sur :

- l'**inspection** (observation), par exemple couleur jaune de la peau (▶ 16.10.4) ;
- la **palpation** par exemple pour rechercher une douleur à la pression ;
- la **percussion** par exemple pour rechercher une augmentation de la quantité d'air lors de ballonnement ;
- l'**auscultation** par exemple des bruits intestinaux pour évaluer l'activité (transit) intestinale.

Bien souvent, il est nécessaire de procéder à des examens complémentaires (examens sanguins, imagerie, endoscopie).

Échographie

Diagnostic échographique : fonctionne selon le principe du sonar → à partir d'un transducteur (sonde), des ultrasons sont envoyés dans le corps à une fréquence de 1–15 MHz → les tissus s'opposent à la propagation des ultrasons de différente manière → à la limite entre deux tissus, les ultrasons sont réfléchis plus ou moins fortement (**échogénicité**).

Endoscopie

Observation des organes creux ou des cavités organiques avec un instrument optique en forme de tube (**endoscope**) doté d'un système d'éclairage (« miroir »). Le canal opérateur peut permettre l'aspiration des liquides en excès ou le prélèvement d'un échantillon tissulaire (**biopsie**).
Lors de l'examen œsophagien, gastrique et duodénal (**œsophago-gastro-duodénoscopie**) et de l'examen du gros intestin (**coloscopie**), il est possible de nos jours d'effectuer des biopsies et de petites interventions.

16.2 Cavités buccale (orale) et pharyngienne

16.2.1 Cavité buccale (cavité orale)

Premier segment du tube digestif → lieu d'entrée des aliments et préparation de ces derniers pour leur digestion. Se composée de plusieurs parties :

- le **vestibule buccal :** partie située entre les joues, les lèvres et les dents ;

- la **cavité buccale proprement dite :** limitée en haut par le palais osseux et le voile du palais (▶ 16.2.5), en bas par la face inférieure de la langue et les **muscles mylohyoïdiens** (diaphragme musculaire étendu entre les branches de la mandibule), latéralement par les arcades dentaires inférieure et supérieure, en arrière par le pharynx (▶ fig. 16.7).

Au niveau des **lèvres**, la muqueuse buccale se continue par la peau du visage.

REMARQUE

Au niveau des lèvres, l'épithélium est si fin que le tissu sous-jacent, très richement vascularisé, apparaît au niveau du bord « vermillon » des lèvres (lui donnant sa couleur rouge). C'est pourquoi il est possible de mettre en évidence une **cyanose** par l'inspection des lèvres (▶ 15.9.4).

Le **muscle orbiculaire** de la bouche permet la fermeture serrée des lèvres (lèvres « pincées » ; il fait partie des muscles de l'expression ou muscles faciaux ▶ fig. 6.5).

La face interne de la cavité buccale est formée d'une muqueuse comportant un épithélium pavimenteux pluristratifié non kératinisé comportant des glandes sécrétrices de mucus (▶ fig. 4.2). Dans la région des processus alvéolaires, la muqueuse buccale est fortement soudée au périoste → **gencive**.

16.2.2 Dents

La digestion commence par le **broyage mécanique** des aliments par les dents. Les différentes formes des dents permettent le broyage des différents types d'aliments :

- les **molaires** permettent la mastication des aliments d'origine végétale ;
- les **incisives** permettent de couper les aliments.

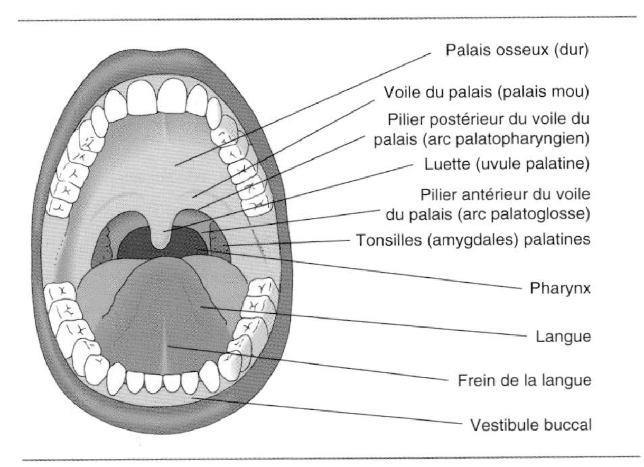

Fig. 16.7 Aperçu de la cavité buccale (orale).

La **couronne** est la partie visible des dents ; elle est recouverte d'émail. Le **collet dentaire** représente la région de transition entre la couronne et le cément de la racine dentaire. La **racine** est la partie de la dent qui n'est pas visible de l'extérieur ; elle se trouve ancrée dans les **alvéoles dentaires** des **processus alvéolaires**. La racine dentaire est entourée par le parodonte et suspendue à l'os maxillaire ou mandibulaire par des fibres de TC dense. Au niveau de l'apex de la racine se trouve un petit orifice, par lequel passent des vaisseaux sanguins et lymphatiques ainsi que des nerfs permettant respectivement la vascularisation et l'innervation dentaire. À l'intérieur de la dent, la **pulpe dentaire** représente le TC richement vascularisé et innervé de la cavité pulpaire (▶ fig. 16.8, ▶ fig. 16.9).

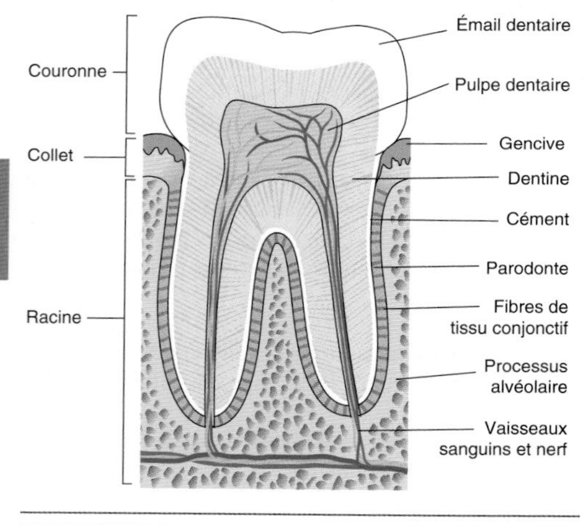

Fig. 16.8 Coupe longitudinale d'une molaire et de ses racines.

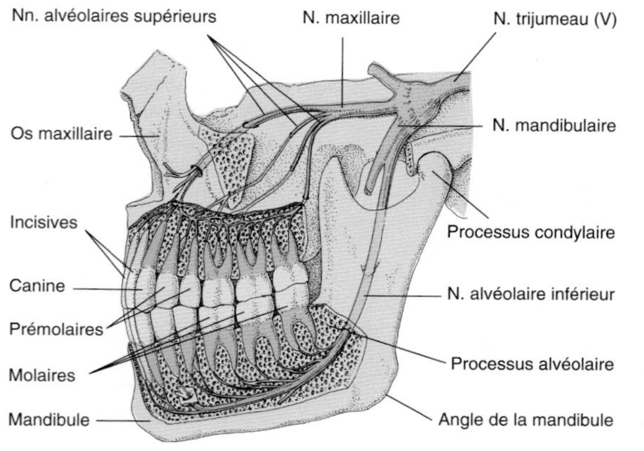

Fig. 16.9 Os maxillaire et mandibulaire avec leur innervation.

16

Substances dures formant les dents

Les dents sont formées par trois substances très dures :

- la **dentine ou ivoire** représente la masse principale de la dent ; sa structure, très dure, ressemble histologiquement au tissu osseux ; forte teneur en calcium ;
- l'**émail** est la substance la plus dure et la plus résistante du corps ; il donne aux dents leur blancheur et leur éclat caractéristiques. La dureté provient de la présence d'un oligoélément, le **fluor**, en plus du calcium et du phosphate (▶ tableau 17.2). Après son développement, l'émail dentaire ne renferme plus de cellules, de vaisseaux ou de nerfs. L'émail perdu par l'usure ou des caries **ne peut pas** être remplacé ;
- le **cément** entoure d'une couche mince la dent au niveau de la racine ; sa structure ressemble à celle du tissu osseux.

Dentition de l'adulte

Elle comprend 16 dents dans chaque mâchoire (donc 32 au total) :

- par mâchoire, il y a 4 **incisives** centrales ;
- suivies de chaque côté d'une **canine ;**
- elle-même suivie par 2 **prémolaires** et 3 **molaires** de chaque côté. La dernière molaire, la plus en arrière, est appelée dent de sagesse, car elle pousse en général seulement après l'âge de 17 ans.

REMARQUE

La **couronne** des prémolaires est formée de 2 cuspides. Les prémolaires mandibulaires n'ont qu'une racine, alors que les prémolaires maxillaires en ont parfois deux. Les couronnes des molaires ont souvent 4 ou 5 cuspides. Les molaires mandibulaires ont 2 racines et les molaires maxillaires en ont 3.

Dentition de lait (dents déciduales) et remplacement des dents

Le développement des dents s'effectue dans le **sac dentaire** des os des mâchoires. Chaque individu présente deux dentitions qui se succèdent :

- les **dents de lait :** l'éruption de cette première dentition a lieu chez les enfants âgés entre 6 mois et 2 ans. Elle ne comporte que 20 dents. Par mâchoires : 4 incisives, 2 canines, 4 molaires. Elle tombe à partir de l'âge de 6 ans ;
- dans les trous laissés par la chute, poussent les **dents permanentes** (ou de remplacement). Pendant cette phase de remplacement dentaire, la dentition est composée de dents permanentes et déciduales.

Mastication

- **Mouvements de coupe :** la mandibule est amenée contre le maxillaire. Muscles actifs : **muscle masséter** et **muscle temporal**.
- **Mouvements de broyage :** la mandibule est déplacée d'avant en arrière. Muscles actifs : partie postérieure du muscle temporal et **muscle ptérygoïdien latéral.** Ils sont soutenus par les muscles des joues et par la langue (▶ fig. 16.10).

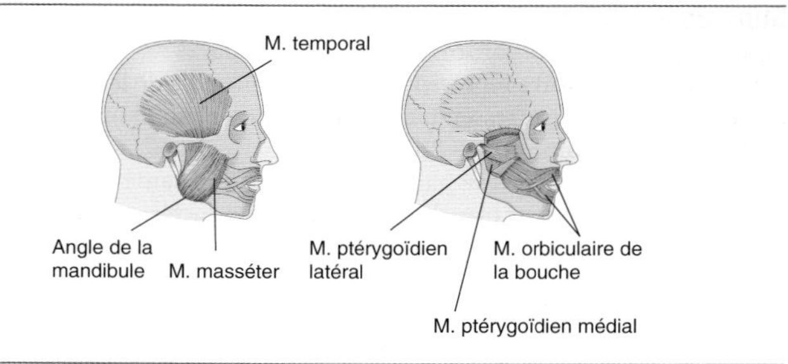

Fig. 16.10 Muscles de la mastication. À gauche : muscles superficiels; à droite : muscles profonds.

16.2.3 Langue

Organe musculaire recouvert d'une muqueuse dont les fonctions sont très diverses :

- mouvements de mastication et de succion;
- formation d'une bouchée pouvant être avalée et initiation de la déglutition;
- sensation du goût et du toucher;
- formation des sons (phonation).

La **racine de la langue**, située en arrière, est en continuité avec le plancher de la cavité buccale; elle se poursuit par le **corps de la langue**, librement mobile, avec le **dos de la langue**. La langue se termine par l'**apex de la langue**. Au milieu de la face inférieure de la langue se trouve le **frein de la langue (ou frein lingual)**, qui limite le mouvement d'élévation de l'apex de la langue.

Muscles de la langue

Le corps charnu de la langue est formé de muscles complexes ayant une disposition tridimensionnelle. Il existe deux systèmes différents de fibres musculaires :

- **muscles intrinsèques :** les fibres sont strictement limitées à la langue et ne s'insèrent pas sur des parties du squelette → **modifient la forme de la langue** (l'épaississent ou l'aplatissent);
- **muscles extrinsèques :** les fibres naissent au niveau de structures osseuses ou musculaires extérieures à la langue → **modifient la position de la langue.**

Les muscles de la langue sont principalement striés, ont une motricité volontaire et sont principalement innervés par le nerf hypoglosse (XII, ▶ 8.7.4).

URGENCE

Prophylaxie de l'aspiration

En cas de perte de conscience → les muscles de la langue sont relâchés, flasques → la langue ne joue plus son rôle de routage alimentaire → les matières vomies peuvent parvenir à la trachée, entraînant l'étouffement du patient → les patients inconscients doivent toujours être placés en position latérale de sécurité (▶ fig. 14.13) avec la tête en hyperextension.

Muqueuse linguale

La surface de la langue est recouverte d'une muqueuse formée d'un épithélium pavimenteux pluristratifié. La face inférieure de la langue est lisse ; le dos et les bords de la langue ont une surface rugueuse. Dans ces régions, la langue présente des surélévations verruqueuses (**papilles**). Il est possible de différencier :

• les **papilles filiformes**	→	sensation de toucher
• les **papilles fongiformes**	}	contiennent les bourgeons du goût (▶ 9.6)
• les **papilles circumvallées**	}	
• les **papilles foliées**	}	

La région de la racine de la langue contient des amas de cellules lymphatiques → font partie des **tissus lymphoïdes de l'anneau de Waldeyer** et servent de défense vis-à-vis des infections (▶ 12.1.2, ▶ fig. 11.12).
À la base de la langue se trouvent des glandes qui synthétisent une enzyme lipolytique (lipase ▶ 16.7.3).

16.2.4 Glandes salivaires

La salive est synthétisée par d'innombrables petites glandes microscopiques situées à l'intérieur de la muqueuse buccale ainsi que par trois grosses glandes salivaires paires placées à l'extérieur de la cavité buccale (▶ fig. 16.11).
Les glandes paires déversent leurs sécrétions dans la cavité buccale par un système de canaux excréteurs :

- les **glandes parotides** sont situées en avant et légèrement en dessous des oreilles, entre la peau et le muscle masséter. Leurs sécrétions sont acheminées par les conduits parotidiens (canal de Sténon) relativement longs qui s'abouchent dans la cavité buccale de chaque côté à proximité de la 2e molaire supérieure ;

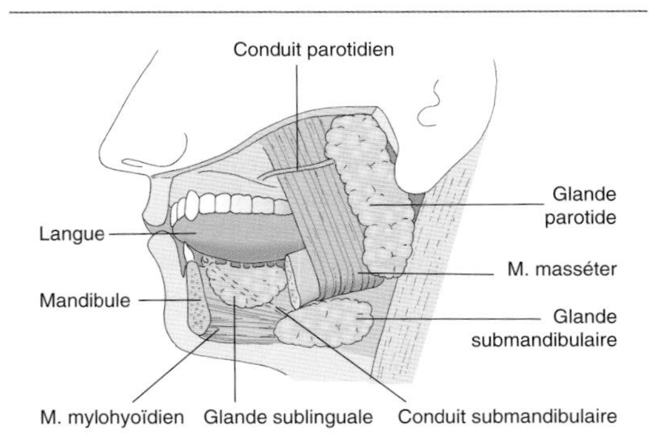

Fig. 16.11 Les trois grosses glandes salivaires et leurs conduits excréteurs.

- les **glandes submandibulaires** sont situées sur la face interne de la mandibule en dessous des muscles mylohyoïdiens. Le conduit submandibulaire s'abouche sous la langue près du frein de la langue;
- les **glandes sublinguales** reposent sur le muscle mylohyoïdien et s'étalent latéralement jusqu'à la mandibule. Elles libèrent leurs sécrétions par de nombreux canaux excréteurs s'abouchant de chaque côté de la langue. Un plus gros conduit excréteur se termine avec le conduit submandibulaire au niveau du frein de la langue.

16.2.5 Palais

NOTION MÉDICALE

Composition de la salive

La **salive** est composée à 99 % d'eau. Le reste contient des électrolytes, des enzymes (principalement l'amylase), des substances antibactériennes (lysozyme) et de la mucine, qui permet aux bouchées de glisser et facilite la mastication ainsi que la parole.

Représente à la fois le toit de la cavité buccale et le plancher des fosses nasales.
Fonctions :

- séparation entre la cavité buccale et les fosses nasales;
- butée de la langue lors de la parole et de la mastication;
- occlusion de la partie supérieure du pharynx lors de la déglutition;
- soutien de la formation des sons (▶ 15.3.2).

Il faut différencier :

- le **palais dur** (ou **palais osseux**) : sa partie antérieure est formée par le processus palatin du maxillaire; sa partie postérieure est formée par l'os palatin (▶ fig. 6.3);
- le **palais mou** (ou **voile du palais** ▶ fig. 16.7) : formé d'une aponévrose, de tendons et de muscles qui entrent en éventail dans la structure de base conjonctive du voile du palais et s'étirent jusqu'à la base de la langue. Contraction → le voile du palais est tendu et se déplace vers le haut → le bord inférieur du voile du palais s'accole avec la **luette** (uvule palatine) aux parois du pharynx → occlusion de la communication entre la cavité nasopharyngienne et la cavité buccale. Les bords latéraux du voile du palais sont formés de deux replis muqueux (les **piliers antérieurs**, appelés aussi **arcs palatoglosses**, et les **piliers postérieurs** ou **arcs palatopharyngiens**). Entre eux, de chaque côté, se trouve la **tonsille palatine** (▶ fig. 15.5; ▶ fig. 16.7).

16.2.6 Pharynx

Pharynx (gorge ▶ 15.2) : tube musculaire recouvert d'une muqueuse commençant à la base du crâne et se poursuivant en partie inférieure par l'œsophage. Formé de muscles striés, il relie la cavité buccale à l'œsophage et le nez à la trachée. Dans sa partie médiane se croisent les voies aériennes et digestives (carrefour aérodigestif, ▶ fig. 16.12).

16.2.7 Déglutition

Une fois que les aliments ont été mâchés et mélangés à la salive, la langue façonne une **bouchée** capable d'être avalée (bol alimentaire). La **déglutition** est un mouvement dont le déroulement est complexe : elle commence par un acte volontaire puis devient automatique (réflexe).

- Mouvement volontaire de la langue → pousse les aliments dans le pharynx (le palais dur jouant le rôle de butée).
- Stimulation des récepteurs tactiles au niveau des arcs palatins, de la paroi dorsale (postérieure) du pharynx ou de la base de la langue → déclenchement du réflexe de déglutition :
  - fermeture de la cavité nasopharyngienne par la remontée du voile du palais et la contraction des parois pharyngées ;
  - contraction des muscles mylohyoïdiens → obstruction de l'entrée du larynx. Le larynx se trouve en partie lié aux muscles mylohyoïdiens → mouvements de remontée du larynx → l'épiglotte se dépose passivement sur l'entrée du larynx (▶ fig. 16.12) ;
  - obstruction des voies aériennes → onde contractile (péristaltisme) des muscles du pharynx → transport dans l'œsophage (▶ 16.3.2).

16.3 Œsophage

Œsophage : organe creux de forme tubulaire, mesurant 25 cm de long, qui ne sert que de voie de transport entre la bouche et l'estomac. L'épithélium œsophagien, comme celui de la bouche, est un épithélium pavimenteux pluristratifié non kératinisé.

16.3.1 Rapports et trajet

Commence derrière le cartilage cricoïde du larynx en regard de la 6e vertèbre cervicale (C6). Il poursuit son trajet médiastinal dorsalement à la trachée, en s'éloignant de plus en plus de la colonne vertébrale et en se dirigeant vers la

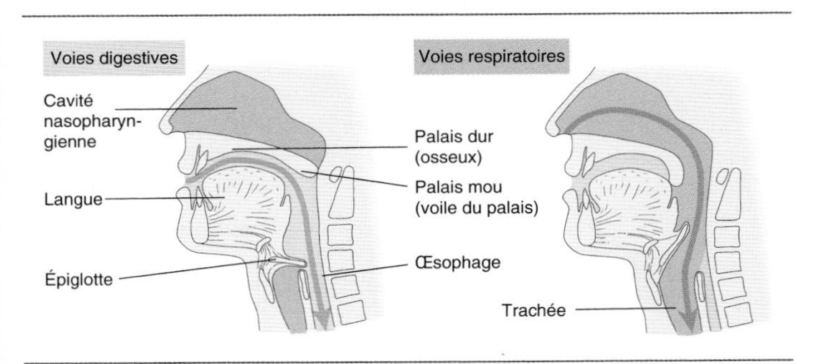

Fig. 16.12 Carrefour des voies aérodigestives au niveau du pharynx.

gauche (il se porte donc en avant et à gauche). Après avoir traversé le diaphragme, il se continue par l'estomac.

Pour permettre le passage des aliments, sa lumière peut s'agrandir jusqu'à atteindre 3,5 cm, sauf au niveau de trois **rétrécissements** (zones de constriction) œsophagiens physiologiques : **au niveau du cartilage cricoïde, de l'arc aortique** et **du hiatus œsophagien du diaphragme** (▶ fig. 16.13). À ces niveaux, l'œsophage est immobilisé par les structures voisines et ses capacités de dilatation sont fortement limitées.

Ces rétrécissements sont importants d'un point de vue clinique car ils peuvent être le siège préférentiel d'inflammations et de tumeurs ; les corps étrangers ou les bouchées trop importantes ayant été déglutis peuvent également rester bloqués à ce niveau.

16.3.2 Passage du bol alimentaire

Le tonus musculaire (▶ 5.3.1) de l'œsophage est nettement plus élevé dans sa partie haute (début) et dans sa partie basse (fin) → mécanisme d'obstruction fonctionnel → formé par les **sphincters œsophagiens supérieur et inférieur** (SOS, SOI).

Lorsque la déglutition a commencé, le **SOS** se détend, ce qui permet l'entrée dans l'œsophage du bol alimentaire situé dans le laryngopharynx. Celui-ci est

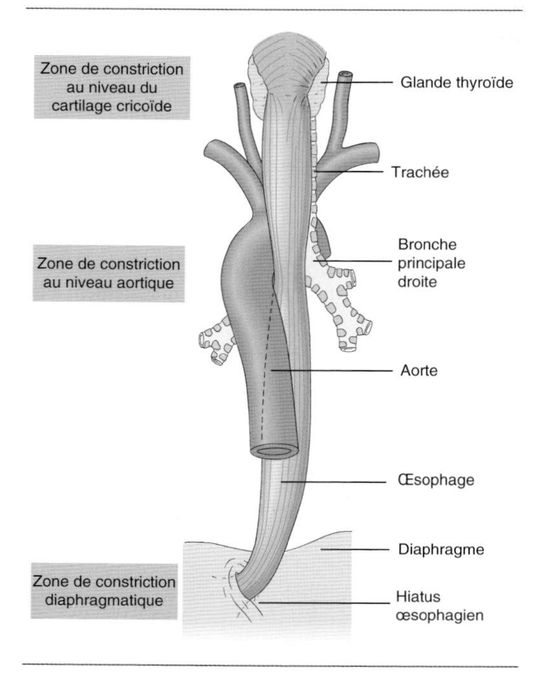

Fig. 16.13 Trajet de l'œsophage et zones de constriction physiologiques.

ensuite transporté le long de l'œsophage par les contractions des deux couches musculaires pariétales :

- *en dessous* du bol alimentaire, les fibres musculaires longitudinales externes se contractent → dilatation de la lumière en dessous du bol alimentaire ;
- la contraction des fibres musculaires circulaires entourant le segment *au-dessus* du bol alimentaire fait progresser ce dernier le long de l'œsophage.

Ces deux processus se répètent jusqu'à ce que le bol alimentaire ait traversé tout l'œsophage (cela dure environ 30 secondes). Ces contractions des muscles lisses qui forment des ondes sont appelées **ondes péristaltiques** ou **péristaltisme.**

Lorsque les ondes péristaltiques ont atteint l'extrémité inférieure de l'œsophage, le **SOI** s'ouvre automatiquement (réflexe) et le bol alimentaire peut entrer dans l'estomac (▶ fig. 16.14).

16.3.3 Pathologies œsophagiennes

NOTION MÉDICALE

Dysphagie : signe d'alarme

La **dysphagie** (trouble de la déglutition) est le symptôme d'appel de nombreuses affections œsophagiennes. Chez les ♂ > 50 ans, le **cancer de l'œsophage** représente la principale cause de dysphagie → toute dysphagie persistante doit faire l'objet d'une consultation (le plus souvent avec endoscopie).

Reflux gastro-œsophagien (RGO)

Fermeture insuffisante du SOI → le suc gastrique remonte dans l'œsophage (**reflux**) → **reflux gastro-œsophagien** (RGO ; en anglais, *gastroesophageal reflux disease* [GERD]).

Symptômes Pyrosis (« brûlure » d'estomac) dû aux remontées acides, douleur avec sensation de brûlure derrière le sternum (douleurs épigastriques),

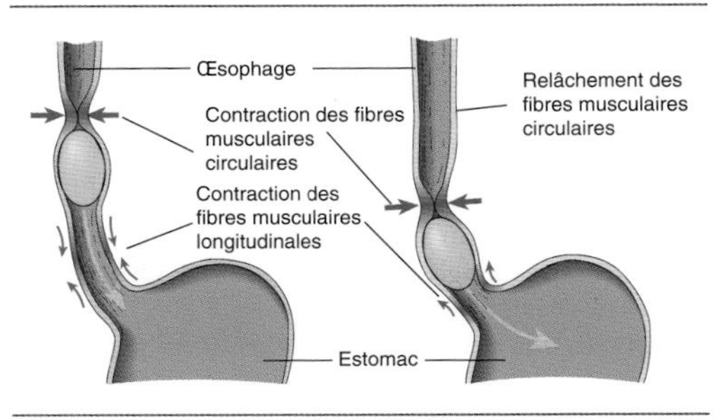

Fig. 16.14 Ondes péristaltiques des muscles de l'œsophage. La contraction des fibres musculaires circulaires au-dessus du bol alimentaire en même temps que la contraction des fibres musculaires longitudinales en dessous du bol alimentaire permettent la progression du bol alimentaire jusqu'à l'estomac.

douleur à la déglutition, toux et voix enrouée. Si une inflammation se développe, cette affection prend le nom d'**œsophagite par reflux.**

Traitement Selon le degré de sévérité.

- En cas de symptômes légers, le **changement de mode de vie** peut suffire ; par exemple arrêt de l'alcool, du café et de la cigarette, normalisation du poids, relever la moitié supérieure du corps pour dormir.
- **Traitement médical :** diminution de la sécrétion acide de l'estomac → inhibiteurs de la pompe à protons (IPP ▶ 16.4.7).

Carcinome œsophagien

Le **cancer de l'œsophage** est essentiellement un carcinome épidermoïde (▶ 1.7.2). Les principaux facteurs de risque supplémentaires sont le tabagisme, la consommation d'alcools forts, l'œsophagite de reflux.

Varices œsophagiennes

▶ 16.10.6.

16.4 Estomac

L'**estomac** est raccordé à l'œsophage et poursuit le processus de digestion. La **capacité de l'estomac** est d'environ 1,5 litres. Des ligaments formés de tissu conjonctif rejoignent le foie et la rate et stabilisent la position de l'estomac dans la cavité abdominale. La forme de l'estomac varie cependant selon son degré de remplissage et la position du corps.

16.4.1 Régions de l'estomac

- **Cardia** (orifice d'entrée de l'estomac) : région de transition entre l'œsophage et l'estomac.
- **Fundus gastrique** (fond de l'estomac) : latéralement au cardia, immédiatement en dessous du diaphragme, c'est une dilatation gastrique en forme de coupole.
- **Corps de l'estomac :** fait suite au fundus gastrique ; plus grosse partie de l'estomac. Se poursuit par l'**antre pylorique** (vestibule du pylore).
- **Pylore** : terminaison de l'estomac représentant la zone de transition avec l'intestin grêle (▶ fig. 16.15)

16.4.2 Muscles de la paroi gastrique

Contrairement au reste du TD, la musculeuse de l'estomac se compose de trois couches avec, de l'extérieur vers l'intérieur :

- des **fibres musculaires longitudinales** (prolongent les fibres musculaires longitudinales de l'œsophage) ;
- des **fibres musculaires circulaires**, dont l'épaisseur augmente au niveau du pylore ;
- des **fibres musculaires obliques** formant la couche la plus interne.

→ Adaptation aux différents états de remplissage de l'estomac, mélange du bol alimentaire avec le suc gastrique, transport jusqu'à la sortie de l'estomac (orifice pylorique).

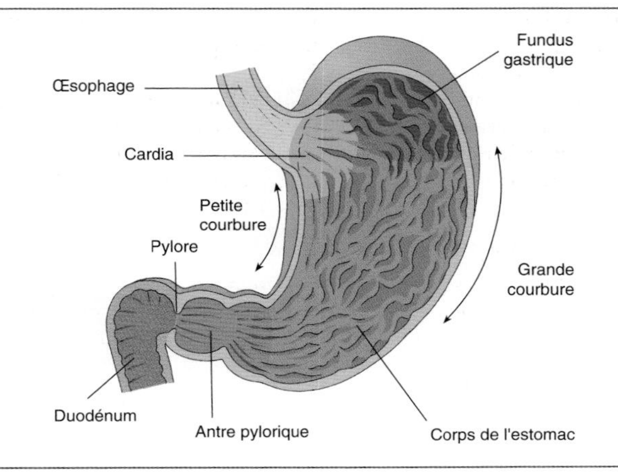

Fig. 16.15 Coupe longitudinale de l'estomac.

16.4.3 Muqueuse gastrique

Lorsque l'estomac est vide, la muqueuse forme des plis longitudinaux, qui convergent vers le pylore. Entre les plis longitudinaux se forment des « vallées » → sillons gastriques particulièrement étendus au niveau de la **petite courbure de l'estomac** (▶ fig. 16.15).

Structure histologique

La surface de la muqueuse gastrique est formée d'une seule couche de cellules épithéliales cylindriques (ou prismatiques). Cet épithélium est extrêmement plissé → nombreuses glandes tubulaires produisant le suc gastrique. Même si ces glandes se trouvent dans l'ensemble de l'estomac, le suc gastrique n'est produit qu'au niveau du fundus et du corps de l'estomac.

Les glandes fundiques se trouvant dans le fundus et le corps de l'estomac contiennent trois types de cellules (▶ fig. 16.16) :

- les **cellules bordantes (ou pariétales ou oxyntiques)** se trouvent principalement dans le segment central des glandes tubulaires, plus rarement à la base de la glande. Rôle principal : synthèse de l'**acide chlorhydrique.** En outre, elles produisent le facteur intrinsèque, une glycoprotéine permettant l'absorption de la vitamine B_{12} (anémie ▶ 11.2.4);
- les **cellules principales** sont situées au fond et au milieu des glandes tubulaires. Forment le pepsinogène (▶ 16.4.4) et une petite quantité de **lipase** (▶ 16.6.1, ▶ 16.7.3);
- les **cellules à mucus du collet** sont principalement situées au niveau de l'isthme de la glande dans la région de transition entre l'abouchement de la glande et l'épithélium superficiel. Forment le **mucus gastrique contenant de la mucine** et les bicarbonates (**HCO_3^-**) → protection de la muqueuse gastrique des agressions par l'acide chlorhydrique.

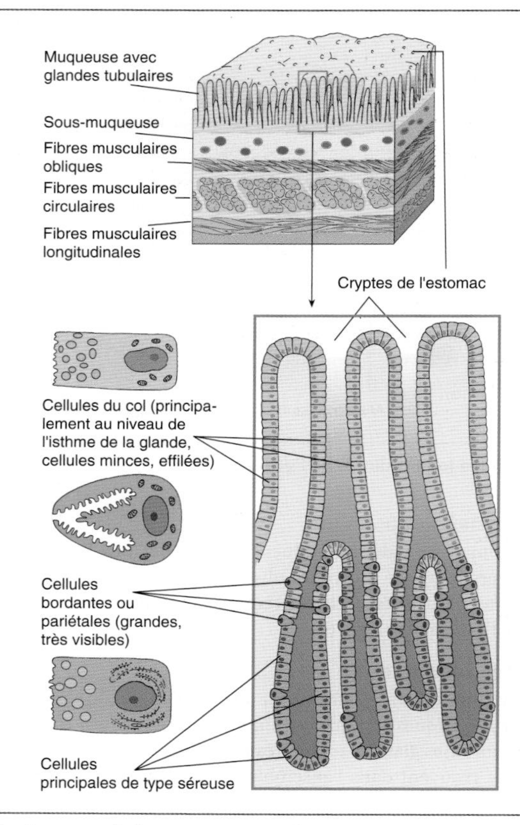

Fig. 16.16 Structure de la muqueuse gastrique.

Les régions du cardia, de l'antre pylorique et du pylore ne sécrètent pas de suc gastrique, mais exclusivement du mucus gastrique → présence uniquement de cellules à mucus.

L'antre pylorique et le pylore possèdent un quatrième type de cellules, les **cellules G** → sécrètent une hormone, la **gastrine** (▶ 10.8), qui, après passage par le sang, atteint les cellules principales et les cellules bordantes et stimule leurs sécrétions. En outre, elle stimule la motilité gastrique.

16.4.4 Suc gastrique

En fonction des aliments absorbés, environ 2 litres de suc gastrique sont produits par jour.

Composition

- L'**acide chlorhydrique** (HCl) est produit par les cellules bordantes (ou pariétales). L'absorption de nourriture entraîne une forte augmentation

de la sécrétion d'HCl suite au renforcement de la production d'histamine et de gastrine. Les ions H^+ (protons) de l'acide chlorhydrique sont amenés dans la lumière gastrique par une **pompe à protons**. Lorsque la sécrétion de HCl est maximale, le pH du suc gastrique peut chuter jusqu'à 1 (pH = 1) (▶ 2.7.3). Le bol alimentaire permet de tamponner l'acidité de sorte que le pH remonte à environ 2–4 (valeurs de pH pour lesquelles l'activité de la pepsine est maximale). L'HCl dénature les protéines : il dégrade leur structure tridimensionnelle afin qu'elles soient plus vulnérables à l'action des protéases intestinales, qui sont des enzymes protéolytiques. L'HCl agit également comme un milieu de désinfection qui élimine les bactéries et les virus ayant pu être introduits avec les aliments. Après son passage dans l'estomac, le bol alimentaire (ou chyme) ne contient habituellement plus de micro-organismes capables de proliférer.
- Le **pepsinogène** est un précurseur enzymatique inactif qui est synthétisé par les cellules principales. Lorsque le pH < 6 du fait de l'acidité gastrique, il est transformé en **pepsine,** sa forme active. La pepsine coupe (hydrolyse) les protéines en gros fragments (polypeptide de 10 à 100 AA).

La pepsine et l'acide chlorhydrique dégradent la substance de base des aliments d'origine végétale contenant des protéines ainsi que les enveloppes de tissu conjonctif des aliments d'origine animale → libération d'un certain nombre de nutriments.
- Le **mucus gastrique** est sécrété par toutes les cellules superficielles et principalement les cellules à mucus du collet. La mucine visqueuse adhère à la surface des cellules et forme un film étanche qui recouvre la totalité de l'estomac. Ce film de mucus protecteur et les ions bicarbonates qu'il renferme servent de tampon (▶ 2.7.4), et empêchent l'autodigestion de la muqueuse par l'acide chlorhydrique et la pepsine. Pour cela, il est nécessaire que la couche muqueuse soit intacte et que sa perfusion soit suffisante.
- Le **facteur intrinsèque** est synthétisé par les cellules bordantes. Il sert à l'absorption de la vitamine B_{12} au niveau de l'intestin grêle (▶ 16.5, ▶ 16.7.5). Il est essentiel que l'apport de vitamine B_{12} soit suffisant pour les tissus qui se divisent rapidement (moelle osseuse hématopoïétique, peau, muqueuses) et pour le système nerveux. Lors de carence → principalement anémie macrocytaire (▶ 11.2.4) et lésions du système nerveux.

Contrôle de la synthèse du suc digestif

Le suc digestif est synthétisé lorsque des aliments se trouvent dans l'estomac ou l'intestin grêle ou lorsque l'estomac « compte » recevoir de la nourriture. La régulation passe par trois phases :
- **phase céphalique :** contrôlée par le cerveau ; les stimulations principalement liées aux odeurs ou aux goûts activent la synthèse de suc gastrique via le système parasympathique (▶ 8.10), avant que les aliments ne parviennent à l'estomac → préparation de l'absorption des aliments ;

- **phase gastrique :** fait suite à l'étirement de la paroi gastrique (réflexe neurovégétatif ▶ 8.10.3) → stimulation de la production d'acide par les cellules bordantes et de la sécrétion de gastrine par les cellules G. Les protéines partiellement digérées stimulent également la libération de gastrine par les cellules G ;
- **phase intestinale :** contrôlée par les hormones de l'intestin grêle. Si une grande quantité d'aliments très acides et de graisses parvient au niveau de l'intestin grêle, une hormone, la **sécrétine** (▶ tableau 10.3), est synthétisée et permet d'inhiber la production d'acide chlorhydrique et la vidange de l'estomac.

16.4.5 Brassage du bol alimentaire

- Lorsque l'estomac est vide, les fibres musculaires de la paroi gastrique sont fortement contractées et les parois internes de l'estomac sont en grande partie plaquées les unes contre les autres. Si, après la déglutition, le bol alimentaire parvient au niveau de l'estomac, il entraîne une pression de remplissage qui provoque une détente réflexe des muscles et un allongement des fibres musculaires : les parois musculaires s'étendent afin de faire de la place pour les aliments ingérés.
- Le bol alimentaire est constamment mélangé par les **ondes de contraction péristaltiques** qui parcourent l'estomac en direction du pylore à intervalles de 20 secondes. Ce brassage, d'une part, permet la **fragmentation mécanique** et, d'autre part, il est particulièrement important pour la **digestion des graisses.** En effet, les graisses qui ne sont que peu ou pas du tout hydrosolubles ont tendance à confluer pour former de grosses gouttelettes lipidiques qui n'offrent qu'une faible surface d'accès à la lipase, enzyme qui digère les graisses. Le brassage intensif qui a lieu dans l'estomac empêche cette confluence → il ne se forme que de minuscules gouttelettes lipidiques.

16.4.6 Vidange gastrique

- Le contenu de l'estomac est transmis au **duodénum** par petites portions. Des contractions péristaltiques très puissantes émanent de l'antre pylorique (transmises par le nerf vague) ; le pylore s'ouvre brièvement et une partie du bol alimentaire peut passer dans le duodénum.
- La vitesse de la vidange gastrique dépend fortement de la composition des aliments → le **temps de vidange gastrique** oscille entre 2 et 7 heures (les glucides y restent le moins longtemps, les graisses le plus longtemps et les liquides traversent très rapidement l'estomac).

16.4.7 Pathologies gastriques

Dyspepsie

Terme générique décrivant des douleurs dans la partie supérieure de l'abdomen (douleurs épigastriques), une sensation de pesanteur, une sensation de « trop-plein », des éructations, des brûlures d'estomac, des nausées et des ballonnements. Si aucune cause n'est décelée par les examens d'endoscopie et d'histologie → **dyspepsie fonctionnelle.** Dans 90 % des cas d'inconfort de la partie haute de l'abdomen, la cause est une dyspepsie fonctionnelle ou un reflux gastro-œsophagien (▶ 16.3.3).

Vomissements

Réflexe de protection permettant la vidange gastrique. Après une profonde inspiration, les sphincters fermant l'estomac et l'œsophage se détendent, le larynx et les fosses nasales sont fermés → le contenu de l'estomac est renvoyé vers le haut sous pression par une contraction brusque du diaphragme et des muscles abdominaux.

Gastrite aiguë (inflammation aiguë de la muqueuse gastrique)

Causes Alcoolisme ou tabagisme excessif, infection bactérienne, intoxication alimentaire, stress et AINS (▶ 9.3.3).

Symptômes Nausées, vomissements, éructations, sensation de pesanteur au niveau de la partie haute de l'abdomen.

Traitement Jeûne de courte durée, élimination des causes évidentes.

Gastrite chronique

Causes Répartition selon la **classification ABC des gastrites :**

- **A :** gastrite **a**uto-immune ; le patient forme des anticorps contre les cellules bordantes et d'autres structures gastriques → processus inflammatoire durant des années → les glandes gastriques s'atrophient → ↓ production d'acide chlorhydrique et de facteur intrinsèque, risque d'anémie pernicieuse (▶ 11.2.4).
- **B :** prolifération **b**actérienne, principalement de la bactérie en forme de bâtonnet *Helicobacter pylori* (voir ci-après) qui peut survivre dans le milieu acide.
- **C :** gastrite d'origine **c**himique déclenchée et entretenue par un reflux biliaire et/ou des médicaments (AINS ▶ 9.3.3). Rare.

Symptômes Souvent ambigus. Il est important d'établir le diagnostic par endoscopie et biopsie, parce que le risque de développer un cancer de l'estomac est accru chez les patients présentant une gastrite chronique atrophique.

Ulcère gastrique

L'**ulcère gastrique** représente une perte de substance circonscrite de la muqueuse gastrique qui a franchi la couche musculaire-muqueuse (▶ fig. 16.17). Les ulcères sont fréquents au niveau de l'estomac et du duodénum et seront abordés ici ensemble (ulcères gastroduodénaux). Fondamentalement, il existe deux formes d'ulcères :

- l'**ulcère gastrique ou duodénal aigu :** en général un seul incident, par exemple à la suite d'un stress (par exemple chez les patients en soins intensifs) ;
- l'**ulcère gastroduodénal chronique et récidivant :** apparition régulière de nouveaux ulcères (▶ fig. 1.7).

Causes Déséquilibre entre les facteurs qui agressent la muqueuse et les facteurs qui la protègent. Le principal facteur agressant la muqueuse est sa colonisation par ***Helicobacter pylori.*** Cette bactérie est retrouvée chez 95 % des patients présentant des ulcères duodénaux et 75 % des patients ayant des ulcères gastriques. Chez 50 % des adultes en bonne santé, la muqueuse est colonisée par *H. pylori*, mais cela ne provoque aucun symptôme. Pour que l'ulcère se manifeste, d'autres facteurs doivent également être présents.

16

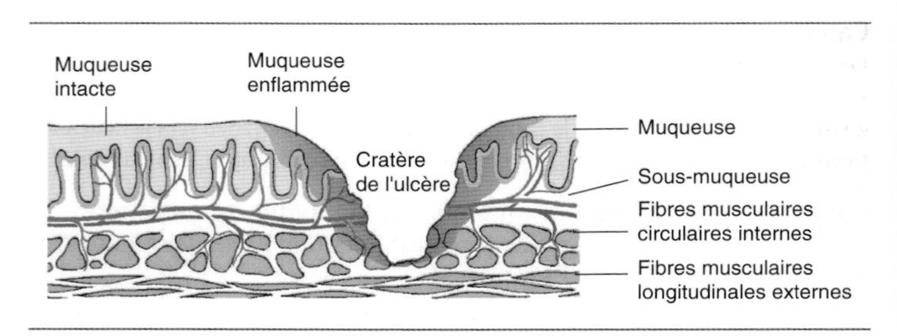

Fig. 16.17 Représentation schématique d'un ulcère.

Une bonne perfusion de la muqueuse gastrique et duodénale protège des ulcères → permet une sécrétion suffisante de mucus et de bicarbonates.

- Les **ulcères gastriques** touchent typiquement les personnes âgées. Caractéristique : douleur immédiatement après **le repas.**
- Les **ulcères duodénaux** sont plus fréquents que les ulcères d'estomac, et atteignent principalement des sujets plus jeunes et de sexe ♂. Typiquement : **douleur retardée,** environ 2 heures après le repas.

16

Ces deux formes d'ulcères peuvent s'accompagner de douleurs épigastriques (douleurs abdominales hautes de type crampes d'estomac), une sensation de pesanteur ou de trop-plein après le repas et une perte de poids.

Le diagnostic de certitude repose sur l'endoscopie avec biopsie, associée à une biopsie simultanée destinée à un test diagnostique enzymatique rapide (test à l'uréase) permettant la détection d'*H. pylori.*

Traitement Élimination des facteurs agressifs (médicaments, tabagisme). En cas de mise en évidence d'*H. pylori* → **traitement d'éradication :** dure généralement 1 semaine, composé d'IPP et de deux antibiotiques (**trithérapie**). Efficace chez > 90 % des patients.

Ulcères négatifs pour *H. pylori* : médicament de 1er choix → **IPP** (par exemple oméprazole) → inhibe l'échange H^+/K^+ des cellules bordantes, ce qui inhibe la production d'acide. Autres produits ayant une activité moindre : **antihistaminiques H_2** (anti-H_2, par exemple Ranitidine®) → bloquent les récepteurs de l'histamine. Les interventions chirurgicales sont extrêmement rares.

NOTION MÉDICALE

Complications d'ulcères

Elles sont devenues rares du fait des traitements médicamenteux :

- hémorragies → vomissement de sang (**hématémèse**) ou **méléna** (coloration noire des selles);
- **hémorragie intestinale aiguë** → trouble circulatoire pouvant aller jusqu'au choc (▶ 14.4.3) et jusqu'à l'anémie par hémorragie (▶ 11.2.4);
- perte continue d'une petite quantité de sang → **anémie par carence en fer** (▶ 11.2.4);
- **perforation** → l'ulcère traverse la paroi gastrique ou duodénale → le bol alimentaire passe dans la cavité péritonéale → **abdomen aigu et péritonite** (▶ 16.1.3).

Carcinome gastrique

De moins en moins fréquent.

Facteurs de risque Certaines pathologies gastriques, alcoolisme, tabagisme, carcinogènes chimiques (▶ 1.7.3) comme les nitrosamines et les infections par *H. pylori.*

Symptômes Très longtemps peu caractéristiques («estomac sensible») → en règle générale, diagnostic tardif par endoscopie avec biopsie.

16.5 Intestin grêle

Intestin grêle : segment du TD qui fait suite à l'estomac. Long d'environ 3–4 mètres (à l'état relâché post-mortem 5–7 mètres), Ø environ 2,5 cm.

Principale fonction : digestion finale du bol alimentaire prédigéré (ou **chyme**) et absorption des petites molécules ainsi formées par la muqueuse de l'intestin grêle, ce qui permet leur passage dans la circulation sanguine. Le suc digestif, dont le volume est d'environ 8 litres qui est libéré au cours d'une journée dans le TD, est en grande partie réabsorbé dans le sang pendant son passage dans l'intestin grêle. Ces processus d'absorption et de réabsorption nécessitent une immense surface, ce qui explique pourquoi la muqueuse de l'intestin grêle est bien plus plissée que les autres segments du TD (▶ fig. 16.2).

16.5.1 Segments de l'intestin grêle

L'intestin grêle est formé de trois segments, qui se continuent sans former de limites nettes :

- le **duodénum** en forme de C mesure environ 25 cm de long; il fait suite à l'estomac en tant que premier segment de l'intestin grêle. La première partie montante (ampoule duodénale) est mobile; la partie suivante est accolée à la paroi abdominale dorsale (postérieure) et a une situation rétropéritonéale (▶ 16.1.3). Le C duodénal entoure la tête du pancréas. Le canal pancréatique s'abouche au niveau de la **papille duodénale majeure** située dans la partie descendante, généralement avec le canal cholédoque, en formant l'ampoule hépatopancréatique (par exemple ampoule de Vater) (▶ fig. 16.19). À l'extrémité du C, le duodénum se détache de la paroi abdominale postérieure pour former un angle important (**l'angle duodénojéjunal**) et se continuer par le jéjunum librement mobile;
- le **jéjunum** est nettement plus long que le duodénum et se continue sans limite nette par l'iléon;
- **iléon (ou iléum).**

Le jéjunum représente environ les 2/5 et l'iléon presque les 3/5 de la longueur totale de l'intestin grêle.

NOTION MÉDICALE

Mésentère

Le jéjunum et l'iléon sont particulièrement mobiles du fait de leur fixation à la paroi abdominale dorsale (postérieure); ils sont suspendus par le **mésentère** (▶ 16.1.3). Ce dernier est fixé le long de la paroi abdominale dorsale (postérieure) au niveau d'une ligne, la **racine du mésentère**, qui part de l'angle duodénojéjunal et s'étire obliquement vers le bas et la droite (environ sur 16 cm de long). Comme l'ensemble formé par le jéjunum et l'iléon est presque 20 fois plus long que la racine du mésentère, le mésentère se dépose en plis facilement étirables (un peu comme un éventail).

16.5.2 Mouvements de l'intestin grêle

Le chyme issu de l'estomac est mélangé au suc intestinal grâce à différents types de mouvements; il met de 6 à10 heures pour traverser l'intestin grêle. Ces mouvements sont contrôlés par le système nerveux entérique (▶ 8.10.4) et sont totalement autonomes (**motricité intestinale autonome**). Les influences issues des systèmes parasympathique et sympathique ne conduisent qu'à des modifications en réponse aux besoins de l'organisme entier.

Les mouvements intestinaux peuvent être différenciés comme suit :

- **mouvements propres des villosités** par des contractions de la musculaire-muqueuse → contrôlés par le plexus sous-muqueux; améliorent le contact entre l'épithélium et le chyme issu de l'estomac;
- **mouvements de brassage** par constriction rythmique des fibres musculaires circulaires et **mouvements pendulaires** par la contraction des fibres musculaires longitudinales. Déclenchés par l'étirement local de la paroi intestinale → enregistrement par des récepteurs situés dans la muqueuse → traitement de l'information au niveau du plexus myentérique → influx moteur;
- **ondes péristaltiques** (▶ 16.4.5) pour faire avancer le contenu intestinal en direction du gros intestin;
- lorsque l'intestin grêle n'est pas en activité de digestion, il se produit toutes les 1,5 à 2 heures une puissante onde péristaltique traversant l'estomac et l'intestin grêle. Ce **complexe moteur (ou myoélectrique) migrant** élimine les bactéries et les restes du repas.

16.5.3 Muqueuse de l'intestin grêle

Accroissement de la surface

La structure générale de la paroi de l'intestin grêle correspond à celle des autres parties du TD (▶ fig. 16.2). La muqueuse présente des particularités → fort accroissement de la surface :

- **replis circulaires proéminents** de la muqueuse. Ces plis sont surmontés de protubérances d'environ 1 mm de haut (**villosités**) ainsi que d'invaginations légèrement plus courtes (**cryptes** ▶ fig. 16.18);
- les cellules épithéliales effectuant l'absorption des nutriments (**entérocytes**) portent sur la face dirigée vers la lumière un très grand nombre de projections cytoplasmiques serrées les unes à côté des autres (**microvillosités,** ▶ fig. 4.1).

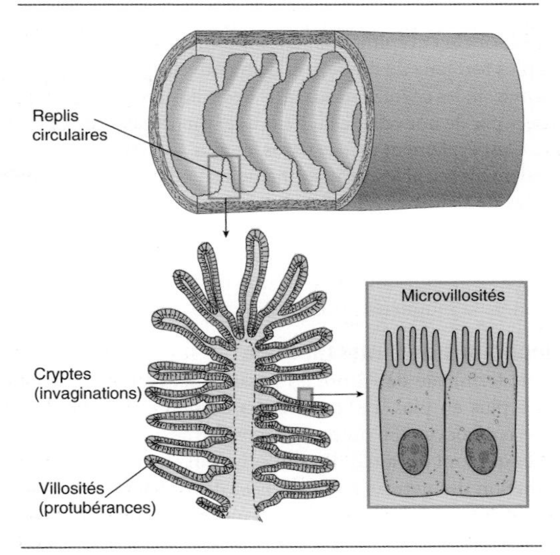

Fig. 16.18 Les replis circulaires, villosités, cryptes et microvillosités accroissent la surface d'absorption intestinale.

Au total, la surface de l'intestin grêle destinée à l'absorption atteint 200 m^2 grâce aux replis circulaires, aux villosités, aux cryptes et aux microvillosités !

Muqueuse des villosités et des cryptes

L'**épithélium des villosités** de l'intestin grêle est composé d'**entérocytes**, dotés de microvillosités, et de cellules caliciformes intercalées entre eux. Des **cellules endocrines** isolées sont aussi réparties entre ces cellules → libération de diverses hormones pour réguler l'activité digestive (▶ 10.8).

Juste en dessous de l'épithélium des villosités se trouve un réseau de capillaires denses ayant comme rôle de perfuser les villosités et de récupérer les nutriments absorbés. Au centre de chaque villosité (il y en a environ 4 millions) se trouve un **vaisseau lymphatique** qui transporte la lymphe intestinale (**chyle**) (▶ fig. 16.21). Pendant la digestion, les villosités sont continuellement en mouvement, plongent dans le contenu intestinal et absorbent les molécules qui sont ensuite transportées par les capillaires ou par les vaisseaux lymphatiques centraux.

Les villosités sont séparées par des invaginations ou cryptes au fond desquelles s'abouchent directement les **glandes (ou cryptes) de Lieberkühn**. C'est là que sont formées une partie des sécrétions de l'intestin grêle. Ces glandes comportent les cellules suivantes :

- les cellules caliciformes sécrétrices de mucus ;
- les **cellules de Paneth :** leur fonction n'est pas encore bien clarifiée. Nous savons qu'elles sont actives métaboliquement et forment une sécrétion antibactérienne riche en lysozyme ;

- les cellules endocrines;
- les **cellules souches :** l'épithélium de l'intestin grêle fait partie des tissus ayant le plus fort taux de division et de renouvellement cellulaire (en 3 à 6 jours environ, les cellules au sommet des villosités ont été éliminées et remplacées par de nouvelles cellules qui se sont développées à partir des cryptes). C'est également un des tissus les plus sensibles de notre organisme (principalement sensible aux rayonnements ionisants et aux cytostatiques);
- les **glandes de Brunner** (glandes duodénales) : n'existent qu'au niveau du duodénum. Elles sont disposées en profondeur de la paroi intestinale (principalement dans la sous-muqueuse) et sont riches en cellules muqueuses → produisent une sécrétion basique et mucoïde → protection de la muqueuse de l'intestin grêle du contenu gastrique acide.

Tissus lymphoïdes de l'intestin grêle

Dans la partie terminale de l'iléon, les plissements de la muqueuse intestinale diminuent de plus en plus. Le nombre des cellules caliciformes augmente au détriment des entérocytes. En outre, l'iléon renferme de très nombreux **follicules lymphatiques** qui sont des amas de cellules lymphatiques formant des nodosités (rôle : élimination des germes pathogènes et des antigènes). L'ensemble de ces follicules lymphatiques porte le nom de **plaques de Peyer** (▶ 12.1.2).

16

Suc intestinal

Les sécrétions sont formées par l'ensemble des glandes de Brunner et de Lieberkühn et sont libérées dans la lumière intestinale. Elles améliorent le contact entre les substances en solution et les microvillosités des entérocytes, ce qui permet leur absorption.

16.6 Suc pancréatique et bile, voies biliaires et vésicule biliaire

Pour terminer la digestion, il est nécessaire que le suc pancréatique et la bile, qui ont été respectivement sécrétés par le **pancréas** (▶ 16.9) et le **foie** (▶ 16.10), parviennent au duodénum et soient mélangés au contenu intestinal.

16.6.1 Suc pancréatique

Le pancréas produit environ 1,5 litres de sécrétion par jour. Le chyme qui quitte l'estomac est très acide et doit être neutralisé au niveau de l'intestin grêle, car les enzymes pancréatiques ne peuvent effectuer leur fonction lytique à un pH acide. Cette neutralisation est permise par le suc pancréatique riche en **bicarbonates** et les sécrétions alcalines issues du foie et de l'intestin.

Les nombreuses **enzymes pancréatiques** lysent les protéines, les glucides et les graisses.

- Les enzymes protéolytiques (protéases) sont les suivantes :
  - **trypsine** et **chymotrypsine :** elles sont synthétisées sous forme de précurseurs inactifs (trypsinogène et chymotrypsinogène) → cela

empêche l'autodigestion pancréatique. Ce n'est qu'au niveau de l'intestin grêle que ces précurseurs sont transformés en enzymes actifs : le **trypsinogène** est transformé en son composé actif, la trypsine, par une **entéropeptidase** (synthétisée par la muqueuse de l'intestin grêle). La trypsine peut alors transformer son propre précurseur ainsi que le **chymotrypsinogène** en leur forme métaboliquement active. Les enzymes une fois activées coupent les liaisons peptidiques *à l'intérieur* des molécules protéiques → formation de plus petits peptides ;
  - **carboxypeptidase :** sépare chaque AA de l'extrémité carboxyle des peptides, afin que ces derniers puissent être absorbés par les entérocytes.
- L'α-**amylase** est une enzyme qui hydrolyse les glucides : elle coupe l'amidon en maltose, un disaccharide.
- L'enzyme la plus importante pour la digestion des graisses est la **lipase** → coupe les triglycérides en acides gras (AG). Pour que la lipase déploie toute son activité, les gouttelettes lipidiques des aliments doivent être de taille réduite (émulsionnées). Cela est possible grâce à l'activité motrice de l'estomac (▶ 16.4.5) et aux acides biliaires (▶ 16.6.3).

16.6.2 Bile

Le foie fabrique environ 0,5 litre de bile par jour ; c'est un liquide de couleur jaune brun qui est déversé dans le duodénum par le canal cholédoque. Lorsqu'il n'y a pas besoin de bile, le sphincter musculaire situé au niveau de l'embouchure duodénale du cholédoque est fermé (**sphincter d'Oddi**) → la bile s'accumule en arrière du sphincter et est déversée dans la **vésicule biliaire** par un canal (▶ fig. 16.19). Dans la vésicule, la bile est concentrée par réabsorption de l'eau jusqu'à un volume d'environ 50–80 ml (bile vésicale), puis est déversée au besoin par petites quantités dans le duodénum par contraction de la vésicule biliaire.

REMARQUE

La **bile** se compose (en plus d'eau et d'électrolytes) d'acides biliaires, de cholestérol, de lécithine, de bilirubine et d'autres substances propres au corps ou étrangères (par exemple hormones ou médicaments).

16.6.3 Fonction de la bile dans la digestion

Les molécules suivantes contenues dans la bile sont très importantes pour la digestion et l'absorption des graisses :

- les acides biliaires (par exemple acide cholique, acide chénodésoxycholique) ;
- le cholestérol, la lécithine, entre autres phospholipides.

Les **acides biliaires** sont synthétisés dans le foie à partir du **cholestérol**. Ils réduisent la tension superficielle entre les graisses et l'eau → permettent une fine répartition des graisses dans le contenu intestinal. Cette **émulsification** est permise par le fait que les acides biliaires ont des propriétés à la fois lipophiles et hydrophiles (▶ 3.4).

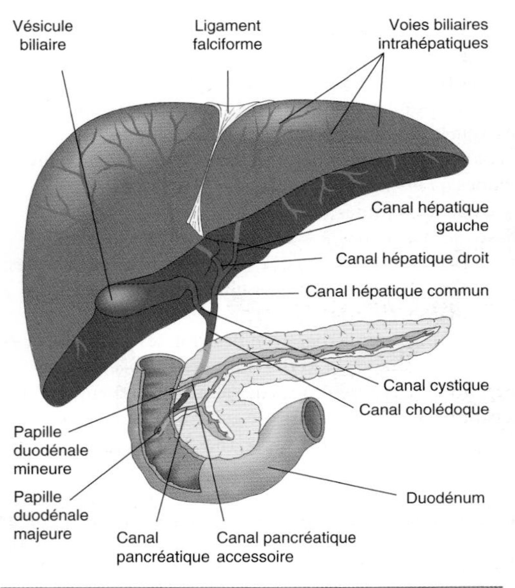

Fig. 16.19 Cheminement des voies biliaires et du canal pancréatique. Le plus souvent, le canal cholédoque et le canal pancréatique s'abouchent ensemble. Il existe parfois un canal pancréatique accessoire se déversant isolément dans le duodénum (au niveau de la papille duodénale mineure).

Dans l'intestin grêle, les particules de graisse s'unissent spontanément avec les acides biliaires pour former de plus petites particules (**micelles**), qui offrent aux lipases un bon angle d'attaque pour permettre le clivage. En outre, les micelles établissent un contact avec la muqueuse intestinale → les acides gras en solution à l'intérieur peuvent être absorbés par la muqueuse intestinale.
La **lécithine** en tant que principal phospholipide est également une substance permettant la solubilisation et qui contribue à l'émulsification des graisses.

REMARQUE

Cycle entéro-hépatique

Dans l'intestin grêle, les acides biliaires sont transformés en **acides biliaires secondaires**. Dans la dernière partie de l'iléon (iléon terminal), les acides biliaires sont réabsorbés à 90 % et parviennent au foie par la veine porte où ils sont à nouveau renvoyés dans la bile (**cycle entérohépatique**). Grâce à ce « recyclage » (jusqu'à 14 fois par jour), le foie n'a besoin de fabriquer qu'une petite quantité d'acides biliaires (▶ fig. 16.20).

16.6.4 Régulation de la synthèse de bile et de suc pancréatique

La synthèse de la bile et du suc pancréatique est sous le contrôle, d'une part du SNA et, d'autre part, de deux hormones qui sont libérées par la muqueuse

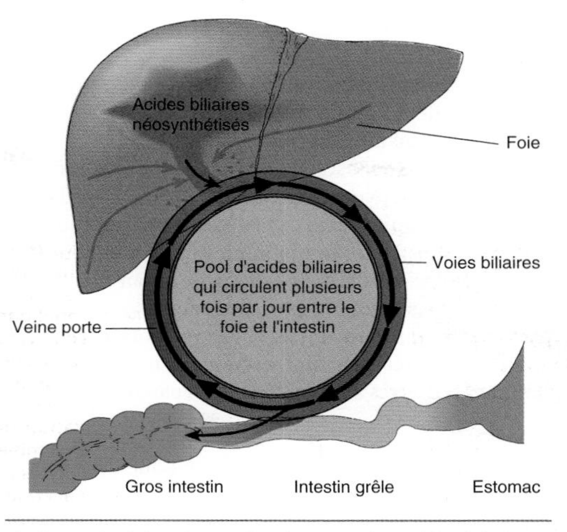

Fig. 16.20 Cycle entérohépatique. Plus de 90 % des acides biliaires sont « recyclés » et ramenés au foie. Seulement 10 % sont éliminés dans les selles.

duodénale dès qu'un chyme riche en acide ou en graisse entre dans le duodénum :

- **sécrétine :** conduit à un fort enrichissement en bicarbonates du suc pancréatique → neutralisation du chyme acide. Par ailleurs, la sécrétine augmente la formation de bile par le foie ;
- **Cholécystokinine** (CCK ▶ tableau 10.3) : augmente le contenu enzymatique du suc pancréatique et favorise la contraction de la vésicule biliaire ; provoque en même temps le relâchement du sphincter d'Oddi → la bile stockée et concentrée peut être déversée dans le duodénum.

16.6.5 Voies biliaires

- Les voies biliaires émanant du foie (**canaux hépatiques droit et gauche**) se réunissent au niveau du hile hépatique en un **canal hépatique commun**.
- Le **canal cystique** s'anastomose au canal hépatique commun en formant un angle aigu (canal issu de la vésicule biliaire).
- Après l'anastomose du canal cystique, le canal biliaire est appelé **canal cholédoque** (long de 6–8 cm). Il descend derrière le duodénum, traverse la tête du pancréas et s'abouche au niveau de la papille duodénale majeure (dans **l'ampoule de Vater**), habituellement avec le canal excréteur du pancréas ou canal pancréatique principal (▶ fig. 16.19).
- En cas d'obstacle à l'écoulement sur le trajet → rétention biliaire → **ictère** (ictère par cholestase ▶ 16.10.4).
- La **vésicule biliaire** est située sur la face inférieure du foie et est unie avec la capsule de Glisson (capsule conjonctive) du foie. Longueur environ 8–11 cm, épaisseur 3–4 cm, volume 30–60 ml.

16.6.6 Pathologies

Calculs biliaires

Chez de nombreux individus, des **calculs biliaires** peuvent se former suite à la présence dans la bile de grandes quantités de sels ou de cholestérol. La forme et la taille de ces calculs sont très variables.

Ils se forment particulièrement souvent en cas d'alimentation excessive ou de malnutrition, de diabète, d'hyperlipémie et chez les ♀. Dans la bile, il apparaît un déséquilibre entre les substances difficilement hydrosolubles (par exemple le cholestérol) et les substances solubilisantes (acides biliaires) → cristallisation de structure de type calculs dans la vésicule biliaire ou les voies biliaires. La **cholélithiase** est la maladie la plus fréquente de la région abdominale haute droite (hypochondre droit). Les ¾ des patients atteints ne présentent pas de symptômes ou très peu (par exemple sensation de pesanteur épigastrique, typiquement après avoir mangé un repas riche en graisse).

Colique hépatique

Une forte douleur survient lorsqu'un calcul se bloque dans les voies biliaires. La vésicule biliaire se contracte fortement pour éliminer l'obstacle à l'écoulement → augmentation aiguë de la pression dans la vésicule biliaire → **colique hépatique** très douloureuse avec des douleurs de type crampe survenant sous forme d'ondes (▶ 4.4.1) au niveau de la partie haute ou moyenne de l'abdomen à droite, pouvant irradier vers le dos et l'épaule droite (réflexe végétatif ▶ 8.10.4).

REMARQUE

Si, malgré les contractions, le calcul reste bloqué dans le canal cholédoque, la perturbation de l'écoulement entraîne un **ictère par cholestase (ou cholestatique)** (▶ 16.10.4) ; lorsque l'obstruction est totale, il se développe en quelques heures.

Diagnostic Aujourd'hui principalement par **échographie** (▶ 16.1.5).
Traitement Antispasmodiques et analgésiques pendant au moins 24 heures. Lors de colique ou d'inflammation, la vésicule biliaire doit être retirée chirurgicalement (**cholécystectomie**). L'intervention est généralement très peu invasive (par laparoscopie selon la technique du « trou de serrure »). Après un certain temps d'adaptation, la plupart des individus peuvent manger « normalement » sans vésicule biliaire.

Cholécystite

Les calculs biliaires favorisent des infections bactériennes ascendantes remontant les voies biliaires → inflammation aiguë de la vésicule biliaire (**cholécystite**) qui est une complication grave des lithiases biliaires.
Symptômes Semblables aux coliques hépatiques avec de la fièvre. La vésicule biliaire est souvent douloureuse à la palpation.
Traitement Comme pour les coliques hépatiques, avec en plus des antibiotiques.

16.7 Digestion et absorption

La dégradation finale des différents éléments composant les aliments et leur entrée dans l'organisme (**absorption intestinale**) commencent dans le duodénum et sont généralement terminées après le passage du jéjunum. L'iléon représente un lieu d'absorption de **réserve** pour l'eau et des électrolytes non encore absorbés. Exception : les acides biliaires et la vitamine B_{12} (▶ 17.8) sont exclusivement absorbés au niveau de l'iléon.

16.7.1 Protéines

- La digestion des protéines commencée dans l'estomac par l'action de la pepsine et de l'acide chlorhydrique s'arrête tout d'abord dans l'intestin grêle car le pH neutre qui y règne inactive la pepsine.
- Ensuite, le trypsinogène et le chymotrypsinogène parviennent dans l'intestin grêle avec le suc pancréatique et sont activés. Ce sont des **endopeptidases** qui rompent les liaisons à l'intérieur des protéines. Par la suite, d'autres enzymes pancréatiques comme les **carboxypeptidases** et les **aminopeptidases,** qui sont des **exopeptidases,** séparent les acides aminés (AA) situés aux extrémités de la chaîne peptidique. La majorité des peptides obtenus comportent environ 8 AA. Ces derniers sont dégradés en AA, dipeptides et tripeptides par les **aminopeptidases** de la bordure en brosse.
- Les dipeptides et les tripeptides sont rapidement absorbés ; pour les AA, il existe divers transporteurs. Les nouveau-nés peuvent également absorber des protéines complètes (par exemple des IgG ▶ 12.3.3).

16.7.2 Glucides

- La grande majorité des glucides ingérés par l'homme sont sous la forme de **polysaccharides** (par exemple l'amidon des pommes de terre). Leur dégradation enzymatique commence au niveau de la bouche par l'α-**amylase** sécrétée par les glandes salivaires → il se forme des polysaccharides liés à l'hydrolyse partielle de l'amidon (**dextrines**). L'inactivation de l'amylase par le suc gastrique arrête la digestion des glucides à leur entrée dans l'estomac.
- L'α-amylase est à nouveau sécrétée dans le duodénum via le suc pancréatique → elle engendre la formation d'**oligosaccharides** et de **maltose.** Les glucides ne peuvent être absorbés que sous la forme de sucres simples (monosaccharides) → les enzymes de la bordure en brosse scindent les **disaccharides** (principalement le maltose, le lactose et le saccharose ; les enzymes correspondantes se terminant par « ase ») en **monosaccharides** comme le glucose, le galactose et le fructose, qui sont ensuite absorbés par transport actif ou diffusion facilitée.
- Tous les monosaccharides absorbés par les cellules intestinales entrent dans le sang par diffusion puis parviennent au foie par le système porte.

16.7.3 Graisses

- Les **triglycérides** (graisses neutres) représentent la majeure partie (90 %) des graisses ingérées (▶ 2.8.2). Les 10 % restantes sont représentées par les phospholipides, le cholestérol et les vitamines A, D, E et K liposolubles (▶ 17.8).
- La dégradation des triglycérides débute dans l'estomac sous l'influence de la **lipase linguale** (▶ 16.2.3).
- La majeure partie de la digestion des graisses, ainsi que la digestion finale ont lieu dans l'intestin grêle après la sécrétion de la bile et du suc pancréatique (▶ 16.5). La **lipase pancréatique** scinde les triglycérides en monoglycérides et en acides gras (AG) libres. L'hydrolyse partielle des liaisons cholestérol-AG et des phospholipides est effectuée par les enzymes pancréatiques.
- Les monoglycérides, les AG, le cholestérol, les phospholipides et les vitamines liposolubles sont stockés sous la forme de **micelles** sous l'influence des acides biliaires (▶ 16.6.3). Seules ces micelles peuvent établir un contact idéal avec la muqueuse intestinale.
- L'absorption intestinale des graisses s'effectue principalement dans le duodénum et le début du jéjunum. Les AG à chaîne courte ou moyenne parviennent aux capillaires des villosités intestinales par diffusion puis, de là, empruntent le système porte pour parvenir au foie. Les plus grosses molécules lipidiques sont entourées d'une enveloppe protéique dans les cellules épithéliales. Ces particules formées de lipides et de protéines (lipoprotéines) sont appelées **chylomicrons.**
- Les vaisseaux lymphatiques des villosités intestinales conduisent les chylomicrons dans la circulation générale sans passer par le foie; ils se réunissent en voies lymphatiques plus importantes qui se déversent dans le **conduit thoracique** (▶ fig. 11.13, ▶ fig. 16.21).

16.7.4 Électrolytes

- Les électrolytes se trouvant dans l'intestin (sodium, potassium, magnésium, chlore) proviennent des sucs digestifs et seulement pour une petite partie des aliments et des boissons. Ils sont réabsorbés au niveau du jéjunum en partie activement et en partie passivement. Le passage des électrolytes fait suite au passage de l'eau suivant le gradient osmotique.
- Les molécules qui ne peuvent pas être absorbées au niveau intestinal (par exemple le sulfate de sodium, le sorbitol ou le polyéthylène glycol) sont utilisées comme laxatifs osmotiques (par exemple avant une coloscopie).

16.7.5 Vitamines

- Les **vitamines liposolubles** (A, D, E, K) ne peuvent être absorbées au niveau intestinal que sous la forme de micelles en présence d'autres lipides (▶ 17.8).
- Les **vitamines hydrosolubles** (par exemple vitamines B et C) sont absorbées au niveau intestinal par diffusion passive. La vitamine B_{12} ne peut être absorbée au niveau de l'iléon qu'en présence du facteur intrinsèque (▶ 16.5.1).

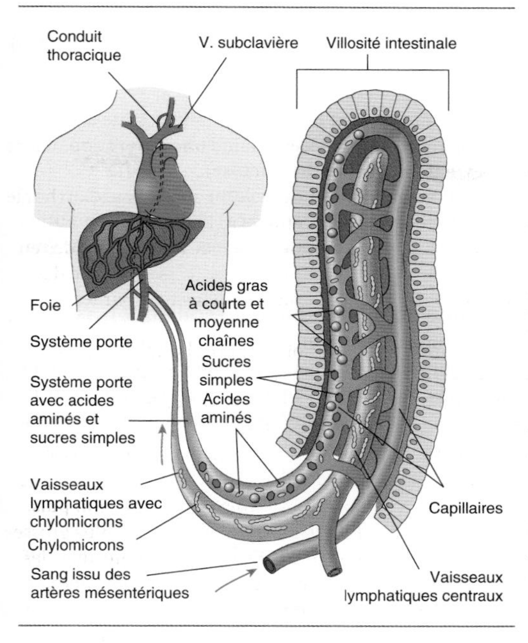

Fig. 16.21 Absorption intestinale des nutriments dans les villosités intestinales et transport de ces derniers via le système porte et le système lymphatique. Les sucres, les acides aminés et les acides gras à courte chaîne et à chaîne moyenne parviennent à la veine porte par les capillaires. Les acides gras à longue chaîne, les esters du cholestérol et les phospholipides sont transportés par le système lymphatique sous forme de chylomicrons.

16.7.6 Acides nucléiques

Les acides nucléiques (ADN et ARN) sont hydrolysés par les enzymes pancréatiques (ARNase et ADNase) en leurs **nucléotides** respectifs. Ces derniers sont décomposés à proximité de la bordure en brosse en leurs plus petits composants (nucléosides, bases, sucres) et absorbés au niveau du jéjunum.

16.7.7 Troubles digestifs et malabsorption intestinale

Syndrome de malassimilation

Malassimilation : diminution de l'utilisation des nutriments. Se divise en :

- **maldigestion :** digestion insuffisante des aliments;
- **malabsorption :** trouble de l'absorption intestinale des molécules issues des nutriments après une digestion normale.

Causes

- Déficit en enzymes digestives lors d'affection chronique du pancréas (▸ 16.9)
- Déficit en acides biliaires, par exemple en cas d'obstacle à l'écoulement biliaire.

- Maladies inflammatoires chroniques intestinales (MICI), par exemple maladie de Crohn (▶ 16.8.7).
- Gastrectomie partielle ou résection intestinale partielle.
- Allergie alimentaire (▶ 12.4.1).
- **Intolérance au lactose**, le plus souvent d'origine génétique suite à un déficit en lactase ou intolérance au fructose du fait d'une absorption intestinale insuffisante (**malabsorption du fructose**).

Symptômes Ballonnement, augmentation du volume des selles (diarrhée) (> 300 g/j), éventuellement selles grasses (stéatorrhée). Suite à la diminution de l'absorption des nutriments → perte de poids, signes de carence en vitamines, en protéines.

Entéropathie auto-immune au gluten (maladie cœliaque)

Maladie auto-immune s'accompagnant d'une intolérance au **gluten** (une protéine des céréales) → lésions de la muqueuse de l'intestin grêle (atrophie villositaire). Si la maladie commence dès l'enfance, elle prend le nom de **maladie cœliaque.** Traitement : alimentation sans gluten toute la vie durant.

16.8 Côlon et rectum

Le **côlon** et le **rectum** (gros intestin) qui termine le tube digestif forment le dernier segment du TD (mesurent au total environ 1,5 mètres). La digestion et l'absorption intestinale des nutriments sont déjà terminées à leur niveau; dans le gros intestin, seuls l'eau et les électrolytes sont réabsorbés → épaississement du contenu intestinal afin que le volume d'excrétion quotidien soit d'environ 150–200 ml/j, stockage sous forme de **selles** (fécès) semi-solides, excrétion par l'anus. Contrairement à l'intestin grêle, le gros intestin est riche en bactéries (principalement anaérobies, *E. coli* et bacilles ▶ 12.6), qui poursuivent la dégradation des restes alimentaires non digérés par des processus de fermentation et de putréfaction.

Les divers segments du côlon se suivent sans former de limite nette (▶ fig. 16.22) :

- **cæcum :** partie initiale borgne du côlon avec l'appendice vermiculaire;
- les quatre autres segments coliques sont le **côlon ascendant,** le **côlon transverse,** le **côlon descendant** et le **côlon sigmoïde**.

La structure de la paroi (▶ fig. 16.2) présente les particularités suivantes :

- **muqueuse cæco-colique :** ne présente plus de villosités, mais uniquement des **cryptes.** L'épithélium monostratifié des cryptes est principalement constitué de cellules caliciformes sécrétrices de mucus → glissement de la muqueuse par rapport aux selles devenant de plus en plus solides. Des cellules épithéliales dotées d'une bordure en brosse (microvillosités) sont également situées au niveau de l'entrée des cryptes et permettent l'absorption → réabsorption de l'eau et des électrolytes;
- **bandelettes antérieure et postérieure, haustrations coliques, appendices épiploïques :** les fibres musculaires longitudinales externes sont caractéristiques → ne s'étendent pas uniformément tout autour de

l'intestin mais sont regroupées en trois faisceaux formant des bandelettes (**tænia coli** ▶ fig. 16.22). Les contractions de la couche des fibres musculaires circulaires → étranglements espacés de quelques centimètres, entre lesquels se forment les **haustrations**, sortes de bosselures. Les haustrations ne sont pas rigides mais changent de forme en fonction des contractions des muscles circulaires. L'ensemble de la surface du côlon présente des appendices jaunes (**appendices épiploïques ou appendices omentaux**) → appendices de la séreuse remplies de graisse, particulièrement marquées en cas d'obésité;
- **revêtement du gros intestin par le péritoine :** le cæcum, le côlon transverse et le côlon sigmoïde sont totalement recouverts d'une séreuse et ne sont reliés à la paroi abdominale dorsale (postérieure) que par le **mésocôlon** élastique → apport de vaisseaux sanguins et lymphatiques, ainsi que de nerfs. Ces segments sont **intrapéritonéaux** → très mobiles (▶ 16.1.3). Les côlons ascendant et descendant ne sont recouverts de péritoine qu'au niveau de leur face ventrale; au niveau de leur face dorsale, ils sont fermement accolés respectivement aux parois postérieure et latérale → ils sont en position **rétropéritonéale** et ne sont pas mobiles dans la cavité abdominale.

16

16.8.1 Caecum et appendice (vermiculaire)

- Le **cæcum** est le premier segment du gros intestin, situé dans la fosse iliaque droite. Segment le plus large mais le plus court (6–8 cm de long) du gros intestin. La partie **terminale de l'iléon** s'invagine par la gauche dans le cæcum. Au niveau de l'abouchement se trouvent deux plis muqueux (**valvule iléocæcale ou de Bauhin**). Cette valvule laisse passer à intervalles réguliers le contenu de l'intestin grêle dans le gros intestin. Le fonctionnement de cette valve empêche normalement le passage rétrograde du contenu.

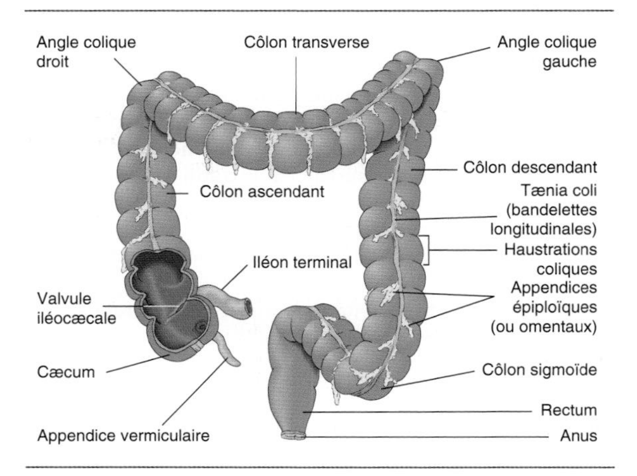

Fig. 16.22 Gros intestin (côlon et rectum). Vue de face.

- L'**appendice** (ou appendice vermiculaire) est un diverticule situé à l'extrémité inférieure du cæcum. Sa paroi contient de très nombreux follicules lymphoïdes → défense vis-à-vis des infections, principalement chez l'enfant. Elle est épaisse d'environ 1 cm et de longueur variable (2–25 cm, Ø 10 cm). Sa position est extrêmement variable, ce qui a une importante signification d'un point de vue clinique → cela peut compliquer l'établissement du diagnostic d'**appendicite.**

NOTION MÉDICALE

Appendicite

- L'**inflammation de l'appendice ou appendicite** est la pathologie abdominale aiguë la plus fréquente des enfants et des adolescents. L'appendice est une impasse pour le contenu intestinal → les germes peuvent facilement se propager.
- Le diagnostic peut être difficile. Seuls 50 % des patients environ présentent la **symptomatologie clinique classique :**
  - perte d'appétit, nausées, vomissements ;
  - douleurs lancinantes allant jusqu'à des coliques, dans la région ombilicale ou épigastrique ;
  - au bout de quelques heures, déplacement de la douleur, qui devient continue et se situe dans la région abdominale basse droite (fosse iliaque droite) ;
  - douleur à la pression dans certains points précis de la paroi abdominale (point de McBurney, point de Lanz) ;
  - fièvre pouvant atteindre 39 °C. La différence de température entre la mesure rectale et la mesure axillaire, qui est normalement d'environ 0,5 °C, est nettement augmentée.

16.8.2 Segments du côlon

- Le cæcum se continue par le **côlon ascendant**. Il suit la paroi abdominale droite adjacente en remontant jusqu'au foie → forme une forte courbure (l'angle colique droit) → se poursuit par le **côlon transverse**, qui se dirige vers la gauche de la partie haute de l'abdomen (hypochondre gauche) à proximité de la rate → là il s'incurve à nouveau fortement (angle colique gauche) → se poursuit par le **côlon descendant** qui descend le long de la paroi abdominale gauche.
- À hauteur de la fosse iliaque gauche, le côlon se détache de la paroi abdominale latérale et se poursuit par le **côlon sigmoïde** recourbé en forme de S.
- Le côlon sigmoïde quitte la cavité abdominale pour entrer dans le petit pelvis et se continue par le **rectum**.

16.8.3 Rectum

Le **rectum** représente le dernier segment intestinal et mesure 15–20 cm de long. Il est situé dans le petit pelvis et n'est pas recouvert de péritoine. Contrairement au côlon, les fibres musculaires longitudinales forment à nouveau une couche externe complète : il n'y a plus de bandelettes ni de haustrations. Le rectum ne suit pas un trajet totalement rectiligne, mais adopte une forme en S comme le côlon sigmoïde. Dans sa partie supérieure, il suit le contour concave du sacrum, s'infléchit vers l'arrière à hauteur du coccyx et se termine par l'anus.

- L'« étage » inférieur est formé par l'**ampoule rectale** qui représente un réservoir dans lequel sont stockées les selles avant leur excrétion. Elles peuvent y rester plusieurs heures (jusqu'à 3 jours).
- **Anus :** orifice représentant l'abouchement de l'intestin à la surface du corps. Il est fermé par deux muscles :
  - **sphincter anal interne :** renforcement des fibres musculaires circulaires internes de l'intestin → non influençable volontairement (muscle lisse);
  - **sphincter anal interne :** appartient aux muscles striés du plancher pelvien → contraction volontaire possible.
- **Muqueuse :** correspond dans les segments supérieurs à la muqueuse intestinale et se poursuit par la peau externe de l'anus (contenant des poils ainsi que des glandes sébacées et sudoripares). Dans le **canal anal** (ou **zone hémorroïdaire**) (▶ fig. 16.23), un plexus veineux est situé sous la muqueuse. Il est en relation avec l'**artère rectale supérieure** → il se forme des **lacs veineux (plexus hémorroïdal interne)** qui, associés aux sphincters, sont déterminants pour la fermeture de l'anus.

NOTION MÉDICALE

Hémorroïdes

Dilatations nodulaires formées par les lacs veineux. Déchirure de ces vaisseaux → typiquement saignement avec dépôt rouge clair sur les selles. Autres symptômes : suintement et brûlure de la région anale, douleur lors de la défécation.

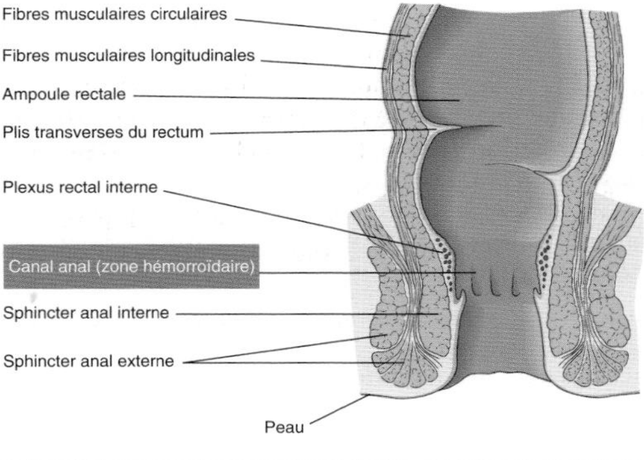

Fig. 16.23 Coupe longitudinale du rectum.

16.8.4 Transport du contenu au niveau cæcocolique

Dans le gros intestin, il existe trois formes de mouvements :

- **segmentation rythmique :** se développe par la contraction rythmique des fibres musculaires circulaires → haustrations. Ce mouvement retarde le passage du contenu intestinal → les électrolytes et l'eau peuvent être réabsorbés. Le relâchement du segment intestinal contracté et la contraction musculaire à un autre endroit permettent le mélange du contenu luminal ;
- **péristaltisme de masse (propulsion) :** le relâchement des muscles intestinaux suit une onde de contraction qui transporte les selles en direction de la partie terminale de l'intestin (contrôlé par le SNA, ▶ 8.10). Ce mouvement de masse a lieu 3 à 4 fois par jour, principalement le matin après le lever et après les repas. Il est souvent associé à une envie d'aller à la selle ou à la défécation ;
- **ondes péristaltiques** (plus rares dans le gros intestin).

16.8.5 Défécation

- La défécation est un processus réflexe qui peut être influencé volontairement. Remplissage de l'ampoule rectale → excitation des récepteurs à l'étirement → voies nerveuses afférentes → influx allant au **centre médullaire de la défécation** situé dans la moelle sacrale ; en outre, la sensation de « besoin de déféquer » est déclenchée au niveau du cerveau. À partir du centre médullaire de la défécation, des fibres parasympathiques sont excitées → d'un côté, relâchement du sphincter interne ; de l'autre, contraction des fibres musculaires longitudinales externes du rectum → expulsion des selles.
- La contraction soutenue du diaphragme et des muscles abdominaux (**compression abdominale**, « presse » abdominale) vient en renfort de ce processus. Il est possible de retarder la défécation pendant un certain temps car le sphincter anal externe peut se contracter volontairement et empêcher la défécation.

REMARQUE

L'arrêt des mouvements respiratoires thoraciques après l'inspiration, la fermeture de la glotte par les ligaments vocaux et la contraction volontaire des muscles abdominaux augmentent fortement la pression intra-abdominale → cela forme les **contractions abdominales** (ou **« presse abdominale »**) qui sont importantes pour la défécation et les efforts expulsifs pendant l'accouchement.

- La **fréquence des défécations** varie d'un individu à l'autre. La fréquence considérée comme normale varie de 3 fois/j à 3 fois/semaine. Par conséquent, la durée de séjour du contenu intestinal dans le rectum varie également de 12 à > 60 heures.

16.8.6 Selles

Les **selles** (fécès) représentent les restes du contenu intestinal qui n'ont pas été digérés, ont été concentrés et décomposés par les bactéries. Elles sont constituées à 75 % d'eau, le reste se décomposant de la manière suivante :

- composants alimentaires non digérés ayant été en partie décomposés (par exemple la cellulose) ;
- cellules épithéliales éliminées de la muqueuse intestinale ;
- mucus ;
- bactéries (environ 10 milliards par gramme de fécès) ;
- stercobiline : se forme dans l'intestin à partir de la bilirubine, un pigment biliaire (▶ 16.10.4) → donne la couleur brunâtre des selles ;
- produits de la fermentation et de la putréfaction : sont formés par les processus de décomposition bactérienne se déroulant dans le gros intestin → odeur désagréable des selles ;
- produits de détoxification : médicaments, toxiques et produits de dégradation, autres produits du métabolisme issus du foie et parvenant à l'intestin par la bile.

16.8.7 Affections colorectales

Troubles de la défécation

Constipation

La **constipation** correspond à un retard et à des difficultés d'expulsion des selles. Les selles sont dures et sèches du fait de leur déshydratation → défécation douloureuse. Dans certains cas rares, la défécation peut être un signe d'appel d'une maladie sous-jacente grave (par exemple une tumeur du gros intestin, voir ci-après). Le plus souvent, il s'agit d'un trouble fonctionnel.

Diarrhée

La **diarrhée** correspond à une augmentation de la fréquence des défécations (> 3 ×/j) qui, dans les cas les plus graves, peut atteindre 30 ×/j. Les selles ont une consistance molle à liquide (teneur en eau > 75 %) ; elles sont plus abondantes (> 250 g/j).

- **Aiguë :** le plus souvent d'origine infectieuse (par exemple denrées alimentaires contaminées, virus, bactéries, ▶ 12.6.2).
- **Chronique :** le plus souvent, la cause n'est pas infectieuse (par exemple maladies inflammatoires chroniques intestinales, médicaments, syndrome de malabsorption (▶ 16.7.7).

Incontinence fécale

Correspond à l'impossibilité de retenir les selles → défécation involontaire. L'incontinence fécale augmente avec l'âge. Elle peut être provoquée en particulier par des paralysies, des tumeurs dans la région terminale de l'intestin ou dans la région anale, ou par la démence. Les accouchements par voie vaginale représentent également un facteur de risque → faiblesse du plancher pelvien et lésions sphinctériennes.

Polypes colorectaux

Excroissances de la muqueuse du côlon ou du rectum (principalement adénomes ▶ 1.7.2), le plus souvent ayant un aspect de champignon avec une petite tige (pédiculés), parfois une croissance à plat (▶ fig. 16.24). Souvent, il s'agit d'une observation fortuite lors de coloscopie. Ils sont parfois symptomatiques et s'accompagnent de saignements et de glaires. Peuvent évoluer en carcinome (ce sont des lésions dites **précancéreuses** ▶ 1.7.1) → chaque polype doit être retiré par endoscopie à l'aide d'un petit lasso métallique et soumis à l'examen histologique.

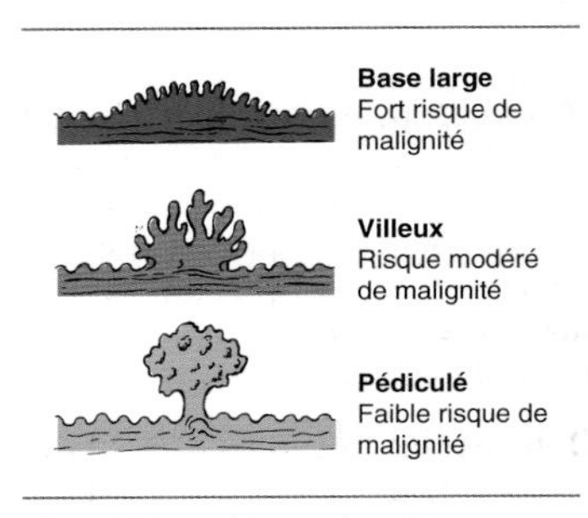

Fig. 16.24 Polypes colorectaux, différentes formes. Les polypes à base large ont plus de risques de devenir malin que les polypes pédiculés.

Carcinome colorectal

NOTION MÉDICALE

Carcinome colorectal

Tumeur maligne du côlon et du rectum qui occupe la deuxième place des cancers apparaissant chez les ♂ et les ♀.
Signes d'alarme les plus importants :
- sang dans les selles;
- modification brutale des habitudes de défécation, par exemple constipation, diarrhée, flatulences, ainsi que selles glaireuses ou défécation involontaire.

Environ 5 % des cancers colorectaux sont héréditaires. Les autres facteurs de risque sont une alimentation pauvre en fibres alimentaires, et riche en lipides et en viande (▶ 17.3).
Le cancer colorectal est le plus souvent un adénocarcinome; environ les ¾ sont localisés au niveau du rectum ou du côlon sigmoïde. Ils se développent principalement à partir de polypes présents depuis plusieurs années (**séquence adénome-carcinome**). Ils métastasent au départ dans les lymphonœuds régionaux; les métastases à distance apparaissent souvent au niveau du foie (métastases de type porte ▶ fig. 1.6).
Diagnostic Le plus souvent par coloscopie et biopsie.
Traitement Selon le stade, ablation chirurgicale associée à une radiothérapie et/ou une chimiothérapie (pré- ou postchirurgicale). Parfois, il est nécessaire d'effectuer une stomie (**anus artificiel**), qui s'ouvre sur la paroi abdominale ventrale. La mise en place de sacs remplaçables permet de maintenir l'hygiène au moment de la défécation.

REMARQUE

La **coloscopie préventive** est le meilleur moyen de se protéger des cancers colorectaux : les polypes intestinaux (adénomes) sont reconnus et immédiatement retirés.

Maladies inflammatoires chroniques intestinales (MICI)

Jusqu'à aujourd'hui, leurs causes ne sont pas encore totalement comprises. Éventuellement en cas de prédisposition, elles peuvent être dues à un dysfonctionnement du système immunitaire → inflammation chronique récidivante ou continue, parfois par accès toute la vie durant. La **maladie de Crohn** et la **colite ulcérative** sont particulièrement significatives cliniquement.

Diverticulose et diverticulite du gros intestin

- **Diverticule :** poche circonscrite de la paroi d'un organe creux. Si toutes les couches pariétales sont impliquées → **vrai diverticule**. Si seule la muqueuse traverse une brèche de la musculeuse → **faux diverticule.** En principe, les diverticules peuvent apparaître dans l'ensemble du TD.
- **Diverticulose du gros intestin :** très nombreux faux diverticules, principalement situés au niveau du côlon sigmoïde. La plupart des individus > 70 ans présentent ces diverticules, mais généralement ils n'engendrent pas de symptômes ou très peu. Lorsque le contenu intestinal retenu dans le diverticule entraîne des lésions de la paroi du diverticule – ce qui permet la colonisation du diverticule par des bactéries intestinales – il se produit une inflammation (**diverticulite**) → risque de perforation et de péritonite !

16

Iléus

Incapacité de l'intestin à transporter son contenu intestinal. Il en existe différentes formes :

- **iléus mécanique** provoqué par une **occlusion de la lumière intestinale par l'intérieur** (par exemple corps étranger, tumeur) ou par **l'extérieur** (par exemple hernie étranglée, adhérences [**brides**]). Au début, l'intestin cherche à surmonter l'obstacle par de puissantes contractions → douleur de type coliques. Arrêt du transit → rétention de gaz et de selles, vomissements. En l'absence de traitement, il se développe rapidement un état engageant le pronostic vital : le segment intestinal en amont de l'obstacle se dilate → perte massive de liquide dans la lumière intestinale → hypovolémie (▶ 18.7.5) et risque de choc (▶ 14.4.3) ;
- **iléus paralytique :** paralysie de la motricité intestinale. Causes : paralysie intestinale postopératoire, inflammation de la cavité abdominale (par exemple appendicite avec perforation ▶ 16.8.1 ou péritonite ▶ 16.1.3). Absence de péristaltisme intestinal (« silence complet » à l'auscultation). Si la paralysie n'est pas (encore) complète (quelques bruits intestinaux restant audibles), il s'agit d'un **subiléus.**

16.9 Pancréas

REMARQUE

Deux parties

La **pancréas**, en tant que glande **exocrine** (▶ 4.2.5), synthétise le suc pancréatique qu'il déverse dans le duodénum et qui contient de très nombreuses enzymes (▶ 16.6.1).
En tant que **glande endocrine**, il synthétise au niveau des îlots de Langerhans des hormones agissant sur le métabolisme glucidique (▶ 2.8.1, ▶ 17.4).

16.9.1 Position et structure macroscopique

Recouvert de péritoine sur sa face ventrale → position rétropéritonéale. Longueur environ 15–20 cm, épaisseur 1,5–3 cm, poids environ 80 g. La **tête du pancréas,** circonscrite par le duodénum formant un C, est la partie la plus large de l'organe. Elle se poursuit par le **corps du pancréas,** suivi de la **queue du pancréas** qui se termine au niveau du hile splénique (▶ 11.6.3) (▶ fig. 16.25).

16

Pancréas exocrine Formé de petits lobules glandulaires libérant une sécrétion séreuse, et dont les canaux excréteurs s'abouchent dans le **canal pancréatique** principal. Celui-ci s'étire sur toute la longueur de l'organe et s'abouche chez 80 % des individus dans le duodénum au niveau de la papille duodénale majeure après avoir rejoint le canal biliaire. Il existe parfois une ramification supplémentaire (le canal pancréatique accessoire ▶ fig. 16.19), qui possède son propre site d'abouchement (la papille duodénale mineure). Les glandes exocrines sécrètent 1,5 litres de suc pancréatique par jour et représentent la masse principale du pancréas.

Pancréas endocrine À côté des glandes exocrines, il existe au sein du même organe des cellules endocrines (synthétisant des hormones) ; elles sont regroupées en îlots disséminés dans l'ensemble du pancréas, les **îlots de Langerhans** du nom de celui qui les a découverts. Les îlots contiennent au moins trois types de cellules synthétisant des hormones différentes (pour plus de détails ▶ 10.7) : les **cellules A (ou α)** qui synthétisent le **glucagon**, hormone hyperglycémiante, les **cellules B ou β** qui synthétisent l'insuline hypoglycémiante et les **cellules D ou δ** qui synthétisent la **somatostatine** qui inhibe un grand nombre de fonctions digestives.

16.9.2 Affections pancréatiques

Pancréatite

NOTION MÉDICALE

Pancréatite aiguë

Les enzymes digestives sont aussitôt libérées à l'intérieur de l'organe et activées → **autodigestion** du pancréas et des structures voisines → les inflammations les plus sévères se terminent encore aujourd'hui souvent par le décès du patient.

Causes Affections des voies biliaires (principalement lithiase biliaire chez la ♀) et alcoolisme (principalement chez l'♂).
Symptômes Douleur abdominale haute très violente et continue, survenant brutalement, qui irradie jusqu'au dos sous la forme d'une barre (ou ceinture), nausées et vomissements. L'intestin ne fonctionne pratiquement plus (subiléus ▶ 16.8.7).
Diagnostic La **lipase** et l'**amylase**, enzymes libérées dans le tissu interstitiel suite à l'inflammation (▶ 16.6.1), passent dans le sang via les capillaires et peuvent être mises en évidence par des examens de laboratoire. Le diagnostic de suspicion est confirmé par échographie et TDM.

NOTION MÉDICALE

Pancréatite chronique

Perte fonctionnelle endocrine et exocrine de plus en plus importante provoquée par une inflammation continue ou récidivante. Ce n'est qu'une fois qu'une grande partie de l'organe a été détruite que l'**insuffisance pancréatique** se manifeste.

Carcinome pancréatique

NOTION MÉDICALE

Il s'agit de la tumeur pancréatique la plus fréquente, principalement un adénocarcinome se développant au niveau de l'épithélium des canalicules pancréatiques. Dans 60 % des cas, le **carcinome** siège au niveau de la **tête du pancréas**.

Facteurs de risque Tabagisme, consommation excessive d'alcool, pancréatite chronique.
Symptômes La plupart du temps non caractéristiques : douleur abdominale haute, perte d'appétit, amaigrissement, baisse de vitalité. En cas d'obstruction des voies biliaires, il peut se produire un ictère indolore (ictère par cholestase ▶ 16.10.4) avec une vésicule biliaire distendue (**signe de Courvoisier**).

16.10 Foie

Le **foie** est la plus grosse glande accessoire du tube digestif. Le foie d'un adulte pèse environ 1,5 kg.
Principales fonctions :

- synthèse de la bile (digestion et absorption des graisses ▶ 16.7.3);
- très nombreux rôles dans le métabolisme des protéines, des glucides et des lipides;
- fonction de détoxification (par exemple alcool et nombreux médicaments);
- stockage de vitamines, glucides et graisses;
- protéosynthése (albumine, facteurs de coagulation);
- sécrétion de bilirubine;

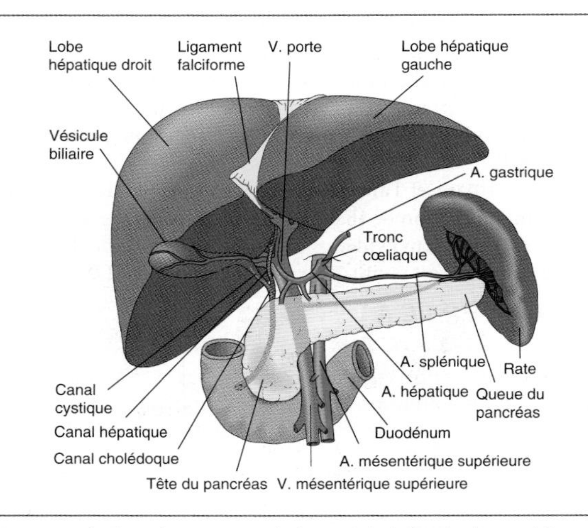

Fig. 16.25 Vue de face des organes de la cavité abdominale supérieure.

- participe à la régulation du pH ;
- hématopoïèse chez l'embryon et le fœtus.

16.10.1 Position et structure macroscopique

Position dans la cavité abdominale

La majeure partie de la masse du foie est située en dessous de l'hémicoupole diaphragmatique droite et épouse sa forme. Le lobe gauche du foie dépasse la ligne médiane et se trouve dans la partie supérieure gauche de l'abdomen (▶ fig. 16.25).

Structure macroscopique

L'observation de la surface du foie permet de voir une **face diaphragmatique** supérieure convexe et une **face viscérale** inférieure concave (▶ fig. 16.26).

- En avant, il est possible de différencier le **lobe droit** du foie, le plus volumineux, du **lobe gauche**, plus petit. Le **ligament falciforme**, en forme de faucille, est fixé à la face inférieure du diaphragme (▶ fig. 16.25) ; il marque grossièrement la ligne de séparation entre les lobes droit et gauche. La séparation anatomique exacte entre ces deux lobes est délimitée par la disposition des branches des vaisseaux hépatiques.
- Si le foie est observé par sa face viscérale (▶ fig. 16.26), il présente deux petits lobes : le **lobe carré** et le **lobe caudé**. Ils appartiennent, par leur vascularisation, au lobe hépatique gauche.
- Entre les deux petits lobes se trouve la **porte hépatique** (hile du foie). C'est à ce niveau que l'**artère hépatique propre** et la **veine porte** entrent dans le foie, tandis que les **canaux hépatiques droit et gauche** le quittent. Au niveau de la porte hépatique se trouvent également des vaisseaux lymphatiques ainsi que des fibres nerveuses neurovégétatives.

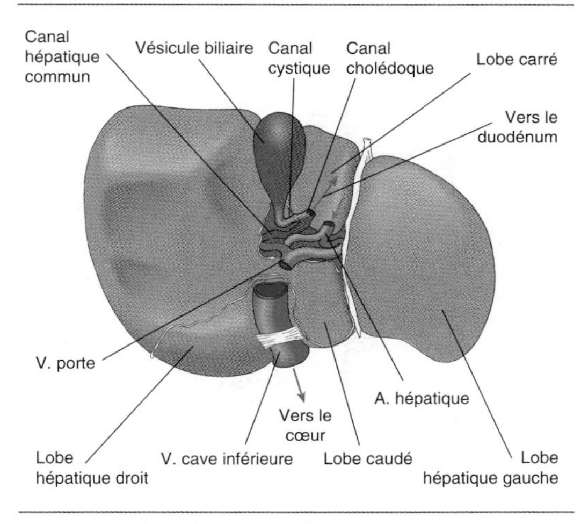

Fig. 16.26 Face viscérale (inférieure) du foie.

- Le foie est recouvert à l'extérieur par une capsule de tissu conjonctif fibreux (**capsule de Glisson**) ainsi que presque entièrement par le péritoine → le foie et la vésicule biliaire qui lui est fermement accolée sont intrapéritonéaux ; seule la partie supéropostérieure est fermement accolée au diaphragme sur une petite zone. La capsule de Glisson et le péritoine sont innervés par des nerfs sensitifs → **sensibles à la douleur.**

Vascularisation

Vingt-cinq pour cent du sang parvenant au foie est riche en oxygène et provient des artères hépatiques issues de l'artère hépatique commune (▶ fig. 14.8, ▶ fig. 16.5). Les 75 % du sang restant (> 1 litre/min) sont amenés au foie par la veine porte. Le sang veineux de la veine porte (▶ fig. 16.6) contient les nutriments absorbés au niveau intestinal, les produits de dégradation d'origine splénique, des hormones pancréatiques et des substances qui ont été absorbées au niveau de l'estomac (par exemple l'alcool).

16.10.2 Structure histologique du foie

- Le foie est composé d'un multitude de **lobules hépatiques** de 1–2 mm de grosseur (▶ fig. 16.27). Sur les coupes histologiques, ces lobules ressemblent aux alvéoles hexagonales des abeilles. Au niveau de chaque angle de ces « alvéoles », trois lobules sont en contact les uns avec les autres. C'est à ce niveau que se trouvent les **espaces portes de Kiernan** contenant chacun une ramification de la veine cave (veinule) et de l'artère hépatique (artériole) ainsi qu'un petit canalicule biliaire (**triade portale**) → transport du sang de la veine porte riche en nutriment et du sang artériel riche en oxygène jusqu'aux trois lobules et évacuation de la bile formée par les trois lobules.

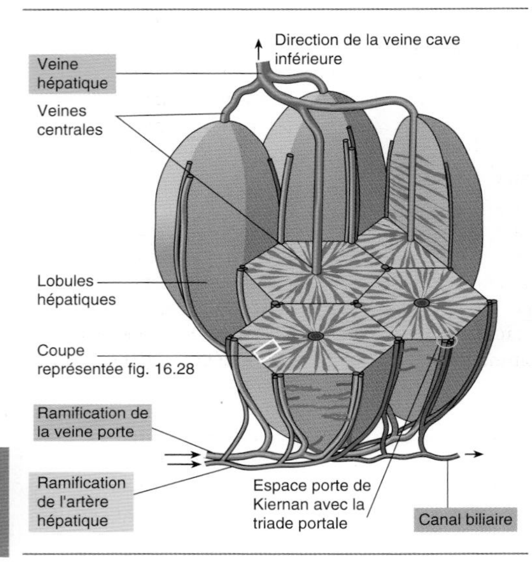

Fig. 16.27 Lobules hépatiques. Le sang des artères hépatiques et de la veine porte parvient dans chaque lobule hépatique, tandis qu'en même temps sont drainés la bile et le sang veineux hépatique.

- Au centre de chaque lobule hépatique se trouve une **veine centrale.** C'est pourquoi les cellules hépatiques (**hépatocytes**) ont une disposition radiaire (lames hépatiques ou travées hépatocytaires)(▶ fig. 16.28). Entre ces lames se trouvent les **sinusoïdes hépatiques,** qui représentent les capillaires du foie, dans lesquels se mélangent le sang artériel et le sang issu de la veine porte. Le sang s'écoule ensuite lentement en direction du centre du lobule → à ce niveau les sinusoïdes se raccordent à la veine ventrale. Les veines centrales issues de chaque lobule hépatique ramènent le sang dans des veines de diamètre croissant jusqu'aux trois grosses veines hépatiques qui confluent dans la **veine cave inférieure** juste en dessous du diaphragme.
- Les sinusoïdes sont tapissés d'un endothélium discontinu qui laisse passer sans entrave, par ses pores, tous les composants plasmatiques ; ceux-ci entrent ainsi dans les **espaces de Disse** (espace séparant les hépatocytes des cellules endothéliales). Les microvillosités des hépatocytes pénètrent à l'intérieur des espaces de Disse → en contact avec le plasma → absorption, transformation et stockage des nutriments et des déchets, sécrétion de produits issus du métabolisme.
- Dans les sinusoïdes se trouvent également des **cellules de Kupffer** (▶ fig. 16.28) → elles appartiennent au système des phagocytes mononucléés (macrophages et monocytes) (▶ 12.2.2, ▶ tableau 12.2) et phagocytent les bactéries, les substances étrangères et les débris cellulaires.

Voies biliaires intrahépatiques

- En plus des sinusoïdes hépatiques, il existe au niveau du foie un deuxième système de « capillaires » formé par les **canalicules biliaires**

intralobulaires. Ils cheminent totalement séparés topographiquement des sinusoïdes hépatiques. Ces canalicules biliaires sont formés par des espaces en forme de fentes situées entre deux hépatocytes voisins (▶ fig. 16.28).
- Le flux dans les canalicules biliaires intralobulaires circule dans le sens inverse du flux dans les sinusoïdes hépatiques : il part du centre du lobule hépatique pour s'aboucher au niveau de l'espace porte dans les **canaux biliaires interlobulaires** de plus gros calibre.
- En poursuivant leur route, ces canaux se réunissent en canaux de calibre de plus en plus grand jusqu'au niveau de la porte hépatique où il n'existe plus qu'une seule branche principale issue de chacun des lobes hépatiques droit et gauche (**canaux hépatiques droit et gauche**), qui se réunissent à l'extérieur du foie pour former le **canal hépatique commun**.
- En aval du départ du canal cystique (communication avec la vésicule biliaire), ce canal hépatique commun prend le nom de **canal cholédoque** (▶ fig. 16.26).

16.10.3 Le foie, organe de détoxification et d'excrétion

Le foie est le principal organe de **détoxification** et de **dégradation** des substances étrangères ou propres à l'organisme → les hépatocytes disposent d'un très grand nombre d'**enzymes** qui n'existent pas dans les autres cellules ou ne

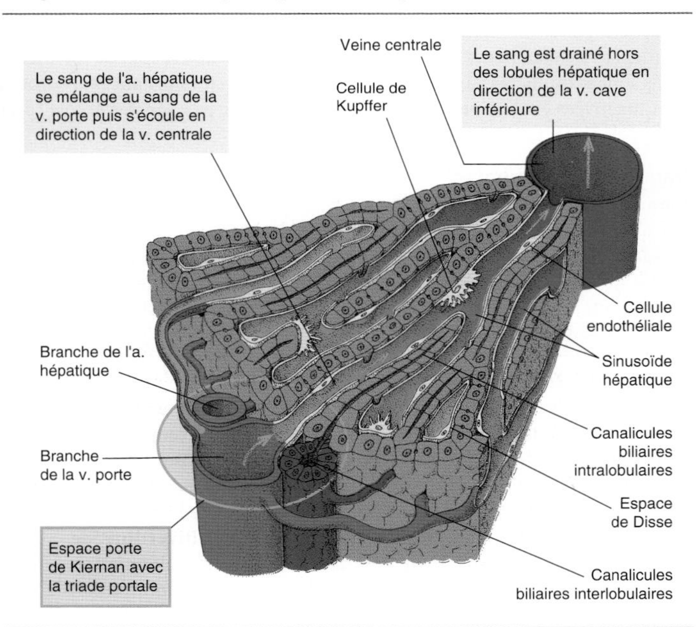

Fig. 16.28 Cellules hépatiques avec capillaires sanguins et biliaires. Dans les sinusoïdes hépatiques, le sang artériel se mélange au sang de la veine porte puis s'écoule en direction de la veine centrale. L'espace de Disse est situé entre les parois vasculaires des sinusoïdes hépatiques et les hépatocytes.

s'y trouvent pas en si grande quantité. Les substances devant être excrétées sont récupérées par les cellules hépatiques qui les dégradent enzymatiquement ou chimiquement afin qu'elles puissent être éliminées. Pour cela, deux voies différentes peuvent être suivies :

- **voie rénale : les produits de dégradation hydrosolubles** sont libérés par les hépatocytes dans les sinusoïdes → circulation sanguine → rein → excrétion urinaire. La plupart des médicaments sont dégradés en produits hydrosolubles ;
- **voie biliaire : les produits de dégradation peu hydrosolubles** (et donc peu solubles dans le sang) sont libérés dans les canalicules biliaires intralobulaires. Grâce au pouvoir émulsifiant des acides biliaires → ces produits peuvent être maintenus en solution dans la bile → intestin → excrétion fécale. Les grosses molécules médicamenteuses sont excrétées dans la bile aussi bien sous forme de produits de dégradation solubles dans la bile que sous forme non modifiée (par exemple antibiotiques, hormones stéroïdiennes [glucocorticoïdes], glycosides cardiaques [digitaliques]).

Effet de premier passage hépatique

Le foie, qui est impliqué dans **la circulation porte**, a une importance particulière : il représente un « **filtre** » qui doit être traversé par toutes les substances absorbées par le TD avant qu'elles puissent parvenir à la circulation systémique. Les médicaments sont également « victimes » de cet effet de filtre lorsqu'ils sont administrés par voie orale à l'organisme → les substances absorbées sont inactivées en grande partie au moment de leur passage par le foie (cela est appelé l'effet de **premier passage**).

Danger de l'ammoniac

L'ammoniac est une substance toxique qui perturbe sévèrement le système des neurotransmetteurs (▶ 8.2.3) et, de ce fait, le traitement des signaux au niveau cérébral. L'ammoniac provient de la dégradation des protéines et de petites quantités sont absorbées au niveau intestinal. Chez les personnes en bonne santé, l'ammoniac est détoxifié par le foie qui le transforme à 90 % en urée hydrosoluble (▶ 16.10.5).

16.10.4 La bilirubine, un pigment biliaire

- Constituant essentiel de la bile (▶ 16.6.2), la bilirubine provient de la dégradation des hématies (▶ fig. 11.5) ou, plus exactement, il s'agit du produit final de la dégradation de l'**hème** (le composant de l'hémoglobine fixant l'O_2). Cette dégradation a lieu dans les cellules du système des phagocytes mononucléés de la rate, de la moelle osseuse et du foie et engendre un produit intermédiaire, la **biliverdine**, de couleur verdâtre, puis finalement la bilirubine de couleur jaune.
- La bilirubine n'est pas hydrosoluble ; elle est donc transportée dans le sang liée à la sérumalbumine (**bilirubine indirecte**). Dans le foie, elle est séparée de l'albumine puis absorbée par les hépatocytes → elle est ensuite couplée à l'acide glucuronique (glucoronoconjugaison) → le conjugué obtenu (diglucuronide de bilirubine) est plus soluble dans l'eau (**bilirubine directe**) → excrétion par voie biliaire.

- Dans l'intestin, la bilirubine est métabolisée par les bactéries intestinales en **stercobiline** (de couleur brune) et en **urobilinogène** (de couleur jaune). L'urobilinogène est partiellement réabsorbé; une partie est dégradée encore plus par le foie et l'autre est excrétée par l'urine (surtout lorsque les concentrations sont élevées); cela explique la couleur jaune des urines.

NOTION MÉDICALE

Ictère

La bilirubinémie (concentration sanguine en bilirubine) ne doit normalement pas dépasser 1 mg/dl. Une élévation > 2 mg/dl s'accompagne d'un tableau clinique d'**ictère** : la couleur jaune apparaît en premier lieu au niveau oculaire (**ictère de la sclérotique**), puis devient visible au niveau de la peau. Il existe plusieurs types d'ictères :

- **ictère préhépatique :** l'origine est située *avant ou en amont* du foie; le plus souvent, il est provoqué par une augmentation de la dégradation des hématies (**hémolyse**) → augmentation de la formation de bilirubine → les fonctions excrétrices du foie sont dépassées → augmentation sanguine de la bilirubine indirecte (non conjuguée);
- **ictère intrahépatique :** le dysfonctionnement siège *dans* le foie (par exemple hépatite infectieuse, cirrhose hépatique). Le foie lésé ne peut pas gérer la production normale de bilirubine → augmentation sanguine de la bilirubine directe (conjuguée) et indirecte (non conjuguée);
- **ictère post-hépatique** : l'origine est située *après ou en aval* du foie. Obstruction des voies biliaires (par exemple lithiase biliaire ou tumeur; il s'agit d'un ictère cholestatique [ou par cholestase]) → retenue de la bilirubine directe (conjuguée) excrétée dans la bile → reflux dans le sang; sa concentration élevée peut être mesurée dans le sang. Il est classique, lors d'ictère post-hépatique, que l'urine soit de couleur brun foncé et les selles claires et décolorées. Cause : la bilirubine ne parvient plus au niveau intestinal à cause de l'obstruction des voies biliaires → absence de formation, au niveau intestinal, des produits de dégradation de la bilirubine qui donnent leur couleur aux selles.

16.10.5 Le foie, organe central du métabolisme

Le foie est la « centrale » métabolique de notre organisme; c'est aussi l'organe de détoxification majeur de notre corps (▶ fig. 16.29).

Métabolisme hépatique des glucides

- Stimulé par l'insuline : le foie prélève le glucose dans le sang et le stocke sous forme de glycogène dans les hépatocytes (**réserve glucidique**).
- En cas de besoin, le glycogène est à nouveau dégradé en glucose et déversé dans la circulation sanguine (**glycogénolyse**). La libération du glucose est stimulée principalement par l'**adrénaline** de la médullosurrénale et le **glucagon** (▶ 16.9) des cellules des îlots pancréatiques.
- Comme les réserves hépatiques en glycogène sont épuisées en environ 24 heures, il existe une deuxième voie métabolique mise en place dans les hépatocytes pour former de *nouvelles* molécules de glucose

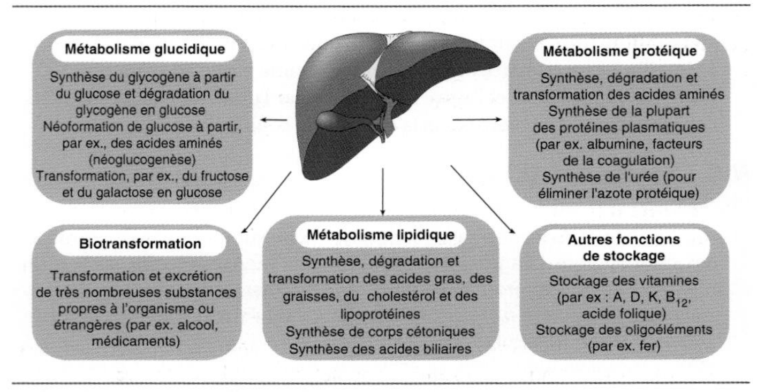

Fig. 16.29 Aperçu des rôles métaboliques du foie.

(**néoglucogenèse**). Les matières premières sont représentées par différents acides aminés ou par le lactate (pour plus de détails ▶ 2.8.1) ; la néoglucogenèse est impossible à partir des acides gras.

Métabolisme hépatique des protéines

Le foie synthétise la plupart des protéines dont le sang a besoin, et en particulier :

- l'**albumine** et d'autres protéines du sang (**globulines**). Exception : les γ-globulines, qui sont produites par les plasmocytes du système immunitaire (▶ 12.3.2) ;
- les facteurs de la coagulation (▶ 11.5.5).

Le foie est le théâtre de la synthèse et de la dégradation constantes des protéines et des acides aminés. Le foie d'un individu adulte fabrique environ 20–25 g d'**urée** par jour à partir de l'azote et de l'ammoniac engendrés par ces processus → l'urée est déversée dans le sang puis excrétée dans l'urine (▶ 18.2.3).

Métabolisme hépatique des lipides

Les triglycérides sont également stockés dans le foie de telle sorte qu'en cas de disette des acides gras libres puissent être mobilisés. Le foie produit de l'énergie à partir des acides gras via la β-oxydation (▶ 2.8.2), qui est utilisée entre autres pour la néoglucogenèse.

16.10.6 Affections hépatiques

Hépatite virale aiguë

Différents virus s'attaquent de préférence au foie → **hépatite aiguë (inflammation du foie).** Diagnostic : mise en évidence des antigènes viraux et/ou des anticorps vis-à-vis du pathogène circulant dans le sang. Symptômes principaux : le plus souvent **ictère intrahépatique.** Plus rarement, il peut se produire un **coma par défaillance hépatique**, en cas d'évolution **fulminante** (très rapide et sévère) s'accompagnant de la destruction massive des hépatocytes ; l'évolution est mortelle.

- **Hépatite A** (germe : virus de l'hépatite A [VHA]) : relativement inoffensif. Ce virus est excrété par les selles → le principal mode de contamination est la **voie orofécale** par l'intermédiaire de l'eau de boisson ou d'aliments contaminés. Le pronostic est bon même sans traitement particulier, car cette hépatite n'évolue pas vers la chronicité.
- **Hépatite B** (germe : virus de l'hépatite B [VHB]) : transmission principalement par voie **parentérale** (principalement par le sang, les produits sanguins, les aiguilles et seringues sales, par la naissance lors du contact de l'enfant avec le sang de la mère), ou par contact sexuel. Tous les liquides corporels (sang, salive, urine, sperme) sont potentiellement infectieux. Comme l'évolution peut devenir chronique dans 10 % des cas environ, les personnes qui sont en contact, du fait de leur travail, avec des patients infectieux ou leurs sécrétions doivent être vaccinées (il existe des vaccins fiables et bien tolérés).
- **Hépatite C** (germe : virus de l'hépatite C [VHC]) : transmission principalement **parentérale**. Son pronostic est le plus réservé, car le passage à la chronicité s'observe dans plus de 50 % des cas. Pour empêcher cette évolution, les individus sont rapidement traités par des interférons (IFN). Les IFN ayant actuellement une autorisation de mise sur le marché doivent être administrés 1 fois par semaine par voie SC.

Les autres formes d'hépatite virale sont rares en Europe.

NOTION MÉDICALE

Hépatite virale chronique

Si l'hépatite n'est pas guérie au bout de 6 mois, elle est considérée comme une **hépatite virale chronique.** Non traitées, ces hépatites chroniques évoluent souvent en une cirrhose du foie (voir ci-dessous). En outre, celle-ci risque de se compliquer ultérieurement du développement d'un **carcinome hépatocellulaire** (CHC) primitif → essais thérapeutiques à base d'IFN ou d'IFN associé à la Ribavirine® (antiviral).

Cirrhose graisseuse/stéatose hépatique

Dépôt diffus de gouttelettes lipidiques dans au moins la moitié des hépatocytes. Le stade débutant est le plus souvent asymptomatique, malgré une hypertrophie nette du foie.

Principales causes Alimentation hypercalorique et abus d'alcool.

- Si la consommation quotidienne d'alcool dépasse la quantité convenable, il se manifeste des poussées de **stéatohépatite** non infectieuse s'accompagnant à chaque fois de la destruction de tissu hépatique.
- Si l'abus d'alcool se poursuit, cela augmente la probabilité d'une transformation nodulaire du tissu hépatique.

Cirrhose hépatique

La structure des lobules et des vaisseaux est irréversiblement détruite et le tissu hépatique détruit est remplacé par un tissu cicatriciel et des **nodules de**

régénération. Causes : au moins 50 % des cas liés à un abus chronique d'alcool, à peine 30 % des cas représentant des suites tardives d'une hépatite virale chronique. Les 20 % restant sont liés à différentes causes assez rares. Les patients atteints de cirrhose hépatique courent un risque accru de carcinome hépatocellulaire primitif.

Signes cliniques

- **Symptômes généraux :** sentiment de pesanteur et de « trop-plein » au niveau de la partie haute de l'abdomen, léthargie, diminution des performances.
- **Signes cutanés d'insuffisance hépatocellulaire :** angiome stellaire, érythrose palmaire, langue parquetée, alopécie abdominale, gynécomastie.
- **Signes à la palpation hépatique :** au départ, hypertrophie du foie avec une surface nodulaire ; dans les stades terminaux, le foie est atrophié du fait de la rétraction.
- Restructuration du foie → diminution des voies veineuses porte → engorgement dans les espaces porte (▶ fig. 16.6) → augmentation de la pression (**hypertension portale**) → le sang est dirigé vers des régions peu utilisées normalement (par exemple les veines œsophagiennes ou de la paroi abdominale) → **varices œsophagiennes** (vaisseaux complètement remplis et sensibles aux lésions) ou aspect en « tête de méduse » (augmentation du réseau veineux cutané au niveau de l'abdomen). En même temps, il se produit un déficit en facteurs de la coagulation du fait des dommages hépatiques (▶ 11.5.5) → la rupture d'une **varice œsophagienne** peut occasionner une hémorragie menaçant le pronostic vital avec vomissements d'une grande quantité de sang. Mesure d'urgence : hémostase par voie endoscopique (▶ 16.1.5).
- **Ascite** (collection de liquide dans la cavité abdominale) : elle est provoquée, d'un côté, par l'hypertension portale, de l'autre par la diminution de la synthèse hépatique des protéines sanguines (principalement de l'albumine).
- Le déficit en facteurs de la coagulation peut conduire à des hémorragies sévères voire mortelles.
- **Encéphalopathie hépatique :** symptômes neurologiques et psychiques provoqués par les produits toxiques circulant dans le sang. Les cas les plus graves peuvent se manifester par un coma par défaillance hépatique (voir ci-dessus) responsable du décès de nombreux patients cirrhotiques.

Métastases hépatiques

Les **métastases hépatiques** sont bien plus fréquentes que les tumeurs hépatiques malignes primitives (carcinome hépatocellulaire) (▶ 1.7.4). La tumeur primitive réside souvent au niveau de la région desservant la veine porte ; principalement les cancers de l'estomac, du côlon et du rectum métastasent au niveau du foie.

Il se produit des **métastases isolées** ou **multiples** qui forment des nodules arrondis bien souvent reconnaissables à l'échographie.

17 Métabolisme, thermorégulation et alimentation

17.1 De combien d'énergie avons-nous besoin en tant qu'être humain ?

Les processus métaboliques fournisseurs d'énergie (ou **catabolisme**) sont vitaux pour l'organisme : grâce à eux, notre organisme peut édifier des structures cellulaires en quantité suffisante et les conserver (**anabolisme**). L'énergie est également nécessaire pour effectuer tout travail physique et maintenir constant le milieu interne (▶ 1.1.1, ▶ fig. 17.1).

- L'**apport énergétique** provient des denrées alimentaires; leur teneur en énergie est stockée sous la forme de composés chimiques appartenant aux trois principales classes de **nutriments** : les **lipides**, les **glucides** et les **protéines**. L'énergie calorifique libérée par la dégradation de ces nutriments est nécessaire au maintien de la température corporelle (▶ 17.2).
- **Teneur énergétique :** unité = (kilo-)**joule** ou (kilo-)**calorie.** 1 kilocalorie (1 kcal = 1000 calories) correspond à l'énergie dont un individu a besoin pour réchauffer 1 litre d'eau de 14 °C à 15 °C; 1 kJ ≅ 0,24 kcal et 1 kcal ≅ 4,2 kJ.
- **Puissance ou flux énergétique :** unité = **watt** (W) ; peut aussi être donné en kJ/j ou en kcal/j pour exprimer une valeur moyenne quotidienne.

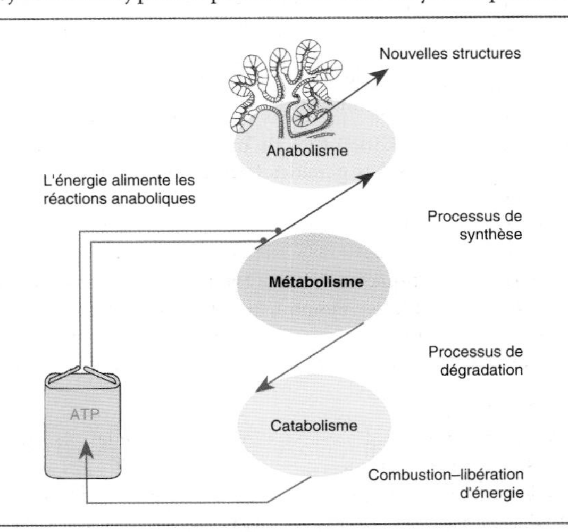

Fig. 17.1 Métabolisme : comprend la formation de nouvelles structures organiques (anabolisme) ainsi que la dégradation et la combustion des composants alimentaires ou des réserves corporelles (catabolisme).

17.1.1 Besoins énergétiques et puissance énergétique

REMARQUE

Règle empirique

Les individus qui n'effectuent pas de travail physique intensif ont besoin d'un apport d'environ 10 000 kJ (2400 kcal) par jour (correspondant à une puissance énergétique de 115 W). Si l'activité physique est intense ou lors de sport de compétition, les apports doivent être bien plus importants.

Il existe différents tableaux donnant des valeurs indicatives sur les besoins énergétiques. Pour trouver les tableaux adaptés, il est nécessaire de prendre en compte le poids du corps, l'âge, l'activité physique et certaines circonstances particulières comme la grossesse.
Le besoin énergétique quotidien dépend d'un très grand nombre de facteurs et varie même lorsque le corps est au repos → la mesure du **métabolisme de base** doit être effectuée dans des conditions bien définies :

- le matin ;
- à jeun ;
- au repos (allongé) ;
- avec une température ambiante agréable.

Le métabolisme de base est le plus souvent donné en unité de surface corporelle (m^2) car l'énergie transformée est éliminée sous forme de chaleur par l'ensemble de la surface de la peau → plus cette surface est importante, plus la perte de chaleur sera importante, et plus le métabolisme énergétique devra être important pour maintenir la température corporelle centrale. La surface corporelle est évaluée à partir de la taille et du poids du corps au moyen d'un nomogramme ou d'une équation.

17.1.2 Teneur énergétique des nutriments

Les lipides, les protéines et les glucides fournissent des quantités d'énergie différentes : 17 kJ (4 kcal) par gramme de glucide et de protéine, 38 kJ (9 kcal) par gramme de lipide.
Une alimentation est suffisamment riche en calories lorsque les apports en calories sont équivalents aux pertes. En outre, il faut toujours qu'une certaine proportion des calories provienne des lipides, des protéines et des glucides (▶ 17.3).

REMARQUE

Besoins énergétiques

Après conversion du nombre absolu en grammes, il en résulte que pour un ♂ (de 75 kg, sédentaire, travaillant assis) le besoin quotidien est d'environ 360 g de glucides et à peine 75 g de protéines et de lipides (les ♀ ont besoin de moins; les individus ayant une activité physique intense ont besoin de plus que les individus travaillant assis).

La teneur énergétique de différentes denrées alimentaires peut être trouvée dans les **tableaux de valeur énergétique**.

17.2 Équilibre thermique et régulation de la température

L'homme fait partie des **êtres vivants homéothermes** → sa température corporelle est fondamentalement indépendante de la température de l'environnement. Cela a certains avantages comparativement aux **animaux poïkilothermes** ; le principal avantage est de pouvoir maintenir une forte activité malgré les fluctuations de la température environnementale.
Le corps dégage en permanence de la chaleur dans son environnement → il doit constamment en reformer par dégradation des nutriments.
Lorsque l'organisme synthétise par exemple des phosphates riches en énergie (ATP ▶ 2.8.5), environ 50 % de l'énergie stockée dans le nutriment est libérée sous forme de chaleur. Au repos, le foie produit la majeure partie de la chaleur ; lors de l'exercice, ce sont les muscles qui la produisent.

17.2.1 La température corporelle centrale reste constante

Les organes ont besoin que la température centrale du corps reste constante pour mener à bien leurs performances métaboliques : si la température devient < 35 °C, beaucoup de réactions catalysées par des **enzymes** ne fonctionnement pratiquement plus (▶ 2.9.1) ; si la température devient > 41,5 °C, les enzymes sont détruites (**dénaturées**).

- **Température centrale du corps :** chez un individu en bonne santé, elle est d'environ 37 °C. Elle oscille au cours de la journée d'environ ± 0,5 °C (minimale à 3 heures, maximale à 18 heures). La température prise le matin juste après le réveil est la plus constante →
- **Température corporelle basale :** chez la ♀, elle est soumise aux influences du cycle menstruel → augmente après l'ovulation de 0,3–0,5 °C (▶ fig. 19.13) et reste élevée pendant quelques mois après le début de la grossesse.

La **périphérie de notre corps (peau et membres**) entoure le centre du corps → est nettement plus influencée que le centre de notre corps par les fluctuations de la température de l'environnement (▶ fig. 17.2) : pour une température ambiante de 20 °C et une température centrale du corps de 37 °C, la température de nos pieds et nos mains est en moyenne de 28 °C. Lors de forte chaleur ou lors de transpiration, leur température peut dépasser la température centrale.

REMARQUE

Thermorégulation

Elle maintient la température corporelle constante. Cela n'est possible que lorsque l'émission de chaleur est en équilibre avec la production et l'absorption de chaleur.

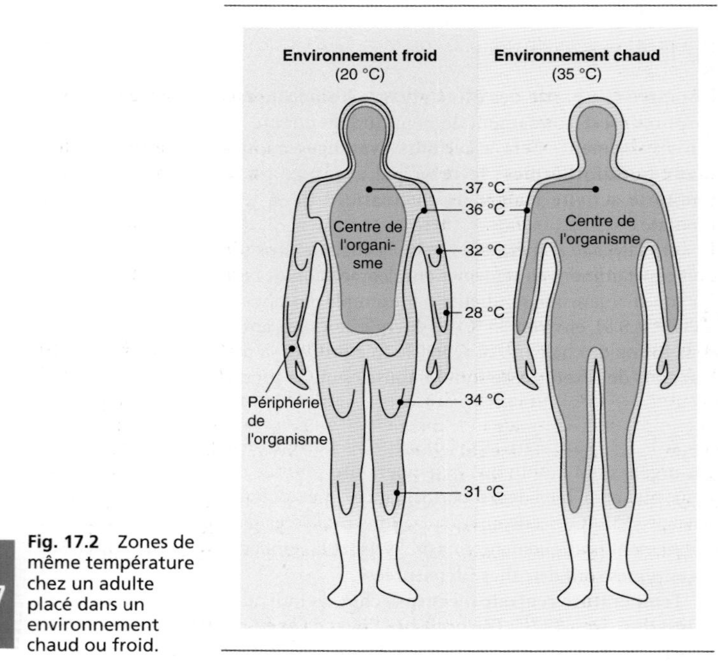

Fig. 17.2 Zones de même température chez un adulte placé dans un environnement chaud ou froid.

17.2.2 Production et absorption de chaleur

L'organisme produit de la chaleur principalement par le biais du métabolisme qui a lieu au niveau des organes internes (foie) ainsi que par le travail musculaire volontaire (effort physique) ou involontaire (tremblements, frissons). Le métabolisme de base qui a lieu dans les organes et, de ce fait, la production de chaleur dépendent entre autres de la concentration en hormones thyroïdiennes (▶ 10.4).

REMARQUE

Une production de chaleur non liée aux frissons a lieu, chez les nourrissons, au niveau du tissu adipeux brun (tissu adipeux particulièrement riche en mitochondries ▶ 4.3.4) et joue un rôle important. Chez les adultes, il ne reste que très peu d'adipocytes bruns → jouent un rôle secondaire dans la production de chaleur.

En présence de rayonnements thermiques (par exemple rayonnement infrarouge, soleil) dans l'environnement et/ou d'une température environnementale très élevée, le corps absorbe la chaleur issue de l'environnement.

17.2.3 Émission de chaleur

D'un point de vue physique, le transfert de chaleur peut se faire par quatre mécanismes :

- la **convection** : par exemple transfert de chaleur dans l'air se trouvant à la surface de la peau ;
- la **conduction** : par exemple refroidissement des fesses en s'asseyant sur une pierre froide. Les différents tissus de l'organisme s'échangent également mutuellement de la chaleur ;
- les **rayonnements thermiques** (rayonnement électromagnétique) : la chaleur est transférée sous forme de rayonnement thermique ;
- l'**évaporation :** par exemple transfert par évaporation à partir de la sueur.

17.2.4 Régulation de la température

La température peut être considérée comme un circuit de **régulation** (▶ 3.9) : des **thermorécepteurs** (pour le « chaud » et le « froid », ▶ 9.2) mesurent en continu la température centrale du corps, celle de la peau et celle de la moelle spinale et transmettent leurs mesures par voie nerveuse au **centre de la thermorégulation** situé dans l'hypothalamus. Si la température mesurée ne correspond pas à celle réglée par le « thermostat » hypothalamique (température « souhaitée »), le corps tente de se rapprocher au plus près de la valeur souhaitée par l'action des muscles, par la perfusion cutanée, la production de sueur et une modification du comportement (▶ fig. 17.3).

Exposition de courte durée à la chaleur ou au froid

- **Exposition de courte durée à la chaleur** → l'émission de chaleur augmente : vasodilatation → ↑ perfusion cutanée → ↑ émission de chaleur (conséquence : la peau est rouge lors d'effort). En outre, l'activité des glandes sudoripares augmente.
- **Exposition de courte durée au froid :** si les thermorécepteurs cutanés mesurent une baisse de la température extérieure, les processus inverses se mettent en place : avant que la température corporelle centrale ne diminue, le corps réduit la perfusion cutanée → ↓ émission de chaleur. Ensuite, il peut contrer le refroidissement par des mouvements musculaires volontaires. Si cela ne suffit pas, le centre de la thermorégulation déclenche une activité musculaire involontaire (**frissons**).

NOTION MÉDICALE

Hypothermie

L'**hypothermie** représente la chute de la température corporelle centrale en dessous de 35 °C → frissons, douleur, pâleur, peau froide. Si la température continue à descendre, les frissons disparaissent, le patient perd connaissance, les réflexes disparaissent → arrêt respiratoire, fibrillation ventriculaire (▶ 13.5.5).

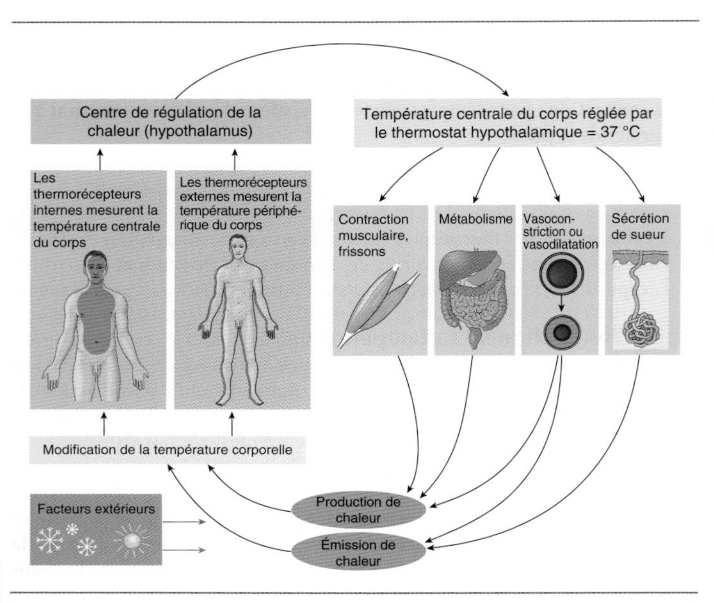

Fig. 17.3 Boucle de régulation de la température corporelle. Les récepteurs mesurent la température superficielle et centrale et transmettent les résultats au cerveau. De là l'ajustement de la température a lieu par la production de chaleur, la modification de la perfusion des organes, la sécrétion de sueur et l'adoption de comportements adaptés.

Acclimatation thermique

Il s'agit d'une adaptation à la chaleur ou au froid prolongé qui nécessite des semaines à des années (**adaptation**) :

- **acclimatation à la chaleur :** augmentation de la quantité de sueur concomitante à une baisse de la concentration saline de la sueur → évaporation plus rapide de la sueur, diminution de la perte en sel. Augmentation de la sensation de soif et de la quantité de liquide ingérée ;
- l'**acclimatation au froid** est moins importante que l'acclimatation à la chaleur car les possibilités d'augmentation de la production de chaleur lors de froid sont plus faibles que les possibilités d'augmentation des pertes de chaleur par transpiration dans un environnement plus chaud.

NOTION MÉDICALE

Coup de chaleur et hyperthermie

Si les mécanismes permettant l'émission de chaleur sont insuffisants (▶ 17.2.3), la chaleur s'accumule au niveau du corps → **coup de chaleur** observé lorsque les températures sont particulièrement élevées. Dans ce cas, la température du corps augmente (**hyperthermie**), bien que le thermostat hypothalamique *n'ait pas modifié* le réglage de la température (il n'y a pas de dérèglement).

Fièvre

- Augmentation de la température centrale > 38 °C provoquée par une *élévation* de la température établie par le thermostat hypothalamique.
- Ce mécanisme est indispensable lors de réaction inflammatoire : l'augmentation de la température permet de mettre en place plus rapidement les processus inflammatoires et de défense immunitaire → accélération de la guérison.
- La plupart du temps, la fièvre se déclenche sous l'action de **substances pyrogènes** (substances qui engendrent la fièvre) → ces substances sont libérées par les bactéries ou les virus → conduisent à un dérèglement à la hausse du thermostat hypothalamique par l'intermédiaire des **cytokines** (▶ 12.2.5) et des **prostaglandines** (▶ tableau 10.3, ▶ 8.8.4). Les **bactéries** à Gram négatif (▶ 12.6) ont les substances pyrogènes les plus puissantes.
- Du fait de ce réglage à la hausse du thermostat central → la température du corps se retrouve au début en dessous de cette nouvelle « norme » → réglage de la température par vasoconstriction des vaisseaux cutanés et frissons → les malades ont très froids pendant les poussées de fièvre, bien que la température du corps puisse être éventuellement déjà élevée. Lorsque la nouvelle « norme » est atteinte, la température centrale reste un certain temps à ce niveau élevé (**phase de plateau**).
- Une fois que la maladie a été surmontée, l'hypothalamus réduit à nouveau la température du thermostat pour la ramener à 37 °C → la température mesurée se trouve maintenant trop élevée par rapport à celle du thermostat → émission de chaleur par vasodilatation et transpiration pendant la **baisse de la fièvre.**

17.3 Composition de l'alimentation

Même si le bilan énergétique est important, le rapport entre les différents **macronutriments** que sont les glucides, les lipides et les protéines (« pyramide alimentaire ») l'est tout autant. En outre, il faut également veiller à un apport suffisant en **micronutriments** (vitamines, minéraux et oligoéléments) et en fibres alimentaires :

- les **aliments d'origine végétale** doivent représenter ¾ du poids total des aliments : ils forment la base de l'alimentation, contiennent des fibres, des vitamines et des minéraux ;
- les **aliments d'origine animale** doivent représenter ¼ du poids total des aliments. Ce doit être essentiellement des produits laitiers (besoins en calcium ▶ 10.5). La consommation de viande doit rester plus rare. Les poissons d'eau de mer contiennent de l'iode et le profil en acide gras de leur chair est intéressant, car celle-ci contient des acides gras riches en oméga-3, qui influencent favorablement la teneur en lipides du sang ;
- les **matières grasses et huiles** d'origine végétale de haute qualité doivent être préférées à celles d'origine animale ;
- les **boissons** ne doivent pas contenir de calories si possible.

17.3.1 Régulation de la consommation de nourriture : appétit, faim, satiété

La consommation de nourriture est étroitement liée à l'humeur. Le sentiment de bien-être est fortement influencé par la **sérotonine,** appelée l'« hormone du plaisir », qui est sécrétée au niveau du cerveau ; cela se voit lors d'administration de médicaments comme la fluoxétine (qui augmentent la concentration en sérotonine au niveau des synapses). L'apport de glucides et de lipides augmente également la concentration en sérotonine, en favorisant l'entrée dans le cerveau du **tryptophane**, un acide aminé (AA) précurseur de la sérotonine : manger → se sentir bien. L'**hypothalamus** (▶ 8.8.4) contrôle la faim et la satiété.

La consommation alimentaire quotidienne est régulée entre autres par deux hormones :

- la **ghréline** produite au niveau de la muqueuse gastrique → sang → hypothalamus → sentiment de faim. La concentration de ghréline diminue à mesure que l'estomac se remplit ;
- la **cholécystokinine** (▶ tableau 10.3) est produite dans l'intestin grêle lorsque des aliments sont en train d'être digérés → sentiment de satiété.

L'hypothalamus est également informé sur les réserves énergétiques → commande à long terme le **bilan énergétique.** Deux hormones, la **leptine** et l'**insuline,** sont alors impliquées. Les adipocytes produisent la leptine qui a un effet inhibiteur sur l'appétit (« coupe-faim ») (▶ 10.8). Moins il y a de tissu adipeux, moins il y a de sécrétion de leptine. L'insuline renforce l'effet de la leptine (▶ 10.7.1).

Plusieurs autres substances participent à la consommation alimentaire, mais leurs identités et leurs mécanismes d'action ne sont pas encore totalement élucidés.

17.3.2 Poids normal et surpoids

Indice de masse corporelle (IMC)

L'évaluation du poids s'effectue principalement par l'**indice de mase corporelle (IMC)**. Indépendant du sexe de l'individu, il est étroitement corrélé à la masse graisseuse. L'IMC peut être mesuré à partir d'un nomogramme ou de tableaux, mais il peut également être calculé comme suit :

REMARQUE

Calcul de l'IMC

$$\text{Indice de masse corporelle} = \frac{\text{poids du corps en kg}}{(\text{taille en m})^2}$$

Surpoids et obésité

Un IMC ≥ 25 correspond à un **surpoids** ; l'**obésité** correspond à un IMC ≥ 30. L'obésité augmente de façon très importante le risque de diabète et de maladies cardiovasculaires. En outre, la sur-sollicitation chronique de l'appareil locomoteur finit par provoquer des symptômes → ↓ espérance de vie et de la qualité de vie.

Les individus dont l'IMC se situe aux environs de 22,5–25 sont ceux qui présentent statistiquement une espérance de vie optimale. À partir d'un IMC de 28, le risque de décès augmente de manière disproportionnée. La mortalité est également plus importante si l'IMC < 22,5.

Distribution de la graisse

En cas d'obésité, la distribution des graisses au niveau du corps est un indicateur de risques de maladie aussi significatif que l'IMC :

- **distribution en forme de poire** avec présence de graisse sous-cutanée au niveau des fesses et des cuisses : les conséquences sur la santé sont assez faibles ;
- **distribution en forme de pomme** avec des membres minces et des dépôts graisseux au niveau du tronc : plus défavorable. Selon les connaissances actuelles, cette différence selon la distribution tient à une activité métabolique différente des graisses sous-cutanées et viscérales.

17.3.3 Insuffisance pondérale (maigreur)

Une alimentation insuffisante est également dommageable :

- environ 1–2 % de toutes les jeunes filles et jeunes femmes souffrent d'**anorexie mentale** (**anorexie nerveuse**), un trouble alimentaire d'origine psychique. Les jeunes ♂ sont moins touchés ;
- quel que soit l'âge, les maladies chroniques en particulier peuvent provoquer un amaigrissement pouvant mener à une insuffisance pondérale avec des symptômes de carence ;
- chez les personnes très âgées, de nombreuses causes peuvent entraîner une insuffisance pondérale → diminution de la mobilité, manque de compagnie, modification des sensations gustatives, prothèses dentaires mal ajustées.

17

17.4 Métabolisme glucidique

Les glucides sont dégradés dans le tube digestif en mono- et disaccharides (▶ 16.7.2). C'est ainsi qu'est produit principalement le **glucose.** Les autres sucres simples (fructose, galactose) sont également métabolisés dans le foie principalement en glucose.

REMARQUE

Glucose

Principale molécule productrice d'énergie : le cerveau satisfait ses besoins énergétiques pratiquement uniquement à partir du glucose. Toutefois, l'excès de glucose est dommageable et peut être responsable d'un coma → la glycémie est maintenue constante dans l'intervalle de 2,8 à 7,8 mmol/l plasma (0,50–1,40 g/l plasma, ▶ fig. 10.11).

Forme de stockage du glucose : **glycogène** → réserve énergétique facilement disponible qui peut couvrir les besoins du métabolisme de base pendant une journée environ.

Bases biochimiques ▶ 2.8.1.

REMARQUE

Glucides dans l'alimentation

De 55 à 65 % des calories totales doivent provenir des glucides. Favorable : préférer le plus possible les glucides sous la forme de polysaccharides (principalement l'amidon ▶ 2.8.1). Les produits à base de céréales complètes contiennent en plus des fibres et d'autres substances précieuses pour la physiologie alimentaire.

17.5 Métabolisme lipidique

Les lipides (ou graisses) peuvent être stockés en grande quantité. Ils se trouvent sous la forme de lipides structuraux et de lipides de réserve.
Les triglycérides alimentaires (lipides neutres ▶ 2.8.2) → dégradés dans l'intestin en acides gras (AG) et glycérol. Les AG peuvent être utilisés, comme le glucose, pour fournir de l'énergie. Lorsque les besoins sont peu importants, ou en cas d'alimentation excessive, l'organisme synthétise à nouveau des triglycérides à partir des AG et du glycérol de l'organisme → mise en réserve dans le tissu adipeux et le foie. L'organisme peut également synthétiser des triglycérides à partir de glucose en excès.

17.5.1 Les lipides dans l'alimentation

De 25 à 30 % des calories totales doivent provenir des lipides (environ 70 g/j). De très nombreux aliments contiennent des quantités substantielles de **graisses cachées** (par exemple les saucisses).
Les graisses alimentaires fournissent les AG essentiels (▶ 2.8.2) et sont également indispensables par exemple pour l'absorption des vitamines liposolubles (▶ 17.8).
Il est plus favorable d'augmenter dans la mesure du possible la proportion d'AG insaturés dans l'alimentation et de consommer une plus faible quantité d'AG saturés (se trouvant principalement dans les graisses d'origine animale).
La consommation de cholestérol ne doit pas dépasser 300 mg/j (▶ fig. 17.4).
Bases biochimiques ▶ 2.8.2.

17.5.2 Trouble du métabolisme lipidique

Les triglycérides et le cholestérol sanguins sont liés aux protéines → ils forment des **lipoprotéines.** L'**hyperlipoprotéinémie** représente l'augmentation de la concentration sérique d'un seul ou de plusieurs types de lipoprotéines (hyperlipidémie).

- Lors d'hyperlipidémie légère à modérée : régime pauvre en graisses et en cholestérol. Toutefois, une alimentation adaptée ne permet d'abaisser le cholestérol que de 10 à 15 %.
- Lorsque le régime n'est pas efficace : **fibrates hypolipémiants** si les triglycérides sanguins sont élevés ou **statines** (inhibiteurs de la synthèse du cholestérol) si c'est le taux de LDL qui est élevé. Important : il faut également traiter les facteurs de risque (par exemple surpoids, hypertension).

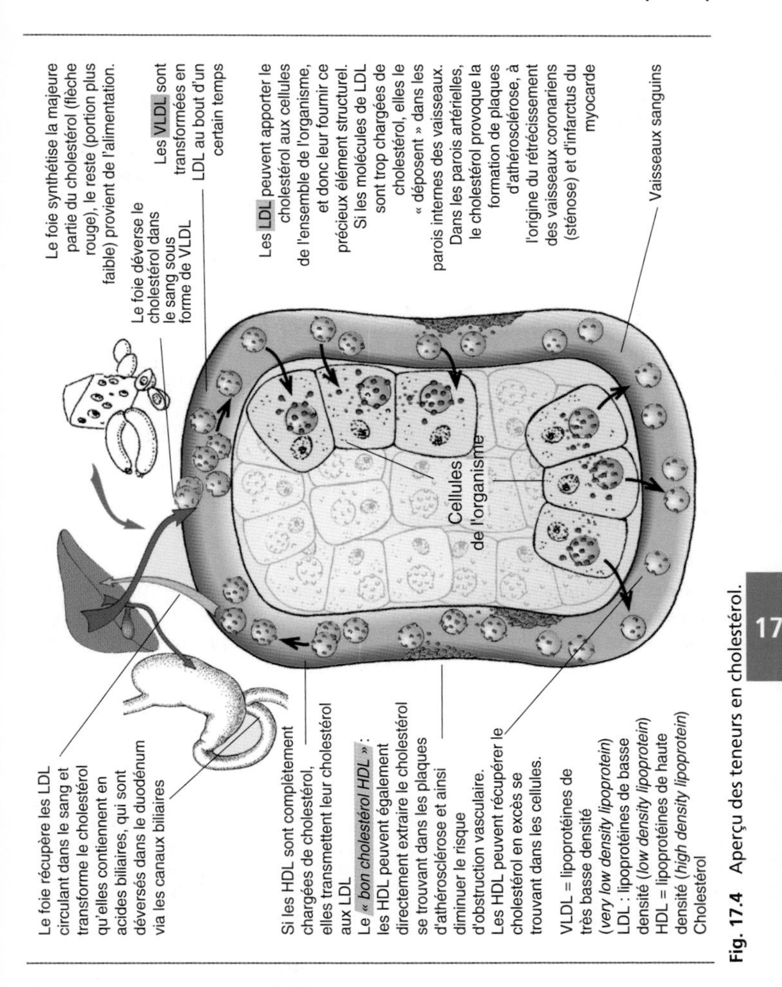

Fig. 17.4 Aperçu des teneurs en cholestérol.

17.6 Métabolisme protéique

Bases biochimiques ▶ 2.8.3.

REMARQUE

Besoin en protéines

Pour un adulte, la consommation protéique conseillée est de 0,8 g/j par kg de poids corporel; c'est un peu plus chez les enfants. Chez la femme enceinte : il faut un «supplément» d'environ 10 g/j et lors de l'allaitement il faut environ 15 g supplémentaire.

- Les protéines sont constamment synthétisées, transformées et dégradées → perte protéique constante → il est important de les remplacer pour maintenir la structure (par exemple muscles) et les fonctions (par exemple synthèse des anticorps) de notre organisme.
- La quantité d'urée contenant de l'azote éliminée dans l'urine donne un indice sur la quantité de protéines métabolisée (▶ 16.10.5). En cas d'absence d'apport protéique pendant plusieurs jours, l'excrétion urinaire d'azote ne tombe pas à zéro, mais persiste à environ 3 g/j → cela correspond à une dégradation protéique de 18 g → c'est le **minimum protéique absolu ou quantité minimale d'azote à ingérer.**
- Si la consommation protéique est d'environ 40 g/j, la quantité d'azote excrétée est équivalente à la quantité d'azote conservée issue des protéines consommées → c'est le **bilan protéique minimal.** Cet équilibre est atteint uniquement si l'individu est au repos absolu. S'il effectue un travail physique ou intellectuel, il est nécessaire que sa consommation protéique soit d'environ 50–80 g/j pour atteindre le **minimum protéique fonctionnel**.
- Les protéines alimentaires contiennent des AA essentiels (▶ 2.8.3).

17.7 Métabolisme des purines

Bases biochimiques ▶ 2.8.4

Les **acides nucléiques** sont également constamment dégradés et synthétisés. Les unités élémentaires non utilisées (c'est-à-dire les bases pyrimidiques et puriques) sont dégradées encore plus. La dégradation des **bases puriques** donne de l'**acide urique** (excrété au niveau rénal). Les **bases pyrimidiques** sont dégradées en composés facilement éliminables (eau, ammoniac, CO_2, acide acétique).

17

NOTION MÉDICALE

Goutte

Apparaît chez les individus ayant une prédisposition héréditaire à un trouble de l'excrétion de l'acide urique. Excès alimentaire → ↑ de la concentration en acide urique dans le sang et dans d'autres espaces extracellulaires. Atteint les ♂ en particulier. L'acide urique, peu hydrosoluble, se dépose sous la forme de cristaux de sels (**urates**), principalement dans les liquides articulaires → les cristaux irritent les tissus → réaction inflammatoire aiguë au niveau de la membrane synoviale (▶ 5.2.2) → **crise de goutte aiguë** très douloureuse. L'articulation métatarsophalangienne du gros orteil est la plus souvent touchée (**podagre**).

17.8 Vitamines

Composés organiques essentiels que l'organisme ne peut pas synthétiser de lui-même → apport obligatoire par l'alimentation.

Certaines vitamines sont apportées non seulement directement par notre alimentation, mais aussi par les bactéries de notre flore intestinale (qui synthé-

tisent par exemple la vitamine K, l'acide folique). La vitamine D peut aussi être synthétisée dans la peau avec l'aide des UV (exposition au soleil).
Les vitamines sont réparties en :

- **vitamines liposolubles** : vitamines A, D, E et K (prononcez ADEK pour les mémoriser, ▶ tableau 17.1) ; elles ne peuvent être absorbées que si la sécrétion biliaire est suffisante et les mécanismes d'absorption des lipides sont fonctionnels (▶ 16.7.3). Comme leur excrétion est limitée, un excès d'apport peut entraîner des dommages (**hypervitaminose**) ;
- **vitamines hydrosolubles :** toutes les autres (▶ tableau 17.1). L'organisme peut généralement compenser tout excès d'apport en augmentant leur excrétion urinaire.

Tableau 17.1 Vitamines (aperçu général ; besoins quotidiens : les valeurs de référence sont issues des sociétés de nutrition allemande, autrichienne et suisse)

Vitamines	Importantes pour/ en tant que	Signes de carence
Vitamines liposolubles		
Vit. A (rétinol)	Vision, épithéliums, système immunitaire	Héméralopie (cécité crépusculaire), lésions cutanées
Vit. D (calciférol)	Ostéosynthèse, régulation immunitaire	Rachitisme et ostéomalacie (▶ 10.5.2), favorise l'ostéoporose, faiblesse musculaire
Vit. E (tocophérol)	Protège de l'oxydation (en particulier les AG insaturés)	Extrêmement rare, principalement lésions au niveau musculaire et du système nerveux
Vit. K (ménaquinone)	Cofacteur nécessaire à la synthèse de certains facteurs de la coagulation	Troubles de l'hémostase. Éventuellement chez les ♀ augmentation du risque de fracture
Vitamines hydrosolubles		
Vit. B_1 (thiamine, aneurine)	Métabolisme glucidique, activité du système nerveux	Baisse des performances, perte de poids, fonte musculaire, béribéri
Vit. B_2 (riboflavine)	Métabolisme et synthèse hormonale	Anémie, tendances aux inflammations
Vit. B_6 (pyridoxine)	Métabolisme des AA	Lésions nerveuses, inflammations cutanéomuqueuses, anémie

Tableau 17.1 Vitamines (aperçu général; besoins quotidiens : les valeurs de référence sont issues des sociétés de nutrition allemande, autrichienne et suisse) *(Suite)*

Vitamines	Importantes pour/ en tant que	Signes de carence
Vitamines hydrosolubles		
Vit. B_{12} (cobalamine)	Synthèse des acides nucléiques : formation des hématies, leucocytes, plaquettes	Anémie (▶ 11.2.4), lésions du système nerveux
Vit. C (acide ascorbique)	Synthèse du collagène, anti-oxydant; éventuellement renforcement du système immunitaire	Scorbut (par exemple saignement des gencives, anomalies du tissu conjonctif)
Acide folique	Synthèse des acides nucléiques, division cellulaire	Anémie; anomalies du tube neural
Acide pantothénique	Substance au cœur du métabolisme	Inconnu
Biotine (vit. H)	Métabolisme	Inflammation cutanée
Niacine (acide nicotinique et nicotinamide)	Substance au cœur du métabolisme énergétique	Pellagre : troubles neurologiques, inflammations cutanées, diarrhée

17.8.1 Vitamine A

Vitamines du groupe A : les substances actives liposolubles, composées du **rétinol**, du **rétinal** et de l'**acide rétinoïque,** sont sensibles à la lumière → synthèse dans la paroi intestinale par dégradation des α-, β- et γ-carotènes, provitamines issues des aliments → mis en réserve dans le foie → libération en fonction des besoins → transport au niveau plasmatique lié aux protéines.
Le β-**carotène** est la provitamine la plus importante : c'est un pigment végétal très répandu (par exemple dans les carottes).
Le foie, le beurre, le lait et les œufs contiennent des quantités appréciables de vitamine A.
Associé aux vitamine E et C, le β-carotène (principalement) protège de l'influence des radicaux libres oxygénés.

17.8.2 Vitamine D

Le **calciférol** qui forme la vitamine D est le précurseur de la **forme hormonalement active de la vitamine D** (vitamine D_3, calcitriol; pour plus de détails ▶ 10.5.2).

17.8.3 Vitamine E

Les vitamines du groupe E (**tocophérol**) ne sont synthétisées que par les plantes. Origine : germes de céréales, huile végétale, légumes feuillus. Elles sont stockées dans les surrénales, la rate, le pancréas.
Leur intérêt biologique n'est pas totalement élucidé ; elles semblent agir pendant les processus métaboliques en protégeant de l'oxydation (principalement au cours de la dégradation des acides gras insaturés). Très répandues → les signes de carence sont pratiquement impossibles à observer.

17.8.4 Vitamine K

D'un point de vue physiologique, la **vitamine K** de notre organisme, qui porte le nom de ménaquinone, est produite par les bactéries de la flore intestinale (principalement *E. coli*) (vitamine K_2). Elle peut être remplacée par la **phylloquinone** (vitamine K_1) d'origine végétale, qui est en partie transformée en vitamine K_3 par les bactéries de la flore intestinale. Quelle que soit leur forme, les vitamines K augmentent au niveau hépatique la synthèse des facteurs de la coagulation II, VII, IX et X (moyen mnémotechnique : 1972 [lire dix-neuf cent soixante douze], ▶ 11.5.5).

NOTION MÉDICALE

Carence

Peut s'observer chez l'adulte, lors d'absorption insuffisante de vitamine K par l'intestin par exemple suite à une obstruction des voies biliaires ou une insuffisance de production de bile. De même, une antibiothérapie de longue durée perturbe la flore intestinale et peut engendrer une carence en vitamine K.

Symptômes

Tendance aux saignements. Il existe aussi fréquemment une carence en vitamine K chez les nouveau-nés → aujourd'hui prophylaxie systématique chez les nourrissons (Vitamine K1®).

17.8.5 Vitamine B_1

Thiamine : les germes de céréales, la levure, les légumes ainsi que les organes animaux contiennent de la vitamine B_1 hydrosoluble. Liaison avec un groupement phosphate → forme active **thiamine pyrophosphate.** Cette coenzyme joue un rôle clé dans le métabolisme des glucides et la synthèse d'acétylcholine (▶ 8.2.3).

17.8.6 Vitamine B_2

Lactoflavine et riboflavine : présentes dans toutes les cellules animales et végétales. Les bactéries de la flore intestinale contribuent également à l'approvisionnement en vitamine B_2. Deux coenzymes sont fabriquées à partir de cette vitamine : elles sont indispensables au transport de l'hydrogène dans la chaîne respiratoire (▶ 2.8.1).

17.8.7 Vitamine B_6

La **pyridoxine,** le **pyridoxal** et le **pyridoxamine** sont tous aussi actifs dans l'organisme. **Fonction :** biosynthèse des acides nucléiques (▶ 2.8.4). Ils sont présents dans toutes les cellules vivantes.

17.8.8 Vitamine B_{12}

Cobalamine : uniquement synthétisée par les micro-organismes. Comme les animaux peuvent absorber et mettre en réserve la vitamine B_{12} synthétisée par les bactéries, les aliments d'origine animale principalement couvrent les besoins de l'homme. La molécule de vitamine B_{12} est étroitement apparentée à la **porphyrine** (structure de base de l'hème ▶ 11.2.1). **Fonctions :** biosynthèse des acides nucléiques (▶ 2.8.4), synthèse de la gaine de myéline du système nerveux (▶ 4.5.3).

NOTION MÉDICALE

Carence

Relativement fréquente car le facteur intrinsèque synthétisé par la muqueuse gastrique est nécessaire pour son absorption (▶ 16.4.3). Si le facteur intrinsèque n'est pas fabriqué en quantité suffisante, par exemple suite à une gastrectomie ou une atrophie de la muqueuse gastrique → injection de vitamine B_{12} 1 ×/mois (administration parentérale !)

Symptômes

Anémie macrocytaire hyperchrome, troubles neurologiques (▶ 11.2.4).

17.8.9 Niacine

L'**acide nicotinique** et le **nicotinamide** sont présents en grande quantité dans la levure, les noix, les abats, les produits laitiers. Les bactéries de la flore intestinale tout comme l'homme lui-même fabriquent la niacine à partir du tryptophane, un acide aminé ; de ce fait, si la nourriture contient suffisamment de tryptophane, l'apport extérieur de niacine n'est pas nécessaire.

La niacine est un élément constitutif d'une coenzyme vitale, le NAD, qui transporte l'hydrogène (▶ 2.9.1).

17.8.10 Acide folique

Vitamine très répandue, synthétisée en plus par les bactéries de la flore intestinale. Les légumes verts feuillus, les tomates, les produits à base de céréales complètes et le foie sont les principaux fournisseurs.

Dans l'organisme, l'acide folique est réduit en **acide tétrahydrofolique**, qui occupe une position clé dans le transport de petites molécules à base de carbone (comme les groupements méthyle, CH_3). En outre, l'acide tétrahydrofolique est utilisé pour la synthèse du nouveau matériel génétique à chaque division cellulaire.

NOTION MÉDICALE

Carence

Relativement fréquente.

Symptômes

Chez les adultes, anémie macrocytaire (▶ 11.2.4). Pendant la grossesse, la carence en acide folique augmente le risque d'anomalie du tube neural chez le nouveau-né (spina bifida) → il est conseillé d'administrer un complément en acide folique avant même le début de la grossesse (0,4 mg/j).

17.8.11 Acide pantothénique

Vitamine très répandue dans la plupart des aliments d'origine animale. Composant du **coenzyme A** (▶ 2.8.1), une substance centrale du métabolisme. Carence : non connue.

17.8.12 Biotine

Vitamine H : présente dans toutes les cellules et en particulier dans les levures, les abats, le jaune d'œuf; est synthétisée aussi par les bactéries de la flore intestinale. Groupe moléculaire important d'enzymes qui transportent les radicaux d'acide carboxylique (groupements carboxyle). Il n'y a pas de carence connue chez l'homme.

17.8.13 Vitamine C

La **vitamine C (acide ascorbique)** est présente dans les fruits frais. Beaucoup de denrées alimentaires industrielles contiennent un apport complémentaire de vitamine C.

Fonction : anti-oxydant pour le métabolisme cellulaire. Participe à la synthèse et à la transformation d'hormones et de coenzymes, au métabolisme des AA et au collagène. Elle joue également un rôle important dans la coagulation. Propriétés d'oxydoréduction → fonction protectrice vis-à-vis du processus de vieillissement.

17.9 Minéraux

Les **minéraux** (sels, électrolytes) sont indispensables à la santé. Ils sont différenciés en :

- **macroéléments (éléments minéraux majeurs** ou simplement « minéraux ») : ils sont nécessaires en quantité substantiellement importante → ce sont les ions des sept éléments suivants : potassium, sodium, calcium, chlore, phosphore, soufre et magnésium ;
- **oligoéléments (ou éléments traces) :** ils sont présents uniquement en très faible quantité (traces) dans l'organisme et dans l'alimentation.

17.9.1 Macroéléments

Bases biochimiques ▶ tableau 2.1.

- **Calcium** (Ca^{2+} ▶ 17.3) : les besoins quotidiens sont d'environ 1000 mg; légèrement plus chez les personnes âgées (prophylaxie de l'ostéoporose ▶ 5.1.5). Une carence est possible quand :
  - les besoins sont ↑ (grossesse, allaitement, croissance);
  - l'individu évite la consommation d'aliments riches en calcium;
  - l'individu consomme une grande quantité d'aliments « fixant le calcium » ayant une forte teneur en acide oxalique.
- **Potassium** (besoin quotidien environ 2 g) : la carence s'observe lors d'augmentation des pertes (transpiration importante, diarrhée et vomissements, abus de laxatifs, prise de certains diurétiques ▶ 18.2.4). Principales conséquences : faiblesse musculaire (également au niveau des muscles intestinaux), troubles du rythme.
- **Magnésium** (besoin quotidien 300–400 mg) : carence possible lors de besoins accrus (par exemple en cas de travail physique intense ou de sport de compétition). Symptôme d'appel : faiblesse musculaire, crampe musculaire.
- **Sodium** et **chlore :** dans notre pays, l'apport est excessif (absorption d'environ 10–15 g NaCl/j), principalement à cause de la consommation d'aliments tout préparés ou du rajout d'une trop grande quantité de sel pendant la confection des plats en cuisine ou à table. Seulement 2 g/j environ sont nécessaires ! Une trop grande consommation de sodium → ↑ risque d'hypertension (▶ 14.4.1).

Pour chaque macroélément, il existe différentes possibilités d'excrétion → pas de risque d'accumulation au niveau de l'organisme.

17.9.2 Oligoéléments

Les **oligoéléments** ne se trouvent qu'en très faible quantité dans l'alimentation et dans l'organisme (▶ tableau 17.2).

NOTION MÉDICALE

Carence en oligoéléments

Les besoins quotidiens sont faibles → la carence en un oligoélément essentiel ne s'observe que graduellement; les symptômes sont en grande partie non caractéristiques.
La plus fréquente est la **carence en fer** → anémie par carence en fer, diminution générale des performances. (▶ 11.2.4). Touche principalement les ♀ (menstruation). Pendant la grossesse, les besoins en fer font plus que de doubler (récupération du fer par le fœtus et utilisation du fer par la mère pour la néoformation de sang et de tissus).

17.10 Fibres

Composés non digestibles principalement d'origine végétale :

- **fibres solubles** (pectine, inuline, oligofructose) : ne peuvent pas être dégradées par les enzymes digestives de notre organisme, mais sont en

Tableau 17.2 Oligoéléments essentiels

Élément	Lieu d'action/fonctions	Symptômes de carence
Chrome	Métabolisme glucidique	Uniquement lors d'alimentation artificielle prolongée
Fer	Composant de l'Hb et de facteurs de la chaîne respiratoire	Anémie, éventuellement prédisposition aux infections
Fluor*	Améliore la minéralisation des dents	Augmentation de la fréquence des caries
Iode	Composant des hormones thyroïdiennes	Hypertrophie thyroïdienne (goitre), plus rarement hypofonctionnement thyroïdien
Cobalt	Composant de la vitamine B_{12}	Anémie
Cuivre	Composant des oxydases	Anémie, trouble de l'absorption du fer et de la synthèse du collagène
Manganèse	Composant d'enzymes du métabolisme glucidique	Uniquement lors d'alimentation artificielle prolongée
Molybdène	Composant des enzymes d'oxydoréduction	Uniquement lors d'alimentation artificielle prolongée
Sélénium	Composant d'enzymes, éventuellement rôle d'immunorégulation, anti-oxydant	Faiblesse des défenses immunitaires, cardiomyopathie
Zinc	Composant de très nombreuses enzymes	Troubles de la croissance et de la cicatrisation des plaies, alopécie, inflammation cutanée, sensibilité aux infections, diarrhée

* Nécessité vitale non totalement certaine, prophylaxie des caries.

partie dégradées en acides gras à courte chaîne par les bactéries de la flore intestinale → acidification du milieu intestinal, augmentation de la sécrétion des acides biliaires (▶ 16.6.3) → diminution du taux de cholestérol sanguin ;

- **fibres insolubles** (cellulose, hémicellulose, lignine) : ne peuvent être dégradées ni par notre organisme, ni par la microflore intestinale → ne servent pas à l'apport énergétique. Servent à maintenir un transit gastro-intestinal normal → augmentent, par leur volume, le sentiment de satiété et régulent le péristaltisme intestinal. Si la consommation est trop faible → **constipation** ▶ 16.8.7.

17.11 Alimentation parentérale

De nombreux malades ne sont pas en mesure d'apporter par eux-mêmes suffisamment d'éléments nutritifs via leur tube digestif (voie entérale). C'est le cas par exemple :

- des patients ayant des troubles de la conscience ;
- des patients devant subir une opération – ils ne doivent pas manger au moins 6 heures avant et après leur opération afin d'éviter les complications comme l'aspiration de particules alimentaires vomies (▶ 15.4, ▶ 16.2.3) ;
- des patients qui n'ont pas la volonté de manger suffisamment, par exemple les patients anorexiques (▶ 17.3.3).

Si ces patients ne peuvent pas être alimentés suffisamment par sondage gastrique ou intestinal (**alimentation entérale artificielle**), il est nécessaire de les alimenter par **voie parentérale** (de « para » : à côté et « entéral » : intestin).

18 Reins, voies urinaires, eau et électrolytes

En **produisant de l'urine** et en l'**excrétant**, le système urinaire (et en particulier les reins) participe au maintien du milieu interne par le biais de nombreux rôles régulateurs indispensables :

- excrétion des métabolites terminaux issus en particulier du métabolisme protéique ;
- excrétion de substances étrangères (médicaments, toxiques environnementaux) ;
- régulation de la concentration en électrolytes ;
- régulation de la pression artérielle ;
- maintien de l'équilibre hydrique et d'une pression osmotique constante (▶ 3.7.1) ;
- maintien de l'équilibre acidobasique et du pH ;
- synthèse d'une enzyme, la rénine (▶ 18.3.1), et d'une hormone, l'EPO (érythropoïétine) (▶ 18.3.2) ;
- métabolisation des précurseurs de la vitamine D en vitamine D hormonalement active (calcitriol ▶ 10.5.2, ▶ fig. 10.8).

18.1 Structure des reins

18.1.1 Anatomie externe

Les **reins** (▶ fig. 18.1) sont situés à droite et à gauche de la colonne vertébrale juste en dessous du diaphragme. Longueur environ 11 cm, largeur 6 cm, épaisseur 2,5 cm, poids 150 g. Le rein gauche occupe l'espace allant de T11 à L2 ; le rein droit est décalé vers le bas d'une vertèbre à cause de la présence du foie au-dessus.

Les reins ne sont pas recouverts de péritoine, mais se trouvent en position rétropéritonéale (▶ 16.1.3). Dans cet espace situé entre la paroi dorsale (postérieure) du péritoine et les muscles du dos, se trouvent, en plus des reins, les surrénales et les uretères.

Hile du rein et capsule rénale

Le **hile du rein** est situé au milieu du bord médial du rein. À cet endroit se trouve le bassinet (ou pelvis) rénal qui recueille l'urine en provenance du parenchyme rénal. Au niveau du hile, l'artère rénale, les nerfs, la veine rénale, les vaisseaux lymphatiques et l'uretère pénètrent ou quittent le rein.

Chaque rein est enveloppé par une capsule (la **capsule rénale**) formée d'un tissu conjonctif dense. Cette capsule est elle-même enveloppée d'une épaisse couche graisseuse, la graisse périrénale, qui est entourée par une autre capsule de tissu conjonctif (capsule fibro-adipeuse) → ancrage au niveau de la paroi abdominale dorsale (postérieure) et protection des lésions liées aux chocs.

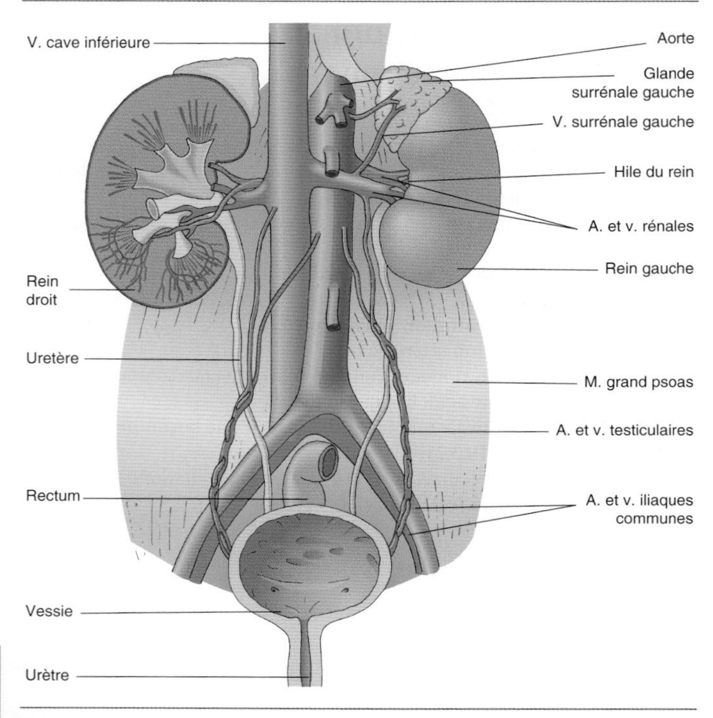

Fig. 18.1 L'appareil urinaire se compose des reins droit et gauche, des uretères, de la vessie et de l'urètre.

18.1.2 Structure interne des reins

La coupe longitudinale d'un rein fait apparaître trois zones facilement reconnaissables : de l'intérieur vers l'extérieur se trouvent :

1. le **bassinet rénal** (ou pelvis rénal), qui est enveloppé par la médullaire rénale ;
2. la **médullaire rénale** finement striée ;
3. le **cortex rénal** (▶ fig. 18.2) qui entoure complètement la médullaire.

Depuis le cortex, des **colonnes rénales** s'étirent jusqu'au bassinet et divisent ainsi la médullaire en plusieurs lobes de forme conique (les **pyramides rénales** ou pyramides de Malpighi), dont le sommet constitue les **papilles rénales**. À l'inverse, la médullaire rénale émet des projections striées, les **pyramides de Ferrein,** qui rayonnent dans la corticale.

Chaque papille rénale présente un petit orifice microscopique qui s'ouvre au niveau d'un **calice rénal** → recueille l'urine formée → la transmet au bassinet rénal (▶ fig. 18.2).

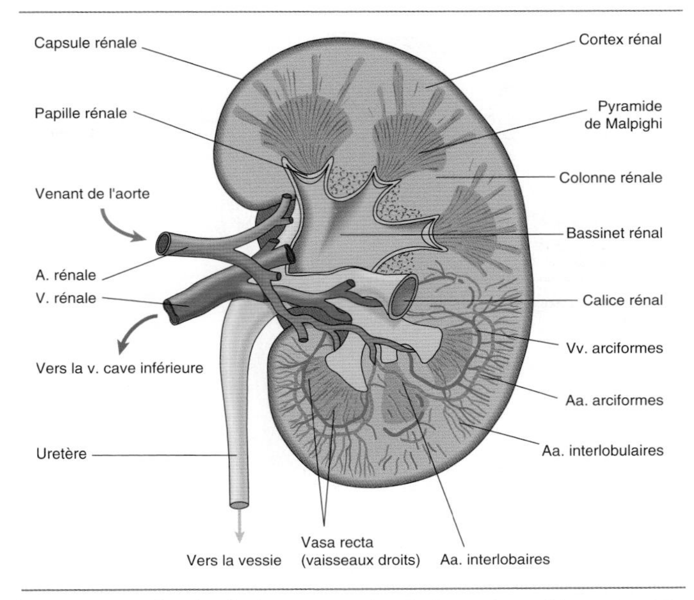

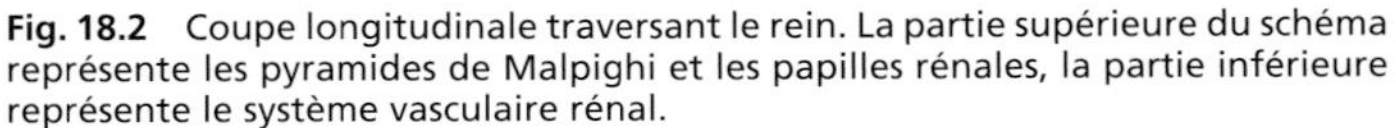

Fig. 18.2 Coupe longitudinale traversant le rein. La partie supérieure du schéma représente les pyramides de Malpighi et les papilles rénales, la partie inférieure représente le système vasculaire rénal.

18.1.3 Vascularisation des reins

REMARQUE

En moyenne environ 1 litre de sang traverse les reins par minute → correspond à 20 % du débit cardiaque !

Pour effectuer ses nombreux rôles, le rein possède un système vasculaire complexe (▶ fig. 18.2, ▶ fig. 18.3) :

- le sang arrive dans chaque rein par l'**artère rénale** issue de l'aorte ;
- après leur entrée au niveau du hile du rein, les artères rénales droite et gauche se divisent en **artères interlobaires** qui remontent jusqu'au cortex rénal entre les pyramides de Malpighi de la médullaire ;
- à la limite entre la médullaire et la corticale, ces artères interlobaires donnent des **artères arciformes** en forme d'éventail, qui se ramifient à nouveau pour donner des **artères interlobulaires** s'étirant jusqu'à la capsule rénale ;
- de ces ramifications partent des artérioles microscopiques qui apportent le sang à chaque **corpuscule de Malpighi**. Ces corpuscules rénaux filtrent l'urine primitive (▶ 18.1.4). Chaque rein contient environ 1 million de corpuscules de Malpighi qui sont répartis dans l'ensemble du cortex.

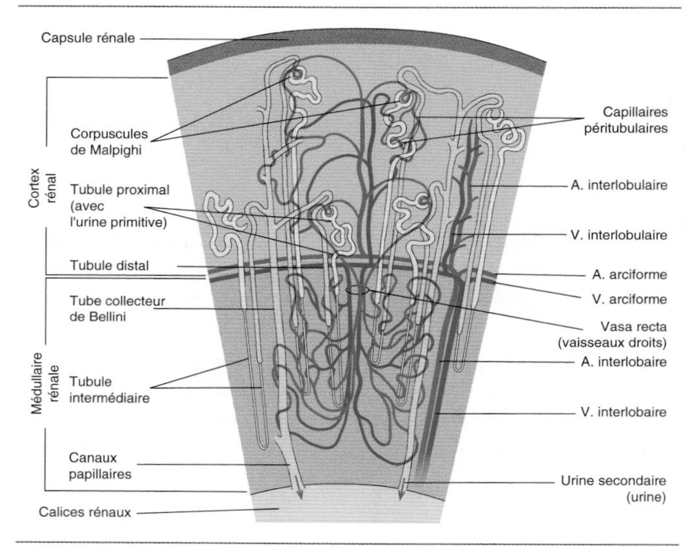

Fig. 18.3 Structure histologique du cortex rénal et de la médullaire. Les légendes de gauche correspondent au système tubulaire, celles de droite au système vasculaire.

Vascularisation du cortex rénal

- Une artériole afférente s'étire jusqu'à chaque corpuscule de Malpighi (**vaisseau afférent**) où elle forme une pelote de capillaires parallèles appelée **glomérule** (le premier réseau de capillaire).
- Ces capillaires se réunissent dans l'artériole efférente (**vaisseau efférent**), qui se ramifie à nouveau pour perfuser le système tubulaire via un deuxième réseau de capillaires, les capillaires péritubulaires (**vasa recta ou vaisseaux droits**).
- Un réseau de capillaire issu d'une artère qui se réunit à nouveau pour donner une artère, et non une veine, comme c'est le cas des capillaires glomérulaires, porte le nom de **réseau admirable artériel**.

REMARQUE

Le **système tubulaire** est formé de petits tubules microscopiques dans lesquels passe l'urine primitive avant d'arriver dans les voies urinaires ; c'est pendant ce passage que le volume et la composition de l'urine primitive sont modifiés. Le contact étroit entre les tubules rénaux et les capillaires péritubulaires joue, de ce fait, un rôle important (▶ fig. 18.4).

Vascularisation de la médullaire rénale

Les artérioles glomérulaires efférentes situées à la frontière entre la médullaire et la corticale rénale (**glomérules juxtamédullaires**) présentent une particularité. Elles sont à l'origine de vaisseaux très allongés et droits (**vasa recta ou vaisseaux droits**) qui s'enfoncent loin dans la médullaire rénale et dont les capillaires enlacent, entre autres, les tubes collecteurs de Bellini (▶ fig. 18.4).

REMARQUE

Cette disposition anatomique est très importante pour la concentration de l'urine qui a lieu au niveau de la médullaire rénale (▶ 18.1.6).

Système veineux rénal

Les capillaires péritubulaires et les capillaires des vaisseaux droits se jettent dans les **veines interlobulaires** → **veines interlobaires** et **veines arciformes** → **veine rénale** → **veine cave inférieure.**

18.1.4 Néphron

La formation de l'urine a lieu dans les **néphrons** qui représentent la véritable unité fonctionnelle et structurelle du rein (▶ fig. 18.4, ▶ fig. 18.5). Chaque néphron est composé d'un corpuscule de Malpighi associé aux tubules urinaires qui lui correspondent et qui forment le **système tubulaire** → unité fonctionnelle :

- corpuscule de Malpighi : le sang s'écoule au travers du glomérule (pelote capillaire) (▶ 18.1.3) → filtration → **urine primitive** (**ultrafiltrat glomérulaire**) ;

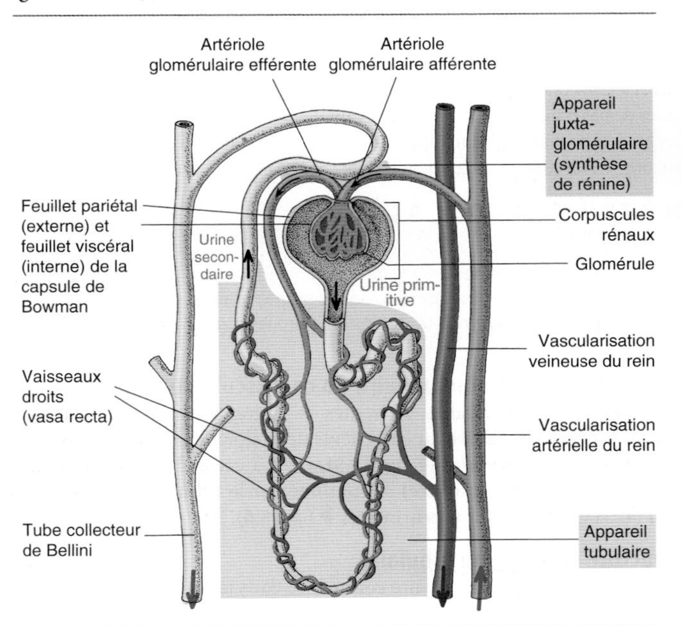

Fig. 18.4 Corpuscule de Malpighi, artérioles glomérulaires afférente et efférente et système tubulaire.

18

- le système tubulaire concentre l'urine primitive par un processus de réabsorption, sécrète des métabolites et transporte l'urine (appelée maintenant **urine secondaire**) plus en avant.

Production de l'ultrafiltrat glomérulaire

Les corpuscules de Malpighi sont formés d'un **glomérule** entouré d'une capsule de Bowman. Celle-ci est formée de deux feuillets, le **feuillet interne ou viscéral** et le **feuillet externe ou pariétal.**
La production d'urine commence par la formation d'un **ultrafiltrat** à l'intérieur des corpuscules de Malpighi. Le « filtre » devant être traversé pour former l'ultrafiltrat est composé de trois structures (**barrière de filtration glomérulaire ou barrière hémato-urinaire**) :

1. les **cellules endothéliales** des vaisseaux sanguins fenêtrés : les pores mesurent environ 70 nm et ne s'opposent qu'au passage des cellules;
2. la **membrane basale** dont l'épaisseur relative est d'environ 400 nm. Fortement chargée négativement, elle empêche la traversée des protéines de grande taille également chargées négativement;
3. le feuillet viscéral de la **capsule de Bowman :** il est composé de **podocytes,** cellules de forme étoilée qui recouvrent les capillaires glomérulaires et déploient leurs prolongements (pédicelles) sur ces capillaires. Entre les pédicelles, il persiste de petites fentes de filtration qui sont recouvertes d'une fine **membrane extracellulaire ou diaphragme**. Ses pores qui ne mesurent que 2–5 nm de large empêchent le passage des protéines.

L'ultrafiltrat obtenu après la filtration dans la **chambre urinaire (ou espace capsulaire)** a une concentration qui correspond à quelques détails près à celle des particules de bas poids moléculaire se trouvant dans le plasma. Les cellules sanguines et les grosses protéines plasmatiques ne traversent pas la barrière de filtration glomérulaire → l'ultrafiltrat ne contient par de cellules et est pauvre en protéines.

NOTION MÉDICALE

Signe d'appel

La présence de protéines dans l'urine doit toujours faire suspecter un trouble de la fonction de filtration des capillaires glomérulaires (observé par exemple lors de glomérulonéphrite ou de lésions rénales d'origine diabétique).

Pôle vasculaire et pôle urinaire du corpuscule de Malpighi

Les artérioles glomérulaires afférentes et efférentes sont très proches au niveau du **pôle vasculaire** du corpuscule de Malpighi. À l'extrémité opposée se trouve le **pôle urinaire** (▶ fig. 18.5). C'est à cet endroit que la chambre urinaire (ou espace capsulaire) se continue par le **tubule contourné proximal** (1er segment des tubules urinaires, ▶ fig. 18.6).

Structure du système tubulaire

- Le système tubulaire urinaire commence dans la région corticale par le **tubule proximal** dont le premier segment est fortement sinueux (et prend le nom de tubule contourné proximal) (▶ fig. 18.6). Ce segment sinueux se poursuit par un segment droit qui descend jusque dans la

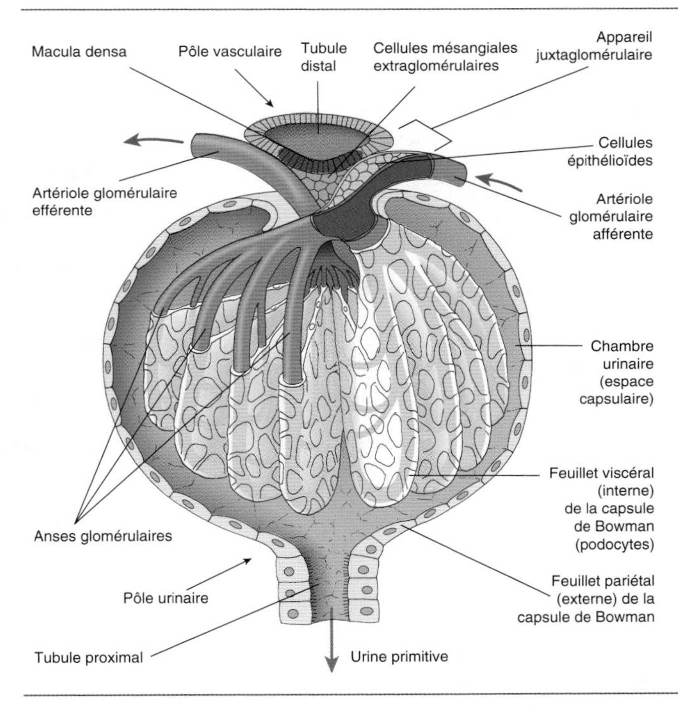

Fig. 18.5 Structure histologique d'un corpuscule de Malpighi.

médullaire. Les capillaires péritubulaires dont nous avons parlé précédemment s'enroulent fortement autour de ce segment droit → échanges liquidiens très intenses (▶ 18.2.3).

- Ce segment droit du tubule, recouvert d'un épithélium cubique, se rétrécit pour se raccorder au **tubule intermédiaire** formé d'un épithélium pavimenteux → forme une anse puis se continue par la branche ascendante du **tubule distal** qui retourne au corpuscule de Malpighi.
- Au niveau du corpuscule de Malpighi, le tubule distal devient sinueux (tubule contourné distal) et entre en contact avec l'artériole glomérulaire afférente. L'ensemble de ces segments artériolaires et tubulaires accolés forme l'**appareil juxtaglomérulaire** associé également à des cellules spécialisées (latin *juxta*, à proximité, près de).

18.1.5 Appareil juxtaglomérulaire (AJG)

- Il se trouve dans la zone de contact entre le tubule distal et l'artériole glomérulaire afférente. Les cellules du tubule contourné distal sont particulièrement spécialisées à ce niveau et forment une structure complexe appelée **macula densa** (▶ fig. 18.5). Au niveau de la macula

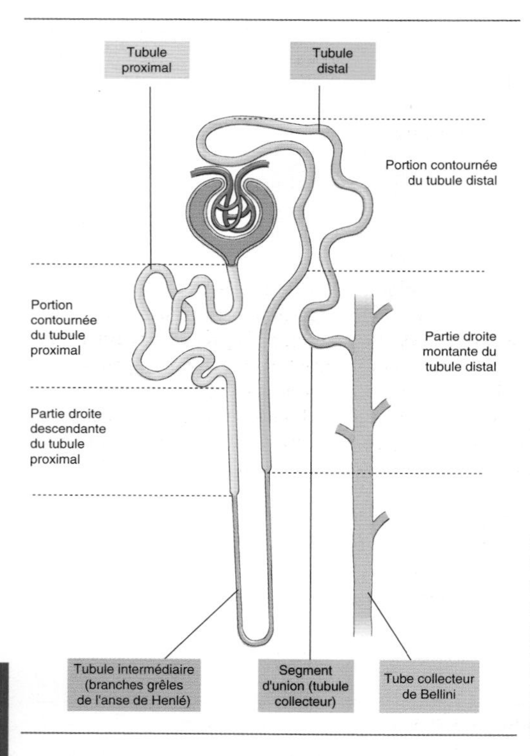

Fig. 18.6 Appareil tubulaire. La partie droite des tubules proximaux et distaux ainsi que le tubule intermédiaire grêle s'enfoncent dans la médullaire rénale. Cet ensemble forme l'anse de Henlé.

densa, la composition liquidienne du tubule contourné distal agit en régulant la pression de filtration dans le corpuscule de Malpighi (▶ 18.2.2).

- Une autre structure de l'AJG est formée de cellules musculaires lisses modifiées qui entourent principalement l'artériole glomérulaire afférente → ce sont les cellules épithélioïdes ou **myoépithélioïdes** → synthétisent, stockent et sécrètent la rénine, une enzyme (▶ 18.3.1) → intervient dans la régulation de la pression artérielle et de l'équilibre hydroélectrolytique.
- Des **cellules mésangiales** sont situées sous la macula densa et entre les cellules tubulaires et l'artériole (▶ fig. 18.5). Elles sont capables, entre autres, de phagocytose, sont contractiles (▶ 5.3.1) et peuvent probablement réagir, lors de stimulation hormonale, en modifiant l'activité rénale.

18.1.6 Tube collecteur

Il se raccorde aux tubules contournés distaux. Plusieurs tubules contournés distaux se jettent dans un même tube collecteur.

Fonction : évacuation de l'urine, lieu d'action d'une hormone hypophysaire, l'**ADH** ou hormone antidiurétique (▶ 10.2.1). L'ADH stimule la réabsorption de l'eau au niveau du tubule distal et du tube collecteur → concentration de l'urine. Le déficit en ADH → **diabète insipide.**
Finalement, l'urine atteint le bassinet rénal → uretère (▶ 18.5.2) → vessie (▶ 18.5.3).

18.2 Fonctions des reins

18.2.1 Pression de filtration glomérulaire

À l'entrée de la pelote capillaire du glomérule, la pression artérielle est d'environ 50 mmHg, à la sortie elle est de 48 mmHg, soit à peine plus faible. Cette **pression artérielle glomérulaire** n'est pas identique à la **pression de filtration glomérulaire** (c'est-à-dire la pression qui permet d'obtenir l'urine primitive), car deux pressions contrebalancent la pression artérielle glomérulaire :

1. la pression oncotique sanguine exercée par les protéines plasmatiques (▶ 3.7.1). À l'entrée des capillaires, elle correspond à environ 20 mmHg ; à la sortie elle est remontée à 36 mmHg environ du fait du passage du liquide dans l'ultrafiltrat ;
2. la pression hydrostatique dans la capsule de Bowman (environ 12 mmHg).

Il en résulte une **pression nette d'ultrafiltration** définie par

- à l'entrée du capillaire glomérulaire :
  50 mmHg – 20 mmHg – 12 mmHg = 18 mmHg
- à la sortie du capillaire glomérulaire :
  48 mmHg – 36 mmHg – 12 mmHg = 0 mmHg

NOTION MÉDICALE

Débit de filtration glomérulaire (DFG)

Représente le volume de l'ultrafiltrat glomérulaire, engendré par le rein par unité de temps.
Chez un jeune adulte, il est d'environ 120 ml/min, correspondant à un volume de filtration de 180 litres d'ultrafiltrat glomérulaire par 24 heures → le volume total de plasma sanguin étant d'environ 3 litres, celui-ci est donc quotidiennement filtré environ 60 fois par les reins puis réabsorbé en grande partie (à 99 %) (▶ fig. 18.7).

18.2.2 Autorégulation de la perfusion rénale et de la filtration glomérulaire

Le rein a la capacité de maintenir constantes la pression artérielle dans les capillaires glomérulaires ainsi que la filtration glomérulaire pour autant que la pression artérielle moyenne soit de 80–180 mmHg → ce mécanisme porte le nom d'**autorégulation.** Le DFG est déterminé par les mécanismes suivants :

- **régulation de la perfusion par le tonus myogénique :** les fibres musculaires lisses des artérioles afférente et efférente ajustent automatiquement le diamètre vasculaire de telle sorte qu'à l'entrée des capillaires glomérulaires, la pression artérielle glomérulaire se maintienne à une valeur constante d'environ 50 mmHg (▶ 14.3.4) ;

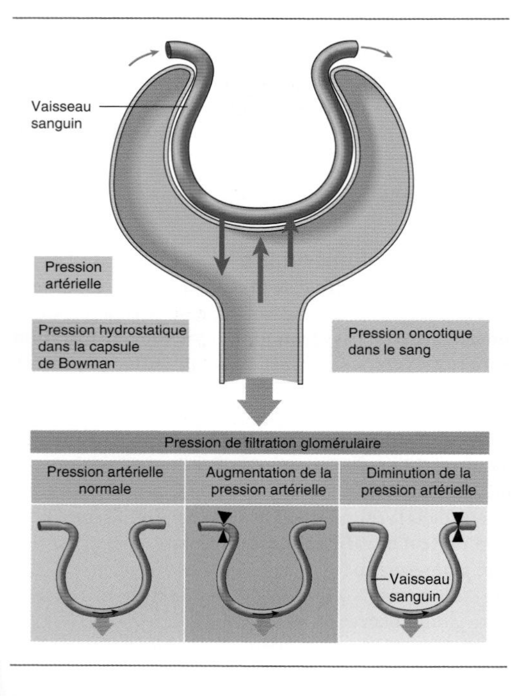

Fig. 18.7 La pression de filtration glomérulaire se calcule à partir de la pression artérielle, de la pression hydrostatique et de la pression osmotique (schéma du dessus). C'est l'action des muscles lisses à l'entrée et à la sortie de la pelote capillaire (schéma de dessous) qui permet le maintien d'une pression constante dans les capillaires glomérulaires.

18

- **rétrocontrôle tubuloglomérulaire :** si la concentration en NaCl dans le tubule distal ↑ → vasoconstriction de l'artériole afférente via la macula densa → ↓ DFG → harmonisation entre la filtration et l'excrétion de NaCl;
- **régulation hormonale** par le SRAA (▶ 18.3.1) et le **peptide natriurétique atrial** (ANP ▶ 14.3.4) sécrété au niveau des atriums cardiaques → si ↑ volume sanguin → libération ANP → ↑ DFG, ↑ excrétion du sodium dans le système tubulaire → ↑ excrétion d'eau (▶ 18.7).

En cas de forte diminution de la pression artérielle, le DFG et la perfusion rénale diminuent de façon linéaire → il n'y a que peu d'urine produite

NOTION MÉDICALE

Diurèse forcée

Si la pression artérielle moyenne augmente nettement > 180 mmHg, le DFG augmente (l'autorégulation n'est plus possible) → production d'une plus grande quantité d'ultrafiltrat → surcharge des processus de transport tubulaire. La médullaire rénale (qui est normalement le lieu de la concentration des urines) est « dépassée » par le courant important → augmentation de l'excrétion urinaire.

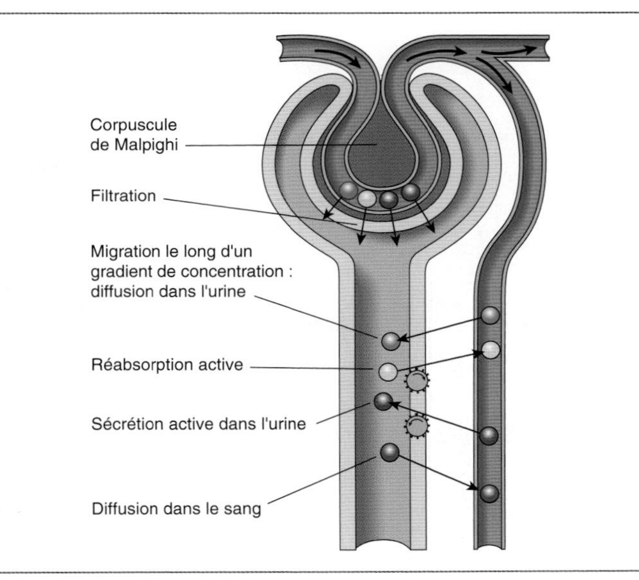

Fig. 18.8 Processus de transport dans le système tubulaire.

(**oligurie**) voire aucune production d'urine (**anurie**) → il se développe une insuffisance rénale aiguë (IRA) (▶ 18.6.1).

18.2.3 Fonctions du système tubulaire

La composition de l'**ultrafiltrat glomérulaire** (urine primitive) se modifie par concentration dans le système tubulaire → le volume de l'**urine définitive** (urine secondaire), qui est d'environ 2 litres, ne représente que 1 % seulement du volume de l'urine primitive ; l'osmolarité de l'urine définitive peut être 1 à 4 fois supérieure à celle du plasma (▶ 3.7.1).

Les cellules tubulaires contiennent un très grand nombre de **systèmes de transport** (▶ 3.7, ▶ fig. 18.8) adaptés à différentes substances. Le processus de réabsorption permet la récupération des électrolytes, du glucose et des acides aminés (▶ fig. 18.9).

- Chlore, bicarbonates, sodium, potassium et calcium : réabsorption sanguine active au niveau tubulaire. L'eau retourne dans le sang en suivant passivement ces ions. Au niveau du tubule proximal, les 2/3 de l'urine primitive ont déjà été réabsorbés.
- AA et glucose : réabsorption active, mais toutefois uniquement d'une quantité spécifique de ces substances par minute. Si le maximum pouvant être transporté est dépassé (**seuil rénal**), l'organisme élimine l'excédent dans les urines.
- **Sécrétion tubulaire :** excrétion plus rapide en particulier de substances étrangères à l'organisme (par exemple de nombreux

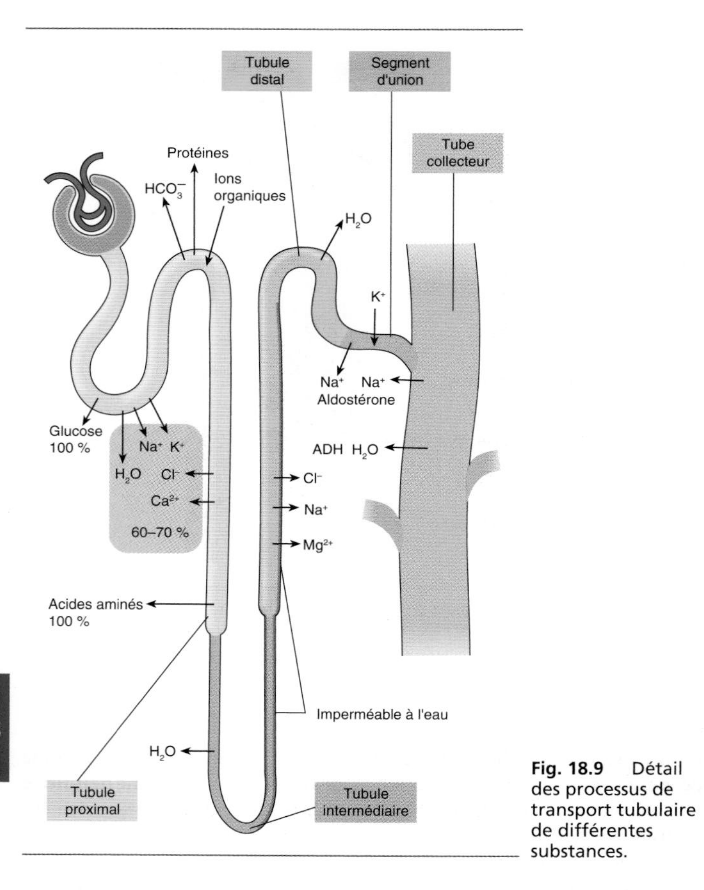

Fig. 18.9 Détail des processus de transport tubulaire de différentes substances.

médicaments). De même, de nombreux produits de dégradation propres à l'organisme comme l'acide urique et l'ammoniac sont ainsi plus rapidement évacués.

- Sécrétion d'ions H^+ dans des conditions d'acidose métabolique (▶ 18.9).

Concentration de l'urine selon un système à contre-courant

Les branches montante et descendante de l'anse de Henlé ainsi que le tube collecteur sont parallèles les uns aux autres et présentent un courant urinaire de direction contraire. Grâce à cette disposition et aux différences de perméabilité des différents segments tubulaires, l'urine peut être concentrée d'une façon particulièrement efficace.

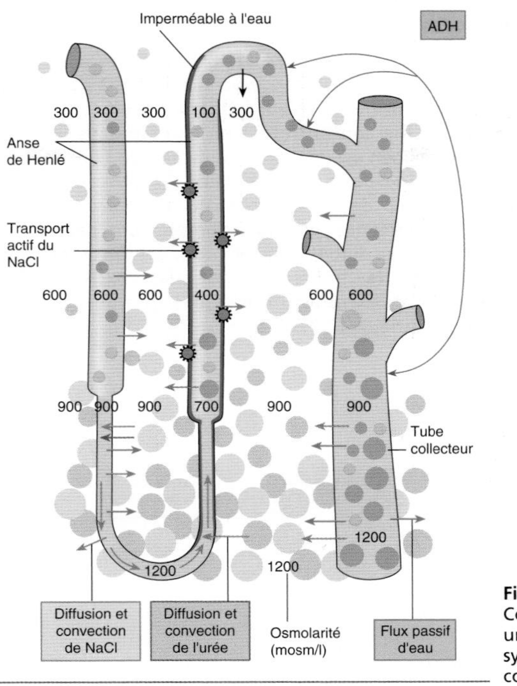

Fig. 18.10 Concentration des urines selon un système à contre-courant.

Cette **concentration de l'urine selon un système à contre-courant** se déroule de la façon suivante (modèle simplifié) (▶ fig. 18.10) :

- l'urine qui parvient dans la branche descendante de l'anse de Henlé a d'abord la même osmolarité que le plasma;
- dans la branche ascendante, il se produit une réabsorption active de NaCl qui sort des tubules et entre dans les tissus. La branche montante étant imperméable à l'eau → l'osmolarité tissulaire ↑ ;
- par conséquent, l'eau sort par la branche descendante (perméable à l'eau) pour entrer dans les tissus → l'urine devient de plus en plus **hypertonique** en direction de la médullaire;
- l'urine la plus concentrée parvient dans la branche ascendante de l'anse de Henlé. Là, le NaCl est à nouveau réabsorbé et sort du tubule, le processus se répète;
- lorsque l'urine s'écoule au travers du tube collecteur parallèle à l'anse de Henlé, de l'eau sort à nouveau par osmose → l'urine est encore plus concentrée;
- l'eau sort des tissus par diffusion pour entrer dans les capillaires péritubulaires avant d'être évacuée → le mécanisme de concentration s'effectue en permanence.

NOTION MÉDICALE

Glycosurie des diabétiques

Chaque mécanisme de transport a une capacité bien définie. Si la capacité maximale de transport d'une substance particulière est dépassée, le « surplus » apparaît dans l'urine. La valeur seuil pour le glucose est de 10 mmol/l (≅ 180 mg/dl). Si la concentration en glucose dans le sang (glycémie) dépasse ce seuil, il en est de même au niveau de l'ultrafiltrat glomérulaire, ce qui entraîne l'excrétion urinaire du glucose (**glycosurie** ▶ fig. 10.11). Au niveau de la vessie, le glucose représente un nutriment idéal pour les bactéries, qui par exemple sont parvenues dans la vessie via l'urètre → les diabétiques ont souvent des infections urinaires. Pour des raisons de gradient osmotique, l'excrétion du glucose s'accompagne d'une excrétion d'une plus grande quantité d'eau → **polydipsie** et **polyurie** (▶ 10.7.3).

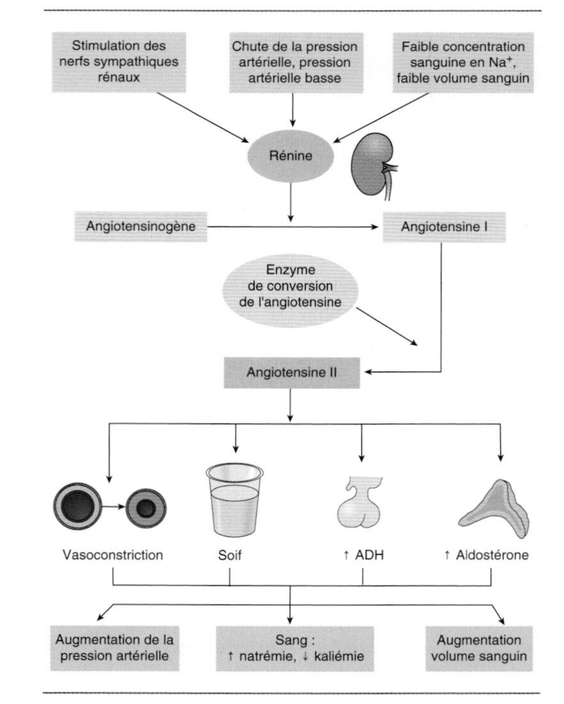

Fig. 18.11 Aperçu du système rénine-angiotensine-aldostérone.

18

La situation est encore plus complexe car les tissus s'enrichissent non seulement en NaCl, mais également en urée → la concentration urinaire est encore renforcée.

18.2.4 Traitement diurétique

REMARQUE

Diurétique

Médicament qui augmente le volume urinaire.

Ces traitements sont institués pour abaisser la pression artérielle (▶ 14.4.1), réduire la volémie (volumes liquidiens) (→ soulagement cardiaque lors d'insuffisance cardiaque, ▶ 13.6.3), augmenter la production d'urine, par exemple lors d'insuffisance rénale (▶ 18.6). De nombreux diurétiques modifient les mécanismes de sécrétion et de réabsorption au niveau tubulaire.

- **Diurétiques de l'anse :** réduisent la réabsorption du sodium, du potassium et du chlore au niveau de la branche ascendante de l'anse de Henlé. Effet relativement court mais rapide et marqué.
- **Diurétiques thiazidiques :** inhibent la réabsorption de NaCl au niveau du tubule distal.

Du fait du couplage entre le transport ionique et celui de l'eau → entraînent une ↓ de la réabsorption d'eau et une ↑ du volume urinaire.

REMARQUE

Attention ! La plupart des diurétiques augmentent principalement le risque d'une carence en potassium (**hypokaliémie** ▶ 18.8.3). Exception : les diurétiques d'épargne potassique. Il est indispensable d'effectuer des contrôles réguliers et, le cas échéant, d'équilibrer la kaliémie (par exemple consommation d'aliments riches en potassium, apport de potassium en comprimés ▶ tableau 18.1).

18.2.5 Paramètres de mesure de la fonction rénale

Métabolites éliminés dans les urines

Présence de **métabolites à élimination urinaire :** il s'agit de substances qui sont exclusivement éliminées par les reins → leur concentration augmente au niveau sanguin lors de troubles fonctionnels rénaux.

Substances ayant le plus de valeur diagnostique : la **créatinine** issue du métabolisme musculaire. L'**urémie** est un paramètre moins sensible (urée sanguine provenant du métabolisme protéique).

Examens de clairance

Les concentrations sanguines en créatinine et en urée augmentent seulement lorsque le DFG est déjà nettement réduit. Dans ce cas, il peut être intéressant de **déterminer leur clairance**.

La **clairance** (de l'anglais *clear,* laver, éliminer) renseigne sur la vitesse à laquelle les reins sont capables d'éliminer certaines substances de l'organisme. Elle dépend :

- de la filtration glomérulaire ;
- de la réabsorption tubulaire ;
- de la sécrétion tubulaire.

Tableau 18.1 Concentration sérique et signification des principaux électrolytes

Électrolytes	Norme sérique (mmol/l)	Signification pour l'organisme
Sodium (Na^+)	135–145	Principal cation extracellulaire (▸ 2.4.1) → décisif pour la pression osmotique
Potassium (K^+)	3,6–4,8	• Principal ion intracellulaire • Important pour la formation du potentiel d'action et la transmission de l'excitation au niveau du système nerveux et du cœur • Aide au transport de l'insuline dans les cellules (▸ 10.7.1)
Calcium (Ca^{2+})	2,3–2,6, dont 50 % sous forme liée	• Formation de l'os et des dents • Important pour la transmission de l'excitation neuromusculaire et la contraction musculaire
Magnésium (Mg^{2+})	0,7–1,1	Participe au transfert de l'excitation au niveau musculaire
Chlore (Cl^-)	97–108	Principal anion extracellulaire → décisif pour la formation de la pression osmotique
Phosphates (PO_4^{3-})	0,84–1,45	Élément constitutif de l'ATP (▸ 2.8.5), des membranes cellulaires (▸ 3.4) et de la substance minérale de l'os (▸ 5.1.8)

Le plus simple est de calculer les proportions des substances qui sont filtrées par les glomérules, mais ne sont ni réabsorbées ni sécrétées par les tubules. Leur clairance correspond à peu près au DFG. La créatinine est très proche de cet état idéal, de sorte qu'il est possible d'appliquer la formule suivante :
Clairance de la créatinine ≅ DFG = (concentration $créat_U$/concentration $créat_P$) × (débit urinaire en ml/min)
Avec U = urine et P = plasma

REMARQUE

Norme chez un jeune adulte : ♂ environ 125 ml/min, ♀ 110 ml/min. Avec l'âge, la clairance de la créatinine diminue.

Diagnostic urinaire

▸ 18.4.4.

18.3 Le rein, un organe endocrine

18.3.1 Rénine

Synthèse au niveau des cellules myoépithélioïdes spécialisées des artérioles glomérulaires afférentes (▶ 18.1.5). L'excrétion de rénine est régulée par la dilatation vasculaire des artérioles glomérulaires afférentes :

- faible volume = faible pression → ↓ dilatation vasculaire → ↑ sécrétion de rénine (par exemple lors de choc ou de sténose des artères) et vice versa.

Une augmentation de l'activité du système sympathique (▶ 8.10) augmente également la sécrétion de rénine, alors que l'angiotensine II et l'aldostérone agissent comme des inhibiteurs. De ce fait, contrôle de la pression artérielle et contrôle volémique sont fortement liés.

Système rénine-angiotensine-aldostérone (SRAA)

REMARQUE

Le **SRAA** joue un rôle remarquable dans la régulation de l'équilibre hydrosodé et de la pression artérielle (▶ fig. 18.11).

La rénine est une enzyme qui scinde l'**angiotensinogène**, une protéine issue du foie, pour donner l'**angiotensine I** (AT1). Un nouveau clivage, catalysé par l'**enzyme de conversion de l'angiotensine** (ECA), retire deux autres acides aminés pour former l'angiotensine II (ATII) biologiquement active → vasoconstriction (diminution du diamètre vasculaire) → ↑ pression artérielle, ↑ soif, stimulation de la réabsorption du Na^+ dans le tubule proximal et de la sécrétion d'**aldostérone** (10.6.1) et d'ADH (▶ 10.2.1). L'aldostérone favorise la réabsorption du Na^+ au niveau du tubule distal, et l'ADH favorise celle de l'eau principalement dans le tube collecteur (▶ 18.1.6).

Inhibiteurs du SRAA

- **Inhibiteurs de l'enzyme de conversion de l'angiotensine (IEC** par exemple Captopril®, Énalapril®) inhibent l'ECA → ↓ synthèse d'AT II.
- **Antagonistes des récepteurs de l'angiotensine (ARA)** (antagonistes des récepteurs AT_1, sartans, par exemple Losartan®, Candesartan®) : bloquent les récepteurs de l'AT II au niveau des cellules musculaires lisses des vaisseaux → l'ATII ne peut plus agir.

Indications : hypertension artérielle (▶ 14.4.1) et insuffisance cardiaque (▶ 13.6.3).

18.3.2 Érythropoïétine (EPO)

Hormone protéique synthétisée chez les adultes principalement par les reins (et en faible quantité dans le foie). Une carence en O_2 (par exemple lors d'anémie ou en haute montagne) → ↑ production → stimulation de la formation de nouvelles hématies dans la moelle osseuse (▶ 11.2.2) → ↑ de la capacité de transport de l'O_2 au niveau du sang artériel.

L'EPO fabriquée par génie génétique (EPO **recombinante**) est utilisée pour le traitement de l'anémie lors d'insuffisance rénale chronique (IRC) (▶ 18.6.2) et chez les patients cancéreux.

18.4 Composition des urines

18.4.1 Composants urinaires

L'**urine** est formée à 95 % d'eau. Les composés en solution sont les suivants :

- urée : à peu près 20 g/j, produit final du métabolisme protéique (▶ 17.10.5) ;
- acide urique (environ 0,5 g/j) ;
- créatinine issue du métabolisme musculaire (environ 1,5 g/j) ;
- sels organiques et inorganiques (sels de calcium, NaCl, chlorure de potassium [KCl]) (environ 10 g/j). La quantité de NaCl éliminée dans les urines est sous le contrôle de l'aldostérone (▶ 10.6.1) ;
- phosphates (environ 3 g/j) ainsi que différentes quantités d'acides organiques (acide citrique, acide oxalique).

REMARQUE

Les protéines (en particulier l'albumine) ne sont normalement excrétées dans les urines qu'en très faible quantité (< 150 mg/24 h). La présence de cellules est également rare (quelques cellules ayant desquamé des voies urinaires, très peu d'hématies ou de leucocytes).

Coloration des urines

Principalement liée à l'**urochrome** (pigment jaune à base d'azote issu de la dégradation protéique) et à l'**urobiline** jaune orange issue de la dégradation de la bilirubine (▶ 16.10.4).

NOTION MÉDICALE

Modification de la coloration des urines

Des urines brunâtres ou rougeâtres suggèrent la présence de saignements au niveau rénal ou des voies urinaires **(hématurie)** ; les urines troubles ou blanc crème signalent la présence d'une infection s'accompagnant d'une quantité massive de leucocytes **(leucocyturie)**. Toutefois, l'observation d'une urine trouble ou floconneuse peut être normale si le prélèvement urinaire est resté trop longtemps au contact de l'air.

pH urinaire

▶ 18.9.1.

18.4.2 Calculs rénaux (lithiase rénale)

Les **lithiases rénales** sont le plus souvent au départ de petits **calculs rénaux** de quelques millimètres de diamètre. Formation de cristaux dans l'urine (plus fréquents lorsque l'urine est très concentrée et en présence de certains troubles métaboliques)

→ ceux-ci s'étendent et finissent par former des calculs. Si un calcul bloque le flux urinaire, il entraîne une contraction des muscles lisses urétéraux → **colique néphrétique :** douleur violente, par crises (spasmodique), au niveau des lombes et du dos.
Traitement Analgésie (par compresses chaudes et antalgiques). Si le calcul n'est pas éliminé par des médicaments spasmolytiques, l'apport d'une grande quantité d'eau et l'activité physique, le traitement de choix consiste le plus souvent à effectuer une **lithotripsie extracorporelle** (LEC) → fragmentation du calcul par de fortes ondes de choc acoustiques. Afin que les fragments puissent être éliminés, le patient doit boire beaucoup. Autre possibilité : « retrait » du calcul à la pince (ou à la sonde panier) introduite par voie rétrograde dans l'uretère via l'urètre et la vessie.
Le fait de boire beaucoup → dilution des urines → prophylaxie des calculs. Selon la composition du calcul, éventuellement mise en place d'un régime pauvre en oxalates ou traitement médical à base d'alcalinisants ou d'acidifiants urinaires.

18.4.3 Présence de bactéries dans les urines

L'urine est normalement stérile (absence de germes).

- Lors de **bactériurie,** l'urine renferme des bactéries.
- Si cela s'accompagne de signes cliniques (élimination d'une grande quantité de leucocytes, fièvre), il s'agit d'une **infection urinaire** (▶ 18.5.5).

Lors de prélèvement urinaire, les germes commensaux situés dans la partie basse de l'urètre peuvent être emmenés par le flux urinaire (lors de la **miction**), ce qui fausse les résultats de la culture urinaire. Pour éviter ces résultats erronés, l'examen urinaire porte sur le **milieu du jet urinaire (ou mi-jet).**

18.4.4 Examens urinaires de laboratoire

Bandelettes urinaires

Les **bandelettes urinaires** sont un moyen peu onéreux de mettre rapidement en évidence les composants urinaires pathologiques suivants.

- **Protéines :** lorsque l'excrétion urinaire protéique est trop importante → **protéinurie.** La légère augmentation de l'excrétion d'albumine (**microalbuminurie**) représente un signe précoce de lésion rénale chez les diabétiques. (Des bandelettes urinaires spéciales sont nécessaires.)

NOTION MÉDICALE

Glomérulonéphrite

Une forte excrétion protéique mise en évidence par des bandelettes urinaires « normales » témoigne souvent d'une **glomérulonéphrite** (inflammation bilatérale des corpuscules de Malpighi provoquée par une réaction immunitaire).
Lors de glomérulonéphrite, l'excrétion massive des protéines dans l'urine entraîne un déficit protéique au niveau sanguin → œdème (souvent **œdème palpébral** bilatéral) et augmentation de la lipidémie (hyperlipidémie car le métabolisme lipidique dépend de la teneur en protéines) → **syndrome néphrotique** qui peut être également déclenché par des médicaments ou des pathologies touchant d'autres organes.

18

- **Glucose :** il est excrété dans les urines dès que la glycémie dépasse le seuil d'environ 10 mmol/l (≅ 180 mg/dl). La mise en évidence de glucose dans les urines → signe d'un mauvais équilibre diabétique.
- **Hématies** (hématurie) : par exemple lors d'inflammation, de calculs, de tumeurs ou de lésion dans la région des reins ou des voies urinaires.
- **Leucocytes** (leucocyturie) : preuve d'une infection rénale ou des voies urinaires. Le terme de **pyurie** désigne une très forte élévation du taux de leucocytes urinaires ou la présence de pus visible dans les urines (du grec *pyo,* pus et *urie,* urine).
- **Corps cétoniques :** se forment lorsque de grandes quantités de graisses sont dégradées du fait de certaines conditions métaboliques (jeûne, acidocétose ▶ 10.7.3). L'acétyl-CoA produit en excès est métabolisé en corps cétoniques (▶ 2.8.2).

Sédiment urinaire

Partie solide des urines qui se dépose au fond du tube après centrifugation. Son examen microscopique peut mettre en évidence des cellules, des cristaux et des cylindres.

- **Cylindres :** agglomération d'hématies, leucocytes, protéines (cylindres **hyalins**) ou de cellules épithéliales (**cylindres épithéliaux**), provenant des reins et qui conservent leur forme typique correspondant à un « moulage de la lumière » d'un tubule. À l'exception de la présence d'un petit nombre de cylindres hyalins, leur présence est toujours pathologique et témoigne d'une néphropathie. Parfois, des bactéries ou des champignons sont présents dans le sédiment urinaire, et chez l'♂ également quelques spermatozoïdes.

18.5 Voies urinaires excrétrices

18.5.1 Bassinet rénal

Les **voies urinaires excrétrices** commencent par le tube collecteur → se réunissent pour former un **tube papillaire** ou **tube de Bellini** → s'abouchent au niveau des papilles rénales. De là l'urine s'écoule dans l'un des 8–10 **calices rénaux** puis parvient au **bassinet rénal** (▶ fig. 18.2).

Le bassinet rénal est tapissé d'un épithélium de transition comme l'ensemble du tractus urinaire (**urothélium**) (▶ 4.2.4). Des fibres musculaires lisses se trouvent dans la paroi du bassinet rénal → favorisent le transport de l'urine dans l'uretère.

18.5.2 Uretères

Le bassinet rénal se rétrécit vers le bas pour former l'**uretère**. Les uretères sont des tubes d'une épaisseur de 2,5 mm environ et d'une longueur de 30 cm, qui s'étirent en position rétropéritonéale jusqu'au petit pelvis.

Elles s'abouchent au niveau de la paroi de la vessie dans une localisation et selon une position qui leur permet de fonctionner comme une valve → l'urine peut uniquement passer des uretères à la vessie et non le contraire. Si ce mécanisme de valve est défectueux, par exemple à la suite d'une malposition, il se produit un **reflux vésico-urétéral** lors de la miction (remontée à contre-courant) : l'urine contenue dans la vessie passe dans les uretères et remonte jusqu'au bassinet rénal → propagation possible de germes pathogènes dans les reins.

NOTION MÉDICALE

Zones de rétrécissement physiologique des uretères

Les uretères présentent trois rétrécissements le long de leur cheminement au niveau :
- de la jonction pyélo-urétérale (à la sortie du bassinet);
- du croisement des uretères avec les artère et veine iliaques communes (▶ fig. 18.1);
- du segment transmural (parcours dans la paroi vésicale).

Les calculs rénaux «se coincent» préférentiellement au niveau de ces **zones de rétrécissement physiologique** → coliques néphrétiques.

18.5.3 Vessie et urètre

Vessie

La **vessie** est un organe creux formé d'un **muscle lisse.** Position : dans le petit pelvis, directement derrière la symphyse pubienne et le pubis (▶ 6.6.1). Le dôme (ou calotte) de la vessie est recouvert de péritoine; dorsalement, la vessie est en rapport avec le vagin et l'utérus chez la ♀, et avec le rectum chez l'♂. La muqueuse vésicale est plissée, n'étant totalement lisse qu'au niveau d'un petit triangle situé dans la région postéro-inférieure. Ce **trigone vésical** est marqué au niveau de ses pointes supérieures par les zones d'abouchement des uretères et à sa pointe inférieure par le point de départ de l'**urètre** (▶ fig. 18.12).

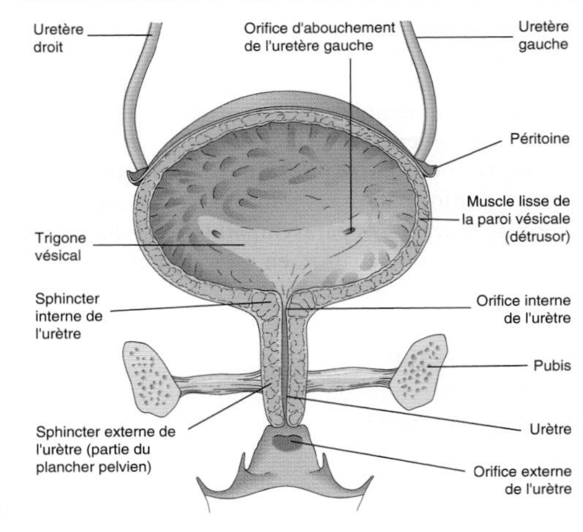

Fig. 18.12 Vessie d'une femme, coupe frontale.

Urètre

Relie la vessie à la surface du corps :

- ♀ : longueur uniquement 4 cm environ, trajet droit, s'ouvre au niveau du vestibule vaginal.
- ♂ : longueur 20 cm environ, plusieurs courbures, rétrécissements et dilatations. Chemine en commençant par traverser la **prostate** par sa partie prostatique (▶ 19.2.6) puis le plancher pelvien (**partie membraneuse de l'urètre**). La **partie spongieuse de l'urètre** mesure 15 cm de long et traverse le corps spongieux du pénis. S'ouvre au niveau du gland du pénis. Dans la partie prostatique de l'urètre s'abouchent les canaux éjaculateurs → l'urètre de l'homme appartient tout à la fois aux voies génitales et urinaires (▶ 19.2.1).

Mécanisme de fermeture de la vessie et de l'urètre

Les couches musculaires de la paroi vésicale sont difficilement différenciables et forment un tissu de fibres entrelacées sans organisation particulière (**détrusor,** muscle détrusor).

- À l'entrée de l'urètre (trigone vésical), le détrusor s'épaissit pour former le **sphincter interne de l'urètre**.
- En outre, l'urètre est également fermé par le **sphincter externe de l'urètre** formé de fibres musculaires striées issues du plancher pelvien et pouvant être contrôlées volontairement.

18.5.4 Vidange vésicale

La contenance vésicale maximale est d'environ 800 ml. L'envie d'uriner (miction) se fait ressentir lorsque le remplissage vésical atteint environ 350 ml.

Arc réflexe de la miction

- Les récepteurs à l'étirement situés dans le détrusor enregistrent le degré de remplissage et le transmettent par les nerfs afférents au tronc cérébral.
- À partir d'un remplissage d'environ 350 ml, le nombre d'influx afférents augmente → **envie d'uriner.**
- Au niveau du **centre pontique de la miction** (noyau au niveau du pont), l'information est transmise aux neurones de la moelle sacrale (▶ 8.4) → les fibres parasympathiques (▶ 8.10) déclenchent la contraction du détrusor, en même temps que le relâchement du sphincter externe de l'urètre.

REMARQUE

La miction est pratiquement contrôlable volontairement à partir de l'âge de 3 ans (**continence**).

18.5.5 Maladies

Incontinence urinaire

Incontinence vésicale : les patients ne sont plus en mesure (ou seulement de façon limitée) de contrôler la vidange vésicale. Souvent chez les personnes âgées, très corpulentes. Principales formes :

- **incontinence de stress :** se produit lors d'augmentation de la pression dans la cavité abdominale → les patients perdent involontairement de l'urine, par exemple lors d'effort musculaire intense, de toux, ou lorsqu'ils rient. Le plus souvent chez les ♀ > 50 ans. Cause : souvent descente d'organe (utérus) ou déficit en œstrogènes après la ménopause. Plus rare chez l'♂, souvent à la suite d'une chirurgie prostatique. Traitement : gymnastique de renforcement du plancher pelvien (périnée), différentes interventions chirurgicales ; chez la ♀, éventuellement œstrogénothérapie ;
- **incontinence d'urgence ou incontinence d'impériosité :** envie impérieuse d'uriner, d'apparition brutale, empêchant le plus souvent d'accéder à temps aux toilettes. Le plus souvent, elle est liée à un trouble de l'innervation → déséquilibre entre les influx stimulants et inhibiteurs (par exemple lors de sclérose en plaques, de lésion de la moelle spinale). Également des inflammations fréquentes de la vessie (cystites à répétition) ou des calculs peuvent entraîner une incontinence d'urgence. Traitement : difficile, médicaments qui diminuent l'action du parasympathique, entraînement à la continence ;
- **incontinence réflexe :** provoquée par une interruption de la connexion entre le cerveau et la moelle sacrale (par exemple lésion de la moelle spinale). Le patient ne ressent plus le remplissage vésical et ne peut également plus vidanger volontairement sa vessie → la vidange vésicale devient uniquement réflexe ;
- **incontinence par regorgement (ou trop-plein) :** principalement provoquée par un obstacle à l'écoulement → la vessie se distend et ne peut plus se contracter → poursuite du remplissage → à partir d'une certaine quantité : « débordement ». Le trouble de la vidange → entraîne un résidu d'urine → risque d'infection urinaire. Traitement : selon la cause (par exemple ablation de la prostate lors d'adénome prostatique ▶ 19.2.6). La mise en place d'un **cathéter à demeure** est souvent inévitable.

Infection urinaire

Cystite et pyélonéphrite

La colonisation de la vessie par des bactéries engendre souvent une **cystite** (inflammation de la vessie). Comme il est difficile d'exclure une implication de l'urètre et des voies urinaires supérieures, on parle généralement d'**infection des voies urinaires**.

NOTION MÉDICALE

Si le bassinet rénal est atteint, il s'agit alors d'une **pyélite.** Presque toujours le parenchyme rénal est également enflammé → **pyélonéphrite (aiguë)** → symptôme : douleur au niveau des flancs et fièvre → antibiotiques à fortes doses.

Atteinte le plus souvent des ♀ car leur urètre est très court : représente une barrière qui n'est pas suffisamment longue pour protéger des bactéries (intestinales) qui proviennent de la région anale et parviennent au niveau de l'orifice urétral externe (le plus souvent *E. coli*).

Symptôme Brûlure lors de la miction (**dysurie**), souvent envie impérieuse d'uriner (**pollakiurie**).

URGENCE

Sepsis à point de départ urinaire

Le **sepsis à point de départ urinaire (urosepsis)** est une complication aiguë grave d'une pyélonéphrite : les bactéries présentes au niveau du bassinet rénal se multiplient de manière explosive et passent dans le sang → **sepsis** (empoisonnement du sang ▶ 12.5.1), pouvant encore de nos jours être mortel.

Urétrite (inflammation de l'urètre)

Principalement bactérienne dans le cadre d'une cystite, plus rarement autres causes comme une irritation mécanique. La transmission s'effectue très souvent par contact sexuel (▶ 19.5.3) →

- **Germes :** gonocoques, chlamydies, mycoplasmes, trichomonas.
- **Symptômes directeurs :** démangeaisons, dysurie, écoulement urétral, rougeur de l'orifice urétral externe.
- **Traitement :** antibiotiques après réalisation d'un frottis.

Cathétérisme à demeure et infection des voies urinaires

La pose (temporaire) d'une sonde vésicale peut être nécessaire par exemple lors de troubles de l'écoulement, de perte de conscience ou après une intervention chirurgicale :

- **cathéter vésical à demeure** (transurétral = par l'urètre);
- **drainage vésical sus-pubien :** ponction de la vessie au travers de la paroi abdominale.

Carcinome de la vessie

Principalement chez les ♂ âgés. Facteurs de risque : tabagisme, manipulation (professionnelle) de certains produits chimiques, cystites chroniques. Les tumeurs superficielles peuvent être retirées sous endoscopie. Lors de carcinome avancé, l'ablation de la vessie doit être en général radicale → dérivation urinaire selon une autre voie (par exemple formation d'une vessie artificielle à partir d'une anse intestinale).

18.6 Insuffisance rénale

En l'absence d'une filtration suffisante et d'un flux suffisant traversant les différents segments tubulaires, le rein ne peut pas remplir son rôle. Une diminution critique de l'ultrafiltrat glomérulaire peut survenir *brutalement* (**insuffisance rénale aiguë**) ou se développer *progressivement* au cours d'une affection (rénale) très prolongée (**insuffisance rénale chronique**).

18.6.1 Insuffisance rénale aiguë (IRA)

- Dysfonctionnement brutal du rein chez une personne en bonne santé. La production urinaire tombe en dessous de la limite critique de 500 ml/j (**oligurie**), souvent même en dessous de 100 ml/j (**anurie**). L'absence d'excrétion urinaire → empoisonnement du sang en métabolites normalement excrétés par les urines.
- La mesure de la limitation fonctionnelle s'effectue par l'augmentation de la créatinine plasmatique et la baisse du DFG (▶ 18.2.1). La diminution de l'excrétion de l'eau → formation d'œdèmes ; la baisse de l'excrétion de potassium → hyperkaliémie (▶ 18.8.3).

NOTION MÉDICALE

- **Insuffisance rénale prérénale :** la cause est située *avant* les reins, par exemple lors de pertes sanguines → baisse aiguë de la pression artérielle (hypotension) → baisse de la pression de filtration efficace.
- **Insuffisance rénale d'origine rénale :** la cause se situe *au niveau des* reins, par exemple lésions du système tubulaire par des antibiotiques néphrotoxiques, un produit de contraste radiographique, ou une glomérulonéphrite.
- **Insuffisance rénale postrénale :** la cause se situe *après* les reins, par exemple obstruction ou sténose des voies urinaires excrétrices suite à une hyperplasie prostatique (▶ 19.2.6).

- Pronostic : dépend de l'affection sous-jacente. Souvent le rein redevient fonctionnel, avec temporairement une augmentation de l'excrétion urinaire pouvant atteindre 8 litres/j (**phase polyurique**). Ce n'est qu'au bout de quelques mois que le rein redevient totalement fonctionnel.

18.6.2 Insuffisance rénale chronique

Le plus souvent, l'**insuffisance rénale** est **chronique** (IRC) : déclin *progressif* du DFG.

Causes :

- néphropathie diabétique (▶ 10.7.3) ;
- sténose des artères rénales suite à l'hypertension (▶ 14.4.1) ou l'artériosclérose (▶ 14.1.4) ;
- glomérulonéphrite chronique ;
- pyélonéphrites répétitives ;

- toxicité de longue durée (par exemple suite à la prise de certains antalgiques ▶ 9.3.3) ;
- malformations (par exemple **rein polykystique :** rein parsemé de cavités remplies de liquides (kystes), insuffisance rénale vers l'âge de 40–50 ans).

Souvent, il se développe précocement une **hypertension liée à l'insuffisance rénale,** qui, asymptomatique, n'est pas diagnostiquée mais par contre-coup va aggraver la détérioration de la fonction rénale. Les symptômes d'insuffisance rénale ne sont souvent remarqués que lorsque le DFG est < 50 ml/min ; le patient présente alors une grande fatigue. Les métabolites normalement excrétés par les reins sont déjà à ce moment-là très élevés (▶ 18.2.5). La poursuite de la baisse du DFG s'accompagne de symptômes plus évidents :

- démangeaisons (prurit) et baisse d'appétit ;
- œdème : tuméfaction molle élastique (par exemple aux chevilles, comme en cas d'insuffisance cardiaque) ;
- **anémie d'origine rénale** (11.2.4) suite à la diminution de la production d'EPO ;
- **ostéopathie d'origine rénale :** trouble du métabolisme osseux → le rein participe à la synthèse du calcitriol (▶ 10.5.2), qui favorise entre autres l'absorption du calcium au niveau intestinal. Lors de lésions rénales chroniques → carence en calcitriol → carence en calcium → trouble du développement osseux et renforcement de la résorption osseuse (**ostéodystrophie rénale**) ;
- finalement, le patient développe le tableau clinique complet de l'**urémie** (▶ 18.6.3).

18

REMARQUE

Dans les premiers stades, l'insuffisance rénale peut être en partie **compensée** (équilibrée), et ce, pendant des années, par un régime et l'administration de diurétiques de l'anse (▶ 18.2.4). Un contrôle optimal de la pression artérielle retarde l'évolution vers l'**insuffisance rénale terminale,** dont les seuls traitements sont la dialyse ou la greffe de rein (▶ 18.6.4).

18.6.3 Urémie

Chaque insuffisance rénale non traitée conduit à l'accumulation dans le sang de substances normalement excrétées exclusivement par le rein → tableau clinique caractéristique de l'**urémie** : tous les systèmes organiques sont atteints.
Les concentrations en potassium, phosphates et magnésium augmentent ; celles du calcium, du sodium et du chlore diminuent.
Troubles neuronaux au niveau du SNC → respiration profonde, céphalée, vomissements, convulsions. Les patients sont somnolents et peuvent tomber en **coma urémique**. L'accumulation de liquides au niveau des poumons empêche les échanges gazeux et favorise l'apparition d'une **pneumonie.** Implication du système cardiovasculaire → hypertension, troubles du rythme, péricardite. Les autres symptômes de l'urémie touchent le tube digestif → nausées, vomissements, diarrhée, ulcères gastriques.

18.6.4 Dialyse

Hémodialyse extracorporelle

Procédé le plus utilisé (▶ fig. 18.13). Le sang du patient est conduit dans un **dialyseur,** système formé d'une membrane synthétique semi-perméable → ne laisse passer que l'eau et les petites molécules mais bloque les grosses protéines et les cellules sanguines. Sur la face externe de la membrane, le **dialysat** s'écoule à contre-courant ; il s'agit d'une solution électrolytique dont la concentration en électrolytes permet de corriger celle du sang du patient. La différence de concentration entre le sang et le liquide de dialyse → diffusion (▶ 3.7.1) des substances devant être éliminées dans le dialysat (jusqu'à ce que la différence de concentration soit supprimée). Par l'**ultrafiltration**, l'organisme peut éliminer l'excédent de liquide. Ensuite, le sang est ramené dans l'organisme du patient.

NOTION MÉDICALE

Alternative : dialyse péritonéale

Dialyse péritonéale : procédé *intracorporel* → le péritoine sert de membrane semi-perméable.

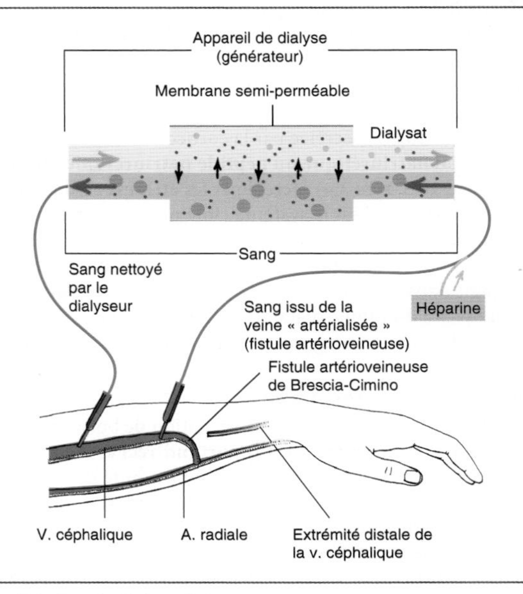

Fig. 18.13 Principe de l'hémodialyse.

18

Le dialyseur remplace les fonctions d'excrétion des reins, mais ne remplace pas ses fonctions hormonales → traitement de l'anémie d'origine rénale par l'administration d'EPO; modification du métabolisme osseux → chélateurs de phosphate, calcitriol (▶ 10.5.2). Le métabolisme ne peut pas être normalisé.

NOTION MÉDICALE

Greffe (transplantation) de rein

En général, les reins non fonctionnels restent dans l'organisme du patient et les reins du donneur sont greffés dans le pelvis.

18.7 Équilibre hydrique

La teneur en eau de l'organisme correspond à environ 60 % du poids du corps. La teneur en eau de l'♂ est > ♀, celle du jeune > personne âgée.
La totalité de l'eau de l'organisme se répartit de la façon suivante : environ 2/3 dans l'**espace intracellulaire** et 1/3 dans l'**espace extracellulaire.** Le liquide extracellulaire se divise lui-même en **compartiment interstitiel** (environ 15 % du poids du corps), **eau plasmatique** et **compartiment transcellulaire** (▶ 3.6, ▶ fig. 3.9).

18.7.1 Régulation du bilan hydrique

La régulation continue de l'équilibre hydrique permet d'éviter la déshydratation ou l'excès d'hydratation. Dans ce cadre, les reins jouent un rôle décisif. L'équilibre hydrique est régulé principalement par trois hormones :

- l'**ADH** (▶ 10.2.1) hypothalamique;
- l'**aldostérone** (▶ 10.6.1) sécrétée par la corticosurrénale;
- le **facteur atrial natriurétique ou peptide natriurétique atrial** (FNA ou ANP ▶ tableau 10.3, ▶ 14.3.4) sécrété par les atriums cardiaques.

Le système tubulaire rénal est le système ciblé par ces hormones et leur lieu d'action. L'ADH augmente la perméabilité à l'eau (principalement dans le tube collecteur) → récupération d'eau. L'action de l'aldostérone est synergique (agit dans le même sens) → augmente la réabsorption des sels et de l'eau au niveau du tubule distal. L'ANP favorise l'excrétion du sodium et la formation d'urine → antagoniste de l'ADH et de l'aldostérone.

18.7.2 Apports et pertes d'eau

- L'**apport direct** d'eau est lié à la consommation de boissons ou l'administration d'une perfusion; l'**apport indirect** est lié à la teneur en eau des aliments : chez une personne en bonne santé n'effectuant pas de travail physique, environ 1500 ml/j d'eau sont apportés directement et 600 ml sont apportés indirectement. À ces 2,1 litres s'ajoutent 400 ml d'eau métabolique produite par oxydation des nutriments.
- Les **pertes quotidiennes** correspondent à environ 1,5 litre par l'urine, 200 ml par les selles, 300 ml par la peau (évaporation et transpiration) et 500 ml par l'humidification de l'air expiré (▶ fig. 18.14).

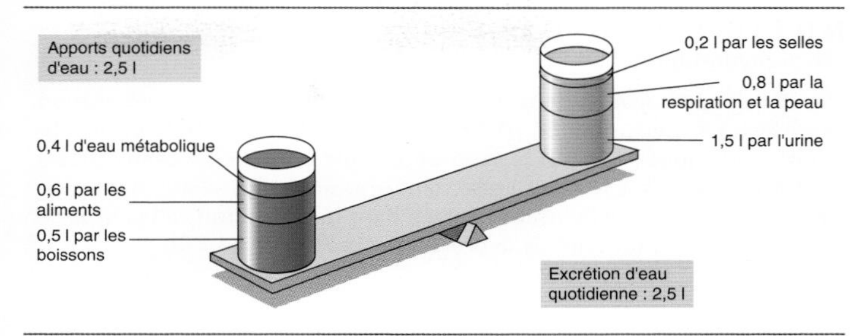

Fig. 18.14 Bilan hydrique de l'organisme. Les apports et les pertes quotidiennes doivent être en équilibre et correspondent chacun à environ 2500 ml.

18.7.3 Contrôle des liquides de l'organisme

Le volume liquidien intravasculaire est déterminé approximativement par la mesure de la **pression veineuse centrale** (PVC).

La PVC est mesurée par le biais d'un **cathéter veineux central** (CVC) placé dans la veine cave supérieure à 1–2 cm avant l'atrium droit. Le médecin peut ainsi tirer des conclusions sur la présence d'un déficit volumique ou d'une surcharge volémique (principalement lors de la surveillance d'un traitement par perfusion). Intervalle de normalité de la PVC : 3–7 cm de la colonne d'eau (cm H_2O).

18.7.4 Régulation de la volémie et osmorégulation

L'organisme équilibre l'« excédent » de liquide par une augmentation de l'excrétion urinaire. Des récepteurs volémiques et des osmorécepteurs participent à cette contre-régulation :

- **récepteurs volémiques :** récepteurs à l'étirement situés dans la paroi des grosses veines intrathoraciques et dans la paroi des atriums cardiaques → mesurent l'état de remplissage du système circulatoire. L'étirement entraîne une baisse de la libération hypophysaire d'ADH par le **réflexe de Gauer-Henry** (▶ 10.2.1). Lors de surcharge volémique → ↓ aldostérone, ↑ ANP → ↑ excrétion de l'eau par les reins → normalisation de l'équilibre hydrique ;
- les **osmorécepteurs** enregistrent l'osmolarité plasmatique. Ils sont présents au niveau de l'hypothalamus et du foie. Fort apport de sel → ↑ osmolarité du sang. Dès l'élévation de 1 % de l'osmolarité → ↑ de la libération d'ADH → ↑ de la réabsorption d'eau au niveau rénal. La concentration saline de l'urine augmente. Augmentation de la soif et consommation de liquide hypotonique → normalisation de la volémie et de l'osmolarité sanguines.

NOTION MÉDICALE

Hyperhydratation

Se développe souvent dans le cadre hospitalier lors de réhydratation excessive par perfusion. En particulier chez les patients âgés et insuffisants cardiaques (▶ 13.6.3) le sang s'accumule dans les vaisseaux (stase) avant l'entrée dans le cœur présentant une surcharge → augmentation de la pression artérielle avant l'entrée dans le cœur droit → l'eau passe dans les tissus sous l'effet de la pression → œdème (▶ 14.1.5).

18.7.5 Déficit volémique et déshydratation sévère

- Le **déficit volémique** (hypovolémie) se produit en cas de diminution des apports liquidiens (par exemple faible consommation d'eau après une forte transpiration, insuffisance de perfusion). Une **forte sensation de soif** apparaît lorsque le déficit en eau est d'environ 2 litres.
- La **déshydratation sévère** peut faire suite à une déshydratation modérée. Elle peut conduire à une IRA (▶ 18.6.1). Pour le traitement, il est important de déterminer quelle est la perte en électrolytes qui accompagne la perte en eau. Comme l'eau est le solvant des électrolytes, la modification du volume d'eau peut entraîner également une modification de la concentration en électrolytes et de la teneur totale en électrolytes (▶ 18.8.1).

18.8 Équilibre électrolytique

Les concentrations sanguines en macroéléments suivants sont particulièrement importantes pour l'équilibre hydroélectrolytique : **sodium, potassium, calcium, magnésium, chlore** et **phosphate** (▶ tableau 18.1, ▶ tableau 2.1).

18

18.8.1 Macroéléments

▶ 17.9.

18.8.2 Troubles de l'équilibre hydrosodé : hypernatrémie

Augmentation de la teneur du sang en sodium.

Causes Conséquence d'une déshydratation (par exemple lors de diabète insipide ▶ 10.2.1, ▶ 18.7), absence de stimulation par la soif chez les enfants en bas âge, les personnes âgées et les patients très malades, transpiration importante, médicaments ou perfusion inadaptés.

Traitement Selon le résultat du bilan hydrique : il existe le plus souvent aussi une déshydratation et le patient présente des symptômes de déficit volémique → **déshydratation hypertonique ou hypernatrémique** → l'apport d'eau est essentiel (apport de boisson ou en perfusion, par exemple solution de glucose à 5 %).

18.8.3 Troubles de l'équilibre potassique

Hyperkaliémie et **hypokaliémie** → modification des potentiels membranaires des cellules excitables (▶ 8.1.1).

Hypokaliémie

Trouble de la formation de l'excitation et de sa propagation au niveau du cœur → troubles du rythme graves (▶ 13.5.6). ↓ Excitabilité des muscles squelettiques et intestinaux → faiblesse des muscles squelettiques (adynamie), ralentissement intestinal pouvant aller jusqu'à la constipation (▶ 16.8.7).

Causes Traitement par des diurétiques entraînant une diurèse forcée, laxatifs, suite de vomissements ou de diarrhée répétés ; troubles hormonaux (par exemple hyperaldostéronisme).

Traitement Équilibrage oral par des aliments riches en potassium (par exemple bananes) ou par comprimés (par exemple Kaléorid® cp). Troubles plus graves : potassium IV.

Hyperkaliémie

Le plus souvent, la kaliémie augmente à la suite d'une insuffisance rénale aiguë ou chronique, aussi lors d'acidose (▶ 18.9.2), en postopératoire ou après un traumatisme tissulaire.

Symptômes Sensation de fourmillements, paralysie, troubles du rythme pouvant aller jusqu'à l'arrêt cardiaque (▶ 13.5.6).

Traitement Les hyperkaliémies représentant une menace vitale sont traitées en soins intensifs par diurèse forcée, éventuellement par dialyse.

18.8.4 Troubles de l'équilibre calcique ou magnésien

Régulation hormonale de la calcémie

▶ 10.5.

18

Excrétion phosphocalcique

La réabsorption de calcium et de phosphate dans le tubule proximal est régulée hormonalement par :

- la **parathormone** (▶ 10.5.1) produite par les glandes parathyroïdes : inhibe la réabsorption du phosphate au niveau rénal et favorise son excrétion → ↓ phosphatémie. En même temps la PTH intensifie la réabsorption du calcium → ↑ calcémie ;
- la **calcitonine** synthétisée par les cellules C thyroïdiennes : inhibe la réabsorption du calcium au niveau rénal (▶ 10.5.3).

Hypocalcémie

↓ de la calcémie.

Causes Trouble hormonal (par exemple carence en vitamine D, carence en PTH) ou tumeur hormonalement active, origine médicamenteuse.

Conséquences à long terme L'hypocalcémie prolongée non traitée (par exemple lors d'insuffisance rénale, de carence en PTH) a un effet sur la teneur en minéraux des os → les os deviennent cassants et apparaissent de plus en plus radiotransparents sur les radiographies → déminéralisation osseuse et déformations squelettiques (**ostéomalacie**).

Traitement En cas d'hypocalcémie chronique, entre autres, régime riche en calcium.

18.9 Équilibre acidobasique

18.9.1 Maintien du pH sanguin

- Le **pH sanguin** est légèrement alcalin chez un individu en bonne santé, avec une valeur de **7,40**. Toutes les réactions métaboliques dépendent du pH (les enzymes impliquées fonctionnent uniquement pour certains intervalles optimaux de pH, ▶ 2.9.1) → l'organisme doit maintenir le pH sanguin constant et dans un intervalle étroit de 7,36 à 7,44.

REMARQUE

Anomalies du pH

Acidose : pH < 7,36.
Alcalose : pH > 7,44.
Le maintien d'un pH normal est permis par des systèmes tampon, la respiration et les reins.

- D'un point de vue métabolique, environ 50 mmol d'acides non volatiles sont produites quotidiennement (par exemple acide citrique, acide phosphorique) et, de ce fait, des ions $\mathbf{H^+}$ sont produits → élimination par les reins. La plus grande partie des ions H^+ excrétés par les reins est sous forme liée à des substances tampon contenues dans l'urine, en particulier à $\mathbf{NH_3}$ ($NH_3 + H^+ \rightarrow NH_4^+$) et aux **phosphates** (▶ 2.7.4) → le pH des urines est proche de 6.
- Si des métabolites alcalins se retrouvent en grande quantité dans le sang, les reins peuvent également éliminer les ions $\mathbf{OH^-}$ excédentaires dans les urines → le pH urinaire augmente alors en conséquence.
- Au niveau du sang, les fluctuations du pH peuvent être amorties par différents **systèmes tampon** : des **tampons protéiques** (hémoglobine, protéines plasmatiques) et le **système acide carbonique-bicarbonates** (▶ 2.7.4). Ce dernier ($CO_2 + H_2O \leftrightarrow H_2CO_3 \leftrightarrow H^+ + HCO_3^-$) est le plus important, car il est en relation à la fois avec les poumons et avec les reins.

18.9.2 Acidose

Acidose métabolique

- Excédent d'ions H^+ → **acidose métabolique** (métabolique parce que d'origine métabolique : acidocétose diabétique, choc, insuffisance rénale, diarrhée).

- La forme la plus fréquente est l'acidocétose diabétique : (▶ 10.7.3) déficit en insuline → obtention de l'énergie par la combustion des acides gras (**lipolyse**). Formation de corps cétoniques → acidification du sang.

NOTION MÉDICALE

« Contre-régulation »

L'accumulation d'acides dans le sang → ↑ réflexe respiratoire. Plus il y a de valence acide dans l'organisme, plus il faut que des ions H^+ soient tamponnés par les bicarbonates (par liaison) et, de ce fait, plus il y aura de CO_2 expiré → **respiration de Kussmaul,** profonde et rapide. Le renforcement de l'expiration de CO_2 (et de ce fait des ions H^+) est l'un des principaux mécanismes entrant en jeu lors d'acidose métabolique. L'**acidose est dite compensée (compensation respiratoire)** si l'hyperventilation ramène le pH dans l'intervalle de normalité (remontée du pH). Finalement, pour que le trouble puisse être supprimé, il est nécessaire qu'une plus grande quantité d'ions H^+ soit éliminée par les reins :

- excrétion d'ions H^+ en échange du sodium ou du potassium ;
- l'ammoniac (NH_3, issu de l'augmentation de la dégradation des acides aminés) → se lie aux ions H^+ → il se forme de l'ammonium (NH_4^+) → excrétion par les tubules rénaux ;
- augmentation de la liaison des ions H^+ par les tampons phosphates.

Si **l'acidose** ne peut pas être compensée, elle est dite alors **décompensée** → indispensable de fournir des soins intensifs (réanimation).

Acidose respiratoire

- ↓ expiration de CO_2 → le CO_2 ainsi que les bicarbonates et les ions H^+ s'accumulent dans l'organisme. Exemples : trouble pulmonaire fonctionnel (▶ 15.11), dépression respiratoire d'origine médicamenteuse (opioïdes ▶ 9.3.3).
- Dans les cas marqués : cyanose (lèvres bleues ▶ 15.9.4), étourdissements, selon la cause dyspnée.
- Compensation : les reins excrètent une plus grande quantité d'ions H^+.
- Traitement : soutien respiratoire ; si le pH < 7,2 : soins intensifs (en réanimation) et ventilation assistée.

18.9.3 Alcalose

Alcalose métabolique

- Élévation du pH.
- Causes : par exemple perte d'ions chlorures et d'ions hydrogène lors de vomissements ou d'aspiration gastrique, traitement par des diurétiques.
- Par une hypoventilation, l'organisme peut chercher à conserver le gaz carbonique (hypercapnie) (**compensation respiratoire**), mais le débit ventilatoire ne peut être réduit à volonté. Les reins peuvent renforcer

l'excrétion de bicarbonates et réduire celle des ions H^+. La correction des troubles électrolytiques importants sous-jacents est en règle générale à la base des soins intensifs (réanimation).

Alcalose respiratoire

- Lors d'hyperstimulation du centre respiratoire, l'inspiration comme l'expiration sont trop importantes → ↑ expiration de CO_2 → ↑ pH → **alcalose respiratoire.**
- Le plus souvent, l'origine est psychosomatique (par exemple angoisse des examens, hyperventilation psychogène ▶ 15.8.5), mais elle peut s'observer également lors de fièvre, de traumatisme crânien, de méningite, d'encéphalite (▶ 8.11.1), de sepsis ou de cirrhose hépatique.
- Chez les femmes enceintes, l'hyperventilation est normale (alcalose respiratoire compensée).
- Dans les cas chroniques : contre-régulation par les reins → ↓ excrétion d'ions H^+ dans le système tubulaire, ↑ excrétion des bicarbonates.

REMARQUE

Compensation

L'organisme cherche à compenser un trouble métabolique primaire par voie respiratoire (par les poumons) et un trouble respiratoire primaire par voie métabolique (par les reins).

19 Organes génitaux et sexualité

19.1 Rôles des organes génitaux et des caractères sexuels

Les organes génitaux sont soit internes soit externes (▶ 19.2.1, ▶ 19.3.1).

- **Organes génitaux internes** (organes sexuels internes) :
  - production des **cellules germinales** (gamètes), c'est-à-dire les ovules et les spermatozoïdes;
  - production des **hormones sexuelles** → différenciation, maturation et fonction des gamètes, développement des caractères sexuels, influence le comportement;
  - production de **sécrétions** → faculté de glissement des organes génitaux, création d'un milieu optimal pour le transport et la réunion des gamètes;
  - organes permettant la grossesse et l'accouchement chez la ♀.
- **Organes génitaux externes** (organes sexuels externes) permettent l'union sexuelle (rapports sexuels, coït).

NOTION MÉDICALE

Phénotype sexuel (▶ 3.10.1)

L'apparence extérieure féminine ou masculine est déterminée par différents facteurs :

- au moment de la fécondation, le **sexe chromosomique ou génétique** (génotype XX ou XY) est fixé par l'intermédiaire des **chromosomes sexuels** (gonosomes ▶ 3.10.2) → détermine si les gonades, non différenciées au départ, se différencieront ultérieurement dans une direction masculine ou féminine;
- les **caractères sexuels primaires** se forment ensuite sous l'influence des hormones synthétisées par les **gonades** (maintenant différenciées, portant aussi le nom d'ovaires et de testicules). Ces caractères primaires correspondent aux organes génitaux qui sont directement indispensables à la reproduction (pénis, testicules, épididymes, voies spermatiques; ovaires, oviductes, utérus, vagin) → déjà présents au moment de la naissance;
- après l'enfance, une augmentation de la production hormonale conduit au déclenchement de la puberté s'accompagnant du développement des **caractères sexuels secondaires** (poils pubiens et axillaires, poussée de la barbe chez l'♂, poussée des seins chez la ♀).

19.2 Organes génitaux de l'homme (masculins)

19.2.1 Généralités

- **Organes génitaux internes :**
  - testicule (pair);
  - épididyme;
  - conduit déférent (vas deferens) situé à l'intérieur du cordon spermatique (ou testiculaire);
  - glandes sexuelles accessoires : la prostate, les vésicules séminales et les glandes bulbo-urétrales (de Cowper).
- **Organes génitaux externes :**
  - pénis dans lequel passent les voies urinaires et spermatiques sous la forme d'un seul conduit;
  - scrotum.

19.2.2 Testicule et scrotum

Testicules : organe pair suspendu de façon élastique dans le scrotum, plus grand diamètre presque 5 cm. Les testicules ont une consistance ferme; le scrotum est traversé de tissu conjonctif lâche. L'épididyme est situé au-dessus et dorsalement au testicule (▶ fig. 19.1, ▶ fig. 19.2).

Migration (descente) des testicules

- Chez l'embryon, les testicules se développent tout d'abord au niveau de la paroi lombale dorsale à hauteur de la dernière vertèbre lombale. À partir du troisième mois de la grossesse, les testicules migrent vers le bas (**descente testiculaire, migration testiculaire**).

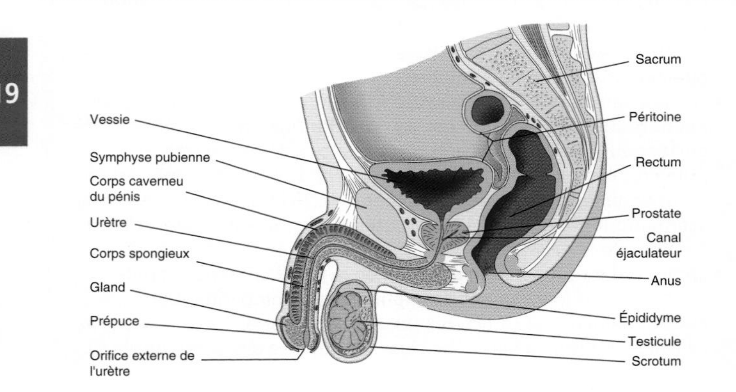

Fig. 19.1 Coupe sagittale des organes urinaires et génitaux de l'homme.

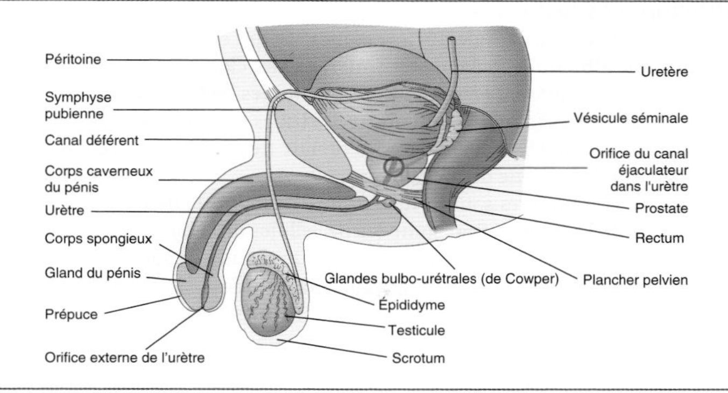

Fig. 19.2 Vue latérale du trajet des voies spermatiques excrétrices.

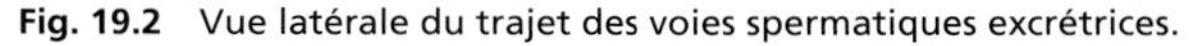

NOTION MÉDICALE

Cryptorchidie

Anomalie de la migration des testicules : l'absence de migration physiologique → risques de lésions testiculaires irréversibles : diminution de la fertilité, augmentation du risque de tumeurs testiculaires malignes. Traitement : au cours de la première année de vie (hormonothérapie ou intervention chirurgicale).

- Simultanément, le péritoine s'évagine bilatéralement en direction de la paroi abdominale ventrale (▶ 16.1.3, ▶ fig. 6.17) pour entrer dans les canaux inguinaux (▶ fig. 6.19) et s'allonger en direction de ce qui deviendra ultérieurement le scrotum, formant ainsi le **processus vaginal.**
- Jusqu'au 7e mois de la grossesse, les testicules restent au niveau inguinal, puis migrent dans le scrotum en emmenant avec eux leur vascularisation et leur innervation → ces derniers forment le **cordon spermatique ou testiculaire**.
- Après la migration, la lumière du processus vaginal s'oblitère dans la région du cordon spermatique. Il persiste une **tunique vaginale** (enveloppe séreuse du testicule), qui recouvre les testicules et entoure la **cavité vaginale du testicule**.

REMARQUE

Au niveau du scrotum, les testicules échappent à la température corporelle régnant dans la cavité abdominale. La température centrale du corps ne permet pas la maturation des spermatozoïdes !

Structure des testicules

- Grossièrement, la capsule de tissu conjonctif qui entoure les testicules (**tunique albuginée**) envoie vers l'intérieur des cloisons formées de tissu conjonctif → divisent le testicule en 250 **lobules testiculaires** environ (▶ fig. 19.3). Ces lobules contiennent des **tubes séminifères** très contournés qui débouchent dans les canaux très ramifiés du **rete testis** au niveau de la partie dorsale du testicule.
- Les tubes séminifères sont formés d'une enveloppe de tissu conjonctif et d'un **épithélium germinal** composé de cellules de la lignée germinale aux différents stades de maturation ainsi que de cellules de soutien, les cellules de Sertoli (▶ fig. 19.4). Les **spermatozoïdes** sont formés à partir de précurseurs issus des cellules germinales (▶ 19.2.4).
- Les cellules de Sertoli sont très importantes pour la spermatogenèse → fonctions de soutien et de nutrition, phagocytose des spermatozoïdes et des précurseurs inadaptés, formation de la **barrière hémato-testiculaire :** les cellules de Sertoli empêchent le contact direct entre le sang et les spermatozoïdes en phase de maturation et donc leur destruction par le système immunitaire (▶ 12).
- Entre les tubes séminifères et les vaisseaux se trouvent les **cellules de Leydig** → production de la testostérone, hormone sexuelle masculine.

19.2.3 Hormones sexuelles masculines

Déclenchement de la puberté → sécrétion pulsatile de GnRH (▶ 10.2.1) → libération de FSH et LH par l'antéhypophyse. Ces sécrétions persistent toute la vie chez les ♂.

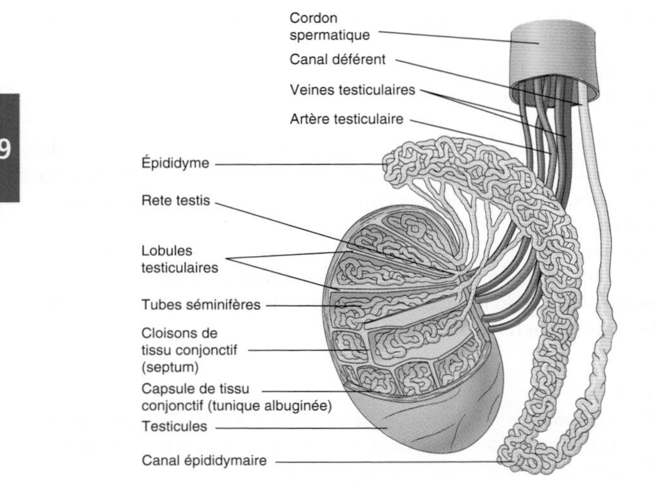

Fig. 19.3 Testicule, épididyme et début des voies spermatiques.

- **FSH** agit sur les cellules de Sertoli → stimule la **maturation des spermatozoïdes.**
- **LH** agit sur les cellules de Leydig → synthèse et libération de **testostérone.**

REMARQUE

- La **testostérone** est l'hormone sexuelle « mâle » typique ; elle fait partie du groupe des **androgènes** (▶ 10.6.1), faisant eux-mêmes partie des hormones stéroïdiennes (▶ tableau 10.2).
- La **dihydrotestostérone** représente la forme de la testostérone la plus active biologiquement : elle est souvent plus active que la testostérone elle-même.

Action des androgènes

Chez l'homme, les androgènes ont différentes activités :

- différenciation et développement sexuel ;
- croissance des testicules et du pénis à la puberté ;
- développement des caractères sexuels secondaires (mue, poussée de la barbe, pilosité) ;
- déclenchement et stimulation de la libido ;
- spermatogenèse (en relation avec FSH, LH et les cellules de Sertoli) ;
- effet anabolique : ↑ synthèse protéique → croissance musculaire et osseuse ;
- stimulation de l'hématopoïèse (plus d'Hb que chez la ♀) ;
- énergie, agressivité ;
- lors de prédisposition héréditaire : alopécie androgénique (▶ 10.6.1).

19.2.4 Spermatogenèse

La **spermatogenèse** représente le développement de spermatozoïdes matures et fécondants à partir de précurseurs immatures. Elle dure environ 70–80 jours. Les premières étapes se déroulent à la périphérie des tubes séminifères au niveau de la paroi ; les stades terminaux se déroulent à proximité de la lumière des tubes séminifères (▶ fig. 19.4).

La spermatogenèse s'organise en plusieurs **phases :**

- **spermatogonies :** issues des cellules germinales primordiales, elles se divisent à partir de la puberté pour donner plusieurs millions de spermatocytes primaires (ou **spermatocytes I**). La réplication de leur ADN → 46 chromosomes avec 4 chromatides (cellules diploïdes, ADN total = 4n) ;
- les spermatocytes I entrent dans la **1re division méiotique** (▶ 3.12.2) → **spermatocytes II** (ou secondaires) ayant chacun 23 chromosomes formés de 2 chromatides (cellules haploïdes, ADN total = 2n) ;
- ensuite, **2e division méiotique** → répartition des chromatides → il se forme des **spermatides** comportant 23 chromosomes sous forme d'un « seul exemplaire » (ADN total = 1n) → l'union du spermatozoïde et de l'ovule, permet de reformer un « **jeu complet normal** » **de chromosomes diploïdes** ;
- phase de différenciation (**spermiogenèse**) : transformation et maturation des spermatides en **spermatozoïdes** mobiles et fécondants.

19

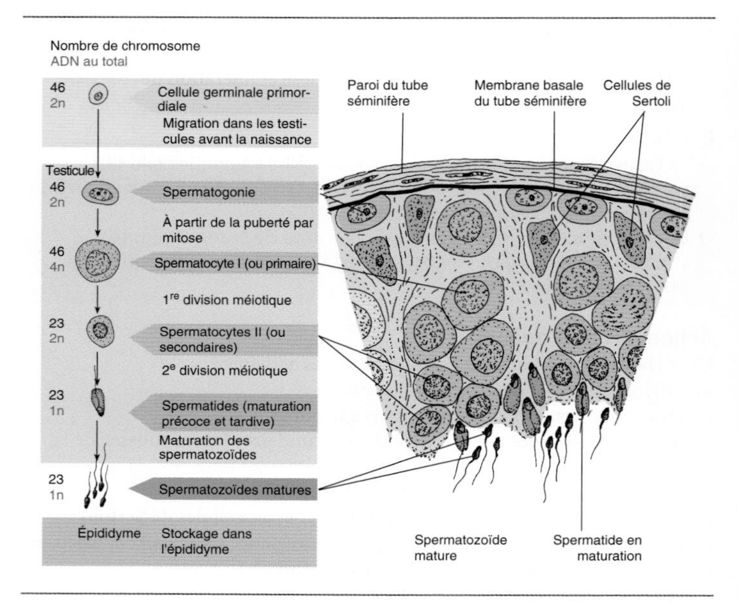

Fig. 19.4 À gauche : schéma de la formation des gamètes mâles (spermatogenèse). À droite : représentation de la disposition dans l'espace à l'intérieur des tubes séminifères.

Spermatozoïdes

Le spermatozoïde mesure 60 µm de long; il est formé des segments suivants (▶ fig. 19.5) :

- tête : contient le jeu de chromosomes ainsi qu'une coiffe externe, l'**acrosome** → dérivé du lysosome (▶ 3.5.5); il joue un rôle important dans l'entrée du spermatozoïde dans l'ovule;
- col (collet) : relie la tête à la pièce intermédiaire;

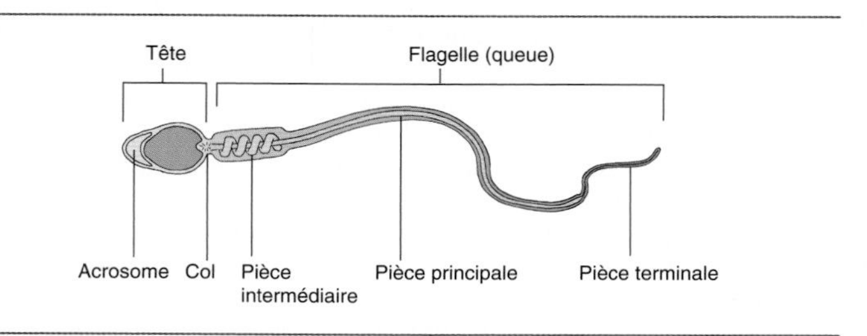

Fig. 19.5 Schématisation d'un spermatozoïde.

19

- pièce intermédiaire : renferme de très nombreuses mitochondries → fournissent l'énergie pour les mouvements ;
- pièce principale ;
- pièce terminale.

Le col, la pièce intermédiaire, la pièce principale et la pièce terminale forment le **flagelle (queue)** du spermatozoïde. Le spermatozoïde (presque prêt) migre par le rete testis dans l'épididyme.

NOTION MÉDICALE

Sperme

Le **sperme** (éjaculat) est composé des spermatozoïdes ainsi que de sécrétions issues de l'épididyme, des vésicules séminales, de la prostate et des glandes bulbo-urétrales (formant le **liquide séminal**).

Sperme :

- légèrement alcalin (pH environ 7,3) → lors du rapport sexuel, il neutralise pendant quelques minutes le pH acide du vagin → protège les spermatozoïdes ;
- contient des enzymes (activent les spermatozoïdes qui sont encore presque immobiles dans l'épididyme). Il est aussi riche en fructose, source d'énergie permettant les mouvements des spermatozoïdes ;
- est éliminé lors de l'éjaculation déclenchée par le SNA (▶ 19.5.1). Quantité : 2–6 ml, dont 90 % de liquide séminal, 10 % de spermatozoïdes (environ 70 à > 600 millions).

19.2.5 Voies spermatiques

Les voies spermatiques sont formées de l'épididyme et du canal déférent (▶ fig. 19.2, ▶ fig. 19.3).

Épididyme

- L'**épididyme** est un système de conduits dans lequel s'effectue la maturation terminale et le stockage des spermatozoïdes. Une douzaine de canaux efférents partent du rete testis (▶ fig. 19.3) pour former la tête de l'épididyme ; ils se réunissent ensuite pour former le canal épididymaire.
- Le **canal épididymaire** mesure environ 5 m et forme la partie principale de l'épididyme. C'est dans ce canal que les spermatozoïdes finissent leur maturation, sont sélectionnés, stockés et enrichis en sécrétions qui empêchent leur mobilité trop précoce.

Canal déférent

- Le canal épididymaire se continue par le **canal déférent** sans limite véritablement visible → ce dernier mesure environ 50 cm de long, s'étire dans le cordon spermatique jusque dans la cavité abdominale en traversant le canal inguinal, amenant avec lui des vaisseaux et des nerfs.
- Il longe la paroi du petit pelvis et atteint, en décrivant une courbe, la paroi latérale inférieure de la vessie puis se continue par le **canal éjaculateur**. Celui-ci traverse la prostate (▶ 19.2.6) et s'abouche au niveau de l'urètre.

- L'**urètre** chez l'homme appartient donc tout à la fois aux voies urinaire et génitale.
- La paroi des voies spermatiques contient une couche musculaire lisse épaisse qui, par ses contractions, projette le sperme dans l'urètre lors de l'éjaculation.

19.2.6 Glandes sexuelles accessoires

- **Vésicules séminales** : à la base de la vessie, libèrent des sécrétions alcalines riches en fructose dans le canal éjaculateur.
- **Glandes bulbo-urétrales ou de Cowper :** dans la région du plancher pelvien.
- **Prostate :** taille d'une châtaigne, située entre la face inférieure de la vessie et les muscles du plancher pelvien, entoure l'urètre. Formée d'environ 40 glandes individuelles qui produisent une sécrétion liquide trouble → responsable de l'odeur caractéristique du sperme, contient un très grand nombre d'enzymes, représente la majeure partie du sperme.

Affections prostatiques

Hypertrophie bénigne de la prostate

Chez environ 60 % des ♂, un syndrome prostatique se développe à partir de l'âge de 55 ans environ ; il est lié à une **hyperplasie (hypertrophie) bénigne de la prostate (HBP** [▶ 1.3.2], hyperplasie des canaux glandulaires, des muscles et du tissu conjonctif de la prostate), probablement provoquée par un déséquilibre hormonal, lié à l'âge, entre les androgènes et les œstrogènes.

Symptômes HBP → rétrécissement de l'urètre → faiblesse du jet urinaire, mictions plus fréquentes. La force de contraction de la vessie ne dure plus suffisamment longtemps pour permettre une vidange complète de la vessie du fait du rétrécissement de plus en plus important de l'urètre → accumulation de résidus d'urine (favorise les infections urinaires ▶ 18.5.5). Sans traitement, l'obstruction totale de l'orifice urétral interne est possible.

Carcinome prostatique

Correspond à environ 25 % de l'ensemble des nouveaux cas de cancer → tumeur maligne la plus fréquente chez l'♂ (▶ fig. 1.3).

Apparaît dans 75 % des cas dans la région dorsale de la glande, éloignée de la vessie → reste longtemps sans symptômes. Les symptômes, semblables à ceux de l'HBP, n'apparaissent que tardivement.

Diagnostic Souvent, le carcinome de la prostate peut être palpé par **toucher rectal** et apparaît comme un nodule irrégulier, dur, difficilement mobilisable. L'examen de dépistage le plus précoce est le dosage au niveau sanguin des **antigènes spécifiques de la prostate** (PSA pour *prostate specific antigen*) dont le taux augmente lors de carcinome (« limite » = 4 ng/ml). Toutefois, un taux supérieur à la « normale » peut également avoir d'autres causes.

Traitement Comme une partie des carcinomes prostatiques ne croissent que lentement et n'impactent pas l'espérance de vie, il existe plusieurs modalités thérapeutiques en fonction de la taille, des résultats histologiques, de l'âge et de l'état général du patient. Chez les patients âgés de moins de 70 ans, l'ablation radicale de la prostate est le plus souvent conseillée (**prostatectomie**). Alternativement, la radiothérapie ou un traitement hormonal peuvent être envisagés ; la croissance de nombreux carcinomes prostatiques étant stimulée par les hormones sexuelles masculines → traitement par des **anti-androgènes**. Un traitement n'est pas toujours conseillé.

19.2.7 Organes sexuels externes masculins et urètre de l'homme

Pénis (verge) : formé du **corps du pénis** et du **gland,** il est recouvert d'une peau élastique qui se replie pour couvrir le gland (**prépuce**).
Le corps est composé de deux sortes de **tissus érectiles** chacun inclus dans la tunique albuginée (▶ fig. 19.6) :

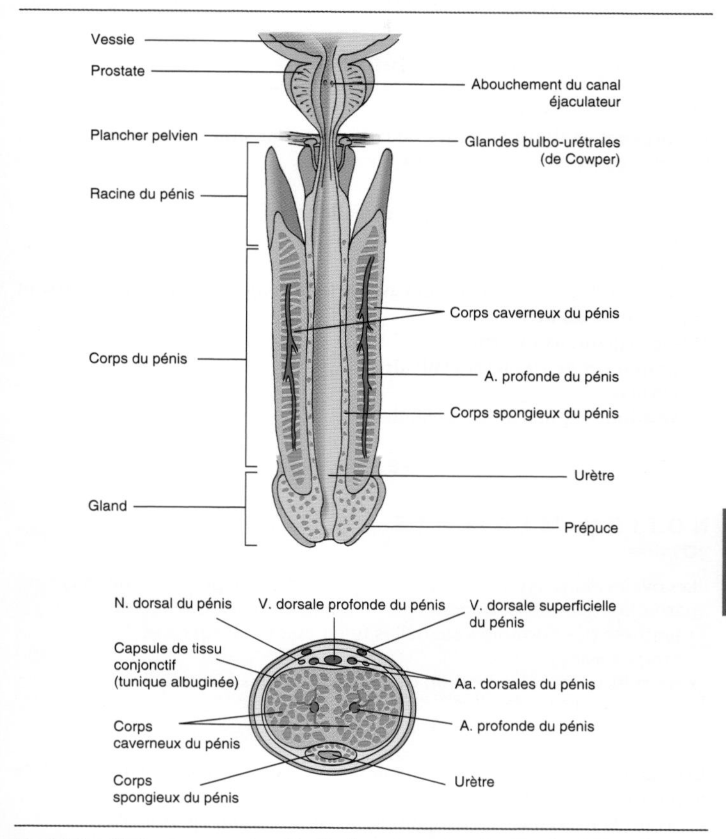

Fig. 19.6 Pénis en coupes longitudinale et transversale. Les tissus érectiles sont traversés de cavités qui se remplissent de sang lors de l'excitation sexuelle. Comme la capsule de tissu conjonctif du corps spongieux est plus fine que celle du corps caverneux, elle ne se raidit pas autant pendant l'érection → l'urètre n'est pas totalement obstrué.

19

- les **corps caverneux** (pairs) permettent l'**érection** (redressement du pénis) : leur tissu spongieux se remplit totalement de sang par le biais de la dilatation des artérioles sous l'influence du système nerveux sympathique et du ralentissement simultané du drainage veineux. Le NO (monoxyde d'azote) joue ici un rôle très important → active la guanylate cyclase → ↑ concentration de guanosine monophosphate cyclique (GMPc) → relâchement des muscles lisses vasculaires, augmentation de l'afflux sanguin (▶ 19.5.1) ;
- le **corps spongieux :** situé à la face inférieure, il se termine au niveau du gland. À l'intérieur chemine l'**urètre** sur environ 20 cm.

19.3 Organes génitaux féminins

19.3.1 Généralités

Les **organes génitaux internes** de la femme sont situés dans le petit pelvis, bien protégés (▶ fig. 19.7 ; ▶ fig. 19.8) :

- **ovaires ;**
- **trompes utérines (ou trompes de Fallope) ;**
- **utérus ;**
- **vagin.**

Les ovaires et les trompes utérines avec le tissu conjonctif qui les entoure sont appelés **annexes utérines.**

Organes génitaux externes :

- **grandes et petites lèvres vulvaires ;**
- **clitoris ;**
- **vestibule vaginal** avec les glandes.

19.3.2 Ovaires et ovogenèse

NOTION MÉDICALE

Ovaires

Les ovaires sont des organes pairs, de la taille d'une prune, suspendus aux parois latérales du petit pelvis par un ligament élastique. Rôles :

- synthèse des **hormones sexuelles** féminines (œstrogène et progestérone) ;
- fournissent tous les mois un ou plusieurs ovules fécondables.

L'**ovogenèse** (formation des ovules) est exceptionnellement complexe (▶ fig. 19.9, ▶ fig. 3.24) :

- **avant la naissance,** les **ovogonies,** issues des cellules germinales primordiales, se divisent par mitose. La majeure partie de ces ovogonies dégénèrent avant la naissance ;
- les ovogonies restantes entrent dans la prophase de la **1re division méiotique** (▶ 3.12.2) et sont appelées maintenant des **ovocytes primaires** ou **ovocytes I.**

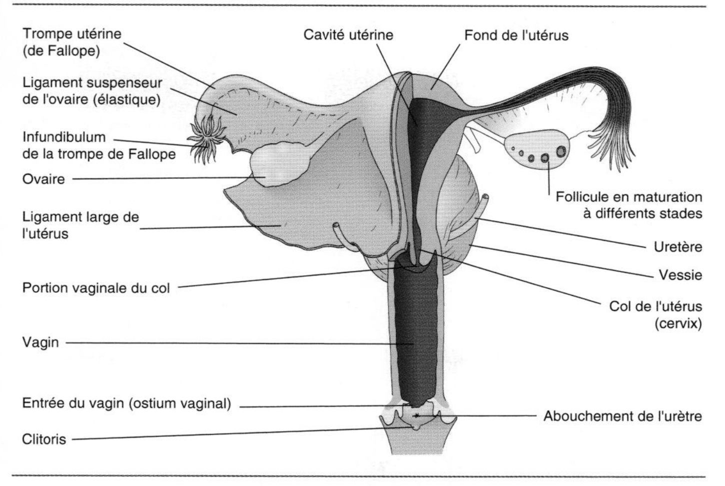

Fig. 19.7 Organes génitaux féminins, vue dorsale (en partie coupés).

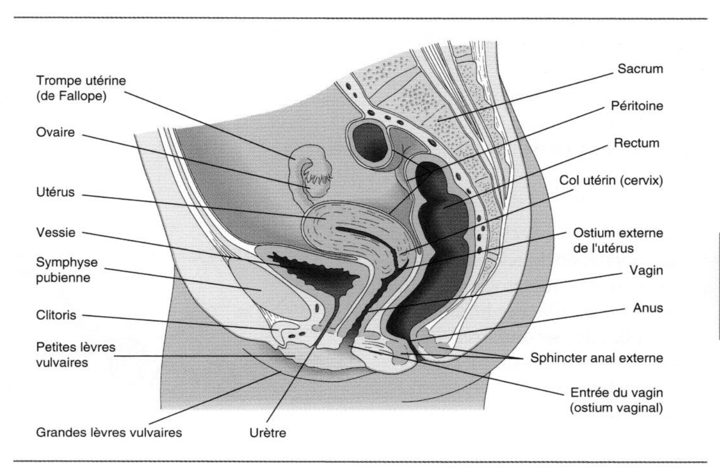

Fig. 19.8 Organes génitaux féminins, coupe sagittale.

Ces ovocytes primaires restent dans le cortex ovarien **sans** terminer la première division méiotique qu'ils avaient commencée, et ce au moins jusqu'à la puberté et au plus tard jusqu'à la ménopause. Pendant cette période, les ovocytes sont entourés d'un **épithélium folliculaire** (l'ensemble forme le **follicule primordial** devenant ensuite le follicule primaire). Au moment de la naissance, chaque ovaire contient environ 400000 follicules primordiaux;

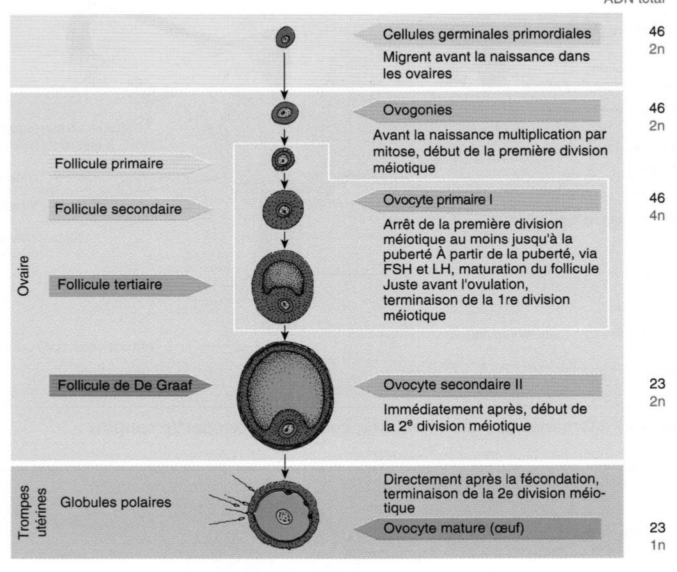

Fig. 19.9 Schéma de l'ovogenèse chez la femme.

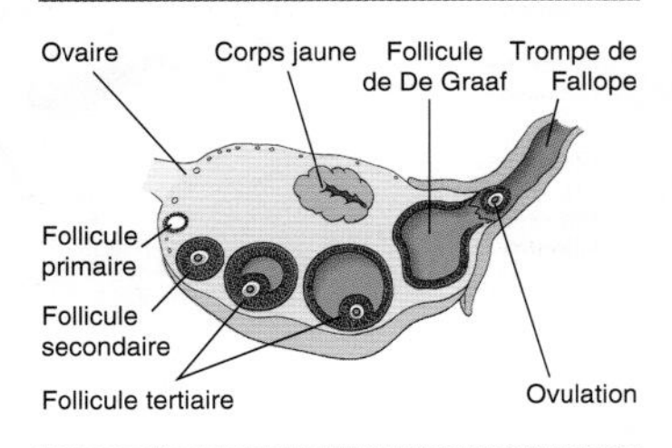

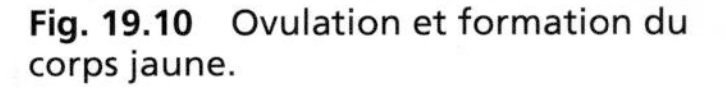
Fig. 19.10 Ovulation et formation du corps jaune.

- au moment du déclenchement de la puberté, quelques follicules primaires se différencient chaque mois, sous influence hormonale, en **follicules secondaires** (▶ fig. 19.10). Ces derniers sont caractérisés par un épithélium folliculaire pluristratifié, une **zone pellucide** composée de glycoprotéines et une **thèque folliculaire** produisant des hormones. Si le follicule continue de croître, il se transforme en **follicule tertiaire** pouvant mesurer 1 cm.
- les follicules tertiaires peuvent soit dégénérer, soit se transformer en un **follicule de De Graaf** contenant un ovule mature (▶ fig. 19.10). Juste avant l'ovulation, l'ovocyte primaire termine la première division

méiotique → **ovocyte secondaire ou II,** qui contient l'ensemble du cytoplasme de la cellule mère et un petit **globule polaire,** qui sera expulsé. Pendant qu'il est encore dans le follicule, l'ovocyte II (secondaire) commence la **2e division méiotique** sans la terminer dans un premier temps;
- au milieu du cycle menstruel, un ovocyte est «expulsé» à chaque fois de son follicule de De Graaf (**ovulation**). Cette ovulation est déclenchée par une brève augmentation (pic) de LH;
- après l'ovulation, l'ovocyte, qui reste fécondable pendant quelques heures, entre dans la trompe de Fallope puis est transporté le long de celle-ci par le mouvement des cils et les contractions de la trompe utérine;
- immédiatement après la fécondation, la 2e division de la méiose se termine (▶ 3.12.2) → ovule mature (**œuf**) avec un deuxième globule polaire;
- le follicule de De Graaf «vide» se transforme en **corps jaune** (corpus luteum) sécrétant de la progestérone.

19.3.3 Trompes utérines (de Fallope)

- **Trompes utérines (de Fallope)** (▶ fig. 19.7) : organes pairs, 10–17 cm long, partant de chaque extrémité supérieure de l'utérus et s'étirant de chaque côté jusqu'à la proximité immédiate de l'ovaire.
- La partie proche de l'ovaire, ouverte sur la cavité abdominale, est élargie en forme de cornet (**infundibulum**) et recueille l'ovocyte après l'ovulation. La paroi des trompes utérines est formée d'une muqueuse fortement plissée et d'une fine couche musculaire → transport actif de l'ovule en direction de l'utérus par mouvements péristaltiques et mouvements des cils.

19.3.4 Utérus

Utérus (▶ fig. 19.7) :
- le **corps de l'utérus** (partie supérieure élargie) est formé d'un muscle lisse puissant. À l'intérieur se trouve la **cavité utérine**, dont la paroi est tapissée d'une muqueuse (**endomètre**). Pendant la grossesse, l'utérus sert de «cocon» pour le fœtus et participe à la formation du **placenta** (▶ fig. 20.5). Le muscle utérin s'adapte aux besoins grâce à sa capacité extraordinaire de croissance → le poids d'un utérus mature est d'environ 50 g; au moment de l'accouchement, il avoisine 1000 g.

NOTION MÉDICALE

Myome (fibrome) utérin

Tumeur bénigne, se développant à partir des muscles lisses de l'utérus (tumeur mésenchymateuse ▶ 1.7.2). Près de 20 % des ♀ > 30 ans sont porteuses d'un myome utérin.

Symptôme N'apparaissent que chez une partie des ♀. Règles plus abondantes et prolongées, accompagnées de douleurs se déclenchant par

vagues, anémie. Déplacement des organes voisins → possible sensation de pesanteur, constipation, troubles de la vidange vésicale.
Traitement Éventuellement ablation chirurgicale du myome (**myomectomie**) ou de l'utérus (**hystérectomie**).
La croissance des myomes est sous la dépendance des œstrogènes → souvent régression autonome au moment de la ménopause (▶ 19.3.8).

- **Col utérin** (cervix, partie inférieure plus étroite) : la partie qui pénètre dans le vagin est appelée la **portion vaginale du col.** La zone de transition, entre le corps et le col, correspond à un rétrécissement de l'utérus et porte le nom d'**isthme de l'utérus**. Le col utérin est formé d'un tissu conjonctif dense et d'un muscle lisse. Le canal endocervical présente deux orifices : celui reliant le col à l'utérus → **ostium (orifice) interne ;** celui reliant la portion vaginale du col → **ostium (orifice) externe.**

Les glandes de la muqueuse du col sécrètent un mucus visqueux (glaires cervicales) → obstruction de la cavité utérine, protection vis-à-vis des germes vaginaux. Pendant les jours fertiles (c'est-à-dire où la fécondation est possible) et pendant les règles, ces glaires cervicales deviennent moins épaisses et le canal endocervical s'ouvre de quelques millimètres.

NOTION MÉDICALE

Carcinome du col

Le **cancer du col de l'utérus** représente en France la 7e cause de cancer avec 3500 nouveaux cas par an.

- Âge moyen de développement du cancer : 51 ans.
- **Cause :** principalement d'origine infectieuse par la transmission de certains papillomavirus au moment des rapports sexuels. Chez la majorité des femmes infectées, le virus est éliminé; chez une petite proportion d'entre elles, il entraîne un dégénérescence de l'épithélium cervical.
- Il se développe d'abord une **dysplasie** (modification réversible des cellules s'accompagnant d'un trouble de la différenciation cellulaire), puis un **carcinome *in situ*** (CiS ▶ 4.2.1) et enfin un **cancer invasif du col utérin.**
- **Prévention-dépistage :** examen cytologique d'un frottis (▶ 19.3.6).

Structure de la paroi

L'utérus est formé de trois couches (▶ fig. 19.11) :

- couche séreuse externe : **péritoine** (appelé périmétrium à ce niveau);
- couche musculeuse intermédiaire : couche épaisse formée d'un muscle lisse (**myomètre**);
- couche muqueuse interne : l'**endomètre**, avec une lame basale au contact du myomètre (**membrane basale**) et une **couche fonctionnelle** superficielle.

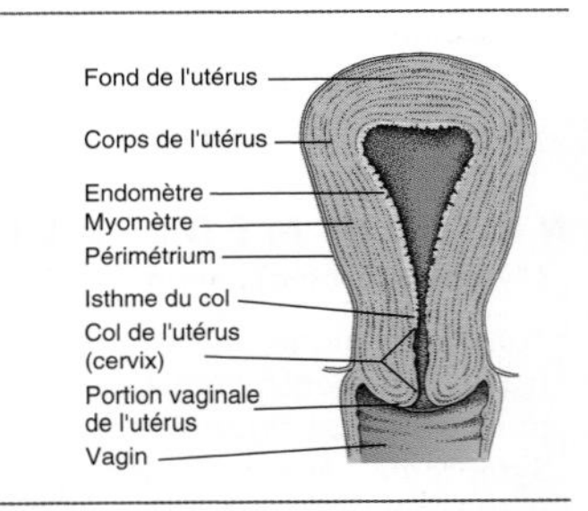

Fig. 19.11 Utérus, coupe longitudinale.

L'endomètre se prépare au cours du cycle menstruel à la nidation d'un embryon. En l'absence de fécondation, la couche fonctionnelle de l'endomètre est éliminée pendant les règles (▶ 19.3.8).

NOTION MÉDICALE

Endométriose

Apparition d'un tissu endométrial en dehors de la cavité utérine, le plus souvent au niveau de la cavité abdominale ou pelvienne. Environ 10 % des ♀ en âge de procréer sont atteintes. La muqueuse participe aux modifications qui surviennent pendant le cycle menstruel → pendant les règles, une inflammation, des hémorragies et des douleurs peuvent apparaître. La présence de lésions d'endométriose dans les trompes de Fallope → problèmes fréquents d'infertilité.

19.3.5 Vagin

- **Vagin :** structure tubulaire élastique mesurant 8–12 cm long, connectant l'utérus aux organes génitaux externes.
- Chez les petites filles, l'**entrée du vagin** (orifice vaginal) est fermée en grande partie par une membrane cutanée élastique, l'**hymen**. Au moment du premier rapport sexuel, cette membrane se déchire, ce qui peut s'accompagner de saignements.
- **Paroi vaginale :** épaisse de 3 mm, formée uniquement d'un épithélium pavimenteux non kératinisé, d'une fine couche sous-jacente musculaire lisse et de tissu conjonctif. Les sécrétions vaginales sont composées des sécrétions des glandes cervicales, de cellules épithéliales desquamées et de liquide ayant traversé la muqueuse vaginale (transsudat). À partir du glycogène, les cellules desquamées, aidées des lactobacilles, synthétisent des **lactates** → milieu acide typique du vagin (pH $\leq$ 4,5) → protection vis-à-vis des germes pathogènes.

19.3.6 Organes génitaux féminins externes

Lèvres vulvaires

- **Grandes lèvres vulvaires :** velues, limitent la fente vulvaire ou fente pudendale, contiennent des glandes sébacées, des glandes sudoripares et des glandes sébacées odorantes (▶ fig. 19.12).
- **Petites lèvres vulvaires :** sont souvent visibles uniquement par écartement des grandes lèvres ; plis glabres avec de très nombreuses glandes sébacées. Entre les petites lèvres se trouve le vestibule et, en avant, le clitoris.

Vestibule vaginal

- **Vestibule vaginal :** en avant s'abouche l'**urètre,** légèrement plus dorsalement l'**orifice vaginal**. Comme l'urètre de la femme est très court,

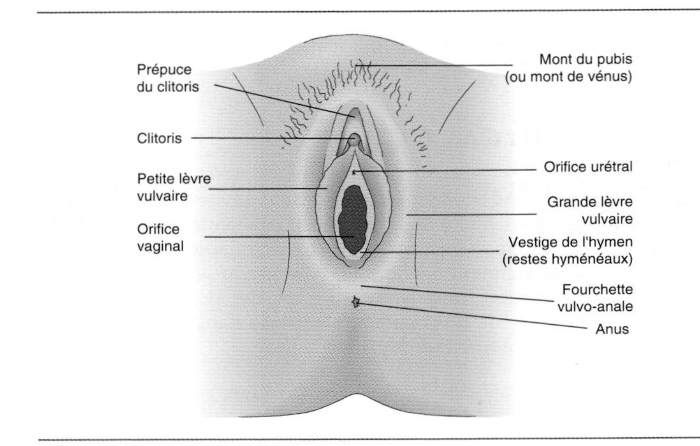

Fig. 19.12 Organes génitaux externes de la femme (vulve).

les inflammations vésicales (cystites) provoquées par des germes ascendants sont très fréquentes (▶ 18.5.5).

- **Bulbe du vestibule** (correspond au corps spongieux de l'♂), **petites glandes vestibulaires** et glandes vestibulaires majeures paires (**glandes de Bartholin**) situées dans les petites lèvres : maintiennent le vestibule vaginal humide par leurs sécrétions.

Clitoris

Clitoris : tissu érectile pouvant atteindre 3 cm de long, qui fait saillie entre les grandes lèvres vulvaires. Sa muqueuse est riche en terminaisons nerveuses sensibles. Le clitoris est **érectile** comme le corps caverneux du pénis de l'homme; cela signifie que lors d'une stimulation sexuelle, il gonfle et se redresse (▶ 19.5.1).

Vulve

Terme général englobant le mont du pubis (mont de Vénus), le **pubis**, les **grandes et petites lèvres vulvaires,** le **clitoris** et le **vestibule vaginal,** y compris les glandes et l'orifice urétral.

19.3.7 Hormones sexuelles féminines

À la puberté, les jeunes filles commencent à sécréter de la FSH et de la LH suite à la libération de GnRH (▶ 10.2.1).

- **FSH :** favorise, pendant la première moitié du cycle, la maturation des follicules jusqu'au follicule de De Graaf et l'excrétion d'œstrogènes par les ovaires.
- **LH :** provoque l'ovulation au milieu du cycle avec la FSH (▶ fig. 19.13) et la transformation du follicule de De Graaf en **corps jaune.** Celui-ci produit la progestérone, hormone du corps jaune, ainsi qu'une petite quantité d'œstrogènes.

Action des œstrogènes et de la progestérone

Les hormones sexuelles féminines ont de très nombreuses actions.

- **Œstrogènes** (principalement l'**œstrone**, l'**œstradiol** et l'**œstriol**) provoquent les effets suivants :
  - expression des caractères sexuels primaires et secondaires (par exemple le développement des seins) ;
  - maturation et sélection (« choix ») des follicules tertiaires dans l'ovaire ;
  - développement de l'endomètre, en particulier pendant la 1re moitié du cycle ;
  - adaptation de l'organisme maternel pendant la grossesse, la croissance et le développement du fœtus ;
  - formation du lait et sa sécrétion ;
  - effet anabolique ;
  - ostéogenèse et croissance osseuse ;
  - rétention d'eau dans les tissus ;
  - répartition de la graisse et de la pilosité corporelle ;
  - action sur le SNC et influence sur l'humeur et le comportement.
- **Progestérone :**
  - préparation de l'endomètre à recevoir l'œuf pendant la 2e moitié du cycle ;
  - augmentation de la température corporelle dans la 2e moitié du cycle ;
  - augmente la viscosité de la glaire cervicale ;
  - inhibe les règles après la fécondation ; pendant la grossesse, soutien de la nidation et de la croissance de l'embryon ;
  - immobilise l'utérus pendant la grossesse ;
  - prépare la lactation dans les seins.
- **Prolactine** (favorise la lactation) et **ocytocine** (permet l'éjection du lait)

19.3.8 Cycle menstruel

- Pendant les 35–40 ans qui séparent le début des saignements mensuels (**ménarche** ▶ 19.4, menstruations) de leur interruption (**ménopause**), il se produit des modifications périodiques dans la région de l'endomètre, sauf pendant la grossesse et une courte période au début de l'allaitement.
- Le cycle menstruel est sous la dépendance de la boucle de régulation hypothalamo-hypophysaire-ovaire et de leurs hormones correspondantes qui doivent fournir les conditions optimales pour la nidation d'un ovule fécondé. Parallèlement, au milieu de cette période qui dure 25 à 35 jours (**cycle menstruel**), un ovule fécondable doit être expulsé.

Phases du cycle menstruel

REMARQUE

Cycle menstruel

Durée : en moyenne 28 jours (25–35 jours) avec de faibles fluctuations. Début : le 1er jour des règles ; fin : le jour précédant l'apparition des règles suivantes.

Le cycle menstruel est divisé en quatre phases (▶ fig. 19.13) :

- **menstruations** (règles, phase de desquamation) : durent 3–7 jours. La couche fonctionnelle de l'utérus se détache en morceaux et est éliminée mélangée à 50–100 ml de sang. Ce processus est soutenu par des contractions utérines transmises par des prostaglandines, pouvant par moments être douloureuses (▶ 1.5.2). À la fin, l'utérus connaît un processus de régénération à l'intérieur de la couche fonctionnelle sous l'influence des œstrogènes qui arrête l'hémorragie ;
- **phase de prolifération** (phase folliculaire, phase œstrogénique) : du 5e au 14e jour, la couche fonctionnelle se reforme → néovascularisation, croissance glandulaire. Déclenchée par l'augmentation de la libération des œstrogènes par les nouveaux follicules ovariens en maturation (▶ 19.3.2). ↑ œstrogènes → ↑ sécrétion de LH et de FSH par l'hypophyse (rétrocontrôle positif). Aux environs du 14e jour du cycle, la forte augmentation de LH (pic de LH), déclenche l'ovulation ;
- **phase de sécrétion** (phase lutéale, phase progestative) : dure du 15e jour jusqu'à peu de temps avant les règles suivantes. Sécrétion de progestérone après l'ovulation → forte croissance et sécrétion glandulaire, stockage du glycogène → préparation de l'endomètre à recevoir un ovule fécondé (œuf). Si un ovule

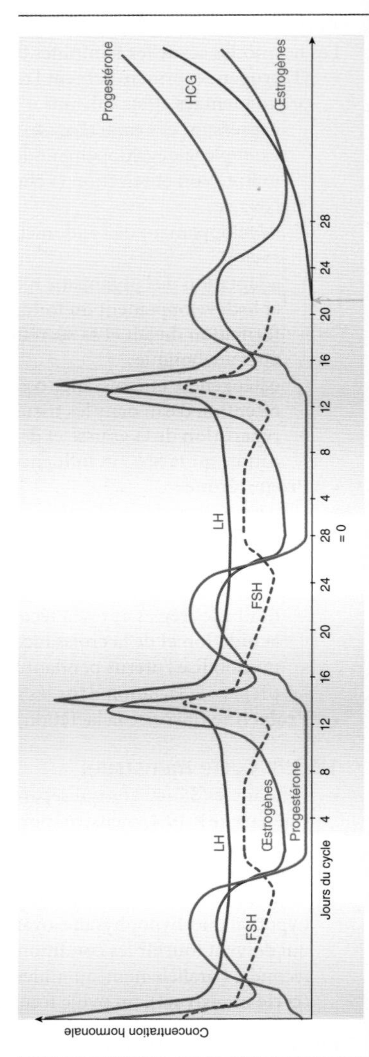

Fig. 19.13a Schéma des principales modifications hormonales…

19

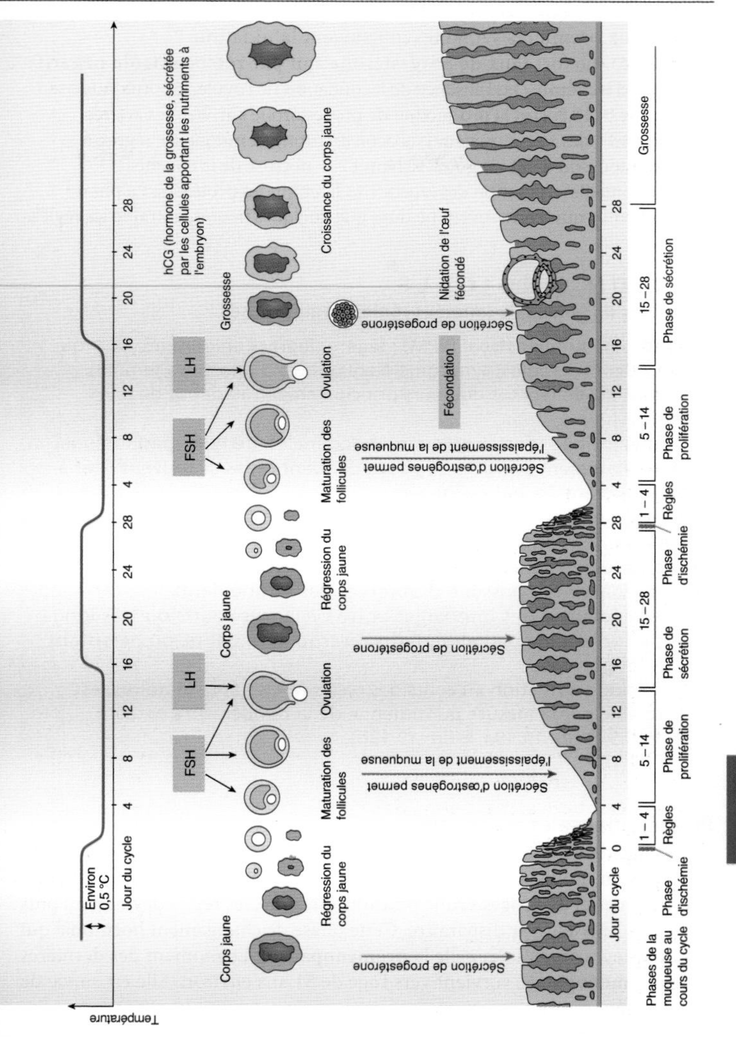

Fig. 19.13b … de la température basale, des événements se produisant au niveau de l'ovaire et de l'endomètre au cours du cycle menstruel. L'hormone hCG est synthétisée au début de la grossesse par les cellules qui fournissent les nutriments à l'œuf fécondé (trophoblaste); c'est sur sa mesure que reposent les tests de grossesse.

fécondé pénètre dans la couche fonctionnelle, il s'y nourrit pendant les deux premières semaines qui suivent la nidation (▶ 20.2). Le fort taux de progestérone agit par **rétrocontrôle négatif ;**

- **phase d'ischémie :** en l'absence de fécondation de l'ovule, le corps jaune se résorbe (▶ 19.3.2) et la production de progestérone s'arrête. Les artères endométriales se contractent (vasoconstriction), la muqueuse régresse → diminution du débit sanguin (ischémie) → nécrose de la couche fonctionnelle ; migration des leucocytes libérant des protéases. La phase d'ischémie, qui bien souvent ne dure que quelques heures, entraîne les règles.

NOTION MÉDICALE

Troubles de la menstruation et règles douloureuses

- **Syndrome prémenstruel (SPM) : légère dépression** dans les jours qui précèdent les règles ; syndrome fréquent. La plupart des femmes ressentent de légères douleurs principalement au début de leurs règles.
- **Dysménorrhée :** fortes douleurs abdominales, de type spasmodique, immédiatement avant les règles et pendant celles-ci, souvent liées à un sentiment de malaise général.

Beaucoup d'anomalies concernant l'abondance des saignements ou leur fréquence sont possibles :

- l'absence de saignement s'appelle l'**aménorrhée** ;
- il est également possible d'observer des saignements intermédiaires, des intervalles entre cycle très courts ou très longs, des saignements peu abondants ou trop abondants, ou persistant très longtemps ;
- l'absence d'ovulation au cours des cycles (**cycles anovulatoires**) est décelable par la mesure quotidienne de la température basale (▶ 19.5.5, ▶ fig. 19.13a, ▶ fig. 19.13b).

Préménopause et ménopause

Entre l'âge de 45 et 55 ans, les ovaires cessent de fonctionner : ils répondent de moins en moins aux hormones hypothalamo-hypophysaires, la quantité d'œstrogènes et de progestérone produite diminue, les règles deviennent plus rares puis finissent par disparaître. Cette phase de changement hormonal qui dure plusieurs années s'appelle la **préménopause**). Le moment des dernières règles → **ménopause,** survient vers l'âge de 51 ans environ. Elle est suivie de la **post-ménopause.**

NOTION MÉDICALE

Symptômes accompagnant la préménopause

La diminution et l'arrêt des taux d'hormones dans le sang peuvent avoir des conséquences sur l'organisme et le psychisme :

- bouffées de chaleur, sueurs, rougeurs cutanées par plaques;
- changements d'humeur, phases dépressives, nervosité, troubles du sommeil;
- troubles du rythme, vertiges;
- prise de poids;
- plus tard : atrophie au niveau de la région urogénitale (sècheresse vaginale, ↑ du risque d'infections urinaires), augmentation de l'ostéoporose (▶ 5.1.5), maladies cardiovasculaires (liées à une artériosclérose) (▶ 14.1.4).

Les symptômes et les troubles principalement subjectifs sont très différents selon les individus. Les facteurs psychosociaux jouent également un rôle.

19.3.9 Les seins chez la femme

Les seins de la femme (**glande mammaire**) font partie des caractères sexuels secondaires et, d'un point de vue fonctionnel, des organes reproducteurs.

Développement des seins

Pendant la puberté, chez la fille, les seins se développent en 1 à 3 ans à partir de la glande mammaire disposée à plat (aréole) sous l'influence des œstrogènes et de la progestérone (▶ fig. 19.14).

Structure :

- 15–20 lobes glandulaires, séparés par du tissu conjonctif lâche, composés de plus petits lobules, eux-mêmes composés d'**acini mammaires (ou alvéoles)** tapissés d'un épithélium cylindrique;
- chaque lobe débouche au niveau du mamelon par son **canal galactophore;**
- la glande mammaire contient une quantité plus ou moins grande de tissu adipeux (responsable de la grosseur et de la forme des seins).

Le développement définitif des alvéoles mammaires a lieu au moment de la première grossesse. Lors de la montée de lait (▶ 20.9.2), au début de la période d'allaitement, les seins atteignent leur taille maximale.

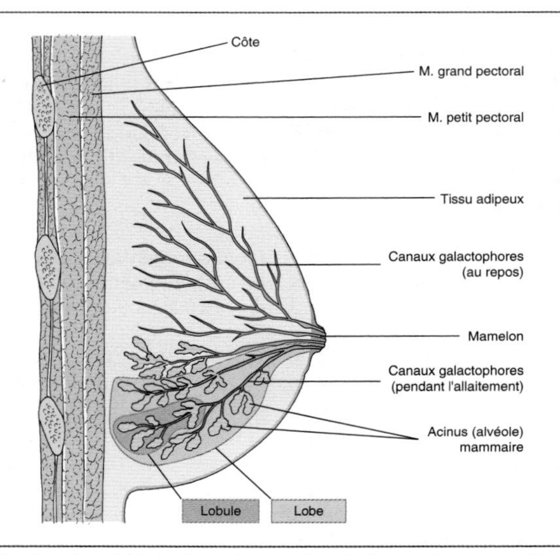

Fig. 19.14 Structure histologique du sein chez la femme (coupe sagittale).

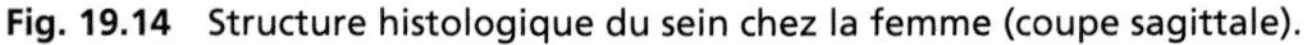

NOTION MÉDICALE

Cancer du sein

Le **cancer du sein** est la tumeur maligne la plus fréquente de la ♀. Les campagnes d'information ainsi que les examens de dépistage précoce du cancer ont permis d'augmenter la détection des stades précoces non métastatiques. Dans environ 80 % des cas, le cancer s'étend à partir des canaux galactophores (voir ci-dessus) (**carcinome canalaire invasif** ou adénocarcinome canalaire; dans 10–15 % des cas, il s'étend à partir des lobules (**carcinome lobulaire invasif**).

Signes de la présence d'une tumeur du sein :

- nodules (même ceux qui ont « toujours été là »);
- écoulement par les mamelons (sécrétions, sang);
- perte de la mobilité des tissus mammaires par rapport au muscle pectoral;
- asymétrie des seins (nouvellement apparue);
- modifications de la peau (par exemple peau d'orange, rétraction de la peau, rétraction du mamelon).

Les métastases se forment le long des voies lymphatiques, principalement dans les lymphonœuds axillaires.

Diagnostic Mammographie ou échographie. Diagnostic histologique de confirmation le plus souvent préopératoire par biopsie.

19

Traitement

- Le traitement de base est l'**ablation chirurgicale de la tumeur.** De plus en plus souvent, une chirurgie conservatrice du sein est privilégiée (tumorectomie), l'ablation de la tumeur se faisant chez une patiente en bonne santé, en renonçant à l'ablation totale du sein (**mastectomie**). Selon les résultats de la palpation et la taille de la tumeur, le chirurgien décidera s'il faut y associer l'ablation des lymphonœuds et, dans ce cas, lesquels.

En plus de l'intervention chirurgicale, il est fréquent qu'il soit nécessaire d'associer une radiothérapie, une chimiothérapie ou un traitement anti-hormonal.

19.4 Développement des organes génitaux

19.4.1 Développement avant la naissance

- Jusqu'à la 7e semaine du développement embryonnaire, les embryons de sexe masculin ou féminin ne sont pas différenciables, que ce soit par la forme de leur corps ou par leur structure organique (**stade indifférencié**). En l'absence d'influence des gonades et des hormones, le stade indifférencié se développe pour donner un embryon de sexe féminin.
- La présence ou l'absence du chromosome sexuel Y induit d'abord le développement respectivement des testicules ou des ovaires, puis la formation des autres organes génitaux internes et externes.
- Pour le reste du développement ▶ 20.

19.4.2 Développement après la naissance et puberté

- La poussée de croissance pubertaire commence vers l'âge de 11 ans environ chez les filles et environ 2 ans plus tard chez les garçons. Elle est provoquée par la sécrétion pulsatile de GnRH et, par là, des hormones sexuelles correspondantes. Celles-ci sont issues d'abord de la glande corticosurrénale → cela porte le nom d'**adrénarche.**
- La sécrétion de LH et de FSH → ovogenèse et spermatogenèse ainsi que synthèse hormonale au niveau des ovaires ou des testicules → croissance des organes génitaux, développement des caractères sexuels secondaires. Les jeunes filles ont leurs premières **règles** vers l'âge de 11–15 ans (ménarche), les garçons ont leur première **éjaculation** vers l'âge 13–15 ans (spermarche).
- La capacité de fécondation (ou de procréation) est atteinte cependant 1 à 2 ans plus tard → c'est à ce moment que se produit l'ovulation ou la formation d'une quantité suffisante de spermatozoïdes fertiles.

19.5 Sexualité

19.5.1 Cycle de la réponse sexuelle

Se déroule de façon fondamentalement identique chez l'homme et chez la femme ; il passe par le SNA (▶ tableau 8.1).

Quatre phases sont différenciées : excitation, plateau, orgasme et résolution.

- **Phase d'excitation :** différentes stimulations (par exemple vision du partenaire, odeurs, souvenirs) peuvent déclencher une sensation érotique. Le toucher de **zones érogènes** conduit à une excitation sexuelle. **Excitation sexuelle** → ↑ fréquence du pouls, pression artérielle, fréquence respiratoire et tension musculaire. Chez l'♂, le corps caverneux du pénis se remplit de sang → érection. Chez la ♀, une sécrétion de mucus a lieu pendant la phase d'excitation par les glandes de la paroi vaginale et du vestibule vaginal → humidification du vagin → facilite la pénétration du pénis en érection ou la stimulation manuelle du clitoris. Les lèvres vulvaires ainsi que le clitoris gonflent, les mamelons se durcissent.
- **Phase de plateau :** augmentation de l'excitation sexuelle liée au mouvement rythmique du pénis dans le vagin et la stimulation du clitoris et du gland par le toucher et les frottements.
- **Orgasme** (« plaisir lié à l'excitation ») : pendant la phase d'orgasme ne durant que quelques secondes, il se produit chez la ♀ un resserrement du tiers inférieur du vagin associé à des contractions des muscles du plancher pelvien et de l'utérus. Chez l'♂, le sperme est éjaculé dans la cavité vaginale postérieure par des contractions involontaires des voies séminales, de l'urètre et des muscles de la racine du pénis et du pénis (**éjaculation**).
- **Phase de résolution :** tous les organes retrouvent leur état de repos d'origine. Pendant cette phase, l'♂ (surtout) présente une absence de sensibilité à une nouvelle excitation (**phase réfractaire**).

19.5.2 Troubles de la sexualité

Le cycle complexe de la réponse sexuelle physiologique peut être perturbé :

- **absence d'orgasme (anorgasmie) :** incapacité d'atteindre l'orgasme ;
- **dysfonction érectile** (impuissance sexuelle, impotentia coeundi) : incapacité d'érection chez l'homme ou impossibilité d'avoir un rapport sexuel satisfaisant avec une éjaculation suffisante. À différencier de la **stérilité (ou infertilité)** (impotentia generandi). Une **impuissance** prolongée est le plus souvent d'origine physique.

19.5.3 Maladies sexuellement transmissibles

Suite au contact intense entre les muqueuses lors du rapport sexuel, des germes peuvent être transmis qui sont sensibles aux influences environnementales et ne sont pas transmissibles en dehors des rapports sexuels. Il faut différencier :

- les maladies vénériennes classiques (aujourd'hui seulement 10 % des MST ; presque exclusivement transmises lors du rapport sexuel : **gonorrhée (blennorragie)**, **syphilis**, **chancre mou** et **lymphogranulomatose vénérienne**) ;
- les infections qui se produisent lors du rapport sexuel, mais peuvent avoir d'autres modes ou sites de contamination.

Les deux types sont dénommés sous le terme générique de **maladies sexuellement transmissibles** (MST, ou infections sexuellement transmissibles [IST]) (en anglais, *sexually transmitted diseases* [STD]). Le plus souvent, le traitement des deux partenaires est nécessaire.

- Les principaux germes transmis sexuellement responsables d'une **infection urogénitale non spécifique** chez la ♀ et chez l'♂ sont différentes sous-espèces de **chlamydies** et de **mycoplasmes** (▶ tableau 12.3).
- **Verrues génitales** (condylome acuminé) : provoquées par le **papillomavirus humain** (HPV). Un rôle particulier dans le développement du **cancer du col de l'utérus** (▶ 19.3.4) est attribué aux sous-types 16, 18, 31 et 45. La vaccination est possible.
- ***Trichomonas vaginalis*** (▶ tableau 12.3) : les symptômes apparaissent principalement chez les ♀ → écoulement vaginal mousseux, **malodorant** (odeur de poisson), brûlures, démangeaisons. Chez l'♂, l'évolution est le plus souvent silencieuse.
- De nombreuses maladies (virales) sont transmises par contact avec le sang, ainsi que par des rapports sexuels non protégés → hépatites B et C (▶ 16.10.6), herpès génital, VIH (▶ 12.7.4). Les préservatifs protègent principalement de ces maladies.

19.5.4 Stérilité

Causes principales

Chez la ♀ :

- absence d'ovulation (par exemple par trouble hormonal ou stress) ;
- adhérence au niveau des trompes de Fallope (par exemple lors d'inflammation des annexes [salpingite] ou d'endométriose) ;
- diminution de la fertilité liée à l'âge.

Il faut différencier la stérilité de l'**infertilité** chez la ♀ → incapacité de mener à terme la grossesse après l'implantation de l'embryon (par exemple **fausses couches**).

Chez l'♂, le diagnostic de stérilité repose principalement sur l'analyse du sperme au microscope et l'étude fonctionnelle des spermatozoïdes (spermogramme).

Traitement En raison des très nombreuses causes, les traitements sont également très différents :

- traitement hormonal (par exemple stimulation de l'ovulation) ;
- intervention microchirurgicale pour reperméabiliser (lever l'obstruction) les trompes de Fallope ou les voies spermatiques ;
- psychothérapie.

Les progrès dans la **médecine de la reproduction** (techniques de procréation médicalement assistée) ont augmenté les possibilités thérapeutiques. Citons par exemple :

- l'**insémination artificielle :** le sperme est introduit devant le col de l'utérus, à l'intérieur de celui-ci ou dans la cavité utérine à l'aide d'une sonde ;

- la **fécondation *in vitro*** (FIV, *in vitro* = dans un tube à essai ou éprouvette) : la fécondation a lieu à l'extérieur du corps, puis l'embryon de 2 jours environ est transféré dans la cavité utérine ;
- l'**injection intracytoplasmique de spermatozoïdes** (ICSI) : introduction d'un spermatozoïde directement dans un ovule. Si le sperme ne contient pas de spermatozoïdes fonctionnels, des spermatozoïdes peuvent éventuellement être prélevés au niveau de l'épididyme ou du testicule.

19.5.5 Contraception

La plupart des couples utilisent des mesures contraceptives au moins temporairement → empêchent la fécondation de l'ovule ou la nidation de l'œuf fécondé dans l'endomètre. Leur efficacité est évaluée par l'**indice de Pearl** (taux d'échec pour 100 femmes par an). Il n'existe pas d'efficacité absolue (indice de Pearl de zéro) *ni* de méthode contraceptive (**contraception**) dénuée d'effets secondaires.

Méthodes contraceptives naturelles

N'interviennent pas sur la teneur hormonale et ne nécessitent pas de manipulations sur les organes génitaux → limitent les rapports sexuels aux jours non fécondants du cycle. Problème : déterminer à l'avance la période de fécondabilité du cycle durant environ 28 jours.
Conditions de réussite : discipline dans le comportement sexuel ; mode de vie régulier (par exemple pas de travail de nuit) ; cycle régulier.

- **Coït interrompu :** très incertain (indice de Pearl pouvant atteindre 35). Le rapport sexuel vaginal commence sans protection avant d'être interrompu immédiatement avant l'éjaculation par la sortie du pénis du vagin.
- **Abstinence périodique selon Knaus Ogino** : l'indice de Pearl monte jusqu'à 20. Calcul des jours non fertiles en se fondant sur le calendrier des règles.
- **Méthode des températures :** la femme mesure sa température le matin avant de se lever (▶ 17.2.1). La période *sûre* non fertile commence le 3e jour après l'élévation de la température qui se produit juste après l'ovulation (▶ fig. 19.13) et se termine avec les règles (indice de Pearl de 0,8–3).

Méthodes de contraception mécaniques et chimiques

- **Préservatif :** méthode de contraception mécanique la plus utilisée. Juste avant le rapport sexuel, le préservatif est placé sur le pénis en érection et recueille le sperme. Après le rapport sexuel, le pénis doit être retiré du vagin avec le préservatif, avant la fin de l'érection, afin d'éviter que du sperme parvienne dans le vagin. Avantage : pas d'effets secondaires, protège également des infections (par exemple VIH) ; dans l'ensemble, bonne efficacité (indice de Pearl d'environ 4).
- **Diaphragme** et **cape cervicale :** doivent empêcher l'entrée des spermatozoïdes dans l'utérus. Inconvénients : risque d'échec particulièrement élevé (indice de Pearl montant jusqu'à 20), souvent irritation locale.

- **Dispositif intra-utérin** (DIU, spirale contraceptive, stérilet) : empêche la nidation de l'œuf fécondé (indice de Pearl d'environ 2). La spirale métallique ou plastique recouverte de cuivre est placée dans la cavité utérine par le médecin dans des conditions d'asepsie et peut y rester environ 3 ans. Inconvénient : règles plus abondantes, souvent apparition d'inflammation des annexes utérines (▶ 19.3.3) principalement chez les ♀ qui n'ont pas encore eu d'enfants. **Dispositif intra-utérin hormonal** (DIU hormonal) : forme particulière qui peut délivrer pendant 5 ans une petite quantité de progestatifs dans l'utérus (stérilet Mirena®). Très efficace (indice de Pearl d'environ 0,2). Entraîne soit la diminution des règles, soit leur absence totale.

Contraception hormonale

- **Inhibiteurs de l'ovulation** (pilule contraceptive, **pilule**) : forme la plus connue de contraception hormonale. Contient un mélange d'œstrogènes et de progestatifs.
- Les hormones peuvent également être apportées par un **anneau vaginal,** ou un **patch contraceptif.**

NOTION MÉDICALE

Mode d'action des inhibiteurs de l'ovulation

- L'apport hormonal réprime la sécrétion de LH au milieu du cycle (▶ fig. 19.13) et donc l'ovulation.
- La faculté de migration des spermatozoïdes au niveau du col est plus difficile car la glaire cervicale reste visqueuse.
- En outre, les hormones modifient le transport de l'ovule dans la trompe de Fallope et empêchent la nidation de l'œuf par leur action sur l'endomètre.

- Protection multiple → exceptionnellement efficace (indice de Pearl 0,1–1). Adapté également aux jeunes ♀ souhaitant ultérieurement avoir des enfants. Améliorent les symptômes liés à la menstruation et diminuent les risques de certaines tumeurs bénignes ovariennes ou du sein ainsi que les risques de cancer de l'ovaire ou de l'endomètre. La majorité des ♀ supportent bien la pilule.
- **Contre-indications :** après une thrombose veineuse profonde (TVP, ▶ 11.5.7), en cas de tumeur maligne hormonodépendante (carcinome mammaire ▶ 19.3.9), lors de certaines pathologies du sang et du foie, ainsi que chez les femmes de plus de 35 ans qui fument (très forte ↑ du risque d'effets indésirables graves).
- La **pilule progestative** (microdosée ou normodosée), qui contient des progestatifs purs, représente alors souvent une alternative → n'inhibe *pas* l'ovulation, mais empêche l'entrée des spermatozoïdes dans l'utérus, du fait de la persistance de glaires cervicales visqueuses. Inconvénients : doit être prise chaque jour à heure fixe; l'efficacité n'est pas aussi bonne qu'avec un inhibiteur de l'ovulation (indice de Pearl de 0,5–3). Le mode

d'action des progestatifs retards est semblable (**injection trimestrielle, implants sous-cutanés**). Comparativement à la micropilule, ils sont plus efficaces, mais plus difficilement contrôlables ; l'implant peut éventuellement être difficile à retirer.

REMARQUE

La « **pilule du lendemain** » (contraception suite à un rapport non protégé) empêche, du fait de la forte dose hormonale, la *nidification* de l'ovule fécondé, mais *pas* la *fécondation* → adapté uniquement comme mesure d'urgence, par exemple lors de déchirure d'un préservatif ou de viol.

Stérilisation

Si les partenaires ont réalisé leur désir d'avoir des enfants ou s'il existe de forts risques pour la santé de la ♀ de mener à terme une grossesse, un des deux partenaires peut souhaiter une stérilisation permanente :

- Chez l'♂ : section des canaux déférents (**vasectomie**).
- Chez la ♀ : ligature chirurgicale des trompes de Fallope après section, ou coagulation ou pose de clips, le plus souvent sous **laparoscopie** (**cœlioscopie**).

20 Développement, grossesse et naissance

Le développement de l'être humain à partir d'une seule cellule (œuf) fécondée est un processus complexe. Il faut différencier les **développements prénatal** et **postnatal.**

REMARQUE

Événements précédant la naissance → **prénatal** ; autour de la naissance → **périnatal** ; après la naissance → **postnatal.**

Le développement prénatal se divise en trois parties :

1. Stade des premières divisions mitotiques (appelé la phase **germinative** ou **pré-embryonnaire**) : ensemble des processus se déroulant depuis la fécondation jusqu'à la nidation de l'œuf dans l'endomètre ; terminé aux environs du 10e jour.
2. **Phase embryonnaire :** commence à la 2e semaine et se termine à la fin de la 8e semaine de grossesse (SG). Moment de l'**organogenèse** (formation des organes).
3. **Phase fœtale :** à partir de la 9e SG, l'embryon prend le nom de fœtus. Différenciation des organes et début de leur fonctionnement. En particulier dans les deux derniers mois, prise de poids. Vers la fin de la grossesse, le fœtus lui-même met en place les processus qui déclencheront sa naissance.

REMARQUE

Quelques définitions

- **Durée de la grossesse après conception (donnée en semaines de grossesse, SG)** : du jour de la fécondation jusqu'au jour de la naissance = Ø 266 jours = 38 semaines = 9 mois.
- **Durée de la grossesse après les dernières règles (donnée en semaines d'aménorrhée, SA) :** du 1er jour des dernières règles jusqu'au jour de l'accouchement = Ø 280 jours = 40 semaines = 9,5 mois.

La grossesse est divisée en trois trimestres de longueur légèrement différente. Grâce à l'échographie, la durée en semaines s'est imposée :

- **début de la grossesse (1er trimestre) :** jusqu' à la fin de la 12e semaine ;
- **milieu de la grossesse (2e trimestre) :** de la 13e semaine à la fin de la 24e semaine ;
- **fin de grossesse (3e trimestre) :** de la 25e semaine à la fin de la 40e semaine ou jusqu'à la naissance.

20.1 De la fécondation à la nidation

20.1.1 Fécondation

- Si, pendant son transport jusqu'à l'utérus, l'ovule rencontre un spermatozoïde fécondant, les deux cellules peuvent fusionner, ce qui donne lieu à une **fécondation** (**conception**) → restauration d'un jeu de chromosomes diploïdes. Du fait de la méiose, il s'est produit un mélange de matériel génétique (▶ 3.12.2) → variations d'espèce. Au moment de la fécondation, le sexe (chromosomique) du nouvel organisme est déjà établi (▶ fig. 20.1).
- Après l'éjaculation, le sperme se trouve devant l'orifice externe du col de l'utérus (▶ fig. 19.8) → les spermatozoïdes migrent jusqu'aux trompes de Fallope en remontant le col puis la cavité utérine. La sécrétion d'une glaire vaginale plus fluide pendant l'ovulation facilite l'entrée des spermatozoïdes.
- Seuls 300 à 500 des nombreux millions de spermatozoïdes atteignent le tiers supérieur des trompes de Fallope. Là, le plus souvent, plusieurs spermatozoïdes rencontrent presque en même temps l'ovule. Les membranes cellulaires du premier spermatozoïde et de l'ovule fusionnent → le spermatozoïde pénètre dans l'ovule (**imprégnation**). Immédiatement après, la zone pellucide (▶ 19.3.2) subit des modifications chimiques → devient infranchissable pour les autres spermatozoïdes.
- Dans l'ovule, il ne reste que la tête du spermatozoïde qui se place à proximité du noyau maternel, la queue (flagelle) est éliminée. La tête du spermatozoïde se dilate pour former le **pronucléus** → s'unit au pronucléus maternel. La nouvelle cellule engendrée (**zygote)** contient deux jeux complets de 23 chromosomes (diploïde) (l'un est issu du spermatozoïde et l'autre est issu de l'ovule).

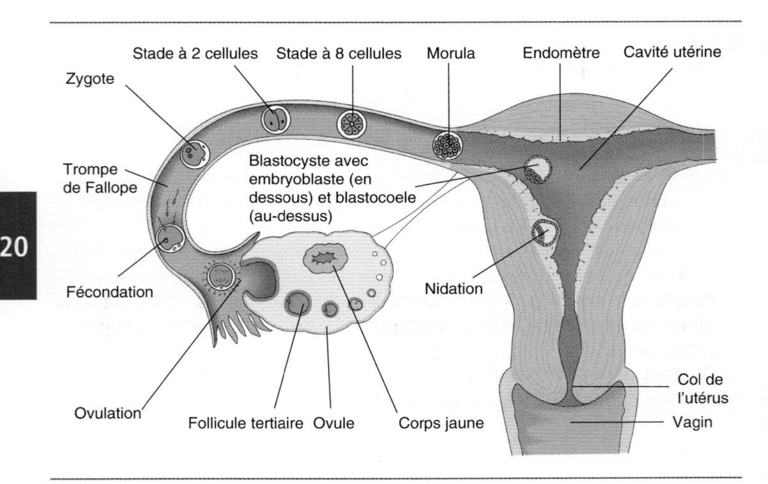

Fig. 20.1 Développement de l'embryon à partir du zygote, du stade à deux cellules jusqu'au stade blastocyste.

20.1.2 Première division cellulaire (segmentation)

- Quelques heures plus tard commencent les premières divisions mitotiques (**divisions de segmentation**). Zygote → d'abord à 2 cellules, puis 4 cellules puis 8, 16, etc. → formation d'une **morula** (ressemblant à une mûre, du latin *morus*, mûre, ▶ fig. 20.1). Jusqu'au stade à 8 cellules, chaque cellule conserve une capacité totale de différenciation en n'importe quelle cellule de l'organisme (**totipotence**) : ce sont des cellules pluripotentes.
- Environ 4 jours après la conception, l'entrée de liquide dans la morula la transforme en un **blastocyste** doté d'une cavité portant le nom de **blastocoele (ou blastocèle)** (▶ fig. 20.4).

REMARQUE

Le blastocyste présente un épaississement, qui contient la véritable masse de cellules (l'**embryoblaste** ou bouton embryonnaire) à partir de laquelle se développera l'embryon. La paroi cellulaire qui entoure la vésicule (**trophoblaste,** du grec *trophé,* alimentation) permettra de nourrir l'embryon pendant les deux premières semaines qui suivront sa nidation.

20.1.3 Nidation (implantation) et différenciation trophoblastique

Le blastocyste atteint l'utérus et reste au départ libre dans la cavité utérine.

- Jours J5 à J6 : entre en contact avec l'endomètre et pénètre à l'intérieur (progression du pôle embryonnaire). À partir de ce moment, les cellules trophoblastiques produisent des enzymes protéolytiques (qui digèrent les tissus) → elles se « nourrissent » de l'endomètre. Grâce à la **progestérone,** hormone secrétée par le corps jaune (▶ 19.3.7), l'endomètre est prêt à recevoir l'embryon. Afin de pouvoir nourrir l'embryon qui se développe, le trophoblaste se scinde en deux couches → permet le raccordement au système vasculaire maternel :
  - le **cytotrophoblaste** qui entoure l'embryoblaste et forme constamment de nouvelles cellules ;
  - le **syncytiotrophoblaste :** par la fusion de cellules trophoblastiques, il se forme des cellules « géantes » multinucléées → croissent vers l'intérieur de l'endomètre (▶ fig. 20.4). Les substances qui sont ainsi libérées servent au départ à la nutrition de l'embryon (période **histiotrophe,** du grec *histio,* tissu).

REMARQUE

En plus d'enzymes protéolytiques, le syncytiotrophoblaste synthétise la **gonadotrophine chorionique humaine** (hCG pour *human chorionic gonadotrophin*) ou hormone de la grossesse → maintient le fonctionnement du corps jaune pendant les premières semaines de la grossesse. En son absence, l'endomètre serait éliminé → la grossesse ne serait pas possible. L'hCG peut être mise en évidence dans le sérum maternel à partir du 9e jour qui suit la fécondation, c'est-à-dire avant l'observation de l'aménorrhée (non-retour des règles). Dans l'urine, l'hCG est mesurable à partir du 14e jour de la fécondation (**test de grossesse**).

- De J11 à J13 : l'embryon est totalement entouré par l'endomètre. Le tissu est de plus en plus vascularisé → de légers saignements sont possibles, ce que de nombreuses femmes prennent pour des règles, bien qu'elles soient enceintes.

20.1.4 Grossesse multiple

Développement simultané de deux ou de plusieurs embryons dans l'utérus. Signification médicale : plus de risques pour la mère comme pour les fœtus par rapport à une grossesse monofœtale → surveillance particulière.

- **Faux jumeaux :** fécondation simultanée de deux ovules par des spermatozoïdes différents (**triplés** lors de fécondation de trois cellules, et ainsi de suite). Les ovules peuvent provenir du même ovaire ou des deux ovaires → Les faux jumeaux sont des **jumeaux dizygotes** (deux œufs) → peuvent avoir le même sexe ou des sexes différents. Ils ne sont pas plus semblables d'un point de vue génétique que leurs frères et sœurs nés des autres grossesses.
- **Vrais jumeaux (jumeaux monozygotes) :** se développent à partir d'un seul **ovule** → même sexe, génétiquement identiques, se ressemblent en général. La division de l'œuf fécondé en deux organismes différents peut avoir lieu très précocement (par exemple au stade à 2 cellules), mais aussi plus tardivement, après la nidification du blastocyste → signification pour les relations des membranes et du placenta et, de ce fait, pour les risques encourus par les fœtus (▶ 20.4). Si l'embryon ne se divise pas totalement, il se forme des jumeaux partiellement fusionnés (**jumeaux siamois**).

NOTION MÉDICALE

Grossesse ectopique

Le plus souvent, l'implantation du blastocyste (et ultérieurement du placenta) a lieu au niveau du tiers supérieur de la paroi dorsale de l'utérus. D'autres localisations intra-utérines (par exemple à proximité du col utérin) peuvent engendrer d'importants saignements pendant la grossesse et l'accouchement (**placenta praevia**).

Dans 1 à 2 % de l'ensemble des grossesses, l'implantation a lieu *en dehors* de l'utérus (**grossesse extra-utérine** [GEU]), et dans > 90 % de ces cas, elle a lieu dans les trompes de Fallope (**grossesse tubaire**), rarement dans les ovaires (**grossesse ovarienne**) ou dans la cavité abdominale (**grossesse abdominale ou grossesse péritonéale**). L'embryon commence à se développer, mais meurt en règle générale dans un délai variable (pas de place pour sa croissance, pas de vascularisation suffisante).

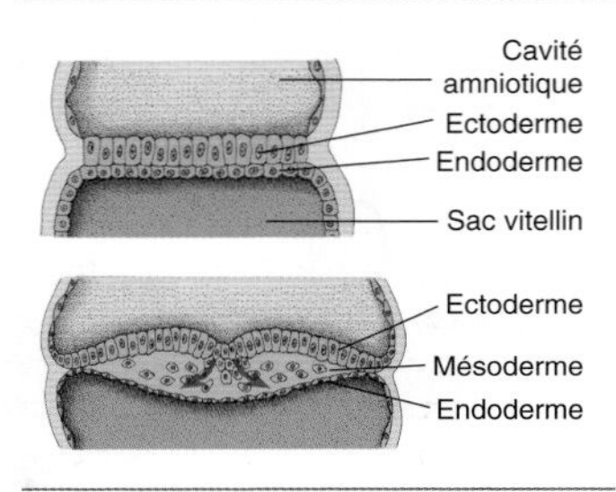

Fig. 20.2 Développement des feuillets embryonnaires. À partir du disque embryonnaire (en haut), les trois feuillets embryonnaires se développent par migration des cellules mésodermiques.

20.2 Développement de l'embryon

À partir de J8 environ après la conception, l'embryoblaste se différencie en deux couches embryonnaires qui forment ensemble le **disque embryonnaire didermique**. Ce disque embryonnaire didermique se développe ensuite en un **disque embryonnaire tridermique** (▶ fig. 20.2) à partir duquel se développent les différents organes et tissus au cours des semaines suivantes :

- l'**ectoderme ou ectoblaste :** couche externe (dorsale), tournée vers l'utérus → système nerveux, organes des sens, peau;
- le **mésoderme ou mésoblaste :** couche intermédiaire → cœur, muscles, tissus conjonctif et de soutien (▶ 4.3), organes génitaux, squelette, vaisseaux sanguins, cellules sanguines, reins, organes lymphoïdes, hypoderme;
- l'**entoderme ou entoblaste (ou endoderme) :** couche interne, tournée vers la cavité de l'utérus → épithélium des organes respiratoires et digestifs, voies urinaires excrétrices, glande thyroïde, foie, pancréas.

Le développement s'effectue rapidement (▶ fig. 20.3) :

- fin 3e SG/début 4e SG (= 5/6e SA) : cerveau, suivi peu de temps après de la moelle spinale par allongement de la plaque neurale;
- 4e SG : l'embryon prend une forme en C du fait d'une croissance inégale (inflexion). À la fin de la 4e semaine, il est possible de reconnaître les ébauches des membres supérieurs et inférieurs, les fossettes auditives et les placodes cristalliniennes aux emplacements ultérieurs du cristallin. Début des premières contractions cardiaques, les vaisseaux se sont formés. À l'extrémité de la trachée se forment les premiers bourgeons pour le développement de l'arbre bronchique et des poumons;
- 5e SG : poursuite du développement du cerveau, du visage et des bras, en particulier les mains, les reins définitifs se forment;
- 6e SG : visible de l'extérieur, principalement croissance des membres inférieurs et observation des bourgeons auriculaires (oreilles);

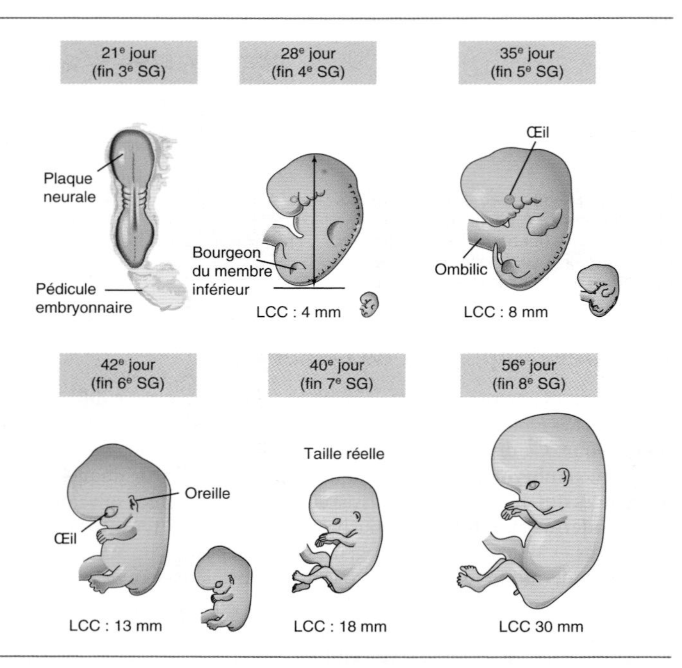

Fig. 20.3 Vue générale du développement embryonnaire. LCC = longueur crâniocaudale. (Source : Moore, Persaud : Clinically oriented embryology : The developing human, 9th ed. Saunders, 2013.)

- 7e SG : paupières. La cavité abdominale est trop petite pour l'intestin en développement → hernie intestinale au niveau de l'ombilic (**hernie ombilicale physiologique,** rétrocède normalement) ;
- fin de la 8e SG : la tête, le cou, la nuque, les membres supérieurs et inférieurs et le sexe de l'enfant sont reconnaissables. Taille : 3 cm !

20.3 Placenta

Placenta : organe qui sépare et relie la mère et le fœtus. Son développement commence au moment de l'implantation dans l'utérus. Son rôle se termine quelques secondes après la naissance, lorsque le flux sanguin dans l'ombilic s'arrête.

20.3.1 Développement précoce

- Vers J8 après la conception commence le développement placentaire (**placentation**) (▶ fig. 20.4) : des vacuoles apparaissent dans le syncytiotrophoblaste → confluent pour former des lacunes.

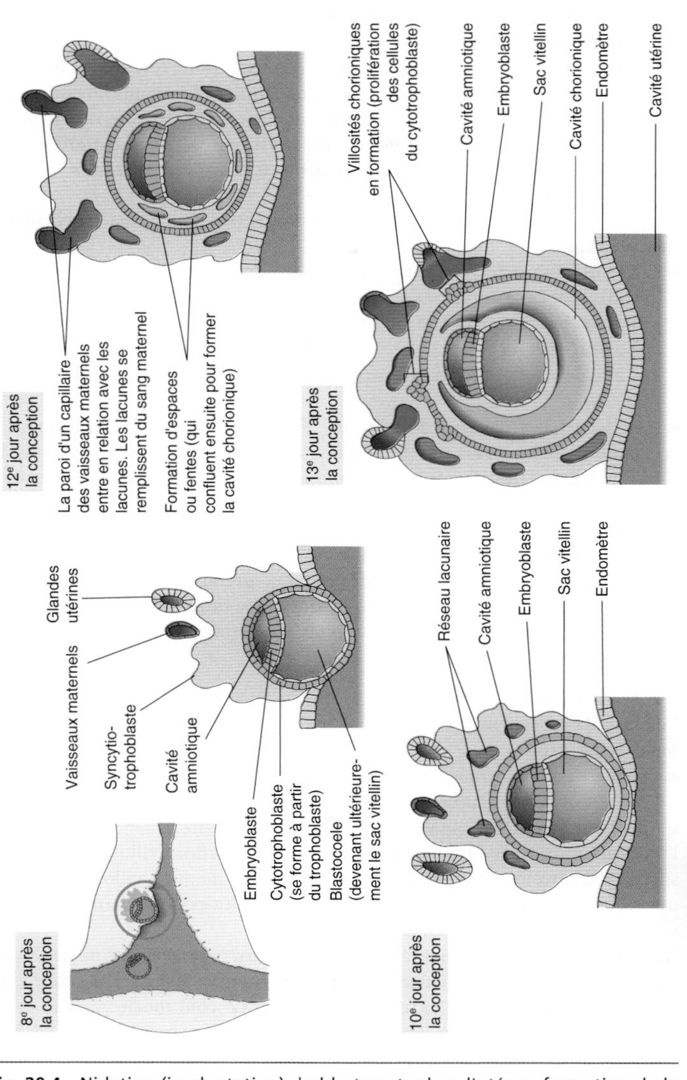

8e jour après la conception

Vaisseaux maternels

Glandes utérines

Syncytio-trophoblaste

Cavité amniotique

Embryoblaste

Cytotrophoblaste (se forme à partir du trophoblaste)

Blastocoele (devenant ultérieurement le sac vitellin)

10e jour après la conception

Réseau lacunaire

Cavité amniotique

Embryoblaste

Sac vitellin

Endomètre

12e jour après la conception

La paroi d'un capillaire des vaisseaux maternels entre en relation avec les lacunes. Les lacunes se remplissent du sang maternel

Formation d'espaces ou fentes (qui confluent ensuite pour former la cavité chorionique)

13e jour après la conception

Villosités chorioniques en formation (prolifération des cellules du cytotrophoblaste)

Cavité amniotique

Embryoblaste

Sac vitellin

Cavité chorionique

Endomètre

Cavité utérine

Fig. 20.4 Nidation (implantation) du blastocyste dans l'utérus, formation de la cavité amniotique, du sac vitellin et de la cavité chorionique et enfin début de la formation des villosités.

- Vers J12, le syncytiotrophoblaste s'est tellement développé dans l'endomètre qu'il a ouvert les capillaires utérins → le sang maternel entre dans le **réseau lacunaire.**
- À partir de J13 : le cytotrophoblaste s'épaissit pour former le **chorion**, qui entoure totalement l'embryon. Les cellules cytotrophoblastiques prolifèrent vers l'intérieur à partir du chorion et s'insinuent dans le syncytiotrophoblaste → il se forme des **villosités,** qui se différencient ultérieurement par colonisation par du tissu conjonctif et des capillaires.

À partir de ce moment-là, l'embryon est nourri par le sang maternel (**phase hémotrophe**).

- Les villosités orientées vers le myomètre poursuivent leur croissance tandis que celles orientées vers la cavité utérine régressent → division du chorion en une partie riche en villosités (**plaque choriale ou chorion villeux** ▶ fig. 20.5), représentant la partie fœtale du placenta et une partie pauvre en villosités (**lame choriale ou chorion lisse** ▶ fig. 20.6).
- Au départ, la croissance destructrice de l'embryon vers l'intérieur de l'endomètre maternel ressemble à une croissance tumorale. Cependant, 2 à 3 jours plus tard, l'endomètre commence à se transformer pour former la **caduque (ou décidue ou membrane déciduale)** → la substance fondamentale ainsi formée entraîne l'arrêt de la pénétration. La membrane déciduale située dans la région de la plaque choriale s'appelle la **caduque basilaire;** le reste de la caduque prend le nom de **caduque pariétale.** La caduque est un lieu de **tolérance immunologique** de la mère pour son fœtus qui comprend 50 % de protéines étrangères (d'origine paternelle).

20.3.2 Placenta mature

Le **placenta** est également constitué d'une partie fœtale et d'une partie maternelle (▶ fig. 20.5) :

- **partie fœtale :** formée de la plaque choriale et d'environ 15–20 cotylédons contenant une arborisation villositaire;
- **partie maternelle :** caduque (ou déciduale) basilaire.

La plaque choriale se ramifie encore plus → arborisations villositaires dont la surface est extrêmement agrandie par la présence de microvillosités. Autour des villosités, il reste de petits **espaces intervillositaires (ou chambres intervilleuses)**.

Au moment de l'accouchement, le placenta est un organe en forme de disque (environ 18 cm Ø, 2 cm d'épaisseur, pesant environ 500 g). Du côté fœtal, lisse, se trouve le cordon ombilical (▶ 20.4.2). Le côté tourné vers la paroi utérine présente des sillons de profondeur et de formes variables → divisé en **cotylédons.** Quelques villosités s'ancrent dans la caduque basilaire pour former des villosités crampon. Au moment du terme, la surface d'échange entre la mère et le fœtus, formée par les villosités, est extraordinairement développée (15–18 m^2). Le placenta est éliminé juste après l'enfant au moment de la **délivrance** (▶ 20.8.1).

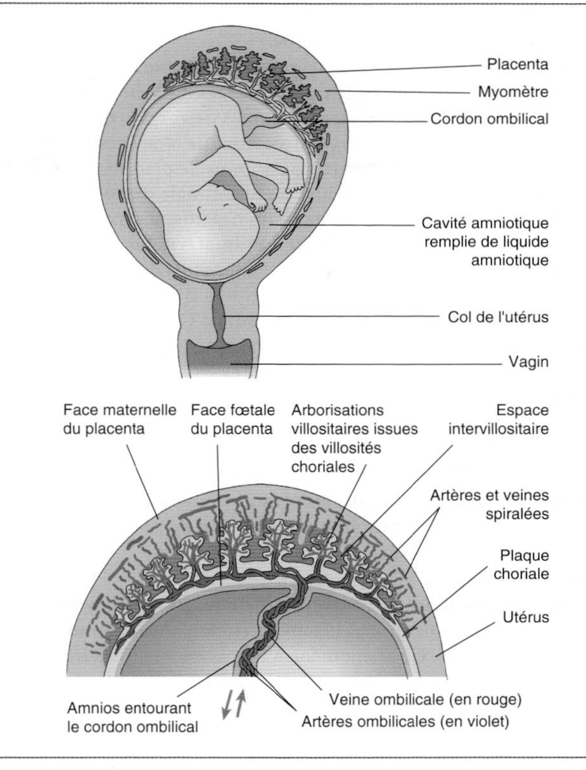

Fig. 20.5 Structure du placenta. En haut, vue générale ; en bas, vue détaillée. Les vaisseaux fœtaux se ramifient dans la plaque choriale, le sang maternel s'écoule autour des villosités choriales.

20.3.3 Vascularisation

- Le sang maternel passe de l'utérus à l'intérieur des chambres intervilleuses par le biais d'artères spiralées ; il entoure les villosités (▶ fig. 20.5) avant de retourner dans la circulation maternelle par des veines.
- Le sang fœtal enrichi en oxygène et en nutriments est collecté, après être passé dans les arborisations villositaires, par de petites veines de la plaque choriale puis est drainé vers le fœtus par la **veine ombilicale**. Les arborisations villositaires séparent le sang maternel du sang fœtal. La mère et le fœtus ont chacun leur propre hématopoïèse et souvent également des groupes sanguins différents !

20.3.4 Rôles

Les rôles joués par le placenta sont essentiels :

- **biosynthèse hormonale, enzymatique et protéique :** le cytotrophoblaste et le syncytiotrophoblaste sont en mesure de produire pratiquement toutes les hormones de l'organisme. Ils synthétisent principalement des œstrogènes, de la progestérone et de l'hCG en grande quantité. À partir du 3e mois, le placenta peut prendre complètement en charge la production hormonale du corps jaune. Les précurseurs hormonaux proviennent des organismes maternel et fœtal *et* du trophoblaste → forment l'**unité fœtomaternelle.** En outre, le placenta synthétise d'innombrables enzymes ainsi que des protéines de transport, de réserve ou structurales.
- **Échange gazeux et métaboliques :** l'apport d'O_2 et de nutriments au fœtus ainsi que l'évacuation des produits issus du métabolisme passent par le sang maternel qui baigne les villosités fœtales. Les sangs maternel et fœtal sont séparés par le chorion, le tissu conjonctif fœtal et l'endothélium vasculaire (ce qui forme la **barrière placentaire**). De petites substances hydrosolubles (par exemple O_2, CO_2, eau, glucose, quelques hormones ou médicaments) peuvent traverser par diffusion simple ; les plus grosses molécules (comme les acides aminés [AA], les protéines) ont besoin de mécanismes de transport spécifiques (▶ 3.7).
- **Échanges thermiques.**
- **Protection immunitaire de l'embryon et du fœtus :** l'embryoblaste, l'embryon et le fœtus ne sont pas éliminés en tant que protéines d'origine étrangère (paternelle). Ce phénomène n'est pas encore totalement élucidé. Ce qui est certain, c'est que la décidue est le lieu d'une certaine immunotolérance et que le trophoblaste présente de nombreuses caractéristiques qui le différencient des cellules qui déclenchent une réaction immunitaire.

20.4 Sac amniotique, enveloppes (membranes) fœtales et cordon ombilical

20.4.1 Sac amniotique et enveloppes (membranes) fœtales

- Jusqu'au 8e jour du développement, l'embryon présente deux cavités fermées (▶ fig. 20.4, ▶ fig. 20.6) :
  - le **blastocoele** situé contre ce qui deviendra ultérieurement la cavité abdominale de l'embryon. Il commence par grossir pour devenir la vésicule vitelline (ou **sac vitellin**) primitive, puis s'atrophie jusqu'à la 11e SG;
  - peu de temps après, la **cavité amniotique** se forme entre l'embryoblaste et le trophoblaste. Elle se remplira ultérieurement de liquide amniotique.

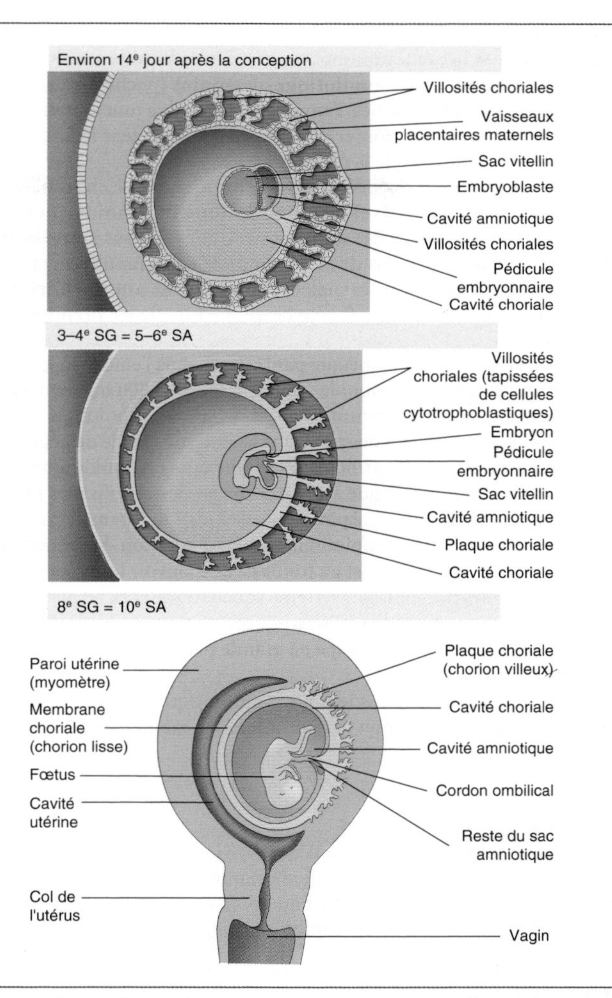

Fig. 20.6 Étapes du développement de l'embryon et du fœtus, du sac amniotique et des membranes fœtales.

- Une 3e cavité apparaît ultérieurement : le trophoblaste forme des fentes ou espaces qui se réunissent pour former la **cavité choriale** (ou chorionique) → entoure la totalité de l'embryon sauf au niveau d'un petit « pont » ou pédicule, le **pédicule embryonnaire.** Le sac vitellin et le pédicule embryonnaire deviendront ultérieurement une partie du cordon ombilical.

- À partir de J8, l'épithélium amniotique commence à sécréter du **liquide** dans la cavité → la cavité amniotique, remplie de **liquide amniotique,** prend alors le nom de **sac amniotique ou amnios** (poche des eaux). Au cours des premières semaines, l'amnios se développe tout autour de l'embryon et finit par l'entourer complètement → protège le fœtus des chocs, des adhérences et de la déshydratation.
- La cavité amniotique se développe et refoule la cavité choriale, qui finit par disparaître. L'**enveloppe amniotique ou amnios** qui forme la limite externe de la cavité amniotique bute alors sur l'**enveloppe choriale** ou **chorion** → les deux enveloppes fusionnent pour former une seule enveloppe indifférenciée, la **membrane amniochoriale** → l'ensemble chorion/amnios forme ce qu'on appelle les **membranes fœtales**.
- Le liquide amniotique est fabriqué par le fœtus puis l'embryon lui-même. À la 20e SA, la quantité de liquide amniotique est de 500 ml environ ; à la 38e SA, elle atteint au maximum 1,5 litres. Le liquide amniotique est totalement renouvelé en 3 heures. Dans la seconde moitié de la grossesse, les reins du fœtus sont les principaux producteurs du liquide amniotique (urine). Le liquide amniotique est réabsorbé par les membranes fœtales, les poumons et l'intestin (« inspiré » puis dégluti). Au premier trimestre de la grossesse, le liquide amniotique empêche la fusion de l'amnios et de l'embryon. Plus tard, il permet au fœtus de se mouvoir librement afin d'« entraîner » ses muscles, son système squelettique et sa respiration (encore via des poumons remplis de liquide). En outre, il apporte une protection mécanique et participe en grande partie à la thermorégulation (▶ 20.3.4).
- La présence de cellules dans le liquide amniotique (par exemple issues de la peau du fœtus) permet la réalisation des examens prénataux (▶ 20.7.6).

NOTION MÉDICALE

Lors de troubles du développement des reins, le liquide amniotique est presque totalement absent (**oligohydramnios**). Si l'embryon n'est pas capable de déglutir, la quantité de liquide amniotique produite par jour peut atteindre 10 l/jour → **hydramnios** (ou polyhydramnios).

20.4.2 Cordon ombilical

Relie la mère à l'enfant. À la fin de la grossesse, il mesure 2 cm d'épaisseur et 50–60 cm de long. Il renferme trois vaisseaux : deux artères dotées d'une épaisse couche musculaire, qui s'enroulent autour d'une veine (▶ fig. 20.7). L'ensemble de ces vaisseaux est entouré d'un tissu conjonctif gélatineux formant la **gelée de Wharton** → protection de la compression. Le cordon ombilical est recouvert à l'extérieur par la membrane amniotique.

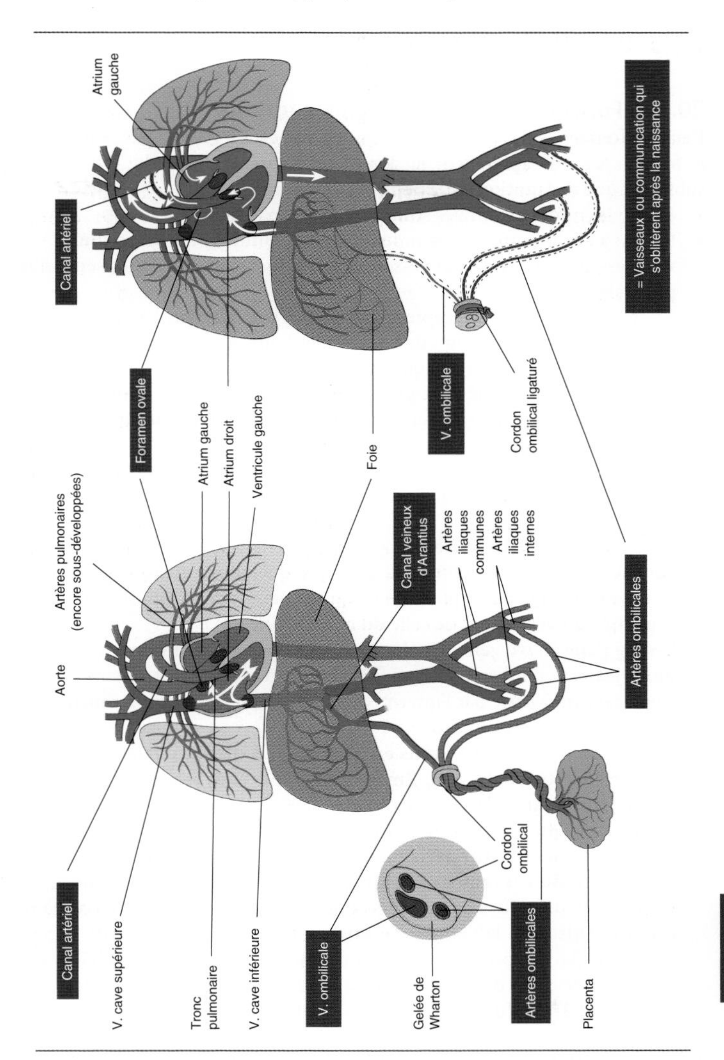

Fig. 20.7 À gauche : circulation fœtale. À droite : mise en place de la circulation après ligature du cordon ombilical. Au moment de la première respiration, les poumons se remplissent d'air → modification des rapports de pression → le foramen ovale et le canal artériel se ferment. Les vaisseaux ombilicaux se collabent et se thrombosent; le canal veineux d'Arantius devient le ligament veineux du foie. Toutes les communications sont d'abord fermées uniquement d'un point de vue fonctionnel, mais finissent par se fermer anatomiquement quelques mois après la naissance.

20.5 Développement fœtal

20.5.1 Fonctionnement des organes fœtaux

Période fœtale : le développement des organes est en grande partie terminé ; le fœtus s'accroît rapidement en longueur et prend du poids ; les organes subissent une maturation et deviennent fonctionnels.

- 8e SG : les ondes cérébrales sont mesurables par EEG (▶ 8.13.1) ;
- 9e SG : à l'échographie, des mouvements spontanés du corps sont visibles, mais ils ne seront ressentis par la mère que quelques semaines plus tard ;
- à partir de la 9e SG, les récepteurs sensoriels sont en place ; à partir de la 11e semaine, le fœtus réagit de façon réflexe aux stimulations ; à partir de la 25e semaine, il est certain qu'il peut ressentir la douleur ;
- au cours de la 2e moitié de la grossesse, le fœtus réagit aux ondes, peut ressentir le goût, avaler, différencier la lumière et l'obscurité et maintenir son corps en équilibre ;
- les phases typiques du sommeil sont enregistrables déjà avant la naissance (▶ 8.8.3, ▶ 8.13.1).

20.5.2 Circulation fœtale

Comme les fonctions des poumons ainsi que quelques fonctions hépatiques sont prises en charge par le placenta jusqu'à la naissance, la circulation fœtale est organisée différemment de celle du nouveau-né :

- le sang riche en oxygène issu du placenta parvient par la **veine ombilicale**, se rend en partie au foie et en partie directement dans la veine cave inférieure par l'intermédiaire du **canal veineux d'Arantius** ; de là, il parvient à l'atrium droit ;
- la paroi interatriale du fœtus est percée d'un orifice ovale (**foramen ovale** ▶ fig. 20.7, ▶ 13.2.1). Environ 50 % du sang relativement riche en oxygène issu de la veine cave inférieure traverse le foramen ovale pour passer du l'atrium droit directement à l'atrium gauche puis au ventricule gauche afin d'irriguer la moitié supérieure du corps (**irrigation du cerveau** !). L'autre moitié du sang provenant de la veine cave inférieure se mélange avec le sang très pauvre en oxygène (désaturé) issu de la veine cave supérieure → ventricule droit → ne passe pas par les poumons (shunt pulmonaire) → **canal artériel** → aorte (en dessous du point de départ des artères irrigant la tête !). Seulement 10 % du sang environ passe par la circulation pulmonaire ;
- à l'extrémité des artères iliaques communes se trouve l'embranchement des deux **artères ombilicales** aux parois musculaires épaisses, qui vont au placenta pour y délivrer le sang « utilisé ». Là, le sang est enrichi avec de l'O_2 « frais » et des nutriments.

20

NOTION MÉDICALE

Particularités de la circulation fœtale

- Éjection parallèle du sang dans la grande circulation par le cœur droit et le cœur gauche.
- Irrigation préférentielle du cerveau et du cœur.
- Diminution relative de la circulation sanguine au niveau pulmonaire.
- Transport du sang « utilisé » au placenta par des vaisseaux ayant une forte pression (artères).

20.6 Troubles développementaux

Très peu de nouveau-nés (environ 2–3 %) naissent avec des **malformations**. Ces malformations peuvent être d'origine **génétique** (transmises par les parents) ou *de novo* (se produisant pour la première fois), **environnementale** ou peuvent apparaître suite à l'association de ces deux facteurs (▶ 1.2.2).

NOTION MÉDICALE

Tératogènes

Facteurs exogènes qui engendrent des malformations congénitales → médicaments (par exemple cytostatiques ou thalidomide), alcool, toxiques environnementaux, rayons X ou rayonnements ionisants.

De même, des infections contractées pendant la grossesse (par exemple la rubéole ou le cytomégalovirus) peuvent engendrer des malformations. Dans la plupart des cas, les causes de la malformation restent obscures.

20.6.1 Consommation d'alcool pendant la grossesse

En Europe centrale, l'alcool est le principal tératogène responsable d'effets sur le fœtus. Environ 1000 enfants naissent chaque année en France avec une **embryofœtopathie alcoolique** marquée (syndrome d'alcoolisation fœtale) → malformations (typiquement au niveau du visage), troubles de la croissance, handicap mental (déficit intellectuel), troubles du comportement. Les formes légères sont bien plus fréquentes avec une incidence de 0,6–1 %, mais bien souvent ne sont pas reconnues. Il faut renoncer à l'alcool pendant la grossesse !

20.6.2 Tabagisme et hypoxie fœtale

Une femme enceinte sur cinq fume ! La nicotine rétrécit les vaisseaux qui alimentent le fœtus en O_2. Le monoxyde de carbone évince l'O_2 au niveau des hématies → les fumeuses donnent souvent naissance à des enfants de faible poids (retard de croissance).

20.6.3 Le moment où le tératogène agit est décisif

Le **moment** de la grossesse où le tératogène a agi est décisif du point de vue de la malformation qui se développe. En se fondant sur les différents stades de développement prénataux, il est possible de différencier quatre types de troubles se traduisant chacun par des malformations « typiques » (▶ tableau 20.1).

Tableau 20.1 Troubles développementaux se produisant au cours des différentes périodes du développement

Type de trouble Moment de la survenue	Processus biologiques au moment du trouble	Troubles développementaux qui en résultent
Gamétopathie Avant ou pendant la conception	• Formation des gamètes masculins ou féminins • Terminaison des divisions de la méiose	**Aberrations chromosomiques** (structure ou nombre), par ex. trisomie 21 (▶ 1.2.2). Le plus souvent, **mort embryonnaire** (passe inaperçue ou avortement précoce = fausse couche précoce) ; chez les enfants nés vivants, **syndrome polymalformatif** (ensemble de malformations complexes et typiques)
Blastopathie Entre J0 et J18 après la conception	• Premières divisions du zygote (segmentation) • Développement du blastocyste • Différenciation de l'embryoblaste et du trophoblaste • Nidation	Le plus souvent avortement précoce, plus rarement **malformations par duplication** (par ex. duplication caudale), très rarement jumeaux siamois, **grossesse extra-utérine** (▶ 20.1.3)
Embryopathie Entre J18 et 8 SG (= 10 SA)	• Formation des organes et systèmes organiques • Différenciations organiques • Différenciation du placenta	**Malformations isolées,** par ex. malformations du SNC (anomalie du tube neural), malformations cardiaques ou vasculaires (▶ 13.2.1), fentes labio-maxillo-palatines (bec de lièvre). Selon le moment de la survenue et la durée de l'action des facteurs responsables, des **malformations multiples** sont possibles. Causes multiples
Fœtopathies De la 9ᵉ SG (= 11 SA) à la naissance	• Achèvement de la différenciation des organes • Croissance et maturation	Moins d'anomalies marquées, **troubles de la croissance ou de la maturation** avec anomalies fonctionnelles. Les causes les plus nombreuses sont les infections, par ex. toxoplasmose (infection par des protozoaires → cécité, handicap mental et autres lésions organiques chez le fœtus)

20

20.7 Grossesse

20.7.1 Premier trimestre de grossesse : jusqu'à la fin de la 12e SG

Le premier trimestre de la grossesse doit être décrit pour l'organisme maternel comme une **phase d'adaptation et de transformations**, qui est très souvent troublée par des nausées matinales, des vomissements, de la fatigue ou une humeur dépressive. Chez le fœtus, les ébauches organiques achèvent de se mettre en place.

Détermination de la date du terme

Comme le moment exact de la fécondation n'est le plus souvent pas connu, le 1er jour des dernières règles sert de point de départ pour le calcul. En se fondant sur une durée de 280 jours et en considérant que la conception a eu lieu 14 jours après le début des règles, la date du terme peut être estimée selon la **règle de Naegele** :

NOTION MÉDICALE

Calcul de la date de l'accouchement

1er jour des dernières règles + 7 jours – 3 mois + 1 an

Exemple : 10/4/2011 + 7 jours = 17/4/2011 – 3 mois = 17/1/2011 + 1 an = 17/1/2012

Si la date du début des dernières règles n'est pas connue, de nos jours le premier examen échographique facilite la détermination du terme par la mesure de la cavité utérine et de la longueur de l'embryon.
En raison de la variabilité de la durée normale d'une grossesse, seulement 4 % des naissances ont lieu au moment du terme calculé et seulement 26 % dans l'intervalle de 7 jours autour de la date estimée du terme.

20.7.2 Deuxième trimestre de la grossesse : semaines 13 à 24

- **Phase de bien-être :** les modifications corporelles deviennent visibles → les seins grossissent, le ventre s'arrondit, une hyperpigmentation s'observe en particulier au niveau des mamelons et de la ligne médiane abdominale. Éventuellement, apparition de **vergetures**.
- La circulation sanguine doit transporter plus de sang, le cœur doit fournir un plus gros débit. La respiration est plus importante (hyperventilation de la femme enceinte ▶ 15.8.5). Diminution du tonus des muscles lisses du tube digestif, des vaisseaux et des voies urinaires du fait des changements hormonaux → les femmes enceintes sont sujettes aux varices des membres inférieurs, aux infections urinaires, à la constipation et aux brûlures d'estomac.
- **Prise de poids :** normalement 1 à 1,5 kg/mois → la prise de poids totale est de 8 à 12,5 kg jusqu'à la fin de la grossesse. Toute prise de poids au-delà de 12,5 kg est consécutive à des excès alimentaires ou reflète la présence d'un œdème considérable.

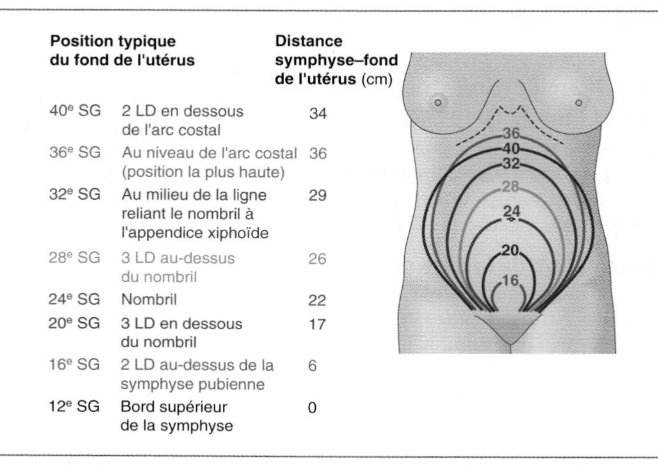

Position typique du fond de l'utérus		Distance symphyse–fond de l'utérus (cm)
40ᵉ SG	2 LD en dessous de l'arc costal	34
36ᵉ SG	Au niveau de l'arc costal (position la plus haute)	36
32ᵉ SG	Au milieu de la ligne reliant le nombril à l'appendice xiphoïde	29
28ᵉ SG	3 LD au-dessus du nombril	26
24ᵉ SG	Nombril	22
20ᵉ SG	3 LD en dessous du nombril	17
16ᵉ SG	2 LD au-dessus de la symphyse pubienne	6
12ᵉ SG	Bord supérieur de la symphyse	0

Fig. 20.8 Croissance de l'utérus. Après la 36ᵉ SG, l'utérus commence à s'abaisser (LD = largeur de doigt).

- Hauteur de l'utérus (distance symphyse–fond utérin) : en 3 mois, l'utérus a la taille d'un poing environ et il est palpable juste sur le bord supérieur de la symphyse pubienne. À la fin du 6ᵉ mois, il atteint la hauteur du nombril ; vers la fin du 9ᵉ mois, il atteint l'arc costal. Au cours des quatre dernières semaines, l'utérus redescend à nouveau car la partie ventrale du fœtus (le plus souvent la tête) entre dans le petit pelvis de la mère (▶ fig. 20.8).

NOTION MÉDICALE

Fausse couche (avortement spontané)

L'**avortement spontané** correspond à l'expulsion précoce de l'embryon ou d'un fœtus dont le poids est < 500 g *et* ne présente pas de signes vitaux. Ne nécessite pas de déclaration obligatoire à l'état-civil. Ses causes sont nombreuses et il est difficile de l'éviter. La femme remarque l'avortement spontané (ou son imminence) le plus souvent par la présence de saignements et/ou de douleurs dans le bas ventre ou dans les reins. Les avortements spontanés à répétition représentent un important sujet de stress psychique.

20.7.3 Troisième trimestre de grossesse : à partir de la 25ᵉ semaine

Phase d'inconfort physique : presque toutes les activités de la vie quotidienne sont gênées par la taille de l'abdomen → le **congé maternité** commence 6 semaines avant la date du terme estimée. Pendant le congé maternité (qui se termine 8 semaines après la naissance), la femme enceinte est libérée de ses activités professionnelles. Pendant ce temps, le fœtus poursuit sa maturation, sa croissance et met en réserve du tissu adipeux.

20.7.4 Troubles de la grossesse

- Au cours du 3e trimestre de la grossesse, l'utérus appuie sur la veine cave inférieure lorsque la femme est en position allongée sur le dos → diminution du retour veineux au cœur, baisse du remplissage cardiaque, baisse du débit cardiaque → **syndrome de compression de la veine cave inférieure :** vertiges (pouvant aller jusqu'à l'évanouissement), pâleur, sudation. Le fœtus ne reçoit plus assez d'O_2 (hypoxie). Si la femme enceinte change de position pour s'allonger sur le côté, les troubles s'arrêtent immédiatement, sans conséquences pour l'enfant.
- **Toxémie gravidique :** terme général désignant des maladies spécifiques de la grossesse :
  - **pré-éclampsie** (anciennement gestose EPH) : atteint environ 5 % des femmes se trouvant au dernier trimestre de la grossesse. Œdème (anglais **E***dema*), **P**rotéinurie (excrétion de protéines dans les urines ▶ 18.4.4) et **H**ypertension. Beaucoup de femmes sont surprises par la pré-éclampsie. **Signes d'appel (d'alarme) :** crises de vertiges, troubles visuels (scintillements), bourdonnements d'oreille, vomissements, gonflement des membres inférieurs et prise de poids rapide en quelques jours;
  - forme dangereuse : le **syndrome HELLP** → trouble des fonctions hépatiques et de la coagulation, douleurs épigastriques. Risque élevé pour la mère et l'enfant;
  - la forme la plus grave ou **éclampsie** représente une menace vitale pour la mère comme pour l'enfant → crises convulsives et coma. Le seul traitement est l'accouchement immédiat par césarienne.
- **Diabète gestationnel** ou « de grossesse » : apparition pour la première fois d'un diabète pendant la grossesse; aussi fréquent que la toxémie gravidique. Du fait de l'augmentation de la production d'hormones placentaires, qui agissent comme des antagonistes de l'insuline (▶ 10.7.1) et de l'insulinorésistance plus élevée typique de la grossesse, le pancréas atteint ses limites concernant la production d'insuline. Les valeurs élevées de la glycémie chez la mère → hyperglycémie chez l'enfant → le poids à la naissance dépasse souvent largement > 4000 g (**macrosomie**) avec, en même temps, un retard de développement des fonctions organiques et une augmentation du risque d'hypoxie. **Diagnostic précoce :** test d'hyperglycémie provoquée par voie orale (HGPO). **Traitement :** régime, exercice important, éventuellement insuline.

NOTION MÉDICALE

Accouchement prématuré

Environ 9 % des enfants naissent avant la fin de la 37e SG. Cause : principalement infection maternelle → contractions prématurées (souvent non douloureuses) et/ou rupture de la poche des eaux. Autres causes : grossesse multiple, anomalies utérines, surmenage de la mère, arrêt programmé de la grossesse (par exemple en cas de toxémie de gestation ou d'hypoxie fœtale); souvent, la cause ne peut pas être déterminée.

20.7.5 Suivi prénatal

Chaque femme enceinte a droit à des **examens prénataux** réguliers :

- établissement de la grossesse ;
- contrôle du groupe sanguin, de l'hémoglobine, examen urinaire (▶ 18.4.4) ;
- examen physique avec mesure du poids, de la tension artérielle, évaluation de la taille de l'utérus et du col de l'utérus ;
- examens sanguins pour recherche de germes : syphilis, toxoplasmose, rubéole, hépatite B (VIH uniquement si consentement de la mère) ainsi que recherche de *Chlamydiae*.

20.7.6 Diagnostic prénatal

Tous les examens précédant la naissance avec comme objectif :

- de déceler des troubles du développement embryonnaire ou fœtal ;
- par un dépistage précoce, de permettre un traitement optimal de la mère et du fœtus ;
- d'être un outil décisionnel pour choisir la poursuite ou l'interruption de la grossesse.

Le diagnostic prénatal *n'est pas* assimilable à l'amniocentèse → il comprend également des échographies régulières. Le diagnostic prénatal ciblé, complémentaire, comprend principalement un certain nombre d'examens sanguins de la mère (par exemple les **examens sérologiques du 1er trimestre**), des examens échographiques spécifiques pour dépister les malformations, une amniocentèse, une choriocentèse (biopsie des villosités choriales), une cordocentèse (prélèvement de sang du cordon ombilical) et une biopsie cutanée du fœtus. En l'absence d'une consultation complète, les examens du diagnostic prénatal ne sont pas entrepris. La femme enceinte peut refuser tous les examens.

Amniocentèse

Prélèvement de liquide amniotique, réalisé de préférence entre la 15e et la 17e SG. Sous échoguidage, le médecin prélève un échantillon de liquide amniotique dans la cavité amniotique à l'aide d'une aiguille introduite au travers des parois abdominale et utérine. Examen du liquide amniotique ainsi que des cellules fœtales baignant à l'intérieur → renseigne sur les anomalies biochimiques et chromosomiques. Complications : avortement spontané dans environ 0,5 % des cas → à réaliser uniquement si :

- prédisposition héréditaire connue chez les parents ;
- accouchement préalable d'enfants présentant des anomalies développementales ;
- signes de risque accru d'aberration chromosomique à l'examen échographique, lors des examens sérologiques du premier trimestre ou lorsque la mère est âgée.

Choriocentèse (biopsie des villosités choriales)

Prélèvement de tissu issu des villosités choriales, en général par ponction abdominale sous échoguidage à partir de la 11e semaine de grossesse.

- Avantage : les résultats de l'examen sont bien plus précoces que ceux de l'amniocentèse.

- Inconvénient : des résultats faux positifs sont possibles (résultats pathologiques chez un enfant sain) → autres examens complémentaires indispensables.

Le risque d'avortement spontané est identique à celui de l'amniocentèse.

20.7.7 Interruption volontaire de grossesse

De nombreuses femmes (et/ou leur partenaire) souhaitent réaliser une **interruption volontaire de grossesse** (IVG) lorsque la grossesse n'est pas souhaitée (avortement). En France, en 2015, le taux annuel d'IVG était de 14,5 pour 1000 femmes. En France, l'avortement est légal jusqu'à 14 SA ou 12 SG.

20.8 Naissance

Pendant la grossesse, le taux important d'œstrogènes dans le sang de la mère sensibilise déjà ses muscles utérins à l'action de l'**ocytocine** (hormone posthypophysaire ▶ 10.2.1) → stimulation et entretien des contractions. Dès les derniers mois de la grossesse, des **contractions** se produisent, mais ne permettent pas l'accouchement. Les **prostaglandines** (▶ 1.5.2) sont synthétisées en plus grande quantité au cours du dernier trimestre de la grossesse → ramollissent le col utérin (maturation cervicale) → il peut alors s'ouvrir sous l'effet des contractions.

Les hormones fœtales parviennent dans le liquide amniotique via les urines → poursuite de l'augmentation de la synthèse des prostaglandines maternelles → début de l'accouchement. Le SNA est activé → mise en place de contractions régulières permettant l'ouverture du col utérin → début de l'accouchement.

20.8.1 Accouchement normal (eutocique)

Phase de dilatation du col

- **Début :** apparition des contractions régulières → effacement de la partie inférieure de l'utérus, dilatation du col de l'utérus, engagement de l'enfant dans le canal pelvien.
- **Fin :** ouverture complète du col de l'utérus (▶ fig. 20.9).
- **Durée :** chez les **primipares** (1er accouchement), 10–12 heures, chez la **multipare** (2 accouchements ou plus), 5–7 heures.

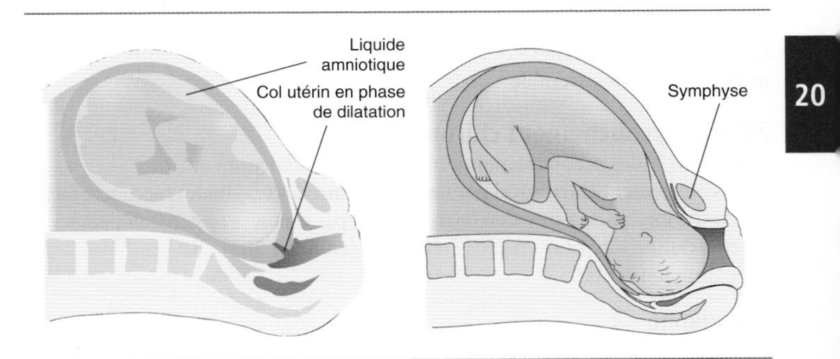

Fig. 20.9 Dilatation du col pendant la phase de dilatation.

Phase de travail (expulsion du fœtus)

- **Début :** lorsque le col de l'utérus est totalement ouvert (environ 10 cm).
- **Fin :** naissance de l'enfant.
- **Durée :** chez la primipare, peut durer 2 heures; chez la multipare, environ 30–60 minutes.
- L'intensité et la fréquence des contractions augmentent fortement → jusqu'à 5 contractions par 10 minutes.
- Lorsque la **première partie du fœtus qui se présente dans le bassin (présentation fœtale)** (en règle général la tête) a atteint le plancher pelvien et que le col de l'utérus est totalement ouvert, la parturiente doit participer à l'expulsion de l'enfant par des poussées abdominales actives → **phase de poussée abdominale** (durant environ 20–30 minutes), les mesures d'accompagnement faites par la sage-femme sont particulièrement importantes → par exemple correction de la position de la parturiente (la cambrure par exemple conduit à une courbure importante du canal de naissance).
- Après le passage de la tête, les épaules et le corps sortent au cours d'une même contraction (▶ fig. 20.10).

Phase de délivrance (expulsion des annexes)

- **Contractions de délivrance :** commencent quelques minutes après la naissance de l'enfant → décollement et expulsion du placenta et des membranes.
- Après l'**expulsion du placenta,** l'utérus se rétracte fortement → diminution de la taille des plaies. La surface collant au placenta qui, peu de temps avant, saignait abondamment est colmatée par un processus de coagulation (▶ 11.5.5).

NOTION MÉDICALE

Le **placenta** est examiné par la sage-femme ou le gynécologue, afin de s'assurer que les membranes et principalement la face maternelle du placenta (creusée de sillons) a bien été éliminée totalement.
Si des vestiges persistent dans l'utérus (rétention placentaire), ils peuvent entraîner des infections et des hémorragies post-partum, plus rarement des excroissances polypeuses voire un **choriocarcinome placentaire.**

Le nouveau-né et sa mère doivent alors se reposer des efforts importants, au mieux en restant ensemble.

20.8.2 Accouchement chirurgical

Près de 40 % des accouchements en France sont chirurgicaux :

- **accouchement chirurgical par les voies naturelles (vaginale) :** accouchement via des forceps ou extraction instrumentale par ventouse obstétricale;
- césarienne : de plus en plus fréquente (environ 20 % des accouchements).

Césarienne

Contrairement à l'extraction par les voies naturelles, l'**accouchement par césarienne** s'effectue par voie abdominale. Il faut différencier la césarienne

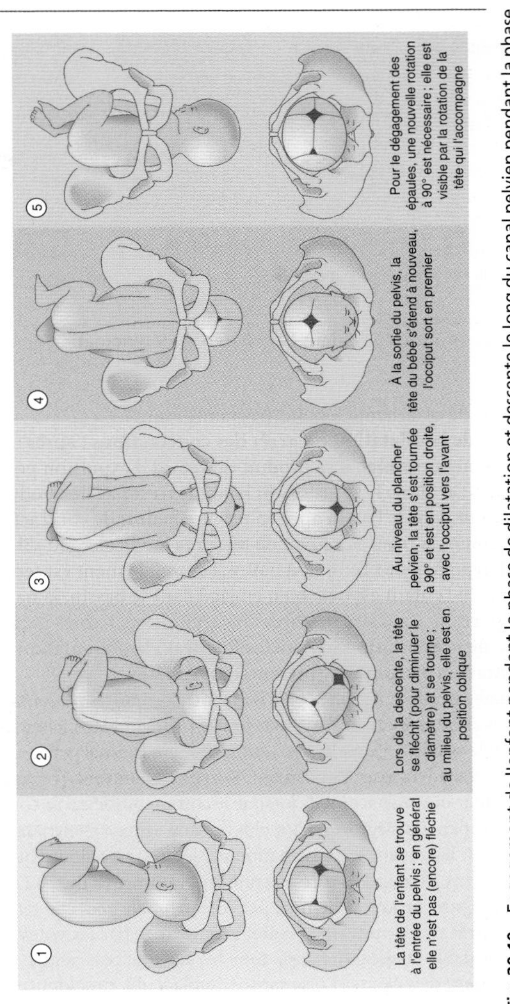

Fig. 20.10 Engagement de l'enfant pendant la phase de dilatation et descente le long du canal pelvien pendant la phase d'expulsion lors d'accouchement physiologique (eutocique).

programmée (planifiée) de la césarienne d'urgence s'effectuant après le début d'un accouchement par les voies naturelles (césarienne en cours de travail). L'incision est placée au-dessus de la symphyse → écartement de la peau, des muscles abdominaux, du péritoine et de la paroi utérine → ouverture de la poche des eaux → extraction de l'enfant.

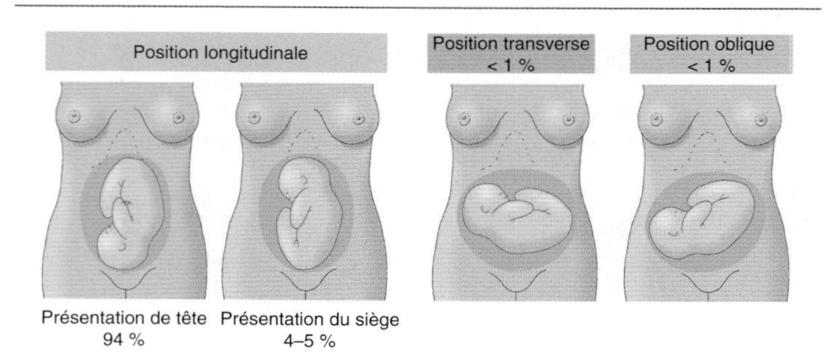

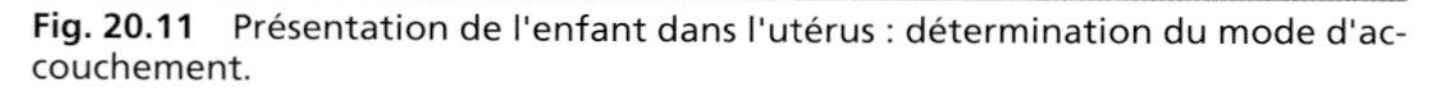

Fig. 20.11 Présentation de l'enfant dans l'utérus : détermination du mode d'accouchement.

Les indications de césarienne les plus fréquentes sont :

- **stagnation de la dilatation ou arrêt des contractions :** après un début d'accouchement normal, il se produit un retard d'expulsion pouvant aller jusqu'à l'arrêt de l'expulsion. Si le fœtus n'est pas descendu suffisamment dans le bassin après plusieurs heures de contractions et éventuellement la mise en œuvre de mesures médicales, ou s'il y a des risques d'hypoxie pour l'enfant à naître, l'accouchement est terminé par césarienne. Si l'enfant est déjà bien engagé dans le bassin, la naissance peut être terminée par des mesures chirurgicales par voies naturelles;
- **anomalie de présentation (dystocies fœtales) :** la présentation normale → **présentation en sommet** (présentation en tête).
  - l'anomalie de présentation la plus fréquente (4–5 %) → **présentation du siège** → risque supérieur d'hypoxie fœtale pendant l'accouchement. Les pieds et le siège ne distendent pas suffisamment le canal pelvien → la tête ne peut pas suivre assez rapidement → hypoxie. Souvent, l'hypoxie peut représenter une menace vitale lorsque le cordon ombilical se coupe après le dégagement du siège → il n'y a plus de sang « frais » atteignant le corps de l'enfant. Un enfant en présentation par le siège est aujourd'hui presque toujours mis au monde par césarienne programmée (▶ fig. 20.11). Chez une multipare, un accouchement par voie naturelle peut être tenté;
  - lors de **présentation transversale,** la naissance par les voies naturelle est impossible et nécessite dans **tous les cas** une césarienne.
- **autres risques :** décollement prématuré du placenta, procidence du cordon ombilical ou contractions trop intenses et trop fréquentes → risque aigu de diminution de l'apport en oxygène au fœtus → par exemple retard de décélération ou bradycardie décelée au cardiotocogramme (tracé du rythme cardiaque fœtal). Le placenta peut entrer en contact avec le col de l'utérus, faire saillie au-dessus du col ou le recouvrir totalement → risque d'hémorragie pour la mère et le fœtus. De nos jours, un placenta praevia est diagnostiqué par échographie généralement avant la naissance. Un placenta praevia total → indication absolue de césarienne en urgence;

- chez l'enfant non encore né, le **sang riche en oxygène** parvient par la veine ombilicale (très faible pression sanguine). En cas de **compression du cordon ombilical** (par exemple lors de procidence du cordon) → une compression même légère entraîne une diminution de l'apport de sang enrichi en oxygène à l'enfant ! → surveillance étroite de l'enfant pendant l'accouchement.

NOTION MÉDICALE

Suite d'une hypoxie

Si l'enfant subit une hypoxie prolongée pendant l'accouchement, le cerveau est irréversiblement lésé → souvent paralysie spastique et handicap mental (paralysie cérébrale ▶ 8.8.10).

20.9 Post-partum (période puerpérale)

20.9.1 Déroulement du post-partum

REMARQUE

Post-partum (période puerpérale)

Période qui suit la naissance (6–8 semaines), pendant laquelle les modifications physiologiques de la mère régressent.

Les **caractéristiques essentielles** du post-partum sont les suivantes :

- **retour à la normal de l'utérus** : soutenu souvent par des **contractions utérines,** peut être accéléré par l'augmentation du nombre de tétées (l'ocytocine sécrétée pendant l'allaitement conduit à des contractions utérines) ;
- **cicatrisation des plaies utérines** et éventuellement du canal pelvien : formation de tissu dans l'utérus → **lochies.** Tout d'abord hémorragiques puis sécrétions pâles ; s'arrêtent environ après 4–6 semaines. Au total 400–1200 ml de lochies ;
- déclenchement et maintien de la **lactation** ;
- reprise du fonctionnement ovarien.

NOTION MÉDICALE

Lochies

Au départ, les lochies ne sont pas infectieuses, mais déjà au bout de 24 heures des germes issus de la région vulvaire ont colonisé la cavité utérine → éviter le contact avec les seins hautement sensibles ! → risque de **mastite.**

Mastite puerpérale ou lactationnelle

Inflammation purulente du sein, principalement chez les primoparturientes. Du fait des tensions mécaniques au niveau du mamelon pendant l'allaitement → petites déchirures cutanées → pénétration des bactéries issues de la flore buccale du nourrisson (principalement des staphylocoques, ▶ 12.6.1) → prolifération rapide dans le tissu conjonctif lâche → inflammation douloureuse.

20.9.2 Allaitement (lactation)

Pendant la grossesse, le tissu de la glande mammaire augmente de taille (▶ fig. 19.14). Il ne se produit cependant pas d'émission notable de lait.
Après la naissance, le taux de progestérone et d'œstrogènes diminue dans le sang de la mère, car le placenta, lieu de leur production, a été éliminé →

- À ce moment, la **prolactine**, sécrétée pendant la grossesse, mais jusque-là inhibée par les œstrogènes, peut se mettre à agir. Prolactine → **synthèse de lait.**
- La stimulation mécanique (tétée) → mise en place de la sécrétion de lait (**montée de lait**), 2 à 4 jours après la naissance. Souvent, la montée de lait est liée à un engorgement (gonflement) des seins douloureux et important → soulagement par l'application de compresses froides (ou poche de glace) et par l'augmentation du nombre des tétées du nourrisson.

REMARQUE

Éjection du lait (conditions pour l'écoulement du lait) : passe par le biais de l'**ocytocine.** L'aspiration au niveau du mamelon pendant la tétée (succion) → sécrétion d'ocytocine par la posthypophyse (▶ 10.2.1, ▶ fig. 10.4) → sang → glande mammaire → contraction des canaux galactophores.

À chaque tétée, il se produit une nouvelle libération de prolactine → poursuite de la production de lait. La quantité de lait se réduit lorsque la mère fournit au nourrisson une autre source de nourriture et se tarit lorsque le nourrisson arrête de téter.

20.9.3 Reprise de l'activité ovarienne

Les trois premières semaines après la naissance, il existe une **absence de fécondité (stérilité post-partum) physiologique,** car les ovaires et l'hypophyse sont entrés dans une période réfractaire. Le plus souvent, pendant les 4 à 5 semaines qui suivent la naissance, il n'y a ni règles ni ovulation, que la mère allaite ou non son bébé.

- L'**allaitement** agit comme un inhibiteur des processus reproducteurs : le taux élevé de prolactine sanguine → peut conduire à une aménorrhée pendant des mois si l'enfant est allaité sur une longue période et très souvent. Dans le cas contraire, les ovaires reprennent leur activité cyclique au cours de la 4e semaine qui suit la naissance (retour de couches).
- Si les parents souhaitent **prévenir une nouvelle grossesse**, ils doivent prendre en considération l'influence négative des pilules contraceptives œstrogéniques sur la production de lait, ainsi que le passage des œstrogènes dans le lait → la contraception pendant l'allaitement ne doit se faire qu'avec des pilules purement progestatives (micropilules) ou des méthodes contraceptives mécaniques ou chimiques (▶ 19.5.5).

Index

U

V

475220 – (I) – (5,5) – Terraprint 70
Elsevier Masson S.A.S
65, rue Camille-Desmoulins,
92442 Issy-les-Moulineaux Cedex

Dépôt légal : juin 2018

Composition : SPI

Imprimé en Italie par Trento